KB087333

완역
성리대전
❹

이 저서는 2010년 정부(교육과학기술부)의 재원으로 한국연구재단의 지원을 받아 수행된 연구임(NRF-2010-322-A00065)

완역
성리대전 ❹

윤용남·이충구·김재열·윤원현
추기연·이철승·심의용·김형석
이치억·김현경 역주

家禮

學古房

성리대전 총목차

性理大全書目錄　성리대전서 목록

家禮 가례

家禮一
가례 1[1]

1 『性理大全』권18, 家禮1은 28가지의 家禮圖를 싣고 있다. 그러나 이 그림들은 주자가『家禮』를 저술할 당시 실은 것이 아니다. 주자 당시 '미완의 缺典'이었던『家禮』가 그 후 1415년『性理大全』에 실리기까지 200여 년간 여러 시대에 걸쳐 수차례 편집과 변천을 거치면서 끼어든 것이다.(아래의 그림 참조) 그러기에『家禮』의 이해를 도와야 할 圖解가 오히려 본문의 이해를 방해하거나 심지어 오해에 빠뜨리기도 한다. 그리하여 본문의 내용과 다르게 그려진 부분들을 번역 과정에서 그때마다 밝히고자 한다.

家禮 28圖의 系譜

구분	1.家廟之圖	2.祠堂之圖	3.深衣圖∴三圖	4.裁衣法	5.深衣冠履之圖	6.行冠禮圖	7.昏禮親迎之圖	8.衿鞶篋笥楎椸圖	9.小斂圖	10.襲含哭位之圖	11.大斂圖	12.喪服圖式	13.冠絰絞帶圖式	14.斬衰杖屨圖	15.齊衰杖屨圖	16.喪祭器具之圖	17.喪輿之圖	18.木宗五服之圖	19.三父八母服制之圖	20.妻爲夫黨服圖	21.外族母黨妻黨服圖	22.神主式	23.櫝韜藉式	24.櫝式	25.尺式	26.大宗小宗圖	27.正寢時祭之圖	28.每位設饌之圖
攝崇義『三禮圖集註』962년					△	△		△		△			△	△	△											△	△	
陳祥道『禮書』元祐: 1086~1093년			△		△																○							
程頤 作主式 二程集 卷11																						○						
朱熹 深衣制度 文集 卷68			○	○	○																							
臨漳傳本『祭儀』																						○						
潘時擧 主式尺式 1213년																						○			△			
黃榦『儀禮經傳通解續』1223년													△	△			○					○	△					
楊復『儀禮圖』1228년			△	△								○	○				○											
周復 5卷本 1245년												○																
『纂圖集註』本 南宋末	○	○	○	△					○	○	○															○	○	
黃瑞節『朱子成書』本 1305년	○	○	○	○	○	○	○	○	○	○	○	○	○	○	○	○	○	○	○	○	○	○	○	○	○	○	○	○
性理大全本 1415년	1.家廟之圖	2.祠堂之圖	3.深衣圖∴三圖	4.裁衣法	5.深衣冠履之圖	6.行冠禮圖	7.昏禮親迎之圖	8.衿鞶篋笥楎椸圖	9.小斂圖	10.襲含哭位之圖	11.大斂圖	12.喪服圖式	13.冠絰絞帶圖式	14.斬衰杖屨圖	15.齊衰杖屨圖	16.喪祭器具之圖	17.喪輿之圖	18.木宗五服之圖	19.三父八母服制之圖	20.妻爲夫黨服圖	21.外族母黨妻黨服圖	22.神主式	23.櫝韜藉式	24.櫝式	25.尺式	26.大宗小宗圖	27.正寢時祭之圖	28.每位設饌之圖

(○ : 성리대전과 유사하거나 동일한 그림 / △ : 내용은 일치하지 않지만 공통된 주제가 있는 그림)

家禮圖　가례도

[18-1]

家廟之圖　가묘지도

1. 家廟之圖：　가묘家廟 그림[2]

[18-2]

祠堂之圖 사당지도

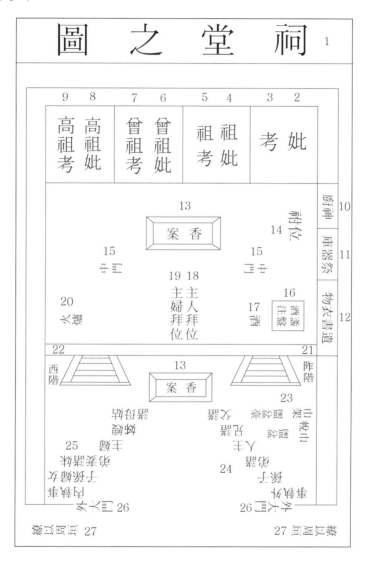

祠堂之圖 사당지도

- -

2 家廟之圖:『家禮』의 가례 28도 가운데 첫 그림으로서『家禮』를 저술한 주자의 취지에 비추어 볼 때 불분명하
다. 왜냐하면 그림의 정확성은 논외로 치더라도 명칭상 주자의『家禮』가 갖는 가장 중요한 의의 가운데 하나
가 기존의 家廟制度가 아니라, 새로운 祠堂制度의 정초에 있었기 때문이다. 앞의 가례 28도의 계보에서 볼
수 있듯이, 이 그림은 남송 말『纂圖集註』본에 처음 삽입되어 黃瑞節의『朱子成書』를 거쳐『性理大全』본에
수록되었다. 丘濬은 그의『家禮儀節』에서 이 점을 가례도가『家禮』本書와 다른 첫 번째 항목으로 비판하고
있다. 丘濬,『家禮儀節』「文公家禮序」의 小註 참조

1. 祠堂之圖사당지도 : 사당祠堂 그림

2. 妣비

3. 考고

4. 祖妣조비

5. 祖考조고

6. 曾祖妣증조비

7. 曾祖考증조고

8. 高祖妣고조비

9. 高祖考고조고

10. 神廚신주 : 부엌

11. 祭器庫제기고

12. 遺書유서 · 衣物의물

13. 香案향안

14. 祔位부위

15. 中門중문

16. 酒注주주 : 술주전자

   盞잔 : 술잔

   盤반 : 잔받침

17. 酒주 : 술

18. 主人拜位주인배위

19. 主婦拜位주부배위

20. 火爐화로

21. 阼階조계 : 동쪽 계단

22. 西階서계 : 서쪽 계단

23. 巾架건가 : 수건걸이

   帨巾세건 : 수건

   盥盆臺관분대 : 대야 받침대

   盥盆관분 : 대야

24. 諸父제부 : 백숙부

   諸兄제형 : 형들

   主人주인

   諸弟제제 : 동생들

   子자 : 아들

   孫손 : 손자

   外執事외집사자 : 남자 집사자

25. 諸母제모 : 백숙모

　　姑고 : 고모

　　姊자 : 손위누이

　　嫂수 : 형수

　　主婦주부

　　弟妻제처 : 동생의 처

　　諸妹제매 : 손아래 누이들

　　子孫婦女子손부녀 : 아들과 손자의 처와 딸

　　內執事내집사자 : 여자 집사자

26. 外大門외대문 : 바깥대문

27. 繚以周垣.

　　담장을 두름

深衣圖 심의도

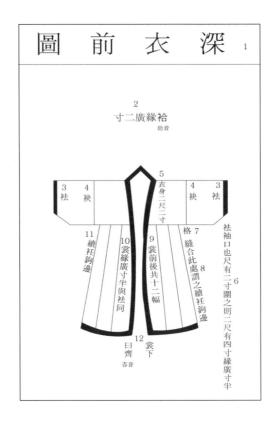

1. 深衣前圖심의전도 : 심의深衣 앞쪽 그림
2. 袷, 音劫. 緣廣二寸.

   겁袷(옷깃) 음은 '겁劫'이다.의 가선은 너비가 2촌이다.
3. 袪거 : 소맷부리
4. 袂메 : 소매
5. 衣身二尺二寸.

   윗 몸판衣身은 길이가 2척 2촌이다.
6. 袪, 袖口也, 尺有二寸. 圍之則二尺有四寸, 緣廣寸半.

   거袪는 소맷부리이니, 길이는 1척 2촌이다. 둘레를 두르면 2척 4촌이고, 가선은 너비가 1촌
   반이다.
7. 袼각 : 소매의 겨드랑이 아래 부위의 솔기 자리[3]

8. 縫合此處, 謂之續袵鉤邊.

　　이 부분을 합쳐 꿰매는 것을 속임구변續袵鉤邊(솔기를 이어서 갓단을 꿰맨 것)이라고 한다.

9. 裳前後共十二幅.

　　치마는 앞뒤로 모두 12폭이다.

10. 裳緣廣寸半, 與袪同.

　　치마는 가선이 1촌 반이니, 소맷부리[袪]와 같다.

11. 續袵鉤邊.

　　솔기를 이어서 갓단을 꿰맨다.

12. 裳下曰齊.音咨.

　　치마 아랫단을 '자齊'음은 '자咨'이다.라고 한다.

3　『家禮』(국립중앙도서관 소장본, 발행사항 : 영조 35(1759), 청구기호 : 일산古1252-37)에는 袼이 袼(각 : 겨드
　랑이의 솔기)으로 되어 있다.

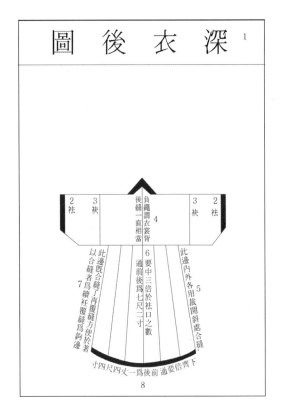

1. 深衣後圖심의후도 : 심의深衣 뒤쪽 그림

2. 袪거 : 소맷부리

3. 袂몌 : 소매

4. 負繩, 謂衣裳背後縫一直相當.

   부승負繩(등선)은 상의와 치마 뒤쪽의 재봉선이 일직선으로 서로 만나는 것을 말한다.

5. 此邊內外, 各用裁開斜處合縫.

   이 가장자리는 안팎으로 각각 비스듬히 재단한 곳을 합쳐 꿰맨다.

6. 要中, 三倍於袪口之數, 通前後爲七尺二寸.

   허리 가운데 부분은 소맷부리 치수에서 3배를 하니, 앞뒤를 합쳐 7척 2촌이 된다.

7. 此邊旣合縫了, 再覆縫, 方便於著. 以合縫者爲續衽, 覆縫爲鉤邊.

   이 가장자리를 합쳐 꿰매고 나서 다시 덮어 꿰매야 비로소 입기에 편하다. 합쳐 꿰매는 것을 속임續衽(솔기 이음)이라고 하고, 덮어 꿰매는 것을 구변鉤邊(갓단 꿰맴)이라고 한다.

8. 下齊倍要, 通前後, 爲一丈四尺四寸.

   치마 아랫단은 허리의 곱이니, 앞뒤를 합쳐 1장 4척 4촌이 된다.

1. 著深衣前兩襟相掩圖착심의전량금상엄도 : 심의深衣를 입었을 때 앞쪽 두 옷깃을 서로 덮은 그림

2. 曲裕, 交領也.
   곡겁曲裕은 깃을 여민 것이다.

3. 祛거 : 소맷부리

4. 袂메 : 소매

5. 衣領旣交, 自有如矩之象.
   옷깃을 여미고 나면, 저절로 곱자矩와 같은 형상이 생기게 된다.

6. 左襟三幅在外.
   왼쪽 옷깃 3폭이 바깥에 있다.

裁衣法 재의법

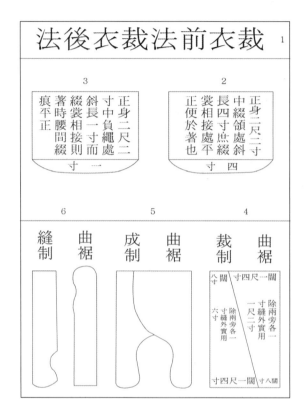

1. 裁衣前法재의전법 裁衣後法재의후법 : 옷 앞쪽을 재단하는 방법과 옷 뒤쪽을 재단하는 방법
2. 正身二尺二寸中, 綴領處斜長四寸, 庶綴裳相接處平正, 便於著也.[4]
   정방형의 몸판 2척 2촌 중에 깃을 달 곳을 비스듬히 4촌을 길게 해야 치마를 달았을 때 서로 접하는 곳이 거의 바르게 되어 입기에 편하다.
   四寸4촌
3. 正身二尺二寸中, 負繩斜長一寸而綴裳相接, 則著時腰間綴痕平正.[5]
   정방형의 몸판 2척 2촌 중에 부승負繩(등선)을 비스듬히 1촌을 길게 해서 치마를 달아 서로 접하게 하면, 입었을 때 허리에 단 흔적이 바르게 된다.
   一寸일촌

. . . .

4 옷 앞쪽을 재단하는 방법이다. 그러나 그림이 다소 불분명하다. 부록 그림 15 참조
5 옷 뒤쪽을 재단하는 방법이다. 부록 그림 15의 裁衣後法 그림 참조

4. 曲裾裁制곡거재제 : 곡거曲裾(치마폭의 섶)를 재단하는 방법[6]

   〈오른쪽〉

   闊一尺四寸.

   너비는 1척 4촌이다.

   除兩旁各一寸縫外, 實用一尺二寸.

   양쪽 끝 각 1촌의 재봉선을 제외하면, 실제로 1척 2촌을 쓴다.

   闊八寸.

   너비는 8촌이다.

   〈왼쪽〉

   闊八寸.

   너비는 8촌이다.

   除兩旁各一寸縫外, 實用六寸.

   양쪽 끝 각 1촌의 재봉선을 제외하면, 실제로 6촌을 쓴다.

   闊一尺四寸

   너비는 1척 4촌이다.

5. 曲裾成制곡거성제 : 곡거를 만드는 방법.[7]

6. 曲裾縫制곡거봉제 : 곡거를 꿰매는 방법.[8]

. . . .

6 曲裾를 재단하는 방법 : 심의의 치마가 12폭인데 각 폭이 넓은 곳은 아래에, 좁은 곳은 위에 있어 이를 통틀어 섶[衽]이라 한다. 곡거는 이 섶을 이어서[續衽] 갓단을 꿰매는 것[鉤邊]을 말한다. 부록 그림 16 참조

7 부록 그림 16 참조

8 부록 그림 16 참조

深衣冠履之圖 심의관리지도

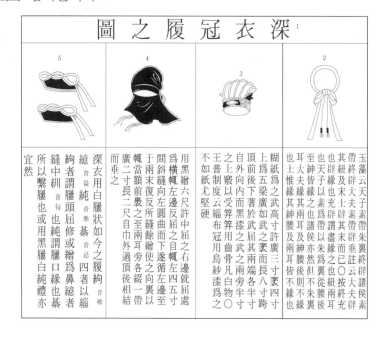

1. 深衣冠履之圖심의관리지도: 심의深衣의 관冠과 신[履] 그림
2. 대대大帶[9]

玉藻云, "天子素帶朱裏終辟, 諸侯素帶終辟, 大夫素帶辟垂." 註云, "大夫辟其紐及末, 士辟其末而已."

『예기禮記』「옥조玉藻」에 "천자天子는 흰 띠에, 안에는 붉은 안감을 대고 가선을 다 두르며, 제후諸侯는 흰 띠에 가선을 다 두르고, 대부大夫는 흰 띠에, '수垂(매듭진 부분과 매듭 짓고 늘어뜨린 부분)'에 가선을 두른다."고 하였다. 그 주註에는 "대부는 '뉴紐(매듭진 부분)'와 끝 부분에 가선을 대고, 사士는 끝 부분만 가선을 두를 뿐이다."[10]라고 하였다.[11]

○ 按終, 充也, 辟, 緣也, 充辟, 謂盡緣之也. 紐, 兩耳也. 天子以素爲帶, 以朱爲裏, 從腰後至紳, 皆緣之也. 諸侯亦然, 但不朱裏耳. 大夫緣其兩耳及紳, 腰後則不緣也. 士惟緣其紳, 腰及兩耳皆不緣也.

---

9 大帶: 그림에 '大帶'라는 명칭이 없으나 『家禮』 본문에 나오는 大帶 그림이 맞다. 이어지는 그림도 같다. 이 책의 「深衣制度」 '大帶' 항목 참조

10 鄭玄의 주이다. "辟, 讀如裨冕之裨, 裨謂以繒采飾其側. 人君充之, 大夫裨其紐及末, 士裨其末而已."

11 大帶 그림은 부록 그림 18 참조

살펴보니, '종終'은 '채우다充'이고, '비紕'는 '가선을 두르다緣'이니, '충비充紕'는 가선을 다 두르는 것을 말한다. '뉴紐'는 두 귀이다. 천자天子는 흰 옷감으로 띠를 만들고, 붉은 옷감으로 안감을 대며, 허리 뒤에서부터 신紳(매듭짓고 늘어뜨린 부분)에 이르기까지 모두 가선을 두른다. 제후諸侯 또한 그러하되, 다만 붉은 안감을 대지 않을 뿐이다. 대부大夫는 두 귀와 신紳에 가선을 두르고, 허리 뒤쪽은 가선을 두르지 않는다. 사士는 신紳에만 가선을 두르고, 허리와 두 귀에는 모두 가선을 두르지 않는다.

3. 치관緇冠

糊紙爲之, 武高寸許, 廣三寸, 袤四寸. 上爲五梁, 廣如武之袤而長八寸. 跨頂前後, 下著於武, 屈其兩端各半寸, 自外向內而黑漆之. 武之兩旁半寸之上, 竅以受笄. 笄用齒骨, 凡白物.

풀 먹여 배접한 종이로 만들되 '무武(테두리)'[12]의 높이는 1촌 정도이고 (좌우의) 너비廣는 3촌, (앞뒤의) 너비袤는[13] 4촌이다. 위에 5개의 양梁(도리)[14]을 만들되 너비는 '무武'의 (앞뒤의) 너비袤와 같고 길이는 8촌이다. 정수리 앞뒤를 넘어 아래로 무에 붙이되, 그 양쪽 끝을 각각 반 촌半寸씩을 접어 밖으로부터 안쪽으로 향하게 하고 검게 칠한다.[15] 무의 양쪽 옆 반 촌半寸 위에 구멍을 뚫어 비녀를 꽂는다. 비녀는 치齒와 골骨[16]을 쓰니, 모두 흰 것이다.[17]

---

12 武 : 『韻會』에 "관의 테두리이다.(冠卷也)"라고 하였다. 좀 더 자세히는 冠의 아랫 부분을 두른 테두리이다. 또 『禮記』 「曲禮上」 "堂上接武, 堂下布武."의 陳澔 『集說』에서 長樂陳氏(陳祥道)의 말을 인용하여 "文은 위의 道이고, 武는 아래의 도이다. 발은 몸체의 아래에 있으므로 '무'라고 하고, 갓끈은 관의 아래에 있으므로 또한 '무'라고 한다.(文者, 上之道. 武者, 下之道. 故足在體下曰武, 綾在冠下亦曰武.)"고 하였다.

13 廣과 袤 : 東西의 너비를 '廣'이라 하고, 남북의 너비를 '袤'라고 한다.(東西曰廣, 南北曰袤.) 『韻會』. 이에 준하여 廣을 좌우의 너비로, 袤를 앞뒤의 너비로 번역하였다.

14 梁 : 冠의 이마에 골이 지게 하여 세로로 잡은 줄을 말한다. 이 줄의 숫자에 따라서 五梁冠, 四梁冠, 三梁冠 등 명칭이 각기 다르다.

15 정수리 앞뒤를 … 칠한다. : 梁을 만들어 武에 붙일 때 밖에서부터 안으로 붙이므로, 밖에서 緇冠을 보면 무는 보이지 않는다. 그러나 앞의 그림은 이와 반대로 안에서부터 밖으로 붙여 武가 밖에 드러나 보이므로 잘못된 그림이다. 『家禮儀節』에서 丘濬도 이러한 오류를 지적하였고, 沙溪 金長生 또한 그의 『家禮輯覽』에서 "살펴보니 原圖에 梁이 武 위에 있는 것은 참으로 잘못되었는데, 『朱子大全』의 그림 또한 그러하니 원도는 아마 이것을 바탕으로 그린 듯하다.(按原圖梁在武上實誤, 而朱子大全圖亦然. 原圖恐本於此.)"고 하였다. 사계가 본문의 설명에 근거하여 교정한 그림은 부록 그림 19와 같다.

16 齒와 骨 : 『家禮儀節』에 "경우에 따라서는 象牙로 만들기도 한다.(或象牙爲之)"고 하였다. 『家禮儀節』 권1 「深衣制度」

17 緇冠에 대해 『家禮補註』에서는 다음과 같이 설명한다. "하나의 긴 끈을 재단하되, 길이가 1척 4촌쯤 되고 높이가 1촌쯤 되게 하여 둥그렇게 둘러 무를 만들되, 양쪽 가는 테두리 각각의 너비가 3촌이 되게 하고, 앞과 뒤는 각각의 길이가 4촌이 되게 한다. 또 하나의 긴 끈을 써서 너비 8촌, 길이 8촌이 되게 하여 위에 주름을 잡아 다섯 개의 양을 만든다. 그러면 너비가 4촌이 되며, 솔기는 모두 왼쪽을 향하게 한다.(裁一長條, 其長一尺四寸許, 其高寸許. 圍以爲武, 圍之兩旁, 各廣三寸, 前後各長四寸. 又用一長條, 廣八寸許, 長八寸許. 上辟積以爲五梁. 則廣四寸 縫皆向左.)"

○王普制度云, "緇布冠用烏紗漆爲之, 不如紙尤堅硬."

왕보王普[18]의 『심의제도深衣制度』에 "치포관緇布冠은 검은 깁과 옻을 써서 만든 것이 종이로 만든 것의 튼튼함만 못하다."고 하였다.

4. 복건幅巾

用黑繒六尺許, 中屈之. 右邊就屈處爲橫帪, 左邊反屈之. 自帪左四五寸間, 斜縫向左圓曲而下, 遂循左邊至于兩末. 復反所縫餘繒使之向裏, 以帪當額前裹之, 至兩耳旁各綴一帶, 廣二寸, 長二尺. 自巾外過頂後, 相結而垂之.

6척 정도의 '검은 비단黑繒'을 써서 가운데를 접는다. 오른쪽 끝은 접은 곳에 횡첩橫帪을 만들고 왼쪽 끝은 뒤집어 접는다. 첩帪(깃)[19]의 왼쪽 4~5촌 사이에서부터 비스듬히 왼쪽을 향해 재봉하여 둥글게 구부려 내려와서는 마침내 왼쪽 가장자리를 따라 양 끝에 이르게 한다. 재봉한 나머지 비단은 다시 뒤집어 안쪽을 향하게 하여 첩으로 이마에서 감싸 양쪽 귀 옆에 이르러 각각 띠 하나를 다는데, 너비는 2촌, 길이는 2척이다. 복건 밖에서부터 정수리 뒤쪽으로 넘겨 서로 매고서 드리운다.[20]

5. 신[履][21]

深衣用白履, 狀如今之履. 絇音劬. 繶音益. 純音準. 綦音忌. 四者以緇. 絇者, 謂履頭屈修, 或繒爲鼻. 繶者, 縫中紃音旬也. 純, 謂履口緣也. 綦, 所以繫履也. 或用黑履・白純, 禮亦宜然.

심의深衣에는 흰 신[履]을 쓰는데,[22] 모양이 지금의 신[履]과 같다. 구絇(신코장식) 음은 '구劬'이다・

---

18 王普: 宋 福州 閩縣 사람이다. 經術이 깊고, 논의가 博通하여 주자에게 칭찬을 받았다. 지은 책으로는 『官歷刻漏圖』와 『深衣制度』 1권이 있다.

19 帪: 번역어가 '옷깃 끝'(茶山詩文集 제16권 自撰墓誌銘 고전번역원번역총서), '깃'(沙溪全書 제24권 家禮輯覽 圖說 幅巾圖 고전번역원번역총서), '끝동'(常變通攷 제2권 通禮 深衣制度 幅巾) 등으로 나타나고 있다.

20 『朱文公文集』 권68 「深衣制度」에는 다음과 같이 되어 있다. "검은 비단黑繒을 6척 가량 써서 만들되 한쪽 가를 잘라내어 巾額을 만들고, 가운데에 해당되는 부분에 帪(첩)을 만든다. 양쪽 가의 3촌쯤 되는 곳에 각각 하나의 띠를 이어 붙이되, 띠의 너비는 1촌가량이 되게 하고, 길이는 2척가량이 되게 한다. 그러고는 첩의 중간 윗부분을 따라서 반대로 접되, 幅의 가운데는 비스듬하게 꿰매어 뒤쪽으로 향하게 하고, 한 쪽 角은 제거하고서 다시 반대로 접어 巾의 꼭대기 부분이 둥그렇게 되도록 한다. 그리고는 이마 부분에 있는 첩을 머리 앞쪽에서 뒤쪽으로 향하도록 하여 머리를 감싸고는 그 띠를 머리 뒤에서 묶으며, 묶고 남은 띠는 아래로 드리운다.(用黑繒六尺許, 刺一邊作巾額, 當中作帪. 兩旁三寸許各綴一帶, 廣一寸許, 長二尺許. 循帪中上反屈之, 當幅之中斜縫向後, 去其一角而復反之, 使巾頂正圓. 乃以額帪當頭前向後, 圍裹而繫其帶於繒後, 餘者垂之.)"고 하였다.

21 이 그림에 대해 丘濬은 그의 『家禮儀節』에서 "예전의 黑履에 대한 그림은 불분명하기에 여러 禮書에서 고증하고 의논하여, 별도로 그림을 그렸다."라고 말하고 있다. 이 그림은 사계의 『家禮輯覽』에 부록 그림 21과 같이 실려 있다.

22 深衣에는 흰 … 쓰는데: 深衣에는 흰 신[履]을 쓴다고 한 이 말은, 물론 끝에 "어떤 경우에는 검은 신에 흰 純을 두르기도 한다."라고 단서를 달고 있기는 하지만 『家禮』 본문에 "검은 신에 絇, 繶, 純, 綦를 흰 것으로

억繶(신의 가장자리를 두르는 끈) 음은 '익益'이다 · 준純(신 입구를 두르는 가선)음은 '준準'이다. · 기繄(신을 매는 끈)음은 '기忌'이다. 4가지는 검은 천으로 만든다. 구絇는 신코에 끈[條][23]을 넣거나 혹은 깁으로 코를 만든 것을 말한다. 억繶은 신의 재봉선 중간의 끈[紃 음은 '순旬'이다]이다. 준純은 신 입구를 두른 가선이다. 기繄는 신을 매기 위한 것이다. 어떤 경우에는 검은 신에 흰 준純을 두르기도 하는데, 예에 또한 마땅하다.

한다."라는 말과 정반대가 된다.

23 끈[條] : 원문에는 '修'로 되어 있으나, '條'가 되어야 한다. '條'는 실 여러 가닥으로 꼰 끈이다. 이 책 「深衣制度」 참조. 『儀禮註疏』「旣夕禮」에서 鄭玄이 "緱은 지금의 말의 뱃대끈[馬鞅]인데, 제후의 신하는 3색으로 영을 장식하여 완성한다. 여기서의 3색이라는 것은 대개 '끈 실[條絲]'이다.(緱, 今馬鞅也. … 諸侯之臣, 飾緱以三色而三成. 此三色者, 蓋條絲也.)"라고 설명하였다.

行冠禮圖 행관례도

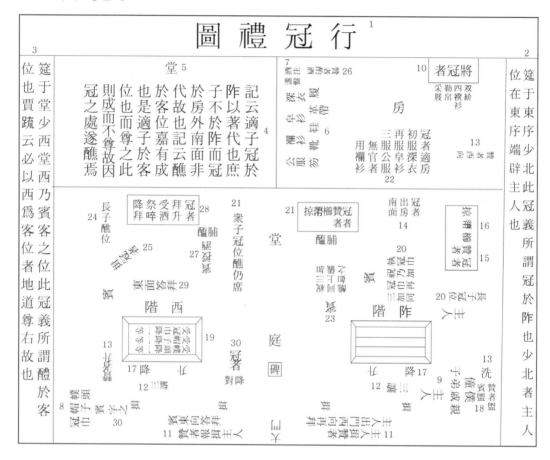

1. 行冠禮圖행관례도 : 관례冠禮를 거행하는 그림

2. 筵于東序少北, 此「冠義」所謂冠於阼也. 少北者, 主人位在東序端, 辟主人也.

   동쪽 벽 조금 북쪽에 대자리[筵]를 펴는데,[24] 이것이 『예기禮記』「관의冠義」에서 말한 '동쪽 계단에서 관례를 한다.'는 것이다. '조금 북쪽'은 주인의 위치가 동쪽 벽의 끝에 있어 주인을 피한 것이다.

. . . .

24 동쪽 벽 … 펴는데 : 『儀禮』「士冠禮」에 "주인의 찬자는 동쪽 벽 조금 북쪽에 서쪽을 향하도록 대자리를 편다. (主人之贊者, 筵于東序少北西面.)"고 하였다. 이에 대해 鄭玄은 주에서 "동쪽 벽은 주인의 자리이다. 適子가 동쪽 계단 조금 북쪽에서 관례를 하는 것은 주인을 피한 것이다.(東序, 主人位也. 適子冠於阼少北, 辟主人.)"고 하였다.

3. 筵于堂少西, 堂西乃賓客之位. 此「冠義」所謂醴於客位也. 賈疏云, "必以西爲客位者 地道尊右故也."

당堂의 조금 서쪽에 대자리를 펴는 것은 당의 서쪽이 바로 빈객의 위치이기 때문이다. 이것이 『예기禮記』「관의冠義」에서 말한 '빈의 자리에서 초례醮禮를 한다.'는 것이다. 가공언賈公彦의 소疏에서 "반드시 서쪽을 빈객의 위치로 삼는 것은 지도地道는 오른쪽을 높이기 때문이다."[25]라고 하였다.

4. 記云, "適子冠於阼, 以著代也." 庶子不於阼而冠於房外南面, 非代故也. 記云, "醮於客位, 嘉(加)有成也." 是適子於客位也而尊之. 此則成而不尊, 故因冠之處, 遂醮焉.

『예기禮記』「교특생郊特牲」에 "적자適子가 동쪽 계단에서 관례를 하는 것은 대를 이음을 드러내는 것이다."고 하였으니, 서자庶子가 동쪽 계단에서 하지 않고 방 밖에서 남쪽을 향하여 관례를 하는 것은 대를 이음이 아니기 때문이다. 『예기禮記』「교특생」에 "빈의 위치에서 초례醮禮를 하는 것은 관을 쓸 때마다 성인成人의 도를 지니게 되는 것이다."[26]라고 하였다. 이것은 적자適子를 빈의 위치에서 높이는 것이다. 중자衆子는 성인成人이 되어도 높이지 않기 때문에, 관례하는 곳에서 그대로 초례를 한다.

5. 堂 : 당[27]

6. 公服공복

    襴衫난삼

    皁衫조삼

    深衣심의

    笏홀

    靴화

    鞋혜

    革帶혁대

    履리

7. 酒注주주 : 술주전자

    盞잔 : 술잔

    盤반 : 잔받침

---

25 반드시 서쪽을 … 때문이다 : 『儀禮註疏』「士昏禮」에 "主人筵於戶西, 西上, 右幾."의 疏에서 "必以西爲客位者, 以地道尊右故也."고 하였다.

26 빈의 위치에서 … 되는 것이다 : 『禮記』「郊特牲」. 그러나 「郊特牲」의 본문은 "醮於客位, 加有成也."로 되어 있어 '嘉'는 '加'의 오자이고, 이에 대한 주에서 鄭玄은 "관을 쓸 때마다 成人의 도를 지니게 되는 것이니, 성인의 도를 더욱 높여 빈의 위치에서 초례를 행하여 높인 것이다.(每加而有成人之道也, 成人則益尊, 醮於客位尊之也.)"라고 하였다.

27 堂 : '堂'은 '室'의 오류인 듯하다. 『家禮輯覽』(『沙溪全書』 권25 「家禮圖」)

8. 幞頭복두

  帽子모자

  冠관: 치포관

  巾건: 복건幅巾

9. 主人주인

  子弟자제

  親戚친척

  僮僕동복

10. 將冠者장관자 : 장차 관례를 행할 자

  雙紒쌍계

  四䙅衫사계삼[28]

  勒帛늑백

  采屨채극

11. 主人出門, 西向再拜.

  주인主人은 문을 나와서 문 (왼쪽)에서 서향하여 재배한다.

  賓東向答拜.

  빈賓은 동향하여 답배한다.

  主人揖贊者.

  주인은 찬자贊者에게 읍揖한다.

  贊者報揖主人.

  찬자는 주인에게 읍으로 답한다.

12. (主人) 揖・揖・三讓・升・阼階・主人

  (주인은) 읍하고 문으로 들어가, 또 읍하고 사양하며 계단에 이르고, 또 읍하고 사양하며
  동쪽 계단으로 올라가 조금 동쪽에서 동향한다.

  (賓) 揖・揖・三讓・升・西階・賓

  (빈은) 읍하고 문으로 들어가, 또 읍하고 사양하며 계단에 이르고, 또 읍하고 사양하며 서쪽
  계단으로 올라가 조금 서쪽에서 서향한다.

13. 洗 : 세(대야)

  贊者盥. 贊者升. 贊者西向.[29]

....

28 사계삼:『四禮便覽』「冠禮」 '主人以下序立 諸具 四䙅衫' 조목의 글이다. "缺骻衫이라고도 하며 남빛 비단이나
  명주로 만든다. 깃을 맞대고, 둥근 소매에 옆과 뒤가 트인 것이다. 비단으로 깃과 소매 끝, 옷자락 양쪽 가와
  아랫자락에 단을 친 것으로 사내아이의 평상복이다.(或稱缺骻衫, 用藍絹或紬爲之. 對衿圓袂開旁析後, 以錦緣
  領及袖端與裾兩旁及下齊, 童子常服.)"

찬자는 손을 씻는다. 찬자는 서쪽 계단으로 올라간다. 찬자는 (방 가운데에서) 서향한다.

14. 冠者出房南面.

관례할 사람[冠者]은 방에서 나와 남향한다.

15. 冠者‧贊者

관례할 사람(은 자리의 오른쪽에 서서 자리를 향하고), 찬자(는 관례할 사람의 왼쪽에 선다.)

16. 櫛‧䩞‧掠

(찬자는 무릎을 꿇고) '머리를 빗기고[櫛]' 상투를 틀어 '머리띠로 묶고는[䩞]' '망건을 씌운다[掠].'

17. (賓)降. (主人)降.

(빈이) 내려가면, (주인도) 내려간다.

18. 賓盥

빈은 손을 씻는다.

19. 受冠巾降一等.

(빈은) 한 계단 내려가서 관과 건을 받는다.

受帽子降一等.

(빈은) 한 계단 더 내려가서 모자를 받는다.

受幞頭降一等.

(빈은) 한 계단 더 내려가 복두를 받는다.

20. 長子冠位. 賓執冠巾祝, 乃加冠巾, 再三加同.

장자[長子]가 관례를 하는 위치. 빈은 관[冠]과 건[巾]을 들고는 축사를 하고, 관과 건을 씌우는데, 두 번째(모자)와 세 번째(복두) 씌우는 것도 같다.

21. 衆子冠位醮仍席. 冠者‧贊者‧櫛‧䩞‧掠

중자[衆子]가 관례를 하는 위치로 초례도 그 자리에서 그대로 한다. 관자‧찬자‧즐[櫛]‧수[䩞]‧략[掠][30]

22. 冠者適房, 初服深衣, 再服皁衫, 三服公服. 無官者用襴衫.

관례할 자는 방으로 가서 처음에는 심의[深衣]를 입고, 두 번째에는 조삼[皁衫]을 입고, 세 번째에는 공복[公服]을 입고, 관직이 없는 자는 난삼[襴衫]을 쓴다.

23. 賓祝三加同上儀. 醮如之. 脯醢.

빈이 축사를 하고 세 번 관을 씌우는 것은 위의 의례와 같다. 초례[醮禮]를 하는 것도 같다. 포혜[脯醢]가 있다.[31]

---

29 『家禮』「冠禮」의 "賓至, 主人迎入升堂."에 대한 본주에 "贊者盥帨, 由西階升, 立於房中西向."이라는 내용이 있다.
30 앞의 15, 16 참조
31 『家禮』의 「冠禮」에서는 脯醢에 관한 언급이 없지만, 「家禮圖」의 '行冠禮圖' 상에서는 관례를 행할 때 포혜가

24. 長子醮位.

　　장자가 초례를 하는 위치이다.

25. 賓揖冠者.

　　빈은 관례하는 자에게 읍한다.

26. 贊者酌酒.

　　찬자는 술을 따른다.

27. 賓授酒. 脯·醢.

　　빈이 술을 준다. 포脯·육장醢

28. 冠者拜升受酒. 祭啐, 降拜.

　　관례하는 자는 재배하고 올라가 술을 받아서, 술을 제祭하고 맛보고, 내려와서 재배한다.

29. (賓)東面答拜.

　　(빈은) 동쪽을 향해 답배한다.

30. 冠者降. 賓字之. (冠者)對.[32]

　　관자冠者는 (서쪽 계단으로) 내려온다. 빈은 자字를 지어준다. (관자는) 대답한다.

준비되어 있다. 이러한 관례에서의 포혜는 『儀禮』「士冠禮」에 보이는데, 단술(醴)로 행하는 醮禮를 이행하면서 포혜를 올리는 내용이 이어진다. 자세한 내용은 다음과 같다. "筵于戶西, 南面. 贊者洗于房中, 側酌醴, 加柶覆之. 面葉.(注 : 面前也. 葉柶大端.) 賓揖冠者就筵. 筵西, 南面. 賓受醴于戶東,(注 - 戶東, 室戶東.) 加柶面枋, (注 : 今文枋爲柄.) 筵前, 北面. 冠者筵西拜受觶. 賓東面答拜. 薦脯醢. 冠者卽筵坐, 左執觶, 右祭脯醢, 以柶祭醴三, 興, 筵末坐, 啐醴, … "(『儀禮注疏』「士冠禮」)

32　冠禮에서 冠者에게 字를 지어주는 절차에 대해 『家禮』의 本注에 다음과 같이 기록되어 있다. "賓降階東向, 主人降階自西向, 冠者降自西階, 少東, 南向. 賓字之曰, '禮儀旣備, 令月吉日, 昭告爾字, 爰字孔嘉, 髦士攸宜, 宜之于嘏, 永受保之.' 曰'伯某父'. 仲叔季唯所當. 冠者對曰, '某雖不敏, 敢不夙承·祗奉.' 賓或別作辭, 命以字之之意, 亦可."

昏禮親迎之圖 혼례친영지도

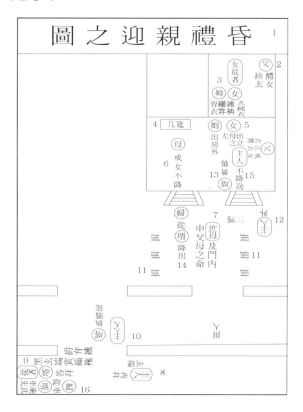

1. 昏禮親迎之圖혼례친영지도 : 혼례에서 친영하는 그림

2. 父禮女.

    부친은 딸에게 초례醮禮를 행한다.

3. 女次純衣纁袡. 姆纚笄宵衣. 女從者袗玄.[33]

    신부는 다리[髲(가발)]를 쓰고, 순의純衣에 훈염纁袡 차림을 한다.[34] 유모는 머리를 묶어 비녀

---

33 袗玄 : 위의 혼례친영지도에서의 '袗玄'은 마치 父의 복장처럼 보이게 한다. 그런데 『家禮』(국립중앙도서관
    소장본, 발행사항 : 영조35(1759), 청구기호, 일산古1252-37)의 『家禮圖』에서는 그것이 女從者의 복장으로 표
    현되어 있다. 여자 종자의 복장에 대한 언급은 『儀禮』「士昏禮」에 "여자 종자는 모두 검정색 웃[袗玄]을 입는
    다.(女從者畢袗玄.)"라고 하여, '袗玄'을 여자 종자의 복장으로 기록하고 있다. 한편 『家禮』의 본문에서는 "신
    부는 한껏 단장한다.(女盛飾.)"라는 표현만 있을 뿐, 유모[姆]나 여자 종자의 복장에 대한 언급은 서술되어
    있지 않다.

34 신부는 다리[髲(가발)]를 … 차림을 한다. : 『儀禮』「士昏禮」의 "女次, 純衣纁袡, 立於房中, 南面."에 대한 주에

를 꽂고, 소의宵衣를 입는다.[35] 여자 종자는 검은 저고리에 검은 치마 차림[袗玄]을 한다.[36]

4. 几筵궤연 : 궤연

5. 姆出房外. 女出立母之左. 父戒女正衣若笄.

유모는 방 밖으로 나온다. 신부는 나와서 모친의 왼쪽에 선다. 부친은 신부에게 옷과 비녀를 바르게 하라고 훈계한다.[37]

6. 母戒女不降.

모친이 딸에게 훈계하되 계단을 내려오지는 않는다.

7. 庶母及門内, 申父母之命.

서모庶母들이 문 안쪽까지 가서 부모의 명을 거듭 강조한다.

8. 主人再拜. 玄端.

주인은 재배한다. 현단玄端복[38]을 입는다.

9. 從者. 畢玄端. 壻荅拜. 爵弁纁裳緇袘.

종자. 모두 현단복을 입는다. 신랑은 답배한다. 작변爵弁[39]을 쓰고 분홍색의 하상下裳에 치이

....

서 鄭玄은 "次는 首飾이니 지금의 '다리[髢(가발)]'이다. 純衣는 絲衣인데, 신부와 從者가 전부 袗玄(검은 저고리에 검은 치마) 차림이라고 하였으니, 이 옷도 역시 검은 것이다. 袡도 옷의 가선인데, 붉은 끝동으로 옷의 가선을 두르는 것이다.(次, 首飾也, 今時髢也. 純衣, 絲衣, 女從者畢袗玄, 則此衣亦玄矣. 袡, 亦緣也, 以纁緣其衣.)"고 하였다.

35 유모는 머리를 … 입는다. : 『儀禮』「士昏禮」에 "姆纚笄宵衣, 在其右."라고 하였는데, 이에 대해 鄭玄은 "纚는 머리를 묶는 것이고 계는 지금의 비녀이다.(纚, 縚髮, 笄, 今時簪也.)'라고 하였다." 또한 宵衣에 대해서도 그는 "主婦纚笄宵衣, 立于房中, 南面.(『儀禮』「特牲饋食禮」)"에 대한 주에서 "이 옷도 검은색으로 물들인 것이다.(此衣染之以黑)"라고 하였으니, 主婦(모친)의 복장도 검은색이다.

36 검은 저고리에 … 한다. : '袗'은 상의와 하의가 같은 색이라는 뜻이다. 따라서 '袗玄'은 검은 저고리에 검은 치마 차림을 말한다. 『儀禮』「士昏禮」에 "형제가 모두 진현을 한다.(兄弟畢袗玄.)"의 鄭玄 주에 "袗은 같다는 뜻이다. 玄은 검은 저고리에 검은 치마이다.(袗, 同也。玄者, 玄衣玄裳也.)"고 하였다. 그리고 『儀禮』「士婚禮」에 "여종자는 모두 검은 저고리에 검은 치마 차림이다.(女從者畢袗玄.)"고 하였으니, 여기서는 신부뿐만 아니라, 여종자 또한 검은 저고리에 검은 치마 차림인 것이다. 여종자는 姪女와 여자 아우[姪娣]이다.

37 부친은 신부에게 … 훈계한다. : 『儀禮』「士昏禮」에 "父西面戒之, 必有正焉, 若衣若笄. 母戒諸西階上, 不降."이라고 하였다.

38 玄端복 : 士가 입는 옷이다. 端이란 것은 그 바름을 취한 것이다. 사의 상의는 옷소매의 袂(메)의 너비가 모두 2척 2촌인데, 幅을 잇대어서 만든다. 이는 廣(가로 폭)과 袤(세로 폭)가 같다. 옷소매의 袪(거)의 너비는 1척 2촌이다.

39 爵弁 : 冕 다음 가는 모자이다. 색깔은 붉으면서도 약간 검어서 마치 참새 머리의 색깔과 같다고 하였다.

      緇袘[40]를 입는다.

10. 主人入. 揖入. 壻執鴈從.

    주인은 들어온다. 읍하고서 들어온다. 신랑은 기러기를 들고 뒤따른다.

11. (主人) 揖, 揖, 揖, 三讓.

    (주인) 읍하고 사양하고, 읍하고 사양하며, 읍하고 사양한다. 세 번 사양한다.

    (壻) 揖, 揖, 揖.

    (신랑) 읍하고 사양하고, 읍하고 사양한다. 읍하고 사양한다.

12. 主人外.

    주인은 동쪽 계단으로 오른다.[41]

13. 壻奠鴈.

    신랑은 기러기를 바친다.

14. 壻降出. 婦從.

    신랑은 계단을 내려와 나온다. 신부가 뒤따른다.

15. 主人不降送.

    주인은 내려오지 않고 전송한다.

16. 壻乘其車先. 婦從車.

    신랑이 수레를 타고 먼저 떠나면, 신부의 수레가 뒤따른다.

・・・・・・・・・・・・・・・・・・

30升 布를 가지고 만든다. 길이는 6촌이고, 너비는 8촌이며, 앞부분은 둥글고 뒷부분은 모졌다. 旄가 없으며, 앞쪽과 뒤쪽이 평평하다.

40 緇袘 : 緇衣(검은 옷)에 가선을 두른 것이다.

41 오른다. : 『家禮』(국립중앙도서관 소장본, 발행사항 : 영조35(1759), 청구기호, 일산古1252-37)에는 위 원문의 '外'가 '升(오르다)'으로 되어 있다.

衿鞶篋笥楎桅圖　금반협사휘이도

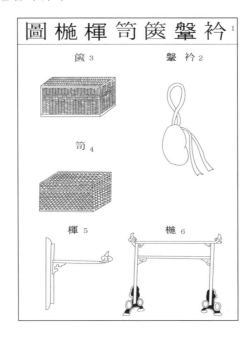

1. 衿鞶篋笥楎桅圖금반협사휘이도：금반衿鞶·협篋·사笥·휘楎·이桅 그림
2. 衿鞶금반[42]
3. 篋협[43]
4. 笥사[44]
5. 楎휘[45]
6. 桅이[46]

- - - - - - - - - - - - - - - - - - - -

42　衿鞶：衿은 작은 띠이고, 鞶은 작은 주머니로 帨巾을 담는 것인데, 딸을 시집보낼 때 어머니가 작은 띠를 매주고 수건을 매주며 "힘쓰고 공경하여 밤낮으로 집안일을 어기지 말라(勉之敬之, 夙夜無違宮事.)"고 훈계하고, 庶母들이 문 안에 이르러 작은 주머니를 매주고 부모의 명을 거듭하며 "공경히 듣고 네 부모의 말씀을 높여 밤낮으로 잘못이 없게 하여, 이 작은 띠와 주머니를 보라(敬恭聽, 宗爾父母之言, 夙夜無愆, 視諸衿鞶.)"라고 훈계한다. 『儀禮』「士昏禮」

43　篋：鄭玄은 "길쭉하면서 모난 것을 篋이라 한다.(橢方曰篋.)"고 하였다. '橢(타)'는 좁으면서도 긴 것이다.

44　笥：『說文』에 "밥이나 옷을 담는 그릇이다.(飯及衣之器.)"고 하였다. 『禮記』「曲禮上」의 '簞笥'의 鄭玄 주에는 "둥근 것을 簞이라고 하고, 모난 것을 사라고 한다.(圓曰簞, 方曰笥.)"고 하였다.

45　楎：장대[竿]를 세로로 세워놓은 것을 楎(휘)라고 한다.

46　桅：장대를 가로로 질러놓은 것으로, 옷을 걸어두는 횃대인 衣架를 말한다.

襲含哭位之圖 습함곡위지도

1. 襲含哭位之圖습함곡위지도 : 습襲·반함飯含·곡哭을 하는 자리 그림
2. 幃위 : 휘장을 친다.
3. 陳襲衣. 襪·勒帛之類. 袍·襖·汗衫·袴·深衣·大帶·履·幎目帛·握手帛. 幅巾一, 充耳二, 冒二, 上曰質, 下曰殺.
   습의襲衣를 진설한다. 버선襪, 늑백勒帛[行纏] 따위이다. 포袍·오襖[47]·한삼汗衫[48]·고袴(바지)·심의深衣·대대大帶·리履(신발)·멱목깁[幎目帛(얼굴 덮개)]·악수깁[握手帛(손 싸개)]등을 둔다. 복건幅巾 하나, 충이充耳(귀막이) 둘이다. 모冒는 둘이니, 윗부분을 '질質'이라고 하고 아랫부분

을 '쇄殺'라고 한다.[49]

4. 陳飯含. : 錢三實于小箱. 米實于椀. 櫛一, 沐巾一, 浴巾一.

반함 도구를 진설한다. 동전 3개를 작은 상자에 채우고, 쌀은 주발에 담는다. 빗 하나, 머릿수건[沐巾] 하나, 몸 수건[浴巾] 하나[50]를 둔다.

5. 尸시 : 시신[51](을 당堂의 중앙에 놓는다.)

覆之以衾. : (습을 마치고서) 이불로 덮는다.

6. 奠전 : 전奠을 진설한다.

7. 主人. 衆男. 同姓期功以下. 丈夫尊行. 異姓丈夫.

주인.[52] 남자들. 동성同姓 중 기년복期年服·대공복大功服·소공복小功服 이하. 장부 중 높은 항렬. 이성異姓 장부.

8. 主婦. 衆婦女. 同姓婦女以服爲次. 婦女尊行. 異姓婦女.

주부. 부녀들. 동성 부녀는 복服의 등급으로 차례를 삼는다. 부녀 중 높은 항렬. 이성異姓 부녀.

9. 銘旌·椸·倚·魂帛·棹

명정銘旌·횃대椸·교의交倚·혼백魂帛·탁자卓子를 설치한다.

. . . .

47 袍·襖 : 袍(포)는 솜이 든 긴 옷이고, 襖(오)는 솜이 든 짧은 옷이다.(袍有絮長衣, 襖有絮短衣.)『家禮增解』권3「喪禮1」

48 汗衫 :『韻府群玉』에 "연회와 조회를 할 적에 입는 袞冕服(곤면복) 가운데 白紗로 만든 中單이 있는데, 漢나라 高祖가 項籍과 싸울 적에 땀이 중단에 배어나 이름을 汗衫으로 고치게 되었다.(『韻府群玉』, 汗衫, 燕朝袞冕, 有白紗中單, 漢王與項籍戰, 汗透中單, 改名汗衫.)"고 하였다.『家禮輯覽』(『沙溪全書』권27)「初終」, 陳襲衣.

49 冒는 둘이니 … 한다. : 冒는 시신을 싸기 위해 자루처럼 만든 것이다. 염할 때에는 먼저 殺로 발부터 싸서 올리고, 다음으로 質로 머리부터 싸서 내려 손과 가지런하게 한다. 군주는 錦冒로서 도끼 모양의 무늬를 수놓은 쇄에 綴旁이 7개이다. 대부는 玄冒로써 도끼 모양의 무늬를 수놓은 쇄에 綴旁이 5개이다. 사는 緇冒로써 붉은 쇄에 綴旁이 3개이다. 무릇 모의 질은 길이가 손과 나란하게 하고 쇄는 (길이가) 3척이다.'고 하였다. 그러나 이것은『家禮』본문이 아니라, 세주인 楊復의 글에서『儀禮』「士喪禮」의 鄭玄의 註를 인용해 설명하고 있다. 이 책「沐浴, 襲, 奠, 爲位, 飯含」항목 참조

50 몸 수건[浴巾] 하나 : 본문에는 '둘'로 되어 있다.

51 尸身 : 본문에는 "(시신의) 머리를 남쪽으로 향하게 한다."고 하였는데 북쪽으로 향해 있다.『家禮輯覽』(『沙溪全書』권25)「家禮圖」참조

52 주인 : 본문에는 "주인은 상의 동쪽, 奠의 북쪽에 앉는다."고 하였으나 그림에는 奠의 동남쪽에 있다.『家禮輯覽』(『沙溪全書』권25)「家禮圖」참조

[18-10]

小斂圖 소렴도

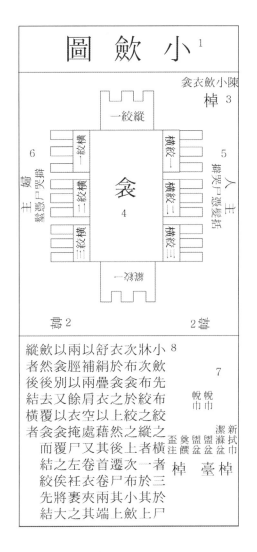

1. 小斂圖소렴도 : 소렴小斂하는 그림

2. 幃위 : 휘장

3. 棹 : 陳小斂衣衾.

 탁자이다. 소렴에 쓸 옷과 이불을 진설한다.[53]

....
53 탁자이다. … 진설한다. : 본문에는 "탁자를 동쪽 벽 아래에 진설한다."고 하였는데 그림에는 북쪽 벽에 있다.

4. 衾. 橫絞一, 橫絞二, 橫絞三. 縱絞一.

이불. 가로로 묶는 효금絞紟 1, 2, 3. 세로로 묶는 효금絞紟 1.

5. 主人括髮, 憑尸哭擗.

주인은 괄발括髮[54]하고 시신에 기대어 곡하며 가슴을 두드린다.

6. 主婦髽, 憑尸哭擗.

주부는 복상투를 틀고 시신에 기대어 곡하며 가슴을 두드린다.

7. 棹. 奠饌, 盃注.

탁자이다. 전에 올릴 음식과 잔·주전자(를 올려 둔다.)

臺. 帨巾, 盥盆.

받침대이다. (축祝이 사용할) 세건帨巾과 대야(를 받쳐 둔다.)

帨巾, 盥盆.

(집사가 사용할) 세건帨巾과 대야(를 바닥에 놓아둔다.)[55]

棹. 新拭巾, 潔滌盆.

탁자이다. 새 행주와 설거지 동이(를 올려 둔다.)

8. 小斂先布絞之橫者三於尸牀, 次布絞之縱者一於其上, 次布衾於絞之上, 次布小斂衣於
   衾之上. 然後遷尸其上. 舒絹疊衣以藉其首, 卷兩端以補兩肩空處. 又卷衣, 夾其兩脛.
   以餘衣掩尸. 左衽, 裹之以衾. 別又以衾覆之, 俟將大斂, 然後去覆衾而結絞. 先結縱者,
   後結橫者.

소렴은 먼저 시상尸牀에 가로로 묶는 효금絞紟 셋을 펴고, 다음으로 그 위에 세로로 묶는 효금

『家禮輯覽』(『沙溪全書』 권25)「家禮圖」 참조

54 括髮 : 喪을 당한 사람이 소렴을 마치면 풀었던 머리를 묶어서 상투를 트는 것이다.

55 받침대이다. … 놓아둔다. : 『家禮』「喪禮」의 小殮 장에는 대야·물동이·帨巾(수건) 각각 두 개씩을 阼階
동남쪽 탁자 위에 차려놓은 饌의 동쪽 옆에 동서로 진설하는데, 그 동쪽에 둔 것은 받침대[臺] 위에 올려두어
祝이 사용하도록 하고, 받침대가 없는 그 서쪽의 것은 執事者가 사용하도록 한다고 되어 있다.(設卓子於阼階
東南', 置奠'饌及盞注於其上, 巾之. '設盥盆帨巾, 各二於饌東, 其東有臺者, 祝所盥也, 其西無臺者, 執事者所盥
也.') 이와 같이 두 개의 盥洗位 중에서 상대적으로 지위가 높은 이가 사용하도록 한 '받침대[臺]를 갖춘 것'을
동쪽으로 배치하고 있음을 알 수 있다. 반면,「祭禮」의 四時祭에서는 "대야·물동이·세건을 각각 두 개씩
阼階 아래의 동남쪽에 놓는데, 그 서쪽의 것에는 받침대와 시렁을 둔다.(設盥盆帨巾, 各二於阼階下之東西,
其西者有臺架.)"라고 하여, 받침대를 갖춘 것을 서쪽으로 배치시켰다. 아울러「通禮」의 祠堂 장에서는 설날·
동지·초하루·보름(正·至·朔·望) 때의 참배 시에도 "대야·물동이·세건을 각각 두 개씩 阼階 아래의
동남쪽에 놓는데, 받침대와 시렁이 있는 것을 서쪽에 둔 것은 주인과 親屬들이 손을 씻기 위함이고, 받침대와
시렁이 없는 것은 執事者가 손을 씻기 위함이다.(盥盆帨巾, 各二於阼階下東南. 有臺架者在西, 爲主人親屬所
盥. 無者在東, 爲執事者所盥.)"라고 하여 이 역시 받침대를 갖춘 것을 서쪽으로 배치시켰다. 이상의 내용을
종합해 보면, '받침대를 갖춘 것'을 동쪽으로 둔 경우는 凶禮에 해당하는 喪禮에서이고, 서쪽으로 둔 것은
吉禮에 해당하는 祭禮에서의 경우임을 알 수 있다.

絞紟 하나를 펴며, 다음으로 효금絞紟 위에 이불을 펴고, 다음으로 이불 위에 소렴에 필요한 옷들을 편다. 그런 다음 시신을 그 위로 옮긴다. 비단 겹옷을 펴서 머리에 괴고, 두 양 끝을 말아 양 어깨의 빈 곳을 채운다. 또 옷을 말아 두 다리에 끼우고 남은 옷으로 시신을 덮는다. 왼쪽으로 옷섶을 여미고 이불로 싼다. 따로 또 이불로 덮고는 장차 대렴할 때를 기다린 다음에 덮었던 이불을 걷어내고 효금絞紟을 묶는다. 먼저 세로로 된 것을 묶고 나서 가로로 된 것을 묶는다.

大斂圖 대렴도

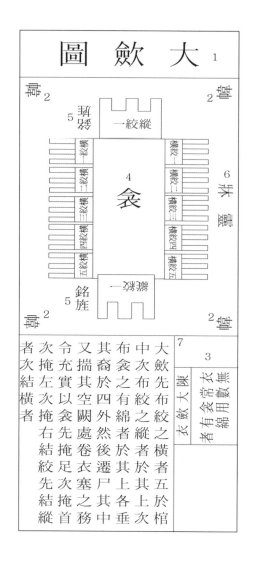

1. 大斂圖대렴도 : 대렴하는 그림
2. 幃위 : 휘장
3. 陳大斂衣. 衣無常數, 衾用有綿者.

   대렴할 옷을 진설한다. 옷에는 일정한 수가 없고, 이불은 솜이 든 것을 쓴다.
4. 衾. 橫絞一, 橫絞二, 橫絞三, 橫絞四, 橫絞五. 縱絞一.

   이불. 가로로 묶는 효금絞衾 1, 2, 3, 4, 5. 세로로 묶는 효금絞衾 1.

5. 銘旌명정

6. 靈牀영상

7. 大斂先布絞之橫者五於棺中, 次布絞之縱者於其上, 次布衾之有綿者於其上, 各垂其裔
於四外. 然後遷尸其中. 又揣其空缺處卷衣塞之, 務令充實. 以衾先掩足, 次掩首, 次掩
左, 次掩右. 結絞, 先結縱者, 次結橫者.

대렴은 먼저 관棺 속에 가로로 묶을 효금絞衾 다섯을 펴고,[56] 다음으로 그 위에 세로로 묶을
효금絞衾을 펴며, 다음으로 그 위에 솜이 든 이불을 펴서 각각 그 끝동을 사방 밖으로 늘어뜨린
다. 그런 다음 그 속으로 시신을 옮긴다. 또 빈 공간을 헤아려 옷을 말아 채우되, 가득 채워
넣도록 한다. 이불로 먼저 발을 덮고, 다음으로 머리를 덮으며, 다음으로 왼쪽을 덮고, 다음으
로 오른쪽을 덮는다. 효금絞衾을 묶되, 먼저 세로로 된 것을 묶고 나서 가로로 된 것을 묶는다.

---

56 대렴은 먼저 … 펴고:『家禮儀節』에 "이것을 살펴보면 대렴을 관 속에서 하지 않음을 알 수가 있다. 그런데
세속에서는『家禮』의 卷首에 나오는 圖가 주자의 본뜻이 아님을 모르고서 이따금 그 설에 근거해서 관 속에
서 대렴을 하는 경우가 있다. 이는 옛 예가 전혀 아니다. 더구나 관 속은 비좁아서 絞를 묶기가 몹시 어려우니,
禮書를 읽는 자가 자세하게 상고해 보아야 할 것이다."고 하였다.

喪服圖式 상복도식

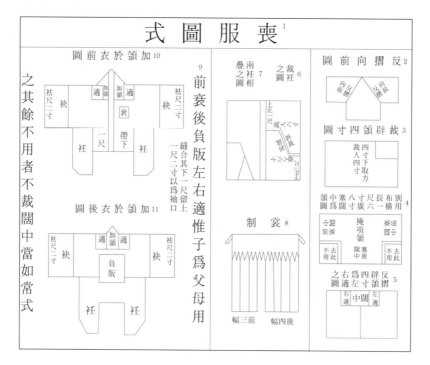

1. 喪服圖式상복도식 : 상복의 도식

2. 反摺向前圖.

    반대로 접어 앞쪽으로 향하도록 하는 그림이다.

    反摺向前.

    반대로 접어 앞쪽으로 향하도록 한다.

3. 裁辟領四寸圖.

    벽령辟領[57] 4촌을 재단하는 그림이다.

    四寸下取方裁, 入四寸.

    4촌 아래에서 네모나게 재단하여 4촌을 들인다.

4. 別用布橫長一尺六寸廣八寸, 塞闊中爲領圖.

    따로 베 가로 길이 1척 6촌, 너비 8촌을 써서 활중闊中을 막아 깃을 만드는 그림이다.

    去此不用. 塞前闊中. 掩項領. 塞後闊中.

---

57 辟領 : 고대 상복의 옷깃[領].

이 부분은 제거하고 쓰지 않는다. 앞의 활중闊中을 막는다. 목 뒤의 깃을 덮는다. 뒤의 활중을 막는다.

5. 反摺辟領四寸爲左右適之圖.

벽령辟領 4촌을 반대로 접어 좌우의 적適[58]을 만드는 그림이다.

左適. 闊中. 右適.

왼쪽의 적適. 활중闊中. 오른쪽의 적適.

6. 裁衽之圖.

임衽을 재단하는 그림이다.

上正一尺裁, 入六寸. 斜裁. 下正一尺裁, 入六寸.

위에서 똑바로 1척에서 재단하여 6촌을 들인다. 비스듬히 재단한다. 아래에서 똑바로 1척에서 재단하여 6촌을 들인다.

7. 兩衽相疊之圖.

양 임衽을 서로 포갠 그림이다.

8. 裳制상제 : 하상下裳(치마) 제도

後四幅, 前三幅.

뒤는 4폭, 앞은 3폭이다.

9. 前衰後負版左右適, 惟子爲父母用之. 其餘不用者不裁闊中, 當如常式.

앞의 최衰, 뒤의 부판負版, 좌우의 적適은 오직 아들이 부모를 위한 상복에만 쓴다. 나머지 쓰지 않는 자는 활중闊中을 재단하지 않고 통상의 법식대로 한다.

10. 加領於衣前圖.

옷의 앞쪽에 깃을 다는 그림이다.

袪尺二寸. 縫合其下一尺, 留上一尺二寸, 以爲袖口. 袂. 適. 加領. 衰. 衽. 帶下一尺.

소맷부리는 1척 2촌이다. 아래의 1척을 봉합하고 위 1척 2촌을 남겨두어 소맷부리로 삼는다.

메袂. 적適. 가령加領. 최衰. 임衽. 대하帶下는 1척이다.

11. 加領於衣後圖 : 옷의 뒤쪽에 깃을 다는 그림이다.

袪尺二寸. 袂. 適. 加領. 負版. 衽.

소맷부리는 1척 2촌이다. 메袂. 적適. 가령加領. 부판負版. 임衽.

---

58 適 : 鄭玄은 "적은 벽령이다.(適, 辟領也.)"라고 하였다. 『儀禮註疏』「喪服」

[18-13]

冠絰絞帶圖式 관질효대도식

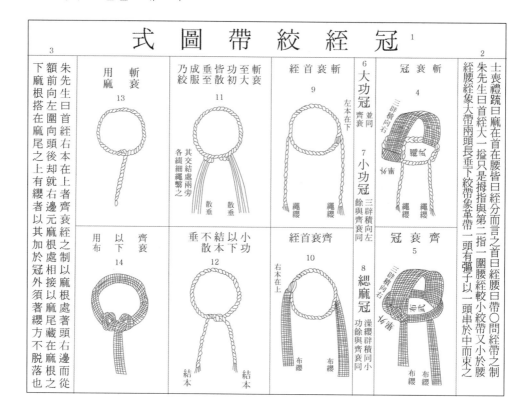

1. 冠絰絞帶圖式관질교대도식 : 관冠·요질腰絰·효대絞帶의 도식
2. 士喪禮疏曰 : "麻在首·在要, 皆曰絰. 分而言之, 首曰絰·要曰帶."

   『의례儀禮』「사상례士喪禮」의 소에서 말했다. "삼줄[麻]이 머리에 있건, 허리에 있건 모두 '질絰'이라고 한다. 나누어 말하면, 머리에 있는 것은 '질絰'이라고 하고, 허리에 있는 것은 '대帶'라고 한다."[59]

   ○ 問絰帶之制, 朱先生曰 : "首絰大一搤, 只是拇指與第二指一圍. 腰絰較小, 絞帶又小於腰絰. 腰絰象大帶, 兩頭長垂下. 絞帶象革帶, 一頭有彄子, 以一頭串於中而束之."[60]

   요질腰絰과 효대絞帶의 제도에 관해 묻자, 주선생朱先生[朱熹]이 말했다. "수질首絰은 굵기가

---

59 삼줄[麻]이 머리에 … '帶'라고 한다. : 『儀禮』「士喪禮」의 疏가 아니라, 『禮記』「檀弓上」 "絰也者, 實也."에 대한 陳澔의 集說이다.

60 『朱子語類』 권85, 32조목

1액搹이니, 단지 엄지와 검지를 잇는 둘레 하나 굵기(둘레 9寸)이다. 요질腰経은 보다 가늘고, 효대絞帶는 또 요질보다 가늘다. 요질은 대대大帶를 본떠, 양 끝동을 길게 아래로 드리운다. 효대는 혁대革帶를 본떠, 한 끝동에 결개[彄子]가 있어, 다른 끝동을 그 가운데에 꿰어 묶는다."

3. 朱先生曰 : "首経右本在上者, 齊衰経之制. 以麻根處著頭右邊, 而從額前向左圍向頭後, 却就右邊元麻根處相接, 以麻尾藏在麻根之下, 麻根搭在麻尾之上. 有纓者, 以其加於冠外. 須著纓, 方不脫落也."[61]

주선생朱先生[朱熹]이 말했다. "수질首経에서 오른쪽에 밑동이 오게 하여 위에 두는 것은 자최복의 수질 제도이다. 삼줄 밑동을 머리 오른쪽 가에 붙이고 이마 앞에서 왼쪽으로 둘러 머리 뒤쪽을 향해 가다가 오른쪽 가에 원래 있던 삼줄의 밑동이 서로 만날 때, 삼줄의 끝을 삼줄의 밑동 아래에 감추어, 삼줄의 밑동이 삼줄의 끝 위에 얹히게 한다. 갓끈이 있는 것은 관冠 밖에 덧붙이기 때문이다. 반드시 갓끈을 붙여야 비로소 벗겨지지 않는다."

4. 斬衰冠참최관

三辟積向右. 外畢. 繩武. 繩纓.

세 주름이 오른쪽을 향하게 하고, 끝동이 밖으로[外畢] 가게 한다.[62] 새끼로 무武를 만들고, 새끼로 갓끈을 만든다.

5. 齊衰冠자최관

三辟積向右. 外畢. 布武. 布纓.

세 주름이 오른쪽을 향하게 하고, 끝동이 밖으로 가게 한다. 베로 무武를 만들고, 베로 갓끈을 만든다.

6. 大功冠대공관

並同齊衰.

자최관과 모두 같다.

7. 小功冠소공관

三辟積向左. 餘與齊衰同.

세 주름이 왼쪽을 향하게 하고, 나머지는 자최관과 같다.

8. 緦麻冠시마관

澡纓. 辟積同小功. 餘與齊衰同.

표백한 베로 갓끈을 만들며, 주름은 소공관과 같다. 나머지는 자최관과 같다.

9. 斬衰首経참최수질

---

61 『朱文公文集』 권54 「答周叔謹」(3)

62 끝동이 밖으로 … 한다. : "'外畢'에서, '畢'은 새끼의 끝동이다.(外畢, 畢者, 繩之末也.)" 惠士奇, 『禮說』 권40 「考工記」

左本在下.

왼쪽 밑동이 오게 하여 아래에 둔다.

繩纓.

새끼로 갓끈을 만든다.

10. 齊衰首絰자최수질

右本在上.

오른쪽에 밑동이 위에 있다.

布纓.

베로 갓끈을 만든다.

11. (腰絰) 斬衰至大功, 初皆散垂, 至成服乃絞.

(요질) 참최복에서 대공복까지는 처음에는 다 흩뜨려 늘어뜨렸다가 성복成服을 하였을 때 꼰다.

其交結處兩旁, 各綴細繩繫之.

서로 묶은 곳의 양쪽에 각각 가는 새끼줄을 달아맨다.

散垂.

흩뜨려 늘어뜨린다.

12. (腰絰) 小功以下, 結本不散垂.

(요질) 소공 이하는 밑동을 묶고 흩뜨려 늘어뜨리지 않는다.

結本.

밑동을 묶는다.

13. (絞帶) 斬衰用麻.

(효대) 참최복은 마麻를 쓴다.

14. (絞帶) 齊衰以下, 用布.

(효대) 자최복 이하는 베를 쓴다.

[18-14]

斬衰杖屨圖 참최장구도

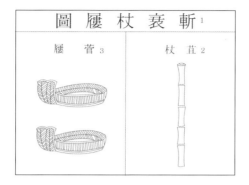

1. 斬衰杖屨圖참최장구도 : 참최복斬衰服의 상장喪杖과 신屨의 그림
2. 苴杖저장 : 저장[63]
3. 菅屨관구 : 관구[64]

[18-15]

齊衰杖屨圖 자최장구도

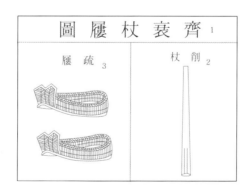

1. 齊衰杖屨圖자최장구도 : 자최복齊衰服의 상장喪杖과 신屨의 그림
2. 削杖삭장 : 삭장[65]
3. 疏屨소구 : 소구[66]

. . . .

63 저장 : 대나무로 만든 喪杖.
64 관구 : 사초로 짠 신발.
65 삭장 : 오동나무로 만든 喪杖.

[18-16]

喪祭器具之圖 상제기구지도

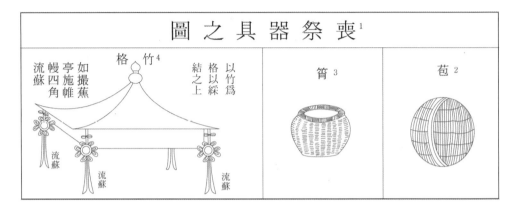

1. 喪祭器具之圖상제기구지도 : 상례喪禮의 제기구祭器具의 그림
2. 苞포 : 포[67]
3. 筲소 : 소[68]
4. 竹格죽격 : 죽격[69]

以竹爲格, 以綵結之. 上如撮蕉亭, 施帷幔, 四角流蘇.

대나무로 틀을 만들고, 채색실로 묶는다. 꼭대기는 촬초정撮蕉亭[70]처럼 하고 휘장을 드리우며,
네 귀퉁이에는 유소流蘇[71]를 드리운다.

---

66 소구 : 짚으로 짠 신발.
67 苞 : 갈대 등을 짜서 만든 용구로, 魚肉 등을 담는 데 쓴다.
68 筲 : 대나무를 짜서 만든 그릇으로, 용량은 1말 2되를 담을 수 있다고도 하고, 1말을 담을 수 있다고도 하며,
    혹 5되를 담을 수 있다고도 한다.
69 竹格 : 대나무 격자. 格은 시렁[庋架]이다. 蕉亭에 장막을 얹도록 하는 것인데, 대나무로 만든다. 『常變通攷』
    권30 「家禮考疑下」, 喪禮 治葬
70 撮蕉亭 : 상여 맨 위의 지붕 꼭지. 모양이 마치 파초 잎을 모아 오므린 듯해서 이름한 것이다. 『常變通攷』
    권30 「家禮考疑下」, 喪禮 治葬
71 流蘇 : 깃발이나 장막 등에 다는 오색의 실로 만든 수술을 말한다.

喪轝之圖 상여지도

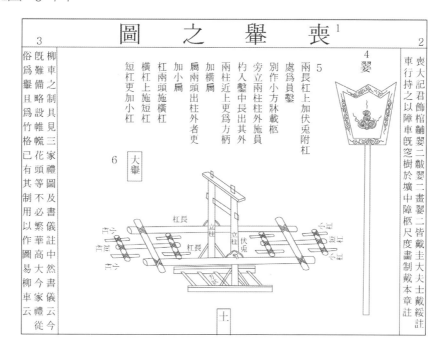

1. 喪轝之圖상여지도 : 상여喪轝의 그림
2. 「喪大記」, "君飾棺黼翣二黻翣二畫翣二, 皆戴圭, 大夫士戴綏." 註, "車行持之以障車, 旣窆樹於壙中障柩." 尺度畫制戴本章註.

   『예기禮記』「상대기喪大記」에 군주君主가 "관棺을 장식함에 보삽黼翣이 둘, 불삽黻翣이 둘, 화삽畫翣이 둘인데 모두 '규圭[瑞玉]'를 꼭대기에 장식하고, 대부大夫・사士는 유綏72를 꼭대기에 장식한다."고 하였다. 주註에서는 "상여가 길을 갈 때에 (사람들을 시켜) 삽翣을 들고 가게 하면

---

72 綏 : 다섯 가지 빛깔의 깃을 가지고 늘어진 모양새의 장식을 만들어 翣의 양쪽 모서리에 이어 붙인 것이다. 『禮記』「曲禮上」의 "車馬를 바칠 때는 '채찍[策]'과 '수레에 오를 때의 손잡이 끈[綏]'을 잡는다.(獻車馬者, 執策綏.)"라는 글에, 唐代의 陸德明은 『禮記注疏』에서 "綏는 음이 '雖'이다. 수레를 오를 때 잡는 것이다.(綏音雖. 執以登車者.)"라고 하였다. 한편, 그는 「喪大記」의 "棺을 장식할 때, 大夫의 경우는 黻翣 두 개와 畫翣 두 개를 쓰는데, 모두 꼭대기에 '綏'를 장식한다.(飾棺, … 大夫, … 黻翣二・畫翣二, 皆戴綏.)"라는 글에서, "'綏'는 정현의 주석에 의거하면 끈[緌]이 되는데, 음은 '葰(유)'이다.(綏依注爲緌, 音葰.)"라고 설명하였다. 元代 吳澄의 『禮記纂言』에서도 「喪大記」에서의 위의 내용에 대한 설명으로, "'綏'는 독음이 '緌'가 된다.(綏讀爲緌.)"라고 설명하고 있다. 이상을 종합하면, '綏'가 '수레 손잡이 끈'을 의미할 경우에는 '수'로, '翣의 장식'을 의미할 경우에는 '유'로 발음함을 알 수 있다.

서 상여喪輿를 가리게 하고, 하관하고 나서는 광광壙 속에 꽂아 영구靈柩를 가린다."[73]라고 하였다. 척도와 그림의 제도는 본장의 주에 실려[74] 있다.

3. 柳車之制具, 見『三家禮圖』及『書儀』註中. 然『書儀』云, "今旣難備, 略設帷幌花頭等, 不必繁華高大." 今『家禮』從俗爲轝, 且爲竹格, 已有其制. 用以作圖易柳車云.

유거柳車[75]의 제구는 『삼가례도三家禮圖』[76] 및 『서의書儀』의 주[77] 가운데 보인다. 그러나 『서의書儀』에 "이제는 갖추기 어려우니 대략 유황帷幌[78]·화두花頭[79] 등만을 설치하고, 굳이 호화롭거나 높고 클 필요는 없다."[80]고 하였다. 지금 『가례家禮』에는 세속을 따라 상여喪轝를 만들었고, 또 죽격竹格도 만들어서 이미 그 제도가 있으니, 그것으로 그림을 그려 유거柳車를 대신한다.

4. 翣삽 : 삽[81]

5. 兩長杠上加伏兔, 附杠處爲員鑿.

別作小方牀以載柩.

旁立兩柱, 柱外施員杓[82]入鑿中, 長出其外.

兩柱近上, 更爲方柄加橫扃.

扃兩頭出柱外者, 更加小扃.

· ·

73 鄭玄의 주이다.

74 『家禮』(국립중앙도서관 소장본, 발행사항 : 영조35(1759), 청구기호, 일산古1252-37)에는 "尺度畵制戴本章註"에서의 '戴'가 '載'로 되어 있다. 『家禮』에 의거해서 번역하였다.

75 柳車 그림 : 聶崇義, 『三禮圖』 권19

76 『三家禮圖』 : 『三家禮圖』가 아니라, 앞에 소개한 聶崇義의 『三禮圖』인 듯이 보인다. 聶崇義, 『三禮圖』, 권19 참조

77 『書儀』의 註 : 『書儀』 권8 陳器

78 帷幌 : 喪車를 덮는 휘장으로, 옆에 있는 것은 유라고 하고, 위에 있는 것은 황이라고 한다. 임금은 龍帷와 黼幌으로 장식하고, 대부는 畵帷로 장식하며, 士는 布帷와 布幌으로 장식하는데, 그림을 그려 넣지 않은 白布로 만든다. 『禮記』「喪大記」'飾棺, 君龍帷…'의 鄭玄 주 참조

79 花頭 : 꽃무늬

80 『書儀』 권8 陳器

81 翣 : 본문에서는 翣에 두 개의 뿔만 있을 뿐인데 이 그림에는 뿔이 세 개다. 『家禮輯覽』(『沙溪全書』 권25)「家禮圖」. 부록 그림 69 참조

82 杓 : 본문에는 '柄'으로 되어 있다.

杠兩頭施橫杠.

橫杠上施短杠.

短杠更加小杠.

두 개의 긴 장대 위에 복토伏兔(수레 상자와 굴대를 연결하는 엎드린 토끼 문양의 나무 부품)를 붙이고, 장대를 부착한 곳에 둥근 구멍을 뚫는다.

별도로 작은 네모난 상을 만들어 영구靈柩를 실을 수 있도록 한다.

옆에 두 개의 기둥을 세우고 기둥 밖으로는 둥글게 자루를 만들어 구멍 속에 끼워 넣고 밖으로 길게 나오게 한다.

양 기둥 위쪽에는 다시 네모난 자루를 만들어 가로 빗장을 끼운다.

기둥 밖으로 나온 양 빗장 머리에 다시 작은 빗장을 끼운다.

장대의 양 머리에도 가로 장대를 설치한다.

가로 장대 위에는 짧은 장대를 설치한다.

짧은 장대에 다시 작은 장대를 더한다.

6. 大轝대여 : 대여

   長杠 · 立柱 · 方狀 · 伏兔 · 小杠 · 短杠

   긴 장대. 기둥을 세운다. 네모난 상. 복토. 작은 장대. 짧은 장대.

本宗五服之圖　본종오복지도

本宗五服之圖 [1]

				妻系／父系					
				高祖母 齊衰三月	高祖父 齊衰三月				
			曾祖姑 嫁無緦麻	曾祖母 齊衰五月	曾祖父 齊衰五月	曾祖伯叔父母 緦麻			
		從祖姑 嫁無緦麻	祖姑 嫁無小功	祖母 齊衰不杖期	祖父 齊衰不杖期	伯叔祖父母 小功	從祖伯叔父母 緦麻		
	再從祖姑 嫁無緦麻	從祖姑 嫁無緦麻	姑 嫁無小功	母 齊衰三年（母在則不杖）	父 斬衰三年	伯叔父母 不杖期	從父伯叔父母 小功	再從伯叔 緦麻	
姊妹三從 嫁無緦麻	再從姊妹 嫁緦麻	從姊妹 嫁無大功	姊妹 嫁無不杖期	妻 齊衰杖期	己	兄弟 不杖期	從父兄弟 大功（妻小功）	再從兄弟 小功（妻無）	三從兄弟 緦麻（妻無）
	再從姪女 嫁無緦麻	從姪女 嫁緦麻	姪女 嫁無小功	婦 衆子婦大功	子 長子三年 衆子期	姪 不杖期（妻大功）	從姪 小功（妻緦麻）	再從姪 緦麻（妻無）	
		從姪孫女 嫁無緦麻	姪孫女 嫁小功	孫婦 適婦小功 庶婦緦麻	孫 適孫不杖 庶孫大功	姪孫 小功（婦緦麻）	從姪孫 緦麻（婦無）		
			曾姪孫女 嫁無緦麻	曾孫婦 緦麻	曾孫 緦麻	曾姪孫 緦麻（婦無）			
				玄孫婦 無服	玄孫 緦麻				

[2]（中央圖）

[3] 嫡孫父卒爲祖，若曾高祖父承重者斬衰三年。曾祖母、高祖母承重者齊衰三年。

[4] 凡男爲人後者，爲其本生父母，皆降一等。爲其本生父母不杖期，心喪三年。其本生父母之服降一等，不杖期亦三年。

[5] 姑姊妹女子子在室及嫁反者，亦與男子同。姊妹女子子適人者，其夫與兄弟爲之不杖期。

[6] 凡女適人者，爲其私親皆降一等。惟爲其高祖父母及兄弟之爲父後者不降。爲祖父母、兄弟、姪爲後者之妻不降。

1. 本宗五服之圖본종오복지도 : 본종本宗의 오복에 대한 그림
2. 본종本宗의 오복에 대한 그림 국역

				고조모 자최3월	고조부 자최3월				
			증조고 시마 시집가면 없음	증조모 자최5월	증조부 자최5월	증조백숙부모 시마			
		종조고 시마 시집가면 없음	조고 소공 시집가면 없음	조모 자최부장기	조부 자최부장기	조백숙부모 소공	종조백숙부모 시마		
	재종고 시마 시집가면 없음	종고 소공 시집가면 시마	고모 부장기 시집가면 소공	모친 자최3년	부친 참최3년	백숙부모 부장기	종백숙부모 소공	재종백숙부모 시마	
삼종자매 시마 시집가면 없음	재종자매 소공 시집가면 시마	종자매 대공 시집가면 시마	자매 부장기 시집가면 대공	처 자최장기부모 생존시 부장기	나	형제 부장기 처 소공	종부형제 대공 처 없음	재종형제 소공 처 없음	삼종형제시마 처 없음
	재종질녀 시마 시집가면 없음	종질녀 소공 시집가면 시마	질녀 부장기 시집가면 대공	며느리83 중자 기년 며느리 대공	아들 장자 3년 장부 기년	질 부장기 처 대공	종질 소공 처 시마	재종질 시마 처 없음	
		종질손녀 시마 시집가면 없음	질손녀 소공 시집가면 시마	손자며느리 적부 소공 서부 시마	손자 적자 부장기 서자 대공	질손 소공 부인 시마	종질손 시마 부인 없음		
			증질손녀 시마 시집가면 없음	증손자 며느리 며느리 없음	증손 시마	증질손 시마 부인 없음			
				현손자 며느리 며느리 없음	현손 시마				

3. 嫡孫父卒, 爲祖若曾高祖承重者, 斬衰三年. 爲祖母曾高祖母承重者, 齊衰三年
   적손嫡孫이 부친이 죽어 조부 또는 증조부나 고조부를 승중한 자嫡長孫는 참최3년을 입는다.
   조모祖母 또는 증조모曾祖母나 고조모高祖母를 승중한 자嫡長孫는 자최 3년을 입는다.

4. 凡男爲人後者, 爲其私親皆降一等. 惟本生父母, 降服, 不杖期, 中心喪三年. 其本生父
   母, 亦爲之, 降服, 不杖期.
   무릇 남의 후사가 된 자는 자신의 사친私親(본생부모)을 위해서는 모두 한 등급 내려 입는다.
   오직 본래 낳아준 부모일 경우에는 복服을 내려 부장기不杖期를 입더라도, 심상心喪 3년을 한
   다. 본래 낳아준 부모 또한 그를 위해 복을 내려 부장기를 한다.

· · · · · · · · · · · · · · · · · ·

83 『四禮便覽』에는 "長不杖期, 衆大功."이라고 하였다.

5. 姑姊妹女子子在室, 服並與男子同. 嫁反者亦同. 適人無夫與子者, 爲其兄弟姊妹及兄弟
   之子, 不杖期.

   시집을 안 간 고모·자매·딸은 복服이 남자와 같고, 시집을 갔다가 되돌아온 경우에도 같다.
   시집을 갔으나 남편과 자식이 없는 경우에는 자신의 형제·자매 및 형제의 아들을 위해서
   부장기不杖期를 입는다.

6. 凡女適人者, 爲其私親皆降一等. 惟祖及曾高祖不降, 爲兄弟之爲父後者不降, 爲兄弟姪
   之妻不降.

   무릇 시집간 여자는 사친私親을 위해서는 모두 한 등급 내려 입는다. 다만 조祖 및 증조曾祖·
   고조高祖를 위해서는 내려 입지 않고, 형제 중 부친의 후사가 된 자를 위해서는 내려 입지
   않으며, 형제의 처와 조카의 처를 위해서도 내려 입지 않는다.

[18-19]

三父八母服制之圖 삼부팔모복제지도

圖 之 制 服 母 八 父 三 [1]

父　繼 (繼父)

同居繼父，大功以上皆無，父乃義服。不同居，不杖期。先隨母嫁，或繼雖居嫁。後繼異居而己。同有父居，子已己。上有親，大功服齊已。衰三月。元不同居，則無異父。附之，各服小功五月。姊妹兄弟同母。

母　繼 (繼母)　｜　母　嫡 (嫡母)

繼母：謂父再娶之母，義父○為母齊衰三年，長子三年○衆子為母不杖期○繼母乃嫁，若出則從繼母報服○而父卒，母杖期○己卒無服，從繼母出不期○繼母之弟姊妹小功。

嫡母：謂父正室生子○妾子於嫡母齊衰三年○嫡母死不服○為嫡母之黨與正室子同○妾生子為父正室曰嫡母，衆子為母齊衰杖期，庶子為父後則為嫡母不杖期○嫡母報服，亦與母同，妹兄弟姊父母服。

母　庶 (庶母) [84]

庶母：謂父妾之有子者，士為庶母緦麻○庶母慈己者小功○自乳養者○庶子為其母齊衰三年，君母在則不敢伸○父後者為庶母無服○父卒，庶子為其母○為其母緦，衆子謂之義服緦麻○女子子適人者為其母，長子父母後則為父母齊衰，其餘降。

母　養 (養母)　｜　母　乳 (乳母)　｜　母　慈 (慈母)

養母：謂養同宗，及三歲以下遺棄子，與親子同母，同正服齊衰三年○者服不杖。

乳母：謂小乳哺○日乳母義○服緦麻。

慈母：謂庶子無母，而父命他妾之無子者，慈己為母，其子服同親母齊衰三年，也○小功，不命則緦麻。

母　嫁 (嫁母)　｜　母　出 (出母)

嫁母：謂親母，父亡母嫁，為嫁母齊衰杖期，降○適人者為嫁母無服○乃為嫁母大功報○父在前後不杖，己嫁者之子不服，從夫者。

出母：謂父離棄其母，為出母齊衰杖期，降○父後者為出母無服○子適人不為出母服○為出母大功報○女亦報服。

---

1. 三父八母服制之圖삼부팔모복지제도 : 삼부三父 팔모八母의 복제服制 그림
2. 삼부三父 팔모八母의 복제服制 그림 국역

84 『家禮』(국립중앙도서관 소장본, 발행사항 : 영조35(1759), 청구기호, 일산古1252-37)에는 庶母에 대한 내용 중, "衆子謂之義服緦麻"에서의 '謂'가 '爲'로 되어 있다.

계　부繼父

애당초 함께 살지 않은 계부에게는 복을 입지 않는다. 붙임附. 부친이 다른 동모 형제자매는 각각 소공5월을 입는다.	함께 살지 않는다는 것은 앞서 재가한 모친을 따라 가서 계부와 함께 살다가 현재는 함께 살지 않거나, 혹은 함께 살더라도 계부에게 아들이 있고 자신에게 대공 이상의 친족이 있는 경우를 말하는데 자최3월을 입는다.	함께 살고 있는 계부는 부자父子가 모두 대공大功 이상의 친족이 없는 경우, 의복義服으로 부장기를 입는다.

계　모繼母 / 적　모嫡母

계　모繼母	적　모嫡母
부친이 재취再娶(再婚)한 모친을 말한다. 의복義服으로 자최3년을 입는다. ○계모는 장자를 위해 보복報服으로 자최3년을 입는다. ○중자衆子를 위해서는 부장기를 입는다. ○계모가 쫓겨났을 경우에는 복을 입기 않는다. ○만약 아버지가 졸하여서 계모가 시집을 갔는데 자신이 계모를 따라간 경우에는 장기杖朞를 입으며, 계모는 자신을 위하여 보복報服을 입되 부장기를 입는다. ○어머니가 쫓겨났을 경우에는 계모의 형제자매를 위해서 소공小功을 입는다.	첩이 낳은 아들이 부친의 정실正室을 적모嫡母라고 말하며, 정복正服으로 자최3년을 입고, 모친과 적자嫡子 또한 보복報服한다. ○중자衆子를 위해서는 부장기를 입는다. ○서자는 적모의 부모 형제자매를 위해 소공복을 입고, 적모가 죽어 없을 경우에는 입지 않는다.

서　모庶母

아들이 있는 부친의 첩을 말하며, 중자衆子는 부친의 첩을 위해서 의복으로 시마를 입는다. ○사士의 서자庶子가 자신의 모친을 위해 자최3년을 입는다. 부친의 후사가 된 경우에는 내려 입는다. ○서자가 부친의 후사가 된 경우에는 자신의 모친을 위해 시마를 입고, 자신의 모친의 부모 형제자매를 위해서는 복이 없다. ○서자의 아들은 부친의 모친을 위해 부장기를 입고, 조부의 후사가 된 경우에는 복이 없다.	○서모는 자신의 아들과 남편君의 중자衆子를 위해 자최부장기를 입는다. ○남편君의 장자를 위해 자최3년을 입는다. ○첩은 남편君을 위해 참최3년을 입는다. ○남편의 정실부인女君을 위해 부장기를 입는다. ○자기를 길러준 서모는 자신을 어렸을 때부터 젖을 주며 길러준 사람을 말하는데 의복義服으로 소공을 입는다.

양　모養母 / 유　모乳母 / 자　모慈母

양　모養母	유　모乳母	자　모慈母
동종同宗에게 수양아들로 간 경우와 3세 이전에 버려져 길러준 어머니를 말하는데 친모親母와 똑같이 정복正服으로 자최 3년을 입는다.	어려서 자신에게 젖을 먹여준 자를 말하는데 의복으로 시마를 입는다.	서자庶子에게 모친이 없을 경우 부친이 아들이 없는 다른 첩에게 자기를 길러주도록 명命한 자를 말하는데, 친모와 같이 의복으로 자최 3년을 입는다. 명이 없었으면 소공을 입는다.

가　모嫁母 / 출　모出母

가　모嫁母	출　모出母
부친이 죽어 모친이 재가한 경우를 말하는데 복을 내려 장기杖朞를 입는다. 모친은 아들을 위해 부장기를 입는다. ○시집간 딸은 대공을 입는다. 모친은 딸을 위하여 보복報服을 입는다. ○아들이 부친의 후사가 된 경우에는 복을 입지 않는다. ○재가할 때 따라온 전 남편의 아들은 부장기를 입는다.	부친에게 이혼을 당하여 집을 나간 사람을 말하는데 복을 내려 장기杖朞를 입는다. 모친은 아들을 위해 복을 내려 부장기를 입는다. ○아들이 부친의 후사가 된 경우에는 복을 입지 않는다. ○시집간 딸은 내쫓긴 모친을 위하여 복을 내려 대공을 입는다. 모친은 딸을 위해 또한 보복報服한다.

妻爲夫黨服圖　처위부당복도

圖 服 黨 夫 爲 妻 （1）

			夫高祖父母	夫爲祖曾高祖及祖母曾高高祖母承重者並從夫服（2）		
			緦麻			
夫爲人後其 妻爲本生舅 姑服大功			夫曾祖父母			
			緦麻			
		姑夫祖	夫祖父母	父叔夫母祖伯		
		緦麻	大功	緦麻		
	姑夫堂	姑夫親	姑　舅	父伯夫母叔之	父伯夫母叔堂	
	麻緦	小功	斬衰三年　齊衰三年	大功	緦麻	
	姊夫妹堂	妹夫姊	夫	似弟夫婦娣兄	兄夫弟堂	
	麻緦	小功	斬衰三年	小功	緦麻	
姪夫從女堂	姪夫女堂	女夫姪	婦　子	婦夫姪	姪夫婦堂	堂夫姪從
緦麻	小功	期年	長子齊衰三年 衆子期年 嫡子婦杖期 衆子婦大功 長子婦杖期	期年大功	小功緦麻	緦麻
	女姪夫孫堂	孫夫女姪	婦　孫	孫夫婦姪	姪夫孫堂	
	麻緦	小功	大功　緦麻	麻緦功小	麻緦	
		女姪夫孫曾	曾　孫	姪夫孫曾		
		麻緦	緦麻	麻緦		
			元　孫			
			緦麻			

1. 妻爲夫黨服圖처위부당복도 : 아내가 남편의 친족을 위해 입는 복의 그림
2. 아내가 남편의 친족을 위해 입는 복의 그림 국역

남편이 남의 후사가 된 경우, 그 처는 본래 낳아준 시부모를 위해 대공복을 입는다.

남편이 조부·증조부·고조부 및 조모·증조모·고조모를 승중한 경우에는 모두 남편의 복을 따른다.

				남편의 고조부모					
				시마					
				남편의 증조부모					
				시마					
		남편의 고모할머니		남편의 조부모		남편의 백숙조부모			
		시마		대공		시마			
	남편의 당고모	남편의 친고모	시아버지	시어머니	남편의 백숙부모	남편의 당백숙부모			
	시마	소공	참최3년	자최3년	대공	시마			
	남편의 당자매	남편의 자매	남편		남편의 형제와 동서	남편의 당형제			
	시마	소공	참최3년		소공	시마			
남편의 종당질녀	남편의 당질녀	남편의 조카딸	아들	며느리	남편의 조카	조카며느리	남편의 당질	남편의 당질부	남편의 종당질
시마	소공	기년	장자 자최3년 중자 장기	적부 장기 중부 대공	기년	대공	소공	시마	시마
	남편의 당질손녀	남편의 질손녀	손자	손자 며느리	남편의 질손	남편의 질손부	남편의 당질손		
	시마	소공	대공	시마	소공	시마	시마		
		남편의 증질손녀	증손		남편의 증질손				
		시마	시마		시마				
			원손85						
			시마						

85 元孫 : '元'은 원래 '玄'을 피하여 바꾼 글자이다. 宋나라 시조 '玄郞'의 휘를 피한 것이다.

外族母黨妻黨服圖　외족모당처당복도

圖服黨妻黨母族外[1]

[2]

外祖父母 婦人爲夫外祖父母緦麻 小功

舅 母之兄弟婦人爲夫之舅緦麻 小功

妻父母 妻亡別娶亦同妻 緦麻

從母 母之姊妹婦人爲夫從母緦麻 小功

親母雖嫁出猶服

舅姑 姑之子曰外兄弟 總麻

之子 舅之子曰內兄弟

己身 兩姨兄弟姊妹謂從

從母之子 母之子也 緦麻

甥 姊妹之子曰甥婦緦麻 小功

甥女 姊妹之女曰甥女 小功

壻 女之子也 緦麻

外孫 婦服並同 緦麻

1. 外族母黨妻黨服圖외족모당처당복도 : 외족外族·처족妻族을 위해 입는 복의 그림
2. 外族母黨妻黨服圖 : 외족外族·처족妻族을 위해 입는 복의 그림 국역

		외조부모 : 소공 부인은 남편의 외조부모를 위해 시마를 입는다.	
	종모 : 소공 모친의 자매이다. 부인은 남편의 종모를 위해 시마를 입는다	처부모 : 시마 처가 죽어서 따로 장가들었을 경우에도 역시 같다. 처의 친모가 비록 다시 시집을 갔거나 쫓겨났더라도 여전히 똑같이 복을 입는다.	외삼촌 : 소공 모친의 형제이다. 부인은 남편의 외삼촌을 위하여 시마를 입는다.
종모의 자식 : 시마 양 이모의 형제자매를 종모의 자식이라고 말한다.		자기 자신	외삼촌과 고모의 아들 : 시마 외삼촌의 아들을 내형제라고 한다. 고모의 아들을 외형제라고 한다.
	생질녀 : 소공 자매의 딸을 생질녀라고 한다.	사위 : 시마	생질 : 소공 자매의 아들을 생질이라고 한다. 생질의 부인은 시마를 입는다.
		외손 : 시마 딸의 아들이다. 외손의 처도 같다.	

神主式 신주식

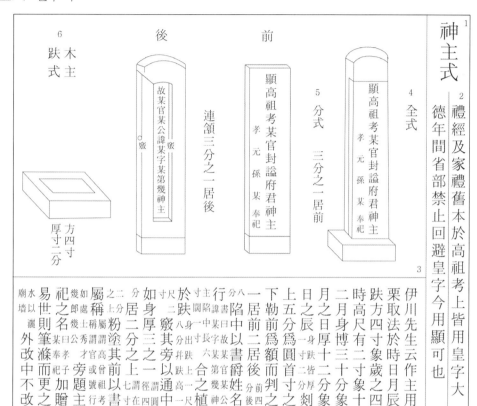

1. 神主式신주식 : 신주神主의 양식

2. 禮經及家禮舊本, 於高祖考上, 皆用皇字, 大德年間, 省部禁止回避皇字. 今用顯可也.
   예경과 『가례』 구본舊本에는 고조고高祖考 위에 모두 '황皇' 자를 썼었는데 대덕大德[86] 연간에
   성부省部(중앙정부)에서 금지하여 '황皇' 자를 피하였으니, 지금은 '현顯' 자를 쓰는 것이 옳다.

3. 伊川先生云: "作主用栗. 取法於時日月辰, 趺方四寸象歲之四時, 高尺有二寸象十二月,
   身博三十分象月之日, 厚十二分象日之辰, 身趺皆厚一寸二分. 剡上五分爲圓首. 寸之下勒
   前爲額而判之一居前, 二居後, 前四分, 後八分. 陷中以書爵姓名行, 書曰故某官某公諱某字某第
   幾神主.' 陷中長六寸, 闊一寸. 合之植於趺, 身出趺上一尺八分, 并趺高一尺二寸. 竅其旁以通中如身
   厚三之一, 謂圓徑四分 居二分之上. 謂在七寸二分之上. 粉塗其前, 以書屬稱, 屬謂高曾祖考, 稱謂官

86 大德: 元나라 成宗의 연호. 1297~1307

或號行, 如處士秀才幾郞幾公 旁題主祀之名.曰孝子某奉祀 加贈易世, 則筆滌而更之.水以灑廟墻外改, 中不改."[87]

이천선생伊川先生[程頤]이 말했다. "신주神主는 밤나무로 만드는데 계절時(사시四時)·날日·달月·진辰(시간)에서 법을 취했으니, 받침[趺]이 사방 4촌인 것은 한 해의 4계절時을 본떴고, 높이가 1척 2촌인 것은 12달을 본떴으며, 몸통의 너비가 30푼分인 것은 한 달의 날수를 본떴고. 두께가 12분인 것은 하루의 시진時辰을 본떴다. 몸통과 받침은 모두 두께가 1촌 2분이다. 위쪽에 5분을 깎아 머리를 둥글게 만든다. 1촌 아래 앞을 새겨 이마額[88]를 만들고는 쪼개되 $\frac{1}{3}$은 앞쪽에 있고 $\frac{2}{3}$는 뒤쪽에 있게 한다. 앞쪽은 4분이고, 뒤쪽은 8분이다. 함중陷中[89]에는 관직·성명·항렬 등을 쓰고는, 고故 ○관 ○공 휘○ 자○ 제 몇째 신주故 官 某公 諱某 字某 第幾神主라고 쓴다. 함중은 길이가 6촌이고, 너비는 1촌이다. 합쳐서 받침에 세운다. 몸통이 받침 위로 나온 부분이 1척 8분이니, 받침까지 포함한 높이는 1척 2촌이다.

양 옆에 구멍을 뚫어 가운데가 통하게 하되, 몸통 두께의 $\frac{1}{3}$이 되게 하고, 원의 지름이 4분이라는 것을 말한다. (몸통 길이의) $\frac{2}{3}$ 위에 있게 한다. 7촌 2분 위에 있다는 것을 말한다.[90] 앞면에는 분粉을 바르고 칭稱·속屬 속屬은 고증조고高曾祖考를 말하고, 칭稱은 벼슬 또는 호칭이나 항렬을 말하니, 처사·수재, 몇째 랑, 몇째 공과 같은 따위이다.을 쓰고, 옆에는 제사를 주관하는 사람의 이름을 쓴다. '효자孝子 아무개 봉사奉祀'라고 한다. 가증加贈되거나 세대가 바뀌면 붓으로 씻고 고쳐 쓴다. 물은 묘廟(사당)의 벽에 뿌린다. 표면에 쓴 글을 고치지만, 함중에 쓴 글은 고치지 않는다."

4. 全式전식

5. 分式분식

前. 三分之一居前.

앞면이다. $\frac{1}{3}$이 앞쪽에 있다.

後. 連頷三分之一[91]居後.

뒷면이다. 턱과 이어진 $\frac{1}{3}$이 뒤쪽에 있다.[92]

6. 木主趺式목주부식 : 나무 신주 받침의 양식

方四寸. 厚寸二分.

사방 4촌이다. 두께는 1촌 2분이다.

---

87 『二程文集』 권11 「作主式」의 글이다. 그 표제 아래 "古尺을 쓴다.(用古尺.)"라고 되어 있다.

88 이마額 : 본문에는 '턱[頷]'으로 되어 있다. 『二程文集』에는 '이마額'로 되어 있다.

89 陷中 : 神主의 뒤판의 면을 직사각형으로 파서 죽은 사람의 성명, 관직 등을 기록하는 부분을 말한다.

90 7촌 2분 … 말한다. : 받침에 끼운 몸통의 길이가 1척 8분이므로, 아래에서 $\frac{2}{3}$ 지점이 7촌 2분이 된다.

91 三分之一 : 아래 伊川의 설명에 따르면 '三分之二'가 되어야 한다.

92 뒷면이다. … 있다. : 앞의 주에 밝혔듯이, "턱과 이어진 $\frac{2}{3}$가 뒤쪽에 있다."가 되어야 한다.

櫝韜藉式 독도자식

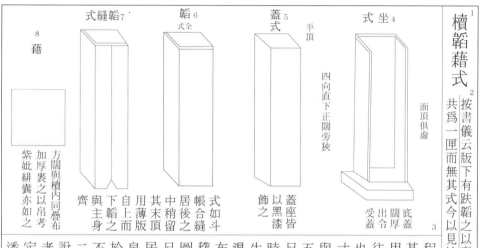

1. 櫝韜藉式독도자식 : 독櫝·도韜·자藉의 양식[93]
2. 按『書儀』云, "版下有趺. 韜之以囊, 藉之以褥. 府君夫人共爲一匣,"[94] 而無其式. 今以見於司馬家廟者圖之.
   살펴보니, 『서의書儀』에 "사판祠版 아래에는 받침이 있다. 주머니로 싸고 '요褥'를 깐다. 부군府君과 부인夫人을 함께 하나의 상자를 만든다."고 하였으나 그 양식樣式이 없다. 여기서는 사마司馬[司馬光]의 가묘에서 본 것을 바탕으로 그림을 그렸다.
3. 程先生木主之制, 取象甚精, 可以爲萬世法. 然用其制者多失其眞, 往往不考用周尺之長短故也. 蓋周尺當今省尺七寸五分弱, 而程氏文集與溫公『書儀』多誤註, 爲五寸五分弱, 而所謂省尺者亦莫知其爲何尺. 時擧舊嘗質之, 晦翁先生答云, "省尺乃是京尺. 溫公有

---

93 韜·藉의 양식 : 본문에는 韜·藉에 관한 언급이 없다.
94 『書儀』 권7 「喪儀」(3) '祠版'

圖子, 所謂三司布帛尺者是也." 繼從會稽司馬侍郎家, 求得此圖, 其間有古尺數等, 周尺居其右, 三司布帛尺居其左. 以周尺校之, 布帛尺正是七寸五分弱. 於是造主之制始定. 今不敢自隱, 因圖主式及二尺長短, 而著伊川之說於其旁, 庶幾用其制者, 可以曉然無惑也. 嘉定癸酉季秋乙卯, 臨海潘時擧仲善父識.

정선생程先生[程頤]의 나무 신주를 만드는 제도는 상象을 취한 것이 매우 정밀하여, 만세萬歲의 법이 될 만하다. 그러나 그 제도를 쓰는 사람들이 대부분 그 참모습을 잃게 된 것은 항상 사용하는 주척周尺(周나라의 척도)의 길이를 고려하지 못했기 때문이다. 주척周尺은 지금의 성척省尺(송나라의 경척京尺)의 7촌 5분이 조금 모자라는 것에 해당하는데도 정자의 문집과 온공溫公[司馬光]의 『서의書儀』에서 대부분 5촌 5분 조금 모자라는 것이라고 잘못 주석하였다. 이른바 성척省尺 또한 어떤 척尺인지 아는 사람이 없었다. 내[時擧]가 예전에 그것에 관해 물은 일이 있는데, 회암선생晦庵先生[朱熹]은 "성척省尺은 바로 경척京尺이다. 온공에게 그림이 있었는데 이른바 삼사포백척三司布帛尺이 그것이다."[95]라고 하였다. 뒤이어 회계會稽의 사마司馬 시랑侍郎[96]의 집에서 이 그림을 구하게 되었다. 거기에는 고척古尺 몇 가지가 있었는데, 주척周尺은 그 오른쪽에 있었고 삼사포백척三司布帛尺은 그 왼쪽에 있었다. 주척을 삼사포백척에 비교해 보니, 바로 7척 5분 조금 모자라는 것에 해당하였다. 이에 신주神主를 만드는 제도가 비로소 확정되었다. 이제 스스로 감히 감추지 못하고, 신주神主의 양식 및 두 가지 자의 길이를 그리고는 이천의 설을 그 곁에 붙였으니, 그 제도를 사용하는 사람들은 분명하여 의혹이 없을 것이다. 가정嘉定[97] 계유癸酉[98] 계추季秋 을묘乙卯에 임해臨海 반시거潘時擧 중선보仲善父[99]가 쓰다.

4. 坐式좌식 : 좌坐의 양식

面頂俱虛.

앞면과 윗면은 모두 비워둔다.

底蓋闊厚, 出令受蓋.

밑부분은 넓고 두껍게 하되, 튀어나와 덮개를 떠받치게 한다.

5. 蓋式개식 : 개蓋(덮개)의 양식

平頂.

---

95 『朱文公文集』 권60 「答潘子善」(10). 潘時擧의 물음 : "程先生文集中主式與『古今家祭禮』長短不同, 所謂古尺當今五寸五分弱, 不知當用何尺?『古今家祭禮』中有古尺樣, 較之今尺, 又不止五寸五分, 注云省尺, 省尺莫是今准尺否?" 주자의 답변 : "省尺乃是京尺. 溫公有圖子, 所謂三司布帛尺者是也. 會稽司馬侍郎家必有此本, 可轉求之. 其圖幷有古尺數等, 此舊有之, 今久不見矣."

96 侍郎 : 司馬光은 門下侍郎을 지냈음

97 嘉定 : 南宋 寧宗의 연호

98 嘉定 癸酉 : 嘉定 6년, 1213년

99 潘時擧 : 송나라 台州 天台縣(浙江) 사람. 자는 子善이고 嘉定(1208~1224) 연간에 國子正錄에 올랐다.

윗면은 평평하게 한다.

四向直下, 正闊旁狹.

네 변에서 아래로 곧게 내려오되 정면은 넓고, 옆면은 좁게 한다.

蓋座皆以黑漆飾之.

덮개와 좌座 모두 검은 옻칠로 꾸민다.

6. 韜全式도전식 : 도韜 전체의 양식.

7. 韜縫式도봉식 : 도韜를 꿰매는 양식.

式如斗帳, 合縫居後之中, 稍留其末, 頂用薄版, 自上而下韜之, 與主身齊.

도韜의 양식은 작은 장막斗帳과 같은데, 뒤쪽 중간에서 합쳐 꿰매고 그 끝을 조금 남겨둔다. 윗면에 얇은 판자를 쓰고 위에서 아래로 덮어씌우되 신주의 몸과 가지런하게 한다.

8. 藉자 : 깔개

方闊, 與櫝內同. 疊布加厚, 裹之以帛. 考紫妣緋. 囊, 亦如之.

사방의 너비는 독櫝의 안쪽과 같게 한다. 베를 겹쳐서 두껍게 하고는 비단으로 겉을 싼다. 고考는 자색紫色, 비妣는 비색緋色(붉은색)[100]으로 한다. 낭囊도 똑같이 한다.

---

100 緋色(붉은색) : "緋는 천(帛)이 적색인 것이다.(緋, 帛赤色也.)" 『說文解字』 「糸部」

櫝式 독식

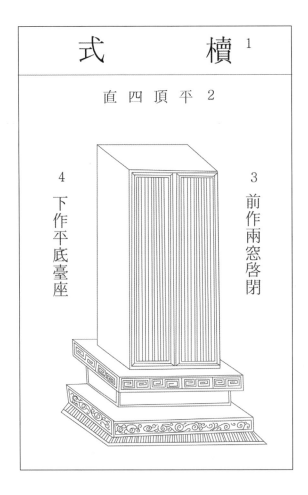

1. 櫝式독식 : 독櫝의 양식

2. 平頂四直.

   윗면을 평평하게 하고 네 변은 곧게 한다.

3. 前作兩窓啓閉.

   앞면에 두 개의 창을 만들어 여닫을 수 있게 한다.

4. 下作平底臺座.

   아랫면에는 밑이 평평한 대臺와 좌座를 만든다.

尺式 척식

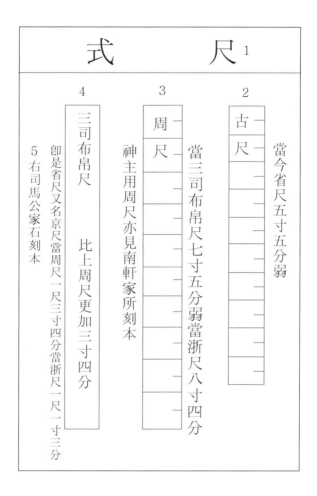

式　　尺 1

4　　3　　2

三司布帛尺　神主用周尺亦見南軒家所刻本　當三司布帛尺七寸五分弱當浙尺八寸四分　周尺　當今省尺五寸五分弱　古尺

5 右司馬公家石刻本　即是省尺又名京尺當周尺一尺三寸四分當浙尺一尺一寸三分　比上周尺更加三寸四分

1. 尺式척식 : 자尺의 양식

2. 古尺고척 : 옛날의 척尺
   當今省尺五寸五分弱.
   지금 성척省尺에 5촌 5분 조금 모자라는 것에 해당한다.

3. 周尺주척 : 주周나라의 척
   當三司布帛尺七寸五分弱, 當浙尺八寸四分.
   삼사포백척三司布帛尺에 7촌 5분 조금 모자라는 것에 해당하고, 절척浙尺 8촌 4분에 해당한다.
   神主用周尺, 亦見南軒家所刻本.
   신주는 주척周尺을 사용하니, 남헌南軒(장식張栻)의 집에 있는 판각본에도 보인다.

4. 三司布帛尺삼사포백척

比上周尺, 更加三寸四分.

위의 주척周尺에 비해, 3촌 4분이 더 길다.

卽是省尺, 又名京尺. 當周尺一尺三寸四分, 當浙尺一尺一寸三分.

바로 성척省尺이니, 또 경척京尺이라고 부르기도 한다. 주척周尺 1척 3촌 4분에 해당하고, 절척浙尺 1척 1촌 3분에 해당한다.

5. 右司馬公家石刻本.

이상은 사마공司馬公 집안의 석각본石刻本이다.

[18-26]

大宗小宗圖 대종소종도

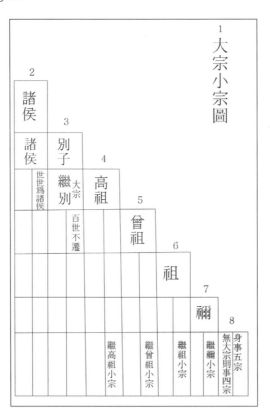

1. 大宗小宗圖대종소종도 : 대종·소종의 그림
2. 諸侯제후

諸侯. 世世爲諸侯.

제후이다. 대대로 제후가 된다.

3. 別子·별자

繼別大宗. 百世不遷.

별자를 잇는 대종大宗이다. 영원토록 체천遞遷하지 않는다.

4. 高祖고조

繼高祖小宗.

고조高祖를 잇는 소종小宗이다.

5. 曾祖증조

繼曾祖小宗.

증조曾祖를 잇는 소종이다.

6. 祖조

繼祖小宗.

조祖를 잇는 소종이다.

7. 禰예

繼禰小宗.

예禰를 잇는 소종이다.

8. 身事五宗. 無大宗, 則事四宗.

몸소 5종宗을 섬긴다. 대종이 없으면 4종宗을 섬긴다.

劉氏垓孫曰 : "呂汲公家祭儀曰, '古者小宗有四. 有繼禰之宗, 繼祖之宗, 繼曾祖之宗, 繼高祖之宗, 所以主祭祀而統族人. 後世宗法旣廢散, 無所統, 祭祀之禮家自行之, 支子不能不祭, 祭不必告於宗子. 今宗法雖未易復, 而宗子主祭之義, 略可擧行.「宗子爲士, 庶子爲大夫, 以上牲祭於宗子之家.」故今議家廟雖因支子而立, 亦宗子主其祭, 而用其支子命數所得之禮, 可合禮意.'"

유해손劉垓孫이 말했다. "여급공呂汲公[呂大防][101]은 『가제의家祭儀』에서 '옛날에 소종小宗은 네 종류가 있었다. 예禰를 잇는 종宗이 있고, 조祖를 잇는 종이 있으며, 증조曾祖를 잇는 종이 있고, 고조高祖를 잇는 종이 있었으니, 제사를 주관하고 족인族人을 통솔하기 위한 것이다. 후세에는 종법이 폐지되고 풀어져 통솔할 수단이 없어졌다. 제사의 예를 집집마다 스스로 행하여, 지자支子도 제사 지내지 않을 수 없고, 제사 지낼 때마다 굳이 종자宗子에게 아뢸 필요는 없다. 이제 종법이 비록 쉽게 회복되지는 않겠지만, 종자가 제사를 주관하는 의리는

---

101 呂汲公(呂大防, 1027~1097) : 중국 北宋 때 陝西省 藍田縣 사람이다. 이름은 大防, 자는 微仲, 시호는 正愍(정민)이다. 여씨 문중의 大忠·大防·大鈞·大臨 4형제가 문중과 향리를 교화하고 선도하고자 만들었던 자치 규약으로 『呂氏鄕約』이 있다.

대략 거행할 수 있다. 「종자는 사士가 되고 서자庶子는 대부大夫가 되었으면, 상생上牲으로 종자의 집에서 제사 지낸다.」[102] 그러므로 이제 의논컨대, 비록 가묘家廟가 지자支子로 인해 세워졌다 하더라도 또한 종자가 그 제사를 주관하고, 지자의 관직으로 얻은 예를 쓰는 것이 예의 뜻에 부합한다.'"

○先生曰 : "祭祀, 須是用宗子法, 方不亂. 不然, 前面必有不可處置者."[103]

선생先生[朱子]이 말했다. "제사는 종자법을 써야 어지럽지 않다. 그렇지 않으면 앞으로 대처하지 못할 바가 반드시 있을 것이다."

○"父在主祭, 子出仕宦, 不得祭. 父没, 宗子主祭. 庶子出仕宦, 祭時, 其禮亦合減殺, 不得同宗子."[104]

(주자가 말했다.) "부친이 살아 있어 제사를 주관할 때에는 아들이 벼슬길에 나갔다 해도 제사를 지내지 못한다. 부친이 죽었을 때에는 종자가 제사를 주관하니 서자庶子가 벼슬길에 나갔더라도 제사를 지낼 때에는 그 예 또한 마땅히 줄여야지 종자와 같게 할 수는 없다."

○"宗子只得立適, 雖庶長, 立不得. 若無適子, 則亦立庶子, 所謂'世子之同母弟.' 世子是適. 若世子死, 則立世子之親弟, 亦是次適也, 是庶子不得立也."[105]

(주자가 말했다.) "종자宗子는 오직 적자適子로만 세울 수 있을 뿐, 서자庶子 중의 장자長子라도 세우지 못한다. 적자가 없는 경우에는 또한 서자를 세우니, 이른바 '세자世子의 동모제同母弟[106]라는 것이다. 세자는 적자이다. 만일 세자가 죽으면 세자의 친동생을 세우는데 또한 다음 서열의 적자이지, 서자를 세울 수는 없다."

○"大宗法旣立不得, 亦當立小宗法, 祭自高祖以下. 親盡則請出高祖, 就伯叔位, 服未盡者祭之. 嫂則別處後, 其子私祭之, 今世禮全亂了."[107]

"대종법大宗法은 이미 세울 수 없으니, 또한 소종법小宗法을 세워 고조高祖 이하에게 제사 지낸다. 친분親分(친한 분수로서 여기서는 제사 지내는 대수를 의미함)이 다하면 청하여 고조를 모시고 나와 백숙위伯叔位로서 복服이 다하지 않은 자에게 나아가 제사 지낸다. 형수는 별도의 장소에 두고 그 아들이 개인적으로 제사 지낸다. 지금 세상은 예가 완전히 어지러워졌다."

---

102 종자는 士가 … 지낸다. : 『禮記』「曾子問」의 글이다. "증자가 물었다. '종자가 士가 되었고, 서자가 大夫가 되었다면 그 제사는 어떻게 지냅니까?' 공자가 말했다. '上牲으로 종자의 집에서 제사 지낸다.'(曾子問曰, '宗子爲士, 庶子爲大夫, 其祭也如之何?' 孔子曰, '以上牲祭於宗子之家.')" 이에 대한 주에서 鄭玄은 "祿을 귀히 여기고 종자를 중히 여긴 것이다. 上牲은 大夫의 小牢이다.(貴祿重宗也. 上牲, 大夫少牢.)"라고 하였다. 이때 음식에 소·염소·돼지 세 짐승을 갖추는 것을 太牢라고 하고 염소와 돼지만 갖추는 것을 小牢라 한다.

103 『朱子語類』권90, 60조목

104 『朱子語類』권90, 62조목

105 『朱子語類』권90, 57조목

106 同母弟 : 같은 어머니에게서 태어난 아우이다.

107 『朱子語類』권90, 59조목

[18-27]

正寢時祭之圖 정침시제지도

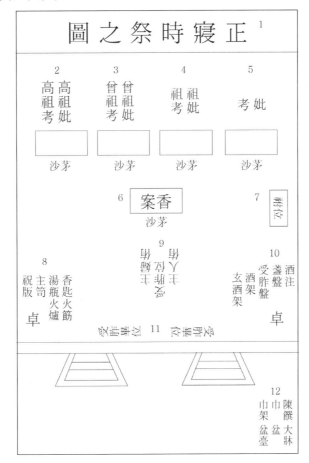

1. 正寢時祭之圖정침시제지도: 정침正寢에서 시제時祭를 지내는 그림
2. 高祖考고조고·高祖妣고조비: 고조고·고조비
   茅沙모사
3. 曾祖考증조고·曾祖妣증조비: 증조고·증조비
   茅沙모사
4. 祖考조고·祖妣조비: 조고·조비
   茅沙모사
5. 考고·妣비: 고·비
   茅沙모사

6. 香案향안

  茅沙모사

7. 祔位부위 : 합사合祀한 신위

8. 卓탁 : 탁자

  祝版축판·主筒주사 : 축판·주사

  湯甁탕병

  香匙향시

  火爐화로

  火筯화저

9. 主婦侑. 受胙位. 主人侑 : 주부가 유식侑食하는 자리

  受胙位수조위 : 수조受胙하는 자리

  主人侑주인유 : 주인이 유식侑食하는 자리

10. 玄酒架현주가·酒架주가 : 현주시렁과 술시렁

  卓탁 : 탁자

  受胙盤수조반·盞盤잔반·酒注주주 : 수조쟁반, 잔과 잔받침, 술주전자

11. 受胙畢位. : 수조를 마치고 자리로 돌아온다.

12. 巾架건가·巾건 : 수건걸이와 수선

  盆臺분대·盆분 : 물동이 받침과 물동이

  陳饌大牀진찬대상 : 음식을 진설할 큰 상

[18-28]

每位設饌之圖 매위설찬지도

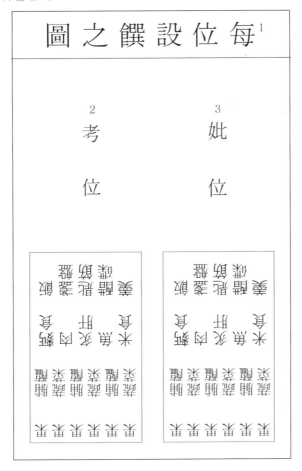

1. 每位設饌之圖매위설찬지도 : 신위神位마다 음식을 진설하는 그림
2. 考位고위

   飯반 · 盞盤잔반 · 匕筯시저 · 醋碟초접 · 羹갱 : 밥, 술잔과 잔받침, 시저, 초 접시, 국

   麪食면식 · 肉육 · 炙肝적간 · 魚어 · 米食미식 : 면식, 고기, 구운 간, 물고기, 쌀밥

   脯醢포해 · 蔬菜소채 · 脯醢포해 · 蔬菜소채 · 脯醢포해 · 蔬菜소채 : 말린 고기와 젓갈, 나물,
   말린 고기와 젓갈, 나물, 말린 고기와 젓갈, 나물

   果과 · 果과 · 果과 · 果과 · 果과 · 果과 : 과일, 과일, 과일, 과일, 과일, 과일

3. 妣位비위

   飯반 · 盞盤잔반 · 匕筯시저 · 醋楪초접 · 羹갱 : 밥, 술잔과 잔받침, 시저, 초 접시, 국

麪食면식 · 肉육 · 炙肝적간 · 魚어 · 米食미식 : 면식, 고기, 구운 간, 물고기, 쌀밥

脯醢포해 · 蔬菜소채 · 脯醢포해 · 蔬菜소채 · 脯醢포해 · 蔬菜소채 : 말린 고기와 젓갈, 나물,
말린 고기와 젓갈, 나물, 말린 고기와 젓갈, 나물

果과 · 果과 · 果과 · 果과 · 果과 · 果과 : 과일, 과일, 과일, 과일, 과일, 과일

家禮二 가례 2

家禮二
가례[1] 2

[19-0-0]

凡禮有本有文. 自其施於家者言之, 則名分之守, 愛敬之實, 其本也; 冠昏喪祭儀章度數者, 其文也. 其本者有家日用之常體, 固不可以一日而不修. 其文又皆所以紀綱人道之始終, 雖其行之有時, 施之有所, 然非講之素明, 習之素熟, 則其臨事之際, 亦無以合宜而應節, 是亦不可一日而不講且習焉者也.

무릇 예에는 근본이 있고 문식이 있다. 집안에서 시행하고 있는 것으로부터 말하자면 지켜야 할 명분, 그리고 진실한 사랑과 공경은 그 근본이며, 관혼상제의 형식과 절차儀章度數[2]는 그 문식이다.

· · · · · · · · · · · · · · · · · · · ·

1 家禮: "이방자가 말했다. '건도 5년(1169년) 9월, 선생께서 어머니 축씨의 상을 당하여, 고금을 참작하여 예를 다하였다. 이어서 상·장례와 제례를 만들고, 또 여기에 관례와 혼례까지 확충하여 한편으로 묶고는『家禮』라고 이름 붙였다.'(李方子曰, '乾道五年九月, 先生丁母祝令人憂居喪, 盡禮參酌古今. 因成喪葬祭禮, 又推之於冠昏, 共爲一編, 命曰家禮.')"『家禮』(사고전서 판본),「家禮附錄」참고. 그러나 이 책은 주자가 생존해 있을 때 분실되었다가 주자의 장례식에서 발견되었다. 주자의 장례식에 한 선비가 가져온 이 책은 애초에 완성된 상태가 아닌 원고의 형태로 분실되었기에 그의 제자 陳淳의 말대로 '未完의 缺典'인 셈이다. 이 책은 주자 사후 10년 후 1211년 그의 제자 廖德明에 의해 출간되었다. 그 후 1415년 그 결정판인 성리대전 본『家禮』가 나오기까지 이 미완의 결전에 수많은 수정과 보완 작업이 이루어졌지만 괄목할만한 성과들만을 거론하면 다음과 같다.
1) 1231년경, 주자의 또 다른 제자 楊復에 의해『家禮附注』가 간행된다.
2) 남송 말 劉垓孫에 의해『家禮增注』가 간행된다.
3) 元대 1305년 黃瑞節에 의해 성리대전 본『家禮』의 모본인 주자성서 본『家禮』가 간행된다.
4) 元대 말 劉璋에 의해『家禮補註』가 간행된다.
5) 明대 1415년 주자성서 본『家禮』를 모본으로 삼고『家禮補註』를 안배하여 성리대전 본『家禮』가 간행된다.
2 儀章度數:『家禮增解』에서 "진씨는 '儀는 威儀이고, 章은 문장이다.'라고 하였고, 호씨는 '度는 제도이고, 數는 數目이다'라고 하였다.(陳氏曰, '儀, 威儀, 章, 文章也.' 胡氏曰, '度, 制度, 數, 數目也.')" 李宜朝,『家禮增解』권1「家禮序」. 그러나 "退溪는 '儀章은 服飾·器用 따위와 같고, 度數는 周旋·出入·升降·向背하는 구체적 절차와 같다.(退溪曰, 儀章, 猶服飾器用之類, 度數, 猶周旋出入升降向背之曲折.)'고 하였다." 辛夢參,『家禮輯解』

그 근본은 집안의 일상생활에서 지녀야 할 불변의 골격[體]이니,[3] 참으로 하루도 수양하지 않으면 안 된다. 그 문식은 또 모두 사람 된 도리의 시작과 끝을 바로 세우는 것이니, 비록 행함에 때가 있고 베풂에 장소가 있으나 평소 분명하게 연구하고 평소 익숙하게 연습하지 않으면 일이 닥쳤을 때 또한 마땅함에 부합하고 절차에 부응하지 못한다. 그러므로 이것 또한 하루도 공부하고 익히지 않으면 안 된다.

三代之際, 禮經備矣. 然其存於今者, 宮廬器服之制, 出入起居之節, 皆已不宜於世. 世之君子, 雖或酌以古今之變, 更爲一時之法. 然亦或詳或略, 無所折衷. 至或遺其本而務其末, 緩於實而急於文. 自有志好禮之士, 猶或不能擧其要. 而困於貧窶者, 尤患其終不能有以及於禮也. 熹之愚蓋兩病焉.

삼대에 예경이 갖추어졌다. 그러나 지금 남아 있는 것은 주택, 기물, 복식 등의 제도와 일상생활의 예절인데 모두 이미 시대에 합당하지 않다. 세상의 군자들이 비록 간혹 고금의 예의 변화를 참작하고 고쳐 한 시대의 법도를 만들었으나, 또한 혹은 상세하고 혹은 소략하여 절충한 것이 없었다. 심지어 어떤 경우에는 근본을 빠뜨리고 말단에 힘쓰며, 진실함에는 소홀하고 문식에만 급급하기도 하였다. 그리하여 예를 좋아하는 뜻 있는 선비들조차도 간혹 그 요점을 들지 못하고 가난으로 곤궁한 사람은 더더욱 끝내 예를 차리지 못할까 근심한다. 그러므로 어리석은 나에게도 이 두 가지가 있을까 걱정된다.

是以嘗獨究觀古今之籍, 因其大體之不可變者, 而少加損益於其間, 以爲一家之書. 大抵謹名分, 崇愛敬, 以爲之本. 至其施行之際, 則又略浮文敷本實, 以竊自附於孔子從先進之遺意. 誠願得與同志之士, 熟講而勉行之, 庶幾古人所以修身齊家之道, 謹終追遠之心, 猶可以復見. 而於國家所以崇化導民之意, 亦或有小補云.

이 때문에 일찍이 홀로 고금의 전적을 자세히 살펴보고 변할 수 없는 대체를 따르되 여기에 약간 더 덜거나 더해 한 집안의 책[4]을 만드니, 대체로 명분을 신중히 하고 사랑과 공경을 숭상하는 것을 그 근본으로 삼았다. 그것을 시행할 때에는 또 쓸데없는 문식은 생략하고 근본과 진실함을 부연하여 공자가 선진[5]을 추종했던 남긴 뜻을 따랐다. 진실로 원컨대 뜻이 같은 선비와 충분히 연구하고 힘써 행할 수 있다면 아마도 옛사람들이 '몸을 수양하고 집안을 다스리던'[6] 도리와 '상례를 신중히 하고

권1 「家禮序」. 여기서는 '의장도수'를 '의장'과 '도수'로 나누어 형식과 절차로 번역하였다.

3 골격[體] : 體는 『朱文公文集』「家禮序」에 '禮'로 되어 있다. 그러나 『禮記』「禮器」에 "예는 체와 같다.(禮也者, 猶體也.)"고 하였고, 注에서 鄭玄은 "사람의 신체로 말하자면 골격이 갖추어지지 않으면 군자는 그를 成人이 되지 않았다고 말한다.(若人身體, 體不備, 君子謂之不成人.)"라고 풀이하였다.

4 한 집안의 책 : "살펴보건대 한 집안에서나 실행할 수 있는 책이라고 겸양하여 말한 것이다.(按謙言行於一家之書.)" 金長生, 『家禮輯覽』(『沙溪全書』 권25) 「家禮序」

5 『論語』「先進」: "子曰, '先進於禮樂, 野人也 ; 後進於禮樂, 君子也. 如用之, 則吾從先進.'"

6 『大學』「經文」

조상을 추모했던[7] 마음을 다시 볼 수 있을 것이다. 그리고 나라에서 교화를 숭상하고 백성을 인도하는 뜻에도 조금이나마 도움이 있을 것이다.[8]

[19-0-0-1]

楊氏復曰: "先生服母喪, 參酌古今, 咸盡其變, 因成喪葬祭禮, 又推之於冠昏, 名曰家禮. 旣成, 爲一童行竊之以逃. 先生易簀, 其書始出行於世. 今按先生所定家鄕邦國王朝禮, 專以儀禮爲經. 及自述家禮, 則又通之以古今之宜. 故冠禮則多取司馬氏. 昏禮則參諸司馬氏程氏. 喪禮本之司馬氏, 後又以高氏爲最善. 及論祔遷則取橫渠. 遺命治喪則以書儀疎略而用儀禮. 祭禮兼用司馬氏程氏, 而先後所見又有不同. 節祠則以韓魏公所行者爲法.

양복楊復[9]이 말했다. "선생이 모친상을 입었을 때 고금을 참작하여 그 변례를 모두 극진하게 하여, 이어서 상喪·장葬·제례祭禮를 완성하고, 나아가 관冠·혼례昏禮까지 확장하여 『가례』라고 이름 붙였다. 완성하고 나서 한 아이가 훔쳐 달아났다가 선생이 돌아가셨을 때(易簀)[10] 그 책이 비로소 세상에 나와 행하여졌다. 이제 살펴보건대 선생이 정한 『가家·향鄕·방국邦國·왕조례王朝禮』[11]는 오직 『의례儀禮』만을 경으로 삼았고, 스스로 『가례』를 찬술할 때에는 또 고금의 마땅한 것을 가지고 통용하였다. 그러므로 「관례」는 사마씨司馬氏[12]의 설을 취한 것이 많고, 「혼례」는 사마씨와 정씨程頤[13]의 설을

---

7 『論語』「學而」: "曾子曰, '愼終追遠, 民德歸厚矣.'"

8 『家禮』를 포함하여 이 서문을 王懋竑의 朱子年譜와 이를 추종한 사고전서 총목제요에서는 위작으로 주장하고 있으나 요즈음의 학자들은 주희의 작품으로 보고 있다. 그 결정적인 근거는 남송 말기에 간행된 것으로 추정되는 『纂圖集注文公家禮』에 그 서문을 주자의 手筆을 飜刻하여 싣고 있기 때문이다. 근래의 학자들은 王懋竑의 위작 주장이 바로 이 판본을 보지 못한 데에서 기인하는 착오라고 주장한다.

9 楊復: ?~1236. 자는 志仁이고 호는 信齋이며 福寧州 長溪 사람이다. 주희의 문인으로 저술로는 『祭禮圖』 권14와 『儀禮圖解』 권17이 있다. 특히 1228년에 편찬된 『儀禮圖解』에는 성리대전 本 『家禮』의 「家禮圖」에 실린 몇몇 그림과 일치하는 그림들이 실려 있다. 또한 1231년경에는 『家禮附注』가 간행되었고, 이 부주는 성리대전 본 『家禮』의 細注에서 확인할 수 있다. 여기에서 주자의 사후 '未完의 缺典'으로 편찬된 『家禮』가 역사적으로 수정·보완을 거쳐 그 결정본인 성리대전 本 『家禮』로 거듭나는 과정에서 양복이 매우 중요한 영향을 끼쳤음을 알 수 있다.

10 易簀: '대자리를 바꾸어 깐다'는 뜻으로, 죽음을 가리킨다. 曾子가 병이 들어서 임종하기 직전에 아들 曾元을 시켜서 깔고 있던 대자리를 다른 것으로 바꾸어 깔게 한 데서 비롯된 말이다. 『禮記』「檀弓」

11 『家·鄕·邦國·王朝禮』: 『儀禮經傳通解』의 다른 이름이다. 송대 성리학자 朱子가 『儀禮』를 經文으로 하고 『禮記』 및 기타 禮書를 傳으로 하여 편집한 책으로 37권이다. 家禮·鄕禮·學禮·邦國禮·王朝禮·喪禮·祭禮의 7개 부문으로 구성되었으나 실제 주자가 완성한 것은 가례·향례·학례·방국례이며, 왕조례는 미완성으로 남아 있고, 상례와 제례는 주자 사후에 제자 黃幹이 보충하여 29책의 『儀禮經傳通解續』으로 완성하였다.

12 司馬氏: 司馬光(1019~1086) 자는 君實이고, 호는 迂夫와 만년의 迂叟이며, 시호는 文正이다. 세칭 司馬太師·溫國公·涑水先生이라 한다. 송대 夏縣 涑水鄕(현 산서성 夏縣) 사람으로 翰林侍讀·權御史中丞·門下侍郎 등을 역임하였다. 왕안석의 신법에 반대하여 퇴출되었다가 재상으로 복직하여 신법을 폐지하였다. 저서는 『文集』과 『資治通鑑』·『稽古錄』·『易說』·『潛虛』 등이 있다.

참고하였으며, 「상례」는 사마씨의 설을 바탕으로 삼았다가 나중에는 또 고씨高氏[高閌][14]의 설을 가장 좋은 것으로 여겼다. 합사와 체천[祔遷]을 논의할 때에는 횡거橫渠[張載][15]의 설을 취하였다. 치상治喪에 대한 유언에서는 『서의』는 소략하다 하고 『의례儀禮』를 썼다.[16] 제례는 사마씨와 정씨를 겸용하였으나 앞의 견해와 뒤의 견해가 또 같지 않은 점이 있다. 절기節氣의 제사節祀는 한위공韓魏公[韓琦][17]이 행한 것을 법으로 삼았다.

若夫明大宗小宗之法, 以寓愛禮存羊之意, 此又家禮之大義所繫, 蓋諸書所未暇及, 而先生於此尤拳拳也. 惜其書既亡, 至先生沒而後出, 不及再脩以幸萬世. 於是竊取先生平日去取折衷之言, 有以發明家禮之意者, 若昏禮親迎用溫公, 入門以後則從伊川之類是也. 有後來議論始定, 若祭禮祭始祖初祖而後不祭之類是也. 有不用疏家之說, 若深衣續衽鉤邊是也. 有用先儒舊義與經傳不同, 若喪服辟領婦人不杖之類是也. 凡此悉附於逐條之下云."

대종大宗·소종小宗의 예법을 밝힌 것과 같은 것은 '예禮를 아껴 양羊을 보존한다.'[18]는 뜻에 맞도록 하였으니 이것은 또 『가례』의 대의에 관련된 것으로 아마도 모든 책들이 미처 이르지 못한 것인데

. . . .

13 程氏(程頤, 1033~1107) : 자는 正叔이고, 호는 伊川이다. 송대 洛陽(현 하남성 낙양) 사람으로 형 程顥와 함께 二程이라 불린다. 15세 무렵에 형과 함께 주돈이에게 배운 적이 있으며, 18세에는 태학에 유학하면서 「顔子好學論」을 지어 胡瑗(호는 安定)이 경이롭게 여겼다고 한다. 벼슬은 秘書省校書郞·崇政殿說書 등을 역임하였으나, 거의 30년을 강학에 힘을 쏟아 북송 신유학의 기반을 정초하였다. 이정의 학문은 '洛學'이라고 하며, 특히 정이의 학문은 주희에게 결정적으로 영향을 끼쳐 세칭 '程朱學'이라고 하면 정이와 주희의 학문을 지칭한다. 저서는 『易傳』·『經說』·『文集』 등이 있다.

14 高氏(高閌, 1097~1153) : 자는 抑崇이고 송대 四明 사람이다. 어려서부터 經史에 통달하였으며, 관직에 진출하여 禮部侍郞을 지냈다. 사람들이 흔히 息齋先生이라고 불렀으며, 저서로는 『春秋集注』·『厚終禮』가 있다.

15 橫渠(張載, 1020~1077) : 자는 子厚이고, 세칭 橫渠先生이라고 한다. 송대 大梁(현 하남성 開封) 사람으로 거주지는 郿縣 橫渠鎭(현 섬서성 眉縣)이었다. 1057년 진사에 급제했고 雲巖令·崇政院校書 등을 역임하였다. 젊어서 병법을 좋아하여 범중엄에게 서신을 보냈다가 『中庸』을 읽기를 권유받고, 얼마 뒤 『六經』에 전념하게 되었다. 특히 『易』과 『中庸』을 중시하여 『正蒙』·『西銘』·『易說』 등을 지었는데, 이로써 나중에 '關學'의 창시자가 되었다.

16 治喪에 대한 … 썼다. : "이방자가 지은 선생(朱子) 연보에서 말했다. '여러 제자들이 들어가 문병할 때 섭미도가 물었다. 「선생님의 병환이 위급해졌습니다. 만일 돌아가시게 되면 『書儀』의 예법을 써서 장례를 치릅니까?」 선생이 대답했다. 「소략하다.」 범원유가 물었다. 「『儀禮』의 예법을 써서 장례를 치릅니까?」 선생이 고개를 가로저었다. 채침이 다시 물었다. 「『儀禮』와 『書儀』를 참용하는 것이 어떻습니까?」 마침내 (선생이) 고개를 끄덕였다.'(李方子述先生年譜云 : '諸生入問疾, 葉味道因請曰, 「先生之疾革矣. 萬一不諱, 當用書儀乎?」 曰, 「疎略.」 范元裕請曰, 「用儀禮乎?」 先生搖首. 蔡沉復請曰, 「儀禮書儀參用如何?」 乃頷之.')" 『家禮』(四庫全書 本), 「家禮附錄」

17 韓魏公(韓琦, 1008~1075) : 자는 稚圭이며 송대 安陽 사람이다. 天聖 연간에 進士試에 급제하였고, 嘉祐 연간에 정승에 제수되었다. 그 뒤에 魏國公에 봉해졌으며 諡號는 忠獻이다. 뒤에 다시 魏王에 추봉되었다.

18 『論語』 「八佾」 : "子貢欲去告朔之餼羊. 子曰, '賜也, 爾愛其羊, 我愛其禮.' 요컨대, '예를 아끼기 때문에 양을 남겨둔다는 뜻'으로 근본을 잊지 않기 위해 남아 있는 예의 양식을 보존하는 것을 말한다.

선생은 이 점에 더욱 정성을 다하였다. 이 책이 없어졌다가 선생이 돌아가신 다음에야 세상에 나오게 되어, 미처 다시 다듬어 만세萬世를 다행스럽게 하지 못한 것이 애석하다. 이에 나름대로 선생이 평소에 버리거나 취하여 절충한 말씀을 취하여 『가례』의 뜻을 밝힌 것이 있으니, 예컨대 「혼례」의 친영親迎은 온공溫公(司馬光)의 설을 쓰고 입문入門 이후에는 이천伊川의 설을 따른 따위가 이것이다. 뒤에 와서 의론이 비로소 정해진 것이 있으니, 예컨대 「제례」에서 시조始祖와 초조初祖에게 제사 지냈는데 후에는 제사 지내지 않는 따위가 이것이다. 소疏를 낸 주석가의 설을 취하지 않은 것이 있으니, 예컨대 심의제도深衣制度에서 속임구변續衽鉤邊이 이것이다. 선배 학자의 옛 뜻을 취하여 경전과 같지 않은 것이 있으니, 예컨대 상복에서 벽령辟領과 '부인은 지팡이를 짚지 않는다婦人不杖'는 것 따위가 이것이다. 무릇 이것들은 모두 조목마다 그 아래에 부기하였다."

[19-1]

通禮 통례[19]

此篇所著, 皆所謂有家日用之常體, 不可一日而不脩者.

이 편에서 저술한 것은 모두 집안의 일상생활에서 행하여야 할 불변의 골격이니, 하루도 수양하지 않을 수 없는 것이다.

[19-1-0]

祠堂 사당

此章本合在祭禮篇. 今以報本反始之心, 尊祖敬宗之意, 實有家名分之守, 所以開業傳世之本也. 故特著此冠于篇端, 使覽者知所以先立乎其大者, 而凡後篇所以周旋升降出入向背之曲折, 亦有所據以攷焉. 然古之廟制不見於經, 且今士庶人之賤, 亦有所不得爲者, 故特以祠堂名之, 而其制度亦多用俗禮云.

이 장은 본래 「제례」편에 있어야 한다. 그러나 이 편은 근본에 보답하고 시원으로 돌아가는 마음과 조상을 높이고 종자宗子를 공경하는 뜻으로 진실로 집안에서 명분을 지켜 기업基業을 열어 대대로 전수하는 근본이 된다. 그러므로 특별히 편의 첫머리에 두어서, 보는 사람이 큰 것을 먼저 정립할 줄 알게 하였고, 무릇 후편에서 주선周旋·승강升降·출입出入·향배向背하는 세부적인 내용 또한 근거하여 살필 수 있게 하였다. 그러나 옛 가묘家廟[20] 제도가 경전經典에

---

19 通禮 : "살펴보건대, 이것은 祠堂, 深衣制度, 居家雜儀 세 장을 통틀어서 명명한 것이다.(按此通祠堂深衣居家雜儀三章而名之.)" 金長生, 『家禮輯覽』(『沙溪全書』 권25) 「通禮」

20 부록 그림 1 참조

드러나 있지 않고 지금의 미천한 사士 · 서인庶人들 또한 할 수 없는 것이 있으므로 단지 사당이라고 이름 붙이고 그 제도 또한 속례俗禮를 많이 사용하였다.

[19-1-0-1]

司馬溫公曰 : "宋仁宗時, 嘗詔聽太子少傅以上皆立家廟, 而有司終不爲之定制度. 惟文潞公立廟於西京, 他人皆莫之立. 故今但以影堂言之. "21

사마온공司馬溫公[司馬光]이 말했다. "송대 인종 때 조서를 내려 태자22의 소부少傅[師傅] 이상은 모두 가묘를 세울 수 있도록 하였으나 담당자가 끝내 제도를 정하지 못하였는데, 오직 문로공[文彦博]23만이 서경西京24에 가묘를 세웠고 다른 사람들은 모두 세우지 못했다. 그러므로 지금은 그저 영당影堂이라고 말할 뿐이다."

[19-1-0-2]

朱子曰 : "古命士得立家廟. 家廟之制, 內立寢廟, 中立正廟, 外立門, 四面墻圍之. 非命士, 止祭於堂上, 只祭考妣. 伊川謂'無貴賤, 皆祭自高祖而下, 但祭有豐殺疎數不同.' 廟向南, 坐皆東嚮, 伊川於此不審, 乃云廟皆東向, 祖先位面東, 自廳側直入其所, 反轉面西入廟中. 其制非是. 古人所以廟面東向坐者, 蓋户在東, 牖在西, 坐於一邊, 乃是奧處也. "25

주자가 말했다. "옛날에는 명사命士26라야 가묘를 세울 수 있었다. 가묘제도는 안에는 침묘寢廟를 세우고 중간에는 정묘正廟를 세웠으며27 밖에는 문을 세우고 사면을 담장으로 둘렀다.28 명사命士가 아니면 당상堂上에서 제사 지냈고 그것도 부모만을 제사 지냈다. 그런데 이천程頤은 '귀천을 막론하

. . . .

21 司馬光, 『書意』 권10 「祭」
22 태자 : 『禮記』 「王制」 註에서 方慤은 "태자는 適子이다. 太는 크다고 말한 것이니, 적자는 크고 서자는 작으므로 태라고 한 것이다.(太子, 適子也. 太則以大言之也, 適子大而庶子小, 故謂之太子.)"고 하였다.
23 文潞公(文彦博, 1006~1097) : 자는 寬夫이며 송대 介休 사람이다. 네 조정을 차례로 섬겼으며 나아가서는 장수가 되고 들어와서는 정승이 되었다. 50년간을 벼슬자리에 있으면서 관직이 太師에 이르렀으며, 潞國公에 봉해졌다.
24 西京 : 송나라 때는 開封府를 東京, 洛陽을 西京이라 불렀다.
25 『朱子語類』 권90, 45조목
26 命士 : 천자나 제후로부터 命을 받은 관원을 말한다. 『史記』의 주에 '初命을 받으면 士가 되고, 再命을 받으면 大夫가 되고, 三命을 받으면 卿이 된다. 어떤 사람은 「一命에 職을 받고, 二命에 服을 받고, 三命에 爵을 받는다.」고 하는데, 어느 것이 옳은지 모르겠다.(史註 : '初命爲士, 再命爲大夫, 三命爲卿. 或曰, 「一命受職, 二命受服, 三命受爵」, 未知孰是.')"고 하였다. 金長生, 『家禮輯覽』(『沙溪全書』 권25) 「通禮」
27 가묘제도는 안에는 … 세웠으며 : 『禮記』 「檀弓上」 '君復於小寢大寢'의 소에 孔穎達은 "室에 東廂과 西廂이 있으면 廟라 하고, 동상과 서상이 없이 실만 있으면 寢이라고 한다.(室有東西廂曰廟; 無東西廂而有室曰寢.)"고 하였다.
28 東廂과 西廂이 없이 室만 갖춰진 '寢廟[寢]와, 동상과 서상이 갖춰진 正廟[廟]에 대한 묘사는 부록 그림 2 참조

고 모두 고조高祖 이하에게 제사 지내되 다만 제사에 풍쇄豐殺[29]·소삭踈數[30]의 같지 않음이 있을 뿐이다.'고 하였다. 묘廟는 남쪽을 향하고[31] 신주(자리)는 모두 동쪽을 향하는데, 이천은 이것을 살피지 못하고 마침내 '묘는 모두 동향하고, 선조의 신위는 동쪽을 바라본다.'고 하였으니, 청사廳事의 측면에서부터 바로 그 처소로 들어가[32] 반대로 돌아 서쪽을 향하여 묘 안으로 들어간다. 그 제도는 옳은 것이 아니다. 옛사람이 묘廟를 동쪽을 향하여 앉힌 것은[33] 문은 동쪽에 있고 창문은 서쪽에 있어 한 쪽 귀퉁이에 앉혔기 때문이니, 바로 이곳이 오처奧處[34]이다."

[19-1-0-3]

"嘗欲立一家廟, 小五架屋. 以後架作一長龕堂, 以板隔截作四龕堂. 堂置位牌, 堂外用簾子. 小小祭祀時, 亦可只就其處. 大祭祀則請出, 或堂或廳上皆可."[35]

(주자가 말했다.) "하나의 가묘를 세우려고 한다면 오가옥五架屋[36]을 작게 만들어, 뒤의 가架를 기준으로 하나의 긴 감실을 만들고 판자로 막아 네 개의 감실을 만든다. 당에는 위패를 두고 당 밖에는 발을 드리운다. 소소한 제사 때에는 또한 다만 그 자리에 나아가기만 하고, 큰 제사에는 위패를 모시고 나와서 당에서 제사 지내건 청사廳事에서 제사 지내건 모두 괜찮다."[37]

[19-1-0-4]

"唐大臣皆立廟於京師. 宋朝惟文潞公法唐杜佑制, 立一廟在西京. 雖如韓司馬家, 亦不曾立廟. 杜佑廟, 祖宗時尚在長安."[38]

(주자가 말했다.) "당대의 대신들은 모두 경사京師[長安]에 묘를 세웠다. 송조에는 문로공文彦博만이 당대唐代 두우杜佑[39]의 제도를 본받아 서경西京[洛陽]에 하나의 묘를 세웠다. 비록 한기韓琦와 사마광司

---

29 豐殺 : 廟祭에서 犧牲을 쓸 적에 君은 太牢, 大夫는 小牢, 士는 特牲을 쓰는 것과 같이 차등이 있는 것을 말한다.

30 踈數 : 제사를 지냄에 있어 사당의 많고 적음에 따라 제사를 자주 지내고 드물게 지내는 차이가 있는 것을 말한다.

31 사당을 남향으로 하고 廳事의 동쪽에 배치시킨 묘사는 부록 그림 3 참조

32 廳事의 측면에서부터 … 들어가(自廳側直入其所) : 『朱子語類』에는 '直'이 '東'으로 되어 있다.

33 옛사람이 廟를 … 것은(古人所以廟面東向坐者) : "退溪는 '面 자는 必 자나 皆 자가 되어야 할 듯하다.'고 하였다.(退溪曰, '面恐當作必或作皆.')" 金長生, 『家禮輯覽』(『沙溪全書』 권25)「通禮」

34 奧處 : 『論語』「八佾」'與其媚於奧' 주에서 주자는 "室의 서남쪽 모퉁이가 奧가 된다.(室西南隅爲奧.)"고 하였다.

35 『朱子語類』 권90, 50조목. 여기에는 앞의 '嘗' 자가 없다.

36 五架屋 : 다섯 개의 架로 이루어진 집을 말한다. 다섯 개의 가는 後庋, 後楣, 棟, 前楣, 前庋를 말하는데, 이 가를 기준으로 하여 房과 室과 堂이 구분된다. 부록 그림 4 참조

37 소소한 제사 … 괜찮다. : 小祭는 節祀 따위와 같은 제사이고, 大祭는 四時의 제사 및 정조(설날)의 제사와 같은 따위이다.

38 『朱子語類』 권90, 47조목

39 杜佑(735~812) : 자는 君卿이고 唐代 萬年 사람이다. 德宗과 憲宗 두 조정에서 벼슬하여 司空과 司徒에 제수

馬光 집안 같은 경우에도 묘를 세운 적이 없었다. 두우의 묘는 조종祖宗[北宋] 때에도 여전히 장안長安에 있었다."

[19-1-0-5]

劉氏垓孫曰 : "伊川先生云, '古者庶人祭於寢, 士大夫祭於廟. 庶人無廟, 可立影堂.' 今文公先生乃曰祠堂者, 蓋以伊川先生謂祭時不可用影, 故改影堂曰祠堂云."

유해손劉垓孫[40]이 말했다. "이천程頤선생은 '옛날에는 서인庶人은 침寢에서 제사 지냈고 사대부는 묘에서 제사 지냈다.[41] 서인은 묘는 없지만 영당影堂은 세울 수 있었다.'[42]라고 하였다. 지금 문공선생[朱子]이 마침내 사당이라고 한 것은 아마 이천선생이 제사 때에는 영정을 쓸 수 없다고 하였기 때문에[43] 영당을 고쳐 사당이라고 한 것이다."

[19-1-1]

君子將營宮室, 先立祠堂於正寢之東.

군자가 장차 궁실을 지을 때에는 먼저 사당을 정침의 동쪽에 세운다.

祠堂之制三間. 外爲中門, 中門外爲兩階, 皆三級. 東曰阼階, 西曰西階. 階下隨地廣狹, 以屋覆之, 令可容家衆敍立. 又爲遺書衣物祭器庫, 及神廚於其東, 繚以周垣, 別爲外門, 常加扃閉. 若家貧地狹, 則止立一間, 不立廚庫, 而東西壁下置立兩櫃, 西藏遺書衣物, 東藏祭器亦可. 正寢謂前堂也. 地狹則於廳事之東亦可. 凡祠堂所在之宅, 宗子世守之, 不得分析.

사당의 제도는 세 칸이다. 밖에는 중문을 만들고 중문 밖에는 두 개의 계단을 만드니, 모두 층계가 셋이다. 동쪽 계단을 조계阼階라고 하고 서쪽 계단을 서계西階라고 한다. 계단 아래 땅이 넓거나 좁음에 따라 지붕을 덮어 집안사람들이 차례로 설 수 있도록 한다. 또 그 동쪽에 유서遺書·의물衣物·제기祭器를 보관하는 창고와 신주神廚(부엌)를 짓고, 담을 둘러 별도로 외문을 만들되 항

. . . .

되었다. 박학하여 『通典』 200편을 저술하였다.

40 劉垓孫: 호는 復軒이며, 『家禮增注』를 저술하였다. 생몰연대 미상이나 宋대 말에서 元대 초 인물이었던 黃瑞節이 편찬한 『朱子成書』에 그의 『家禮』 增注가 실려 있는 것을 볼 때 그보다 앞선 남송 말기의 인물로 추정된다. 그러나 朴世采는 劉璋과 더불어 元대의 인물로 추정하고 있다.(南溪曰, "劉氏垓孫·劉氏璋, 似幷元時人, 但無出處.") 성리대전 本 『家禮』의 세주에 실린 그의 글이 바로 『家禮』 增注이다. 또한 성리대전 본 『家禮』의 「家禮圖」에도 양복의 그림과 더불어 그의 그림이 실려 있는 것으로 추정된다.

41 『禮記』「王制」'天子七廟'「大全」에서 "先王은 죽은 자에 대해서도 항상 산 자로써 대우한다. 士 이상은 살아서는 집[宮]을 달리하며, 죽으면 그를 위해 廟를 세운다. 서인의 경우에는 살아서는 집을 달리하지 않고, 죽어서는 침에서 제사만 지낼 뿐이다.(先王之於死者, 常待之以生. 由士而上, 生而異宮, 死則爲之立廟. 庶人則生非異宮. 死則祭於寢而已.)"고 하였다.

42 『二程遺書』 권22上 참고

43 제사 때에는 … 때문에 : 그 이유는 다음과 같다. "대체로 영정을 제사에 써서는 안 된다. 만일 영정을 써서 제사 지낸다면 반드시 터럭 하나도 차이가 없어야 될 것이다. 수염 터럭 하나라도 많다면 다른 사람인 것이다.(大凡影不可用祭. 若用影祭, 須無一毫差方可. 若多一莖鬚, 便是別人)"『二程遺書』 권22上

상 빗장을 걸어 닫아둔다.[44] 집안이 가난하거나 땅이 협소할 경우에는 단지 한 칸만을 세우고 신주神廚와 창고를 세우지 않고 동쪽과 서쪽 벽 아래 두 개의 궤들 두어 서쪽에는 유서와 의물을 보관하고 동쪽에는 제기를 보관해도 괜찮다. 정침은 전당前堂을 말하니 땅이 협소하면 청사의 동쪽에 있어도 괜찮다. 무릇 사당이 있는 택지는 종자宗子가 대대로 지키고 나뉘지 못하게 한다. ○ 凡屋之制, 不問何向背, 但以前爲南, 後爲北, 左爲東, 右爲西. 後皆放此.

무릇 집의 제도는 실제의 방향이 어떠한 지 따지지 않고 다만 앞은 남쪽으로 삼고 뒤는 북쪽으로 삼으며, 왼쪽은 동쪽으로 삼고 오른쪽은 서쪽으로 삼는다. 뒤에도 모두 이와 같다.

爲四龕以奉先世神主

네 개의 감실을 만들어 선대의 신주를 모신다.

祠堂之內, 以近北一架爲四龕. 每龕內置一卓. 大宗及繼高祖之小宗, 則高祖居西, 曾祖次之, 祖次之, 父次之. 繼曾祖之小宗, 則不敢祭高祖而虛其西龕一. 繼祖之小宗, 則不敢祭曾祖而虛其西龕二. 繼禰之小宗, 則不敢祭祖而虛其西龕三. 若大宗世數未滿, 則亦虛其西龕, 如小宗之制.

神主皆藏於櫝中, 置於卓上南向, 龕外各垂小簾, 簾外設香卓於堂中, 置香爐香盒於其上. 兩階之間, 又設香卓亦如之. 非嫡長子, 則不敢祭其父. 若與嫡長同居, 則死而後其子孫爲立祠堂於私室. 且隨所繼世數爲龕. 俟其出而異居, 乃備其制. 若生而異居, 則預於其地立齋以居, 如祠堂之制. 死則因以爲祠堂. ○主式見喪禮及前圖.

사당의 안에 북쪽에 가까운 하나의 가架를 기준으로 네 개의 감실을 만들고, 감실마다 안에 탁자 하나를 놓는다. 대종과 고조를 잇는 소종은 고조가 서쪽에 자리 잡고 증조가 다음에 자리 잡으며, 조부가 다음에 자리 잡고 아버지가 다음에 자리 잡는다.[45] 증조를 잇는 소종은 감히 고조에게 제사 지내지 못하니, 서쪽의 감실 하나를 비워두며, 조부를 잇는 소종은 감히 증조에게 제사 지내지 못하니, 서쪽의 감실 둘을 비워둔다. 아버지를 잇는 소종은 감히 조부에게 제사 지내지 못하니, 서쪽의 감실 셋을 비워둔다. 대종의 세대 수가 차지 않았을 경우에도 서쪽의 감실을 비워두는 것을 소종의 제도와 같이 한다.

신주는 모두 독櫝 속에 보관하여 탁자 위에 놓되 남쪽을 향하게 하고, 감실 밖에는 각기 작은 발을 드리우고 발 밖에는 당 가운데 향탁을 설치하며 그 위에는 향로香爐와 향합香盒을 놓는다. 양 계단 사이에 또 향탁을 설치하는 것도 또한 같은 방식이고, 적장자가 아니면 감히 그 아버지에게 제사 지내지 못한다. 적장자와 함께 살고 있는 경우에는 아버지가 돌아가신 뒤에야 그 자손들은 사실私室에 사당을 세운다. 그리고 잇는 세대 수에 따라 감실을 만들며, 나가서 따로 살게 되었을 때 마침내 그 제도를 완비한다. 살아계실 때 따로 살고 있는 경우에는 미리 그 땅에

- -

44 사당의 전체적인 배치와, 사당 한 칸의 내부 및 그 전면에 대한 묘사는 부록 그림 5 참조
45 사당 내부에 설치된 龕室(감실)의 구조는 부록 그림 6 참조

재실을 세워 살되 사당의 제도와 같게 하고, 돌아가시면 그대로 사당을 삼는다. ○신주神主의 법식은 상례와 앞의 그림46에 보인다.

[19-1-1-1]

程子曰 : "管攝天下人心, 收宗族, 厚風俗, 使人不忘本, 須是明譜系, 收世族, 立宗子法. 宗子法壞, 則人不知來處, 以至流轉四方, 往往親未絶不相識."47

又曰 : "今無宗子, 故朝廷無世臣. 若立宗子法, 則人知尊祖重本. 人旣重本, 則朝廷之勢自尊. 古者子弟從父兄, 今父兄從子弟, 由不知本也."48

정자가 말했다. "세상 사람들의 마음을 다스려 종족을 거두고 풍속을 돈후하게 하여 사람들이 근본을 잊지 않게 하려면 반드시 족보와 계통을 밝히고 세족世族을 거두어 종자법宗子法을 세워야 한다. 종자법이 붕괴되면 사람들이 자신의 유래를 알지 못하고, 사방을 떠돌아다니다 왕왕 친족관계가 끊어지지 않았는데도 서로 알지 못하게 된다."

또 말했다. "지금은 종자법이 없기 때문에 조정에 세신世臣이 없다. 만약 종자법을 정립하면, 사람들이 조상을 숭상하고 근본을 중시할 줄 알게 된다. 사람들이 근본을 중시하게 되면 조정의 위세가 저절로 높아진다. 옛날에는 자제子弟가 부형父兄을 따랐으나 지금은 부형이 자제를 따르니 근본을 알지 못하기 때문이다."

[19-1-1-2]

"宗子法廢, 後世譜牒尙有遺風. 譜牒又廢, 人家不知來處, 無百年之家, 骨肉無統, 雖至親, 恩亦薄."49

(정자가 말했다.) "종자법은 폐지되었으나 후세의 보첩譜牒에는 여전히 유풍이 남아 있었다. 보첩이 또 폐지되자, 사람들은 자신의 유래를 알지 못하고 백 년 된 집안도 없고 골육骨肉에 계통이 없어졌으니 비록 아주 가까운 친족이라도 은혜 또한 야박하게 되었다."

[19-1-1-3]

張子曰 : "宗法若立, 則人各知來處, 朝廷大有所益."

或問 : "朝廷何所益?"

曰 : "公卿各保其家, 忠義豈有不立! 忠義旣立, 朝廷豈有不固!"50

장자張子[張載]가 말했다. "종법이 만약 정립되면, 사람들이 각자 자신의 유래를 알게 되어 조정에

---

46 앞의 그림 : 家禮圖의 神主式 그림. 부록 그림 70 참조
47 『二程遺書』 권6
48 『二程遺書』 권18
49 『二程遺書』 권15
50 『張子全書』 권4

크게 유익한 점이 있을 것이다."

어떤 사람이 물었다. "조정에 유익한 점이 무엇인가?"

대답했다. "공경公卿들이 각자 집안을 보전하는데, 충의忠義가 어찌 정립되지 않겠는가! 충의가 정립되고 나면 조정이 어찌 견고하지 않겠는가!"

○ 司馬溫公曰 : "所以西上者, 神道尙右故也"[51]

사마온공司馬溫公[司馬光]이 말했다. "서쪽을 위로 삼는 까닭은 신도神道는 오른쪽을 높이기 때문이다."

[19-1-1-4]

或問 : "廟主自西而列?"

朱子曰 : "此也不是古禮."[52]

어떤 사람이 물었다. "묘廟(사당)의 신주는 서쪽으로부터 배열합니까?"

주자朱子[朱熹]가 대답했다. "이것은 고례古禮가 아니다."

[19-1-1-5]

問 : "諸侯廟制, 太祖居北而南向, 昭廟二在其東南, 穆廟二在其西南, 皆南北相重. 不知當時每廟一室, 或共一室各爲位也."

曰 : "古廟制自太祖而下, 各是一室, 陸農師禮象圖可考. 西漢時高祖廟, 文帝顧成廟, 各在一處, 但無法度, 不同一處. 至東漢明帝謙貶, 不敢自當立廟, 祔於光武廟. 後遂以爲例. 至唐太廟, 及群臣家廟, 悉如今制, 以西爲上也. 至禰處謂之東廟. 今太廟之制, 亦然."[53]

물었다. "제후의 묘제廟制는 태조는 북쪽에 자리잡고 남쪽을 향하고, 소묘昭廟 둘은 그 동남쪽에 있으며, 목묘穆廟 둘은 그 서남쪽에 있어서, 남북으로 서로 겹쳐 있으니, 당시에 묘廟마다 하나의 실室이었는지, 아니면 하나의 실을 공유하면서 각자 자리 잡고 있었는지 알지 못하겠습니다."

주자가 대답했다. "고묘古廟의 제도는 태조太祖 이하 각기 하나의 실이었으니, 육농사陸農師[陸佃][54]의 『예상도禮象圖』에서 살펴볼 수 있다. 서한西漢 때 고조高祖의 묘와 문제文帝의 고성묘顧成廟[55]는 각자

----

51 『書儀』 권10 「祭」
52 『朱子語類』 권90, 38조목 : "鄧子禮問, '廟主自西而列, 何所據?' 曰, '此也不是古禮. 如古時一代, 只奉之於一廟, 如后稷爲始封之廟, 文王自有文王之廟, 武王自有武王之廟, 不曾混雜共一廟.'"
53 『朱子語類』 권90, 37조목 : "問, '諸侯廟制, 太祖居北而南向, 昭廟二在其東南, 穆廟二在其西南, 皆南北相重. 不知當時每廟一處, 或共一室各爲位也.' 曰, '古廟則自太祖以下各是一室, 陸農師禮象圖可考. 西漢時, 高帝廟‧文帝顧成之廟, 猶各在一處. 但無法度, 不同一處. 至明帝謙貶, 不敢自當立廟, 祔於光武廟, 其後遂以爲例. 至唐, 太廟及群臣家廟, 悉如今制, 以西爲上也. 至禰處謂之'東廟', 只作一列. 今太廟之制亦然.'"
54 陸農師(陸佃, 1042~1102) : 자는 農師이고 송대 山陰 사람이다. 집안 살림이 가난해 어렵게 공부하였으며 進士試에 급제하였다. 일찍이 王安石에게 사사하였으나 왕안석의 신법을 옳다고 여기지는 않았다. 徽宗 때 尙書右丞이 되었다. 저서로는 『埤雅』‧『樂後傳』‧『春秋後傳』‧『禮象』 등이 있다.
55 文帝의 顧成廟 : 『漢書』에 "文帝 4년에 고성묘를 만들었다."고 하였는데, 이에 대한 주에 "한나라 문제가 스스

한 곳에 있었으니, 단지 법도가 없었을 뿐 한 곳에 함께 있지 않았다. 동한東漢의 명제明帝가 겸손하게 스스로를 낮추게 되었을 때, 감히 따로 묘를 세우지 못하고 광무제光武帝의 묘에 합사合祀하였다. 그 뒤로 마침내 그것을 예로 삼게 되었다. 당대唐代의 태묘太廟와 신하들群臣들의 가묘家廟에 이르러 모두 지금의 제도와 같게 되었으니, 서쪽을 위로 삼게 되었다. 그래서 죽은 아버지의 처소를 동묘東廟라고 하였으니, 지금 태묘太廟의 제도 또한 그러하다."

[19-1-1-6]

"大傳云, '別子爲祖, 繼別爲宗, 繼禰者爲小宗, 有百世不遷之宗, 有五世則遷之宗', 何也? 君適長爲世子, 繼先君正統, 自母弟以下皆不得宗. 其次適爲別子, 不得禰其父, 又不可宗嗣君, 又不可無統屬, 故死後立爲大宗之祖, 所謂別子爲祖也. 其適子繼之則爲大宗, 直下相傳百世不遷. 別子若有庶子, 又不敢禰別子, 死後立爲小宗之祖, 其長子繼之則爲小宗, 五世則遷.

別子者謂諸侯之弟, 別於正適, 故稱別子也. 爲祖者, 自與後世爲始祖, 謂此別子子孫爲卿大夫, 立此別子爲始祖也. 繼別爲宗, 謂別子之世世長子, 當繼別子與族人爲不遷之宗也. 繼禰者爲小宗. 禰, 謂別子之庶子, 以庶子所生長子繼此庶子與兄弟爲小宗也. 五世則遷者, 上從高祖, 下至玄孫之子, 高祖廟毁, 不復相宗, 又別立宗也. 然別子之後族人衆多, 或繼高祖者與三從兄弟爲宗, 至子五世. 或繼曾祖者與再從兄弟爲宗, 至孫五世. 或繼祖者與同堂兄弟爲宗, 至曾孫五世. 或繼禰者與親兄弟爲宗, 至玄孫五世. 皆自小宗之祖以降而言也. 魯季友乃桓公別子所自出, 故爲一族之大宗. 滕, 文之昭, 武王爲天子, 以次則周公爲長, 故滕謂魯爲宗國. 又有有大宗而無小宗者, 皆適則不立小宗也. 有有小宗而無大宗者, 無適則不立大宗也. 今法長子死, 則主父喪用次子不用姪. 若宗子法立, 則用長子之子."

(주자가 말했다.) "『예기禮記』「대전」에 '별자別子[56]가 시조始祖가 되고 별자를 계승한 자는 대종大宗이 되며 예禰[57]를 계승한 자는 소종小宗이 되되 백세토록 체천遞遷하지 않는 종宗이 있고, 5세五世가 되면 체천하는 종이 있다.'고 한 것은 무슨 뜻인가? 군주의 적장자適長子가 세자世子가 되어 선군의 정통을 계승하니, 동모제同母弟 이하는 모두 종자宗子가 될 수 없다. 그 다음의 적자適[58]가 별자가 되며, 그 아버지를 사당에 모실 수 없고 또 '왕위를 계승한 군주嗣君'를 종宗으로 삼을 수도 없지만 또 계통이 없을 수 없기에 사후에 세워 대종의 시조로 삼으니 이른바 '별자는 시조가 된다.'는 것이

• •

로 廟를 만들었는데, 제도가 낮고 좁아서 고개를 돌려 돌아보는 사이에 이루어진 것顧望而成이 마치 文王이 靈臺를 만들 때에 며칠 안 되어서 이루어진 것과 같았다. 그러므로 고성이라고 이름하였다."고 하였으며, 또 "자신이 살아 있으면서 묘를 만들었으니, 마치 『尙書』에 나오는 顧命과 같다."고 하였다.

56 別子 : 제후의 적장자의 동생을 가리킨다. 제후의 적장자는 아버지를 이어 제후가 되고 별자는 분가하여 그 후손의 시조가 된다.
57 禰 : 아버지의 사당으로서 여기서는 별자의 庶子가 아버지이다.
58 適子 : 군주의 適長子 이외의 적자들을 말한다.

다. 그의 적자[59]가 대를 이으면 대종이 되며, 바로 내려가면서 서로 전하여 백세토록 체천하지 않는다. 별자에게 서자庶子가 있을 경우, 또 (그 서자는) 감히 별자를 사당에 모시지 못하지만 (그 서자를) 사후에 세워 소종의 시조로 삼고 그의 장자長子가 대를 이으면 (그 서자가) 소종의 시조가 되며 5세五世가 되면 체천한다.[60]

별자는 (대를 이은) 제후의 아우를 말하니, 정통의 적자와 구별되기 때문에 별자라 칭한다. 조祖가 된다는 것은 저절로 후세에게 시조가 되는 것이니, 이 별자의 자손이 경卿·대부大夫가 되어 이 별자를 세워 시조로 삼는다는 것을 말한다. 별자를 계승한 자가 대종이 된다는 것은 별자의 대를 이은 장자가 별자를 계승하여 종족들에게 체천하지 않는 종이 되는 것을 말한다. 예禰(아버지의 사당)를 계승한 자는 소종이 된다. 예禰는 별자의 서자를 말하니, 서자가 낳은 장자가 이 서자를 계승하여 형제들에게 소종이 된다. 5세가 되면 체천하다는 것은 위로 고조高祖에서부터 아래로 현손玄孫의 아들에게 이르게 되면 고조高祖의 묘가 헐리는 것이니 다시는 서로 종으로 삼지 않고 또 별도로 종을 세운다. 그러나 별자의 후손들이 종족이 많아지면 어떤 경우에는 고조高祖를 계승한 자가 삼종형제〈고조가 같은 8촌 형제〉들에게 종이 되어 아들까지 5세가 된다. 어떤 경우에는 증조曾祖를 계승한 자가 재종형제〈증조가 같은 6촌 형제〉들에게 종이 되어 손자까지 오세가 된다. 어떤 경우에는 조부를 계승한 자가 동당형제〈할아버지가 같은 4촌 형제〉들에게 종이 되어 증손까지 5세가 된다. 어떤 경우에는 아버지를 계승한 자가 친형제들에게 종이 되어 현손까지 5세가 된다. 이것은 모두 소종의 조祖로부터 내려가면서 말한 것이다.[61]

노魯나라 계우季友[62]는 바로 환공桓公의 별자 출신이기 때문에 일족의 대종이 되었다. 등滕나라[63]는

· · · · · · · · · · · · · · · · · ·

59 그의 적자 : 별자의 適長子를 말한다.

60 여기까지는 『朱文公文集』 권51 「答董叔重」(8)의 글을 부분 발췌·편집한 것처럼 보인다. 이 글은 주자가 동숙중董銖과 문답한 편지로서 해당 내용을 소개하면 다음과 같다 : (董銖의 물음) "禮曰, '別子爲祖, 繼別爲宗, 繼禰者爲小宗, 有百世不遷之宗, 有五世則遷之宗.' 竊謂君適長爲世子, 繼先君正統. 自母弟以下, 皆不得宗. 其次適爲別子, 不得禰其父, 則不可宗嗣君, 又不可無統屬, 故立爲先君之族, 大宗之祖, 所謂別子爲祖也. 其適子繼之, 則爲大宗. 凡先君所出之子孫皆宗之, 百世不遷. 故曰大宗者, 繼別子之所自出也. 百世不遷者, 以其統先君之子孫而非統別之子孫也. 別子之庶長, 義不禰別子, 而自爲五世小宗之祖. 其適子繼之, 則爲小宗. 小宗者, 繼別子庶子之所自出也. 故惟及五世, 五世之外則無服. 蓋以其統別之子孫而非統先君之子孫也. 不知是否? 伏乞垂誨." (朱子의 답변) "宗子有公子之宗, 有大宗, 有小宗. 國家之衆子不繼世者, 若其間有適子, 則衆兄弟宗之爲大宗; 若皆庶子, 則弟宗其長者爲小宗. 此所謂公子之宗者也. 別子即是此衆子既沒之後, 其適長者各自繼此別子, 即是大宗. 直下相傳, 百世不遷. 別子之衆子既沒之後, 其適長子又宗之, 即爲繼禰之小宗. 每一易世, 高祖廟毀, 則同此廟者是爲祖免之親, 不復相宗矣. 所謂五世而遷也."

61 『禮記』「大傳」의 鄭玄과 孔穎達의 注疏 참조. 또 『欽定禮記義疏』 卷82에 본문과 유사한 북송 섭숭의의 글이 실려 있다 : "聶氏崇義曰, '別子爲祖, 謂諸侯適子之弟, 別於正適, 故稱別子. 爲祖者, 謂此別子子孫爲卿大夫者, 立此別子爲始祖也. 繼別爲大宗, 謂別子之世長子, 恒繼別子與族人爲百世不遷之大宗也. 繼禰者爲小宗, 禰, 謂別子之庶子, 其庶子所生長子, 繼此庶子與兄弟爲小宗.'"

62 季友 : 桓公의 庶子이며 莊公의 동생이다. 그 뒤에 季孫氏가 되어 노나라의 국정을 전단하였다.

63 등나라 : 姬姓으로 侯爵이며, 문왕의 아들인 叔繡의 후손이다.

문왕文王의 소昭[64]인데 무왕武王이 천자가 되자 다음으로는 주공周公이 연장자가 되므로 등나라는 노나라를 종국宗國이라고 하였다.[65] 또 대종은 있으나 소종이 없는 경우가 있으니 모두 적자이면 소종을 세우지 않는다. 소종은 있으나 대종이 없는 경우가 있으니 적자가 없으면 대종을 세우지 않는다.[66] 지금은 예법이 장자가 죽으면 아버지의 상을 주관할 때 차자를 쓰고 조카를 쓰지 않는다. 종자법이 정립되었다면 장자의 아들을 써야 한다."[67]

[19-1-1-7]

楊氏復曰: "先生云, '人家族衆, 或主祭者不可以祭及叔伯父之類, 則須令其嗣子別得祭之. 今且說同居, 同出於曾祖, 便有從兄弟及再從兄弟, 祭時上於主祭者, 其他或子不得祭其父母. 若恁地衰做一處祭不得. 要好, 則主祭之嫡孫, 當一日祭其曾祖及祖及父, 餘子孫與祭. 次日却令次位子孫自祭其祖及父, 又次日却令次位子孫自祭其父. 此却有古宗法意. 古今祭禮, 這般處皆有之. 今要如宗法祭祀之禮, 須是在上之家先就宗室及世族家行之, 做箇樣子, 方可使以下士大夫行之.'"[68]

양복楊復이 말했다. "선생께서 말했다. '집안사람들이 많아 간혹 제사를 주관하는 자가 미처 숙부와 백부 등까지 제사 지낼 수 없을 경우에는 그 대를 이은 자식에게 명하여 따로 제사 지내도록 한다. 여기서 또 말하건대, 같은 증조로부터 나온 자손이 함께 살 경우에는 종형제와 재종형제가 있으니, 제사 지낼 때 주제자主祭者를 위주로 하면 다른 사람이나 자식이 자기 부모에게 제사 지내지 못하게 될 것이다. 이렇게 한 곳에서 함께 제사 지내서는 안 된다. 잘 지내려면 제사를 주관하는 적손이 어느 한 날 그 증조, 조부, 부친을 제사 지내고 나머지 자손들도 제사에 참여해야 한다. 다음 날에는 다음 차례의 자손에게 명하여 각자 그 조부와 부친을 제사 지내도록 하고 또 다음 날에는 다음 차례의 자손에게 명하여 각자 그 부친을 제사 지내도록 한다. 여기에 옛 종법의 뜻이 있으니, 고금의 제례가[69] 여기에 모두 있다. 이제 종법의 제사례대로 하고자 한다면 반드시 벼슬이 높은 사람들이

• • • • • • • • • • • •

64 文王의 昭: 文王이 穆이므로 그 아들에 대해서는 문왕의 昭라고 한 것이다.

65 등나라는 노나라를 … 하였다.: 春秋時宗法未亡. 如滕文公云, "吾宗國魯先君." 蓋滕, 文之昭也. 文王之子武王既爲天子, 以次則周公爲長, 故滕謂魯爲宗國. 『朱子語類』 권90, 56조목

66 다음의 글 참고: "問有小宗而無大宗者, 有大宗而無小宗者, 有無宗亦莫之宗者.' 曰, '此說公子之宗也. 謂如人君有三子, 一嫡而二庶, 則庶宗其嫡, 是謂「有大宗而無小宗」; 皆庶, 則宗其庶長, 是謂「有小宗而無大宗」; 止有一人, 則無人宗之, 己亦無所宗焉, 是謂「無宗亦莫之宗」也. 下云: 「公子之公, 爲其士大夫之庶者, 宗其士大夫之嫡者.」 此正解「有大宗而無小宗」一句. 「之公」之「公」, 猶君也.'" 『朱子語類』 권87, 118조목

67 부록 그림 7 참조

68 『朱子語類』 권90, 108조목: "人家族衆不分合祭, 或主祭者不可以祭及叔伯之類, 則須令其嗣子別得祭之. 今且說同居, 同出於曾祖, 便有從兄弟及再從兄弟了. 祭時主於主祭者, 其他或子不得祭其父母. 若恁地滾做一處祭, 不得. 要好, 當主祭之嫡孫, 當一日祭其曾祖及祖及父, 餘子孫與祭. 次日, 却令次位子孫自祭其祖及父. 又次日, 却令又次位子孫自祭其祖及父. 此却有古宗法意. 古今祭禮, 這般處皆有之. 某後來更討得幾家, 要入未得. 如今要知宗法祭祀之禮, 須是在上之人先就宗室及世族家行了, 做箇樣子, 方可使以下士大夫行之."

69 古今祭禮: 『家禮輯覽』에서는 주자가 편찬한 책이라고 말하고 있으나 확실하지 않다. 金長生, 『家禮輯覽』

먼저 종실과 세족의 집에 가서 행하여 본보기가 되어야, 비로소 아래의 사대부土大夫에게 행하도록 할 수 있을 것이다.'"

[19-1-1-8]

"排祖先時, 以客位西邊爲上, 高祖第一, 高祖母次之. 只是正排看正面, 不曾對排. 曾祖祖父皆然. 其中有伯叔·伯叔母, 兄弟嫂婦, 無人主祭, 而我爲祭者, 各以昭穆論."[70]

(양복이 말했다.) "(선생께서 말했다.) '선조의 위位를 배설排設할 때에는 빈의 자리인 서쪽을 위로 삼으니 고조가 첫 번째이고 고조모가 그 다음이다. 오직 정면을 보게 하는 것이 올바른 배설이고, 마주보게 배설하지 않는다. 증조, 조부, 부친도 모두 그러하다. 그 중에 백숙부, 백숙모, 형제, 형수와 제수에게 제사를 주관할 사람이 없어 내가 제사를 지낼 경우에는 각각 소목昭穆을 기준으로 따진다.'"

[19-1-1-9]

黃氏瑞節曰 : "神主位次, 放宗法也. 今依本註, 姑以小宗法明之. 小宗有四. 繼高祖之小宗者身爲玄孫, 及祀小宗之祖爲高祖, 而曾祖祖父次之. 繼曾祖之小宗者身爲曾孫, 及祀小宗之祖爲曾祖, 而以上吾不得祀矣. 繼祖之小宗者身爲孫, 及祀小宗之祖爲祖, 而以上不得祀矣. 繼禰之小宗者身爲子, 小宗之祖爲禰, 而以上不得祀矣. 不得祀者, 以上爲大宗之祖, 吾不得而祀之也. 大宗亦然. 先君世子大宗而下, 又不得而祀之也. 朱子云, '宗法須宗室及世族之家先行之, 方使以下士大夫行之.' 然家禮以宗法爲主, 所謂非嫡長子不敢祭其父, 皆是意也. 至於冠昏喪祭, 莫不以宗法行其間云."

황서절黃瑞節[71]이 말했다. "신주의 차례는 종법을 따른다. 이제 본주에 의거하여 우선 소종법으로써

....

(『沙溪全書』 권25)「祠堂」

70 글의 배열상 양복의 말로 실려있으나, 사실 앞의 문단처럼 주자의 말을 양복이 소개한 것이다. "排祖先時, 以客位西邊爲上. 高祖第一, 高祖母次之, 〈只是正排看正面, 不曾對排.〉 曾祖·祖·父皆然. 其中有伯叔·伯叔母·兄弟·嫂婦無人主祭而我爲祭者, 各以昭·穆論. 如祔祭伯叔, 則祔於曾祖之傍一邊, 在位牌西邊安 ; 伯叔母則祔曾祖母東邊安 ; 兄弟·嫂·妻·婦, 則祔於祖母之傍. 伊川云'曾祖兄弟無主者亦不祭', 不知何所據而云. 伊川云'只是以義起也.'"『朱子語類』 권90, 93조목

71 黃瑞節 : 자는 觀樂이다. 송·원대 安福 사람으로 송대에 泰和州學의 學正을 역임했으나, 원대에서는 은거하여 학문에 힘썼다. 1305년, 주희가 주해한 『太極解義』·『通書解』·『西銘解』·『正蒙解』·『易學啓蒙』·『家禮』·『律呂新書』·『皇極經世』·『周易參同契』·『陰符經』에 주석을 가하여 『朱子成書』 10권을 간행하였다. 성리대전 본 『家禮』와 관련하여 이 책이 지니는 의미는 이 책에 실려 있는 「家禮圖」 28圖가 성리대전 본 「家禮圖」 28도와 완전히 일치한다는 점이다. 물론 주자성서 本 『家禮』에는 「家禮圖」가 卷尾에 실려 있기는 하지만 28개의 각 가례도 내에 실려 있는 小注까지도 거의 같다. 따라서 성리대전 본 「家禮圖」 28개를 최초로 정리한 사람이 바로 황서절이라는 추정이 가능하며, 나아가 이 책이 성리대전 본 『家禮』의 모본이었을 가능성이 매우 크다. 그러나 『朱子成書』의 중요성은 『家禮』에만 그치는 것이 아니다. 『性理大全』 권25까지 실려 있는 8가지 저술 부분은 『皇極經世書』만이 『正蒙解』 다음에 실렸을 뿐 나머지는 똑같다. 또한 그 내용에 있어서도 각 저술의 장, 절 및 항목에 소개되어 있는 수많은 학자의 세주 부분 말미에 전방위적으로 황서절이

밝힌다. 소종에는 4가지가 있다. 고조를 계승한 소종은 자신이 현손이 되니, 제사 지낼 때에는 소종의 조祖(가장 윗대)가 고조가 되고 증조, 조부, 부친이 그 다음이다. 증조를 계승한 소종은 자신이 증손이 되니, 제사 지낼 때에는 소종의 조祖가 증조가 되고 그 이상은 제사 지내지 못한다. 조부를 계승한 소종은 자신이 손자가 되니, 제사 지낼 때에는 소종의 조祖가 조부가 되고 그 이상은 제사 지내지 못한다. 아버지를 계승한 소종은 자신이 아들이 되니, 소종의 조祖가 아버지가 되고 그 이상은 제사 지내지 못한다. 제사 지낼 수 없다는 것은 그 이상은 대종의 조祖가 되어 내가 제사 지내지 못한다는 것이다. 대종 또한 그러하다. 선군과 세자에게는 대종 이하가 또 제사 지내지 못한다. 주자朱熹는 '종법은 반드시 종실과 세족의 집안이 먼저 실행해야 비로소 아래의 사대부가 행하도록 할 수 있다.'고 하였다. 그러나 『가례』는 종법을 위주로 하니 이른바 적장자가 아니면 감히 그 부친을 제사 지내지 못한다는 것이 모두 이러한 뜻이다. 관·혼·상·제의 경우에도 종법으로 그 행사를 치루지 않음이 없다."

[19-1-2]

旁親之無後者, 以其班祔

방친[72] 중에 후사가 없는 사람은 차례대로[73] 합사合祀한다.

> 伯叔祖父母, 祔于高祖. 伯叔父母, 祔于曾祖. 妻, 若兄弟, 若兄弟之妻, 祔于祖. 子姪祔于父. 皆西向. 主櫝並如正位. 姪之父自立祠堂, 則遷而從之.
>
> 백숙조부모는 고조에게 합사한다. 백숙부모는 증조에게 합사한다. 처, 형제, 형제의 처는 조부에게 합사한다. 아들과 조카는 아버지에게 합사한다. 모두 서향한다. 신주와 독은 모두 정위正位[74]와 배열방식이 같으며, 조카의 부친이 따로 사당을 세우면 옮겨서 따른다.[75]

• •

인용되고 있다. 인용 중에는 '黃瑞節曰'이라고 소개되어 있지만 정작 황서절의 말은 한마디도 없이 다른 학자의 글을 끌어온 것도 상당수이다. 이것은 『家禮』 부분만이 아니라, 『性理大全』에 실려 있는 8가지 다른 저작들도 『朱子成書』를 모본으로 삼으면서 황서절을 의도적으로 대우하고 있음을 밝히고 있는 셈이다.

72 旁親 : "나로부터 父親·祖父·曾祖·高祖를 正統이라 하고, 伯叔曾祖·伯叔高祖·伯叔父·伯叔祖 및 衆子·昆弟는 모두 旁親이 된다.(自吾父祖曾高, 謂之正統, 其伯叔曾高伯叔父祖衆子昆弟, 皆爲旁親.)" 『沙溪輯覽』에서는 이 글의 출처가 『中庸或問』이라고 하나 『中庸或問』에 실려 있지 않다. 『家禮輯覽』(『沙溪全書』 권25) 「祠堂」. 그러나 明나라 章潢의 『圖書編』 권108에 "中庸或問云, '自吾父祖曾高, 謂之正統, 其伯叔曾高, 伯叔父祖, 衆子, 昆弟, 皆爲旁親.'"이라는 글이 보인다.

73 차례대로 : 『儀禮』 「士虞禮」에 "以其班祔."라고 하였는데, 이에 대한 주에, "반은 차례이다.(班, 次也.)"라고 하였다.

74 正位 : 고조, 증조, 조부, 부친의 4대 신위를 말한다.

75 宋龜峰[宋翼弼]은 이에 대해 다음과 같이 해설하였다. "조카 항렬의 아버지는 從兄弟나 再從兄弟이다. 조카가 후사가 없으면 그 할아버지에게 합사해야 한다. 그러나 할아버지가 아직 생존해 있을 경우에는 宗家의 祖位에 합사하였다가 그 할아버지가 죽어 그 아버지가 사당을 세우면 마침내 옮겨서 할아버지에게 합사한다.(姪之父, 從兄弟, 再從兄弟也. 姪無後, 當祔其祖. 而其祖尙存, 則就祔于宗家祖位. 及其祖死而其父立祠堂, 則乃遷而從親祖也.)" 『家禮輯覽』(『沙溪全書』 권25) 「祠堂」

○ 程子曰 : "無服之殤不祭. 下殤之祭, 終父母之身. 中殤之祭, 終兄弟之身. 長殤之祭, 終兄弟之子之身. 成人而無後者, 其祭終兄弟之孫之身. 此皆以義起者也."[76]

정자程子[程頤]가 말했다. "오복五服이 없는 상殤(어려서의 죽음)은 제사 지내지 않는다. 하상下殤의 제사는 부모가 죽을 때까지 지낸다. 중상의 제사는 형제가 죽을 때까지 지낸다. 장상長殤의 제사는 형제의 아들이 죽을 때까지 지낸다. 성인으로서 후사가 없는 사람은 형제의 손자가 죽을 때까지 지낸다. 이것은 모두 의리로써 일으킨 것이다."

[19-1-2-1]

楊氏復曰 : "按祔位謂旁親無後, 及卑幼先亡者. 祭禮纔祭高祖畢, 即使人酌獻祔于高祖者. 曾祖祖考皆然. 故祝文說以某人祔食尙饗. 詳見後祭禮篇四時祭條."

양복楊復이 말했다. "살펴보건대, 부위祔位는 방친 중에 후사가 없는 자와 항렬이 낮거나 나이가 어린 자 중에 먼저 죽은 자를 말한다. 제례는 고조의 제사를 마치고 나서, 사람들에게 시켜 고조에게 합사한 자에게 술을 따르도록 한다. 증조, 조부, 부친도 모두 그렇게 한다. 그러므로 축문에 '모인某人을 부식祔食(조상과 함께 제수祭需를 받듦)하오니 흠향하시길 바랍니다.'라고 하는 것이다. 뒤의 「제례편」의 사시제四時祭 조목에 자세히 보인다."

[19-1-2-2]

劉氏垓孫曰 : "先生云, '如祔祭伯叔, 則祔于曾祖之傍一邊, 在位牌西邊安. 伯叔母, 則祔曾祖母東邊安. 兄弟嫂妻婦, 則祔于祖母之傍. 伊川云「曾祖兄弟無主者亦不祭」, 不知何所據而云. 伊川云「只是義起也.」'"[77]

유해손劉垓孫이 말했다. "선생께서 말했다. '백숙부를 합사할 경우에는 증조의 한쪽에 합사하되 위패의 서쪽에 봉안한다. 백숙모는 증조모에게 합사하되 동쪽에 봉안한다. 형제, 형수, 처, 제부는 조모의 옆에 합사한다.[78] 이천[程頤]은 「증조의 형제 중에 제사를 주관할 사람이 없는 경우에는 또한 제사 지내지 않는다.」고 하였는데 무엇에 근거하여 말씀한 것인지 모르겠다.[79] 이천은 「그저 의리로써 일으킨 것일 뿐이다.」고 하였다."

---

76 『二程遺書』권18 : "八歲爲下殤, 十四爲中殤, 十九爲上殤, 七歲以下爲無服之殤. 無服之殤更不祭. 下殤之祭, 父母主之, 終父母之身. 中殤之祭, 兄弟主之, 終兄弟之身. 上殤之祭, 兄弟之子主之, 終兄弟之子之身. 若成人而無後者, 弟之孫主之, 亦終其身. 凡此皆以義起也." 이 글에서 알 수 있듯이 '복이 없는 상'은 7세 이하, '하상'은 8세, '중상'은 14세, '장상'은 19세까지의 미성년자가 죽었을 때를 말한다.

77 『朱子語類』권90, 93조목

78 형제, 형수 … 합사한다. : 형제는 남자이므로 祖父 옆에 합사해야 한다. 따라서 母 자 위에 아마도 父 자가 빠진 듯하다. 『家禮輯覽』(『沙溪全書』권25)「祠堂」

79 伊川은 「증조의 … 모르겠다. : 『家禮會成』에서 魏堂은 "무릇 합사하는 예는 昭는 소에 합사하고 穆은 목에 합사한다. 그런데 증조의 형제로서 후사가 없는 자는 합사할 만한 소와 목이 없다. 그러므로 제사 지내지 않는 것이다.(凡祔, 昭祔昭, 穆祔穆. 如曾祖兄弟無後者, 無昭穆可祔. 故不祭.)"고 하였다.

[19-1-2-3]

　　"遇大時節, 請祖先祭于堂, 或廳上, 坐次亦如在廟時排定. 祔祭旁親者, 右丈夫, 左婦女, 坐以就裏爲大. 凡祔於此者, 不從昭穆了, 只以男女左右大小分排. 在廟却各從昭穆祔."[80]

(유해손이 말했다.) "(선생께서 말했다.) '큰 절기[81]에는 조상의 신주를 모시고 나와 당堂이나 청사廳事에서 제사 지내되, 자리의 순서 또한 묘에 계실 때와 같이 배설排設한다. 방친을 부제祔祭할 경우에는 오른쪽은 남자, 왼쪽은 여자로 배설하되 자리는 안쪽을[82] 어른으로 삼는다. 무릇 여기에 합사할 때에는 소목을 따르지 않고 다만 남녀, 좌우, 대소를 기준으로 나누어 배설한다. 묘廟에서는 각기 소목昭穆에 따라 합사한다.'"

[19-1-3]

置祭田

제전을 둔다.

　　初立祠堂, 則計見田, 每龕取其二十之一, 以爲祭田. 親盡則以爲墓田. 後凡正位祔位, 皆放此. 宗子主之, 以給祭用. 上世初未置田, 則合墓下子孫之田, 計數而割之, 皆立約聞官, 不得典賣.

　　처음 사당을 세우면 현재의 전지를 계산하여 감실 당 20분의 1을 취하여 제전祭田[83]으로 삼고, 제사 대수代數가 다하면 묘전墓田으로 삼는다.[84] 뒤의 모든 정위와 부위는 다 이와 같으니, 종자가 주관하여 제사 비용을 마련한다. 윗대에서 애초에 제전을 두지 않은 경우에는 묘주墓主의 자손들이 지닌 전지를[85] 합하여 계산해서 할당하고는 모두 약정을 세우고 관아에 등록하여 저당 잡히거나 팔지 못하게 한다.

具祭器.

제기를 갖춘다.[86]

- -

80　『朱子語類』 권90, 9조목
81　큰 절기 : 큰 제사를 지내는 절기. 『家禮集說』에서 馮善은 "四仲月(仲春·仲夏·仲秋·仲冬 등을 통틀어서 일컫는 말)에 지내는 時祭 따위이다.(四仲月時祭之類)"라고 하였다.
82　안쪽 : 당의 북쪽을 가리킨다. 『家禮輯覽』(『沙溪全書』 권25)「祠堂」
83　祭田 : 제사비용을 마련할 田地를 말한다.
84　제사 代數가 … 삼는다. : 사당에서의 4대봉사가 끝나 체천된 후 墓에서 지내는 제사 비용을 마련할 전지를 말한다.
85　墓主의 자손들이 지닌 전지 : 宋翼弼은 "묘 아래에 있는 田地를 말하는 것이 아니라, 바로 그 묘 주인의 자손들이 소유한 전지를 가리키는 것이다."고 하였다. 『家禮輯覽』(『沙溪全書』 권25)「祠堂」
86　제기를 갖춘다. : 『家禮儀節』에서 丘濬은 "交椅, 卓子, 床, 자리[席], 香爐, 香盒, 香匙, 초걸이[燭檠], 茅沙盤, 祝板, 環玦, 술주전자[酒注], 술잔받침[盞盤], 盞, 茶瓶, 茶盞, 茶托, 茶椀, 楪子, 숟가락[匙], 젓가락[筯], 술동이[酒樽], 현주 동이[玄酒樽], 托盤, 盥盤, 盥架, 帨巾, 帨架, 火爐 등이다."라고 하였다.

牀席, 倚卓, 盥盆, 火爐, 酒食之器, 隨其合用之數, 皆具貯於庫中而封鎖之, 不得他用. 無庫則貯於櫃中. 不可貯者, 列於外門之內.

상과 자리, 교의交椅와 탁자, 물동이와 대야, 화로, 술과 음식을 담는 그릇 등은 용도에 합당한 수대로 모두 창고에 갖추어 넣고는 잠가두어 다른 용도로 쓰지 못하게 한다.[87] 창고가 없으면 궤 속에 넣고, 넣을 수 없는 것은 외문 안쪽에 진열해 둔다.

主人晨謁於大門之內.

주인은 새벽에 대문 안에서 배알한다.

主人, 謂宗子主此堂之祭者. 晨謁, 深衣焚香再拜.

주인은 종자로서 이 사당의 제사를 주관하는 자를 말한다. 새벽에 배알할 때에는 심의深衣를 입고 분향하고서 재배한다.

出入必告.

집을 나설 때나 들어올 때 반드시 아뢴다.

主人主婦近出, 則入大門, 瞻禮而行. 歸亦如之. 經宿而歸, 則焚香再拜. 遠出經旬以上, 則再拜焚香, 告云某將適某所敢告. 又再拜而行. 歸亦如之. 但告云某今日歸自某所敢見. 經月而歸, 則開中門, 立於階下再拜. 升自阼階, 焚香告畢, 再拜. 降復位, 再拜. 餘人亦然. 但不開中門.

주인과 주부가 가까이 외출할 때에는 대문에 들어와 첨례瞻禮[88]하고 떠나고, 돌아왔을 때도 그와 같이 한다. 하루 밤을 묵고 돌아올 경우에는 분향하고 재배한다. 멀리 떠나 10일 이상이 걸릴 경우에는 재배하고 분향하며 '아무개가 모처에 가기에 감히 아룁니다.'라고 아뢰고, 다시 또 재배하고 떠나며, 돌아올 때도 그와 같이 한다. 다만 '아무개가 오늘 모처에서 돌아왔기에 감히 알현합니다.'고 아뢴다. 한 달이 지나 돌아왔을 때에는 중문을 열고 계단 아래에서 재배하고, 동쪽 계단으로 올라가 분향하고 아뢰기를 마치면 재배하고, 내려와서 자리로 돌아와서도 재배한다. 그 밖의 사람들도 그렇게 하지만 중문은 열지 않는다.

○ 凡主婦, 謂主人之妻.

무릇 주부는 주인의 처를 말한다.

○ 凡升降, 惟主人由阼階. 主婦及餘人, 雖尊長亦由西階.

무릇 오르내릴 때에는 오직 주인만이 동쪽 계단으로 다닌다. 주부와 그 밖의 사람들은 비록

---

87 부록 그림 8 참조
88 瞻禮 : '첨례'란 揖이라는 말과 같다. 『家禮儀節』에 "남자는 唱喏(여러 가지 설이 있으나, 일반적으로 남자가 예를 행할 때에 손으로 읍을 하는 동시에 입으로 경하는 말을 하는 것을 말한다. '唱諾'이라고도 한다)하고 부인은 서서 절한다.(男子唱喏, 婦人立拜.)"고 하였다.

항렬이 높거나 나이가 많더라도 또한 서쪽 계단으로 다닌다.

○ 凡拜, 男子再拜, 則婦人四拜, 謂之俠拜. 其男女相答拜亦然.

무릇 절은 남자가 재배하면 부인은 사배四拜하니 그것을 협배俠拜[89]라고 한다. 남녀가 서로 답배할 때에도 또한 그렇다.

正至朔望, 則參.

정조(설날) · 동지 · 매월 초하루 · 보름에는 참배한다.

正, 至, 朔, 望, 前一日灑掃齋宿. 厥明夙興, 開門軸簾. 每龕設新果一大盤於卓上. 每位茶盞托酒盞盤各一於神主櫝前. 設束茅聚沙於香卓前. 別設一卓於阼階上, 置酒注盞盤一於其上. 酒一瓶於其西. 盥盆帨巾各二於阼階下東南. 有臺架者在西, 爲主人親屬所盥. 無者在東, 爲執事者所盥. 巾皆在北.

정조(설날), 동지, 매월 초하루, 보름에는 전 날에 청소하고 재계하고서 잔다. 그 다음 날 일찍 일어나 문을 열고 발을 걷는다. 감실마다 햇과일을 담은 큰 소반 하나를 탁자 위에 진설하고, 자리마다 찻잔과 받침, 술잔과 받침을 신주 독 앞에 각각 하나씩 진설한다. 향탁 앞에 모사茅沙 그릇을 진설한다. 동쪽 계단 위에 탁자 하나를 따로 설치하고 그 위에 술주전자, 술잔, 받침을 하나씩 올려두고, 그 서쪽에는 술 한 병을 놓는다. 대야와 물동이, 수건 두 개를 동쪽 계단 아래 동남쪽에 두며, 받침대와 시렁이 있는 것은 서쪽에 두어 주인과 친속이 손을 씻고, 받침대와 시렁이 없는 것은 동쪽에 두어 집사자가 손을 씻는다. 수건은 모두 북쪽에 둔다.

主人以下盛服, 入門就位. 主人北面於阼階下. 主婦北面於西階下. 主人有母, 則特位於主婦之前. 主人有諸父諸兄, 則特位於主人之右少前, 重行西上. 有諸母姑嫂姊, 則特位主婦之左少前, 重行東上. 諸弟在主人之右少退. 子孫外執事者, 在主人之後, 重行西上. 主人弟之妻, 及諸妹在主婦之左少退. 子孫婦女內執事者在主婦之後, 重行東上.

주인 이하는 정장을 차려입고盛服 문으로 들어가 제자리로 간다. 주인은 동쪽 계단 아래에서 북쪽을 향해 선다. 주부는 서쪽 계단 아래에서 북쪽을 향해 선다. 주인에게 모친이 있으면 특별히 주부 앞 쪽에 자리한다. 주인에게 제부諸父와 제형諸兄이 있으면 특별히 주인의 오른쪽에서 조금 앞에 자리하고 여러 줄로 서되 서쪽을 윗자리로 삼는다. 제모諸母, 고모, 형수, 손위 누이가 있으면 주부의 왼쪽에서 조금 앞에 자리하고 여러 줄로 서되 동쪽을 윗자리로 삼는다. 제제諸弟

---

89 俠拜 : 남자와 여자가 절을 할 때에 가령 여자가 두 번 절하면 남자는 한번 절하는 것으로, 남자와 여자가 맞절을 하거나 같은 수의 절을 하지 않는 것을 말한다. 이와 관련하여 주자는 다음과 같이 설명하고 있다. "옛날 부인과 남자가 예를 행할 때에는 모두 俠拜를 하였는데, 절할 때마다 두 배로 하는 것을 예절로 삼았다. 혼례의 경우에는 신부가 먼저 두 번 절하면 신랑이 또 답례로 한 번 절하며, 신부가 또 두 번 절하면 신랑이 또 답배로 한번 절하였다. 관례의 경우에는 비록 어머니를 뵐 때에도 어머니가 또한 협배를 하였다.(古者婦人與男子爲禮, 皆俠拜, 每拜以二爲禮. 昏禮, 婦先二拜, 夫答一拜; 婦又二拜, 夫又答一拜. 冠禮, 雖見母, 母亦俠拜.)"『朱子語類』권89, 15조목

는 주인의 오른쪽에서 조금 물러난다. 자손과 외집사자는 주인의 뒤쪽에서 여러 줄로 서되 서쪽을 윗자리로 삼는다. 주인의 제부弟婦와 제매諸妹는 주부의 왼쪽에서 조금 물러난다. 자손, 부녀, 내집사자內執事者는 주인의 뒤쪽에서 여러 줄로 서되 동쪽을 윗자리로 삼는다.[90]

立定, 主人盥帨升, 搢笏, 啓櫝, 奉諸考神主置於櫝前. 主婦盥帨升, 奉諸妣神主置于考東. 次出祔主亦如之. 命長子長婦, 或長女, 盥帨升, 分出諸祔主之卑者亦如之. 皆畢, 主婦以下先降復位.

자리가 정해지면 주인이 손을 씻고 올라가 홀笏[91]을 꽂고는 독櫝을 열어 제고諸考의 신주를 모시고서 독 앞에 놓는다. 주부가 손을 씻고 올라가 제비諸妣의 신주를 모셔서 고考의 동쪽에 놓는다. 다음 부주祔主를 내어 놓는 것도 그와 같다. 장자, 장부長婦 또는 장녀에게 명하여 손을 씻고 올라가 부주 중에 항렬이 낮은 분을 나누어 내어 놓는 것도 같다. 모두 마치고 나면, 주부 이하가 먼저 내려와 자리로 되돌아온다.

主人詣香卓前, 降神. 搢笏, 焚香再拜. 少退立. 執事者盥帨升, 開瓶實酒于注, 一人奉注詣主人之右, 一人執盞盤詣主人之左. 主人跪, 執事者皆跪. 主人受注斟酒, 反注. 取盞盤奉之, 左執盤, 右執盞. 酹于茅上, 以盞盤授執事者. 出笏, 俛伏, 興. 少退. 再拜, 降, 復位. 與在位者皆再拜.

주인이 향탁 앞에 나아가 강신의 예를 행한다. 홀을 꽂고는 분향하고 재배한다. 그러고서 조금 물러나 선다. 집사자가 손을 씻고 올라가 술병을 열어 주전자에 술을 붓고, 한 사람은 주전자를 받들고 주인의 오른쪽에 나아가고, 한 사람은 술잔과 받침을 잡고 주인의 왼쪽으로 나아간다. 주인이 무릎을 꿇으면 집사자도 모두 무릎을 꿇는다. 주인이 주전자를 받아 술을 따르고는 주전자를 돌려주고, 술잔과 받침을 건네받아 받들되 왼손으로는 받침을 잡고 오른손으로는 잔을 잡고서, 모사茅沙 위에 술을 붓고서 잔과 받침을 집사자에게 준다. 홀을 빼어 들고서 부복하였다가 일어나서 조금 물러난다. 재배하고서 내려와 자리에 돌아와서 자리에 있는 사람들과 함께 모두 재배한다.

參神. 主人升, 搢笏, 執注斟酒, 先正位, 次祔位, 次命長子斟諸祔位之卑者. 主婦升, 執茶筅, 執事者執湯瓶隨之, 點茶如前. 命長婦, 或長女亦如之. 子婦執事者先降復位. 主人出笏, 與主婦分立於香卓之前東西. 再拜, 降, 復位, 與在位者皆再拜. 辭神而退.

(다음에) 참신의 예를 행한다. 주인이 올라가 홀을 꽂고 주전자를 들어 술을 따르되 먼저 정위正位에 올리고 다음에 부위祔位에 올린다. 다음에 장자에게 명하여 부위祔位 중에 항렬이 낮은 분에게 술을 따라 올리도록 한다. 주부가 올라가 다선茶筅[92]을 잡고, 집사자가 끓인 물병을 잡고

. . . .

90 명절날 神主 앞에서 집안사람들이 차례대로 늘어선 묘사는 부록 그림 9 참조

91 笏: 笏은 官位에 있는 자가 관복을 입었을 때 손에 가지는 手板이다. 신분을 나타내는 표식으로 높은 사람은 옥으로, 낮은 사람은 나무로 만들었다. 또 "笏은 大帶에 꽂아서 일을 기록하기 위한 것이다.(挿笏於大帶, 所以記事也.)"『小學』「明倫」'搢笏'「集註」." "笏은 忽로, 임금이 명령하거나 아뢸 것이 있으면 그 위에 기록하여 홀연히 잊어버리는 데에 대비하는 것이다.(笏, 忽也. 君有敎命及所啟白, 則書其上, 備忽忘也.)"『釋名』「釋書契」

따라가 차를 타서 따라 올리는 것은[93] 앞의 술을 따라 올리는 예와 같다. 장부長婦, 또는 장녀에게 명하는 것도 같다. 며느리와 집사자가 먼저 내려와 자리에 돌아온다. 주인은 홀을 빼어들고 주부와 함께 향탁 앞 동쪽과 서쪽에 갈라서서 재배하고 내려와 자리에 돌아와서 자리에 있는 사람들과 함께 재배하고, 사신辭神[94]의 예를 하고서 물러나온다.

○ 冬至, 則祭始祖畢. 行禮如上儀.

동지에는 시조에게 제사 지내고 마친다. 예를 행하는 것은 위의 의례와 같다.

○ 望日不設酒不出主. 主人點茶, 長子佐之, 先降. 主人立於香卓之南, 再拜乃降. 餘如上儀.

보름에는 술을 진설하지도, 신주를 꺼내지도 않는다.[95] 주인이 차를 타서 올릴 때 장자가 돕고 먼저 내려가면 주인은 향탁의 남쪽에 서서 재배하고서 내려온다. 나머지는 위의 의례와 같다.

○ 準禮, 舅沒則姑老不預於祭. 又曰, "支子不祭." 故今專以世嫡宗子夫婦爲主人主婦. 其有母及諸父母兄嫂者, 則設特位於前如此.

『예기禮記』에 따르면, 시아버지가 돌아가시면 시어머니는 집안일을 물려주고 제사에 관여하지 않는다.[96] 또 "지자支子[97]는 제사 지내지 않는다."[98]라고 하였다. 그러므로 지금 오직 대를 이은 종자 부부만을 주인과 주부로 삼는 것이다. 모친·제부諸父·제모諸母·제형수諸兄嫂가 있는 경우에는 이와 같이 특별히 앞에 자리를 마련해 준다.

○ 凡言盛服者, 有官則幞頭·公服·帶·靴·笏. 進士則幞頭·襴衫·帶. 處士則幞頭·皂衫·帶. 無官者, 通用帽子衫帶. 又不能具, 則或深衣, 或涼衫. 有官者, 亦通服帽子以下, 但不爲盛服. 婦人則假髻大衣長裙. 女在室者冠子背子. 衆妾假髻背子.

무릇 '성복成服을 한다'고 말할 경우에는 관직이 있으면 복두·공복·띠·신·홀을 갖추고, 진사는 복두·난삼·띠를 갖춘다. 처사는 복두·조삼·띠를 갖추고, 관직이 없는 사람은 모자·삼·띠를 통용하고, 또 갖출 수 없으면 심의를 입거나 양삼을 입는다. 관직이 있는 자도 모자 이하를 공통으로 입지만 다만 '성복盛服'은 되지 못한다. 부인은 가계假髻·대의大衣·장군長裙을 갖추고,

---

92 茶筅: 차의 냉온을 조절하는 도구로 대나무로 만든다.

93 주부가 올라가 … 것은: 옛날 사람들은 차를 마실 때에 분말을 만들어서 타 마셨는데, 이른바 點茶라는 것은 먼저 그릇에 차 분말을 넣은 다음에 끓인 물을 붓고서 다시 차가운 물을 조금씩 넣어 茶筅을 가지고 조절하는 것을 말한다.

94 辭神: 神을 전송하는 예이다. 『家禮儀節』에 다음과 같은 辭神의 예가 소개되어 있다. "신을 전송한다. 〈모두 절한다.〉 몸을 숙이고 절하고 일어나며, 절하고 일어나며, 절하고 일어나며, 절하고 일어나 몸을 편다. 신주를 받들어 독에 넣는다. 예를 마친다.(辭神. 〈衆拜.〉 鞠躬, 拜, 興, 拜, 興, 拜, 興, 拜, 興, 平身. 奉主入櫝. 禮畢.)" 丘濬, 『家禮儀節』 권1 「祠堂」

95 보름에 신주를 꺼내지 않은 묘사는 부록 그림 10 참조

96 시아버지가 돌아가시면 … 않는다. : 『禮記』「內則」에 "舅沒則姑老"라고 하였는데 이에 대한 鄭玄의 주에서 "집안일을 맏며느리에게 물려주는 것을 말한다.(謂傳家事於長婦也.)"고 하였다.

97 支子: 적자 이외의 아들을 말한다.

98 『禮記』「曲禮下」

여자로서 시집가지 않은 딸은 관자冠子·배자背子를 갖춘다. 첩들은 가계와 배자를 갖춘다.[99]

[19-1-3-1]

楊氏復曰 : "先生云. '元旦, 則在官者有朝謁之禮, 恐不得專精於祭事. 某鄕里却止於除夕前三四日行事, 此亦更在斟酌也.'"[100]

양복楊復이 말했다. "선생께서 말했다. '정월 초하루에는 관직이 있는 사람은 조알의 예가 있으니 제사 일에 전념할 수 없을 것이다. 우리 동네에서는 제석除夕 3~4일 전에 행사를 마치니 이 또한 참고할 만하다."

[19-1-3-2]

劉氏璋曰 : "司馬溫公註影堂雜儀. '凡月朔則執事者於影堂裝香, 具茶酒, 常食數品, 主人以下皆盛服, 男女左右敍立如常儀. 主人主婦, 親出祖考以下祝版置於位, 焚香, 主人以下俱再拜. 執事者斟祖考前茶酒, 以授主人. 主人搢笏, 跪, 酹茶酒. 執笏, 俛伏, 興. 帥男女俱再拜. 次酹祖妣以下皆徧, 納祠版出. 徹.

유장劉璋[101]이 말했다. "사마온공司馬溫公[司馬光]은 「영당잡의影堂雜儀」에서 다음과 같이 주석하였다. '무릇 매월 초하루에는 집사자가 영당에 향을 장만하고 차와 술, 평소의 음식 몇 가지를 갖춘다. 주인 이하는 모두 성복盛服을 하고, 남녀가 평소의 의식대로 좌우로 차례로 선다. 주인과 주부는 몸소 조고祖考 이하의 사판祠版을[102] 꺼내 자리에 놓고 분향하고, 주인 이하는 모두 재배한다. 집사자가 조고 앞에서 차와 술을 따라 주인에게 주면, 주인은 홀을 꽂고는 무릎을 꿇고 차와 술을 붓고, 홀을 꺼내어 잡고 부복하였다가 일어서서 남녀를 거느리고 모두 재배한다. 다음 조비祖妣 이하에게 차와 술을 붓는 것을 모두 다 하고 사판을 들여 넣고 나오면 철상한다.

月望不設食, 不出祠版. 餘如朔儀. 影堂門無事常閉, 每旦子孫詣影堂前唱喏. 出外歸亦然. 若出外再宿以上, 歸則入影堂再拜. 將遠適, 及遷官, 凡大事則盥手焚香, 以其事告, 退各再拜. 有時新之物, 則先薦于影堂. 忌日則去華飾之服, 薦酒食如月朔. 不飲酒, 不食肉, 思慕如居喪. 禮, 「君子有終身之喪, 忌日之謂也.」[103] 舊儀, 不見客受弔, 於禮無之, 今不取. 遇水火盜賊, 則先救先

99 남녀의 盛服은 부록 그림 11 참조
100 『朱文公文集』 권43 「答陳明仲」(11)
101 劉璋 : 생몰연대는 미상이나 『家禮補註』를 저술하였다. 그러나 『家禮補註』가 元대 초에 간행되어 성리대전 本의 모본인 朱子成書 本 『家禮』에 실리지 않은 점을 미루어 볼 때 원대 후기의 인물인 듯하다. 따라서 성리대전 本의 『家禮』는 주자 사후에 발견된 未完의 缺典에 楊復의 附注, 劉垓孫의 增注가 차례대로 입혀지게 되었고, 이렇게 차례대로 입혀져 간행된 元대 초 黃瑞節의 주자성서 本 『家禮』를 모본으로 삼아 성리대전 편찬자들이 최종적으로 『家禮補註』를 삽입함으로써 완성되었다고 볼 수 있다. 성리대전 本 『家禮』의 세주에 실린 그의 글이 바로 『家禮』 보주이다.
102 祠版 : 원문의 祝版은 祠版의 誤字이다. 신주와 같은 것으로 판목에 명호를 써서 사용하였다.
103 『禮記』 「祭義」

公遺文, 次祠版, 次影, 然後救家財.'"104

매월 보름에는 음식을 진설하지도, 사판을 꺼내지도 않는다. 나머지는 초하루의 의례와 같다. 영당의 문은 일이 없을 때에는 항상 닫아두되 매일 아침 자손들이 영당 앞에 나아가 읍揖한다. 외출했다가 돌아왔을 때에도 그렇게 한다. 외출하여 2일 이상 묵었으면 돌아와서는 영당에 들어가 재배한다. 먼 길을 떠나거나 관직을 옮기는 것과 같은 큰일은 손을 씻고 분향하며 그 일을 아뢰고 물러나와 각각 재배한다. 제철의 새 음식이 있으면 영당에 먼저 천신한다. 기일에는 화려한 장식의 옷을 벗고 술과 음식을 올리되, 매월 초하루의 의식과 같이 하며, 술을 마시지 않고 고기를 먹지도 않으며 사모하기를 마치 상喪을 치르듯이 한다. 『예기禮記』에 '군자에겐 평생 치러야할 상喪이 있으니 기일忌日을 말한다.'105라고 하였다. 옛 의례에 손님은 만나지 않되 조문은 받는다고 했으나 예에 없으니 지금은 취하지 않는다. 홍수・화재・도적을 만났을 때에는 먼저 선조의 유문遺文을 구하고 다음은 사판祠版, 그 다음은 영정을 구하니, 그러고 나서 집안의 재물을 구한다.'"

[19-1-4]

俗節則獻以時食.

세속의 절일에는 제철 음식을 올린다

節, 如清明・寒食重午・中元・重陽之類, 凡鄉俗所尙者. 食, 如角黍, 凡其節之所尙者, 薦以大盤, 間以蔬果. 禮如正至朔日之儀.

절일은 예컨대 청명淸明, 한식寒食, 단오重午, 중원中元,106 중양重陽107과 같은 따위이니 모두 향속에서 숭상하는 날이다. 음식은 예컨대 각서角黍108와 같은 것이니 모두 그 절일에 숭상하는 것으로서 큰 소반으로 올리되 채소와 과일을 섞기도 한다. 예는 정조(설날), 동지, 매월 초하루의 의례와 같다.

[19-1-4-1]

問: "俗節之祭如何?"

朱子曰: "韓魏公處得好, 謂之節祠, 殺於正祭. 但七月十五日, 用浮屠設素饌祭, 某不用."109

- - - - - - - - - - - - - - - - - - - -

104 『書儀』권10「影堂雜儀」:"主人以下皆盛服, 男女左右敍立如常儀. 主人主婦, 親出祖考置于位, 焚香, 主人以下俱再拜. 執事者斟祖考前茶酒, 以授主人, 主人揖笏, 跪, 酹茶酒, 執笏, 俛伏, 興. 帥男女俱再拜. 次酹祖妣以下皆徧, 納祠版出, 徹. 月望不設食, 不出祠版. 餘如朔儀. 影堂門無事常閉, 每旦子孫詣影堂前唱喏. 出外歸亦然. 出外再宿以上, 歸則入影堂, 每位各再拜. 將遠適, 及遷官, 大事, 則盥手焚香, 以其事告, 退各再拜. 有時新之物, 則先薦于影堂. 遇水火盜賊, 則先救先公遺文, 次祠版, 次影, 然後救家財."

105 『禮記』「祭義」

106 中元: 음력 7월 15일이다.

107 重陽: 음력 9월 9일이다.

108 角黍: 줄잎사귀[菰葉]로 찹쌀[糯米]을 싼 다음 이를 쪄서 만든다. 이는 5월 5일에 屈原이 빠져 죽은 汨羅水(멱라수)에 제사 지내던 遺俗이다.

물었다. "세속의 절일에 지내는 제사는 어떻게 합니까?"

주자朱子가 대답했다. "한위공韓魏公[韓琦]이 잘 대처하였으니, 절사節祠라고 하고 정제正祭[110]보다 규모를 줄였다. 다만 7월 15일은 불교식으로 소찬素饌[111]을 차려놓고 제사를 지내는데 나는 쓰지 않는다."

[19-1-4-2]

又答南軒張氏曰 : "今日俗節, 古所無有. 故古人雖不祭, 而情亦自安. 今人旣以此爲重, 至於是日必具殽羞相宴樂, 而其節物亦各有宜. 故世俗之情, 至於是日, 不能不思其祖考, 而復以其物享之, 雖非禮之正, 然亦人情之不能已者. 且古人不祭, 則不敢以燕, 況今於此俗節, 旣已據經而廢祭, 而生者則飮食宴樂隨俗自如, 非事死如事生, 事亡如事存之意也."[112]

또 (주자가) 남헌 장씨南軒張氏[113]에게 답했다. "오늘날 세속의 절일은 옛날에는 없었다. 그러므로 옛사람들은 비록 제사를 지내지 않더라도 마음은 또한 편했다. 요즈음 사람들은 이미 이것을 중시하여 이 날이 오면 반드시 술안주와 음식을 갖추고서 서로 잔치를 벌이고 즐기며 계절의 음식물도 각기 마땅함이 있다. 그러므로 세속의 마음도 이 날이 오면 그 조상을 생각하지 않을 수 없어 다시 그 음식물로 제향하니, 비록 올바른 예가 아니더라도 또한 사람 마음으로는 그만둘 수 없는 것이다. 그리고 옛사람들은 제사를 지내지 않으면 감히 잔치를 벌이지 않았는데 하물며 이제 이 세속의 절일에 대해 경전經典에 근거하여 제사는 폐지하고, 살아 있는 사람들은 먹고 마시고 잔치를 벌이고 즐기기를 세속을 따라 태연스럽게 한다면 '죽은 사람 섬기기를 살아있는 사람 섬기듯이 하고 없는 사람 섬기기를 있는 사람 섬기듯이 하는'[114] 뜻이 아니다."

又曰 : "朔旦家廟用酒果, 望旦用茶. 重午·中元九日之類, 皆名俗節. 大祭時每位用四味, 請

---

109 『朱子語類』권90, 132조목

110 正祭 : 四時正祭를 말한다.

111 素饌 : 고기나 생선이 섞이지 않은 음식을 말한다.

112 『朱文公文集』권30, 答張欽夫(1) : "蓋今之俗節, 古所無有, 故古人雖不祭, 而情亦自安. 今人旣以此爲重, 至於是日, 必具殽羞相宴樂, 而其節物亦各有宜, 故世俗之情, 至於是日, 不能不思其祖考, 而復以其物享之. 雖非禮之正, 然亦人情之不能已者. 但不當專用此, 而廢四時之正禮耳. 故前日之意, 以爲旣有正祭, 則存彼似亦無害. 今承誨諭, 以爲黷而不敬, 此誠中其病. 然欲遂廢之, 則恐感時觸物, 思慕之心, 又無以自止, 殊覺不易處. 且古人不祭, 則不敢以燕, 況今於此俗節, 旣已據經而廢祭, 而生者則飮食宴樂, 隨俗自如, 殆非事死如事生, 事亡如事存之意也."

113 南軒張氏 : 張栻(1133~1180)의 자는 敬夫·欽夫·樂齋이고, 호는 南軒이다. 송대 漢州 錦竹(현 사천성 廣漢縣) 사람이다. 그의 부친 張浚은 宋 高宗·孝宗 양 조정에서 丞相을 지냈다. 知撫州·知嚴州·湖北安撫使·吏部侍郎兼侍講 등을 역임하였다. 주희보다 세 살 어리지만 呂祖謙과 더불어 친구로 지냈으며, 후대에 이들 셋을 '東南三賢'이라고 부른다. 장식은 스승 胡宏으로부터 이어지는 胡湘學派를 정립하였으며, 그의 察識端倪說은 주희의 中和舊說을 확립하는데 중요한 역할을 하였다. 저서는 『南軒易說』·『論語解』·『孟子說』·『伊川粹言』·『南軒集』 등이 있다.

114 '죽은 사람 … 하는' : 『中庸章句』19章

出木主. 俗節小祭, 只就家廟, 止二味. 朔旦俗節, 酒止一上, 斟一盞. "[115]

또 주자가 말했다. "초하루 아침에는 가묘에 술과 과일을 쓰고, 보름날 아침에는 차를 쓴다. 단오 · 추석 · 중양 등을 모두 세속의 절일이라고 한다. 큰 제사 때에는 매 신위마다 4가지 음식을 쓰고 나무 신주를 청하여 내온다. 세속의 절일과 작은 제사에는 오직 가묘에서만 지내고 2가지 음식만 쓴다. 초하루와 세속의 절일에는 술을 한 번만 올리니 한 잔만 따르는 것이다."

[19-1-4-3]

楊氏復曰: "時祭之外, 各因鄉俗之舊, 以其所尙之時, 所用之物, 奉以大盤, 陳於廟中, 而以告朔之禮奠焉, 則庶幾合乎隆殺之節, 而盡乎委曲之情, 可行於久遠而無疑矣."[116]

양복楊復이 말했다. "시제 이외에는 각각 향속의 구습을 따라 그 숭상하는 때에 쓰이는 물건을 큰 소반에 담아 묘廟 안에 진설하고 초하루에 올리는 예로 올리면, 거의 높고 낮추는 예절에 부합하고 간곡한 인정을 다하게 될 것이니 오래도록 실행하더라도 의심이 없을 것이다."

[19-1-5]

有事則告.

일이 있으면 아뢴다.

> 如正至朔日之儀. 但獻茶酒再拜訖, 主婦先降復位. 主人立於香卓之南. 祝執版立於主人之左, 跪讀之, 畢, 興. 主人再拜, 降復位. 餘並同.
>
> 정조(설날), 동지, 매월 초하루의 의식과 같다. 다만 차와 술을 올리고 재배하고 마치면 주부가 먼저 내려와 자리로 돌아가고, 주인은 향탁의 남쪽에 선다. 축관祝官은 축판祝版을 잡고 주인의 왼쪽에 서며, 무릎 꿇고 읽고서 마치면 일어서고, 주인은 재배하고 내려와 자리로 돌아온다. 나머지는 모두 같다.
>
> ○ 告授官祝版云. "維年歲月朔日, 孝子某官某, 敢昭告于, 故某親某官封諡府君, 故某親某封某氏. 某以某月某日, 蒙恩授某官, 奉承先訓, 獲霑祿位, 餘慶所及, 不勝感慕. 謹以酒果, 用伸虔告. 謹告." 貶降則言, "貶某官, 荒隊先訓, 皇恐無地." 謹以後同. 若弟子則言‘某之某某.’ 餘同.
>
> 관직을 받은 것을 아뢸 때에는 축판에 다음과 같이 쓴다. "유維[117] 몇 년 몇 월 초하루 며칠에 효자孝子[118] 어떤 관직의 아무개는 감히 고故[119] 어떤 친속[某親][120] 어떤 관직 봉시[封諡][121]부군府

• • • • • • • • • • • • • • • • • • • •

115 『朱子語類』 권90, 96조목
116 양복의 말이 아니라 주자의 편지글이다. 『朱文公文集』 권30 「答張欽夫」(1)
117 維: 문구의 첫머리에 쓰는 조사. 모든 策書에서 연월을 표기할 때에는 반드시 이 ‘維’ 자로 말을 시작한다.
118 孝子: 『禮記』「雜記」에 "제사를 지낼 때에는 祭主가 효자 또는 孝孫이라고 칭하고, 상을 치를 때에는 喪主가 哀子 또는 哀孫이라고 칭한다."고 하였는데, 이에 대한 주에 "제사는 吉祭이다. 卒哭 이후에는 길제이므로 ‘孝’ 字를 칭하고, 虞祭 이전에는 凶祭이므로 ‘哀’ 字를 칭하는 것이다."고 하였다.

君[122]과 고 어떤 친속 어떤 봉작 어떤 성씨姓氏께 밝히 아룁니다. 아무개는 모월 모일에 성은을 입어 모 관직에 제수되었습니다. 선조의 가르침을 받들어 녹봉과 직위를 받았사오니, 선조의 공덕으로 경사가 이른 것이기에 감격스러움과 사모함을 견디지 못하겠습니다. 삼가 술과 과일을 차려놓고 경건히 아룁니다. 삼가 아룁니다." 좌천되었을 경우에는 "모 관직으로 좌천되어 선조의 가르침을 실추시켰으니 황공하여 몸 둘 곳이 없습니다."라고 말한다. '삼가' 이후는 같다. 아우나 아들일 경우에는 '아무개[123]의 어떤 친속[124] 아무개[125]'라고 말한다. 나머지는 같다.

○ 告追贈, 則止告所贈之龕. 別設香卓於龕前. 又設一卓於其東, 置淨水粉盞刷子硯墨筆於其上. 餘並同. 但祝版云, "奉某月某日制書, 贈故某親某官, 故某親某封. 某奉承先訓, 竊位于朝, 祗奉恩慶, 有此襃贈. 祿不及養, 摧咽難勝." 謹以後同. 若因事特贈, 則別爲文以敍其意. 告畢, 再拜. 主人進, 奉主置卓上. 執事者洗去舊字, 別塗以粉, 俟乾, 命善書者改題所贈官封. 陷中不改. 洗水以灑祠堂之四壁. 主人奉主置故處, 乃降復位. 後同.

추증追贈을 아뢸 경우에는 단지 추증된 감실龕室에만 아뢴다. 감실 앞에 별도로 향탁을 설치한다. 또 그 동쪽에 탁자 하나를 설치하고 그 위에 정수淨水·분잔粉盞(분가루를 탄 물잔)·쇄자刷子(솔)·벼루·먹·붓을 놓는다. 나머지는 모두 같다. 다만 축판에 다음과 같이 쓴다. "몇 월 며칠의 제서制書[126]를 받드니 고故 어떤 친속 어떤 관직과 고故 어떤 친속 어떤 봉작을 추증하셨습니다. 아무개는 선조의 가르침을 받들고서 외람되이 조정에 직위를 얻어 다만 은혜로운 경사를 받들었을 뿐인데도 이러한 포증襃贈이 있게 되었습니다. 녹봉이 생전의 봉양에 미치지 못하니 슬퍼 목메임을 견디기 어렵습니다." '삼가' 이후는 같다. 일로 인해 특별히 추증된 경우에는 따로 글을 지어 그 뜻을 서술한다. 아뢰고 나면 재배하고, 주인은 나아가 신주를 받들고 탁자 위에 놓는다. 집사자는 옛 글씨를 씻어서 지우고 따로 분을 발라 마르기를 기다렸다가 글씨를 잘 쓰는 사람에게 명하여 추증된 관직과 봉작封爵으로 고쳐 쓰고, 함중陷中[127]은 고치지 않는다. 씻은 물은 사당의 사방 벽에 뿌린다. 주인은 신주를 받들어 원래의 장소에 놓고 마침내 내려와 자리로 돌아온다. 그 뒤는 같다.

○ 主人生嫡長子, 則滿月而見如上儀. 但不用祝. 主人立於香卓之前, 告曰, "某之婦某氏,

119 故 : 『家禮儀節』에 "살펴보건대, 『家禮』 舊本을 보면, 高曾祖考妣 위에 모두 '皇' 자를 붙였는데, 今本에는 '故' 자로 고쳤다. '고' 자는 속된 감이 있으니 '顯' 자를 붙이는 것만 못하다. 대개 '황' 자와 '현' 자는 모두 밝다는 의미로, 그 뜻이 서로 통한다." 하였다. 『家禮』의 卷首圖에는 '顯' 자로 되어 있다.

120 어떤 친속某親 : 예컨대 高祖考, 曾祖考처럼 祭主와의 친속관계를 일컫는다.

121 封諡 : 죽은 뒤에 군주에게 받은 諡號이다. 시호로써 죽은 자의 이름을 바꾸어 쓰는 것이다.

122 府君 : 남자 祖上을 높여 부르는 말이다.

123 祭主를 말한다.

124 祭主와 아우나 아들과의 관계를 말한다.

125 아우나 아들의 이름을 말한다.

126 制書 : 황제의 명령. 여기서는 황제가 추증해 준 기록을 말한다.

127 陷中 : 죽은 사람의 관직, 성명을 기록하기 위하여 신주 속판에 우묵하게 파낸 홈의 속을 말한다.

以某月某日生子名某, 敢見." 告畢, 立於香卓東南西向, 主婦抱子進立於兩階之間, 再拜. 主人乃降復位. 後同.

주인이 적장자嫡長子를 낳았을 경우에는 만 1개월이 되는 날에 위의 의례대로 알현한다. 다만 축祝은 사용하지 않는다. 주인은 향탁 앞에 서서 "아무개의 아내 모씨가 몇 월 며칠에 아들을 낳았으니 이름은 아무개입니다. 감히 알현합니다."라고 아뢴다. 아뢰고 나면 향탁의 동남쪽에서 서쪽을 바라보고 서고, 주부는 아들을 안고 양 계단 사이에 나가 서서 재배한다. 주인이 마침내 내려와 자리에 돌아간다. 나머지는 같다.

○ 冠昏則見本篇.

관례와 혼례는 본편에 보인다.

○ 凡言祝版者, 用版長一尺, 高五寸, 以紙書文黏於其上. 畢則揭而焚之. 其首尾皆如前. 但於故高祖考・故高祖妣, 自稱孝元孫, 於故曾祖考・故曾祖妣, 自稱孝曾孫. 於故祖考・故祖妣, 自稱孝孫. 於故考故妣, 自稱孝子. 有官封謚, 則皆稱之. 無則以生時行第稱號加于府君之上. 妣曰某氏夫人. 凡自稱, 非宗子不言孝.

무릇 축판祝版은 길이 1척, 높이 5촌의 판목을 쓰고, 종이에 글을 써 그 위에 붙이고, 마치면 떼어내 태운다. 그 처음부터 끝까지의 의식은 모두 앞과 같다. 다만 고고조고故高祖考・고고조비故高祖妣에 대해서는 자신을 효원손孝元孫[128]이라고 칭하고, 고증조고故曾祖考・고증조비故曾祖妣에 대해서는 자신을 효증손孝曾孫이라고 칭하며, 고조고故祖考・고조비故祖妣에 대해서는 자신을 효손孝孫이라고 칭하고, 고고故考・고비故妣에 대해서는 자신을 효자孝子라고 칭한다. 관직과 봉시封謚가 있으면 모두 칭하고, 없으면 살아있을 때의 항제行第[129]와 칭호稱號[130]를 부군府君 위에 더한다. 비妣는 '모씨 부인夫人'[131]이라고 한다. 무릇 자신의 칭호는 종자宗子가 아니면 효자孝子라고 말하지 않는다.

○ 告事之祝, 四代共爲一版. 自稱以其最尊者爲主. 止告正位, 不告祔位. 茶酒則幷設之.

일을 아뢸 때의 축祝은 4대를 함께 하나의 축판에 쓴다. 자신의 칭호는 가장 높은 조상과의 관계를 주主로 삼는다. 단지 정위正位에게만 아뢰고, 부위祔位에게는 아뢰지 않으며, 차와 술을 함께 진설한다.

---

128 孝元孫: 宋나라 때에는 始祖인 趙玄朗의 玄자를 諱하였으므로, 송대의 저작인 『家禮』에서 元孫이라고 칭한 것이다.

129 行第: 항렬의 순서로서 몇 번째 公, 몇 번째 郎 같은 따위이다.

130 稱號: 處士, 秀才 같은 것을 말한다.

131 모씨 夫人: 『家禮儀節』에서 丘濬은 "살펴보니 관직이 없는 자의 妣를 某氏夫人이라고 칭한다. 婦人에 대해서 夫人이라고 칭하는 것은 남자에 대해서 公이라고 칭하는 것과 같다. 오늘날의 제도는 2품이라야 비로소 夫人에 봉해질 수가 있다. 그러므로 세속에서처럼 마땅히 孺人이라고 칭해야 한다.(按無官者妣曰某氏夫人. 蓋婦人稱夫人, 猶男子稱公也. 今制二品, 方得封夫人. 宜如俗稱孺人.)"고 하였다. 『家禮儀節』 권1 「祠堂」

[19-1-5-1]

朱子曰 : "焚黃, 近世行之墓次, 不知於禮何據. 張魏公贈諡只告于廟, 疑爲得體. 但今世皆
告墓, 恐未免隨俗耳."[132]

주자가 말했다. "황지黃紙를 태우는 것[133]은 근세에 묘소墓所에서 행하고 있으나 예禮의 어디에 근거
하는 것인지 모르겠다. 장위공張魏公[張浚][134]이 시호가 추증되었을 때 장남헌張南軒[張栻]은 오직 묘廟
에만 아뢰었는데 예를 얻은 듯하다. 그러나 근세에는 모두 묘소墓所에서 아뢰니 세속을 따르는 것을
면치 못한 듯하다."

[19-1-5-2]

楊氏復曰 : "按先生文集有焚黃祝文, 告于家廟, 亦不云告墓也."

양복楊復이 말했다. "살펴보건대, 선생의 문집에 분황축문焚黃祝文이 있는데 가묘家廟에 아뢴다고 하
였지,[135] 또한 묘소墓所에서 아뢴다고 하지 않았다."

[19-1-6]

**或有水火·盜賊, 則先救祠堂, 遷神主·遺書, 次及祭器, 然後及家財. 易世, 則改題主而
遞遷之.**

간혹 수재·화재·도적이 있는 경우에는 먼저 사당을 구하고, 신주와 남긴 글[遺書]을 옮기며, 다음은
제기를 옮기니, 그리고 나서 집안의 재물을 옮긴다. 세대가 바뀌면 신주를 고쳐 쓰고 체천遞遷[136]한다.

> 改題遞遷禮, 見喪禮大祥章. 大宗之家, 始祖親盡, 則藏其主於墓所, 而大宗猶主其墓田, 以
> 奉其墓祭. 歲率宗人一祭之, 百世不改. 其第二世以下祖親盡, 及小宗之家高祖親盡, 則遷
> 其主而埋之. 其墓田則諸位迭掌. 而歲率其子孫一祭之, 亦百世不改也.

신주를 고쳐 쓰고 체천하는 예禮는 「상례」편 대상大祥 장에 보인다. 대종의 집안에서 시조의
제사 지내는 대수가 다하면 그 신주를 묘소墓所에 보관하고 대종이 그 묘전을 주관하여 묘제를
받들며, 해마다 종인들을 인솔하고 한 차례 제사 지내되 백세토록 고치지 않는다. 2세 이하 조상
의 제사 지내는 대수가 다하거나 소종의 집안에서 고조의 제사 지내는 대수가 다하면 그 신주를
체천하여 매장하며, 그 묘전은 여러 사람이 차례로 관장하며, 해마다 그 자손을 인솔하여 제사

---

132 『朱文公文集』 권30 「答汪尙書」(3)
133 黃紙를 태우는 것[焚黃] : 황제가 내려 준 관직 또는 시호를 받으면 고유문을 황지에 써서 아뢰고는 그것을
    태우는 것을 말한다.
134 張魏公(張浚, 1097~1164) : 자는 德遠이고, 송나라 綿竹 사람이다. 張栻의 아버지로서, 『五經解』· 『雜說』
    등을 지었으며, 魏國公에 봉해졌다.
135 『朱文公文集』 권86 「焚黃文」(6)에 '告於寢廟'라는 구절이 보인다.
136 遞遷 : 『龍龕手鑑』에 "체는 代를 바꾸는 것이고, 천은 옮기는 것이며 올리는 것이다.(遞, 更代, 遷, 移也,
    昇也.)"고 하였다.

지내되, 또한 백세토록 고치지 않는다.

[19-1-6-1]

或問 : "而今士庶亦有始基之祖, 莫亦只祭得四代. 但四代以上, 則可不祭否?"

朱子曰 : "而今祭四代已爲僭. 古者官師, 亦只祭得二代. 若是始基之祖, 想亦只存得墓祭."[137]

어떤 사람이 물었다. "지금 사士·서인庶人도 '처음 터를 잡은 조상始祖'이 있는데 또한 4대까지만 제사 지내는 일이 없습니다. 다만 4대 이상이면 제사 지내지 않아도 됩니까?"

주자가 대답했다. "지금 4대에게 제사 지내는 것도 이미 분수에 넘친 것이다. 옛날에는 관리들도 그저 2대에게 제사 지낼 뿐이었다. 처음 터를 잡은 조상의 경우에는 또한 묘제만 보존해도 될 것 같다."

[19-1-6-2]

楊氏復曰 : "此章云, '始祖親盡, 則藏其主於墓所.' 喪禮大祥章亦云, '若有親盡之祖, 而其別子也, 則祝版云云, 告畢而遷于墓所, 不埋.' 夫藏其主於墓所而不埋, 則墓所必有祠堂以奉墓祭."

양복楊復이 말했다. "이 장에서 '시조의 제사 지내는 대수가 다하면 그 신주를 묘소에 보관한다.'고 하였다. 『가례』「상례」, 대상大祥 장에서는 또한 '제사 지내는 대수가 다한 조상이 있으면 그 별자別子는 축판에 이러저러하다고 쓰고, 아뢰고 나서는 묘소로 옮기되 묻지는 않는다.'고 하였다. 신주를 묘소墓所에 보관하고 묻지 않는다면 묘소에 반드시 사당을 두고서 묘제墓祭를 모셔야 할 것이다."

[19-2-0]

深衣制度　심의제도[138]

此章本在冠禮之後, 今以前章已有其文, 又平日之常服, 故次前章.

이 장은 본래 「관례」의 뒤에 있었으나 앞 장에 이미 이에 관한 글이 나왔고, 또 평소에 입는 일상복이기 때문에 앞 장 다음에 두었다.

· ·

137 『朱子語類』 권90, 116조목. 편집자가 문맥에 맞게 의도적으로 원전 마지막 구절의 '莫'을 '想'으로 바꾼 것처럼 보인다. "堯卿問始祖之祭. 曰, '古無此. 伊川以義起. 某當初也祭, 後來覺得僭, 遂不敢祭. 古者諸侯只得祭始封之君, 以上不敢祭. 大夫有大功, 則請於天子, 得祭其高祖 ; 然亦止得祭一番, 常時不敢祭. 程先生亦云, 人必祭高祖, 只是有疏數耳.' 又問, '今士庶亦有始基之祖, 莫亦只祭得四代, 但四代以上則可不祭否?' 曰, '如今祭四代已爲僭. 古者官師亦只得祭二代, 若是始基之祖, 莫亦只得祭墓祭.'"

138 深衣:『禮記』「深衣」의 本註에 "朝服, 祭服, 喪服은 모두 衣와 裳이 서로 나누어져 있으나 심의만은 연결되어 있으니, 몸을 덮는 것이 깊숙하므로 심의라고 이름 붙였다.(朝服祭服喪服皆衣與裳殊, 惟深衣不殊, 則其被於體也深邃, 故名深衣.)"고 하였다.

[19-2-0-1]

朱子曰 : "去古益遠, 其冠服制度, 僅存而可見者, 獨有此耳. 然遠方士子亦所罕見, 往往人自爲制, 詭異不經, 近於服妖, 甚可歎也."[139]

주자가 말했다. "옛날과의 시간이 더욱 멀어져 그 관복제도도 겨우 남아서 볼 수 있는 것이라고는 이것뿐이다. 그러나 멀리 떨어진 곳의 선비들은 보기 드문 것이기에 이따금 사람들이 나름대로 만들기도 하였지만 괴이하고 법도에 맞지 않아 요상한 옷에 가까우니 매우 개탄할 만하다."

[19-2-1]

裁用白細布. 度用指尺.

옷감은 희고 가는 베를 쓰고, 자는 지척指尺을 쓴다.

> 中指中節爲寸.
>
> 가운데 손가락의 가운데 마디[140]를 1촌으로 삼는다.[141]

[19-2-1-1]

司馬溫公曰 : "凡尺寸皆當用周尺度之. 周尺一尺, 當今省尺五寸五分弱."[142]

사마온공司馬溫公[司馬光]이 말했다. "무릇 척尺과 촌寸은 모두 주척周尺으로 재야 한다. 주척 1척은 지금의 성척省尺의 5척 5분에서 조금 모자라는 것에 해당한다."[143]

[19-2-1-2]

楊氏復曰 : "說文云, '周制寸尺咫尋, 皆以人之體爲法.'"

양복楊復이 말했다. "『설문』에 '주나라 제도의 촌寸·척尺·지咫·심尋[144]은 모두 사람의 몸을 기준으

---

139 『朱文公文集』 권37 「答顔魯子」(1)
140 가운데 손가락의 가운데 마디 : 『家禮儀節』에 "살펴보건대, 가운데 손가락의 가운데 마디는 손가락 마디를 안쪽으로 구부렸을 때에 양쪽 마디의 손금 무늬가 뾰족하게 된 부분이 서로 떨어져 있는 곳이니, 바로 『鍼經』에서 이른바 同身寸이라는 것이다."라고 하였다.
141 부록 그림 12 참조
142 『書儀』 권3 「深衣制度」
143 부록 그림 13 참조
144 寸·尺·咫·尋 : 『韻會』에 "8寸이 1咫가 되고, 8尺이 1尋이 된다."고 하였다. 이 척도들이 사람 몸에서 나온 것은 다음 字解에서 나타난다. 『說文』에 寸은 "손에서 1치 물러난 동맥을 寸口라고 말한다. 又(손 우)·一(하나 일)을 따랐다.(寸, 人手卻一寸, 動脈, 謂之寸口. 从又从 一.)"라고 하여 又가 있고, 尺은 "尸(사람 시)를 따르고 乙(절 : 비문)을 따랐다. 乙은 표지하는 것이다. 寸·尺·咫·尋이 모두 人(사람 인)의 몸으로 기준을 삼았다.(尺, 从尸从乙. 乙, 所識也. 寸尺咫尋皆以人之體爲法.)"라고 하여 尸가 있고, 咫는 "尺을 따르고, 只(다만 지)가 소리이다.(咫, 从尺, 只聲.)"라고 하여 尺이 있다. 그리고 『形音義綜合大字典』에 尋은 "工(장인 공)·口(입 구)를 따르고, 又(손 우)를 따르고 寸(맥박 자리 촌)을 따르며, 彡(터럭 삼)이 소리이다.(尋, 从工口, 从又从寸, 彡聲.)"라고 하여 又·寸이 있다.

로 삼았다.'고 하였다."

[19-2-2]

衣全四幅, 其長過脇, 下屬於裳.

상의上衣는 전체가 4폭[145]이니 그 길이는 늑골脇[146]을 지나고 아래는 치마에 붙인다.[147]

用布二幅, 中屈下垂, 前後共爲四幅, 如今之直領衫. 但不裁破腋下. 其下過脇而屬於裳處約圍七尺二寸, 每幅屬裳三幅.

베 2폭을 써서 가운데를 접어 아래로 드리우면 앞뒤로 모두 4폭이 되니, 지금의 직령삼直領衫[148]과 같다. 다만 겨드랑이 아래를 잘라내지 않는다. 그 아래 늑골을 지나 치마에 붙인 곳은 대략 둘레가 7척 2촌[149]이니 폭마다 치마 3폭씩 붙인다.

· · · · · · · · · · · · · · · · · · · ·

145 幅 : 통상 사람의 가슴너비를 의미한다. 폭은 주로 옷을 만들 때 사용한다. 즉 비단이나 삼베 등의 옷감을 짤 때 너비를 한 폭이라고 부른다. 이렇게 사람의 가슴너비로 옷감을 만드는 이유는 옷을 만들 때 몸통 부분의 앞쪽과 뒤쪽은 각각 한 폭을 사용하고 소매를 만들 때는 한 폭을 반으로 접으면 된다. 호화스러운 치마를 만들 때 열 두 폭 치마라고 부르는데 열 두 폭을 접어 주름치마를 만들었다는 뜻이다. 『家禮』에서는 포 1폭의 너비가 2척 2촌이다.

146 늑골[脇] : 겨드랑이 아래 갈빗대 부분을 말한다.

147 부록 그림 14 참조

148 直領衫 : 직령은 깃이 곧은 것을 말한다.

149 둘레가 7척 2촌 : 『家禮補註』에 "베 2폭을 쓰는데 베의 길이는 4척 4촌이다. 가운데를 접어서 2척 2촌이 되게 한다. 아랫부분 1촌 가량을 빼서 腰縫(上衣와 下裳을 이어 붙인 재봉선) 및 양쪽 겨드랑이의 餘縫으로 삼으면, 길이가 2척 1촌이니, 이로써 상의의 길이를 삼는다. 베 1폭의 너비는 2척 2촌이니, 4폭은 8척 8촌이다. 여기에서 負繩(뒷부분을 이은 중심선)의 솔기와 옷깃[領] 가에 접어 넣은 곳 각각 1촌, 그리고 양쪽 겨드랑이 부분에 앞뒤로 각각 3촌 가량을 남겨 놓은 것을 제외하면, 대략 둘레가 7척 2촌이니, 이로써 상의의 너비를 삼는다.(用布二幅, 長四尺四寸. 中屈之爲二尺二寸. 下除寸餘, 爲腰縫及兩腋之餘縫, 長二尺一寸, 所以爲衣之長. 幅廣二尺二寸, 四幅八尺八寸. 除負繩之縫與領旁之屈積各寸, 及兩腋之與前後各三寸許, 約圍七尺二寸, 所以爲衣之廣也.)"고 하였다. 그러나 『家禮儀節』, 裁衣法에는 "베 2폭을 쓴다. 〈베 1폭은 너비가 1척 8촌인 것을 기준으로 삼는다.〉 가운데를 접어 앞뒤로 모두 네 닢[葉]이 되게 한다. 앞쪽에 있는 두 닢은 매 닢의 길이가 2척 6촌이다. 재단할 때에는 한 쪽 가장자리로부터 비스듬히 재단하기 시작하여 4촌을 제거하고 2척 2촌을 남겨두되, 점차 비스듬하게 재단하여 다른 쪽 가장자리에 가까워지면 길이를 변동시키지 않는다. 〈재단하기 시작한 곳에 비해 다른 쪽 가장자리가 길이 4촌이 남게 된다.〉 뒤에 있는 두 닢은 매 닢의 길이가 2척 3촌인데, 또한 한 쪽 가장자리로부터 비스듬히 재단하기 시작하여 1촌을 제거하고 2척 2촌을 남겨두되, 점차 비스듬히 재단하여 가장 자리에 가까워지면 길이를 변동시키지 않는다. 〈재단하기 시작한 곳에 비해 다른 쪽 가장자리가 길이 1촌이 남게 된다.〉)(用布二幅. 〈布廣夾以一尺八寸爲則.〉 中摺前後爲四葉. 其在前兩葉, 每葉長二尺六寸. 裁時從一邊修起, 除去四寸, 留二尺二寸, 漸漸修, 至將近邊處, 不動. 〈比修起處, 留長四寸〉 其在後兩葉, 每葉長二尺三寸, 亦從一邊修起, 除去一寸, 留二尺二寸, 漸漸斜修, 至將近邊處, 不動. 〈比修起處, 留長一寸.〉)"고 하였다. 그리고는 또 "살펴보니 『家禮』에서는 상의의 몸판은 길이가 2척 2촌이다. 지금은 앞쪽 부분에 4촌을 더 길게 하고, 뒤쪽 부분에 1촌을 더 길게 하는 것이 재단하는 방법이다. 이와 같이 하지 않으면 양쪽 옷깃[襟]을 서로 겹쳐서 상의의 깃[領]을 교차시킬 때에 가지런하지

裳交解十二幅, 上屬於衣, 其長及踝.

치마는 12폭으로 서로 비스듬히 잘라 위는 상의上衣에 붙이고 그 길이는 발뒤꿈치에 닿게 한다.

> 用布六幅, 每幅裁爲二幅, 一頭廣, 一頭狹. 狹頭當廣頭之半, 以狹頭向上而連其縫以屬於衣. 其屬衣處約圍七尺二寸. 每三幅屬衣一幅, 其下邊及踝處約圍丈四尺四寸.
>
> 베 6폭을 써서 매 폭마다 2폭으로 자르되 한 쪽 끝은 넓게 하고 한 쪽 끝은 좁게 한다. 좁은 쪽을 넓은 쪽의 반이 되게 하고, 좁은 쪽을 위로 가게 하여 재봉선을 잇고는 상의에 붙인다. 붙인 곳은 둘레가 7척 2촌이다. 매 3폭씩 상의의 1폭에 붙이고 그 아래 끝단이 발뒤꿈치에 닿은 곳은 대략 둘레가 1장 4척 4촌이다.

圓袂
둥근 소매

> 用布二幅, 各中屈之, 如衣之長, 屬於衣之左右, 而縫合其下以爲袂. 其本之廣如衣之長, 而漸圓殺之以至袂口, 則其徑一尺二寸.
>
> 베 2폭을 써서 각각 가운데를 접어 상의의 길이와 같게 하고는 상의의 좌우에 붙이고, 그 아랫단을 봉합하여 소매를 만든다. 그 밑뿌리의 넓이는 상의의 길이와 같되 점차 둥글게 줄이면서 소매부리에 이르게 하니 그 너비[徑]가 1척 2촌이다.

[19-2-2-1]

> 楊氏復曰: "左右袂各用布一幅屬於衣. 又按深衣篇云, '袂之長短反屈之及肘.' 夫袂之長短, 以反屈及肘爲準, 則不以一幅爲拘."
>
> 양복楊復이 말했다. "좌우의 소매는 각각 베 1폭을 써서 상의에 붙인다. 또 살펴보건대 『예기禮記』「심의」편에 '소매의 길이는 접었을 때 팔꿈치에 닿게 한다.'고 하였다. 소매의 길이는 접었을 때 팔꿈치에 닿게 하는 것을 기준으로 삼으면 1폭에 구애받지 않을 것이다."

[19-2-3]

方領
네모난 깃

> 兩襟相掩, 衽在腋下, 則兩領之會自方.
>
> 양쪽 옷깃을 서로 여미어 옷섶이 겨드랑이 아래에 있게 하면 양쪽 깃이 만나는 곳이 저절로 네모나게 된다.

. . . .

않게 된다.(按家禮, 衣身長二尺二寸. 今前加四寸, 後加寸者, 裁法也. 不如此, 則兩襟相疊, 衣領交而不齊衣.)" 고 하였다. 『家禮儀節』 권1, 深衣 「裁衣法」. 부록 그림 15번 참조

曲裾

둥근 옷자락

用布一幅, 如裳之長, 交解裁之, 如裳之制. 但以廣頭向上, 布邊向外, 左掩其右, 交映垂之, 如燕尾狀. 又稍裁其內旁太半之下, 令漸如魚腹, 而末爲鳥喙. 內向綴於裳之右旁. 禮記深衣續衽鉤邊, 鄭註, 鉤邊若今曲裾.

베 1폭을 써서 치마의 길이와 같게 하여 치마를 재단할 때처럼 비스듬히 자른다. 다만 넓은 쪽을 위로 가게 하고 베의 가장자리를 바깥쪽으로 가게 하여 왼쪽으로 오른쪽을 덮되 제비꼬리 모양처럼 서로 마주보게 드리운다. 또 그 안쪽 옆 절반이 약간 넘는 아래를 조금 재단하되 점점 물고기 배 모양처럼 되게 하고 끝은 새의 부리모양이 되게 하여, 안쪽으로 치마의 오른쪽 옆에 매단다.[150] 『예기禮記』「심의」편의 '속임구변續衽鉤邊'에 대해 정현鄭玄[151]의 주에는 "구변鉤邊은 지금의 곡거曲裾와 같다."고 하였다.[152]

[19-2-3-1]

蔡氏淵曰: "司馬所載方領與續衽鉤邊之制, 引證雖詳而不得古意, 先生病之. 嘗以理玩經文與身服之宜, 而得其說. 謂方領者, 只是衣領旣交, 自有如矩之象. 謂續衽鉤邊者, 只是連續裳旁, 無前後幅之縫, 左右交鉤卽爲鉤邊, 非有別布一幅, 裁之如鉤而綴于裳旁也. 方領之

- - - - - - - - - - - - - - -

150 『朱文公文集』 권68 「深衣制度」에는 다음과 같이 되어 있다 : "베 1폭을 써서 치마의 길이와 같게 하여 치마를 재단할 때처럼 비스듬히 자른다. 양 넓은 쪽을 포개서 모두 위로 향하게 한다. 베의 가장자리는 움직이지 않은 채 단지 그 안쪽 옆 절반이 약간 넘는 아래를 조금 재단하되, 점점 물고기 배 모양처럼 되게 하고 끝은 새의 부리모양이 되게 한다. 그런 다음 안쪽을 향하여서 꿰매되, 서로 겹치게 下裳 위의 오른쪽 가장자리에 꿰매어서 하상의 가장자리를 가린다. 오른쪽 폭은 아래에 있고 왼쪽 폭은 위에 있으며, 베의 가장자리는 바깥쪽에 있고 재단한 곳은 안쪽에 있게 한다.(用布一幅, 如裳之長, 交解裁之. 疊兩廣頭, 並令向上. 布邊不動, 但稍裁其內旁大半之下, 令漸如魚腹, 末如鳥喙. 內向而緝之, 相沓綴於裳上之右旁, 以掩裳際. 右幅在下, 左幅在上, 布邊在外, 裁處在內.)"

151 鄭玄(127~200) : 자는 康成이고, 北海(山東省) 高密 출생이다. 시종 在野의 학자로 지냈고, 제자들에게는 물론 일반인들에게서도 訓詁學·경학의 시조로 깊은 존경을 받았다. 젊었을 때부터 학문에 뜻을 두었고, 경학의 今文과 古文 외에 天文·曆數에 이르기까지 광범한 지식욕의 소유자였다. 처음에 鄕嗇夫라는 지방의 말단관리가 되었으나 그만두고, 洛陽에 올라가 太學에 입학하였다. 그 후 馬融 등에게 사사하여, 『易』·『書』·『春秋』 등의 고전을 배운 뒤 40세가 넘어서 귀향하였다. 그가 洛陽을 떠날 때, 마융이 "나의 학문이 정현과 함께 동쪽으로 떠나는구나"하고 탄식하였을 만큼 학문에 힘을 쏟았다. 귀향 후 가난한 생활을 하면서 학문을 가르쳤으나, 44세 때에 환관들이 학자 등 반대당을 금고한 '黨錮의 화'를 입고, 집안에 칩거하여 연구와 저술에 몰두하였다. 14년 뒤에 금고가 풀리자 何進·孔融·董卓·袁紹 등의 초빙을 받았고, 만년에는 황제가 大司農의 관직을 내렸으나 모두 사양하고 연구와 교육에 한평생을 바쳐 수천 명의 제자를 거느리는 일대 학파를 형성하였다. 그는 고문·금문에 다 정통하였으며, 가장 옳다고 믿는 설을 취하여 『周易』·『尙書』·『毛詩』·『周禮』·『儀禮』·『禮記』·『論語』·『孝經』 등 경서의 주석을 하였고, 『儀禮』·『論語』의 定本을 만들었다. 74세의 나이로 집에서 졸하였다.

152 부록 그림 16번 참조

說, 先生已修之家禮矣, 而續衽鉤邊, 則未及修焉."

채연蔡淵[153]이 말했다. "사마광司馬光이 기록한 방령과 속임구변의 제도는 증거로 인용한 것이 비록 상세하나 옛 뜻을 얻지 못하였다. 선생께서 이것을 걱정하여 일찍이 이치로써 경문과 몸에 입는 옷의 마땅함을 살펴 그 설을 얻었다. 방령方領이라는 것은 단지 옷깃을 여미고 나면 저절로 곱자矩와 같은 형상이 생기게 된다는 것이고, 속임구변續衽鉤邊이라는 것은 단지 치마 양 옆을 연속으로 이어서 앞 뒤 폭의 재봉선이 없이 좌우로 서로 걸은 것이 구변이 된다는 것일 뿐, 별도의 베 1폭을 두어 갈고리처럼 재단하여 치마 옆에 매다는 것은 아니다. 방령의 설은 선생께서 이미 『가례』에서 수정하였으나 속임구변은 미처 수정하지 못했다."

[19-2-3-2]

楊氏復曰: "深衣制度, 惟續衽鉤邊一節難考. 按禮記玉藻深衣疏, 皇氏, 熊氏, 孔氏, 三說皆不同. 皇氏以喪服之衽, 廣頭在上, 深衣之衽, 廣頭在下, 喪服與深衣二者相對爲衽. 孔氏以衣下屬幅而下, 裳上屬幅而上, 衣裳二者相對爲衽. 此其不同者一也. 皇氏以衽爲裳之兩旁皆有, 孔氏以衽爲裳之一邊所有. 此其不同者二也. 皇氏所謂廣頭在上爲喪服之衽者, 熊氏又以此爲齊祭服之衽. 一以爲吉服之衽, 一以爲凶服之衽, 此其不同者三也.

양복楊復이 말했다. "심의제도에서 속임구변 한 구절만은 상고하기 어렵다. 살펴보건대 『예기禮記』「옥조玉藻」, 심의에 대한 소疏는 황씨皇氏[154]·웅씨熊氏[155]·공씨孔氏[孔穎達] 세 사람의 설이 모두 같지 않다. 황씨는 상복의 임衽은 넓은 쪽이 위로 가고 심의의 임衽은 넓은 쪽이 아래로 간다고 하였으니, 상복과 심의 두 가지가 서로 반대로 임衽을 만든다고 하였다. 공씨는 상의上衣는 아래로 폭을 붙여 내리고 치마는 위로 폭을 붙여 올린다고 하였으니 상의와 치마 두 가지가 서로 반대로 임衽이 된다고 하였다. 이것이 그들이 같지 않은 첫 번째이다. 황씨는 임衽이 치마의 양쪽에 모두 있다고 하였고, 공씨는 임衽이 치마의 한쪽에 있는 것이라고 하였다. 이것이 그들이 같지 않은 두 번째이다. 황씨가 말한 '넓은 쪽이 위에 있다'는 것은 상복의 임衽이 되고, 웅씨는 또 이것이 재계복·제사복齊祭服의 임衽이 된다고 하였다. 한 사람은 길복의 임이라고 하였고 한 사람은 흉복의 임이라고 하였으니 이것이 그들이 같지 않은 세 번째이다.

家禮以深衣續衽之制, 兩廣頭向上, 似與皇氏喪服之衽, 熊氏齊祭服之衽相類, 此爲可疑. 是以先生晩歲, 所服深衣, 去家禮舊說曲裾之制而不用. 蓋有深意, 恨未得聞其說之詳也,

---

153 蔡淵(1156~1236): 자는 伯靜이고, 호는 節齋이다. 채원정의 아들로서 부친의 뜻을 이어 주경야독하였다. 특히 『易』에 조예가 깊어 그에 관한 저술이 많다. 저서는 『周易訓解』·『易象意言』·『卦爻辭旨』 등이 있다.

154 皇氏: 南朝 시대 梁나라 사람인 皇侃을 가리킨다. 賀瑒에게 사사하였으며, 『論語義』·『禮記義』 등을 저술하였다. 『梁書』 권48 「儒林列傳」 참고

155 熊氏: 北周의 阜城 사람 熊安生으로, 자는 植之이다. 五經에 널리 통하였는데, 그 가운데에서도 예에 특히 정통하였으며, 北齊에서 벼슬하여 國子博士를 지냈다. 『周禮義疏』·『禮記義疏』·『孝經義』 등을 저술하였는데, 이 책들이 지금은 모두 전하지 않는다.

及得蔡淵所聞, 始知先師所以去舊說曲裾之意. 復又取禮記深衣篇熟讀之, 始知鄭康成註續衽二字文義甚明, 特疏家亂之耳.

『가례』에서 심의의 속임續衽 제도가 두 가지 모두 넓은 쪽이 위로 간다고 하였으니, 황씨의 상복의 임衽, 웅씨의 재계복·제사복의 임衽과 서로 유사한 것 같지만 이것은 의심스럽다. 이 때문에 선생께서 만년에 입었던 심의는 『가례』의 구설인 곡거曲裾 제도를 버리고 쓰지 않았다. 깊은 뜻이 있었으나 그 상세한 내용을 알지 못해 한스럽게 여기다가 채연蔡淵에게 듣고서야 비로소 선사先師께서 구설인 곡거를 버린 뜻을 알게 되었다. 내가 다시 또 『예기禮記』「심의」편을 가지고서 충분히 읽고서야 비로소 정강성鄭康成[鄭玄]의 '속임續衽' 두 글자에 대한 주석은 글 뜻이 매우 분명하였는데 다만 소疏를 낸 수석가늘이 어지럽혔을 뿐임을 알게 되었다.

按鄭註曰, '續, 猶屬也, 衽, 在裳旁者也, 屬連之不殊裳前後也.' 鄭註之意, 蓋謂凡裳前三幅後四幅, 夫旣分前後, 則其旁兩幅分開而不相屬. 惟深衣裳十二幅交裂裁之, 皆名爲衽, 見玉藻衽當旁註. 所謂續衽者, 指在裳旁兩幅言之, 謂屬連裳旁兩幅, 不殊裳前後也.

살펴보건대 정현鄭玄은 주에서 '속續은 촉屬과 같고 임衽은 치마 옆에 있는 것이니, 붙여 이어 치마의 앞뒤가 나뉘지 않게 하는 것이다.'고 하였다. 정현의 주석의 뜻은 무릇 치마는 앞이 3폭이고 뒤는 4폭이니 앞뒤로 나뉘고 나면 그 양 폭이 갈라져 서로 붙어 있지 않다는 것이다. 다만 심의의 치마는 12폭으로 비스듬히 재단하고는 모두 임衽이라고 하였으니 『예기禮記』「옥조」편의 '임衽은 옆에 해당한다.'는 구절의 주에 보인다. 이른바 속임續衽이라는 것은 치마 옆의 두 폭을 가리켜 말한 것이니 치마 옆 양 폭을 붙여 이어서 치마 앞뒤가 나뉘지 않게 하는 것을 말한다.

疏家不詳考其文義, 但見衽在裳旁一句, 意謂別用布一幅, 裁之如鉤而垂於裳旁. 妄生穿鑿, 紛紛異同, 愈多愈亂. 自漢至今一千餘年, 讀者皆求之於別用一幅布之中, 而註之本義爲其掩蓋而不可見. 夫疏, 所以釋註也. 今推尋鄭註本文其義如此, 而皇氏熊氏等所釋其謬如彼, 皆可以一掃而去之矣. 先師晚歲知疏家之失而未及修定, 愚故著鄭註於家禮深衣曲裾之下, 以破疏家之謬, 且以見先師晚歲已定之說云."

소疏를 낸 주석가들이 그 글 뜻을 상세히 고찰하지 않고 그저 '임衽은 치마 옆에 있다'는 한 구절만을 보고는 따로 베 한 폭을 써서 갈고리처럼 재단하여 치마 옆으로 드리운다고 생각하고, 함부로 천착하여 분분하게 다르다거나 같다는 의견이 많아질수록 더욱 어지럽게 되었다. 한漢나라 이래로 지금까지 천여 년 동안 독자들이 모두 '따로 베 한 폭을 쓴다.'는 데서 구하였기 때문에 주註의 본 뜻이 가리어져 볼 수 없었다. 소疏는 주註를 풀이한 것이다. 지금 미루어 살펴 보건대, 정현鄭玄 주의 본문은 그 뜻이 이와 같은데도 황간皇侃, 웅안생熊安生 등이 풀이한 것은 그 오류가 저와 같으니 모두 한 번에 쓸어서 버릴 만하다. 선사께서 만년에 소疏를 낸 주석가들의 잘못을 알았으나 미처 수정하지 못했기 때문에 내가 일부러 정현鄭玄의 주를 『가례』 심의의 곡거 아래에 드러내어 소疏를 낸 주석가들의 오류를 논파하고 또 그로써 선사께서 만년에 이미 정한 설을 보인다."

[19-2-3-3]

劉氏璋曰: "深衣之制, 用白細布, 鍛濯灰治使之和熟. 其人肥大, 則布幅隨而闊, 瘦細, 則幅隨而狹. 不必拘於尺寸. 裳十二幅以應十有二月. 袂圜應規. 袂, 袖口也. 曲袷如矩應方. 曲袷者, 交領也. 負繩及踝應直. 負繩, 謂背後縫上下相當, 而取直如繩之正, 非謂用縫爲負繩也. 踝, 足跟也. 及踝者, 裳止其足, 取長無被土之義. 下齊如權衡應平, 裳下曰齊. 音咨 齊, 絹也. 取齊如字 平若衡, 而無低昂參差也. 規矩繩權衡, 五法已施, 故聖人服之, 先王貴之, 可以爲文, 可以爲武, 可以擯相, 可以治軍旅. 自士以上, 深衣爲之次. 庶人吉服深衣而已.

유장劉璋이 말했다. "심의제도는 희고 가는 베를 쓰되 두드려 빨고 잿물로 길들여 골고루 숙성하도록 한다. 입는 사람이 살이 쪘으면 베의 폭도 따라서 넓게 하고 말랐으면 폭도 따라서 좁게 하고, 굳이 척尺과 촌寸에 얽매일 필요는 없다. 치마가 12폭인 것은 12월에 상응한다.[156] 소매가 둥근 것은 그림쇠[規]에 상응한다. '몌袂는 소맷부리이다. 곡접曲袷이 곱자[矩]처럼 생긴 것은 땅의 네모진 모양에 상응한다. 곡접은 깃을 여민 것이다. 부승負繩이 발뒤꿈치에 닿은 것은 곧음에 상응한다. 부승은 등 뒤의 재봉선이 상하로 서로 맞닿아 먹줄의 올바름처럼 곧음을 취한 것을 말하지 재봉 선을 부승으로 삼는다는 것을 말하는 것이 아니다. '과踝'는 발뒤꿈치이다. 발뒤꿈치에 닿는다는 것은 치마가 발에서 멈추는 것이니 길어도 땅에 쓸리지 않는다는 뜻을 취한 것이다. 아랫단이 저울대처럼 수평한 것은 공평함을 취한 것이다. 치마 아랫단을 자齊 음은 '자'이다. 라고 한다. '자'는 '꿰매다'이니, 저울대처럼 가지런하고 '齊'는 '가지런하다'이다. 수평하여 낮고 높은 들쑥날쑥함이 없음을 취한 것이다. 규規·구矩·승繩·권權·형衡[157]의 5가지 법이 이미 시행되었기 때문에 성인이 그것을 입고 선왕이 귀하게 여겼으니 문文이 되고 무武가 될 수 있었으며 빈을 맞이하거나 예를 도울 수 있었고 군대를 다스릴 수 있었다.[158] 사士 이상은 심의가 다음 가는 옷이었으나 서인庶人의 길복은 심의뿐이다.

---

156 치마가 12폭인 … 상응한다. : 『禮記』 深衣의 주에, "12개월이란 것은 하늘의 數이다. 소매는 둥글게 해서 그림쇠[規]에 응하게 하였는데, 둥근 것은 하늘의 體이다. 曲袷을 겹치면 곱자[矩]처럼 되게 해서 모난 것에 응하게 하였는데, 모난 것은 땅의 象이다. 負繩은 발뒤꿈치에 미치게 해서 곧은 것에 응하게 하였으며, 아랫단은 權衡과 같이 해서 평평한 것에 응하게 하였는데, 곧은 것과 평평한 것은 사람의 道이다. 대개 하늘의 大數는 12를 넘지 않으므로 달이 12개월에 이른 뒤에야 歲功을 이루는 것은 深衣가 반드시 12폭이 있는 다음에야 옷이 만들어지는 것과 같은 것이다."고 하였다.

157 부록 그림 17 참조

158 『禮記』 심의의 주에서 方慤은 "端冕服은 공경하는 기색이 있기 때문에 文服이 되고, 介冑는 치욕을 가할 수 없는 기색이 있기 때문에 武服이 되는 것이다. 그러나 단면복은 무복이 될 수가 없고, 개주는 문복이 될 수가 없다. 이 두 가지를 겸할 수 있는 것은 오직 심의뿐이다. 『禮記』「玉藻」에 '저녁에는 심의를 입는다.' 고 하였으니, 심의는 한가로이 거처할 때에 입는 옷이다. 단면복이 비록 禮容을 닦을 수 있는 옷이기는 하나, 또한 때때로 한가하게 거처하는 경우가 있으니, 그렇다면 심의가 문복이 될 수도 있는 셈이다. 개주가 비록 戎事에 임해서 입는 옷이기는 하나, 때때로 한가로이 거처하는 경우가 있으니, 그렇다면 심의가 무복이 될 수도 있는 셈이다. 심의가 비록 문복이 될 수도 있으나, 단면복을 입고 조회를 보거나 제사에 임할 수 있는 것과 같은 것이 아니라, (그것을 입고) 그저 예를 행하는 것을 도와서 擯相할 수 있을 뿐이다. 심의가 비록 무복이 될 수는 있으나, 개주를 입고 전투를 할 수 있는 것과 같은 것이 아니라, (그것을 입고) 그저

夫事尊者, 蓋以多飾爲孝. 具大父母, 衣純音準 以績胡對切. 純, 緣也, 績, 畫也, 畫五采以爲
文, 相次而畫. 後人有以織錦爲純, 以代績文者. 具父母, 衣純以靑. 孤子純以素. 今用黑繒, 以從
簡易也."

어른을 섬기는 사람은 장식을 많이 하는 것을 효孝로 삼는다. 대부모大父母[159]가 살아있는 사람은
옷에 '회문績文(그려 넣은 무늬)'으로 '준純(가선)'을 두른다. '純'은 음이 '준'이다. '績'는 '호'와 '대'의 반절反切이다.
'준'은 가선이고 '회'는 그려 넣은 것이니, 5가지 채색을 써서 무늬를 넣되 서로 순차적으로 그려
넣는다. 후대의 사람들은 직조한 비단으로 '준'을 만들어 '회문績文'을 대신하는 경우도 있다. 부모가 있는 사람은
옷에 푸른색으로 '준'을 두른다. 고자孤子[160]는 흰색으로 '준'을 두른다. 지금은 '검은 비단[黑繒]'[161]을
써서 편리함을 따른다.

[19-2-4]
黑緣
검은 가선

> 緣用黑繒, 領表裏各二寸. 袂口裳邊表裏各一寸半. 袂口布外別此緣之廣.

가선은 '검은 비단[黑繒]'을 쓰고 깃의 겉과 속은 각각 2촌이다. 소매부리와 치마 가장자리의 겉과
속은 각각 1촌 반이다. 소매부리는 베 밖에 이 너비의 가선을 따로 이어 붙인다.

大帶
큰 띠

> 帶用白繒廣四寸, 夾縫之. 其長圍腰而結於前, 再繚之爲兩耳, 乃垂其餘爲紳, 下與裳齊, 以
> 黑繒飾其紳. 復以五采條廣三分, 約其相結之處長與紳齊.

띠帶는 너비가 4촌인 '흰 비단[白繒]'을 쓰되 좁게 재봉질한다. 그 길이는 허리를 둘러 앞에서 매고
다시 감아 두 귀를 만들고는, 마침내 그 나머지를 드리워 신紳을 만들어 아래로 치마단과 나란히
하고, '검은 비단[黑繒]'으로 그 신紳을 꾸민다. 다시 5가지 채색의 너비 3분인 '도條(여러 가닥으로
땋은 끈)'로 서로 매었던 곳을 묶어 신紳과 길이를 나란하게 한다.[162]

....

계책을 짜면서 군대를 다스릴 수 있을 뿐이다.(端冕, 則有敬色, 所以爲文, 介胄, 則有不可辱之色, 所以爲武.
端冕不可以爲武, 介胄不可以爲文. 兼之者惟深衣而已. 玉藻曰, 夕深衣, 深衣燕居之服也. 端冕, 雖所以修禮
容, 亦有時而燕處, 則深衣可以爲文矣. 介胄, 雖所以臨戎事, 亦有時而燕處, 則深衣可以爲武矣. 雖可爲文, 非
若端冕可以視朝臨祭, 特可贊禮而爲擯相而已. 雖可爲武, 非若介胄可以臨衝, 特可運籌以治軍旅而已.)"고 하
였다.

159 大父母: 조부모를 말한다.
160 孤子: "30세 이하로서 아버지가 없는 사람은 '孤'라고 칭할 수 있다. 그러나 만일 30세 이상으로서 아버지가
되는 도리가 있는 사람은 '고'라고 말하지 않는다.(三十以下無父者, 可以稱孤. 若三十之上有爲人父之道, 不
言孤也.)" 『禮記』「深衣」, 呂大臨의 주
161 검은 비단[黑繒]: 얇고 보드랍게 짠 무늬 없는 검은색 비단을 말한다.

緇冠
치관

糊紙爲之, 武高寸許, 廣三寸, 袤四寸. 上爲五梁, 廣如武之袤而長八寸. 跨頂前後, 下著於武, 屈其兩端各半寸, 自外向內而黑漆之. 武之兩旁半寸之上, 竅以受笄. 笄用齒骨, 凡白物.

풀 먹여 배접한 종이로 만들되 '무武'[163]는 높이가 1촌 정도이고 (양 옆면의) 너비[廣]는 3촌, (앞면과 뒷면의) 너비[袤]는 4촌이다.[164] 위에 5개의 양梁[165]을 만들되 너비는 '무武'의 (앞뒤의) 너비袤와 같고 길이는 8촌이다. 정수리 앞뒤를 걸쳐서 아래로 무에 붙이되 그 양쪽 끝을 각각 반촌半寸씩 접어 밖으로부터 안쪽으로 향하게 하고 검게 칠한다. 무의 양쪽 옆 반촌半寸 위에 구멍을 뚫어 비녀를 꽂는다. 비녀는 치齒와 골骨[166]을 쓰니, 모두 흰 것이다.[167]

幅巾
복건

用黑繒六尺許, 中屈之. 右邊就屈處爲橫幅, 左邊反屈之. 自幅左四五寸間, 斜縫向左圓曲而下, 遂循左邊至于兩末. 復反所縫餘繒使之向裏, 以幅當額前襄之, 至兩鬢旁各綴一帶, 廣二寸, 長二尺. 自巾外過頂後相結而垂之.

6척 정도의 '검은 비단黑繒'을 써서 가운데를 접는다. 오른쪽 끝은 접은 곳을 따라서 횡첩橫幅을 만들고 왼쪽 끝은 뒤집어 접는다. 첩의 왼쪽 4~5촌 사이에서부터 비스듬히 왼쪽을 향해 재봉하여 둥글게 굽으면서 내려와서는 마침내 왼쪽 가장자리를 따라 양 끝에 이른다. 재봉한 나머지 비단을 다시 뒤집어 안쪽을 향하게 하여 첩을 이마에서 감싸 양쪽 귀 옆에 이르러 각각 띠 하나를 다는데, 너비는 2촌, 길이는 2척이다. 복건 밖에서부터 정수리 뒤쪽으로 넘겨 서로 묶고서 드리운

. . . .

162 부록 그림 18 참조
163 武: 『韻會』에 "관의 테두리이다.(冠卷也.)"고 하였다. 좀 더 자세히는 冠의 아랫부분을 두른 테두리이다. 또 『禮記』 「曲禮」의 주에서 長樂陳氏(陳祥道)는 "文은 위의 道이고, 武는 아래의 도이다. 발은 몸체의 아래에 있으므로 '무'라고 하고, 갓끈이 관의 아래에 있으므로 또한 '무'라고 한다.(文者, 上之道, 武者, 下之道. 故足在體下, 曰武, 緌在冠下, 亦曰武.)"고 하였다.
164 廣과 袤: "東西의 너비를 '廣'이라 하고, 남북의 너비를 '袤(무)'라고 한다.(東西曰廣, 南北曰袤.)" 『韻會』
165 梁: 冠의 이마에 골을 지게 하여 세로로 잡은 줄을 말한다. 이 줄의 숫자에 따라서 五梁冠, 四梁冠, 三梁冠 등 명칭이 각기 다르다.
166 齒와 骨: 『家禮儀節』에 "경우에 따라서는 象牙로 만들기도 한다.(或象牙爲之.)"고 하였다. 『家禮儀節』 권1 「深衣制度」
167 緇冠에 대해 『家禮補註』에서는 다음과 같이 서술하고 있다. "하나의 긴 끈을 재단하되, 길이가 1척 4촌쯤 되고 높이가 1촌쯤 되게 한다. 둥그렇게 둘러 武를 만들되, 그 테두리의 양쪽 가는 각각의 너비가 3촌이 되게 하고, 앞과 뒤는 각각의 길이가 4촌이 되게 한다. 또 하나의 긴 끈을 써서 너비 8촌, 길이 8촌이 되게 하여 위에 주름을 잡아 다섯 개의 梁을 만든다. 그러면 너비가 4촌이 되며, 솔기는 모두 왼쪽을 향하게 한다.(裁一長條, 其長一尺四寸許 其高寸許. 圍以爲武, 圍之兩旁, 各廣三寸, 前後各長四寸. 又用一長條, 廣八寸許, 長八寸許. 上辟積以爲五梁. 則廣四寸 縫皆向左.)" 부록 그림 19 참조

다.[168]

黑履
검은 신

白絇繶純綦.

구絇(신코 장식), 억繶(신의 가장자리를 두르는 끈), 준純(신 입구를 두르는 가선), 기綦(신을 매는 끈)는 흰 것으로 한다.

[19-2-4-1]

劉氏垓孫曰 : "履之有絇, 謂履頭以條爲鼻, 或用繒一寸屈之爲絇 所以受繫穿貫者也. 繶, 謂履縫中紃音旬 也. 以白絲爲下緣, 故謂之繶. 純者, 飾也. 綦屬於跟, 所以繫履者也."

유해손劉垓孫이 말했다. "신履에 '구絇(신코장식)'가 있는 것은 신 머리에 '도條(여러 가닥으로 땋은 끈)'로 코를 만드는 것을 말하니, 어떤 경우에는 1촌의 비단繒으로 접어 '신코 장식絇'을 만들기도 한다. 끈을 넣어 꿰기 위한 것이다. '억繶(신의 가장자리를 두르는 끈)'은 신의 재봉선 중간의 끈紃 '紃'은 음이 순이다 을 말한다. 흰 실로 아래 부분의 가선을 만들었기 때문에 억繶이라고 말한다. '준純(신 입구를 두르는 가선)'은 장식이다. '기綦(신을 매는 끈)'[169]는 신의 뒤꿈치에 붙인 것이니, 신을 매기 위한 것이다.[170]

---

168 幅巾에 대해 『朱文公文集』 권68 「深衣制度」에는 다음과 같이 되어 있다. "검은 비단黑繒을 6척 가량 써서 만든다. 한 쪽 가를 잘라 내어 巾額을 만들고, 가운데에 해당되는 부분에 첩을 만든다. 양쪽 가에는 3촌쯤 되는 곳에 각각 하나의 띠를 이어 붙이되, 띠의 너비는 1촌 가량이 되게 하고, 길이는 2척 가량이 되게 한다. 그리고는 첩의 중간 윗부분을 따라서 반대로 접되, 幅의 가운데는 비스듬하게 꿰매어 뒤쪽으로 향하게 하고, 한 쪽 角을 제거하고서 다시 반대로 접어 巾의 꼭대기 부분이 둥그렇게 되도록 한다. 그러고는 이마 부분에 있는 첩을 머리 앞쪽에서 뒤쪽으로 향하도록 하여 머리를 감싸고는 그 띠를 가지고 머리 뒤에서 묶으며, 묶고서 남은 띠는 아래로 드리운다.(用黑繒六尺許. 刺一邊作巾額, 當中作幅. 兩旁三寸許各綴一帶, 廣一寸許, 長二尺許. 循幅中上反屈之, 當幅之中斜縫向後, 去其一角而復反之使巾頂正圓. 乃以額幅當頭前向後, 圍裏而繫其帶於綏後, 餘者垂之.)"라고 하였다. 부록 그림 20 참조

169 綦(신을 매는 끈): 『儀禮』 「士喪禮」의 주에서 鄭玄은 "綦는 履의 끈이니, 구를 동여매기 위한 것이다.(綦, 履係也, 所以拘止履也.)"고 하였다. 소에서 孔穎達은 "'기는 구의 끈이다.'는 것은, 經文에 '발뒤꿈치에 묶는다.'라고 하였으니, 그렇다면 기는 마땅히 신발의 뒤꿈치 부분에 붙어 있어, 이 기의 양 끝을 앞쪽을 향하도록 하고는 발등 부분에서 絇와 연결시켜서 서로 묶는 것이다. 이것을 일러 '발뒤꿈치에 묶는다.'고 말한 것이다.(綦履係也者, 經云, 繫于踵, 則綦當屬於跟後, 以兩端向前, 與絇相連於脚跗之上, 合結之. 名爲繫於踵也云.)고 하였다. 『朱子語類』에서 주자는 "綦는 신발 입구에 붙인 띠이다. 옛날 사람들은 모두 돌려서 묶었는데, 지금 사람들은 단지 간단하고 편이함만을 따라서 위에 이어 붙여 마치 가짜 띠와 같이 만들었다.(綦, 鞋口帶也, 古人皆旋繫, 今人只從簡易, 綴之於上, 如假帶然.)"고 하였다. 『朱子語類』 권87, 105조목

170 부록 그림 21 참조

[19-3-0]

司馬氏居家雜儀 사마씨 거가잡의

此章本在昏禮之後. 今按此乃家居平日之事, 所以正倫理, 篤恩愛者, 其本皆在於此. 必能行此, 然後其儀章度數有可觀焉. 不然則節文雖具, 而本實無取, 君子所不貴也. 故亦列於首篇, 使覽者知所先焉.

이 장은 본래「혼례」편 뒤에 있었다.[171] 그러나 지금 살펴보건대 이것은 바로 집안에서 지켜야할 평상적인 날의 일이니, 윤리를 바르게 하고 은혜와 사랑을 돈독히 하는 바, 그 근본이 모두 여기에 있으니, 반드시 이것을 제대로 행할 수 있은 뒤에야 그 예의禮儀의 형식과 예의의 절차에儀章度數[172] 눈여겨 볼만한 점이 있을 것이다. 그렇지 않으면 예절이 비록 갖추어졌더라도 근본과 실제에 취할 게 없으니, 군자는 귀중하게 여기지 않는다. 그러므로 또한 첫 편에 배치하여 읽는 사람이 우선으로 삼을 것을 알게 하였다.

[19-3-1]

凡爲家長, 必謹守禮法, 以御群子弟及家衆, 分之以職,謂使之掌倉廩, 廐庫, 庖廚, 舍業, 田園之類, 授之以事謂朝夕所幹及非常之事 而責其成功. 制財用之節, 量入以爲出, 稱家之有無, 以給上下之衣食, 及吉凶之費, 皆有品節而莫不均壹. 裁省冗費, 禁止奢華. 常須稍存贏餘, 以備不虞.

무릇 가장이 반드시 예와 법을[173] 삼가 지켜서 모든 자식과 동생 및 집안 사람들을 거느리되, 직책을 분담시키고 창고倉廩,[174] 마구간, 부엌, 별장, 농장[175] 등을 관장하게 하는 것을 말한다〉 일을 주어 일상의 일과

....

171 이 장은 본래 … 있었다. : "司馬光의『書儀』속에 章의 순서가 이와 같다.(書儀中章次如此.)" 李宜朝,『家禮增解』권2「司馬氏居家雜儀」

172 儀章度數 :『家禮增解』에서 진씨는 다음과 같이 말하고 있다. "'儀는 위의이고, 章은 문장이다'고 하였고, 호씨는 '度는 제도이고, 數는 數目이다'라고 하였다.(陳氏曰, '儀, 威儀, 章, 文章也.' 胡氏曰, '度, 制度, 數, 數目也.')" 李宜朝,『家禮增解』권1「家禮序」. 다음은 퇴계의 말이다. "退溪는 '의장은 服飾·器用 따위와 같고, 도수는 周旋·出入·升降·向背하는 구체적 절차와 같다.'고 하였다.(退溪曰, 儀章, 猶服飾器用之類, 度數, 猶周旋出入升降向背之曲折.)" 辛夢參,『家禮輯解』권1「家禮序」. 여기서는 '의장도수'를 '의장'과 '도수'로 나누어 형식과 절차로 번역하였다.

173 예와 법 : "진씨는 '예는 선왕의 예이고, 법은 국가의 법이다. 家衆은 남녀 종들의 무리이다'고 하였다.(陳氏曰, 禮先王之禮, 法國家之法. 家衆, 婢僕輩也.')" 李宜朝,『家禮增解』권2「司馬氏居家雜儀」

174 倉廩 : "『韻會』에 '倉은 저장소이다.'라고 하였다.『禮記』「月令」의 疏에 '곡식을 저장하는 곳을 倉이라 하고, 쌀을 저장하는 곳을 廩이라 한다.'라고 하였다.(韻會, 倉, 藏也. 月令疏, '穀藏曰倉, 米藏曰廩.')"

175 마구간, 부엌 … 농장 : "'廐'는 말을 기르는 우리이고 '庫'는 재물을 저장하는 곳이며, '庖'는 가축이나 희생을 잡는 곳이고 '廚'는 음식물을 삶아 요리하는 곳이며, '舍'는 '邸'이고, 舍業은 別墅나 別業이다. 과일나무를 심은 곳을 '園'이라고 한다.(廐, 養馬之閑, 庫, 貯財之所, 庖, 宰殺之所, 廚, 烹飪之所, 舍, 邸, 舍業, 別墅, 別業也. 樹果木曰, '園'.)" 李宜朝,『家禮增解』권2「司馬氏居家雜儀」. 別業의 '業'은 전원을 뜻하므로 별업이

비상시의 일을 말한다 공을 이루도록 요구해야 한다. 재용財用의 절목을 제정하여 수입을 헤아려 지출하고, 집안에 있고 없음에 맞게 윗사람과 아랫사람의 의복과 음식, 좋은 일과 나쁜 일의 비용을 지급하되 모두 등급을 두어 고르지 않음이 없도록 한다. 쓸데없는 비용은 줄이고 사치하고 화려한 것을 금지하고, 항상 여분을 조금 남겨두어 예기치 않은 일에 대비한다.[176]

[19-3-2]

凡諸卑幼, 事無大小, 毋得專行, 必咨稟於家長.

무릇 모든 항렬이 낮거나 나이가 어린 사람은 일의 크고 작음을 막론하고 마음대로 행하지 말고 반드시 가장에게 여쭈어 그 의견을 기다린다[咨稟].[177]

> 易曰, "家人有嚴君焉, 父母之謂也." 安有嚴君在上, 而其下敢直行自恣不顧者乎? 雖非父母, 當時爲家長者, 亦當咨稟而行之, 則號令出于一人, 家政始可得而治矣.

> 『주역』에 "집안사람들 중에 엄한 군장君長이 있으니 부모를 말한다."[178]라고 하였다. 엄한 주인이 위에 있는데 어떻게 그 아래에서 감히 기분대로 행하고 스스로 방자하여 돌아보지 않는 사람이 있겠는가? 비록 부모가 아니더라도 당시 가장이 된 자에게 또한 마땅히 여쭙고 의견을 기다려 행하면, 호령이 한 사람에게서 나와 집안 일이 비로소 다스려질 수 있을 것이다.[179]

[19-3-3]

凡爲子爲婦者, 毋得蓄私財. 俸祿及田宅所入, 盡歸之父母舅姑, 當用則請而用之, "不敢私假, 不敢私與."

무릇 아들이 되고 며느리가 된 사람은 사사로운 재물을 축적해서는 안 된다. 봉록俸祿[180] 및 전택田宅의

. . . .

란 전원의 집, 즉 別墅, 別邸, 別宅 등과 같이 別莊을 의미한다.

176 재용의 절목을 … 대비한다 : 『家禮集說』에서 馮善은 "무릇 재물의 관리는 먼저 공납과 부세를 내고 요역을 댄 후에 家事에 미친다.(凡理財, 先輸貢賦, 供徭役後, 及家事.)"고 하였다.

177 여쭈어 그 … 기다린다[咨稟] : 『家禮諺解』에서 申湜은 '咨'는 '여쭙다'이고, '稟'은 就稟, 즉 '여쭈어서 그 의견을 기다림'이라고 풀이하였다.

178 집안사람들 중에 … 말한다 : 『周易』家人卦「象傳」에 보인다. 이에 대한 정이천의 『易傳』에는 "집안 사람의 도에 반드시 존엄하여 군장 노릇하는 자가 있으니, 부모를 말한다. 비록 한 집안이 작더라도 존엄함이 없으면 효도와 공경이 쇠퇴하고 군장 노릇을 하는 자가 없으면 법도가 폐지된다. 엄한 군장이 있은 뒤에 집안의 도가 바르게 되니, 집안은 국가의 모범이다.(家人之道, 必有所尊嚴而君長者, 謂父母也. 雖一家之小, 無尊嚴, 則孝敬衰, 無君長, 則法度廢. 有嚴君而後, 家道正, 家國之則也.)"고 하였다.

179 『擊蒙要訣』에서 李珥는 "무릇 부모를 섬기는 사람은 한 가지 일, 한 가지 행동도 감히 자기 마음대로 행해서는 안 되니, 반드시 명을 받은 후에 행한다. 만일 해야 할 일을 부모가 허락하시지 않으면, 반드시 곡진하게 진술하고 고개를 끄덕여 허가한 이후에 행한다. 끝내 허락하시지 않더라도, 곧바로 제 뜻을 이루어서는 안 된다.(凡事父母者, 一事一行, 毋敢自專, 必稟命而後行. 若事之可爲者, 父母不許, 必爲曲陳達, 頷可以後行. 若終不許, 則亦不可直遂其情也.)"고 하였다.

180 俸祿 : "서씨는 '금전과 비단을 '봉'이라고 하고, 쌀과 곡식을 '록'이라고 한다.'고 하였다.(徐氏曰, '錢帛曰俸,

수입은 모두 부모와 시부모에게 드렸다가 쓸 곳이 있으면 요청하여 쓰고, "감히 사사로이 빌려서도 안 되고 사사로이 주어서도 안 된다."[181]

> 內則曰. "子婦無私貨, 無私蓄, 無私器, 不敢私假, 不敢私與. 婦或賜之飮食·衣服·布帛·佩帨·茝蘭, 則受而獻諸舅姑. 舅姑受之, 則喜, 如新受賜. 若反賜之, 則辭. 不得命, 如更受賜, 藏之以待乏." 鄭康成曰, "待舅姑之乏也. 不得命者, 不見許也." 又曰. "婦若有私親兄弟將與之, 則必復請其故, 賜而後與之." 夫人子之身, 父母之身也. 身且不敢自有, 況敢有財帛乎! 若父子異財, 互相假借, 則是有子富而父母貧者, 父母飢而子飽者. 賈誼所謂 "借父耰鉏, 慮有德色, 母取箕帚, 立而誶語," 不孝不義, 孰甚於此?茝, 昌改切. 帨音碎. 誶音碎.

『예기禮記』「내칙內則」[182]에 다음과 같이 말했다. "자식과 며느리는 사사로운 재화도, 사사로운 저축도,[183] 사사로운 기물도 없어야 하며, 사사로이 빌리지도, 사사로이 주지도 않아야 한다. 며느리에게 누군가[或][184] 음식이나 의복, 베나 비단, 패용하는 수건[佩帨],[185] 향초[茝蘭][186] 등을 주면 받아서 시부모에게 드린다. 시부모께서 받으시면 하사품을 (자신이) 처음 받는 것처럼 기뻐한다. 만일 도로 주시면 사양하고, 허락하지 않으시면 (자신이) 하사품을 다시 받는 것처럼 하고 간수해 두고서 없을 때를 대비한다."[187] 정강성鄭康成鄭玄은 "시부모가 그 물건이 없을 때를 기다리는 것이다. '부득명不得命'이라는 것은 '허락을 받지 못했다.'는 것이다."고 하였다. 또 말했다. "며느리가 친정 부모와 친정 형제가 있어 장차 주고자 하면 반드시 다시 예전의 그 물건을[188] 여쭙고서 주신 다음에 준다."[189] 자식의 몸은 부모의 몸이다.[190] 몸도 감히 스스로 소유하지 못하

米粟曰祿.')" 金長生, 『家禮輯覽』(『沙溪全書』 권25)「司馬氏居家雜儀」

181 감히 사사로이 … 안 된다.: 『禮記』「內則」에서 인용한 글로 아래에 보인다.

182 「內則」: 『禮記』의 편명이다. 진씨는 '내칙은 부녀자가 처소 내에서 본받을 만한 법식을 말한다.'고 하였다. (禮記篇名. 陳氏曰, '內則, 閨門之內軌儀可則.') 이때의 진씨는 陳淳을 말한다. 『小學』「立敎」편 集註 참고

183 사사로운 재화도 … 저축도: 『小學』의 주에 '貨는 서로 바꾸는 물건이고, 蓄은 저장하고 쌓아놓는 물건이다.'고 하였다.(小學註, '貨交易之物, 蓄藏積之物.') 『小學』「明倫」. 『小學集解』의 저자 吳訥의 주이다.

184 누군가[或]: "정씨는 '或은 친정 부모나 형제를 말한다.'고 하였다.(鄭氏曰, '或謂私親兄弟也.')" 李宜朝, 『家禮增解』 권2「司馬氏居家雜儀」. 정씨는 『禮記注』의 鄭玄을 말한다.

185 패용하는 수건[佩帨]: 佩帨는 외출할 때 허리에 차는 수건으로 佩巾과 같다.

186 패용하는 … 향초: "오씨는 '佩는 「패용하다(착용하다)」의 「패」와 같으며 「帨」는 수건이다. 「茝」와 「蘭」은 모두 향기로운 풀이다.'라고 하였다.(吳氏曰, '佩, 如佩用之佩, 帨, 帨巾也. 茝蘭, 皆香草也.')" 李宜朝, 『家禮增解』 권2「司馬氏居家雜儀」

187 시부모께서 받으시면 … 대비한다.: 『小學』에 실려 있는 陳淳의 주에 "받으시면 하사품을 처음 받는 것처럼 하고, 받지 않으시면 하사품을 다시 받는 것처럼 하는 것이니, 부모 섬김의 지극함이다.(受之, 則如新受賜, 不受, 則如更受賜, 孝愛之至.)"고 하였다.

188 예전의 그 물건: 『小學』에 실려 있는 陳淳의 주에 "'예전의 물건'은 바로 이전에 드렸던 물건으로 시부모가 받지 않으셨던 것이니 비록 자신의 거처에 간수했다 해도 반드시 어른께 여쭈어 보고 허락한 다음에 가져다 주는 것이다.(故, 即前者所獻之物而舅姑不受者, 雖藏於私室, 必請於尊者, 許然後, 取而與之也.)"고 하였다.

189 정현의 주가 아니라 『禮記』「內則」의 글이다.

190 자식의 몸은 … 몸이다.: 주자는 "부모와 자식은 본래 동일한 기이니 한 사람의 몸이 나뉘어 둘로 되었을

는데, 하물며 감히 재물과 비단을 소유하는 것은 어떻겠는가! 만일 부모와 자식이 재산을 달리하여 서로 빌려준다면 여기에는 자식은 부유한데 부모는 가난한 일이 있을 것이고, 부모는 굶주리는데 자식은 배부른 일이 있을 것이다. 가의賈誼[191]의 이른바 "아버지에게 곰방메[櫌]와 호미[鉏]를 빌려주면서도 덕을 베푸는 기색이 있는 듯하며,[192] 어머니가 쓰레받기[箕]와 빗자루[箒]를 가져가자 그 자리에서 꾸짖는다.[193]"[194]라는 것이니 불효와 불의가 무엇이 이보다 더 심하겠는가? '채箠'는 창과 개의 반절이다. '우櫌'는 음이 '우'이다. '쇄誶'는 음이 '쇄'이다.[195]

[19-3-4]

凡子事父母,孫事祖父母同 **婦事舅姑,**孫婦亦同 **天欲明, 咸起盥**音管, 洗手也. **漱. 櫛**阻瑟切, 梳頭也. **總**所以束髮, 今之頭㡚 **具冠帶**丈夫帽子衫帶, 婦人冠子背子 **昧爽**謂天明暗相交之際

무릇 아들은 부모를 섬기고, 손자가 조부모를 섬기는 것도 같다. 며느리는 시부모를 섬기되 손자며느리도 같다. 날이 밝으려 할 때 모두 일어나 세수하고 (盥은) 음이 '관'이니, '세수하다'이다. 양치질하며, 머리를 빗어 (櫛은 음이) 조阻와 슬瑟의 반절이니 '머리를 빗다'이다. 머리띠로 묶고[總][196] (總총은) 머리를 묶는 도구이니,

---

뿐이다.(父子本同一氣, 只是一人之身, 分成兩箇.)"고 하였다. 『朱子語類』 권17, 43조목

191 賈誼: BC.200~BC.168. 河南省 洛陽 출생. 시문에 뛰어나고 제자백가에 정통하여 문제의 총애를 받아 약관으로 최연소 박사가 되었다. 1년 만에 太中大夫가 되어 秦나라 때부터 내려온 율령·관제·예악 등의 제도를 개정하고 전한의 관제를 정비하기 위한 많은 의견을 상주하였다. 그러나 周勃 등 당시 고관들의 시기로 長沙王의 太傅로 좌천되었다. 자신의 불우한 운명을 屈原에 비유하여 「鵩鳥賦」와 「弔屈原賦」를 지었으며, 『楚辭』에 수록된 「惜誓」도 그의 작품으로 알려졌다. 4년 뒤 복귀하여 문제의 막내아들 梁王의 태부가 되었으나 왕이 낙마하여 급서하자 이를 애도한 나머지 1년 후 33세로 죽었다. 저서에 『新書』 10권이 있으며, 秦의 멸망 원인을 추구한 「過秦論」은 널리 애독되었다.

192 아버지에게 곰방메[櫌]와 … 듯하며 : 劉璋의 『家禮補註』에 "櫌(곰방메)와 鉏(호미)는 밭을 다스리는 기구이다. 慮는 '…인 듯하다'이니 그 표정이 스스로 뽐내며 은덕을 베푼 듯 함을 말한다.(櫌鉏, 治田之器. 慮, 疑也, 謂疑其容色自矜爲恩德也.)"고 하였다. 『韻會』에 "곰방메는 파종한 뒤에 이 기구로 갈아 땅이 갈라진 곳을 다시 합치도록 하는 것이니, 종자를 덮는 도구이다. 鉏는 鋤와 같다.(櫌, 布種後, 以此器摩之, 使土之開處復合, 所以覆種也. 鉏鋤同.)"고 하였다.

193 어머니가 쓰레받기[箕]와 … 꾸짖는다. : 劉璋의 『家禮補註』에 "箕(쓰레받기)와 箒(빗자루)는 땅을 쓸어 소제하는 도구이다.(箕箒, 掃地之具.)"고 하였다. 『韻會』에 "誶는 음이 쥴니, '꾸짖다'이며, 또 음이 碎이니, '고하다'이다.(誶, 音崒, 責讓也. 又音碎, 告也.)"고 하였다.

194 아버지에게 … 꾸짖는다. : 이 인용은 班固의 『漢書』「賈誼傳」에 실려 있다. 이 대목에 대한 顏師古 등 여러 학자들의 주석을 소개하면 다음과 같다. 借父櫌鉏, 慮有德色 : 師古曰, "櫌, 摩田器也. 言以櫌及鉏借與其父, 而容色自矜爲恩德也. 櫌, 音憂." 母取箕箒, 立而誶語 : 服虔曰, "誶, 猶罵也." 張晏曰, "誶, 責讓也." 師古曰, "張說, 是也. 誶, 音碎." 宋祁曰, "浙本, 箒作帚."

195 『家禮補註』 및 服虔과 張晏의 주석을 따르면, '誶'는 음이 '쇄(고하다)'가 아니라 '수(꾸짖다)'로 읽어야 한다.

196 머리띠로 묶고[總]: 『禮記』「內則」의 疏에 "흰 비단을 재단하여 만든다. 머리의 밑동을 묶고 나머지를 상투 뒤로 늘어뜨려 장식을 한다.(裂練繒爲之. 束髮之本垂餘於髻後, 以爲飾也.)"고 하였다. "『三儀實錄』에서는 '수인씨 시대에 상투를 만들었으나 다만 머리끼리 묶었을 뿐 묶는 끈이 없었다. 여와씨 시대의 여성들에

지금의 '두수頭䯻(머리띠)'[197]이다. 모자와 띠를 차려 입고는 남편은 모자, 삼衫, 띠[帶], 부인은 관자冠子, 배자背子 차림이다.〉날이 밝을 때 날의 명암이 서로 교차할 때를 말한다.

適父母舅姑之所省問.

부모와 시부모의 처소에 가서 문안을 드린다.

> 丈夫唱喏, 婦人道萬福, 仍問侍者夜來安否何如. 侍者曰安, 乃退. 其或不安節, 則侍者以 告. 此即禮之晨省也.
>
> 남편은 인사드리고 부인은 만복萬福이라고 말씀드리고는[198] 시자侍者에게 밤새 안부가 어떠했는 지 묻는다. 시자가 편안하셨다고 말하면 마침내 물러 나온다. 혹 편안하시지 않다면 시자가 그 사연을 일러준다. 이것이 바로 『예기禮記』의 '신성晨省'[199]이다.

父母舅姑起, 子供藥物,

부모와 시부모가 일어나시면 아들은 약물을 드리고

> 藥物, 乃關身之切務, 人子當親自檢數調責供進, 不可但委婢僕. 脫若有誤, 即其禍不測.
>
> 약물은 바로 몸과 관련된 절실한 일이니, 자식은 마땅히 몸소 점검하고[200] 알맞게 달여서 올려야 지, 그저 종복에게만 맡겨서는 안 된다. 잘못된 일이 있기라도 하면 그 화는 측량하지 못한다.

婦具晨羞,

부인은 새벽 참을 갖추어

> 俗謂點心. 易曰, "在中饋," 詩云, "惟酒食是議." 凡烹調飲膳, 婦人之職也. 近年婦女驕倨, 皆不肯入庖廚. 今縱不親執刀匕, 亦當檢校監視, 務令精潔.
>
> 세속에서 점심點心이라고 한다. 『주역』에 "규중에서 음식을 장만한다."[201]라고 하였고, 『시경』에

이르러 양의 털로 끈을 만들어 뒤로 묶었다. 후세에 그것을 실, 비단과 명주로 바꾸고 「頭䯻」라고 명명하였 으니, 끈이 이어 내려온 형태이다.'라고 하였다.(三儀實錄曰. '燧人時爲髻, 但以髮相纏, 而無物繫縛. 至女媧 之女, 以羊毛爲繩, 向後繫之. 後世易之以絲及綵絹, 名頭䯻, 繩之遺狀也.')" 高承, 『事物紀原』 3권, 「冠冕首飾 部」. 세속에서는 '唐岐'라고 한다.

197 頭䯻 : 일종의 머리띠이다. 『家禮儀節』에 "어느 정도 가는 細布 한 가닥으로 만드는데, 길이는 8촌이며, 이로 써 머리카락의 밑동을 묶고 남은 부분은 뒤로 드리운다. 이것이 바로 이른바 總이라는 것이다."고 하였다.

198 부인은 … 말씀드리고는 : 부녀자들끼리 나누는 의례적인 인사말이었으나 후대에는 두 손을 가볍게 쥐고 가슴 앞에서 아래위로 흔들면서 가볍게 머리를 숙여 절을 하는 부녀자의 인사 자세를 지칭하였다.

199 晨省 : 『禮記』「曲禮」

200 점검하고 : 주자는 "점검하여 잘못을 헤아리는 것이다.(點檢數過也.)"고 하였다. 『朱子語類』 권50, 2조목에 보인다. (楊問, "'簡在帝心', 何謂簡?" 曰, "如天檢點數過一般. 善與罪, 天皆知之. 爾之有善, 也在帝心. 我之有 罪, 也在帝心.")

201 『周易』 家人卦, 六二의 爻辭에, "이루는 바가 없고 閨中에 있으면서 음식을 장만한다.(无攸遂, 在中饋)"고

서는 "오직 술과 밥만을 의논한다."[202]라고 하였다. 무릇 음식을 조리하는 것은 부인의 직무이다. 요즈음 부녀자들은 오만하고 불손하여 다들 부엌에 들어가려고 들지 않는다. 지금 비록 몸소 칼과 주걱[203]을 잡지 않을지라도 마땅히 점검하고 감시하여 힘써 정결하도록 해야 한다.

供具畢, 乃退, 各從其事. 將食, 婦請所欲於家長,

상차림이[204] 끝나면 마침내 물러나와 각자 자기 일에 종사한다. 식사할 때가 되면 며느리는 가장에게 드시고 싶은 것을 여쭙고

謂父母舅姑, 或當時家長也. 卑幼各不得恣所欲.

부모와 시부모, 또는 당시의 가상을 말한다. 항렬이 낮거나 나이가 어린 사람은 각각 먹고 싶은 것을 제 맘대로 해서는 안 된다.

退, 具而供之. 尊長擧筋, 子婦乃各退就食. 丈夫婦人各設食於他所, 依長幼而坐, 其飮食必均壹. 幼子又食於他所, 亦依長幼席地而坐, 男坐於左, 女坐於右. 及夕食亦如之. 旣夜, 父母舅姑將寢, 則安置而退.

물러나와 차려서 드린다. 항렬이 높거나 나이가 많은 사람이 수저를 들면 아들과 며느리도 마침내 각각 물러나와 식사를 한다. 남자와 여자는 각각 다른 곳에 식사를 마련하되 어른부터 아이 순서[205]에 따라 앉고 그 음식은 반드시 똑같이 한다. 어린 자식들은 또 다른 곳에서 식사를 하게 하되 또한 어른부터 아이 순서로 바닥에 자리를 깔고 앉히며 남자는 왼쪽에 앉히고 여자는 오른쪽에 앉힌다. 저녁 식사 때에도 똑같다. 밤이 되어 부모와 시부모가 주무시려고 하면 편히 잠자리에 드시게 하고 물러 나온다.

丈夫唱喏, 婦女道安置. 此即禮之昏定也.

남편은 인사하고 부인은 편히 쉬시라고 말한다. 이것이 바로 『예기禮記』의 '혼정昏定'이다.

居閑無事, 則侍於父母舅姑之所, 容貌必恭, 執事必謹, 言語應對, 必下氣怡聲, 出入起居, 必

- -

하였는데, 이에 대한 程子의 傳에 "부인은 규중에 있으면서 음식을 주관하는 자이다.(婦人, 居中而主饋者也.)"라고 하였다.

202 『詩經』「小雅」, 斯干에 "잘못함도 없고 잘함도 없는지라, 오직 술과 밥에 대해서만 의논하여, 부모에게 근심을 끼침이 없게 하라(無非無儀, 唯酒食是議, 無父母詒罹.)"고 하였는데, 이에 대한 소에서 孔穎達은 "잘못함이 있는 것도 훌륭한 부인이 아니요, 잘함이 있는 것도 훌륭한 부인이 아니다. 여자는 오직 술과 밥에 대해서만 의논하여 부모에게 근심을 끼치지 않으면 된다.(有非, 非婦人也, 有善, 非婦人也. 蓋女子 … 唯酒食是議, 而無遺父母之憂, 則可.)"고 하였다.

203 주걱: 匕는 식사할 때 쓰이는 통상의 숟가락이 아니다. 李宜朝는 "匕는 솥의 음식을 떠서 도마 위에 올리는 것이다.(匕者, 載鼎實, 升諸俎者.)"라고 하였다. 『家禮增解』 권2 「司馬氏居家雜儀」

204 상차림: 식기를 차려놓고 음식을 준비하여 놓는 것을 말한다.

205 여기서 말하는 '어른부터 아이[長幼]의 순서'는, 좀 더 정확히 尊長과 卑幼, 즉 항렬이 높거나 나이가 많은 사람과 항렬이 낮거나 나이가 어린 사람의 순서로 이해되어야 한다.

謹扶衛之. 不敢涕唾喧呼於父母舅姑之側. 父母舅姑不命之坐, 不敢坐, 不命之退, 不敢退.

(부모와 시부모가) 한가로이 일이 없으면 부모와 시부모의 처소에서 시중들되, 용모는 반드시 공손하고 일할 때는 반드시 신중하며 말하고 응답할 때는 반드시 심기를 가라앉히고 목소리를 온화하게 한다. 출입이나 기거할 때는 반드시 보살피고 보호하며, 부모와 시부모 곁에서는 감히 코를 풀거나 침을 뱉지 않으며 시끄럽게 부르지 않는다. 부모와 시부모가 앉으라고 분부하지 않으면 감히 앉지 않으며 물러가라고 분부하지 않으면 감히 물러가지 않는다.

[19-3-5]

凡子受父母之命, 必籍記而佩之, 時省而速行之, 事畢則返命焉. 或所命有不可行者, 則和色柔聲具是非利害而白之, 待父母之許, 然後改之. 若不許, 苟於事無大害者, 亦當曲從. 若以父母之命爲非, 而直行己志, 雖所執皆是, 猶爲不順之子, 況未必是乎!

무릇 자식이 부모의 분부를 받으면, 반드시 기록하여 휴대하고 수시로 살펴 조속히 실행하며 일을 마치면 말씀드린다. 어쩌다 분부한 일에 행할 수 없는 점이 있으면, 얼굴빛을 온화하게 하고 목소리를 유순하게 하여 옳음과 그름, 이로움과 해로움을 갖추어 아뢰고 부모의 허락을 받은 다음에 고친다. 만일 허락하지 않으시면 진실로 일에 큰 해가 없는 것은 또한 마땅히 자기 뜻을 굽히고 따른다. 만일 부모의 분부가 틀렸다고 여겨 자기의 생각대로 행하면, 비록 처리한 일이 모두 옳더라도 순종치 않는 자식이 되는데, 하물며 반드시 옳지 않은 일이라면 어떻겠는가!

[19-3-6]

凡'父母有過, 下氣怡色柔聲以諫. 諫若不入, 起敬起孝, 悅則復諫. 不悅, 與其得罪於鄕黨州閭, 寧熟諫. 父母怒不悅而撻之流血, 不敢疾怨, 起敬起孝.'[206]

무릇 부모가 허물이 있으면 심기를 가라앉히고 안색을 온화하게 하여 부드러운 목소리로 규간한다. 규간이 만일 받아들여지지 않으면 더욱 공경하고 더욱 효도하여 기뻐하시면 다시 규간한다. 기뻐하시지 않더라도 마을[鄕黨州閭]에[207] 죄를 얻기보다는 차라리 충분히 규간하는 것이 낫다. 부모가 노여워하시거나 달가워하시지 않아 매질하여 피를 흘리더라도 감히 미워하거나 원망하지 않고 더욱 공경하고 더욱 효도한다.

[19-3-6-1]

楊氏復曰 : "父母有過, 下氣怡聲以諫, 所謂幾諫也. 父母怒而撻之, 猶不敢怨, 況下於此者

---

206 『禮記』「內則」
207 마을[鄕黨州閭]: 『禮記』「內則」의 주에서 鄭玄은 "周禮에 '25家가 閭가 되고, 4閭가 族이 되고, 500家가 黨이 되고, 2500가가 州가 되고, 1만 2500가가 鄕이 된다.'(周禮曰, 二十五家爲閭, 四閭爲族, 五族爲黨, 五黨爲州, 五州爲鄕也.)"고 하였다.

乎! 諫不入, 起敬起孝. 諫而怒, 亦起敬起孝. 敬孝之外, 豈容有他念哉? 是說也, 聖人著之論語矣."

양복楊復이 말했다. "부모가 허물이 있어도 심기를 가라앉히고 목소리를 부드럽게 하여 규간하는 것이 이른바 은미하게 규간幾諫하는[208] 것이다. 부모가 노여워하여 매질을 하더라도 감히 원망하지 않는데 하물며 이 보다 못한 일은 어떻겠는가! 규간이 받아들여지지 않더라도 더욱 공경하고 더욱 효도하며, 규간함에 노여워하시더라도 또한 더욱[209] 공경하고 더욱 효도한다. 공경과 효도 외에 어떻게 다른 생각이 있을 수 있겠는가? 이 말을 성인이 『논어』에서 드러낸 것이다."

[19-3-7]

凡爲人子弟者, ‘不敢以貴富加於父兄宗族.’

무릇 자식과 아우된 사람은 ‘감히 귀함과 부유함으로 아버지와 형, 집안사람에게 뽐내지[210] 않는다.’[211]

　　　加, 謂恃其富貴, 不率卑幼之禮.

　　　‘가加'는 그 부귀를 믿고 항렬이 낮거나 나이가 어린 사람의 예를 따르지 않음을 말한다.

[19-3-8]

‘凡爲人子者, 出必告, 反必面.’ 有賓客不敢坐於正廳.

‘무릇 사람의 자식된 자는 외출할 때는 반드시 말씀드리고, 돌아와서는 반드시 뵙는다.’[212] 손님이 있을 때는 감히 중앙의 대청에 앉지 않으며,

　　　有賓客坐於書院. 無書院, 則坐於廳之旁側.

　　　손님이 있으면 서원書院에 앉아 있으며, 서원이 없으면 대청의 가장자리에 앉는다.

升降不敢由東階. 上下馬不敢當廳. 凡事不敢自擬於其父.

오르내릴 때는 감히 동쪽 계단으로 다니지 않는다. 말에 오르고 내릴 때는 감히 대청에서 하지 않으며, 모든 일을 감히 스스로 그 아버지와 비교하지 않는다.[213]

• • • • • • • • • • • • • • • • • • •

208　은미하게 규간 : "부모를 섬기되 은미하게 규간幾諫해야 하니 부모의 뜻이 나의 말을 따르지 않음을 보더라도 또 공경하여 어기지 않으며 수고로워도 원망하지 않는다.(事父母幾諫, 見志不從, 又敬不違, 勞而不怨.)" 『論語』「里仁」

209　더욱 : 『禮記』「內則」의 주에서 鄭玄은 "‘起'는 ‘더욱'과 같다.(起, 猶更也.)"고 하였다.

210　뽐내지 : 『禮記』「內則」의 주에서 鄭玄은 "‘加'는 ‘높게 여기다'와 같다.(加, 猶高也.)"고 하였다.

211　『禮記』「內則」

212　『禮記』「曲禮」

213　『擊蒙要訣』에서 李珥는 "집안에서 부자간에는 사랑이 공경을 넘는 경우가 많으니, 반드시 옛 습관을 통렬히 씻어내고 존경을 지극히 해야 한다. 부모가 앉거나 눕는 곳에 자식은 감히 앉거나 눕지 않고, 손님을 접견하는 곳에서 자식은 감히 사사로운 손님을 접견하지 않으며, 말에 오르고 내리는 곳에서 자식은 감히 말에 오르고 내리지 않아야 된다.(人家父子間, 多是愛逾於敬, 必須痛洗舊習, 極其尊敬. 父母所坐臥處, 子不敢坐

[19-3-8-1]

楊氏復曰 : "告, 工毒反. 告與面同. 反言面者, 從外來, 宜知親之顔色安否. 爲人親者, 無一念
而忘其子, 故'有倚閭倚門之望'. 爲人子者, 無一念而忘其親. 故有出告反面之禮. 生則出告
反面, 沒則告行飮至, '事亡如事存也.'"214

양씨楊復가 말했다. "'곡'은 공과 독의 반절이다. '뵙다'와 같다. 돌아온 경우, 뵙는다고 말하는 것은 밖에
서 돌아오면 마땅히 어버이의 안색이 편하신지 알아야 한다는 것이다. 어버이 되는 사람은 한 생각
도 그 자식을 잊은 적이 없다. 그러므로 '마을 입구의 문215에 기대고 집의 대문에 기대어 바라봄이
있는 것'216이다. 자식 된 사람은 한 생각도 그 어버이를 잊어서는 안 된다. 그러므로 외출할 때는
말씀드리고 돌아와서는 뵙는 예가 있는 것이다. 살아계실 때에는 외출할 때 말씀드리고 돌아와서
뵈며, 돌아가셨을 때에는 길 떠남을 사당에 알리고 음주례를 행하였으니,217 '죽은 사람 섬기기를
산 사람 섬기듯이 하는' 것이다."

[19-3-9]

凡父母舅姑有疾, 子婦無故不離側, 親調嘗藥餌而供之. 父母有疾, 子色不滿容, 不戲笑,
不宴遊, 舍置餘事, 專以迎醫檢方合藥爲務. 疾已復初.

무릇 부모와 시부모가 병이 있으면, 자식과 며느리는 까닭 없이 곁을 떠나지 않고 약물藥物218을 직접
조제하여 맛을 보고219 드린다. 부모가 병이 있으면, 자식은 표정을 한껏 짓지 않고220 농담하지 않으며,

- -

臥, 所接客處, 子不敢接私客, 上下馬處, 子不敢上下馬. 可也.)"고 하였다.

214 『中庸』 18장. "踐其位, 行其禮, 奏其樂, 敬其所尊, 愛其所親, 事死如事生, 事亡如事存, 孝之至也."

215 마을 입구의 문: 『禮記』「月令」에 閭를 "마을의 문"이라고 하였다.(月令註, "閭, 巷門.")

216 마을 입구의 … 있는 것: 『戰國策』 권13「齊6」에 다음과 같은 내용이 있다. "王孫賈가 나이 15세 때 閔王을
섬기다가 왕이 달아나서 어디로 갔는지 몰랐다. 그러자 그의 어머니는 '네가 아침에 나가서 저녁에 돌아오면
나는 대문에 기대어서 바라보았고, 네가 저녁에 나가서 돌아오지 않으면 나는 마을 문에 기대어서 바라보았
다. 그런데 너는 지금 왕을 섬기다가 왕이 달아나서 어디에 있는지도 모르는데, 어찌하여 돌아왔느냐?'고
하였다. 왕손가는 마침내 시장 가운데로 들어가 외쳤다. '요치가 제나라를 어지럽히고 민왕을 죽였다. 나와
함께 요치를 잡아 죽이고자 하는 자는 오른쪽 어깨를 드러내라.' 그러자 저자에서 따르는 사람들이 400명이
나 되었는데 왕손가는 이들과 함께 요치를 공격해 그를 찔러 죽였다.(王孫賈年十五, 事閔王, 王出走, 失王之
處. 其母曰, 女朝出而晚來, 則吾倚門而望女, 暮出而不還, 則吾倚閭而望女. 今事王, 王出走, 女不知其處, 女
尙何歸? 王孫賈乃入市中曰, 淖齒亂齊國殺閔王. 欲與我誅者, 袒右. 市人從者四百人, 與之誅淖齒, 刺而殺之.)"

217 살아계실 때에는 … 행하였으니 : 『春秋左氏傳』 桓公 2년 조에 "범례에 공은 出行할 때에는 종묘에 아뢰고,
돌아와서는 종묘에 이르러 술 마시는 예를 행하였다.(凡公行告于宗廟, 反行飮至.)"고 하였다.

218 藥物 : 藥은 병을 치료하는 풀이다. "'餌'는 음이 仍과 史의 반절이다. 쌀가루를 찐 것이 모두 餌이다.(餌,
仍吏切. 粉米蒸屑, 皆餌也.)"고 하였다. 『설문』에서는 "'餌'는 먼저 쌀을 빻아 가루를 만들고, 그런 다음에
반죽하여 떡(餠)을 만든 것(餌先屑米爲粉, 然後溲之爲餠也.)"이라고 하였다.

219 맛을 보고 : 『소학』의 주에서 吳訥은 "'嘗'은 감당할 수 있는 것인지 헤아려 보는 것을 말한다.(嘗謂度其所
堪.)"고 하였다.

220 자식은 … 않고 : 『禮記』「文王世子」에서 부분 인용한 글이다. 원문은 다음과 같다. "세자에 대한 기록에서

잔치를 열거나 놀러다니지 않고 그 밖의 일은 보류하고서[221] 오로지 의원을 맞이하여 처방을 점검하고 병에 맞는 약을 조제하는 것만을 일로 삼으며, 병이 나으면 처음으로 돌아온다.

　　顔氏家訓曰, "父母有疾, 子拜醫以求藥." 蓋以醫者親之存亡所繫, 豈可傲忽也?"
　　『안씨가훈』[222]에서 "부모가 병이 있으면 자식은 의원을 찾아뵙고 약을 구한다."고 하였다. 의원의 일이란 부모의 존망이 걸려있는 일인데, 어떻게 소홀할 수 있겠는가?

[19-3-10]

凡子事父母, "父母所愛亦當愛之, 所敬亦當敬之. 至於犬馬盡然, 而況於人乎!"

무릇 자식은 부모를 섬기되 '부모가 사랑하는 사람을 또한 마땅히 사랑하고, 공경하는 사람을 또한 마땅히 공경해야 한다. 개와 말의 경우에도 모두 그러한데 하물며 사람은 어떠하겠는가!'[223]

· · · · · · · · · · · · · · · · · · · ·

다음과 같이 말했다. '아침저녁으로 황제의 침실 문 밖에 와서 내시에게 「오늘 안부가 어떠하신가?」고 물었다. 내시가 「오늘 편안하십니다」고 말하면 세자는 마침내 기쁜 표정을 하였다. 불편함이 있으시면 내시가 그 점을 세자에게 보고하였다. 세자는 근심스러운 표정으로 용모를 한껏 표현하지 못하였다. 내시가 원래대로 돌아오셨다고 말한 후에야 그 또한 원래대로 돌아왔다.(世子之記曰, 朝夕至于大寢之門外, 問於內豎曰, '今日安否何如?' 內豎曰, '今日安,' 世子乃有喜色. 其有不安節, 則內豎以告世子, 世子色憂不滿容. 內豎言復初, 然後亦復初.)" 이에 대한 註에서 陳澔는 "용모의 아름다움을 채우지 못하는 것이다.(不能充其儀觀之美也.)"고 하였다.

221　자식은 … 보류하고서 : 『禮記』「曲禮」에는 다음과 같이 말하고 있다. "부모가 병이 있으시면 성인이 된 아들은 머리에 빗질을 하지 않으며, 다닐 때 활개치지 않으며 말할 때 참견하지 않으며 악기를 연주하지 않는다. 고기를 먹어도 질려서 입맛이 변하도록 먹지 않으며 술을 먹어도 취해서 용모가 변하도록 마시지 않는다. 웃어도 잇몸이 드러나도록 웃지 않으며 노여워도 꾸짖도록 노여워하지 않는다. 병이 나으면 예전으로 돌아온다.(父母有疾, 冠者不櫛, 行不翔, 言不惰, 琴瑟不御. 食肉不至變味, 飮酒不至變貌, 笑不至矧, 怒不至詈, 疾止復故.)"

222　『顔氏家訓』: 중국 南北朝 시대 말기의 顔之推(531~591)가 자손을 위하여 저술한 교훈서로 2권 20편으로 구성되어 있다. 가족도덕·대인관계를 비롯하여 구체적인 경제생활·풍속·학문·종교 나아가서는 문자·音韻 등 다양한 내용을 구체적인 체험과 풍부한 사례를 바탕으로 하여 논의하였다. 당시 귀족생활의 실태를 아는 데 중요한 자료이다. 안지추는 남조의 梁 나라에서 태어났는데 江陵이 西魏에게 함락되었을 때(554) 關中으로 옮겨갔으며, 후에 北齊로 탈출하였으나(556) 북제가 北周에게 멸망당하자(577) 재차 관중으로 옮겨가는 등 轉變하는 인생을 살았다. 그 사이에 터득한 실제적인 인생관이 높은 교양에 뒷받침되어 이 책의 基調를 이루고 있다.

223　부모가 사랑하는 … 어떠하겠는가! : 『禮記』「內則」에서 인용한 글이다. "증자가 말했다. '효자가 노인을 봉양할 때에는 그 마음을 즐겁게 하고 그 뜻을 어기지 않으며, 그 귀와 눈을 즐겁게 하고 그 앉고 눕는 자리를 편안하게 하며 음식으로 마음을 다해 봉양한다. 이것은 효자가 몸을 마칠 때까지이니 몸을 마친다는 것은 부모의 몸을 마치는 것이 아니라 자신의 몸을 마치는 것이다. 그러므로 부모가 사랑하는 사람을 또한 사랑하고, 공경하는 사람을 또한 공경한다. 개와 말의 경우에도 모두 그러한데 하물며 사람은 어떠하겠는가!'(曾子曰. 孝子之養老也, 樂其心, 不違其志, 樂其耳目, 安其寢處, 以其飮食忠養之. 孝子之身終, 終身也者, 非終父母之身, 終其身也. 是故父母之所愛, 亦愛之. 父母之所敬, 亦敬之. 至於犬馬盡然, 而況於人乎!)"

[19-3-10-1]

楊氏復曰: "孝子愛敬之心無所不至. 故父母之所愛敬者, 雖犬馬之賤亦愛敬之, 況人乎哉! 故擧其尤者言之. 若兄若弟, 吾父母之所愛也, 吾其可以不愛乎! 若薄之, 是薄吾父母也. 若親若賢, 吾父母之所敬也, 吾其可不敬之乎! 若嫚之, 是嫚吾父母也. 推類而長, 莫不皆然. 若晉武惑馮紞之讒, 不思太后之言而疏齊王攸, 唐高宗溺武氏之寵, 不念太宗顧託之命而殺長孫無忌, 皆禮經之罪人也. "[224]

양복楊復이 말했다. "효자는 사랑하고 공경하는 마음이 어느 곳이건 이르지 않음이 없다. 그러므로 부모가 사랑하고 공경하는 이가 비록 미천한 개와 말이라도 또한 사랑하고 공경하는데 하물며 사람은 어떠하겠는가! 그러므로 더욱 심한 것을 들어 말한 것이다. 형과 동생으로 말하자면 나의 부모가 사랑하는 사람인데 내가 사랑하지 않을 수 있겠는가! 만일 그들을 박대한다면 이것은 나의 부모를 박대하는 것이다. 친척과 현인賢人은 나의 부모가 공경하는 사람인데 내가 공경하지 않을 수 있겠는가! 만일 그들을 업신여긴다면 이것은 나의 부모를 업신여기는 것이다. 유추하여 확장하면 모두 그러하지 않음이 없다. 예컨대 진晉 무제武帝는 풍담馮紞의 참소에 미혹되어 태후의 말을 생각하지 않고 제왕 사마유司馬攸를 멀리하였고,[225] 당唐 고종高宗은 무씨武氏에 대한 총애에 빠져 태종太宗의 고명으로 후사를 부탁하는 분부를 생각하지 않고 장손무기長孫無忌를 죽인 것[226]과 같으니, 모두

. . . .

224 이 글은 楊復 뿐만 아니라 朱熹의 再傳弟子인 眞德秀가 임금에게 올린 글에도 자신의 말로 실려 있다. 그러나 다소 다른 점이 있다. "臣按孝子愛敬之心, 無所不至, 故凡父母之所愛敬者, 雖犬馬之賤亦愛敬之, 況人乎哉! 姑擧其近者言之. 若兄若弟, 吾父母之所愛也, 吾其可以不愛乎! 若薄之, 是薄吾父母也. 若親若賢, 吾父母之所敬也, 吾其可不敬之乎! 若嫚之, 是嫚吾父母也. 推類而長, 莫不皆然. 若晉武惑馮紞之讒, 不思太后丁寧之言而疏齊王攸, 唐高宗溺武氏之寵, 不念太宗顧託之命而殺長孫無忌, 若二君者, 皆禮經之罪人也. "『大學衍義』6권

225 晉 武帝는 … 멀리하였고: 『晉書』에 泰始 연간에 태후인 王氏가 병이 위독해졌는데, 武帝와 동생인 제왕 司馬攸가 곁에서 모시고 있었다. 태후가 무제에게 '너와 攸는 至親이다. 내가 죽은 뒤에 잘 대해 주어라'고 하였는데, 말이 끝나자 崩御하였다. 처음에는 무제가 사마유에게 매우 우애롭게 대하였으나, 荀勗과 馮紞 모두에 의해 죄에 얽어 넣어 자신들의 뒷날을 위한 계책을 세우고자 하였다. 마침내 사마유를 축출하여 大司馬都督靑州軍事로 삼았다. 여러 신하들이 간하였으나 무제가 받아들이지 않았다. 사마유는 분노와 원망으로 인하여 병이 났음에도 재촉하여 길을 떠났다가 드디어 피를 토하고 죽었다.(晉書, 泰始中, 太后王氏疾篤, 帝及弟齊王攸侍. 太后謂帝曰, 汝與攸至親. 吾沒之後, 善遇之. 言訖崩, 初帝友攸甚篤, 爲荀勗馮紞都感切所構, 欲爲身後之慮. 乃出攸爲大司馬都督靑州軍事. 群臣諫不聽. 攸忿怨發病, 猶催上道, 乃嘔血而卒.)" 『家禮輯覽』(『沙溪全書』25권)「司馬氏居家雜儀」

226 唐 高宗은 … 죽인 것: "唐史에 武氏는 형주도독 武士彠의 딸이다. 나이 14세 때 태종이 후궁으로 불러들여 才人으로 삼았다. 태종이 붕어하자 무씨는 비구니가 되었는데, 高宗이 절에 행차하였다가 그를 보고는 후궁으로 불러들여 昭儀에 제수하였다. 이보다 앞서 태종이 위독해지자 장손무기와 褚遂良을 불러 臥內로 들어오게 하고는, 태자에게 '장손무기와 저수량이 있으니, 너는 천하를 다스리는 일을 걱정하지 말라.'고 하였다. 그리고는 저수량에게 '장손무기는 나에게 충성을 다 바쳤다. 내가 천하를 차지하게 된 것은 대부분이 그의 힘이었다. 내가 죽거든 다른 사람들로 하여금 그와 태자 사이를 이간질시키지 못하게 하라'고 하였다. 얼마 뒤에 태종이 붕어하고 태자가 즉위하였다. 어느 날 고종이 장손무기 등을 불러서는 그들을 돌아보

예경禮經의 죄인이다."

[19-3-11]

凡子事父母,‘樂其心, 不違其志, 樂其耳目, 安其寢處, 以其飮食忠養之.’ 幼事長, 賤事貴, 皆倣此.

무릇 자식은 부모를 섬기되 ‘마음을 즐겁게 하고 뜻을 어기지 않으며, 귀와 눈을 즐겁게 하고 앉고 눕는 자리를 편안하게 하며 음식으로 마음을 다해 봉양한다.’[227] 어린 사람이 어른을 섬기고 천한 사람이 귀한 사람을 섬기는 것도 모두 이와 같다.

[19-3-11-1]

劉氏璋曰 : "樂其心者, 謂左右侍養也, 晨昏定省也, 出入從遊也, 起居奉侍也, 必當隨討其心之所好者所惡者何在. 苟非悖乎大義, 則蔑不可從, 所以安固老者之行以適其氣也. 樂其耳目者, 非聲色之末也. 善言常入於親耳, 善行常悅於親目, 皆所以樂之也. 安其寢處者, 謂堂室庭除必完潔, 簟席氈褥衾枕帳幄必修治之類."

유장劉璋이 말했다. "그 마음을 즐겁게 한다는 것은 가까이에서 모시고 봉양하며,[228] 아침저녁으로

· ·

면서 ‘王皇后는 아들이 없고 武昭儀에게는 아들이 있으니, 이제 무소의를 세워 황후로 삼고자 하는데, 어떻겠는가?'고 하자 저수량이 ‘천하의 令族 가운데에서 다시 간택하도록 하소서. 무엇 때문에 굳이 무씨를 황후로 세운단 말입니까?'라고 하였다. 그러자 고종이 크게 노하여 저수량을 끌어내라고 명하였다. 이때 무소의가 주렴 안에 있다가 크게 소리치며 ‘어찌하여 저놈들을 때려죽이지 않습니까?'라고 하자, 장손무기가 ‘저수량은 先朝의 顧命을 받은 신하입니다. 죄가 있다고 하더라도 형벌을 가해서는 안 됩니다.'라고 하였다. 무소의는 장손무기가 자신을 도와주지 않았다는 이유로 몹시 미워하여 장손무기의 관작을 삭탈하고는 黔州에 安置시켰으며, 얼마 있다가 살해하였다.(唐史, 武氏, 故荊州都督士彠之女. 年十四, 太宗召入後宮爲才人. 太宗崩, 武氏爲尼, 高宗詣寺見之, 納之後宮, 拜爲昭儀. 先是太宗病篤, 詔長孫無忌褚遂良, 入臥內, 謂太子曰, 無忌遂良在, 汝勿憂天下. 又謂遂良曰, 無忌盡忠於我, 我有天下, 多其力也. 我死, 勿令讒人間之. 有頃上崩, 太子卽位. 一日召無忌等, 顧謂曰, 皇后無子, 武昭儀有子, 今欲立昭儀爲后, 何如? 遂良對曰, 伏請妙擇天下令族. 何必武氏? 上大怒, 命引出. 昭儀在簾中, 大言曰, 何不撲殺此獠? 無忌曰, 遂良受先朝顧命. 有罪, 不可加刑. 武后以無忌不助己, 深惡之, 削無忌官, 黔州安置, 尋殺之.)"『家禮輯覽』(『沙溪全書』25권)「司馬氏居家雜儀」

227 마음을 즐겁게 … 봉양한다. : 『禮記』「內則」의 글이다. 『擊蒙要訣』에서 李珥는 다음과 같이 말했다. "요즘 사람들은 대부분 부모에게 양육을 받기만 하고 자기 힘으로써 부모를 봉양하지 못하니, 이와 같이 홀연히 세월만 보내면 끝내 마음을 다해 봉양할 때가 없을 것이다. 반드시 집안일을 몸소 주관하여 스스로 맛있는 음식을 마련해야 하니, 그런 뒤에야 마침내 자식의 직분을 닦게 될 것이다.(今人多是被養於父母, 不能以己力養其父母. 若此奄過日月, 則終無忠養之時也. 必須躬幹家事, 自備甘旨, 然後子職乃修.)"

228 그 마음을 … 봉양하며 : 『禮記』「內則」의 「大全」에서 方慤은 다음과 같이 말했다. "목소리를 화평하게 하여 묻는 것은 그 귀를 즐겁게 하는 것이고, 표정을 부드럽게 하여 따뜻하게 받드는 것은 그 귀를 즐겁게 하는 것이며, 저녁에 이부자리를 펴드리는 것은 그 잠자리를 편안하게 하는 것이고 아침에 살피는 것은 그 거처하는 곳을 편안하게 하는 것이다. 음식으로 마음을 다해 봉양하는 것은 어버이를 봉양하는 도이니, 비록 음식에 나아가 극진히 할 수 있는 것은 아니지만 또한 음식을 버리고서 제대로 할 수 있는 것도 아니다. 그렇다면

살피고 잠자리를 펴드리며, 드나드실 때 수행하며, 거동하실 때 받들고 모시는 것을 말하니, 반드시 그 마음에 좋아하는 일과 싫어하는 일이 어디에 있는지 찾아야 한다.[229] 진실로 대의에 어긋나는 일이 아니면 따르지 못할 일이 없으니,[230] 노인의 행동을 평안하게 하여 기분에 맞춰 드리기 위한 것이다.[231] 그 귀와 눈을 즐겁게 하는 것은 지엽적인 음성과 표정만으로 끝인 것이 아니다. 어버이의 귀에 항상 선한 말씀이 들어가고, 어버이의 눈을 항상 선한 행실로 기쁘게 하는 것이 모두 어버이를 즐겁게 하는 일이다. 그 앉고 눕는 자리를 편안하게 한다는 것은 대청과 방, 뜰과 계단[232] 등을 반드시 매우 청결하게 해야 하며, 삿자리·돗자리·담요·요·이불·베개·휘장[233] 등을 반드시 잘 손질해야 하는 따위를 말한다."

[19-3-12]

凡子婦未敬未孝, 不可遽有憎疾, 姑教之. 若不可教, 然後怒之. 若不可怒, 然後笞之. 屢笞而終不改, 子放婦出. 然亦不明言其犯禮也. '子甚宜其妻, 父母不悅, 出. 子不宜其妻, 父母曰, 是善事我, 子行夫婦之禮焉, 沒身不衰.'

무릇 아들과 며느리가 공경하지 않고 효도하지 않더라도 대번에 미움을 가져서는 안 되니 우선은 가르친다. 가르칠 수도 없으면, 그런 뒤에야 노여워하고, 노여워해도 안 되면, 그런 뒤에야 매를 댄다. 여러 차례 매를 대며, 끝내 고치지 않으면 아들은 내쫓고 며느리는 내친다. 그러나 또한 예를 범하였다는 것을 분명하게 내놓고 말하지 않는다.[234] '아들이 처를 너무 좋아하더라도[235] 부모가 달가워하지 않으

군자는 어떻게 대처해야 하는가? 또한 마음을 다해 봉양할 따름이다. 물질로써 봉양함은 그저 그 입과 몸을 봉양할 뿐이니 마음을 다함으로써 봉양하면 그 뜻을 충분히 봉양할 수 있을 것이다.(怡聲而問, 所以樂其耳也, 柔色以溫, 所以樂其目也, 定於昏, 所以安其寢也, 省於晨, 所以安其處也. 以其飮食忠養之者, 蓋養親之道, 雖非即飮食以能盡, 亦非舍飮食以能爲, 君子何以處之? 亦曰忠養之而已. 夫養之以物止足以養其口體, 養之以忠則足以養其志矣.)"

229 찾아야 한다. : 『韻會』에 "賾은 士와 革의 반절이며, 그윽하고 깊어서 보기가 어렵다는 뜻이다. 討는 찾는다는 뜻이다.(賾, 士革反, 幽深難見也. 討, 探討.)"고 하였다.

230 없으니 : 『韻會』에 "蔑은 莫과 結의 반절이며, '없다.'이다.(蔑, 莫結切, 無.)"라고 하였다.

231 노인의 행동을 … 것이다. : 朴世采는 鄭眞卿과의 문답에서 다음과 같이 말하였다. "물었다. '노인의 뜻을 받들고 순종하는 것만이 편안하고 안정되도록 하는 것인 듯합니다.' 남계가 대답했다. '그런 것 같습니다.'(問, '恐只是承順老者之意, 使之安且固.' 南溪曰, '恐然.')" 『南溪先生朴文純公文正續集』 권16 「答鄭眞卿問」

232 뜰과 계단 : "堂 아래에서 문까지를 庭이라 하고, '除는 계단(階)이다.(堂下至門曰庭, 除, 階也.)" 李宜朝, 『家禮增解』 권2 「司馬氏居家雜儀」

233 휘장 : 『韻會』에 "帳은 '펼친다.'이니 방이나 수레에 치는 휘장(幬)을 '帳'이라고 하고, 상하와 사방을 모두 둘러친 것을 '幄'이라고 한다.(帳, 張也. 幬謂之帳. 上下四旁悉周曰幄.)"고 하였다.

234 분명하게 내놓고 … 않는다. : 『禮記』「內則」에는 다음과 같이 되어 있다. "아들과 며느리가 공경하지 못하고 효도하지 못하더라도 미워하거나 원망하지 말고 우선은 가르친다. 가르칠 수도 없으면, 그런 뒤에야 노여워한다. 노여워할 수도 없으면, 아들은 내쫓고 며느리는 내친다. 그러나 예를 범하였다는 것을 드러내지 않는다.(子婦未孝未敬, 勿庸疾怨, 姑教之. 若不可教, 而后怒之, 不可怒, 子放婦出. 而不表禮焉.)" 이에 대한 주에

면 내치며, 아들이 처를 좋아하지 않더라도 부모가 「며느리가 우리를 잘 섬긴다.」고 말하면 아들은 부부의 예를 실천하여 죽을 때까지 변하지 않는다.'[236]

[19-3-13]
凡爲宮室, 必辨內外, 深宮固門. 內外不共井, 不共浴堂, 不共厠. 男治外事, 女治內事. 男子晝無故不處私室. 婦人無故不窺中門. 男子夜行以燭. 婦人有故出中門, 必擁蔽其面,如蓋頭面帽之類 男僕非有繕修, 及有大故,謂水火盜賊之類 不入中門. 入中門, 婦人必避之. 不可避, 亦謂如水火盜賊之類 亦必以袖遮其面. 女僕無故不出中門. 有故出中門, 亦必擁蔽其面,雖小婢亦然 鈴下蒼頭, 但主通內外之言, 傳致內外之物, 毋得輒升堂室, 入庖廚.

무릇 집을 지을 때는 반드시 안채와 바깥채를 구분하여 집채를 깊숙이 잡고 문을 견고하게 한다.[237] 안채와 바깥채는 우물을 함께 쓰지 않고, 욕실을 함께 쓰지 않으며,[238] 화장실을 함께 쓰지 않는다. 남자는 바깥일을 다스리고 여자는 집안일을 다스린다. 남자는 낮에 까닭 없이 안방에 거처하지 않으며, 부인은 까닭 없이 중문을 엿보지 않는다. 남자가 밤에 다닐 때는 등불을 사용하며,[239] 부인이 까닭이 있어 중문을 나설 때는 반드시 얼굴을 가린다. 예컨대 너울[240]이나 얼굴 가리개[241] 같은 따위이다. 사내종은

· ·

서 陳澔는 "비록 아들을 내쫓고 며느리를 내보내기는 하지만, 자식과 며느리가 예를 범한 잘못을 분명하게 내놓고 말하지 않아서 끝까지 인연을 끊지는 않겠다는 뜻을 보이는 것이다.(不表明其失禮之罪, 示不終絶之也.)"고 하였다.

235 좋아하더라도: "宜는 '좋아하다'이다.(宜, 猶善也.)" 『禮記』「內則」 鄭玄의 註.

236 아들이 처를 … 않는다.: 『禮記』「內則」. 이 대목에 대한 疏에서 孔穎達은 다음과 같이 풀이하였다. "'宜'는 아들이 부인과 사이가 좋아 총애하는 것을 말한다. 아들이 처를 좋아하지 않는다는 것은 처와 사이가 좋지 않아 처가 소박을 당하는 것을 말한다. 부모가 이 사람이 우리를 잘 섬긴다고 말하는 것은 이 처를 너는 비록 소박하지만 이 사람은 우리를 잘 섬긴다고 말하는 것이니 자식은 마땅히 부부의 예를 실천해야 한다. '부모가 달가워하시지 않으면 내친다'에서 '내친다'는 '내쫓는다'는 것을 말한다. 살펴보건대 『大戴禮』「本命」에 '며느리에게는 7가지 내쫓음이 있으니 부모에게 순종하지 않으면 내쫓으며 자식이 없으면 내쫓으며 음란하면 내쫓으며 질투하면 내쫓으며 몹쓸 병이 있으면 내쫓으며 말이 많으면 내쫓으며 도둑질을 하면 내쫓는다.'고 하였다.(宜謂與之相善而寵愛. 子不宜其妻者謂不與之相善, 被疏薄. 父母曰是善事我者, 言此妻汝雖疏薄, 是善能事我, 子當行夫婦之禮焉. 子雖寵愛其妻, 父母不說出者, 出謂出去也. 案大戴禮本命云, 婦有七出. 不順父母, 去. 無子, 去. 淫, 去. 妬, 去. 有惡疾, 去. 口多言, 去. 竊盜, 去.)"

237 무릇 집을 … 한다.: 『禮記』「內則」에는 다음과 같이 되어 있다. "집을 지을 때는 바깥채와 안채를 구분하고 남자는 바깥채에 거주하고 여자는 안채에 거주하며, 집채를 깊게 하고 문을 견고하게 한다.(爲宮室, 辨外內, 男子居外, 女子居內, 深宮固門.)"

238 안채와 바깥채는 … 않으며: 『禮記』「內則」에는 다음과 같이 되어 있다. "바깥채와 안채는 우물을 함께 쓰지 않고 욕실을 함께 쓰지 않는다.(外內不共井, 不共湢浴.)"

239 남자가 밤에 … 사용하며: 『禮記』「內則」에는 다음과 같이 되어 있다. "남자가 안채에 들어갈 때에는 휘파람을 불지 않고 손가락질을 하지 않는다. 밤에 다닐 때는 등불을 쓰고 등불이 없으면 중지한다. 여자가 문을 나갈 때는 반드시 얼굴을 가린다. 밤에 다닐 때는 등불을 쓰고 등불이 없으면 중지한다.(男子入內, 不嘯不指. 夜行以燭, 無燭則止. 女子出門, 必擁蔽其面. 夜行以燭, 無燭則止.)"

수리할 게 있거나 큰 변고 수재, 화재, 도적 등을 말한다. 가 있지 않으면 중문을 들어가지 않으며, 중문을 들어갈 경우 부인은 반드시 피하며, 피할 수 없을 때에는, 또한 예컨대 수재, 화재, 도적 같은 따위를 말한다. 또한 반드시 소매로 얼굴을 가린다. 계집종은 까닭 없이 중문을 나가지 않으며, 까닭이 있어 중문을 나갈 때는 또한 반드시 얼굴을 가리고, 비록 어린 계집종 또한 그러하다. 문지기와 하인은[242] 단지 안채와 바깥채의 말을 소통하고 안채와 바깥채의 물건을 전달하는 것만을 주로 하고 느닷없이 대청이나 방에 오르지도 부엌에 들어가서도 안 된다.

[19-3-14]

凡卑幼於尊長, 晨亦省問, 夜亦安置.

무릇 항렬이 낮거나 나이가 어린 사람은 항렬이 높거나 나이가 많은 사람에게 아침에도 살피고 문안드리며 저녁에도 편히 잠자리에 드시도록 한다.

> 丈夫唱喏, 婦人道萬福安置.
> 남자들은 인사하고 여자들은 만복을 말하고 편히 쉬시라고 말한다.

坐而尊長過之則起. 出遇尊長於塗則下馬. 不見尊長, 經再宿以上則再拜. 五宿以上則四拜. 賀冬至正旦六拜. 朔望四拜. 凡拜數, 或尊長臨時減而止之, 則從尊長之命. 吾家同居宗族衆多, 冬至朔望聚於堂上,

앉아 있을 때 항렬이 높거나 나이가 많은 사람이 지나가면 일어난다. 외출하였을 때 길에서 항렬이 높거나 나이가 많은 사람을 만나면 말에서 내린다. 항렬이 높거나 나이가 많은 사람을 뵙지 못한지 이틀 밤 이상이 지났으면 두 번 절한다. 닷새 밤 이상이 지났으면 네 번 절한다. 동지와 정월 초하루 아침에 하례賀禮할 때는 여섯 번 절한다. 초하루와 보름에는 네 번 절한다. 무릇 절하는 수數를 혹 항렬이 높거나 나이가 많은 사람이 임시로 줄여서 그만두게 하면 항렬이 높거나 나이가 많은 사람의 분부를 따른다. 우리 집에서 함께 사는 집안사람들이 많은데 동지·초하루·보름에 대청 위에 모이게 되면,

> 此假設南面之堂, 若宅舍異制, 臨時從宜.
> 이것은 남향의 대청을 가정한 것이니, 만일 집의 형태가 다르면 임시로 적절한 방법을 따른다.

丈夫處左西上, 婦人處右東上.

---

240 너울 : 여자가 외출할 때 얼굴을 가리기 위하여 머리에 써서 허리까지 내려오도록 만든 것이다.
241 얼굴 가리개 : 여자가 먼 길을 여행할 때 쓰던 얼굴 가리개로 직사각형 모양에 눈과 코 부문만 망사로 되어 있고 나머지는 천으로 되어 있으며 머리 뒤로 묶을 수 있는 끈이 달려 있다.
242 하인 : 『漢書』「蘇秦傳」의 주에 "푸른색의 두건으로 머리를 싸매서 일반 사람들과 모습을 다르게 한 것이 다.(以靑巾裹頭, 異於衆.)"고 하였으며, 「蕭望之傳」의 주에는 "官府에서 賤役에 종사하는 자이다.(官府之給 賤役者.)"고 하였다.

남자들은 왼쪽에 자리하되 서쪽을 위로 하고 여자들은 오른쪽에 자리하되 동쪽을 위로 한다.

> 左右謂家長之左右.
>
> 좌우는 가장의 좌우를 말한다.

皆北向共爲一列, 各以長幼爲序,

모두 북쪽을 향해 함께 한 줄로 열을 지어 각각 어른부터 아이 순서로,

> 婦以夫之長幼爲序, 不以身之長幼爲序
>
> 부인은 남편을 기준으로 어른부터 아이의 순서를 따르고 자신을 기준으로 어른부터 아이의 순서를 따르지 않는다.

共拜家長畢, 長兄立於門之左, 長姊立於門之右, 皆南向. 諸弟妹以次拜訖各就列. 丈夫西上, 婦人東上. 共受卑幼拜,

함께 가장에게 절하고 마치면 맏형은 문의 왼쪽에 서고 맏누이는 문의 오른쪽에 서되 모두 남쪽을 향한다. 모든 아우와 손아래 누이가 차례대로 절하고 마치면 각각 줄을 선다. 남자들은 서쪽을 위로 하고 여자들은 동쪽을 위로 한다. 항렬이 낮거나 나이가 어린 사람의 절을 함께 받고,

> 以宗族多. 若人人致拜, 則不勝煩勞, 故同列共受之.
>
> 종족 사람들이 많기 때문이다. 사람마다 절을 올리면 번거로움과 수고로움을 감당하지 못한다. 그러므로 동일한 반열의 사람들이 함께 절을 받는 것이다.

受拜訖, 先退. 後輩立受拜於門東西, 如前輩之儀. 若卑幼自遠方至, 見尊長, 遇尊長三人以上同處者, 先共再拜, 敍寒暄問起居訖, 又三再拜而止.

절을 받는 것을 마치면 먼저 물러나온다. 후배들이 문의 동쪽과 서쪽에 서서 절을 받는 것은 선배들의 의례와 같다. 항렬이 낮거나 나이가 어린 사람이 먼 곳에서 이르러 항렬이 높거나 나이가 많은 사람을 찾아뵙는 경우, 같은 곳에서 항렬이 높거나 나이가 많은 사람을 세 사람 이상을 만나면 먼저 함께 재배하고는 날씨의 춥고 더움을 말하고 일상의 안부를 묻고 나서 다시 세 번 재배하고 마친다.

> 晨夜唱喏萬福安置, 若尊長三人以上同處, 亦三而止, 所以避煩也.
>
> 아침저녁으로 인사하며 만복을 말하고 편히 쉬시라고 말할 때 항렬이 높거나 나이가 많은 사람이 세 사람 이상이 같은 곳에 거처할 경우에도 세 번 절하고 마치니 번거로움을 피하기 위한 것이다.

[19-3-15]

凡受女壻及外甥拜, 立而扶之.扶謂搊策 **外孫則立而受之可也.**

무릇 사위와 생질甥姪의 절을 받을 때는 서서 반절을 하고 받는다. 반절을 하고 받는 것을 추책搊策이라고 한다. 외손은 서서 받아도 된다.

[19-3-16]

凡節序及非時家宴, 上壽於家長, 卑幼盛服序立, 如朔望之儀, 先再拜. 子弟之最長者一人進立於家長之前, 幼者一人搢笏執酒盞立於其左, 一人搢笏執酒注立於其右. 長者搢笏跪斟酒, 祝曰, "伏願某官, 備膺五福, 保族宜家." 尊長飲畢, 授幼者盞注, 反其故處. 長者出笏, 俛伏興, 退, 與卑幼皆再拜. 家長命諸卑幼坐, 皆再拜而坐. 家長命侍者徧酢諸卑幼, 卑幼皆起序立如前, 俱再拜就坐, 飲訖, 家長命易服, 皆退易便服, 還復就坐.

무릇 절일과 특별한 때의 집안 잔치에 가장에게 축수를 올릴 때에는 항렬이 낮거나 나이가 어린 사람은 정장을 차려입고 서되, 매월 초하루와 보름의 의례와 같이 먼저 두 번 절한다. 아들과 동생들 중에 가장 나이가 많은 한 사람이 가장의 앞으로 나아가 서면, 어린 사람 중 한 사람이 홀을 꽂고 술잔을 잡고서 그 왼쪽에 서고 한 사람은 홀을 꽂고는 술주전자를 잡고 그 오른쪽에 선다. 그 가장 나이가 많은 사람이 홀을 꽂고 무릎을 꿇고서 술을 따라 축하를 드리되 "삼가 바라건대 모관께서는 오복을 모두 받으시어 종족을 보호하고 집안을 화목하게 하소서."라고 말한다. 항렬이 높거나 나이가 많은 사람이 술 마시는 것을 마치면 나이가 어린 사람에게 술잔과 주전자를 주어 이전의 장소에 다시 놓게 한다. 나이가 많은 사람이 홀을 꺼내고 엎드렸다가 일어나서는 물러나와 항렬이 낮거나 어린 사람들과 모두 두 번 절한다. 가장이 모든 항렬이 낮거나 나이가 어린 사람에게 앉으라고 명하면 모두 두 번 절하고 앉는다. 가장이 시자에게 명하여 모든 항렬이 낮거나 나이가 어린 사람에게 두루 술잔을 돌리라고 하면 항렬이 낮거나 나이가 어린 사람이 일어나 이전처럼 차례대로 서서 모두 두 번 절하고 자리에 가서 앉아 술을 마시고, 마치고 나서 가장이 옷을 갈아입으라고 명하면 모두 물러나와 편복으로 갈아입고 돌아와 다시 자리에 가서 앉는다.

[19-3-17]

凡子始生, 若爲之求乳母, 必擇良家婦人稍溫謹者.

무릇 자식이 처음 태어나서 유모를 구할 경우에는 반드시 양가집 부인으로 온순하고 조심성 있는 사람을 택해야 한다.

> 乳母不良, 非惟敗亂家法, 兼令所飼之子性行亦類之.
>
> 유모가 불량하면 집안의 법도를 무너뜨리고 어지럽힐 뿐만 아니라 기르는 자식의 성품과 행실 또한 닮게 한다.

子能食, 飼之教以右手. 子能言, 教之自名, 及唱喏萬福安置. 稍有知, 則教之以恭敬尊長. 有不識尊卑長幼者, 則嚴訶禁之.

자식이 밥을 먹을 수 있으면 먹을 때 오른 손을 쓰도록 가르친다. 자식이 말할 수 있으면 자신의 이름 및 읍揖하고 만복을 빌며 편히 쉬시라는 인사를 가르친다. 조금 지각분별이 있으면 항렬이 높거나 나이가 많은 사람을 공경하는 것을 가르친다. 항렬이 높은 사람과 낮은 사람, 나이가 많은 사람과 어린 사람을 식별하지 못하는 일이 있으면 엄하게 꾸짖어 금지시킨다.

古有胎敎. 況於已生! 子始生未有知, 固擧以禮, 況於已有知! 孔子曰, "幼成若天性, 習慣如
自然." 顔氏家訓曰, "敎婦初來, 敎子嬰孩." 故於其始有知, 不可不使之知尊卑長幼之禮.
若侮詈父母, 毆擊兄姊, 父母不加訶禁, 反笑而奬之, 彼旣未辨好惡, 謂禮當然. 及其旣長,
習以成性, 乃怒而禁之, 不可復制. 於是父疾其子, 子怨其父, 殘忍悖逆無所不至. 蓋父母
無深識遠慮, 不能防微杜漸, 溺於小慈, 養成其惡故也.

옛날에는 태胎 중의 교육도 있었는데, 하물며 이미 태어난 경우에는 어떻겠는가! 자식이 처음
태어나 아직 지각분별이 없는데도 참으로 예로써 양육했는데, 하물며 이미 지각분별이 있는 경
우에는 어떻겠는가? 공자는 "어려서 형성되면 천성처럼 되고 습관화이 되면 자연스러운 것처럼
된다."[243] 라고 하였다. 『안씨가훈顔氏家訓』에서는 "며느리는 처음 시집 왔을 때 가르치고, 자식은
어릴 때 가르친다."고 하였다. 그러므로 처음 지각분별이 있을 때 항렬이 높은 사람과 낮은 사람,
나이가 많은 사람과 어린 사람을 대하는 예를 알도록 하지 않으면 안 된다. 만일 부모를 깔보고
형과 누이를 때리는 데도 부모가 꾸짖어 금지시키지 않고 도리어 웃으면서 장려한다면, 그 아이
는 이미 좋음과 나쁨을 분별하지 못하고 예의상 당연하다고 여기게 된다. 급기야 자라나서는
습관이 성품이 되어 마침내 노하여 금지시키더라도 다시 통제할 수 없게 된다. 이에 부모는
자식을 미워하고 자식은 부모를 원망하여 잔인하고 패역悖逆함이 못하는 짓이 없게 된다. 이는
부모가 깊이 알고 멀리 생각하지 않아 미연未然에 막지 못한 것이니 작은 사랑에 빠져서 그 악을
키웠기 때문이다.

六歲, 敎之數謂一十百千萬 與方名.謂東西南北 男子始習書字, 女子始習女工之小者. 七歲男女
不同席, 不共食. 始誦孝經論語. 雖女子亦宜誦之. 自七歲以下謂之孺子, 早寢晏起, 食無
時. 八歲, 出入門戶, 及卽席飮食, 必後長者, 始敎之以謙讓. 男子誦尙書, 女子不出中門.

6세가 되면, 수數 일·십·백·천·만을 말한다. 와 방위의 이름 동·서·남·북을 말한다 을 가르친다. 남자
는 처음으로 글씨를 익히고 여자는 처음으로 여자가 하는 일 중에 작은 것을 익힌다. 7세가 되면,
남자와 여자는 자리를 함께하지 않고 음식을 함께 먹지 않으며, 처음으로 『효경』과 『논어』를 읽으며,
비록 여자라도 또한 마땅히 읽어야 한다. 7세 이하를 '어린 아이[孺人]'라고 부르는데, 일찍 자고 늦게
일어나며 밥 먹는 데에 일정한 때가 없다. 8세가 되면 문을 드나들거나 자리에 나아가 마시고 먹을
때 반드시 어른 뒤에 하도록 하여 처음으로 겸양謙讓을 가르친다. 남자는 『상서』를 읽고 여자는 중문을
나가지 않는다.

九歲, 男子誦春秋, 及諸史, 始爲之講解, 使曉義理. 女子亦爲之講解論語孝經及列女傳女
戒之類, 略曉大意.

9세가 되면 남자는 『춘추』와 여러 사서史書를 읽도록 하여 처음으로 설명해주어 뜻과 이치를 이해하도

· ·
243 『禮記』「學記」

록 한다. 여자도 『논어』·『효경』 및 『열녀전』[244]·『여계女戒』[245] 등을 풀이해 주어 큰 뜻을 대략 이해하도록 한다.

> 古之賢女, 無不觀圖史以自鑒, 如曹大家之徒, 皆精通經術, 議論明正. 今人或教女子以作
> 歌詩, 執俗樂, 殊非所宜也.
>
> 옛날 현명한 여자는 도서圖書와 사서史書를 보고서 스스로 거울삼지 않음이 없었으니, 예컨대 조대가曹大家[246]와 같은 무리는 다들 경술經術에 정통하여 의론이 밝고 정확했다. 요즈음 사람들은 간혹 여자에게 시가詩歌를 짓고 속악俗樂을 다루는 것을 가르치니, 전혀 마땅한 일이 아니다.

十歲, 男子出就外傅, 居宿於外. 讀詩禮, 傅爲之講解, 使知仁義禮智信. 自是以往, 可以讀孟, 荀, 揚子, 博觀群書. 凡所讀書, 必擇其精要者而讀之.如禮記學記大學中庸樂記之類. 他書倣此. 其異端非聖賢之書, 傅宜禁之勿使妄觀, 以惑亂其志. 觀書皆通, 始可學文辭. 女子則教以婉娩,娩音晚. 婉娩, 柔順貌. 聽從, 及女工之大者.

열 살이 되면, 남자는 외부의 스승에게 나아가 집 밖에서 지낸다. 『시詩』, 『예禮』를 읽을 때, 스승이 풀이해 주어 인·의·예·지·신을 알도록 한다. 이때부터 『맹자』·『순자』·『양자』를 읽을 수 있고, 많은 책들을 두루 보게 된다. 무릇 독서는 반드시 그 핵심을 가려서 읽어야 한다. 예컨대 『예기禮記』의 『학기』·『대학』·『중용』·『악기』와 같은 부류이다. 다른 책도 이와 같다. 이단은 성현의 책이 아니므로 스승이 마땅히 금지하여 함부로 보아서 뜻을 미혹케 하거나 혼란시키지 않도록 한다. 책 보는 일을 모두 통달하면 비로소 문장을 배울 수 있다. 여자는 유순함 '만娩'은 음이 '만'이다. '완만'은 유순한 모습이다. 과 순종, 그리고 여자가 하는 일 중 큰 것을 가르친다.

> 女工, 謂蠶桑織績裁縫, 及爲飮膳, 不惟正是婦人之職, 兼欲使之知衣食所來之艱難, 不敢
> 恣爲奢麗. 至於纂組華巧之物, 亦不必習也.
>
> 여자가 하는 일은 누에치기·길쌈·바느질 및 요리를 말하니, 부인의 직분을 바르게 할 뿐만 아니라 옷과 음식이 유래하는 어려움도 알아 감히 멋대로 사치하거나 화려하게 하지 못하게 하려는 것이다. 사치품을 만드는 일의 경우에도 굳이 익힐 필요가 없다.

---

244 『列女傳』: 劉向(B.C.77~6)이 지은 것으로 8편 15권으로 되어 있다. 나중에는 宋나라 方回가 7권으로 간추렸다. 부인의 유형을 母儀·賢明·仁智·貞愼·節義·辯通·嬖孼의 7항목으로 나누어, 항목마다 15명 가량을 수록하였다. 유명한 현모·양처·열녀·妬婦의 이야기 등이 모두 망라되어 있다.

245 『女戒』: 曹大家가 지은 책으로 모두 7편으로 되어 있다.

246 曹大家: 扶風 사람으로 曹世叔의 아내이고 班彪의 딸로서, 성명은 班昭이다. 班固가 『漢書』를 짓다가 八表 및 『天文志』가 미완성 상태에서 죽었는데, 칙명을 받들어 馬續과 함께 완성하였다. 『漢書』가 처음 나오자 讀者들이 모르는 곳이 많았는데, 조대가가 馬融 등을 가르쳐 誦讀하게 하였다. 節行과 法度가 있어서 和帝가 궁중으로 불러들이고는 皇后와 貴人들에게 그녀를 스승으로 섬기도록 명하였으며, 大家라고 불렸다. '家'는 '姑'로도 읽어 '조대고'라고도 부른다.

未冠笄者, 質明而起, 總角, 靧頮音悔, 洗面也. 面, 以見尊長, 佐長者供養. 祭祀則佐執酒食. 若旣冠笄, 則皆責以成人之禮, 不得復言童幼矣.

아직 관례와 계례笄禮를 하지 않은 사람은 새벽에 일어나 머리를 묶고 세수하고서 '회頮'는 음이 '회'이니, 세수하는 것이다. 항렬이 높거나 나이가 많은 사람을 알현하고 장자長者가 음식 차리는 것을 돕는다. 제사에서는 술과 음식 올리는 일을 돕는다. 관례와 계례를 한 경우에는 모두 성인成人의 예를 책임진 것이니, 다시 아동이라고 하지 않는다.

[19-3-18]

凡內外僕妾, 雞初鳴, 咸起, 櫛總盥漱衣服. 男僕, 灑掃廳事及庭. 鈴下蒼頭灑掃中庭. 女僕, 灑掃堂室, 設倚卓, 陳盥漱櫛頮之具. 主父主母旣起, 則拂牀襞襞音壁, 疊衣也. 衾, 侍立左右以備使令. 退而具飲食. 得間, 則浣濯紉縫, 先公後私. 及夜則復拂牀展衾. 當晝內外僕妾惟主人之命, 各從其事, 以供百役.

무릇 안팎의 종과 첩은 닭이 처음 울면 모두 일어나 머리를 빗어 묶고, 세수하고 양치질하고서 옷을 입는다. 남자 종은 청사와 뜰을 청소하고, 문지기와 하인은 뜰 가운데를 청소한다. 여자 종은 당堂과 실室을 청소하고 의자와 탁자를 설치하며 세면도구를 진설한다. 주부主父와 주모主母[247]가 일어나면 침상을 털고 이부자리를 개며 '벽襞'은 음이 벽이니 '옷을 개다'이다. 좌우에 모시고 서서 명령을 기다린다. 그리고 물러나서 음식을 마련하고, 틈이 나면 세탁하고 바느질 하되, 공적인 일을 먼저하고 사적인 일은 나중에 한다. 밤이 되면 침상을 털고 이부자리를 편다. 낮에는 안팎의 종과 첩은 오직 주인의 명령으로 각자 자신의 일을 따라 온갖 일을 받든다.

[19-3-19]

凡女僕同輩謂兄弟所使 謂長者爲姊, 後輩謂諸子舍所使 謂前輩爲姨,

무릇 여자 종으로서 동배同輩 형제가 부리는 것을 말한다 는 장자長者를 '자姊(언니)'라고 말하고 후배後輩 자식이 부리는 것을 말한다 는 전배前輩를 '이姨(이모)'라고 말하여,

> 則云, 雖婢妾衣服飲食, 必後長者. 鄭康成曰, 人貴賤不可以無禮, 故使之序長幼.
> 『예기禮記』「내칙」에 "비록 여종과 첩이라도 의복과 음식은 반드시 장자長者 뒤에 한다."라고 하였다. 정강성鄭康成鄭玄은 "사람은 귀하건 천하건 예가 없을 수 없기 때문에 장유의 차례로 지키도록 한 것이다"고 하였다.

務相雍睦. 其有鬭爭者, 主父主母聞之, 即訶禁之. 不止, 即杖之. 理曲者, 杖多. 一止一不止, 獨杖不止者.

· ·
247 主父와 主母: 하인이 男主人과 女主人을 부르는 칭호

서로 융화하는 데에 힘쓴다. 다투는 일이 있으면 주부主父와 주모主母가 듣고는 바로 꾸짖어 금지시킨다. 멈추지 않으면 매질한다. 이유가 바르지 않는 사람은 더 많이 매질하며, 한 사람은 멈추었는데 다른 한 사람은 멈추지 않으면, 멈추지 않는 사람만 매질한다.

[19-3-20]

凡男僕, 有忠信可任者, 重其祿. 能幹家事次之. 其專務欺詐, 背公徇私, 屢爲盜竊, 弄權犯上者逐之.

무릇 남자 종으로서 충실하고 신실하여 일을 맡길 만한 사람이 있으면, 녹을 많이 주며, 집안 일을 잘 꾸리는 사람은 그 다음으로 많이 준다. 오직 속이는 데만 힘쓰며, 공적인 일을 등지고 사적인 일만 따르며, 자주 훔치며, 권력을 휘두르고 윗사람에게 대드는 사람은 내쫓는다.

[19-3-21]

凡女僕, 年滿不願留者縱之. 勤舊少過者, 資而嫁之. 其兩面二舌, 飾虛造讒, 離間骨肉者逐之. 屢爲盜竊者逐之. 放蕩不謹者逐之. 有離叛之志者逐之.

무릇 여자 종으로서 나이가 차서 머물러 있기를 원하지 않은 사람은 보내주며, 근면하고 오랜동안 허물이 적은 사람은 밑천을 주어 시집보낸다. 두 얼굴과 두 혀로 거짓을 꾸미고 참소를 지어내며 골육을 이간질하는 사람은 내쫓는다. 자주 도적질하는 사람도 내쫓고, 방탕하고 삼가지 않는 사람은 내쫓고, 배반의 뜻이 있는 사람도 내쫓는다.

[19-4]

冠禮 관례

[19-4-0]

冠 관

[19-4-0-1]

楊氏復曰 : "有言書儀中冠禮簡易可行者. 先生曰, '不獨書儀, 古冠禮亦自簡易.'"[248]

양복楊復이 말했다. "『서의書儀』에 실린 「관례」가 간편하여 행할 만하다고 말하는 사람이 있었다.

----

248 『朱子語類』 권23, 117조목 : " … 廣因言書儀中冠禮最簡易, 可行. 曰, "不獨書儀, 古冠禮亦自簡易. …" 인용문 안의 '廣'은 주자의 제자 輔廣을 가리킨다.

선생朱熹은 '『서의』만이 아니라 옛날의 관례 또한 본래 간편하다.'고 하였다."

[19-4-1]

男子年十五至二十皆可冠.

남자는 나이 15세부터 20세까지 모두 관례를 할 수 있다.

司馬溫公曰 : "古者二十而冠, 皆所以責成人之禮. 蓋將責爲人子, 爲人弟, 爲人臣, 爲人少者之行於其人, 故其禮不可以不重也. 近世以來, 人情輕薄, 過十歲而總角者少矣. 彼責以四者之行, 豈知之哉! 往往自幼至長, 愚騃若一, 由不知成人之道故也. 今雖未能遽革, 且自十五以上, 俟其能通孝經論語, 粗知禮義, 然後冠之, 其亦可也."[249]

사마온공司馬光이 말했다. "옛날에는 20세에 관례를 하였으니, 모두 성인의 예를 책임지우기 위한 것이다. 장차 자식, 아우, 신하, 연소자로서의 행동을 그 사람에게 책임지우려는 것이므로, 그 예가 무겁지 않을 수 없다. 근세 이후에는 인정이 경박하여 10세만 넘어도 총각總角[250]인 사람이 적으니, 저들이 네 가지 행실의 행동을 책임지는 것을 어떻게 알겠는가! 종종 어려서부터 장성하기까지 어리석음이 한결같은 것은 성인의 도를 알지 못하기 때문이다. 지금 갑자기 바꿀 수는 없다 해도, 우선 15세 이상부터 『효경』과 『논어』를 통하여 예의를 대략 알기를 기다려서 관례를 하는 것이 또한 옳을 것이다."

必父母無朞以上喪, 始可行之.

반드시 부모가 기년朞年(1년) 이상의 상喪이 없어야 비로소 관례를 행할 수 있다.

大功未葬, 亦不可行.

대공복大功服을 입는 사람이 아직 장례를 치루지 않았으면 역시 관례를 행할 수 없다.

前期三日, 主人告于祠堂.

3일 전에[251] 주인이 사당에 아뢴다.

古禮筮日, 今不能然, 但正月內擇一日可也. 主人, 謂冠者之祖父, 自爲繼高祖之宗子者.

---

249 『書儀』권2 「冠儀」: "冠義曰, 冠者禮之始也. 是故古之道也, 成人之道者, 將責成人之禮焉也. 責成人之禮焉者, 將責爲人子, 爲人弟, 爲人臣, 爲人少者之行也. 將責四者之行於人, 其禮可不重, 與冠禮之廢久矣. 吾少時聞村野之人尙有行之者, 謂之上頭. 城郭則莫之行矣, 此謂禮失求諸野者也. 近世以來, 人情尤爲輕薄, 生子猶飮乳, 已加巾帽. 有官者, 或爲之製公服而弄之, 過十歲猶總角者蓋鮮矣. 彼責以四者之行, 豈知之哉! 往往自幼至長愚騃如一, 由不知成人之道故也. 吉禮, 雖稱二十而冠, 然魯襄公年十二, 晉悼公曰, 君可以冠矣. 今以世俗之弊不可猝變, 故且狥俗, 自十二至二十皆許其冠. 若敦厚好古之君子, 俟其子年十五以上, 能通孝經論語, 粗知禮義之方, 然後冠之, 斯其美矣."

250 總角 : 아이의 머리를 두 갈래로 갈라 뿔처럼 동여 맨 것으로, 관례하지 않은 어린 사람을 말함.

251 3일 전에 : 『儀禮』 「士冠禮」의 주에서 鄭玄은 "2일은 비워 두는 것이다.(空二日也.)"고 하였다.

若非宗子, 則必繼高祖之宗子主之. 有故, 則命其次宗子, 若其父自主之. 告禮見祠堂章. 祝版前同. 但云, "某之子某, 若某之某親之子某, 年漸長成, 將以某月某日加冠於其首." 謹以後同. 若族人以宗子之命自冠其子, 其祝版亦以宗子爲主, 曰, "使介子某."

고례에는 날짜를 점쳤으나 지금은 그렇게 할 수 없으니, 다만 정월 내에서 하루를 선택하면 된다. 주인은 관자冠者의 조부나 부친으로서[252] 그 자신이 고조를 계승하여 종자宗子가 된 사람을 말한다. 만약 종자가 아니면 반드시 고조를 계승한 종자가 주관한다. 연고가 있으면 그 다음 종자에게 명하거나 그 아버지가 스스로 주관한다. 아뢰는 예는 「사당祠堂」 장章에 보인다. 축판은 앞의 예例와 같다. 다만 "아무개의 아들 아무개 또는 아무개의 아무 친속의 아들 아무개가 나이가 점차 장성하여 장차 몇 월 며칠 날, 머리에 관을 씌우려합니다."라고 쓰고, '삼가' 이후는 같다. 친족이 종자의 명으로 스스로 그 아들에게 관례를 할 경우에는 그 축판에 또한 종자를 주인으로 삼아 "개자介子[253] 아무개를 시켜서…" 라고 쓴다.

○ 若宗子已孤而自冠, 則亦自爲主人. 祝版前同, 但云, "某將以某月某日, 加冠於首." 謹以後同.

종자가 고아孤兒가 되고 나서 자신이 관례를 할 경우에는 또한 그 자신이 주인이 되고, 축판은 앞의 예例와 같다. 다만 "아무개가 장차 몇 월 며칠, 머리에 관을 쓰려고 합니다."라고 쓰고, '삼가' 이후는 같다.

戒賓.

빈을 청한다.[254]

古禮筮賓, 今不能然, 但擇朋友賢而有禮者一人可也. 是日主人深衣詣其門, 所戒者出見如常儀. 啜茶畢, 戒者起言曰, "某有子某, 若某子某親有子某, 將加冠於其首, 願吾子之敎之也." 對曰, "某不敏, 恐不能供事, 以病吾子. 敢辭." 戒者曰. "願吾子之終敎之也", 對曰, "吾子重有命, 某敢不從!" 地遠, 則書初請之辭爲書, 遣子弟致之. 所戒者辭, 使者固請, 乃許而復書曰, "吾子有命, 某敢不從!"

고례에는 빈을 점을 쳐서 정했으나 지금은 그렇게 할 수 없으니, 다만 친구들 중에 현명하고

----

252 조부나 부친: "祖와 父를 말한다.(謂祖及父.)" 『家禮輯覽』(『沙溪全書』 26권) 「冠」

253 介子: 『禮記』 「曾子問」 의 주에, "개자는 庶子이다. 서자라고 하지 않고 개자라고 한 것은, 서자는 비천한 자에 대해서 부르는 칭호이고, 개자는 副貳(버금, 둘째)라는 의미이니 또한 귀한 이를 귀하게 여기는 도이기 때문이다.(介子者, 庶子也. 不曰庶而曰介者, 庶子卑賤之稱, 介則副貳之義, 亦貴貴之道也.)"고 하였다.

254 빈을 청한다: 빈이란 예를 진행하는 사람, 즉 주례자를 말한다. 여기서 '戒'는 '알리다'의 뜻이다. 『儀禮』 「士冠禮」 의 주에서 鄭玄은 "戒'는 '경계하다.'이고 '고하다.'이다. '賓'은 주인의 동료나 벗이다. 옛날에는 길한 일이 있을 경우에는 賢者와 더불어 즐거워하면서 기쁨을 이루고, 흉한 일이 있을 경우에는 현자와 함께하면서 슬퍼하고자 하였다. 지금은 아들의 관례를 올리기 때문에 동료나 벗에게 고하여 그들을 오게 하는 것이다.(戒, 警也, 告也. 賓, 主人之僚友. 古者有吉事, 則樂與賢者歡成之, 有凶事, 則欲與賢者哀戚之. 今將冠子, 故就告僚友, 使來.)"고 하였다.

예의가 있는 한 사람을 택하면 된다. 이 날 주인이 심의深衣 차림으로 빈의 집 문 앞에 도착하면 청을 받은 사람이 나와서 만나되 평상시의 의례대로 한다. 차를 마시고 나면 청하는 사람이 일어나 "아무개는 아들 아무개가 있는데, 또는 아무개의 아무 친속 아무개는[255] 아들 아무개가 있는데 장차 머리에 관을 씌우려고 하니, 그대께서 가르쳐 주시길 바랍니다."고 한다. 이에 "아무개는 불민하여 제대로 일을 받들지 못해 그대를 욕되게 할까[256] 염려되어 감히 사양합니다."라고 대답한다. 청하는 사람이 "그대가 끝내 가르쳐 주시길 바랍니다."고 하면, "그대가 거듭 명하니 아무개가 감히 따르지 않을 수 있겠습니까!"라고 한다. 거리가 멀면, 편지로 쓰되 처음 청하는 말을 쓰고는 자제를 보내 전한다. 청을 받은 사람은 사양하고, 심부름하는 사람이 재차 청하면 마침내 허락하고는 답장으로 "그대가 명을 하니, 아무개가 감히 따르지 않을 수 있겠습니까!"라고 한다.

○ 若宗子自冠, 則戒辭但曰, "某將加冠於首." 後同.

종자 자신이 관례를 할 경우에는 청하는 말은 단지 "아무개가 장차 머리에 관을 쓰려고 합니다."라고 하고, 이후는 같다.

前一日宿賓.

하루 전에 빈에게 나아가서 알린다.[257]

遣子弟以書致辭曰, "來日某將加冠於子某, 若某親某子某之首, 吾子將莅之, 敢宿. 某上某人." 答書曰, "某敢不夙興! 某上某人."

자제를 보내 편지로 말을 전하되 "내일 아무개가 장차 아들 아무개, 또는 아무 친속 아무개의 아들 아무개의 머리에 관을 씌우려고 하니, 그대께서 장차 왕림해 주실 것을 감히 나아가서 알립니다. 아무개가 아무개에게 올립니다."고 한다. 답서에는 "아무개가 감히 일찍 일어나지 않을 수 있겠습니까! 아무개가 아무개에게 올립니다."고 한다.

○ 若宗子自冠, 則辭之所改如其戒賓.

종자 자신이 관례를 할 경우 말을 고치는 것은 빈을 청할 때와 같게 한다.

• •

255 아무개의 아무 친속 아무개는 : 원문 '若某子某親'에 대해 李瀷은 "子의 글자는 의당 之자가 되어야 한다. 親의 글자 아래에는 某 한 글자가 누락되었다.(愚謂某子之子, 當作之字, 親字下又闕一某字.)"고 하였다. 이에 의하면 원문은 '若某之某親某로 되는바, 이것으로 번역하였다. 『星湖先生全集』 권24 「答安百順 鼎福 問目」

256 그대를 욕되게 할까 : 『儀禮』 「士冠禮」의 주에서 鄭玄은 "'病'은 辱과 같다.(病猶辱也.) '吾子'는 서로 친근하게 부르는 말이다.(吾子, 相親之辭.) 子는 남자의 미칭이다.(子, 男子之美稱.)"고 하였으며, 疏에서 孔穎達은 "옛날에는 스승을 칭하여 子라고 하였다. 또 『春秋公羊傳』에는 이르기를, '名을 칭하는 것은 字를 칭하는 것만 못하며, 字를 칭하는 것은 子라고 칭하는 것만 못하다.'고 하였다. 여기에서의 子는 남자의 미칭이다.(古者稱師曰子. 又公羊傳云, '名不若字, 字不若子. 是子者, 男子之美稱也.)"고 하였다.

257 빈에게 나아가서 알린다. : 『儀禮』 「士冠禮」의 주에서 鄭玄은 "'宿'은 나아간다는 뜻이다. 그에게 나아가서 관례를 올리는 날에 와야 함을 알리는 것이다.(宿, 進也. 進之, 使知冠日當來.)"고 하였다.

陳設

진설한다.

> 設盥帨於廳事, 如祠堂之儀, 以布幕爲房於廳事之東北. 或廳事無兩階, 則以堊畫而分之. 後放此.

청사에 대야와 수건을 사당의 의례대로 진설하되, 장막으로 청사의 동북쪽에 방을 만든다. 청사에 양쪽 계단이 없는 경우에는 백토(석회)로 그어 나눈다. 뒤에도 이와 같게 한다.

[19-4-1-1]

> 司馬溫公曰 : "古禮謹嚴之事, 皆行之於廟. 今人旣少家廟, 其影堂亦褊隘, 難以行禮. 但冠於外廳, 笄在中堂可也. 士冠禮'設洗, 直於東榮, 南北以堂深, 水在洗東.' 今私家無罍洗, 故但用盥盆帨巾而已. 盥, 濯手也. 帨, 手巾也. 廳事無兩階, 則分其中央, 以東者爲阼階, 西者爲賓階. 無室無房, 則暫以布幕截, 其北爲室, 其東北爲房. 此皆據廳堂南向者言之. "[258]

사마온공司馬光이 말했다. "고례에서는 근엄한 일은 모두 묘廟(사당)에서 거행하였다. 지금 사람들은 이미 가묘家廟가 드물고 그 영당影堂 또한 협소하여 예를 거행하기 어려우니, 다만 관례는 외청外廳에서 하고 계례는 중당中堂에서 하는 것이 옳다. 『의례儀禮』「사관례士冠禮」에 '세洗[259]를 동쪽 처마[260] 밑에 놓되[261] 남북으로 떨어진 거리는 당의 길이[262]만큼 하며, 물은 세洗의 동쪽에 둔다.'고 하였다. 그런데 일반 집에서는 뇌罍[263]와 세洗가 없기 때문에 다만 손 씻는 대야와 수건만을 쓸 뿐이다. '관盥'은 손을 씻는다는 뜻이다. '세帨'는 수건이다. 청사에 양쪽 계단이 없으면 중앙을 나누어 동쪽은 조계阼階로 삼고 서쪽은 빈계賓階로 삼는다. 실도 없고 방도 없으면 임시로 장막으로 잘라 그 북쪽에 실을 만들고 그 동북쪽에 방을 만드니, 이것은 모두 청과 당이 남향하고 있다는 것에 근거하여 말한

---

258 『書儀』 권2 「冠儀」

259 洗 : 대야. "손을 씻고 난 물을 받아서 버리는 그릇인데, 士의 것은 鐵을 사용하여 만든다.(洗, 承盥洗者棄水器也. 士用鐵.)"『儀禮』「士冠禮」'設洗' 주
'洗'에 대하여 沙溪는 "洗, 音鮮."이라 하여 '선'으로 주음하였으나,(『家禮輯覽』(『沙溪全書』 권26)「冠」'設洗' 本註)『漢語大詞典』의 '洗'의 '先禮切' 조항에 "古代盥洗時接水用的金屬器皿, 形似淺盆."이라 주석하고, 예문을 "夙興, 設洗直于東榮. 鄭玄注 : '洗, 承盥洗者棄水器也. 士用鐵.'"로 제시하였다. 이외 여러 자전도 '세'를 적용하였으므로 '세'를 따른다.

260 동쪽 처마 : "榮은 처마 양쪽 끝의 올라간 부분이다.(榮, 屋翼也.)"『儀禮』「士冠禮」 주

261 놓되 : '直'는 음이 치(直, 音値.)(『儀禮』「士冠禮」 음의)이고 의미는 '당해놓다'(直, 猶當也.)이다. '直東榮'은 '멀리 당해놓음을 말한다.(謂遙當之也.)'로 풀이된다. 『禮經本義』 권1 「士冠禮」 陳器服

262 당의 길이 : '堂深'에 대하여는 "深은 길이라는 뜻과 같다. 옛날에 庭은 堂 길이의 3배로 하였고 洗를 대어놓기를 당에서 떨어진 거리가 당의 길이만큼 하였다. 가령 당의 길이가 2丈이면 세가 당과의 거리도 2장으로 하니, 이것으로 법도를 삼는다.(深, 猶長也. 古者庭三堂之深, 設洗, 去堂遠近如堂之深. 假令堂深二丈, 則庭深六丈, 洗之去堂亦二丈, 以此爲度也.)"고 하였다. 『禮經本義』 권1 「士冠禮」 진기복

263 罍 : 『韻會』에 "뇌는 '씻는 데 사용하는 기물[盥器]'이다, 구름과 우레 모양을 새겨 넣었는데, 우레와 벼락의 위엄을 취하여 공경심을 일으키도록 한 것이다.(罍, 盥器. 畵爲雲雷之象, 取其雷震之威以起敬也.)"고 하였다.

것이다."

[19-4-1-2]

劉氏璋曰 : "冠義曰, '冠禮筮日筮賓, 所以敬冠事.' 冠者, 禮之始也, 嘉事之重者也. 是故古
者重冠. 重冠, 故行之於廟者, 所以尊重事. 尊重事而不敢擅重事, 所以自卑而尊先祖也."
유장劉璋이 말했다. "『예기禮記』「관의」에 '관례에서 날짜와 빈을 점쳐 정하는 것은 관례를 행하는
일을 공경하기 때문이다.'고 하였다. 관례는 예의 시초이고, 가례嘉禮 중에 중요한 일이다. 그러므로
옛날에 관례를 중시한 것이다. 관례를 중시하였기 때문에 묘廟에서 거행한 것이니, 중요한 일을
존중한 것이다. 중요한 일을 존중하여 중요한 일을 감히 제멋대로 하지 않았기 때문에 자신을 낮추
고 선조를 높인 것이다."

[19-4-2]
厥明夙興, 陳冠服.
다음 날 일찍 일어나 관례의 의복을 진설한다.

有官者, 公服帶靴笏. 無官者, 襴衫帶靴. 通用皁衫 · 深衣 · 大帶 · 履 · 櫛 · 䤼 · 掠. 皆卓子
陳于房中, 東領北上. 酒注盞盤, 亦以卓子陳于服北. 幞頭 · 帽子 · 冠 · 笄 · 巾, 各以一盤
盛之, 蒙以帕, 以卓子陳于西階下. 執事者一人守之. 長子則布席于阼階上之東, 少北, 西
向. 衆子則少西, 南向.
관직이 있는 사람은 공복公服 · 띠 · 신 · 홀을 갖추고, 관직이 없는 사람은 난삼襴衫 · 띠 · 신을
갖춘다. 조삼皁衫 · 심의 · 큰 띠 · 신 · 빗 · 머리띠 · 망건 등은 통용한다. 모두 탁자를 사용하여
방 가운데 진설하되 옷깃을 동쪽으로 하고 북쪽을 위로 한다. 술주전자 · 술잔 · 잔받침 또한
탁자를 사용하여 옷의 북쪽에 진설한다. 복두幞頭 · 모자 · 갓 · 비녀 · 수건은 각각 하나의 쟁반에
담아 파帕[264]로 씌어 탁자를 사용하여 서쪽 계단 아래 진설하고, 집사자 한 사람이 지킨다. 장자長
子는 동쪽 계단 위 동쪽에 자리를 깔고 조금 북쪽에서 서향한다. 중자衆子[265]는 조금 서쪽에서
남향한다.
○ 宗子自冠, 則如長子之席少南.
종자 자신이 관례를 할 경우에는 장자의 자리와 같게 하나 조금 남쪽으로 한다.

[19-4-2-1]
程子曰 : "今行冠禮, 若制古服而冠, 冠了又不常著, 却是僞也. 必須用時之服."[266]
정자가 말했다. "지금 관례를 행할 때에는 옛 의복을 만들어 입고 관례를 행하지만 관례가 끝나면

....
264 帕 : 『韻會』에 "䤼와 같다. 음은 普와 罵의 반절이며, 옷을 싸는 보자기이다.(䤼同, 普罵切, 衣袱也.)"고 하였다.
265 衆子 : 장자 이외의 아들을 말한다.
266 『二程遺書』 권17

또 항상 입지는 않으니, 잘못이다. 반드시 당시의 의복을 써야 한다."

[19-4-3]

主人以下序立

주인 이하는 차례로 선다.

> 主人以下, 盛服就位. 主人阻階下少東西向. 子弟親戚僮僕在其後, 重行西向北上. 擇子弟
> 親戚習禮者一人爲儐, 立於門外西向. 將冠者雙紒四揆衫勒帛采屨, 在房中南面. 若非宗子
> 之子, 則其父立於主人之右, 尊則少進, 卑則少退.

주인 이하는 성복盛服을 하고 자리에 나아간다. 주인은 동쪽 계단 아래 조금 동쪽에서 서향하며,
자제 · 친척 · 아이들 · 종복은 그 뒤에 서서 여러 줄로 서향하되 북쪽을 위로 한다. 자제와 친척
가운데 예를 익힌 한 사람을 선택하여 빈儐[267]으로 삼아서 문 밖에 서게 하되, 서향하도록 한다.
장차 관례를 행할 사람은 쌍계雙紒,[268] 사계삼四揆衫,[269] 늑백勒帛,[270] 채극采屨[271]을 갖추고 방 가운
데에서 남향한다. 종자의 아들이 아닌 경우에는 그의 부친이 주인의 오른쪽에 서되, 항렬이 높으
면 조금 나오고 낮으면 물러선다.

> ○ 宗子自冠, 則服如將冠者, 而就主人之位.

종자 자신이 관례를 할 경우에는 의복은 관례를 행할 사람과 같게 하고서 주인의 자리로 나아간다.

賓至, 主人迎入升堂.

빈이 이르면 주인이 맞이하고 들어가 당에 오른다.

> 賓自擇其子弟親戚習禮者, 爲贊冠者, 俱盛服至門外東面立. 贊者在右少退. 儐者入告主
> 人, 主人出門左, 西向再拜, 賓答拜. 主人揖贊者, 贊者報揖.

빈은 스스로 그 자제와 친척 가운데 예를 익힌 사람을 선택하여 관례를 돕는 사람으로 삼고는
모두 성복을 하고서 문 밖에 이르러 동향하고 서며, 찬자贊者는 오른쪽에서 조금 물러나 선다.

----

267 儐: 주인 측의 예를 돕는 사람이다. 『周禮』의 주에서 鄭玄은 "나가서 빈을 접대하는 것을 '儐'이라고 한다.(出
接賓曰儐.)"고 하였다. 그러나 『周禮』「春官宗伯」의 주에 '擯'에 대해서도 똑같은 주가 보인다.(出接賓曰擯,
入詔禮曰相). 『儀禮』「士冠禮」의 주에서 鄭玄은 "擯은 예를 맡아 보좌하는 사람이니, 주인 측에 있으면 '擯'이
라 하고 손님 측에 있으면 '介'라고 한다.(擯者, 有司佐禮者, 在主人曰擯, 在客曰介.)"라고 하였다.

268 雙紒 : 쌍상투이다.

269 四揆衫 : 두루마기 형 옷이다.

270 勒帛 : 行縢 또는 行纏을 가리킨다. 『家禮輯覽』에는 끈이 달려 묶을 수 있는 신발의 일종이라는 설과 허리를
묶어 드리우는 紳의 일종이라는 설 등이 소개되어 있으나 어떤 것인지는 자세히 알 수 없다. 그러나 『喪禮備
要』에서는 "발목에서 무릎까지 묶기 위한 것(所以束脛至膝)."이라고 하였고, 『疑禮問解』에서는 "비단帛으
로 行縢을 만들어 사용한다.(以帛造行縢用之.)"고 하였다. 하여 여기서는 行縢 또는 行纏을 가리키는 것으로
풀이하였다. 그러나 허리띠의 일종으로 보이는 대목도 있다.

271 采屨 : 그림이 그려진 나막신이다.

빈자儐者가 들어가 주인에게 알리면 주인이 문 왼쪽으로 나와 서향하고서 재배하면 빈은 답배한다. 주인이 찬자에게 읍하면, 찬자도 읍으로 답한다.

主人遂揖而行, 賓贊從之. 入門分庭而行. 揖讓而至階. 又揖讓而升. 主人由阼階先升, 少東西向. 賓由西階繼升, 少西東向.

주인이 마침내 읍하고 들어가면, 빈과 찬자도 따라간다. 문으로 들어가 뜰을 나누어서 양쪽으로 가되 읍하고 사양하면서 계단에 이른다. 또 읍하고 사양하면서 오른다. 주인이 동쪽 계단으로 먼저 올라가 조금 동쪽에서 서향한다. 빈은 서쪽 계단으로 이어서 올라가 조금 서쪽에서 동향한다.

贊者盥帨, 由西階升, 立於房中西向. 儐者筵于東序少北, 西面. 將冠者出房南面.

찬자가 손을 씻고 수건으로 닦고는 서쪽 계단으로 올라가 방 가운데에 서되, 서향한다. 빈자儐者는 동쪽 벽에서 조금 북쪽에 자리를 서향하여 깐다. 관례를 행할 사람은 방에서 나와 남향한다.[272]

○ 若非宗子之子, 則其父從出迎賓, 入從主人. 後賓而升, 立於主人之右. 如前.

종자의 아들이 아닐 경우에는 그의 부친이 따라 나와 빈을 맞이하고, 들어갈 때에는 주인을 따라가며, 빈의 뒤에 올라가 주인의 오른쪽에 서기를 앞에서와 같이 한다.

賓揖將冠者就席, 爲加冠巾. 冠者適房, 服深衣納履出.

빈이 관례를 행할 사람將冠者에게 읍하고 자리에 나아가 관과 건을 씌운다. 관자冠者[273]는 방으로 가서 심의를 입고 신발을 신고 나온다.[274]

賓揖將冠者出房, 立于席右向席. 贊者取櫛𢄼掠, 置于席左, 興, 立於將冠者之左. 賓揖將冠者, 即席西向跪. 贊者即席如其向跪, 爲之櫛, 合紒施掠.

빈은 관례를 행할 사람에게 읍하면 방에서 나와 자리의 오른쪽에 서서 자리를 향한다. 찬자는 빗·머리띠·망건을 가져다가 자리의 왼쪽에 놓고는 일어나 관례를 행할 사람의 왼쪽에 선다. 빈은 관례를 행할 사람에게 읍하면 자리로 나아가 서향하여 무릎을 꿇는다. 찬자는 자리로 나아가 그 방향대로 무릎을 꿇고는 머리를 빗고 상투를 틀고 망건을 씌워준다.

賓乃降, 主人亦降. 賓盥畢, 主人揖升, 復位. 執事者以冠巾盤進. 賓降一等受冠笄, 執之正容, 徐詣將冠者前向之. 祝曰, "吉月令日, 始加元服, 棄爾幼志, 順爾成德, 壽考維祺, 以介景福." 乃跪加之. 贊者以巾跪進, 賓受加之, 興復位. 冠者興, 揖. 賓揖, 冠者適房, 釋四袴衫, 服深衣, 加大帶納履, 出房, 正容南向立良久.

빈이 마침내 내려가면, 주인 또한 내려간다. 빈이 손을 씻고 나면 주인이 읍하고 올라가 자리로 돌아간다. 집사자가 관과 건이 놓인 쟁반을 드리면 빈 계단을 한 층 내려가 관계冠笄(관과 비녀)를

---

272 冠禮에서 주인이 빈객을 맞이하여 들어가 자리에 나아가는 의식에 대한 묘사는 부록 그림 22 참조

273 冠者: '관례를 행할 사람(將冠者)'에서 관과 건을 쓰고 나서는 '관례한 사람인 冠者'로 바뀐 것이다.

274 빈이 관례를 … 나온다.: 『家禮補註』에, "관은 緇布冠을 말하고, 건은 幅巾을 말하고, 履는 黑履를 말한다. (冠謂緇布冠, 巾謂幅巾, 履謂黑履.)"고 하였다.

받아서 들고 용모를 바르게 하여 관례를 행할 사람 앞으로 천천히 나아가서 축하하여 "좋은 달 좋은 날에 비로소 원복元服(관)[275]을 씌우니 너의 어린 뜻을 버리고 너의 어른다운 덕을 따르면, 장수하고 상서로우며 복을 크게 할 것이다."라고 말한다. 그리고는 무릎을 꿇고 관계冠笄를 씌우고 꽂아주고, 찬자가 무릎을 꿇고 건을 올리면 빈이 받아서 씌워주고 일어나서 자리로 돌아간다. 관자가 일어나서 읍하면 빈이 읍한다. 관자가 방으로 가서[276] 사계삼四襂衫을 벗고 심의를 입으며 큰 띠를 차고 신발을 신고, 방을 나와 용모를 바르게 하고 남향하여 한동안 서 있는다.

○ 若宗子自冠, 則賓揖之就席. 賓降盥畢, 主人不降. 餘並同.

종자 자신이 관례를 하는 경우에는 빈은 읍하고 자리에 나아간다. 빈이 내려가 손을 씻기를 마쳐도 주인은 내려가지 않으며, 나머지는 모두 같다.

[19-4-3-1]

楊氏復曰: "書儀始加以巾, 家禮又先以冠笄, 乃加巾者. 蓋冠笄正是古禮."

양복楊復이 말했다. "『서의』에서는 '처음에 건을 씌운다.'고 하고, 『가례』에서는 또 '먼저 관과 계를 씌우고 마침내 건을 씌운다.'고 하였으니, 관과 계를 먼저 씌우는 것이 바로 고례古禮이다."

[19-4-4]

再加帽子, 服皂衫·革帶, 繫鞋.

두 번째 모자를 씌우면, 조삼을 입고 혁대를 띠고 가죽신을 신는다.

賓揖, 冠者即席跪. 執事者以帽子盤進. 賓降二等受之, 執以詣冠者前. 祝之曰, "吉月令辰, 乃申爾服, 謹爾威儀, 淑愼爾德, 眉壽永年, 享受遐福",[277] 乃跪加之. 興, 復位. 揖冠者適房, 釋深衣, 服皂衫, 革帶, 繫鞋, 出房立.

빈이 읍하면 관자는 자리에 나아가 무릎을 꿇는다. 집사자가 모자가 놓인 쟁반을 올린다. 빈은 두 계단을 내려가서 받아들고는 관자 앞으로 나아가서, 축하의 말로 "좋은 날 좋은 때, 마침내 너의 의복을 거듭 입히니, 너의 위의威儀를 삼가고 너의 덕을 착하고 신중히 하여 오래토록 장수하며 길이 복을 누려라."고 하고는 무릎을 꿇고 모자를 씌우고 일어나서 자리로 돌아간다. 관자가 역시 일어나서 읍하고 관자가 방으로 가서[278] 심의를 벗고 조삼을 입고 혁대를 띠고 가죽신을 신고 방에서 나와 선다.

....

275 元服(관): "元은 머리이다. 관은 머리에 쓰는 것이므로 元服이라 한다.(元, 首也. 冠者, 首之所著, 故曰元服.)" 『漢書』 권7 「昭帝紀」 '元服' 注

276 빈이 받아서 … 가서: 원문은 "賓受加之, 興, 復位. 揖冠者適房."이나 글의 맥락상 조리에 맞지 않는다. 그리하여 『儀禮』 「士冠禮」에 의거하여 보충한 『四禮便覽』의 "賓受加之, 興, 復位. (士冠禮)冠者興, 揖. (士冠禮)賓揖, 冠者適房."에 따라 보충하여 번역하였다.

277 服·德·福: 入聲으로 압운을 이루었다. 再加에도 같다.

278 관자가 역시 … 가서: 앞의 주에서처럼 원문은 "揖冠者適房."이나 맥락상 조리에 맞지 않는다. 그리하여 『儀禮』 「士冠禮」에 의거하여 보충한 『四禮便覽』의 "冠者亦興, 揖. 冠者適房."에 따라 보충하여 번역하였다.

楊氏復曰 : "儀禮書儀, 再加賓盥如初."

양복楊復이 말했다. "『의례儀禮』와 『서의』에는 두 번째 씌울 때 빈이 손을 씻는 것을 처음과 같게 한다고 하였다."

[19-4-5]

三加幞頭, 公服, 革帶, 納靴, 執笏, 若襴衫, 納靴.

세 번째 복두를 씌우면 공복을 입고 혁대를 띠며 가죽신을 신고 홀을 든다. 또는 난삼을 입고 가죽신을 신는다.

禮如再加. 惟執事者以幞頭盤進, 賓降沒階受之, 祝辭曰, "以歲之正, 以月之令, 咸加爾服. 兄弟具在, 以成厥德, 黃耇無疆, 受天之慶".279 贊者徹帽, 賓乃加幞頭. 執事者受帽, 徹櫛, 入于房. 餘並同.

예는 두 번째 씌우는 것과 같다. 집사자가 복두가 놓인 쟁반을 올리면 빈이 계단을 끝까지 내려와 받고는 축하의 말로 "좋은 해 좋은 달, 너의 옷을 다 입혔으니 형제가 함께 살면서 덕을 이루고 늙도록 오래 살아 하늘의 경사를 받으라."고 한다. 찬자가 모자를 벗기면 빈이 마침내 복두를 씌운다. 집사자가 모자를 받고 빗을 치우면 관자는 방으로 들어가며, 나머지는 모두 같다.

[19-4-5-1]

楊氏復曰. "儀禮書儀, 三加賓盥如初."

양복이 말했다. "『의례儀禮』와 『서의』에는 세 번째 씌울 때 빈이 손을 씻는 것을 처음과 같게 한다고 하였다."

[19-4-6]

乃醮.

초례醮禮280를 한다.

長子則儐者改席于堂中間, 少西, 南向. 衆子則仍故席. 贊者酌酒于房中, 出房立于冠者之左. 賓揖冠者就席右, 南向. 乃取酒就席前北向, 祝之曰. "旨酒旣淸, 嘉薦令芳, 拜受祭之, 以定爾祥, 承天之休, 壽考不忘."281 冠者再拜升席, 南向受盞. 賓復位, 東向答拜. 冠者進席前跪, 祭酒. 興, 就席末跪啐酒. 興, 降席, 授贊者盞, 南向再拜. 賓東向答拜. 冠者遂拜贊者. 贊者賓左東向, 少退答拜.

장자長子일 경우에는 빈자儐者는 자리를 고쳐 당의 중간에서 조금 서쪽에서 남향하며, 중자衆子일

---

279 正·令, 服·德, 疆·慶 : 正·令은 敬 운, 服·德은 입성, 疆·慶은 陽 韻으로 압운을 이루었다.
280 醮禮 : "관례를 올리고 장가를 들 때 지내는 제사 이름이다.(冠娶祭名.)" 『說文』
281 芳·祥·忘 : 陽 韻으로 압운을 이루었다.

경우에는 본래의 자리에 그대로 있는다. 찬자가 방 안에서 술을 따라 가지고 방을 나와 관자冠者의 왼쪽에 서고, 빈이 관자에게 읍하면 관자는 자리의 오른쪽으로 나아가 남향한다. 마침내 빈이 술을 가지고 자리의 앞으로 나아가 북향하고는 축하의 말로 "맛있는 술이 이미 맑게 되었으니, 좋은 안주와 향기로운 술을 절하고 받아 제祭[282]하여 너의 상서로움을 안정시키고 하늘의 아름다움을 이어 오래 살며 잊지 말라."고 한다. 관자는 재배하고 자리에 올라가 남향하고서 잔을 받고, 빈은 자리로 돌아가 동향하고서 답배한다. 관자는 자리의 앞으로 나아가 무릎을 꿇고 술을 제祭하고, 일어나 자리의 끝으로 나아가 무릎을 꿇고 술을 맛본다. 일어나 자리로 내려가 찬자에게 잔을 주고서 남향하여 재배하면, 빈은 동향하여 답배한다. 관자가 마침내 찬자에게 절을 하면, 찬자는 빈의 왼쪽에서 동향하고 약간 물러나 답배한다.[283]

[19-4-6-1]

司馬溫公曰 : "古者冠用醴, 或用酒. 醴則一獻, 酒則三醮. 今私家無醴, 以酒代之. 但改醴辭'甘醴惟厚,'爲'旨酒旣淸'耳, 所以從簡."[284]

사마온공司馬光이 말했다. "옛날에는 관례를 지낼 때 단술을 쓰거나 술을 썼다. 단술은 한 번 올리고 술은 세 번 따른다. 지금은 일반 가정에 단술이 없으니 술로 대신한다. 다만 축사醴辭에 '예醴가 진하다.'는 말을 '맛있는 술이 이미 맑다.'로 고칠 뿐이니, 간편함을 따른 것이다."

[19-4-6-2]

劉氏垓孫曰 : "其曰醮者, 卽禮記所謂'醮於客位, 加有成也.'"

유해손이 말했다. "초례라는 것은 바로 『예기禮記』에서 말한 '빈의 자리에서 초례를 하는 것은 더욱 예를 이루는 것이다.'[285]고 하였다."

[19-4-7]

賓字冠者

빈이 관자에게 자字를 지어준다.

賓降階東向. 主人降階西向. 冠者降自西階少東南向. 賓字之曰, "禮儀旣備, 令月吉日, 昭告爾字. 爰字孔嘉, 髦士攸宜, 宜之于嘏, 永受保之." 曰'伯某父', 仲叔季唯所當. 冠者對曰,

- -

282 祭 : 음식을 조금 떼어 그릇 곁에 두어 음식을 처음 만든 신에게 경의를 표하는 일. 『禮記』「曲禮」注에는 "옛사람은 근본을 잊지 않아 음식마다 반드시 가짓수마다 조금씩 내어 그릇 사이의 바닥에 놓아 과거에 음식을 처음 만든 사람에게 보답하였으니, 그것을 祭라고 한다.(古人不忘本, 每飮必每品出少許, 置於豆間之地, 以報先代始爲飮食之人, 謂之祭.)"고 하였다.

283 長者와 衆子의 관례에 대한 묘사는 부록 그림 23, 그림 24 참조

284 『書儀』권2 「冠儀」

285 『禮記』「郊特牲」 ; 『儀禮』「士冠禮」

"某雖不敏, 敢不夙承祇奉!" 賓或別作辭, 命以字之之意, 亦可.

빈은 계단을 내려가서 동향하고, 주인은 계단을 내려와 서향하며, 관자는 서쪽 계단으로 내려가서 조금 동쪽에서 남향한다. 빈이 자字를 지어주며 "예의가 이미 갖추어져, 좋은 달, 좋은 날 너에게 자字를 밝게 고하노라. 자가 매우 아름다워 뛰어난 선비에게 마땅하며, 복에 마땅하니 받아 길이 보존하라."라고 말한다. '백모보伯某父'라고 하고 중仲·숙叔·계季는 마땅한 바대로 한다. 관자는 "아무개가 비록 불민하나 감히 밤낮으로 삼가 받들지 않겠습니까!"라고 말한다. 빈이 혹은 별도로 자字를 지어준 뜻을 글로 지어주어도 된다.

出就次.

나와서 막차[次]²⁸⁶로 간다.

　　賓請退. 主人請禮賓. 賓出就次.

　　빈이 물러가기를 청하면, 주인은 빈에게 대접할 것을 청한다. 빈은 나와서 막차로 간다.

主人以冠者見于祠堂.

주인은 관자를 데리고 사당에 알현한다.

　　如祠堂章內生子而見之儀. 但改告辭曰, "某之子某, 若某親某之子某, 今日冠畢, 敢見." 冠者進立於兩階間, 再拜. 餘並同.

　　「사당祠堂」장에서의 아들을 낳아 알현하는 의례와 같다. 다만 아뢰는 말을 고쳐, "아무개의 아들 아무개, 또는 아무 친속 아무개의 아들 아무개가 오늘 관례를 마치고서 감히 뵙습니다."라고 말하면, 관자는 양 계단 사이에 나아가 서서 재배하며, 나머지는 모두 같다.

　　○ 若宗子自冠, 則改辭曰, "某今日冠畢, 敢見." 遂再拜, 降復位. 餘並同.

　　종자宗子가 스스로 관례를 하는 경우에는 아뢰는 말을 고쳐 "아무개가 오늘 관례를 마치고서 감히 뵙습니다."라고 이르고, 마침내 재배하고는 내려가 자리로 돌아가며, 나머지는 모두 같다.

　　○ 若冠者私室有曾祖祖以下祠堂, 則各因其宗子而見. 自爲繼曾祖以下之宗, 則自見.

　　관자의 사실私室에 증조와 조부 이하의 사당이 있는 경우에는 각각 종자를 통해서 알현하며, 자신이 증조 이하를 계승하는 종자가 되는 경우에는 스스로 알현한다.

冠者見于尊長.

관자가 어른을 뵙는다.

　　父母堂中南面坐. 諸叔父兄在東序, 諸叔父南向, 諸兄西向. 諸婦女在西序, 諸叔母姑南向. 諸姊嫂東向. 冠者北向拜父母, 父母爲之起. 同居有尊長, 則父母以冠者詣其室拜之, 尊長爲之起. 還就東西序, 每列再拜. 應答拜者答. 若非宗子之子, 則先見宗子及諸尊於父者於

──────────

堂, 乃就私室見於父母及餘親.

부모는 당 가운데서 남쪽을 향해 앉는다. 여러 숙부들과 형들은 동쪽 벽에 자리하되, 여러 숙부들은 남향하고 여러 형들은 서향한다. 여러 부녀자들은 서쪽벽에 자리하되, 여러 숙모와 고모는 남향하고 여러 누이와 형수는 동향한다. 관자가 북향하여 부모에게 절하면 부모는 그를 위하여 일어난다. 함께 사는 항렬이 높거나 나이가 많은 사람이 있으면, 부모가 관자를 데리고 그의 방에 가서 절을 시키고 항렬이 높거나 나이가 많은 사람은 그를 위하여 일어난다. 돌아와서 동쪽 벽과 서쪽 벽에 가서 매 열마다 재배하면, 답배해야 하는 사람은 답배한다. 종자의 아들이 아닌 경우에는 먼저 종자와 부친보다 항렬이 높거나 나이가 많은 사람들을 당에서 뵙고 나서 마침내 사실私室에 가서 부모와 여러 친지들을 뵙는다.

○ 若宗子自冠, 有母則見于母如儀. 族人宗之者, 皆來見於堂上. 宗子西向拜其尊長, 每列再拜. 受卑幼者拜.

종자가 스스로 관례를 할 때 모친이 있는 경우에는 의례대로 모친을 뵙는다. 족인族人으로서 그를 종자로 삼고 있는 사람들은 모두 당상에 와서 뵙는다. 종자가 서향하여 항렬이 높거나 나이가 많은 사람에게 절을 할 때에는 열마다 재배하며, 항렬이 낮거나 어린 사람에게는 절을 받는다.

[19-4-7-1]

司馬溫公曰 : "冠義曰, '見於母, 母拜之, 見於兄弟, 兄弟拜之. 成人而與爲禮也.' 今則難行, 但於拜時, 母爲之起立可也. 下見諸父及兄, 倣此."[287]

사마온공司馬光이 말했다. "『예기禮記』「관의」에 '모친을 뵈면 모친이 절하고, 형제를 뵈면 형제가 절하니, 성인으로서 함께 예를 행하는 것이다.'고 하였다. 지금은 행하기 어려우나 다만 절을 할 때 모친이 일어나 서 있으면 된다. 아래로 여러 백숙부와 형들을 뵙는 것도 이와 같다."

[19-4-8]

乃禮賓.

빈을 대접한다.

主人以酒饌延賓及儐贊者, 酹之以幣而拜謝之. 幣多少隨宜, 賓贊有差.

주인은 술과 음식으로 빈賓·빈자儐(안내인)·찬자贊者를 대접하고 폐백을 주면, 절하여 사례한다. 폐백(사례금이나 물건)의 많고 적음은 마땅함을 따르되, 빈과 찬자는 차등이 있다.

[19-4-8-1]

司馬溫公曰 : "士冠禮, '乃禮賓以一獻之禮'. 註, '一獻者, 獻酢酬, 賓主人各兩爵而禮成.'"[288]

. . . .
287 『書儀』 권2 「冠儀」
288 『書儀』 권2 「冠儀」

사마온공[司馬光]이 말했다. "『의례[儀禮]』「사관례[土冠禮]」에 '빈에게 일헌[一獻]의 예로 대접한다.'고 하였다. 주註에는 '일헌이라는 것은 술잔을 주고받을 때 빈과 주인이 각각 두 잔으로 예를 이루는 것이다.'고 하였다."

又曰 : "主人酬賓束帛儷皮.' 註, '束帛, 十端也, 儷皮, 兩鹿皮也.'"[289]

또 말했다. "(『의례[儀禮]』「사관례[土冠禮]」에) '주인은 빈에게 속백束帛과 여피儷皮를 보낸다.'고 하였다. 그 주註에 '속백은 십단十端(비단 5필)이고 여피는 사슴 가죽 두 장이다.'고 하였다."

又曰 : "贊者皆與贊冠者爲介.' 註, '介, 賓之輔, 以贊爲之, 尊之也.' 鄕飮酒禮, '賢者爲賓, 其次爲介.'"[290]

또 말했다. "(『의례[儀禮]』「사관례[土冠禮]」에) '찬자贊者는 모두 관례를 돕는 사람들과 함께 개介가 된다.'고 하였다. 그 주註에, '개는 빈의 보조자니, 찬자로 삼은 것은 그를 존중한 것이다.'고 하였다. 「향음주례」에는 '현명한 사람이 빈이 되고, 그 다음은 개가 된다.'고 하였다."

又曰 : "賓出, 主人送于門外, 再拜, 歸賓俎.' 註, '使人歸諸賓家也.' 今慮貧家不能辦, 故務從簡易."[291]

또 말했다. "(『의례[儀禮]』「사관례[土冠禮]」에) '빈이 나가면, 주인은 문 밖에서 전송하고 재배하며 빈에게 조俎(잔치음식)를 보낸다.'고 하였다. 그 주註에 '사람을 시켜 빈의 집에 보낸다.'고 하였는데, 지금 가난한 집에서는 갖출 수 없을 것이 우려되면 간편한 것을 힘써 따른다."

[19-4-9]

冠者遂出, 見于鄕先生及父之執友.

관자가 마침내 나가서 향선생鄕先生[292]과 아버지의 친구를 뵙는다.

> 冠者拜, 先生執友皆答拜. 若有誨之, 則對如對賓之辭, 且拜之. 先生執友不答拜.
>
> 관자가 절을 하면 선생과 아버지 친구들이 모두 답배한다. 가르치는 말이 있는 경우에는 빈에게 응대한 말과 같이 응대하고 또 절하며, 선생과 아버지 친구들은 답배하지 않는다.

[19-5-0]

笄 계

[19-5-1]

女子許嫁笄.

---

289 『書儀』 권2 「冠儀」
290 『書儀』 권2 「冠儀」
291 『書儀』 권2 「冠儀」
292 鄕先生: 향촌의 노인으로서 鄕大夫였다가 퇴직한 사람을 말한다.

여자는 출가를 허락하면 계례를 한다.

> 年十五, 雖未許嫁, 亦笄.
>
> 나이가 15세가 되면 출가를 허락하지 않았더라도 또한 계례를 한다.

母爲主.

모친이 주인이 된다.

> 宗子主婦則於中堂. 非宗子而與宗子同居, 則於私室. 與宗子不同居, 則如上儀.
>
> 종자의 주부는 중당中堂[293]에서 하고, 종자가 아니면서 종자와 함께 사는 경우에는 사실私室에서 한다. 종자와 함께 살지 않는 경우에는 위의 의례대로 한다.

前期三日, 戒賓. 一日宿賓.

3일 전에 빈을 청하고, 하루 전에 빈에게 나아가서 알린다.

> 賓亦擇親姻婦女之賢而有禮者爲之. 以牋紙書其辭, 使人致之. 辭如冠禮, 但子作女. 冠作笄, 吾子作某親或某封.
>
> 빈 또한 친인척 부녀자 중에 현명하고 예의가 있는 사람을 택하여 하게 한다. 편지로 청하는 말을 쓰고는 사람을 시켜 보낸다. 청하는 말은 관례와 같으나 다만 '아들子'은 '딸女'이 되고, '관冠'은 '계笄'가 되며 '그대[吾子]'는 '아무 친속[某親]' 또는 '아무 봉호[某封]'가 된다.
>
> ○ 凡婦人自稱於己之尊長則曰兒. 卑幼則以屬. 於夫黨尊長則曰新婦. 卑幼則曰老婦. 非親戚而往來者, 各以其黨爲稱. 後倣此.
>
> 무릇 부인이 자신보다 항렬이 높거나 나이가 많은 사람에게 스스로를 칭할 경우에는 '어린이兒'라고 한다. 항렬이 낮거나 손아래 사람에게는 친속 칭호[294]로 한다. 남편 종족으로서 항렬이 높거나 나이가 많은 사람에게는 '신부新婦'라고 하고, 항렬이 낮거나 나이가 어린 사람에게는 '노부老婦'라고 한다. 친척이 아니면서 왕래하는 사람에게는 각각 그 집안으로 호칭하며, 뒤에도 이와 같다.

陳設.

진설한다.

> 如冠禮, 但於中堂布席. 如衆子之位.
>
> 관례와 같으나 다만 중당中堂에 자리를 펴며, 중자衆子의 자리와 같다.

厥明陳服.

다음 날 의복을 진설한다.

---

293 中堂: 안방이나 대청을 말한다.
294 친속 칭호: 시집에서의 자신에 대한 친속 칭호를 말한다.

如冠禮, 但用背子冠筓.
관례와 같으나 다만 배자와 관冠(족도리)·계筓(비녀)를 사용한다.

序立.
차례로 선다.

主婦如主人之位, 將筓者雙紒衫子, 房中南面.
주부는 주인의 자리와 같고, 계례를 행할 사람은 쌍계雙紒(두 갈래 머리)와 삼자衫子[295]를 하고 방 가운데에서 남향한다.

賓至, 主婦迎入升堂.
빈이 이르면 주부가 맞이하여 들어와 당에 오른다.

如冠禮, 但不用贊者. 主婦升自阼階.
관례와 같으나 다만 찬자는 쓰지 않는다. 주부는 동쪽 계단으로 올라간다.

賓爲將筓者加冠筓, 適房服背子.
빈이 계례를 할 사람에게 관·계를 씌워주면, 계례한 사람은 방으로 가서[296] 배자를 입는다.

略如冠禮, 但祝用'始加'之辭. 不能則省.
대략 관례와 같으나 다만 축문에 '비로소 씌워준다'는 말을 쓴다. 축사를 할 수 없으면 생략한다.

乃醮.
초례를 한다.

如冠禮, 辭亦同.
관례와 같고 축사 또한 같다.

乃字
자를 지어 준다.

如冠禮, 但改祝辭'髦士'爲'女士.'
관례와 같으나, 다만 축사의 '모사髦士'를 '여사女士(여자 선비)'로 고친다.

乃禮賓, 皆如冠儀.

• •
295 衫子: 唐衣. 저고리와 치마의 구별 없이 이어진 여자의 옷을 말한다.
296 계례한 사람은 … 가서: 원문 '適房'은 『四禮便覽』에서의 이 부분의 원문 "筓者興, 適房."에 의하여 번역하여 '계자가 방으로 가다'를 명확히 드러냈다.

빈을 대접하는데 모두 관례의 의례와 같다.[297]

[19-5-1-1]

程子曰 : "冠禮廢, 天下無成人. 或欲如魯襄公十二而冠, 此不可. 冠所以責成人事, 十二年非可責之時. 旣冠矣, 且不責以成人事, 則終其身不以成人望之也. 徒行此節文, 何益! 雖天子諸侯, 亦必二十而冠."[298]

정자程子가 말했다. "관례가 폐지되면 세상에 성인成人이 없게 된다. 간혹 노魯나라 양공襄公이 12세에 관례를 행한 것[299]과 같이 하고자 하니 이것은 옳지 않다. 관례는 성인의 일을 책임지우는 것이니, 12세는 책임지울 수 있는 때가 아니다. 이미 관례를 했는데도 또 성인의 일로써 책임지우지 않는다면 종신토록 성인의 책무를 기대하지 못하게 되니, 헛되이 이 절문만 행한다면 무슨 도움이 있겠는가! 비록 천자나 제후라 해도 또한 반드시 20세에 관례를 해야 한다."

[19-5-1-2]

劉氏璋曰 : "笄, 今簪也, 婦人之首飾也. 女子笄, 則當許嫁之時. 然嫁止於二十, 以其二十而不嫁, 則爲非禮."

유장劉璋이 말했다. "계는 지금의 비녀이니 부인의 머리장식이다. 여자가 계례를 하면 시집가는 것을 허락할 때에 해당한다. 그러나 시집가는 것은 20세까지이니, 20세가 되고서도 시집가지 않는다면 예에 어긋난다."

[19-6]

昏禮 혼례

[19-6-0]

議昏 의혼

[19-6-1]

男子年十六至三十, 女子年十四至二十.

---

297 笄禮에 대한 묘사는 부록 그림 25 참조
298 『二程遺書』 권15
299 魯나라 襄公이 … 행한 것: 노나라 襄公 9년 12월에 晉나라 悼公이 鄭나라를 치고 돌아갈 적에 魯나라 양공에게 도공에게 12살이면 관례를 올려야 한다고 권하자, 양공이 돌아가다가 衛나라에 당도하여 위나라 成公의 사당에서 관례를 올렸다. 『春秋左氏傳』 襄公 9년조

남자는 16세에서 30세까지 장가들고, 여자는 14세에서 20세까지 시집간다.

司馬溫公曰 : "古者男三十而娶, 女二十而嫁. 今令文男年十五, 女年十三以上, 並聽昏嫁. 今爲此說, 所以參古今之道, 酌禮令之中, 順天地之理, 合人情之宜也."[300]

사마온공司馬光이 말했다. "옛날에는 남자는 30세가 되면 장가들었고, 여자는 20세가 되면 시집갔다. 지금의 법령에는 남자는 15세, 여자는 13세 이상이면 모두 장가들고[301] 시집가는 것을 허락한다. 지금 여기에 실린 설은 고금의 법도를 참고하고 예령의 중도中道를 참작하여 천지의 이치를 따르고 인정의 마땅함에 부합하도록 한 것이다."

身及主昏者無朞以上喪, 乃可成昏.

혼인 당사자와 혼례를 주관하는 사람에게 기년朞年 이상의 상喪이 없어야 혼인을 할 수 있다.

大功未葬, 亦不可主昏.

대공大功에 아직 장사를 지내지 않은 사람 또한 혼례를 주관할 수 없다.

○ 凡主昏, 如冠禮主人之法. 但宗子自昏, 則以族人之長爲主.

무릇 혼례를 주관하는 것은 관례에서의 주인의 법도와 같다. 다만 종자 자신이 혼례를 치르는 경우에는 족인 중에 어른을 주인으로 삼는다.

必先使媒氏往來通言, 俟女氏許之, 然後納采.

반드시 먼저 중매인이 왕래하면서 말을 통하도록 하고 여자의 집[女氏][302]에서 승낙하는 것을 기다린 다음에 납채納采[303]를 한다.

司馬溫公曰. "凡議昏姻, 當先察其壻與婦之性行, 及家法何如, 勿苟慕其富貴. 壻苟賢矣, 今雖貧賤, 安知異時不富貴乎! 苟爲不肖, 今雖富盛, 安知異時不貧賤乎! 婦者, 家之所由盛衰也. 苟慕其一時之富貴而娶之, 彼挾其富貴, 鮮有不輕其夫而傲其舅姑. 養成驕妬之性, 異日爲患, 庸有極乎! 借使因婦財以致富, 依婦勢以取貴, 苟有丈夫之志氣者, 能無愧乎!

사마온공司馬溫公[司馬光]이 말했다. "무릇 혼인昏姻[304]을 논의할 때에는 먼저 사위될 사람과 며느

300 『書儀』 권3 「婚儀上」

301 장가들고 : 昏은 婚의 고자. '昏'은 '어두울 혼'이 본래 音義이고, '혼인 혼'은 가차인데, '婚'이 생기기 전에 '昏'으로 가차하여 쓰다가 뒤에 '婚'을 만들어 專用한 것이다.

302 여자의 집[女氏] : 여기서 '氏'는 집家과 같다. 『家禮會成』

303 納采 : 신랑 집에서 신부 집에 혼인을 청하면 신부 집에서 이를 받아들이는 예를 말한다. 『儀禮』 「士昏禮」 "昏禮, 下達納采, 用鴈."의 賈公彦 疏에 "납채에 納이라고 말한 것은 처음 채택할 때 여자 집에서 채택하지 않을까 우려되므로 '納(들여 넣는다)'이라고 말하였다.(納采, 言納者, 以其始相采擇, 恐女家不許, 故言納.)" 하였다.

304 昏姻 : 『儀禮』 「士昏禮」의 疏에 "남자의 경우에 昏이라 하고 여자의 경우에 姻이라고 하는 것은, 신랑이 어두울 때 가서 장가들고 신부가 그를 인해서 따라오는 데에서 뜻을 취한 것이다. 親迎할 때에는 여자 쪽을 昏이라 칭하고 남자 쪽을 姻이라고 칭하는데, 여자를 보내는 자가 저물 때 남자의 집으로 가서 그를 인하여

리 될 사람의 성품과 행실, 집안의 법도가 어떠한지를 살펴야 하니, 구차하게 부귀를 흠모하지 말라. 사위가 진실로 현명하다면, 지금은 비록 가난하고 천하더라도 뒷날에 부유하거나 존귀하지 않을 것을 어찌 알겠는가! 진실로 못났다면, 지금 비록 부유하고 번성하다 해도 뒷날에 가난하거나 천하지 않을 것을 어찌 알겠는가! 며느리는 집안의 성쇠가 달려있는 사람이다. 구차하게 한 때의 부귀를 흠모하여 장가든다면 저 며느리 될 사람은 자신의 부귀를 믿고 지아비를 경시하고 시부모를 무시하지 않는 경우가 드물 것이며, 교만하고 질투하는 성품을 기르면 뒷날 걱정거리가 어찌 그 끝이 있겠는가! 설사 며느리의 재산으로 부유함을 이루고 며느리의 권세에 의지하여 귀함을 취한들, 진실로 장부의 뜻과 기개가 있는 사람이라면 부끄러움이 없을 수 있겠는가! 又世俗好於襁褓童幼之時, 輕許爲昏, 亦有指腹爲昏者. 及其旣長, 或不肖無賴, 或身有惡疾, 或家貧凍餒, 或喪服相仍, 或從宦遠方, 遂至棄信負約, 速獄致訟者多矣. 是以先祖太尉嘗曰, ‘吾家男女, 必俟旣長, 然後議昏. 旣通書, 不數月必成昏. 故終身無此悔.’ 乃子孫所當法也."305

또 세속에는 강보에 싸인 어린 시절에 경솔하게 혼인을 허락하기를 좋아하거나 또한 뱃속의 아이를 가리켜 혼인을 하기로 하는 사람이 있다. 그러다가 장성해서는 어떤 경우에는 못나고 무뢰하거나 어떤 경우에는 몸에 나쁜 병이 있거나 어떤 경우에는 집안이 가난하여 춥고 굶주리기도 하고, 어떤 경우에는 초상이 이어지거나 어떤 경우에는 먼 곳으로 벼슬길을 떠나기도 해서 마침내 신의를 버리고 약속을 어기게 돼 옥사를 부르고 송사에 이르는 경우가 많다. 이 때문에 선조 태위太尉306께서는 '우리 집안의 남녀는 반드시 장성하고 나서 혼인을 논의하고, 편지를 통하고 나서는 몇 개월이 되지 않아 반드시 결혼을 하였다. 그러므로 종신토록 이러한 잘못이 없었다.'고 하였으니, 자손들이 마땅히 본받아야 할 것이다."

[19-7-0]

納采 납채

納其采擇之禮, 即今世俗所謂言定也.

채택하는 예를 받아들이는 것이니, 바로 지금 세속에서 말하는 '언정言定(말을 확정함)'이라는 것이다.

....

보는 데에서 뜻을 취한 것이다.(男曰昏, 女曰姻者, 義取壻昏時往取女, 則因之而來. 及其親, 則女氏稱昏, 男氏稱姻, 義取送女者, 昏時往男家, 因得見之故也.)"고 하였다.

305 『書儀』권3 「婚儀上」
306 선조 太尉 : "살펴보니 사마온공의 行狀에 증조인 司馬政은 太子太保에 추증되었고, 조부 司馬炫은 太子太傅에 추증되었다. 그러나 여기서 말한 선조태위가 누구인지는 알지 못하겠다.(按溫公行狀, 曾祖政贈太子太保, 祖炫贈太子太傅. 此云先朝太尉, 未詳.)" 『家禮輯覽』(『沙溪全書』권26)「議昏」

[19-7-1]

主人具書

주인이 편지를 쓴다.

> 主人, 即主昏者. 書用牋紙, 如世俗之禮. 若族人之子, 則其父具書告于宗子.
>
> 주인은 혼인을 주관하는 사람이다. 편지는 전지牋紙를 사용하는데 세속의 예와 같이 한다. 족인의 아들인 경우에는 그 부친이 편지를 써서 종자에게 아뢴다.

夙興奉以告祠堂.

새벽에 일찍 일어나 받들어 사당에 아뢴다.

> 如告冠儀. 其祝版前同. 但云, '某之子某, 若某之某親之子某, 年已長成, 未有伉儷. 已議娶某官某郡姓名之女, 今日納采, 不勝感愴.' 謹以後同.
>
> 관례를 아뢸 때의 의식과 같으며, 그 축판도 앞과 같다. 다만 "아무개의 아들 아무개 또는 아무개의 아무 친속의 아들 아무개가 이미 장성했으나 아직 짝이 없습니다. 모관 모군, 아무개의 딸에게 장가들기로 논의하고 오늘 납채를 하니, 감격스러움을 견디지 못하겠습니다."라고 쓴다. '삼가謹' 이후는 같다.
>
> ○ 若宗子自昏, 則自告.
>
> 종자 자신이 혼인할 경우에는 자신이 아뢴다.

乃使子弟爲使者, 如女氏. 女氏主人出見使者.

자제를 사자使者로 삼아 여자 집에 가도록 한다. 여자 집안의 주인이 나와서 사자를 뵙는다.

> 使者盛服如女氏. 女氏亦宗子爲主. 主人盛服出見使者. 非宗子之女, 則其父位於主人之右, 尊則少進, 卑則少退. 啜茶畢, 使者起致辭曰, "吾子有惠貺室某也, 某之某親某官有先人之禮, 使某請納采." 從者以書進. 使者以書授主人. 主人對曰, "某之子若妹姪孫蠢愚, 又弗能敎, 吾子命之, 某不敢辭." 北向再拜. 使者避不答拜. 使者請退俟命, 出就次. 若許嫁者於主人爲姑姊, 則不云, '蠢愚, 又弗能敎.' 餘辭並同.
>
> 사자使者는 성복을 하고 여자 집으로 간다. 여자 집 또한 종자가 주인이 된다. 주인이 성복하고 나와 사자를 뵙는다. 종자의 딸이 아닌 경우에는 그 부친은 주인의 오른쪽에 자리잡되, 항렬이 높으면 조금 나아가고 낮으면 조금 물러난다. 차를 마시고 나서 사자가 일어나 "그대가 아무개에게 은혜롭게 저희 아무개에게 처로 주시니, 아무개의 아무 친속 모관은 선인의 예법이 있어 아무개를 시켜서 납채를 청하도록 하였습니다."라고 말하면, 시종이 편지를 올리고, 사자가 편지를 주인에게 준다. 주인은 "아무개의 아들 또는 누이, 조카, 손녀는 어리석고 또 제대로 가르치지도 못하였는데 그대가 명하시니 아무개는 감히 사양하지 못하겠습니다."라고 대답하고 북향하여 재배한다. 사자는 물러나 답배하지 않는다. 사자는 물러가기를 청하고는 명을 기다렸다가 나와서 막차幕次로 간다. 시집갈 것을 허락한 사람이 주인에게 고모나 누이가 되는 경우에는 '어리석

고 또 제대로 가르치지도 못하였다.'고 말하지 않는다. 나머지 말은 모두 같다.[307]

遂奉書以告于祠堂.

마침내 편지를 받들고서 사당에 아뢴다.

> 如壻家之儀. 祝版前同, 但云, "某之第幾女, 若某親某之第幾女, 年漸長成, 已許嫁某官某郡姓名之子, 若某親某, 今日納采, 不勝感愴." 謹以後同.
>
> 사위의 집에서 하는 의식과 같고, 축판도 앞과 같으나, 다만 "아무개의 몇째 딸, 또는 아무 친족 아무개의 몇째 딸이 점차 장성하여 이미 모관 아무 군, 아무개의 아들 또는 아무 친속 아무개에게 시집을 보내기로 허락하고, 오늘 납채를 하니 감격스러움을 견디지 못하겠습니다."라고 말한다. '삼가' 이후는 같다.

出以復書授使者, 遂禮之.

나와서 답장을 사자에게 주고는 대접한다.

> 主人出延使者升堂, 授以復書. 使者受之, 請退. 主人請禮賓, 乃以酒饌禮使者. 使者至是始與主人交拜揖, 如常日賓客之禮. 其從者亦禮之別室, 皆酬以幣.
>
> 주인이 나와서 사자를 인도하여 당에 올라가서 답장을 준다. 사자는 그것을 받고 물러가기를 청한다. 주인은 손님을 대접하기를 청하고는 술과 음식으로 사자를 대접한다. 사자는 이제야 비로소 주인과 서로 절하고 읍하되, 평일 빈을 맞이하는 예와 같이 한다. 그 시종 또한 별실에서 대접하고 모두 폐백을 주어 보낸다.

使者復命壻氏, 主人復以告于祠堂

사자가 사위의 집에 복명하면 주인은 다시 사당에 아뢴다.

> 不用祝.
>
> 축문은 사용하지 않는다.

[19-8-0]

納幣 납폐

> 古禮有問名納吉, 今不能盡用, 止用納采納幣, 以從簡便.
>
> 고례에는 문명問名[308]과 납길納吉[309]이 있었으나 지금은 다 쓰지 않고 다만 납채와 납폐만을 쓰니,

---

307 여자 집안의 주인이 나와서 使者를 뵙는 묘사는 부록 그림 26 참조

308 問名: 혼례 의식을 이루는 六禮 중의 하나이다. 주인이 편지를 써서 사자를 통해 보내 신부될 사람의 생모의 성명을 묻는 예이다. 『禮記』「昏義」'問名' 疏에 "문명은 신부를 낳은 어머니의 성명을 묻는 것이다.(問名者,

간편함을 따른 것이다.

[19-8-1]

納幣.

납폐한다.

> 幣用色繒, 貧富隨宜. 少不過兩, 多不踰十. 今人更用釵釧羊酒果實之屬, 亦可.
>
> 폐백은 색 비단을 사용하되 빈부貧富에 따라 마땅하게 한다. 적어도 두 필 이하로 내려가서는 안 되고, 많아도 열 필을 넘어서는 안 된다. 요즈음 사람들은 그것에 더하여 비녀·팔찌·양고기·술·과일 따위를 쓰니, 또한 괜찮다.[310]

具書遣使如女氏. 女氏受書, 復書禮賓. 使者復命, 並同納采之儀.

편지를 구비하여 사자를 여자 집에 보낸다. 여자 집에서는 편지를 받고서 답신을 마련하고 사자를 대접한다. 사자가 돌아와 아뢰는 것은 모두 납채의 의례와 같다.

> 禮如納采, 但不告廟. 使者致辭改采爲幣. 從者以書幣進. 使者以書授主人. 主人對曰, "吾子順先典, 貺某重禮, 某不敢辭, 敢不承命", 乃受書. 執事者受幣. 主人再拜, 使者避之, 復進請命. 主人授以復書. 餘並同.
>
> 예는 납채와 같으나, 다만 사당에는 아뢰지 않는다. 사자가 아뢰는 말 중에서 '채采'자는 '폐幣'자로 고친다. 시종이 편지와 폐백을 올리면, 사자는 편지를 주인에게 준다. 주인은 "그대가 예전의 예절을 따라 아무개에게 정중한 예를 내려주시니 아무개는 감히 사양하지 못하며 감히 명을 받들지 않을 수 없습니다."고 하고는 편지를 받고, 집사는 폐백을 받는다. 주인이 재배하면 사자는 (자리를) 피했다가 다시 나아가 명령을 청하면, 주인은 답장을 준다. 나머지는 모두 같다.

[19-8-1-1]

> 楊氏復曰 : "昏禮有納采·問名·納吉·納徵·請期·親迎六禮. 家禮略去問名納吉, 止用納采納幣, 以從簡便. 但親迎以前更有請期一節, 有不可得而略者. 今以例推之, 請期具書遣使如女氏, 女氏受書復書禮賓, 使者復命, 並同納采之儀. 使者致辭曰, '吾子有賜命, 某旣中受命矣, 使某也請吉日.' 主人曰, '某旣前受命矣, 惟命是聽.' 賓曰, '某命某, 聽命於吾子.' 主人曰, '某固惟命是聽.' 賓曰, '某受命吾子不許, 某敢不告期.' 曰, '某日.' 主人曰, '某敢不謹須.' 餘並同."
>
> 양복楊復이 말했다. "혼례에는 납채納采, 문명問名, 납길納吉, 납징納徵,[311] 청기請期,[312] 친영親迎[313] 등

問其女之所生母之姓名.)"라고 하였다.

309 納吉: 혼례 의식을 이루는 六禮 중의 하나이다. 납채 후 돌아가 廟中에서 점을 쳐 길조를 얻으면 사자에게 다시 여자 집에 가서 알리게 하고 혼사를 결정하는 예이다. 『儀禮』「士昏禮」 참조

310 폐백에 대한 것은 부록 그림 27 참조

6례가 있다. 『가례』에는 문명과 납길은 생략하고 다만 납채와 납폐만을 쓴 것은 간편함을 따른 것이다. 그러나 친영 이전에 다시 청기라는 하나의 절차가 있으니 생략할 수 없다. 요즈음 예규例規로 미루어 본다면, 청기는 편지를 구비하여 사자를 보내 여자 집에 가게 하고, 여자 집에서는 편지를 받고 답장을 마련하고 사자를 대접하며, 사자가 돌아와 아뢰는 것은, 모두 납채의 의례와 같다. 사자가 전하는 말에 '그대가 명을 내려주어 아무개가 거듭 명을 받고서 아무개에게 길일을 청하게 하였습니다.'고 말한다. 주인은 '아무개가 이미 앞서 명을 받았으니, 명하신대로 따르겠습니다.'고 말한다. 사자가 '아무개가 아무개에게 명하여 그대의 명을 듣고 오도록 하였습니다.'고 말한다. 주인은 '아무개는 참으로 명하신대로 따르겠습니다.'고 한다. 사자가 '아무개가 명을 받고자 하나 그대가 허락하지 않으시니, 아무개가 감히 기일을 아뢰지 않을 수 있겠습니까.'라고 하고 '아무 날입니다'라고 한다. 주인은 '아무개는 감히 삼가 따르지 않겠습니까.'라고 말한다. 나머지는 모두 같다.

[19-9-0]

親迎 친영

[19-9-0-1]

朱子曰 : "親迎之禮, 恐從伊川之說爲是. 近則迎於其國, 遠則迎於其館."[314]

주자가 말했다. "친영의 예는 아마도 이천伊川程頤의 설을 따르는 것이 옳은 듯하니, 가까우면 그 고장에서 맞이하고, 멀면 객사에서 맞이한다."

[19-9-0-2]

"今妻家遠, 要行禮, 一則令妻家就近處設一處, 却就彼往迎歸館行禮. 一則妻家出至一處, 壻即就彼迎歸至家成禮."[315]

(주자가 말했다.) "지금 처가가 멀리 있을 경우 예를 행하고자 하면, 한 가지는 처가에서 가까운 곳으로 한 곳을 준비하게 하고서 그 곳으로 나아가 맞이하여 객사로 돌아와 예를 행하는 것이다.

<hr>

311 納徵 : 신랑 집에서 定婚의 표적으로 신부 집에 보내는 예물. 納幣. 納徵의 '徵'은 '이룬다(成)'는 뜻이고 幣帛을 받아들이면 혼례가 이루어지기 때문에 '徵'이라고 하는 것이다. 『儀禮』「士昏禮」 '納徵'의 鄭玄 「註」에 "徵은 이룬다는 뜻이다. 심부름꾼을 시켜 폐백을 들여 넣어서 혼례를 이루게 한다.(徵, 成也, 使使者納幣以成 昏禮.)"라고 하고, 賈公彦 「疏」에 "폐백을 받아들이면 혼례가 이루어지므로 徵이라고 한다.(納此, 則昏禮成, 故云徵也.)"라고 하였다.
312 請期 : 신랑 집에서 혼인날을 택하여 그 가부를 묻는 편지를 신부 집에 보내는 일
313 親迎 : 신랑이 신부 집에 가서 신부를 직접 맞이하는 儀式
314 『朱子語類』 권89, 10조목
315 『朱子語類』 권89, 14조목

한 가지는 처가에서 어떤 장소로 나와 있으면 신랑이 그 곳으로 나아가 맞이해 돌아와 집에 이르러서 예를 치루는 것이다."

[19-9-0-3]

有問昏禮. "今有士人對俗人結姻, 士人欲行昏禮, 而彼家不從, 如何?"

曰: "這也只得宛轉使人去與他商量. 但古禮也省徑, 人何苦不行!"[316]

혼례에 대해 물었다. "지금 한 선비가 속인俗人의 집과 혼인을 하면서 선비는 혼례를 행하고자 하나 상대의 집에서 따르지 않으면 어떻게 합니까?"

(주사가) 대답했다. "이런 경우에는 다만 완곡하게 사람을 시켜 그 집과 상의하도록 해야 한다. 그러나 고례는 또한 간편하니 사람이 어찌하여 한사코 행하지 않으려 하겠느냐!"

[19-9-1]

前期一日, 女氏使人張陳其壻之室.

하루 전 여자 집에서는 사람을 시켜 사위의 방에 (용품들을) 펼쳐 진열한다.

世俗謂之鋪房. 然所張陳者, 但氈褥帳幔幃幙應用之物. 其衣服鎖之篋笥, 不必陳也.

세속에서는 포방鋪房이라고 한다. 그러나 펼쳐 진열하는 것은 다만 요·장막·휘장 등 생활에 필요한 물건뿐이고, 의복은 상자[篋笥] 속에 넣어두고 진열할 필요는 없다.

○ 司馬溫公曰: "文中子曰, '昏娶而論財, 夷虜之道也.' 夫昏姻者, 所以合二姓之好, 上以事宗廟, 下以繼後世也. 今世俗之貪鄙者, 將娶婦, 先問資裝之厚薄, 將嫁女, 先問聘財之多少. 至於立契約云, '某物若干, 某物若干,' 以求售其女者, 亦有旣嫁而復欺紿負約者, 是乃駔儈賣婢鬻奴之法, 豈得謂之士大夫昏姻哉!

사마온공司馬溫公(司馬光)이 말했다. "문중자文中子[317]는 '시집가고 장가드는데 재물을 따지는 것은 오랑캐의 도이다.'고 하였다. 혼인은 두 성씨가 잘 결합하여 위로는 종묘를 섬기고 아래로는 후세를 잇는 것이다. 그런데 세속의 탐욕스럽고 비천한 사람은 며느리를 얻을 때는 먼저 장만해 올 혼수의 후함과 박함을 따지고, 딸을 시집보낼 때는 먼저 신랑집에서 보내오는 폐백의 많고 적음을 따진다. 심지어 약정서를 만들어 '어떤 물건은 얼마? 어떤 물건은 얼마?'라고 하여 자기 딸을 팔려고 드는 사람이 있으며, 또 시집보내고는 다시 속여 약속을 저버리는 사람도 있으니, 이것은 바로 거간꾼이 노비를 파는 수법이지, 어찌 사대부의 혼인이라고 할 수 있겠는가!

• • • • • • • • • • • • • • • • • • • •

316 『朱子語類』 권89, 16조목

317 文中子 : 隋나라의 학자인 王通을 가리킨다. 龍門 사람으로, 자가 仲淹이다. 어려서부터 학문에 뜻을 두어 독실하게 공부하였고, 사방을 유람하였다. 조정에 「太平十二策」을 올렸으나 쓰여지지 않자, 물러나 河水와 汾水 사이에서 살았다. 이곳에서 제자들에게 강론하였는데, 문하에서 수업을 받는 자가 수천 명이나 되었다. 房玄齡, 杜如晦, 魏徵, 李靖 등 쟁쟁한 학자가 모두 그의 문하에서 나왔으므로, 당시 사람들이 이들을 河汾門下라고 칭하였다. 그가 죽은 뒤에는 문인들이 문중자라고 私諡를 올렸다.

其舅姑既被欺給, 則殘虐其婦, 以攄其忿. 由是愛其女者, 務厚其資裝, 以悅其舅姑者. 殊
不知彼貪鄙之人不可盈厭. 資裝既竭, 則安用汝女哉! 於是質其女以責貨於女氏, 貨有盡而
責無窮, 故昏姻之家, 往往終爲仇讎矣. 是以世俗生男則喜, 生女則戚, 至有不擧其女者, 用
此故也. 然則議昏姻有及於財者, 皆勿與爲昏姻可也."[318]

그 시부모는 속임을 당하고 나면 그 며느리를 학대하는 것으로 울분을 터트린다. 이 때문에
딸을 사랑하는 사람은 혼수를 후하게 하여 시부모를 기쁘게 하려 힘쓴다. 그러나 저 탐욕스럽고
비천한 사람은 만족을 채울 수 없으니 혼수로 해간 것이 다하면 너의 딸을 어떻게 할 것인지
알 수 없다. 이에 그 딸을 볼모로 삼아 여자의 집에 재물을 요구하기도 하니, 재물은 바닥이
나도 요구는 끝이 없는 까닭에 혼인한 집안끼리 이따금 끝내 원수가 되기도 한다. 그러므로
세속에서 아들을 낳으면 기뻐하고 딸을 낳으면 슬퍼하여, 심지어는 자신이 낳은 딸마저 키우지
않으려고까지 하는 것은 이러한 까닭에서이다. 그러므로 혼인을 논의할 때 재물을 언급하는
자와는 혼인하지 않는 것이 좋다."

厥明壻家設位于室中.

다음 날 신랑 집에서는 방 가운데에 자리를 마련한다.

設倚卓子兩位, 東西相向, 蔬果盤盞匕筋, 如賓客之禮. 酒壺在東位之後, 又以卓子置合巹
一於其南. 又南北設二盥盆勺於室東隅. 又設酒壺盞注於室外或別室, 以飮從者.

의자와 탁자를 양쪽 자리에 마련하되 동서로 서로 마주 향하게 하고, 채소·과일·쟁반·잔·숟
가락·젓가락 등은 빈의 예처럼 놓는다. 술병은 동쪽 자리의 뒤쪽에 놓고 탁자에는 합근례에
쓸 박으로 만든 잔[合巹匏爵][319] 한 벌을 그 남쪽에 둔다. 또 남쪽과 북쪽에 대야 두 개와 물동이,
물 뜨는 그릇을 방 동쪽 모퉁이에 둔다. 또 방 바깥 또는 별실에 술병·잔·주전자를 마련하여
시종들이 마시게 한다.[320]

○ 巹音謹. 以小匏一, 判而兩之.

'근巹'은 음이 근이다. 작은 박 하나를 쪼개어 둘로 나눈 것이다.

女家設次于外. ○ 初昏壻盛服.

여자 집에서는 밖에 장막[次][321]을 설치한다. ○ 초저녁에 신랑은 성복을 한다.

世俗新壻帶花勝, 擁蔽其面, 殊失丈夫之容體, 勿用可也.

세속에서 새신랑이 꽃 장식[花勝][322]을 두르고 얼굴을 가리게 하는데 이것은 장부의 용모를 크게

· · · · · · · · · · · · · · · · · · · ·

318 『書儀』 권3 「親迎」
319 合巹匏爵 : 박 하나를 둘로 쪼개어 만든 두 개의 술잔. 혼례식 때 신랑과 신부가 각각 하나씩 잡고 거기에
　　담은 술을 마심.
320 室 안에 마련된 교배례 및 합근례의 자리 배치에 대한 묘사는 부록 그림 28 참조
321 장막[次] : 대문 밖 서쪽에 머물 수 있도록 설치한 장막이다. 『儀禮』 「聘禮」

잃는 것이니 하지 않는 것이 옳다.

[19-9-1-1]

朱子曰 : "昏禮用命服, 乃是古禮, 如士乘墨車而執鴈, 皆大夫之禮也. 冠帶只是燕服, 非所以重正昏禮. 不若從古之爲正. "[323]

주자가 말했다. "혼례에 명복命服[324]을 사용하는 것은 바로 고례古禮이니, 예컨대 선비가 검은 수레를 타고 기러기를 가지고 가는 것 같은 것은 모두 대부의 예다. 관대冠帶는 그저 평상복일 뿐이니 혼례를 정중하고 올바르게 하는 것이 아니다. 고례를 따르는 것으로 올바름을 삼는 것만 못하다."

[19-9-1-2]

黃氏瑞節曰 : "士昏禮謂之攝盛, 蓋以士而服大夫之服, 乘大夫之車, 則當執大夫之贄也. "[325]

황서절이 말했다. "(주자가 말했다.) 「사혼례」에 「임시로 성대한 복장을 차린다」[326]라고 한 것은 선비로서 대부의 옷을 입고 대부의 수레를 타고 가는 것이니, 그렇다면 마땅히 대부의 예물을 가지고 가야 한다."

[19-9-2]

主人告于祠堂.

주인은 사당에 아뢴다.

> 如納采儀. 祝版前同, 但云, "某之子某, 若某親之子某, 將以今日親迎于某官某郡某氏, 不勝感愴." 謹以後同.
>
> 납채의 의식과 같고, 축판도 앞과 같으나, 다만 "아무개의 아들 아무개 또는 아무 친족의 아들 아무개가 오늘 아무 벼슬 아무 고을의 모씨를 친영하려 함에 감격스러움을 견디지 못하겠습니다."라고 한다. '삼가謹以' 이후는 같다.
>
> ○ 若宗子自昏, 則自告.
>
> 종자 자신이 혼인할 경우에는 자신이 아뢴다.

---

322 꽃 장식[花勝] : 勝이라는 것은 부인네들의 머리 장식이다. 한나라 때에는 華勝이라고 하였다. 『漢書』「司馬相如傳」주 참고

323 『朱文公文集』권57 「答陳安卿」(1)

324 命服 : 관직이 있는 자의 爵服을 말한다.

325 『朱子語類』권85. "問, '昏禮用鴈, '婿執鴈', 或謂取其不再偶, 或謂取其順陰陽往來之義.' 曰, '士昏禮謂之攝盛, 蓋以士而服大夫之服, 爵弁. 乘大夫之車, 墨車. 則當執大夫之贄. 前說恐傅會.' 又曰, '重其禮而盛其服.'"

326 임시로 성대한 … 차린다[攝盛] : 옛날에 혼례를 올릴 적에 신랑과 신부가 타는 수레와 입는 복식을 평소보다 한 등급 올려 성대하게 차리는 것을 말한다.

[19-9-2-1]

朱子曰 : "儀禮雖無娶妻告廟之文, 而左傳曰, '圍布几筵, 告於莊共之廟,' 是古人亦有告廟之禮."[327]

問. "今婦人入門即廟見, 蓋擧世行之. 近見鄕里諸賢, 頗信左氏先配後祖之說, 豈後世紛紛之言不足據, 莫若從古爲正否?"

曰. "左氏固難盡信. 然其後說親迎處, 亦有布几筵告廟而來之說, 恐所謂後祖者, 譏其失此禮耳."[328]

주자가 말했다. "『의례儀禮』에 비록 장가들 때 묘廟(사당)에 아뢰는 글은 없으나 『좌전』에 '위圍가 제석祭席을 마련하고 장왕莊王과 공왕共王의 묘廟에 아뢰었다.'[329]라고 하였으니, 이것은 옛사람들 또한 묘廟(사당)에 아뢰는 예가 있었던 것이다."

물었다. "지금 신부가 대문에 들어서면 바로 묘廟에 알현하니 세상 사람들이 모두 그렇게 합니다. 근래 향리의 제현諸賢을 보니 좌씨左氏의 선배후조先配後祖 설[330]을 상당히 믿고 있는데, 후세의 잡다한 말들은 근거하기 부족하니 고례를 따르는 것으로 올바름을 삼는 것만 못하지 않겠습니까?"

대답했다. "좌씨의 설은 참으로 다 믿기 어렵다. 그러나 그 뒤 친영을 말한 곳에서, 또한 궤연을 펴고 묘에 아뢰고서 왔다는 말이 있으니, 아마도 이른바 '후조'는 이 예를 어긴 것을 꾸짖은 말일 것이다."

[19-9-3]

遂醮其子而命之迎.

마침내 그 아들에게 술을 따라 내려 주고[醮禮] (신부를) 맞이하여 오라고 명한다.

> 先以卓子設酒注盤盞於堂上. 主人盛服坐於堂之東序西向. 設壻席於其西北南向. 壻升自西階, 立於席西南向. 贊者取盞斟酒, 執之詣壻席前. 壻再拜升席南向. 受盞跪, 祭酒. 興, 就席末跪啐酒. 興, 降席西, 授贊者盞.

> 먼저 당상堂上의 탁자에 술주전자·쟁반·술잔을 진설한다. 주인은 성복盛服을 하고 당堂의 동서東序에 서향하고 앉는다. 그 서북쪽에 신랑의 자리를 남향하게 마련한다. 신랑은 서쪽 계단으로 올라가 자리의 서쪽에서 남향하고 선다. 찬자는 잔을 가져다 술을 따라 그것을 들고 신랑의

....

327 『朱文公文集』 권50 「答潘恭叔」(7)

328 『朱文公文集』 권58 「答徐居甫」(1)

329 圍가 祭席을 … 아뢰었다. : 圍는 초나라 공자의 이름으로 莊王은 圍의 할아버지이고 共王은 위의 아버지이다. 『春秋左氏傳』 「昭公」 元年 조 참고

330 先配後祖 : 혼례 同寢을 먼저 하고 나중에 사당에 아뢰는 것을 말한다. 『春秋左氏傳』 「隱公」 8년 조에 보인다. 그 내용은 대략 다음과 같다. "夏 4월에 鄭나라 公子 忽이 陳나라로 가 아내 嬀氏(규씨)를 맞이하였다. 진나라의 鍼子(겸자)가 신부를 호송하였는데, 공자 홀이 먼저 동침하고 나중에 사당에 고하는 것이었다. 그러자 겸자는 '이들은 좋은 부부가 되지 못하겠구나. 조상을 속이고 있으니, 이는 예의가 아니다. 어찌 자손을 잘 양육하겠는가?'라고 하였다."

자리 앞으로 나아간다. 신랑은 재배하고 자리로 올라가 남향한다. 술잔을 받아 무릎을 꿇고 땅에다 조금 붓는다. 일어나서 자리 끝으로 나아가 무릎을 꿇고 술을 맛본다. 일어나 자리 서쪽으로 내려와 잔을 찬자에게 준다.

又再拜進詣父坐前, 東向跪. 父命之曰, "往迎爾相, 承我宗事, 勉率以敬. 若則有常." 壻曰, "諾, 惟恐不堪, 不敢忘命." 俛伏興, 出. 非宗子之子, 則宗子告于祠堂, 而其父醮于私室, 如儀. 但改宗事爲家事.

또 재배하고 부친의 자리 앞으로 나아가 동향하여 무릎을 꿇는다. 부친은 "가서 너의 안사람[相³³¹]을 맞이하여 우리의 종사宗事를 잇고 힘써 공경으로 이끌라. 너[若]는 변하지 않는 도리를 지니도록 하라."라고 명한다. 신랑은 "예, 감당하지 못할까 두렵사옵니다만 감히 명을 잊지 않겠습니다."라고 말하고 엎드렸다가 일어나 나간다. 종자의 아들이 아닌 경우에는 종자가 사당에 아뢰고 그 부친은 사실私室에서 초례를 의식대로 행한다. 다만 '종사宗事'를 '가사家事'로 고친다.³³²

○ 若宗已孤而自昏, 則不用此禮.

종자가 이미 고아가 되어 스스로 혼인할 경우에는 이 예를 쓰지 않는다.

[19-9-3-1]

司馬溫公曰 : "贊者, 兩家各擇親戚婦人習於禮者爲之. 凡壻及婦人行禮, 皆贊者相導之."³³³

사마온공司馬光이 말했다. "찬자贊者는 양쪽 집안에서 각각 친척의 부인 중에 예에 익숙한 사람을 택한다. 무릇 신랑과 신부가 예를 거행할 때는 모두 찬자가 도와서 인도한다."

[19-9-4]

壻出乘馬.

신랑은 나가서 말을 탄다.

　　以二燭前導.

　　두 개의 촛불이 앞에서 인도한다.

至女家, 俟于次.

여자 집에 도착하면 장막에서 기다린다.

　　壻下馬于大門外, 入俟于次.

　　신랑은 대문 밖에서 말에서 내려 장막에 들어가 기다린다.

· · · · · · · · · · · · · · · ·

331 안사람[相] : 相은 돕는다는 뜻이다. 아내 일은 남편을 돕는 것이기에 상이라고 하였다. 『小學』 「明倫」 '往迎爾相' 「集註」
332 신랑에게 醮禮를 해주는 묘사는 부록 그림 29 참조
333 『書儀』 권3 「親迎」

女家主人告于祠堂.

여자 집의 주인은 사당에 아뢴다.

如納采儀. 祝版前同, 但云, "某之第幾女, 若某親某之第幾女, 將以今日歸于某官某郡姓名, 不勝感愴." 謹以後同.

납채의 의례와 같고, 축판도 앞과 같으나, 다만 "아무개의 몇째 딸, 또는 아무 친족 아무개의 몇째 딸이 오늘 아무 벼슬 아무 고을의 아무개에게 시집을 가니 감격스러움을 견디지 못하겠습니다."고 한다. '삼가謹以' 이후는 같다.

遂醮其女而命之.

마침내 그 딸에게 초례를 행하고 명한다.

女盛飾, 姆相之, 立於室外南向. 父坐東序西向, 母坐西序東向. 設女席於母之東北南向, 贊者醮以酒, 如壻禮. 姆導女出於母左, 父起命之曰, "敬之戒之, 夙夜無違舅姑之命." 母送至西階上, 爲之整冠斂帔, 命之曰, "勉之敬之, 夙夜無違爾閨門之禮." 諸母姑嫂姊送至於中門之內, 爲之整裙衫, 申以父母之命曰, "謹聽爾父母之言, 夙夜無愆." 非宗子之女, 則宗子告于祠堂, 而其父醮於私室, 如儀.

신부는 성복盛服을 하고서 유모가 도와 방 밖에 남향하여 선다. 부친은 동서東序에서 서향하여 앉고, 모친은 서서西序에서 동향하여 앉는다. 모친의 동북쪽에 딸의 자리를 남향하게 마련한다. 찬자는 술로 초례를 하되, 신랑의 예와 같다. 유모가 딸을 인도하여 모친의 왼쪽으로 나오면, 부친이 일어나서는 "공경하고 경계하여 언제나 시부모의 명을 어기지 말라."라고 명한다. 모친은 서쪽 계단까지 전송하면서 관冠을 단정히 하고 피帔長裙를 추슬러 주고서 "힘쓰고 공경하여 언제나 네 규문의 예법을 어기지 말라."고 명한다. 제모諸母·고모·시누이·언니가 중문中門 안까지 전송하면서 치마와 저고리를 가지런하게 해 주고는 부모의 명을 거듭 일러주며 "너의 부모의 말을 삼가 따라 언제나 허물이 없도록 하라."고 말한다. 종자의 딸이 아닌 경우에는 종자가 사당에 아뢰고 그 부친은 사실私室에서 초례를 하되 의식대로 한다.

主人出迎壻, 入奠鴈.

주인은 나와서 신랑을 맞이하고 들어가서 전안례[334]를 행한다.

主人迎壻于門外, 揖讓以入. 壻執鴈以從, 至于廳事. 主人升自阼階立西向. 壻升自西階北向跪, 置鴈於地. 主人侍者受之. 壻俛伏, 興, 再拜. 主人不答拜. 若族人之女, 則其父從主人出迎, 立於其右. 尊則少進, 卑則少退.

주인은 문 밖에서 신랑을 맞이하여 읍하고 사양하면서 들어간다. 신랑은 기러기를 들고 따라가

---

334 奠鴈禮 : 혼례에서 신랑이 신부 집에 기러기를 드리는 예로서 고대 경대부가 서로 만날 때 기러기를 선물하는 예에서 비롯되었다. 『儀禮』「聘禮」참조

청사廳事에 이른다. 주인은 동쪽 계단으로 올라가 서되, 서향한다. 신랑은 서쪽 계단으로 올라가 북향하여 무릎을 꿇고는 땅에 기러기를 내려놓는다. 주인의 시종이 그것을 받는다. 신랑은 엎드렸다가 일어나서 재배한다. 주인은 답배하지 않는다. 집안사람의 딸인 경우에는 그 부친이 주인을 따라 나가서 맞이하고는 그의 오른쪽에 선다. 항렬이 높으면 조금 앞쪽에 서고 낮으면 조금 물러나 선다.[335]

○ 凡贄用生鴈, 左首, 以生色繒交絡之. 無則刻木爲之. 取其順陰陽往來之義. 程子曰, "取其不再偶也."[336]

무릇 폐백은 살아있는 기러기를 쓰되, 머리를 왼쪽으로 하며 다섯 가지 색의 비단生色繒[337]으로 교차하여 묶는다. 산 기러기가 없으면 나무를 깎아서 만든다. 기러기는 음양을 따라 가고 오는 뜻[338]을 취한 것이다. 정자程子는 "두 번 다시 짝하지 않음을 취한 것이다."고 하였다.

[19-9-4-1]

問 : "主人揖壻入, 壻北面而拜, 主人不答拜, 何也?"

朱子曰 : "乃爲奠鴈而拜, 主人自不應答拜."[339]

물었다. "주인이 신랑에게 읍하여 들어오게 하면 신랑은 북향하여 절을 하는데, 주인이 답배하지 않는 것은 무엇 때문입니까?"

주자가 대답하였다. "전안례를 행하느라 하는 절이니 주인은 본래 답배할 필요가 없다."

[19-9-5]

姆奉女出, 登車.

유모가 신부를 모시고 나와 수레에 오른다.

姆奉女出中門. 壻揖之, 降自西階. 主人不降. 壻遂出, 女從之. 壻擧轎簾以俟. 姆辭曰, "未敎, 不足與爲禮也." 女乃登車.

유모는 신부를 모시고 중문으로 나온다. 신랑은 읍하고[340] 서쪽 계단으로 내려가고, 주인은 내려가지 않는다. 신랑이 마침내 나가면, 신부는 따라간다. 신랑은 가마의 발을 들고서 기다리면,

---

335 신랑의 親迎과, 여자 집에서의 戒女(딸에게 훈계함)에 대한 묘사는 부록 그림 30 참조

336 『二程遺書』 권24 "婚禮執鴈者, 取其不再偶爾, 非隨陽之物."

337 다섯 가지 색의 비단生色繒: 본문 '生色繒'의 '生'은 '五'로 되어야 한다. 『唐音』의 秦宮詩에 '生色畫'라고 하였는데, 이에 대한 주에 '생색화는 모두 오색의 단청으로 그린 것이다. 생은 색이 살아서 움직이는 듯한 것이다.'고 하였다. 『家禮輯覽』(『沙溪全書』 권26)「婚禮」(친영)

338 음양을 따라 … 뜻: 기러기는 본래 나뭇잎이 떨어지면 남쪽으로 날아가고, 얼음이 풀리면 북쪽으로 돌아온다. 남편은 陽이고 부인은 陰으로서 지금 기러기를 예물로 바치는 것 또한 부인이 남편을 따르는 뜻을 취한 것이다. 『儀禮』「士昏禮」의 소 참조

339 『朱文公文集』 권36 「答郭子從」(2)

340 읍하고: 신랑이 읍을 하면서 신부에게 가기를 청하는 것이다.

유모가 "가르치지 못해 예를 행하기에 부족합니다."라고 말한다. 신부가 마침내 수레에 오른다.

壻乘馬, 先婦車.

신랑이 말을 타고 신부의 수레에 앞선다.

> 婦車亦以二燭前導.
>
> 신부의 수레 또한 두 개의 촛불이 인도한다.

[19-9-5-1]

> 司馬溫公曰 : "男率女, 女從男. 夫婦剛柔之義自此始也."[341]
>
> 사마온공司馬光이 말했다. "남자가 여자를 인솔하고 여자는 남자를 따라가서, 부부강유夫婦剛柔(남편은 굳세고 아내는 부드러움)의 뜻이 여기에서 비롯된 것이다."

[19-9-6]

至其家, 導婦以入.

집에 이르면 신부를 인도해 들어간다.

> 壻至家, 立于廳事, 俟婦下車揖之, 導以入.
>
> 신랑이 집에 이르면, 대청廳事에 서서 신부가 수레에서 내리기를 기다렸다가 읍하고는 인도해 들어간다.

壻婦交拜.

신랑과 신부가 서로 교배례交拜禮를 한다.

> 婦從者布壻席於東方. 壻從者布婦席於西方. 壻盥于南. 婦從者沃之進帨. 婦盥于北, 壻從者沃之進帨. 壻揖婦就席. 婦拜, 壻答拜.
>
> 신부의 시종은 동쪽에 신랑의 자리를 펴고, 신랑의 시종은 서쪽에 신부의 자리를 편다. 신랑은 남쪽에서 손을 씻는데, 신부의 시종이 물을 부어주고 수건을 올린다. 신부는 북쪽에서 손을 씻는데, 신랑의 시종이 물을 부어주고 수건을 올린다. 신랑이 신부에게 읍하여 자리로 나아가게 한다. 신부가 절하면 신랑은 답배한다.

[19-9-6-1]

> 司馬溫公曰 : "從者皆以其家女僕爲之. 女從者沃, 壻盥於南. 壻從者沃, 女盥於北. 夫婦始接, 情有廉恥, 從者交導其志."[342]

· · · · · · · · · · · · · · · · · ·
341 『書儀』 권3 「親迎」
342 『書儀』 권3 「親迎」

사마온공司馬溫公(司馬光)이 말했다. "시종은 모두 그 집의 계집종으로 한다. 신부의 시종이 물을 부으면 신랑은 남쪽에서 손을 씻고, 신랑의 시종이 물을 부으면 신부는 북쪽에서 손을 씻는다. 부부가 처음 만나 마음에 부끄러움이 있으므로, 시종이 그 뜻을 서로에게 전하는 것이다."

[19-9-6-2]

"女子與丈夫爲禮, 則俠拜. 男子以再拜爲禮, 女子以四拜爲禮. 古無壻婦交拜之儀. 今從俗."³⁴³

(사마온공이 말했다.) "여자와 남자가 예를 행할 때에는 협배俠拜(여자가 남자의 절에 갑절로 하는 절)를 한다. 남자는 재배를 예로 삼고, 여자는 사배四拜를 예로 삼는다. 옛날에는 신랑과 신부의 교배례가 없었다. 지금은 세속을 따른다."

[19-9-7]

就坐飮食畢, 壻出.

자리에 가서 음식 먹는 것이 끝나면 신랑은 나간다.

> 壻揖婦就坐. 壻東婦西. 從者斟酒設饌. 壻婦祭酒擧殽. 又斟酒, 壻揖婦擧飮, 不祭無殽. 又取巹分置壻婦之前斟酒. 壻揖婦擧飮, 不祭無殽. 壻出就他室. 姆與婦留室中. 徹饌置室外設席. 壻從者餕婦之餘. 婦從者餕壻之餘.
>
> 신랑이 신부에게 읍하여 자리로 나아가게 한다. 신랑은 동쪽, 신부는 서쪽에 자리한다. 시종은 술을 따르고 음식을 진설한다. 신랑과 신부는 땅에 술을 약간 기울여 붓고 안주를 올린다. 또 술을 따르면 신랑이 신부에게 읍하여 마시게 하나, 술을 땅에 붓지도 않고 안주도 없다. 또 근배잔을 가져다 신랑과 신부 앞에 나누어 놓고 술을 따르면, 신랑이 신부에게 읍하여 마시게 하나 술을 땅에 붓지도 않고 안주도 없다. 신랑은 나와서 다른 방으로 가고, 유모와 신부는 방에 머문다. 음식은 치워 방 밖에 놓고 자리를 마련한다. 신랑의 시종은 신부가 남긴 것을 먹고, 신부의 시종은 신랑이 남긴 것을 먹는다.³⁴⁴

[19-9-7-1]

司馬溫公曰 : "古者同牢之禮, 壻在西東面, 婦在東西面. 蓋古人尙右, 故壻在西, 尊之也. 今人旣尙左, 且從俗."³⁴⁵

사마온공이 말했다. "옛날 동뢰同牢³⁴⁶의 예는 신랑은 서쪽에서 동쪽을 향하고 신부는 동쪽에서 서쪽

....

343 『書儀』 권3 「親迎」: "古者, 婦人與丈夫爲禮, 則俠拜. 鄕里舊俗, 男女相拜, 女子先一拜, 男子拜女一拜, 女子又一拜. 蓋由男子以再拜爲禮, 女子以四拜爲禮故也. 古無壻婦交拜之儀. 今世俗始相見交拜, 拜致恭, 亦事理之宜, 不可廢也."

344 신랑·신부가 교배례를 하고 나서 함께 음식을 먹는 내용에 대한 묘사는 부록 그림 31 참조

345 『書儀』 권3 「親迎」: "古者, 同牢之禮, 壻在西東面, 婦在東西面. 蓋古人尙右, 故壻在西, 尊之也. 今人旣尙左, 且須從俗."

을 향하였다. 옛사람들은 오른쪽을 숭상했기 때문에 신랑을 서쪽에 자리하게 한 것이니, 높이는 뜻이다. 요즈음 사람들은 이미 왼쪽을 숭상하므로 또 세속을 따른 것이다."

[19-9-7-2]

劉氏璋曰 : "儀禮疏云, '巹, 謂牢瓢. 以一匏分爲兩瓢, 謂之巹. 壻之與婦, 各執一片以酳, 故云, 合巹而酳. "

유장이 말했다. "『의례儀禮』 소에 '근巹은 표주박을 말한다. 하나의 박을 나누어 두 개의 표주박을 만든 것을 근巹이라고 한다. 신랑과 신부가 각각 하나씩 들고서 마시기 때문에 표주박 잔을 합하여 마신다.'고 하는 것이다."

[19-9-7-3]

昏義曰 : "婦至, 壻揖婦以入, 共牢而食, 合巹而酳, 所以合體同尊卑, 以親之也. "

『예기禮記』「혼의」에서 말했다. "신부가 도착하면 신랑이 신부에게 읍하여 들어오게 하고 한 마리의 짐승 고기共牢를 함께 먹고 표주박 잔을 합하여 마시는 것은 한 몸을 이루고 존비尊卑를 함께 하여 친하게 하기 위한 것이다."

[19-9-8]

復入, 脫服燭出.

다시 들어가 옷을 벗고 촛불을 내온다.[347]

壻脫服, 婦從者受之. 婦脫服, 壻從者受之.

신랑이 옷을 벗으면 신부의 시종이 받고, 신부가 옷을 벗으면 신랑의 시종이 받는다.

○ 司馬溫公曰 : "古詩云, '結髮爲夫婦,' 言自小年束髮即爲夫婦, 猶李廣所言結髮與匈奴戰也. 今世俗昏姻乃有結髮之禮, 謬誤可笑, 勿用可也."[348]

사마온공이 말했다. "고시古詩에 '결발結髮 시절에 부부가 된다.'[349]라고 한 것은 소년 시절 머리를 묶을 무렵부터 부부가 됨을 말하는 것이니, 마치 이광李廣[350]이 '결발할 때부터 흉노와 싸웠다.'고 말한 것과 같다. 지금 세속에서 혼인 때 결발의 예[351]가 있는 것은 가소로운 잘못이니, 쓰지

• • • • • • • • • • • • • • • • • • • •

346 同牢 : 희생을 함께 먹는 것을 말한다. 『禮記』「昏義」 참조

347 다시 들어가 … 내온다 : 혼례를 마치고서 장차 누워서 쉬려는 것이다. 『儀禮』「士昏禮」 참조

348 『書儀』 권3 「親迎」 : "古詩云, '結髮爲夫婦,' 言自稚齒始結髮以來即爲夫婦, 猶李廣云, '廣結髮與匈奴戰也.' 今世俗有結髮之儀, 此尤可笑."

349 結髮 시절에 … 되다. : 蘇子卿(蘇武)의 시에 "결발 시절에 부부가 되어 은혜와 사랑 모두 의심 안 했네.(結髮爲夫婦 恩愛兩不疑)"라고 하였다. 결발은 머리를 묶는다는 뜻인데 그 묶는 나이에 대해서는 정확한 정의가 없고 혹 8세, 15세, 成年 등의 말이 있다.

350 李廣 : 이광은 成紀 사람으로, 武帝 때 右北平 太守를 지냈다. 『史記』「李廣傳」 참조

351 혼인 때 결발의 예 : 혼인 날 밤 신랑의 왼쪽 머리와 신부의 오른쪽 머리를 합하여 상투 모양으로 묶는

않는 것이 옳다."

主人禮賓.

주인은 빈을 대접한다.

> 男賓於外廳, 女賓于中堂. 古禮明日饗從者. 今從俗.
>
> 남자 손님은 외청外廳에서 대접하고, 여자 손님은 중당中堂에서 대접한다. 고례에는 다음 날 시종들에게 잔치를 베풀었으나, 지금은 세속을 따른다.

[19-9-8-1]

> 司馬溫公曰 : "不用樂. 註云, 曾子問曰, 娶婦之家, 三日不擧樂, 思嗣親也. 今俗昏禮用樂, 殊爲非禮."³⁵²
>
> 사마온공이 말했다. "(『예기禮記』「교특생郊特牲」에서) '음악을 쓰지 않는다.'고 하였다. 주에 '증자曾子가 묻기를 며느리를 맞이하는 집에서 3일 동안 음악을 연주하지 않는 것은 부모의 대를 잇는 일을 생각하기 때문이다.'³⁵³라고 하였는데 지금 세속의 혼례에서 음악을 쓰고 있으니 특히 비례非禮이다."

[19-10-0]

婦見舅姑 부현구고

[19-10-1]

明日夙興, 婦見于舅姑.

다음 날 새벽에 일어나 며느리가 시부모를 뵙는다.

> 婦夙興盛服俟見. 舅姑坐於堂上, 東西相向, 各置卓子於前. 家人男女少於舅姑者立於兩序, 如冠禮之敍. 婦進立於阼階下, 北面拜舅, 升, 奠贄幣于卓子上. 舅撫之, 侍者以入. 婦降又拜畢, 詣西階下, 北面拜姑, 升, 奠贄幣. 姑擧以授侍者. 婦降又拜.
>
> 며느리는 새벽에 일어나 성복을 하고서 뵙기를 기다린다. 시부모는 당상에 앉되 동서로 서로 마주하게 하고, 각각의 앞에 탁자를 놓는다. 집안사람들 중에 시부모보다 젊은 사람은 양쪽 서序(벽)에 서되, 관례의 차례대로 한다. 며느리가 나아가 동쪽 계단 아래에 서서 북향하여 시아버지

....

의식을 이른다.

352 『書儀』 권3 「親迎」

353 3일 동안 … 때문이다. : "어버이를 잇는 것을 생각하면 슬픈 느낌이 없지 않으므로 음악을 연주하지 않는 것이다.(思嗣親, 則不無感傷, 故不擧樂.)" 『家禮輯覽』(『沙溪全書』 26)「婚禮」(친영)

에게 절하고는 올라와 탁자 위에 폐백을 드린다. 시아버지가 폐백을 어루만지면 시자侍者가 가지고 들어간다. 며느리는 내려가서 또 절하고 나서 서쪽 계단 아래에 서서 북향하여 시어머니에게 절하고는 올라와 폐백을 드린다. 시어머니가 폐백을 들어서 시자에게 주면, 며느리는 내려와서 또 절을 한다.[354]

○ 若非宗子之子, 而與宗子同居, 則先行此禮於舅姑之私室. 與宗子不同居, 則如上儀.

종자의 아들이 아니더라도 종자와 함께 살고 있으면 먼저 시부모의 사실私室에서 이 예를 행한다. 종자와 함께 살지 않으면 위의 의식과 같이 한다.

[19-10-1-1]

司馬溫公曰 : "古者拜于堂上, 今拜于下, 恭也. 可從衆."[355]

사마온공司馬溫公[司馬光]이 말했다. "옛날에는 당상에서 절하였으나 지금은 아래에서 절을 하니, 공손하다. 대중이 하는 대로 따르는 것이 옳다."

[19-10-2]

舅姑禮之.

시부모가 신부에게 초례의 예로 대접한다.

如父母醮女之儀.

부모가 딸에게 행하는 초례 의식과 같다.[356]

婦見于諸尊長.

며느리가 여러 어른들을 뵙는다.

婦旣受禮, 降自西階. 同居有尊於舅姑者, 則舅姑以婦見於其室, 如見舅姑之禮. 還拜諸尊長于兩序, 如冠禮無贄. 小郞小姑, 皆相拜. 非宗子之子而與宗子同居, 則旣受禮, 詣其堂上拜之, 如舅姑禮而還見于兩序. 其宗子及尊長不同居, 則廟見而後往.

며느리는 초례와 같은 예를 받고서는 서쪽 계단으로 내려온다. 함께 사는 사람들 중에 시부모보다 어른인 사람이 있으면, 시부모는 며느리에게 그 방으로 가서 뵙게 하되, 시부모를 뵙는 예와 같이 한다. 돌아와서 양쪽 서序에 있는 여러 어른들에게 절하되, 관례冠禮의 예대로 하되 폐백은 없다. 시동생과 시누이는[357] 모두 서로 함께 절한다. 종자의 아들이 아니나 종자와 함께 살고 있으면 (초례와 같은) 예를 받고서는 그분들이 있는 당상으로 나아가 절을 하되, 시부모에게

354 신부가 시부모를 뵙는 禮에 관한 묘사는 부록 그림 32 참조

355 『書儀』 권4 「婦見舅姑」

356 시부모가 신부에게 술을 禮婦하는 묘사는 부록 그림 33 참조

357 시동생과 시누이 : 小郞을 小叔 또는 郞叔이라고도 한다. 小姑를 女妐 또는 女叔이라고도 한다. 『家禮輯覽』(『沙溪全書』 26) 「婚禮」 (부현구고)

하는 의례대로 하며 돌아와서 양쪽 서序에 있는 사람들을 뵙는다. 그 종자와 어른들이 함께 살지 않는 경우에는 사당을 알현한 후에 찾아간다.

若冡婦, 則饋于舅姑.

종부冡婦[358]인 경우에는 시부모에게 음식을 대접한다.

> 是日食時, 婦家具盛饌酒壺. 婦從者設蔬果卓子于堂上舅姑之前. 設盥盆于阼階東南, 帨架在東. 舅姑就坐. 婦盥升自西階. 洗盞斟酒, 置舅卓子上, 降, 俟舅飮畢又拜. 遂獻姑, 進酒, 姑受飮畢, 婦降拜. 遂執饌升薦于舅姑之前, 侍立姑後以俟卒食. 徹飯. 侍者徹饌分置別室. 婦就餕姑之餘, 婦從者餕舅之餘, 壻從者又餕婦之餘. 非宗子之子, 則於私室如儀.

> 이 날 식사를 할 때 며느리 집에서는 잘 차린 음식과 술병을 갖춘다. 며느리의 시종은 채소와 과일 탁자를 당상의 시부모 앞에 차린다. 동쪽 계단의 동남쪽에 손을 씻는 대야를 마련하고 수건걸이는 동쪽에 둔다. 시부모가 자리에 나아가 앉으면, 며느리는 손을 씻고 서쪽 계단으로 올라가서 잔을 씻고 술을 따라 시아버지의 탁자 위에 놓고는 내려와서 시아버지가 다 마시기를 기다렸다가 또 절한다. 마침내 시어머니에게 잔을 올리니 술을 올리고 시어머니가 받아서 다 마시면 며느리는 내려와서 절을 한다. 마침내 음식을 가지고 올라와 시부모 앞에 올리고 시어머니 뒤에 모시고 서서 다 드시기를 기다렸다가 밥상을 치운다. 시자가 음식을 치워 별실에 나누어 놓아두면, 며느리는 나아가 시어머니가 남긴 음식을 먹고, 신부의 시종은 시아버지가 남긴 음식을 먹고, 신랑의 시종은 또 며느리가 남긴 것을 먹는다. 종자가 아닐 경우에는 사실私室에서 거행하는데 의식은 같다.[359]

[19-10-2-1]

> 司馬溫公曰: "士昏禮, '婦盥饋特豚合升側載.' 註, '側載者, 右胖載之舅俎, 左胖載之姑俎.' 今恐貧者不辦殺特, 故但具盛饌而已."[360]

> 사마온공이 말했다. "『의례儀禮』「사혼례」에 '신부가 손을 씻고 돼지 한 마리를 올리되 「오른쪽 반胖과 왼쪽 반을 합쳐서 담는다.(合升側載)'고 하였다. 주에는 '측재側載란 오른쪽 반은 시아버지의 그릇에 담고 왼쪽 반은 시어머니의 그릇에 담는다.'고 하였다. 지금은 가난한 집에서는 돼지를 마련하지 못할 것이니, 단지 성찬만 준비할 뿐이다."

[19-10-3]

舅姑饗之.

시부모는 신부에게 잔치를 열어준다.

- -

358 冡婦: 맏며느리를 말하며 이외의 며느리는 '介婦', '衆婦'라고 한다. 『禮記』「內則」"冡婦所祭祀賓客" 주 참조
359 시부모에게 음식을 대접하는 묘사는 부록 그림 34 참조
360 『書儀』 권4 「婦見舅姑」

如禮婦之儀. 禮畢, 舅姑先降自西階. 婦降自阼階.

신부에게 초례의 예로 대접한 의식과 같다. 의식이 끝나면 시부모가 먼저 서쪽 계단으로 내려간다. 며느리는 동쪽 계단으로 내려간다.[361]

[19-11-0]

廟見 묘현

[19-11-1]

三日, 主人以婦見于祠堂.

3일이 되는 날, 주인은 신부를 데리고 사당을 알현한다.

> 古者三月而廟見, 今以其太遠, 改用三日. 如子冠而見之儀. 但告辭曰, "子某之婦某氏敢見." 餘並同.
>
> 옛날에는 3개월이 되면 사당에 알현하였으나, 지금은 너무 멀기 때문에 3일로 고쳐 행하되, 아들이 관례를 행할 때 알현하는 의식과 같이 한다. 다만 아뢰는 말은 "아들 아무개의 처 모씨가 감히 뵙습니다."고 한다. 나머지는 모두 같다.

[19-12-0]

壻見婦之父母 서현부지부모

[19-12-1]

明日, 壻往見婦之父母.

다음 날, 신랑은 신부의 부모에게 가서 뵙는다.

> 婦父迎送揖讓如客禮, 拜即跪而扶之. 入見婦母, 婦母闔門左扉, 立於門內, 壻拜於門外. 皆有幣. 婦父非宗子, 即先見宗子夫婦, 不用幣. 如上儀. 然後見婦之父母.
>
> 신부의 부친이 맞이하고 전송하며 읍하고 사양하는 것을 빈에게 하는 예와 같이 하되 (신랑이) 절하면 (신부의 부친은) 무릎을 꿇고 부축해 준다. 들어가 신부의 모친을 뵐 때는 신부의 모친은 왼쪽 문짝을 닫고 문 안에 서 있고 신랑은 문 밖에서 절을 하며, 모두 폐백이 있다. 신부의 부친이 종자가 아닐 경우에는 먼저 종자의 부부를 뵙되 폐백은 쓰지 않는다. 의식은 위의 의례와 같이 하며, 그 후에 신부의 부모를 뵙는다.[362]

....

361 시부모가 신부에게 잔치를 열어주는 묘사는 부록 그림 35 참조

次見婦黨諸親.

그 다음 신부 집안의 여러 친족을 뵙는다.

> 不用幣. 婦女相見如上儀.
>
> 폐백은 쓰지 않으며, 부녀자를 상견하는 것도 위의 의식과 같이 한다.

婦家禮壻如常儀.

신부 집에서 신랑을 대접하는 것은 평상의 의식과 같이 한다.

> 親迎之夕, 不當見婦母及諸親, 及設酒饌, 以婦未見舅姑故也.
>
> 친영하는 날 저녁에 신부의 모친과 여러 친족을 뵙지 않는 것과 술과 음식을 차리지 않는 것은 신부가 아직 시부모를 뵙지 않았기 때문이다.

[19-12-1-1]

程子曰 : "'昏禮不用樂, 幽陰之義,' 此說非是. 昏禮豈是幽陰? 但古人重此大禮, 嚴肅其事, 不用樂也. '昏禮不賀, 人之序也,' 此說却是. 婦質明而見舅姑, 成婦也. 三日而後宴樂, 禮畢也. 宴不以夜, 禮也."363

정자가 말했다. "'혼례에 음악을 쓰지 않는 것은 유음幽陰의 의미이다.'364라고 하였으나, 이 설은 옳지 않다. 혼례가 어찌 유음한 것이겠는가? 다만 옛사람들이 이 큰 의례를 중시하고 그 일을 엄숙히 하기 위하여 음악을 쓰지 않은 것이다. '혼례에 축하하지 않는 것은 사람의 대가 바뀌기 때문이다.'365라고 하였으니, 이 설은 옳다. 신부가 날이 밝을 무렵에 시부모를 뵙는 것은, 며느리가 되었기 때문이고, 3일 후에 잔치를 베풀어 즐기는 것은 혼인의 예가 끝났기 때문이다. 잔치는 밤에 하지 않는 것이 예이다."

[19-12-1-2]

朱子曰 : "人著書, 只是自入些己意, 便做病. 司馬與伊川定昏禮, 都依儀禮, 只略改一處, 便不是古人意. 司馬云, '親迎奠鴈, 見主昏者即出,' 伊川却敎拜了, 又入堂拜大男小女, 伊川非是. 伊川云, '婦至次日見舅姑, 三月廟見,' 司馬即說婦入門即拜影堂, 司馬非是. 蓋親迎不見妻父母者, 婦未見舅姑也. 入門不見舅姑者, 未成婦也. 今親迎用溫公, 入門以後用伊川. 三月廟見, 改爲三日云."366

---

362 혼인식을 치른 이후에 신랑이 장인·장모를 찾아뵙는 묘사는 부록 그림 36 참조
363 『二程遺書』 권18
364 幽陰의 의미이다. : 『禮記』 「郊特牲」 '昏禮不用樂幽陰之義也' 疏에서 孔穎達은 "'幽'는 '深'이다. 신부가 고요함의 뜻을 깊이 생각하여 며느리의 도를 수양하도록 하려는 것이다.(幽, 深也. 欲使其婦深思陰靜之義, 以脩婦道.)"고 하였다.
365 『禮記』 「郊特牲」

주자가 말했다. "사람들이 책을 저술할 때 조금이라도 자기의 생각을 끼워 넣으면 문제가 생긴다. 사마司馬[司馬光]와 이천伊川[程頤] 혼례를 정할 때, 모두 『의례儀禮』를 따르고 다만 한 곳만을 고쳤어도 옛사람의 뜻이 아니게 되었다. 사마는 '친영할 때 기러기를 올리고는 주혼자를 뵙고 바로 나온다.'고 하였고, 이천은 절을 하고 또 당에 들어가 대소의 남녀에게 절을 하게 하였으니 이천이 옳지 않다. 이천은 '신부가 신랑 집에 이르러 다음 날 시부모에게 절을 올리고, 3개월이 되면 사당을 알현한다.' 고 하였는데, 사마는 '신부가 대문에 들어서면 바로 영당에 절을 한다.'고 하였으니, 사마가 옳지 않다. 친영할 때 처의 부모를 뵙지 않는 것은 신부가 시부모를 뵙지 않았기 때문이고, 시댁의 대문에 들어와서 바로 시부모를 뵙지 않는 것은 아직 며느리가 되지 않았기 때문이다. 이제 친영은 온공司馬光의 설을 쓰고, 대문에 들어온 이후는 이천의 설을 쓰며, 3개월이 되어 사당을 알현하는 것은 3일로 고친다."

---

366 『朱子語類』 권89, 14조목: "人著書, 只是自入些己意, 便做病痛. 司馬與伊川定昏禮, 都是依儀禮, 只是各改了一處, 便不是古人意. 司馬禮云: '親迎, 奠雁, 見主昏者卽出.' 不先見妻父母者, 以婦未見舅姑也. 是古禮如此. 伊川卻敎拜了, 又入堂拜大男小女, 這不是. 伊川云: '婿迎婦旣至, 卽揖入內, 次日見舅姑, 三月而廟見.' 是古禮. 司馬禮卻說, 婦入門卽拜影堂, 這又不是. 古人初未成婦, 次日方見舅姑. 蓋先得於夫, 方可見舅姑; 到兩三月得舅姑意了, 舅姑方令見祖廟. 某思量, 今亦不能三月之久, 亦須第二日見舅姑, 第三日廟見, 乃安. 亦當行親迎之禮. 古者天子必無親至后家之禮. 今妻家遠, 要行禮, 一則令妻家就近處設一處, 卻就彼往迎歸館成禮; 一則妻家出至一處, 婿卽就彼迎歸自成禮."

家禮三 가례 3

家禮三
가례 3

[20-1]

喪禮 상례

[20-1-0]

初終 초종¹

[20-1-1]

疾病, 遷居正寢.

병이 위독해지면 정침²으로 옮겨 거처하게 한다.

. . . .

1 初終 : 초종은 '막 죽었을 때'를 의미하며, 여기서는 訃告할 때까지의 과정을 의미한다. 그러나 初喪이 난 뒤로부터 卒哭 때까지를 일컫기도 한다. 初終葬事의 준말이다. 『禮記』「檀弓上」에 "군자는 終이라고 하고 소인은 死라고 한다.(君子曰終, 小人曰死.)"고 하였다. 이에 대한 주에는 "'終'은 始에 대응하여 말한 것이고, '死'는 점차 다 없어져 남은 것이 없다는 말이다. 군자는 행실을 이루고 덕을 세움에 처음이 있고 끝이 있기 때문에 '종'이라고 하고, 소인은 모든 사물과 같이 썩어 없어지기 때문에 '사'라고 한다.(終者, 對始而言, 死則漸盡無餘之謂也. 君子行成德立, 有始有卒, 故曰終, 小人與群物同朽腐, 故曰死.)"하고, 또한 黃榦은 "終은 道로써 말한 것이고 死는 형체로써 말한 것이다.(終以道言, 死以形言.)"고 하였다.

2 正寢 : 집의 본채. 『儀禮』「士喪禮」에 "適室에서 죽는다.(死于適室.)"고 하였다. 이에 대한 주에는 "'適室'은 正寢의 室이다. 병든 자는 齋戒해야 하기 때문에 정침으로 옮기는 것이다.(適室, 正寢之室也. 疾者齊, 故于正寢焉.)"고 하였다. 정침에 대해 劉璋의 『家禮補註』에는 "옛날의 堂屋은 3間 5架로 되어 있다. 가운데 架에서 남쪽의 세 칸은 전체가 모두 堂이 되고, 북쪽의 세 칸은 판자로 막아 나누어서 동쪽과 서쪽 두 칸이 房이 되고, 중간 칸은 室이 된다. 이곳이 바로 정침이다. 실의 남쪽과 북쪽에는 창문(牖)이 있다. 병자는 북쪽으로 난 창문 아래에 거처한다. 임금이 와서 볼 경우에는 병자를 남쪽 창문 아래로 옮긴다. 그러나 이른바 정침으로

凡疾病, 遷居正寢. 內外安靜, 以俟氣絶. "男子不絶於婦人之手, 婦人不絶於男子之手."

무릇 병이 위독해지면 정침으로 옮겨 거처하게 하고, 안팎을 조용하게 하여 숨이 끊어지기를 기다린다. "남자는 부인의 손에서 죽지 않으며, 부인은 남자의 손에서 죽지 않는다."[3]

旣絶乃哭.

숨이 끊어지고 나면 바로 곡한다.

[20-1-1-1]

司馬溫公曰 : "疾病, 謂疾甚時也. 近世孫宣公臨薨, 遷于外寢. 蓋君子謹終不得不爾也."[4]

사마온공司馬溫公[司馬光]이 말했다. "질병疾病은 병이 위독한 것을 말한다. 근세에 손선공孫宣公[5]이 죽음이 임박했을 때 외침外寢으로 옮겼으니, 군자가 죽음을 신중히 하려면 이와 같이 하지 않을 수 없다."

[20-1-1-2]

高氏曰 : "廢牀寢於地.' 注, '人始生在地. 故廢牀寢於地, 庶其生氣之復也.' 本出儀禮及禮記喪大記."

고씨高氏[6]가 말했다. "(『예기禮記』「상대기喪大記」에) '침상을 치우고 땅에 누인다.'고 하였다. 주에는 '사람은 처음에 땅에서 태어났기 때문에 침상을 치우고 땅에 뉘여 생기가 회복되기를 바라는 것이다.'고 하였으니, 본래 『의례儀禮』와 『예기禮記』「상대기」에 나온다."

[20-1-1-3]

劉氏璋曰 : "凡人病危篤, 氣微難節, 乃'屬纊以俟氣絶.' '纊乃今之新綿, 易爲搖動. 置口鼻之

옮겨 거처하는 것은 오직 집안의 주인만이 그렇게 하고, 나머지 사람들은 각자 자기들이 거처하는 室로 옮긴다.(古之堂屋, 三間五架. 中架以南三間, 通長爲堂, 以北三間, 用板隔斷, 以東西二間爲房, 中間爲室. 卽正寢也. 室之南北有牖. 病居北牖下. 君視之, 則遷於南牖下. 然所謂遷居正寢者, 唯家主爲然, 餘人則各遷於其所居之室中.)"고 하였다.

3 남자는 부인의 … 않는다. :『禮記』「旣夕」.『家禮會成』에 "군자가 살아 있을 때는 內外에 분별을 두도록 하고, 죽었을 때는 始終이 더럽혀지지 않도록 한다면, 남녀 간의 분별이 분명해지고, 부부간에 교화가 일어나게 된다.(君子于其生也, 欲內外之有別, 于其死也, 欲終始之不褻, 則男女之分明, 夫婦之化興.)"고 하였다.

4 『書儀』권5「初終」

5 孫宣公 : 博平 사람 孫奭. 도를 지키는 것으로 자처하였으며, 일찍이 아부를 한 적이 없었다. 眞宗이 天書로 인해 召命을 내려 불러 묻자, '신은 하늘이 말을 한다고 들은 적이 없습니다. 그러니 어찌 하늘이 글로 쓴 것이 있겠습니까!' 하였으며, 상소를 올려 이에 대해 極諫하였다. 이에 얼마 뒤에 외직으로 나가 密州를 맡아 다스렸다. 그 뒤 仁宗 때 少傅로 있다가 致仕한 뒤에 죽었는데, 시호는 宣公이다.『宋鑑』참조

6 高氏 : 송나라 사람 高閌. 자는 抑崇이며, 어려서부터 經史에 통달하였고 관직은 禮部侍郞을 지냈다. 사람들이 흔히 息齋先生이라고 불렀으며, 『春秋集注』·『厚終禮』등을 저술하였다.

上以爲候也.'"[7]

유장劉璋이 말했다. "무릇 사람이 병이 위독하여 숨이 미약하고 조절이 어려워지면, 마침내 '솜을 대고 숨이 끊어지기를 기다린다.'[8] '솜은 바로 지금의 새솜新綿이니 쉽게 흔들리기 때문에 코와 입 위에 올려놓고 살핀다.'"[9]

[20-1-2]

復

돌아오시라고 한다.[10]

> 侍者一人以死者之上服嘗經衣者, 左執領, 右執要, 自前榮升屋中霤. 北面招以衣, 三呼曰 '某人復.' 畢, 卷衣降覆尸上. 男女哭擗無數.

> 시종 한 사람이 죽은 사람이 입었던 윗옷을 왼손으로는 깃을 잡고[11] 오른손으로는 허리를 잡고서 앞 처마로부터 지붕의 중류中霤[12]로 올라가서[13] 북쪽을 향하여 옷을 잡고 부르되 '아무개는 돌아오세요!'라고 세 번 부르고, 마치고 나면 옷을 말아 내려와서는 시신 위에 덮으면[14] 남녀가 곡하며 수없이 가슴을 친다.[15]

> ○ 上服, 謂有官則公服, 無官則襴衫皂衫深衣, 婦人大袖背子. 呼某人者, 從生時之號.

> 겉옷은 관직이 있을 경우에는 공복公服, 관직이 없을 경우에는 난삼襴衫·조삼皂衫·심의深衣를, 부인은 대수大袖와 배자背子를 말한다. 아무개라고 부르는 것은 살아있을 때의 호칭을 따른다.

---

7 『禮記』「喪大記」 注

8 『禮記』「喪大記」

9 『禮記』「喪大記」. 숨이 끊어졌는지의 여부를 살피는 것이다.

10 돌아오시라고 한다. : 『儀禮』「士喪禮」에 나오는 招魂 행위이다. 『儀禮』「士喪禮」의 주에는 "復은 魂을 불러 魄으로 돌아오게 하는 것이다.(招魂復魄也.)"고 하였다. 또 이에 대한 소에는 "사람의 몸을 출입하는 氣를 혼이라고 하고, 귀와 눈의 총명함을 백이라고 한다. 죽은 자는 혼과 神이 백에서 떠나간 것이다. 그러므로 이제 혼을 불러 모아 백으로 돌아오게 하고자 하는 것이다.(出入之氣, 謂之魂, 耳目聰明, 謂之魄, 死者魂神去離於魄. 今欲招取魂來復歸於魄.)"고 하였다.

11 왼손으로는 깃을 잡고 : "반드시 왼손을 쓰는 것은, 초혼이 죽은 자를 살아나게 하기 위한 것인데, 왼쪽은 양이고, 양이 生을 주관하므로 왼손으로 하는 것이다.(必用左者, 招魂, 所以求生, 左陽, 陽主生, 故用左也.)" 『儀禮』「既夕」 '左執領 右執要'의 疏.

12 中霤 : 지붕의 중앙. 『禮記』「月令」의 주에 "옛날에 움집과 土室에는 모두 천장 쪽을 뚫어서 빛이 들어오게 하였기 때문에 비가 새거나 낙숫물이 떨어지기도 하였다. 그러므로 후대에는 이로 인해 室의 한가운데를 중류라고 이름 붙이게 되었다.(古者陶復陶穴皆開其上, 以漏光明, 故雨霤之. 後因名室中爲中霤.)"고 하였다.

13 지붕의 中霤로 올라가서 : 『禮記』「禮運」의 '升屋而號告' 陳澔 集說에 "지붕에 올라가서 하는 것은 혼의 기운이 위에 있기 때문이다.(所以升屋者, 以魂氣之在上也.)"고 하였다.

14 옷을 말아 … 덮으면 : 『儀禮』「士喪禮」에 "동쪽 계단으로 올라가 옷으로 시신을 덮는다.(升自阼階, 以衣尸.)"고 하였다. 이에 대한 주에는 "시신을 옷으로 덮는 것은 덮어 주기를 마치 魂이 돌아온 것처럼 하는 것이다.(衣尸者, 覆之, 若得魂反之.)"고 하였다.

15 부록 그림 37 참조

司馬溫公曰 : “士喪禮, ‘復者一人升自前東榮中屋, 北面招以衣, 曰皐某復, 三.’ 注, 皐, 長聲也. 今升屋而號, 慮其驚衆, 但就寢庭之南. 男子稱名, 婦人稱字. 或稱官封, 或依常時所稱.”16

사마온공이 말했다. 『예기禮記』「사상례士喪禮」에 '복이란 한 사람이 앞 동쪽 처마로부터 지붕 가운데로 올라가 북쪽을 향하여 옷을 들고 부르되 「아무개는 돌아오세요!」라고 세 번 부른다.'고 하였다. 그 주에 '고皐'는 긴 소리이다. 지금은 지붕 위에 올라가서 부르면 사람들을 놀라게 할까 염려되니, 다만 정침正寢의 남쪽 뜰로 나아가서, 남자는 이름을 부르고 여자는 자字를 부른다. 혹은 관직 봉호封號를 부르고, 혹은 평소에 부르던 것을 따른다.”

[20-1-2-2]

高氏曰 : “今淮南風俗, 民有暴死, 則使數人升其居屋, 及於路傍遍呼之, 亦有蘇活者, 豈復之餘意歟!”

고씨高氏[高閌가 말했다. “지금 회남淮南의 풍속에 사람이 갑자기 죽었을 경우에는 여러 사람들에게 그 집의 지붕에 올라가거나 거리에 나가 돌아다니면서 두루 부르게 하는데 또한 소생하는 경우가 있으니, 아마 '복'의 남은 뜻일 것이다!”

[20-1-2-3]

劉氏璋曰 : “喪大記曰, ‘凡復男子稱名. 女人稱字.’ 復聲必三者, 禮成於三也.”

유장劉璋이 말했다. “『예기禮記』「상대기」에 '무릇 「돌아오세요!」라고 할 때 남자는 이름을 부르고 여자는 자字를 부른다.'고 하였다. '돌아오세요!'라는 소리를 반드시 세 번 하는 것은 예는 세 번으로 완성되기 때문이다.”

[20-1-3]

立喪主,

상례의 주인[喪主]을 세우고,

　　凡主人, 謂長子. 無則長孫承重, 以奉饋奠. 其與賓客爲禮, 則同居之親且尊者主之.

　　무릇 주인은 장자長子를 말하며, 없으면 장손이 승중承重17하여 궤전饋奠을 받든다. 빈객賓客들과

---

16 『書儀』 권5「復」: 그 내용을 소개하면 다음과 같다. “喪大記曰, ‘凡復者, 男子稱名, 婦人稱字.’ 今但稱官封, 或依常時所稱, 可也.” “復者, 招魂復魄也. 檀弓曰, ‘復, 盡愛之道, 有禱祠之心焉. 望反諸幽, 求諸鬼神之道也. 北面, 求諸幽之義也.’ 士喪禮, ‘復者一人, 以爵弁服, 簪裳于衣, 左何之, 扱領于帶. 升自前東榮, 中屋, 北面招以衣, 曰,「皐某復!」三. 降衣于前. 受用篋, 升自阼階, 以衣尸. 復者降自後西榮.’ 簪, 連也. 皐, 長聲也. 降衣, 下之也. 受者, 受之於庭也. 衣尸者, 復之若得魂返之也. 降因徹西北扉, 開元禮亦倣此. 今升屋而號, 慮其驚衆, 故但就寢庭之南面而已.”

17 承重 : 金長生은 『禮記』「檀弓」의 주를 인용하여 “승중은 祖宗의 중대한 일을 잇는 것이다.(承重, 承祖宗重事也.)”고 하였다. 부친이 먼저 돌아가시고 나서 조부모의 상을 당했을 때 부친을 대신해 장손이 상주 노릇을

예를 행하는 것은 함께 사는 친속 중에 높은 사람이 주관한다.

[20-1-3-1]

司馬溫公曰 : "奔喪曰, '凡喪, 父在父爲主.' 註, '與賓客爲禮, 宜使尊者.'"18

사마온공司馬溫公司馬光이 말했다. "『예기禮記』「분상奔喪」에 '무릇 상에는 부친이 살아있을 경우에는 부친이 주인主人이 된다.'고 하였다. 주에는 '빈객들과 예를 행하는 것은 마땅히 높은 사람이 하도록 해야 한다.'고 하였다."

[20-1-3-2]

"'父沒, 兄弟同居, 各主其喪.' 註, '各爲妻子之喪爲主也.'"19

(사마온공이 말했다.) "(『예기禮記』「분상」에) '부친이 돌아가셨는데 형제가 함께 살고 있으면 각각 그 상을 주관한다.'고 하였다. 주에 '각각 처자妻子의 상에 주인이 된다.'고 하였다."

[20-1-3-3]

"'親同, 長者主之.' 註, '昆弟之喪, 宗子主之.'"20

(사마온공이 말했다.) "(『예기禮記』「분상」에) '어버이가 같으면 장자가 주관한다.'고 하였다. 주에 '형제의 상은 종자가 주관한다.'21고 하였다."

[20-1-3-4]

"'不同, 親者主之.' 註, '從父昆弟之喪也.' 雜記曰, '姑姊妹其夫死而夫黨無兄弟, 使夫之族人主喪. 妻之黨雖親弗主. 夫若無族矣, 則前後家東西家. 無有則里尹主之.' 喪大記曰, '喪有無後, 無無主. 若子孫有喪而祖父主之, 子孫執喪, 祖父拜賓.'"22

(사마온공司馬光이 말했다.) "(『예기禮記』「분상」에) '어버이가 같지 않으면 친자親者(친속)가 주관한

하는 것을 말한다. 『家禮輯覽』(『沙溪全書』 권27)「喪禮」 '承重' 주

18 『書儀』 권5「復」
19 『書儀』 권5「復」
20 『書儀』 권5「復」
21 형제의 상은 종자가 주관한다. : 『禮記』「奔喪」 註의 원문은 "부모가 돌아간 뒤에 형제 상이 난 경우는 종자가 주관한다.(父母沒, 如昆弟之喪, 宗子主之.)"이다.
22 『書儀』 권5「復」: "凡主人, 當以長子爲之. 無長子則長孫承重. 奔喪曰, '凡喪, 父在, 父爲主.' 注, '與賓客爲禮, 宜使尊者.' 又曰, '父沒, 兄弟同居, 各主其喪.' 注, '各爲妻子之喪爲主也.' 又曰, '親同, 長者主之.' 鄭康成曰, '昆弟之喪, 宗子主之.' 又曰, '不同, 親者主之.' 注, '從父昆弟之喪也.' 雜記曰, '姑姊妹其夫死而夫黨無兄弟, 使夫之族人主喪, 妻之黨, 雖親弗主. 夫若无族矣, 則前後家東西家. 无有, 則里尹主之.' '伯高死于衛, 赴於孔子. 孔子曰,「夫由賜也見我, 哭諸賜氏.」遂命子貢爲之主. 曰,「爲爾哭也來者, 拜之.」' 喪大記曰, '喪有无後, 无无主. 若子孫有喪而祖父主之, 子孫執喪, 祖父拜賓.'" '伯高 … 拜之.'는 『禮記』「檀弓上」에 보인다.

다.'고 하였다. 주에 '종부곤제從父昆弟(6촌 형제)의 상이다.'고 하였다. 『예기禮記』「잡기雜記」에 '고모·누나·누이동생이 그 남편이 죽었는데 남편의 집안에 형제가 없으면 남편의 집안사람이 상을 주관하게 하고, 처의 집안에서는 비록 친척이라도 주관하지 않는다. 남편에게 집안사람이 없는 경우에는 앞뒷집이나 동서쪽의 집에서 하고, 그마저 없으면 이장里長이 주관한다.'고 하였다. 『예기禮記』「상대기喪大記」에는 '상에 후사가 없는 경우는 있어도 주인이 없는 경우는 없다. 아들이나 손자에게 상이 생겨 조부나 부친이 주관할 경우에는 아들이나 손자가 상례를 집행하고 조부와 부친은 빈에게 절한다.'고 하였다."

[20-1-4]

主婦,

주부를 세우며,

　　謂亡者之妻. 無則主喪者之妻.

　　죽은 사람의 처를 말하며, 없으면 상을 주관하는 사람의 처이다.

護喪,

호상[23]을 세우고,

　　以子弟知禮能幹者爲之. 凡喪事皆稟之.

　　자제 중에 예를 알고 일을 잘 처리할 수 있는 사람으로 하게 하며, 모든 상사喪事는 모두 그에게 물어보고 한다.

司書, 司貨.

사서[24]와 사화[25]를 세운다.

　　以子弟或吏僕爲之.

　　자제 혹은 하인으로 하게 한다.

乃易服不食.

옷을 갈아입고[26] 음식을 먹지 않는다.

----

23 護喪 : 상을 치르는 일을 주관하는 사람. 상을 당한 사람은 비통하고 혼미하여 예절과 事儀에 대해서 스스로 알 수가 없다. 그러므로 다른 사람이 도와서 이끌어 주어야만 하는데 이렇게 예를 돕고 이끌어 주는 사람을 호상이라고 한다.
24 司書 : 상례의 회계를 담당할 사람
25 司貨 : 상례와 관련된 재화를 담당할 사람
26 옷을 갈아입고 : 楊復은 "처음 죽었을 때부터 成服까지는 白布로 만든 심의를 입고, 다른 옷으로 바꾸어 입지 않는다."고 하였다. 『家禮輯覽』같은 조목 참조

妻子婦妾皆去冠及上服被髮. 男子扱上袵徒跣. 餘有服者皆去華飾. 爲人後者爲本生父母,
及女子已嫁者, 皆不被髮徒跣. 諸子三日不食. 期九月之喪三不食. 五月三月之喪再不食.
親戚隣里爲糜粥以食之. 尊長強之, 少食可也.

처·자식·며느리·첩은 모두 관과 윗옷을 벗고 머리카락을 풀어헤친다.[27] 남자는 윗옷의 옷깃
을 꽂고[28] 맨발을 하며, 나머지 복이 있는 사람은 모두 화려한 장식을 제거한다. 양자가 된 사람
이 본래 낳아준 부모를 위한 경우와 여자 중에 이미 시집간 사람은 모두 머리카락을 풀어헤치거
나 맨발을 하지 않는다. 자식들은 모두 3일 동안 먹지 않고, 기년과 9개월 동안 상복을 입는
사람은 세 끼를 먹지 않으며, 5개월과 3개월 동안 상복을 입는 사람은 두 끼를 먹지 않는다.
친척이나 이웃이 미음과 죽을[29] 쑤어 먹게 하는데, 어른들이 굳이 권하면 조금 먹어도 괜찮다.

○ 扱上袵, 謂揷衣前襟之帶. 華飾, 謂錦繡紅紫金玉珠翠之類.

윗옷의 깃을 꽂는다는 것은 옷의 앞 옷깃을 허리띠에 꽂는 것을 말한다. 화려한 장식은 수놓은
비단, 꽃 장식, 금과 옥, 구슬과 비취 따위를 말한다.

治棺.

관을 만든다.

護喪命匠擇木爲棺. 油杉爲上, 栢次之, 土杉爲下. 其制方直, 頭大足小, 僅取容身. 勿令高
大, 及爲虛簷高足. 內外皆用灰漆, 內仍用瀝靑溶瀉, 厚半寸以上. 以煉熟秫米灰鋪其底,
厚四寸許, 加七星板. 底四隅各釘大鐵環, 動則以大索貫而擧之.

호상護喪은 장인에게 명하여 나무를 골라 관을 만들도록 한다. '송진이 있는 소나무油杉'가 상품
上品이고, 잣나무가 다음이며, '송진이 없는 소나무土杉'가 하품이다.[30] 관의 제작은 반듯하고

----

27 머리카락을 풀어헤친다. : 『家禮儀節』에서 丘濬은 다음과 같이 말한다. "옛 예를 두루 상고해 보니, 이른바
'머리카락을 풀어 헤친다'는 것이 전혀 없는데, 오직 唐나라 『開元禮』에만 '남자는 白布衣로 갈아입고 머리
카락을 풀어헤치며, 여자는 靑縑衣로 갈아입고 머리카락을 풀어 헤친다.'는 설이 있다. 司馬光은 '비녀와 머리싸
개는 오늘날 사람들이 평소에 착용하지 않는 것이며, 머리카락을 풀어헤치는 것은 더욱더 슬퍼하고 야위어
용모를 내지 않는 모습이다. 그러므로 『開元禮』를 따른다.'고 하였다.(歷考古禮, 竝無所謂被髮者, 惟唐開元
禮, 有男子易以白布衣被髮, 女子易以靑縑衣被髮之說. 溫公謂"笄纚, 今人平日所不服, 被髮尤哀毁, 無容, 故從
開元禮.")
28 윗옷의 옷깃을 꽂고 : 『禮記』「問喪」의 주에 陳澔는 "'上袵'은 深衣의 앞쪽 옷깃이다. 울면서 뛸 적에 발에 밟혀
방해가 되기 때문에 옷깃을 허리띠에 꽂는다.(上袵, 深衣前襟也. 以號踊踐履爲妨, 故揷之於帶也.)"고 하였다.
29 미음과 죽 : "'糜'는 걸쭉한 것[厚]이고, '粥'은 묽은 것[薄]이다. 묽은 것은 마시게 하고 걸쭉한 것은 떠먹게
한다.(糜厚而粥薄. 薄者以飮之, 厚者以食之也.)" 『禮記』「問喪」 '鄰里爲之糜粥以飮食之' 陳澔의 集說 참조
30 송진이 있는 … 하품이다. : '松'은 朱熹 아버지의 이름이므로, 주자가 『朱文公文集』에서 '松遜'의 '松'을 避諱하
여 '杉遜'이라고 했듯이 여기서도 '油松'을 피휘하여 '油杉'이라고 한 것이라는 鄭述의 주장을 받아들여 宋時烈
은 "油杉은 소나무 중에 송진이 있는 것이고 土杉은 소나무 중에 송진이 없는 것이다."라고 풀이하였다. 李宜
朝, 『家禮增解』 권3 「喪禮1」(治棺)

곧게 하되 머리 쪽은 크고 다리 쪽은 작게 하여 겨우 몸이 들어갈 수 있게 한다. 높고 크게 하거나 허첨虛簷[31]과 고족高足[32]은 만들지 않는다. 안팎으로 모두 회칠灰漆을 하고, 안에는 역청瀝靑[33]을 녹여 바르되 두께가 반 촌 이상이 되게 한다. 불에 태운 차좁쌀[秋米][34] 재灰를 그 바닥에 깔되 두께는 4촌쯤 되게 하고 칠성판七星板[35]을 놓는다. 바닥의 네 귀퉁이에 각각 큰 쇠고리를 박아두어 이동할 때에는 굵은 새끼로 꿰어 든다.[36]

○ 司馬溫公曰 : "棺欲厚, 然太厚則重而難以致遠. 又不必高大. 占地使壙中寬, 易致摧毁, 宜深戒之. 椁雖聖人所制, 自古用之, 然板木歲久, 終歸腐爛, 徒使壙中寬大, 不能牢固, 不若不用之爲愈也. 孔子葬鯉有棺而無椁. 又許貧者還葬而無椁. 今不欲用, 非爲貧也. 乃欲保安亡者爾."[37]

사마온공司馬溫公[司馬光]이 말했다. "관은 두껍게 하려고 해도 너무 두꺼우면 무거워 멀리 가기 어렵다. 또 굳이 높고 크게 할 필요가 없다. 땅을 차지할 때 광 속을 넓게 하면 부서지거나 무너지기 쉬울 것이니, 마땅히 깊이 경계해야 한다. 곽椁(외관)은 비록 성인이 제정한 것으로서 옛날부터 사용해 왔지만 판목이 오래되면 마침내 썩어 문드러지게 될 것이니, 한갓 광중만 넓게 하여 견고하지 못해 쓰지 않는 편이 더 낫다. 공자는 아들 리鯉를 장사 지낼 때 관은 있었으나 곽은 없었다. 또 가난한 사람에게는 빨리 장사 지내는 것을 허락하고 곽은 없었다. 지금 곽을 쓰려고 하지 않는 것은 가난하기 때문이 아니라 죽은 사람을 보호하고 편안하게 하려고 하는 것일 뿐이다."

○ 程子曰 : "雜書有松脂入地, 千年爲茯苓, 萬年爲琥珀之說. 蓋物莫久於此, 故以塗棺, 古人已有用之者."[38]

정자가 말했다. "잡서에 송진이 땅 속에 들어가서 천년이 지나면 복령茯苓이 되고 만년이 지나면

....

31 虛簷 : 처마처럼 생긴 고나 덮개로, 朴世采는 "허첨은 관의 사면 가장자리에 처마처럼 판자가 나와 있는 것이다.(虛簷, 於棺蓋四邊, 有剩板如簷.)"고 하였다. 李宜朝, 『家禮增解』 권3 「喪禮1」(治棺)

32 高足 : 다리처럼 관을 괸 받침으로, 朴世采는 "바닥의 판자에 네 다리를 설치한 한 것을 말한다.(高足, 謂地板設四足云耳.)"고 하였다. 李宜朝, 『家禮增解』 권3 「喪禮1」(治棺)

33 瀝靑 : 송진 가루에 잘게 부수어 黃蠟 들기름[法油] 및 조개가루[小蚌粉]를 섞어 불로 달여서 만든 물질.

34 차좁쌀[秋米] : 『家禮輯覽』에서 金長生은 『家禮儀節』에 근거하여 糯米(찹쌀)라고 하였다. 『家禮輯覽』(『沙溪全書』 권27) 「喪禮」(初終)

35 七星板 : 관의 바닥에 까는 목판으로 『家禮集說』에서는 "먼저 관의 밑바닥 부분과 같은 크기로 木匡를 만드는데, 다리의 높이는 3-4촌쯤 되게 한다. 판자 한 조각을 목광 안에 넣은 다음 북두칠성 모양으로 7개의 구멍을 뚫는다."고 하였다. 북두칠성 모양으로 구멍을 뚫는 뜻에 대해 퇴계는 "남두성(南斗星)은 삶을 주관하고, 北斗星은 죽음을 주관하기 때문이다."고 하였다. 『家禮輯覽』(『沙溪全書』 권27) 「喪禮」(初終)

36 부록 그림 38 참조

37 『書儀』 권5 「棺槨」 항목에 포함된 글인 듯하나, 사고전서 본에는 '원본의 전문이 모두 빠져있다.(原本全文俱闕.)'고 되어 있다.

38 "雜書有松脂入地, … 古人已有用之者." : 『二程文集』 권11에 보이는데, 뒷부분은 "… 疑物莫久於此. 遂以栢爲棺而塗以松脂, 特出臆說, 非有稽也."로 매우 다르게 되어 있다.

호박琥珀이 된다는 설이 있다. 사물들은 이보다 오래가는 것이 없기 때문에 관을 칠하는 것이니, 고인 중에 이미 사용한 사람이 있다."

[20-1-4-1]

高氏曰 : "伊川先生謂棺之合縫, 以松脂塗之, 則縫固而木堅. 註云, '松脂與木性相入, 而又利水. 蓋今人所謂瀝靑者是也. 須以少蚌粉黃蠟淸油合煎之乃可用. 不然則裂矣. 其棺椁之間, 亦宜以此灌之.'"

고씨高氏[高閌]가 말했다. "이천선생伊川先生[程頤]은 '관을 봉합할 때 송진을 바르면 봉합이 단단하고 나무가 견고해진다.'고 하였다. 주에는 '송진과 나무는 성질이 서로 스며들고 또 물을 잘 막아낸다.'고 하였다. 요즈음 사람들이 말하는 역청이 바로 이것이다. 반드시 약간의 조개가루, 황랍, 청유를 섞어 끓여야 마침내 쓸 수 있다. 그렇지 않으면 갈라진다. 관과 곽 사이에도 또한 이것을 부어야 한다."

[20-1-4-2]

胡氏泳曰 : "松脂塗縫之說未然. 先生葬時, 蔡氏兄弟主用松脂, 嘗問, '用黃蠟麻油否?' 答云, '用油蠟則松脂不得全其性矣.' 此言有理. 但彭止堂作訓蒙云, '灌以松脂, 宜於北方. 江南用之, 適爲蟻房.' 彭必有攷, 更詳之."

호영胡泳[39]이 말했다. "송진을 봉합 부위에 바른다는 설은 옳지 않다. 선생의 장례에서 채씨 형제[蔡淵, 蔡沈]가 주로 송진을 쓰자 '황랍과 마유는 쓰지 않습니까?'라고 물은 적이 있다. 그러자 '마유와 황랍을 쓰면 송진이 그 성질을 온전하게 발휘하지 못한다.'고 대답했다. 이 말은 일리가 있다. 그러나 팽지당止堂彭[彭龜年][40]은 그가 지은 『훈몽』에서 '송진을 붓는 것은 북방에서는 좋으나 남방에서 쓰면 다만 개미집이 되고 만다.'고 하였다. 팽구년의 설은 반드시 상고할 것이 있으니 좀 더 자세히 살펴보아야 한다."

[20-1-4-3]

劉氏璋曰 : "凡送死之道, 唯棺與椁爲親身之物, 孝子所宜盡之. 初喪之日, 擇木爲棺, 恐倉卒未得其木, 灰漆亦未能堅完. 或値署月, 尸難久留. 古者國君卽位而爲椑, 蒲力切 歲一漆之. 今人亦有生時自爲壽器者. 此乃猶行其道, 非豫凶事也. 其木油杉及栢爲上. 毋事高大以圖美觀. 惟棺周於身, 椁周於棺足矣. 棺內外皆用布裹漆, 務令堅實. 余嘗見前人葬墓, 掩壙之後, 卽以松脂溶化灌於棺外, 其厚尺餘. 後爲人侵掘, 松脂歲久凝結愈堅. 斧斤不能加, 得免

· ·

39 胡泳 : 주희의 문인으로서 자는 伯量이고 南康軍 建昌縣(江西) 사람이다. 洞源 선생으로도 불리었다. 『朱文公文集』 권63에 喪禮에 관해 호영에게 답한 2통의 편지가 실려 있다.

40 彭止堂 : 송나라 사람 彭龜年. '止堂'은 자호. 자는 子壽이며, 臨江軍 淸江 사람이다. 주자와 張栻에게 從學하였으며, 진사시에 급제하였다. 寶謨閣待制로 있다가 致仕한 뒤에 죽었다. 시호는 忠肅이다.

大患. 今有葬者用之, 可謂宜矣. ”

유장劉璋이 말했다. “무릇 죽은 사람을 전송하는 도리에 관棺[內棺]과 곽槨[外槨]은 몸에 가까운 것이므로 효자는 마땅히 마음을 다해야 한다. 돌아가신 날 나무를 가려서 관을 만든다면, 다급하여 알맞은 나무를 얻지 못하고 회칠 또한 견고하고 완전하지 못할까 우려된다. 혹 더운 달을 만나면 시신을 오래 두기도 어렵다. 옛날에는 나라의 군주가 즉위하면 벽[椑](관) 포蒲와 력力의 반절이다. 을 만들어 해마다 한 번씩 옻칠을 하였다.[41] 요즈음 사람들 중에도 살아 있을 때 스스로 수기壽器[42]를 만드는 사람이 있으니, 이것은 바로 오히려 도리를 행하는 것이지 흉사를 예비하는 것이 아니다. 나무는 '송진이 있는 소나무[油杉]'와 잣나무가 좋으며, 높고 크게 하는데 일삼아 아름다운 외관을 도모하지 않도록 해야 한다. 그저 관이 몸에 맞고 곽槨이 관棺에 맞으면 족하다. 관의 안팎은 모두 베로 싸서 칠하고 견실하게 하도록 힘쓴다. 나는 예전 사람의 장사 지낸 묘소를 본 적이 있는데 광중壙中을 덮은 뒤에 바로 송진을 녹여서 관 밖에 부은 것이 그 두께가 1척 남짓 되었다. 뒤에 사람들이 침입하여 도굴하려 하였으나 송진은 세월이 오랠수록 응결하고 더욱 견고해져서 도끼도 들어가지 않아 큰 근심을 면할 수 있었다. 지금 장사 지내는 사람이 이렇게 한다면, 마땅하다고 이를 수 있을 것이다.”

[20-1-5]

訃告于親戚僚友.

친척, 동료, 친구에게 부고한다.

> 護喪司書爲之發書. 若無, 則主人自訃親戚, 不訃僚友. 自餘書問悉停. 以書來弔者, 並須卒哭後答之.
>
> 호상護喪과 사서司書가 서신을 발송하고, 없는 경우에는 주인이 직접 친척에게 부고하고, 동료와 친구에게는 부고하지 않는다. 그 이외의 서신과 위문은 모두 정지한다. 서신으로 조문한 사람들에게는 모두 반드시 졸곡을 지낸 뒤에 답한다.

[20-2-0]

沐浴 목욕, 襲 습, 奠 전, 爲位 위위, 飯含 반함

[20-2-1]

執事者設幃及牀, 遷尸, 掘坎.

집사자는 휘장과 상을 설치하고 시신을 옮기며 구덩이를 판다.

....

41 옛날에는 나라의 … 하였다. : 『禮記』「檀弓」
42 壽器 : 생전에 준비한 관 등의 장례품을 말한다.

執事者以幃障臥內. 侍者設牀於尸牀前, 縱置之. 施簀去薦設席枕. 遷尸其上南首. 覆以衾. 掘坎于屛處潔地.

집사자는 휘장으로 침실 안을 가린다. 시종은 시상尸牀 앞에 상을 마련하되 가로로 놓고, '대자리[簀]'를 펴고 '짚자리[薦]'는 걷으며 돗자리[席]와 베개를 놓고, 시신을 그 위에 옮기되 머리를 남쪽으로 향하게 하고,[43] 이불로 덮는다. 으슥한 곳의 청결한 땅에 구덩이를 판다.

陳襲衣,

習에 필요한 옷[襲衣]을 진설하고,

以桌子陳于堂前東壁下, 西領南上. 幅巾一. 充耳二, 用白纊如棗核大, 所以塞耳者也. 幎目帛方尺二寸, 所以覆面者也. 握手用帛長尺二寸廣五寸, 所以裹手者也. 深衣一. 大帶一. 履二. 袍襖汗衫袴襪勒帛裹肚之類, 隨所用之多少.

탁자를 당 앞의 동쪽 벽 아래에 진설하고 옷깃을 서쪽에 두되 남쪽을 위로 한다.[44] 복건은 하나이고, 충이充耳는 둘인데 대추씨만한 크기의 흰 솜을 쓰니, 귀를 막기 위한 것이다. 멱목幎目은 사방 1척 2촌의 비단이니, 얼굴을 덮기 위한 것이다. 악수握手는 길이 1척 2촌, 너비 5촌의 비단을 쓰니, 손을 싸기 위한 것이다. 심의는 한 벌, 큰 띠는 한 개, 신은 두 켤레이다. 포袍와 오襖,[45] 한삼汗衫,[46] 고袴,[47] 버선[襪], 늑백勒帛,[48] 과두裹肚[49] 따위는 쓰임의 많고 적음에 따른다.[50]

[20-2-1-1]

楊氏復曰. "儀禮士喪'襲三稱, 衣單複具曰稱. 三稱者, 爵弁服, 皮弁服, 褖衣. 設冒櫜之.' 註云,

. . . .

43 머리를 남쪽으로 … 하고 : 그 이유는 귀신은 컴컴한 곳으로 가는데, 효자는 여전히 살아 계신 것으로 여기고 차마 신으로 대할 수 없기 때문이라고 한다.(殯時仍南首者, 孝子猶若其生, 不忍以神待之也.) 『禮記』「檀弓下」 "葬於北方北首" 孔穎達疏.

44 남쪽을 위로 한다. : 고귀한 물건일수록 보다 남쪽에 놓고 북쪽으로 진열해 감을 말한다.

45 袍와 襖 : "袍는 솜이 들어 있는 긴 옷이고 襖는 솜이 들어 있는 짧은 옷이다.(袍有絮長衣, 襖有絮短衣.)" 『家禮增解』 권3 「喪禮1」

46 汗衫 : 『韻府群玉』에 "연회와 조회를 할 적에 입는 袞冕服 가운데 白紗로 만든 中單이 있는데 漢나라 高祖가 項籍과 싸울 적에 땀이 中單에 배어 나왔으므로 이름을 汗衫으로 고치게 되었다."고 하였다. 『家禮輯覽』(『沙溪全書』 권27)「喪禮」(初終)

47 袴 : 바지

48 勒帛 : 行縢 또는 行纏을 가리킨다. 『家禮輯覽』에는 끈이 달려 묶을 수 있는 신발의 일종이라는 설과 허리를 묶어 드리우는 紳의 일종이라는 설 등이 소개되어 있으나 어떤 것인지는 자세히 알 수 없다. 그러나 『喪禮備要』 에서는 "발목에서 무릎까지 묶기 위한 것(所以束脛至膝)."이라고 하였고, 『疑禮問解』에서는 "비단帛으로 行 縢을 만들어 사용한다.(以帛造行縢用之.)"고 하였다. 그리하여 여기서는 行縢 또는 行纏을 가리키는 것으로 풀이하였다.

49 裹肚 : 배 싸개. 허리와 배를 감싸는 것

50 부록 그림 39 참조

'冒, 韜尸者, 制如直囊, 上曰質, 下曰殺. 其用之先以殺韜足而上, 後以質韜首而下齊手. 君錦冒黼殺綴旁七. 大夫玄冒黼殺綴旁五. 士緇冒赬殺綴旁三. 凡冒質長與手齊, 殺三尺.'"

양복楊復이 말했다. "『의례儀禮』「사상례士喪禮」에 '습의襲衣는 세 벌[稱]⁵¹이니, 속옷과 겉옷이 갖추어진 것을「벌」이라고 한다. 세 벌은 작변복爵弁服,⁵² 피변복皮弁服,⁵³ 단의褖衣⁵⁴이다.⁵⁵ 모冒⁵⁶를 만들어 싼다.' 는 구절의 주에는 '모冒는 시신을 싸는 것으로 자루처럼 만드는데 윗부분은「질質」이라고 하고 아래 부분은「쇄殺」라고 한다. 사용할 때에는 먼저 쇄로 발부터 싸서 올리고, 다음으로 질로 머리부터 싸서 내려 손과 가지런하게 한다. 군주는 금모錦冒로서 도끼 모양의 무늬를 수놓은 쇄에 철방綴旁⁵⁷이

. . . .

51 稱: 『禮記』「喪大記」에 "포는 반드시 겉옷이 있어 홑으로 입지 않으며, 상의에는 반드시 하상이 있으니, 그것을 한 벌이라고 한다.(袍必有表, 不襌, 衣必有裳, 謂之稱.)"라고 하였다. 이에 대한 集說에서 陳澔는 "袍는 옷에 솜을 두어 누빈 것으로, 바로 褻衣(속옷)이다. 반드시 예복을 두어 겉에 입어야지, 홑으로 드러내어서는 안 된다. 그리고 상의와 하상 또한 어느 하나만을 입어서는 안 된다. 이와 같이 입어야 마침내 한 벌을 이루는 것이다.(袍衣之有著者, 乃褻衣也. 必須有禮服以表其外, 不可襌露. 衣與裳, 亦不可偏有. 如此乃成稱也.)"고 하였다.

52 爵弁服: 『儀禮』「士喪禮」에 "작변복은 가선을 두른 상의에 분홍빛 치마이다.(純衣纁裳.)"라고 하였다. 이에 대한 주에서 鄭玄은 "살았을 때 (머리에) 爵弁을 쓰고 입는 옷이다. 옛날에는 冠의 이름으로 服의 이름을 삼았으며, 죽은 자는 冠은 쓰지 않았다.(生時, 爵弁, 所衣之服也. 古者以冠名服, 死者不冠.)"고 하였고, 이에 대한 소에서 賈公彦은 "무릇 염습을 할 때 입히는 옷은 존귀한 자나 비천한 자를 막론하고 모두 먼저 살았을 때 입던 上服을 다 입힌다. 이 작변복은 士의 생시에 입고서 제사를 도울 때 입던 옷이다.(襲斂之服, 無問尊卑, 皆先上服. 此爵弁服, 士之生時服以助祭者也.)"고 하였다.

53 皮弁服: 『儀禮』「士喪禮」의 주에서 鄭玄은 "살아 있을 때 (머리에) 皮弁을 쓰고 입는 옷이다. 그 옷은 白布衣에 素裳이다.(生時, 皮弁, 所衣之服也. 其服, 白布衣素裳.)"고 하였다.

54 褖衣: 『儀禮』「士喪禮」의 주에 "검은색의 上衣와 下裳에 붉은색의 가선을 두른 옷을 褖(단)이라고 한다. 褖이라는 말은 가선[緣]이라는 말이다. 이것은 겉에 입는 포인 表袍이다.(黑衣裳赤緣之謂褖. 褖之言緣也. 所以表袍者也.)"고 하였다.

55 부록 그림 40 참조

56 冒: 『禮記』「雜記」의 소에 "冒란 무엇인가? 시신의 형체를 가리기 위한 것이다. 습을 하고 나서 소렴을 할 때까지는 모로 싸 두지 않으면 시신의 모습이 드러나 보이게 되어 사람들이 싫어하게 된다. 그러므로 모를 가지고 시신을 싸 두는 것이다.(冒者, 何也? 所以揜形也. 自襲以至小斂, 若不設冒, 則尸象形見, 爲人所惡. 是以襲而后設冒也.)"고 하였다. 『禮記』「喪大記」의 주에는 "質과 殺를 만드는 제도는, 한 쪽 머리 부분을 봉합하고, 또 한 쪽 가 부분을 봉합하며, 나머지 한 쪽 부분은 봉합하지 않는데, 2개의 주머니를 모두 그렇게 만든다. 그런 다음 봉합하지 않은 가의 아래와 위에 7개의 끈을 달아서 매듭을 지어 묶을 수 있게 만든다.(其制, 縫合一頭, 又縫連一邊, 餘一邊不縫, 兩囊皆然. 不縫之邊上下, 安七帶綴以結之也.)"고 하였다.

57 綴旁: 冒 옆에 매단 끈으로 시신을 싸고 나서 매듭을 지어 묶는다. 철방의 수에 대해서 『家禮輯覽』에서는 다음과 같이 말한다. "『禮記』「禮器」에 '천자의 堂은 9척이다.(天子之堂九尺.)'고 하였다. 이에 대한 주에서 方慤은 '陽數는 9에서 끝난다. 천자는 陽道의 극진함을 체현하므로 당의 계단 높이의 척수를 9로 하는 것을 절도로 삼는다. 이로부터 내려가면서 점차 2척씩 감한다. 그러므로 7척으로 하거나 5척으로 하거나 3척으로 한다.(陽數窮於九. 天子則體陽道之極故也, 故堂階之高, 其尺以九爲節. 自是而下降殺以兩. 故或以七, 或以五, 或以三焉.)'고 하였다. 이것으로 본다면 철방을 7개로 하거나 5개로 하거나 3개로 하는 것도 아마 이 뜻인 듯하다. 그렇다면 천자의 冒 또한 철방이 9개일 것이다." 『家禮輯覽』(『沙溪全書』 권27) 「喪禮」(沐浴, 襲, 奠,

7개이다. 대부는 현모玄冒로서 도끼 모양의 무늬를 수놓은 쇄에 철방綴旁이 5개이다. 사는 치모緇冒로서 붉은 쇄에 철방綴旁이 3개이다. 무릇 모의 질은 길이가 손과 나란히 되도록 하고 쇄는 (길이가) 3척이다.'고 하였다."[58]

[20-2-1-2]

劉氏璋曰. "古者人死不冠, 但以帛裹其首謂之掩. 士喪禮, '掩, 練帛廣終幅五尺, 析其末.' 註, '掩裹首也. 析其末爲將結於頤下, 又還結於項中.' 蓋以襲斂主於保庇肌體, 貴於柔軟緊實. 冠則磊嵬難安, 況今幞頭以鐵爲脚長三四尺, 帽用漆紗爲之, 上有虛簷! 置於棺中, 何由安帖! 莫若襲以常服, 上加幅巾深衣大帶及履, 旣合於古, 又便於事. 幅巾, 所以當掩也. 其制如今之暖帽. 深衣帶履, 自有制度. 若無深衣帶履, 止用衫勒帛鞋亦可. 其幞頭腰帶靴笏, 俟葬時安於棺上可也."

유장劉璋이 말했다. "옛날에는 사람이 죽으면 관은 씌우지 않고 다만 비단으로 머리를 쌀 뿐이니 '엄掩'[59]이라고 한다. 『의례儀禮』「사상례士喪禮」에 '엄掩은 정련精練한 비단으로 너비는 온 폭을 다 써서 5척이며, 그 끝은 가른다.'고 하였다. 주에는 '엄掩은 머리를 싸는 것이다. 그 끝을 가르는 것은 턱 아래에서 매고 다시 또 돌려서 목 가운데에서 매기 위한 것이다.'고 하였다.[60] 염습은 몸을 보호하는 것을 위주로 하니 부드러우면서도 견실한 것을 귀하게 여긴다. 관은 높고 크면 편하기 어려운데 하물며 요즈음 복두는 쇄로 다리를 만들고 길이는 3~4척이나 되며, 모帽는 검은 깁으로 만들고 위에는 허첨虛簷이 있으니, 관 속에 두면 어떻게 편안하겠는가! 평상복으로 습하고 그 위에 복건, 심의, 큰 띠 및 신발을 더하는 것이 이미 옛날에도 부합하고 일도 편리한 것만 못하다. 복건은 엄掩에 해당하는 것이니 그 제도는 지금의 난모暖帽와 같다. 심의·띠·신발履은 본래 제도가 있다. 심의·띠·신발이 없다면 다만 삼·늑백·혜鞋만 써도 된다. 복두·허리 띠·신발[靴]·홀은 장사 지낼 때를 기다렸다가 관 위에 두어도 된다."

[20-2-1-3]

"幎目, 用緇方尺二寸, 充之以絮, 四角有繫, 於後結之. 握手, 用玄纁長尺二寸, 廣五寸. 令裏親膚, 據從手內置之, 長尺二寸中掩之, 手纏相對也. 兩端各有繫, 先以一端繞擊一匝, 還從上自貫. 又以一端向上鉤中指, 反與繞擊者結於掌後節也."

(유장劉璋이 말했다.) "멱목은 사방 1척 2촌의 검은 베를 써서 솜으로 채우고 네 귀퉁이에 끈이 있어

爲位, 飯含).

58 부록 그림 41 참조

59 掩:『儀禮』「士喪禮」의 소에 "掩은 오늘날 사람들이 쓰는 幞頭와 같다. 다만 죽은 자의 경우에는 뒤에 달린 2개의 다리를 가지고 턱 아래에서 묶는 것이 산 사람이 쓰는 복두와는 다를 뿐이다.(掩, 若今人幞頭. 但死者, 以後二脚於頤下結之, 與生人爲異也.)"고 하였다.

60 부록 그림 42 참조

뒤에서 묶는다. 악수는 길이 1척 2촌의 현훈의 천을 쓰고 너비는 5촌이다. 안이 피부에 닿게 하여 손바닥 안에서부터 놓되 길이 1척 2촌의 중간 부분을 덮으면 손이 겨우 서로 맞닿게 된다.[61] 양 끝에는 각각 끈이 있으니, 먼저 한 쪽 끈으로 손등을 한 바퀴 두르고 다시 위에서 당긴다. 또 한 쪽 끈을 위쪽으로 가운데 손가락에 걸고는 다시 손등[掔]을 두른 것과 손바닥 뒷마디에서 묶는다."

[20-2-2]

沐浴飯含之具.

목욕과 반함[62]의 도구를 진설한다.

> 以桌子陳于堂前西壁下南上. 錢三實於小箱. 米二升以新水淅令精, 實於盌. 櫛一, 沐巾一. 浴巾二, 上下體各用其一也.

> 탁자를 당 서쪽 벽 아래에 진설하되 남쪽을 위로 한다. 동전 3개를 작은 상자에 채운다. 쌀 2되를 새 물로 씻고 정결하게 하여 주발에 담는다. 머리빗은 1개이고 머리 수건도 1장이다. 몸을 닦는 수건은 2장이니, 상체와 하체에 각각 1장씩 쓴다.

乃沐浴.

목욕을 시킨다.

> 侍者以湯入. 主人以下皆出帷外北面. 侍者沐髮, 櫛之. 晞以巾, 撮爲髻. 抗衾而浴, 拭以巾. 剪爪. 其沐浴餘水, 幷巾櫛棄于坎而埋之.

> 시종이 데운 물을 가지고 들어가면, 주인 이하는 모두 휘장 밖으로 나가 북쪽을 향한다.[63] 시종은 머리를 감기고 빗질을 하고, 수건으로 말리고 모아서 상투를 만든다.[64] 이불을 쳐들고서 몸을 씻기고[65] 수건으로 닦는다. 손톱과 발톱을 깎는다. 목욕하고 남은 물은 수건과 빗과 함께 구덩이에 버리고 묻는다.

----

61 안이 피부에 … 된다. : 이 부분의 해석을 두고 奇大升과 鄭經世 간의 논변이 『家禮輯覽』에 실려 있다. 『家禮輯覽』(『沙溪全書』 권27)「喪禮」(沐浴, 襲, 奠, 爲位, 飯含)

62 飯含 : 『禮記』「禮運」에 "생쌀로 반함을 한다[飯腥]."고 하였다. 주에는 "생쌀로 반함을 하는 것은 상고 시대에는 火食을 하는 법이 없었으므로 생쌀을 가지고 반함을 하는 것을 차용한 것이다.(飯腥者, 用上古未有火化之法, 以生稻米爲含也.)"고 하였다.

63 주인 이하 … 향한다. : 『儀禮』「士喪禮」의 주에 "살아 있을 때에 목욕하면서 옷을 벗으면, 자손들이 곁에 있지 않은 것을 상징한 것이다.(象平生沐浴裸裎, 子孫不在旁.)"고 하였다

64 모아서 상투를 만든다. : 『儀禮』「士喪禮」에 "죽은 자의 머리털을 묶을 때는 뽕나무로 만든 笄를 쓰는데, 길이가 4촌이며, 가운데 부분을 잘록하게 만든다.(髻, 笄用桑, 長四寸, 纋中.)"고 하였다.

65 이불을 쳐들고서 … 씻기고 : 『儀禮』「士喪禮」의 소에 "시신을 목욕시킬 때에는 윗옷을 벗겨 몸이 드러나 옷이 없으므로 이불을 쳐들어서 시신을 가리는 것이다.(以浴尸時, 袒露無衣, 故抗衾以蔽之也.)"고 하였다.

襲.

습을 한다.

> 侍者別設襲牀於幃外. 施薦席褥枕. 先置大帶深衣袍襖汗衫袴襪勒帛裹肚之類於其上. 遂
> 擧以入, 置浴牀之西. 遷尸於其上. 悉去病時衣, 及復衣, 易以新衣. 但未著幅巾深衣履.
> 시종은 휘장 밖에 습에 필요한 상을 따로 설치한다. 짚자리, 돗자리, 요, 베개를 편다. 먼저 그
> 위에 큰 띠, 심의, 포, 오, 한삼, 고, 버선, 늑백, 과두를 놓는다. 마침내 들고서 들어가 목욕
> 상의 서쪽에 두고, 시신을 그 위로 옮긴다. 병을 앓았을 때의 옷과 '복復'을 했을 때의 옷은 모두
> 벗기고 새 옷으로 갈아입힌다. 다만 복건, 심의, 신발은 아직 착용하지 않는다.

徙尸牀, 置堂中間.

시신의 침상을 옮겨 당堂의 중간에 놓는다.

> 卑幼則各於室中間. 餘言在堂者放此.
> 항렬이 낮거나 나이가 어린 사람은 각각 실室의 중간에 놓는다. 나머지 당에 놓는다고 한 경우도
> 이와 같다.

乃設奠.

전奠을[66] 진설한다.

> 執事者以桌子置脯醢, 升自阼階. 祝盥手洗盞斟酒奠於尸東當肩, 巾之.
> 집사자는 탁자에 포와 젓갈을 놓고 동쪽 계단으로 올라간다. 축관은 손을 씻고서 잔을 씻고
> 술을 따라 시신의 동쪽[67] 어깨 높이에 올리고 보로 덮는다.
> ○ 祝以親戚爲之.
> 축관祝官은 친척으로 하게 한다.

[20-2-2-1]

> 劉氏璋曰: "士喪禮復者降, 楔齒綴足, 卽奠脯醢與酒於尸東. 鄭註, '鬼神無象設奠以憑依
> 之.' 開元禮, '五品以上如士喪禮, 六品以下襲而後奠.' 今不以官品高下, 沐浴正尸, 然後設
> 奠, 於事爲宜. 奠謂斟酒奉至桌上而不酹. 主人虞祭, 然後親奠酹. 巾者, 以辟塵蠅也."
> 유장劉璋이 말했다. "「사상례士喪禮」에 '복復을 한 사람이 내려오면 설치楔齒[68]와 철족綴足[69]을 하고는

....

66 奠: 始死奠, 襲奠이라고도 함. 『四禮便覽』'乃設奠' 조항에 「士喪禮疏」를 인용하여 "시사전은 시신 동쪽에
　돌려놓고 이어서 습전이라 부른다.(始死奠, 反之於尸東, 因名襲奠.)"고 하였다.

67 시신의 동쪽: 『禮記』「檀弓上」의 '小斂之奠' 大全에 "만물은 동방에서 나서 북방에서 죽는다. 소렴의 전을
　동쪽에 올리는 것은 효자가 차마 어버이의 죽음을 인정하지 못하는 뜻이다.(萬物生於東, 而死於北. 小斂之奠
　于東方, 則孝子未忍死其親之意也.)"고 하였다.

68 楔齒: 『禮記』「喪大記」陳澔의 集說에 "장차 반함을 할 적에 입이 다물어질까 염려되므로 젓가락을 가지고

바로 포와 젓갈을 술과 함께 시신의 동쪽에 올린다.'고 하였다. 정현鄭玄의 주에는 '귀신은 형상이 없으니 전을 차려 놓고서 의지하게 한다.'고 하였다. 개원례開元禮[70]에는 '5품 이상은 사상례와 같고, 6품 이하는 습을 한 다음에 전을 올린다.'고 하였다. 지금은 관품의 높음과 낮음을 기준으로 삼지 않고 목욕시켜 시신을 바르게 하고 난 다음에 전을 차리니, 일에 마땅하다. 전은 술을 따라 받들어 탁자 위에 놓고 땅에 강신하지 않는 것을 말한다. 주인은 우제虞祭를 지낸 다음에 직접 전을 올리고 강신을 한다. 보로 덮는 것은 먼지와 파리를 피하기 위한 것이다."

[20-2-3]

主人以下爲位而哭.

주인 이하는 자리를 정하고서 곡한다.[71]

主人坐於牀東奠北. 衆男應服三年者坐其下, 皆藉以藁. 同姓期功以下各以服次坐於其後, 皆西向南上. 尊行以長幼坐於牀東北壁下, 南向西上, 藉以席薦. 主婦衆婦女坐於牀西, 藉以藁. 同姓婦女以服爲次坐於其後, 皆東向南上. 尊行以長幼坐於牀西北壁下, 南向東上, 藉以席薦. 妾婢立於婦女之後. 別設幃以障內外. 異姓之親, 丈夫坐於幃外之東, 北向西上, 婦人坐於帷外之西, 北向東上. 皆藉以席. 以服爲行無服在後.

주인은 상의 동쪽, 전奠의 북쪽에 앉고, 남자들 중에 3년 복을 입는 사람은 그 아래에 앉되 모두 짚을 깐다. 동성同姓 중에 기년복, 대공복, 소공복 이하를 입는 사람은 그 뒤에 앉고서 모두 서향하되 남쪽을 위로 한다. 높은 항렬은 장유의 순서로 상 동쪽의 북쪽 벽 아래에 앉고서 남향하되 서쪽을 위로 하며, 돗자리席와 짚자리薦를 깐다.[72] 주부와 부녀자들은 상의 서쪽에 앉되, 짚을 깐다. 동성同姓의 부녀자들은 복을 차례로 삼아 그 뒤에 앉고서 모두 동향하되, 남쪽을 위로 한다. 높은 항렬은 장유의 순서로 상 서쪽의 북쪽 벽 아래에 앉고서 남향하되, 동쪽을 위로 하며

이를 버티게 하여 입이 벌어진 채, 반함할 수 있게 하는 것이다.(爲將含, 恐口閉, 故以柶拄齒, 令開而受含也.)" 고 하였다

69 綴足: 『儀禮』「士喪禮」에 "철족은 燕几를 쓴다.(綴足, 用燕几.)"고 하고, 그 鄭玄 注에는 "綴은 '구속하다(拘)'와 같다. 장차 신발을 신길 적에 발이 비틀어질까 염려되기 때문이다.(綴, 猶拘也. 爲將履恐其辟戾也.)"고 하였다.

70 開元禮: 玄宗 開元 20년(732)에 편찬된 『唐開元禮』를 말한다. 이것은 吉禮·賓禮·軍禮·嘉禮·凶禮 등의 五禮에 대한 방대하고 상세한 체계를 갖추고 있는데, 황실 및 국가와 관련된 대부분의 의례가 담겨 있음은 물론, 品官들의 冠婚喪祭禮인 私家禮도 포함되어 있다. 아울러 『開元禮』에는 모든 문무백관과 황후 및 내·외명부의 宮服까지 체계적으로 제정되어 있으며, 그것은 우리나라의 服制에도 영향을 주었다. 이러한 國家典禮로서의 禮制의 편찬 작업은 후에 宋代의 『政和五禮新儀』와 明代의 『明集禮』로 이어졌으며, 그것들은 조선왕조의 『國朝五禮儀』 성립에 많은 영향을 주었다.

71 자리를 정하고서 곡한다. : 『禮記』「檀弓上」의 '子思之哭嫂也爲位' 陳澔 集說에 "무릇 곡을 할 때 반드시 자리를 정하는 것은 친함과 소원함 및 恩情의 차이를 서열 짓기 위한 것이다.(凡哭必爲位者, 所以敍親疏恩紀之差.)"고 하였다.

72 돗자리[席]와 짚자리[薦] : 『儀禮』「士婚禮」에 "婦席薦饌于房."이라고 하였는데 이에 대한 疏에서 賈公彦은 "醴婦, 惟席與薦, 無俎."고 하였다. 하여 '席薦'을 '돗자리[度]'와 '짚자리[薦]'로 구별하였다.

돗자리와 짚자리를 깐다. 첩과 여자 종은 부녀자들의 뒤에 선다. 따로 휘장을 설치하여 안팎을 막는다. 이성異姓의 친척 가운데 남자는 휘장 밖의 동쪽에 앉고서 북향하되 서쪽을 위로 하며, 부인은 휘장 밖 서쪽에 앉고서 북향하되 동쪽을 위로 한다. 모두 돗자리를 깐다. 복으로써 줄을 짓되 복이 없는 사람은 뒤에 앉는다.

○ 若內喪, 則同姓丈夫尊卑坐于幃外之東, 北向西上. 異姓丈夫坐於帷外之西, 北向東上.

내상內喪[73]일 경우에는 동성의 남자는 항렬의 높음과 낮음의 차례로 휘장 밖 동쪽에 앉고서 북향하되 서쪽을 위로 한다. 이성의 남자는 휘장 밖 서쪽에 앉고서 북향하되 동쪽을 위로 한다.

○ 三年之喪, 夜則寢於尸旁, 藉槀枕塊. 羸病者藉以草薦可也. 期以下寢於側近. 男女異室, 外親歸家可也.

삼년상을 지내는 자는 밤에 시신의 곁에서 잠을 자되 짚을 깔고 흙덩이를 벤다. 쇠약하거나 병이 든 사람은 짚자리를 깔아도 된다. 기년복 이하는 가까운 곳에서 자되, 남자와 여자는 방을 달리하고 외친外親(성이 다른 척족)은 집에 돌아가도 된다.

乃飯含.

반함[74]한다.

主人哭盡哀, 左袒, 自前扱於腰之右, 盥手執箱以入. 侍者一人挿匙於米盌, 執以從, 置於尸西. 徹枕, 以幎巾入覆面. 主人就尸東, 由足而西, 牀上坐東面. 擧巾 以匙抄米, 實於尸口之右, 幷實一錢. 又於左於中, 亦如之. 主人襲所袒衣, 復位.

주인은 곡하여 슬픔을 다하고 왼쪽 소매를 벗어[左袒][75] 앞으로 허리의 오른쪽에 꽂고는 손을 씻고 (동전을 담은) 상자를 들고서 들어간다. 시종 한 사람이 쌀 주발에 숟가락을 꽂고서 들고 따라가 시신의 서쪽에 놓고, 베개를 치우고 멱건幎巾을 가지고 들어가 얼굴을 덮는다. 주인은 시신의 동쪽으로 나아가 발쪽으로 돌아서 서쪽으로 가서 상 위에 동향하여 앉는다. 멱건을 들고 숟가락으로 쌀을 떠서 시신의 입 오른쪽에 채워 넣고 아울러 동전 1개를 채우며, 또 왼쪽과 가운데도 그와 같이 한다. 주인은 벗었던 왼쪽 소매를 입고 자리로 돌아간다.[76]

73 內喪 : 부녀자의 초상

74 반함 : 襲을 할 때에 죽은 사람의 입에 구슬과 씻은 쌀을 물리는 일.

75 왼쪽 소매를 벗어[左袒] : 『禮記』「檀弓下」에 "袒과 括髮은 꾸밈을 제거하는 것 중에 심한 것이다. 단을 할 때도 있고 옷을 입고 있을 때도 있는 것은 슬픔의 조절이다.(袒括髮, 去飾之甚也. 有所袒, 有所襲, 哀之節也.)"고 하였다. 이에 대한 소에 "효자가 꾸밈을 제거하는 방법에는 비록 여러 가지가 있지만, 단을 하고 괄발을 하는 것은 꾸밈을 제거하는 것 가운데에서 가장 심한 것이다. 효자는 슬프고 비통하니, 이치상 항상 단을 하고 있어야 할 것이다. 그런데 어째서 단을 할 때가 있고 다시 옷을 입고 있을 때가 있는 것인가? 슬픔의 한계와 조절을 드러낸 것이니 슬픔이 심할 경우에는 단을 하고 슬픔이 줄어들면 옷을 입는다.(孝子去飾, 雖有多塗, 袒括髮者, 就去飾之中最位甚也. 孝子悲哀, 理應常袒, 何以有所袒有所襲時者? 表明哀之限節, 哀甚則袒, 哀輕則襲.)"고 하였다.

76 遷尸(시신을 옮김)부터 飯含까지의 묘사는 부록 그림 43 참조

侍者卒襲, 覆以衾.

시종은 습을 마치고서 이불로 덮는다.

> 加幅巾充耳. 設幎目, 納履. 乃襲深衣, 結大帶, 設握手. 乃覆以衾.
>
> 복건을 씌우고 귀마개를 끼우고, 멱목을 덮고 신履을 신긴다. 심의로 습하고 큰 띠를 매며 악수를 하고, 이불로 덮는다.

[20-2-3-1]

司馬溫公曰 : "古者死之明日小斂, 又明日大斂. 顚倒衣裳, 使之正方, 束以絞紟, 韜以衾冒, 皆所以保其肌體也. 今世俗有襲而無大小斂, 所闕多矣. 然古者士襲衣三稱, 大夫五稱, 諸侯七稱, 公九稱. 小斂, 尊卑通用十九稱. 大斂, 士三十稱, 大夫五十稱, 君百稱. 此非貧者所辦也. 今從簡易, 襲用衣一稱. 小大斂則據死者所有之衣, 及親友所襚之衣, 隨宜用之. 若衣多, 不必盡用也."[77]

사마온공司馬溫公[司馬光]이 말했다. "옛날에는 죽은 다음 날 소렴을 하고 또 다음 날 대렴을 하였다. 의상을 뒤집거나 거꾸로 놓아 정방형이 되게 하고 효금絞紟[78]으로 묶고 금모衾冒로 싸는 것은 모두 몸을 보호하기 위한 것이다. 요즈음 세속에는 습은 있으나 대렴과 소렴이 없으니 빠진 것이 많다. 그러나 옛날에는 사士는 습의가 3벌, 대부는 5벌, 제후는 7벌, 공公은 9벌이었다. 소렴은 높건 낮건 모두 19벌을 썼다. 대렴은 사는 30벌, 대부는 50벌, 군주는 100벌이었다. 이것은 가난한 사람들이 갖출 수 있는 것이 아니다. 요즈음에는 간이함을 따라 습에는 옷 1벌을 쓰고, 소렴과 대렴에는 죽은 사람이 가지고 있던 옷과 친구들이 수의襚衣로 보내준 옷에 근거하여 마땅한 바에 따라 쓴다. 옷이 많아도 굳이 다 쓸 필요는 없다."

高氏曰 : "禮, 士襲衣三稱. 而子羔之襲也衣三稱. 孔子之喪, 公西赤掌殯葬焉, 襲衣十一稱, 加朝服一. 雜記曰, '士襲九稱.' 蓋襲數之不同如此. 大抵衣衾惟欲其厚耳. 衣衾之所以厚者, 豈徒以設飾哉! 蓋人死斯惡之矣. 聖人不忍言也, 但制爲典禮, 使厚其衣衾而已. 今世之襲者, 不知此意. 或止用單袷一稱. 雖富貴之家, 衣衾畢備, 皆不以襲斂, 又不能謹藏. 古人遺衣裳, 必置於靈座, 旣而藏於廟中. 乃或相與分之, 甚至輒計直貿易以充喪費. 徒加功於無用, 擲財於無謂, 而所以附其身者曾不之慮. 嗚呼! 又孰若用以襲斂, 而使亡者獲厚芘於九泉之下哉!"

고씨高氏[高閌]가 말했다. "예경禮經에 사士는 습의가 3벌이다. 그래서 자고子羔[79]의 습에 옷이 3벌이었다.[80] 공자의 상에는 공서적公西赤[81]이 빈장殯葬을 관장하였는데 습의 11벌에 조복朝服 한 벌을 더하

· ·

77 『書儀』권5 「小斂」
78 絞紟 : 염습할 때 시신을 싸고 묶는 띠와 이불로, 絞衾이라고도 한다.
79 子羔 : 공자의 제자 高柴를 말한다.
80 예경에 士는 … 3벌이었다. : 여기서 高閌이 근거로 삼은 예경은 『禮記』「雜記」의 鄭玄의 주이나 잘못 인용하였다. 그 정확한 내용은 다음과 같다. "사는 습의가 3벌이다. 자고는 습의가 5벌이었다. 지금 공은 습의가

였다.[82] 『예기禮記』「잡기雜記」에는 '사는 습의가 9벌이다.'[83]라고 하였다. 습의의 수가 같지 않은 것이 이와 같다. 대개 옷과 이불은 다만 후하게 하려고 할 뿐이니, 옷과 이불을 후하게 하려는 것이 어찌 한갓 꾸밈을 내세우는 것이겠는가! 사람이 죽으면 싫어하게 된다.[84] 성인이 차마 말을 하지 못하였지만 다만 그 전례를 제정하여 옷과 이불을 후하게 했을 뿐이다.

지금 세상에 습하는 사람은 이러한 뜻을 알지 못하고, 어떤 경우에는 그저 홑겹 1벌만을 쓸 뿐이고, 부유하고 존귀한 집에 옷과 이불이 다 구비되어 있어도 모두 염습에 쓰지도 않고 또 삼가 보관하지도 못한다. 옛사람은 남긴 옷을 반드시 영좌靈座에 보관해 두었다가 이윽고 묘廟 중에 보관하였다.[85] 마침내 어떤 경우에는 서로 나누기도 하고 심지어 함부로 계산하고 교환하여 상례의 비용에 충당하기도 한다. 한갓 쓸데없는 데 공을 들이고 터무니없는 것에 재물을 축내면서도 그 몸에 붙이는 것은 생각하지도 못하는 것이다. 아! 또 무엇이 그것으로 염습을 하여 죽은 자가 구천九泉 아래에서 후한 비호를 받게 하는 것만 하겠는가!"

[20-2-3-2]

楊氏復曰 : "按高氏一用禮經, 而襲斂用衣之多. 故襲有冒, 小斂有布絞, 大斂有布絞布紟, 所以保其肌體者固矣. 司馬公欲從簡易, 而襲斂用衣之少. 故小斂雖有布絞, 而襲則無冒, 大斂則無絞紟. 此爲疏略. 先生初述家禮, 皆取司馬公書儀. 後與學者論禮, 以高氏喪禮爲最善. 遺命治喪, 俾用儀禮. 此可以見其去取折衷之意矣. 況夫古者襲斂用衣之多! 故古有襚禮. 衣服曰襚. 士喪禮, 親者襚, 庶兄弟襚, 朋友襚, 又君使人襚, 今世俗有襲而無大小斂, 故襚禮亦從而廢, 惜哉. 然欲悉從高氏之說, 則誠非貧者所能辦. 有如司馬公之所慮者, 但當量其力之所及可也. 愚故於襲小斂大斂之下, 悉述儀禮幷高氏之說以備參考."

양복楊復이 말했다. "살펴보니 고씨高氏[高閌]는 예경을 한결같이 준용하면 염습에 쓰는 옷이 많다. 그러므로 습에는 모冒를 두었고, 소렴에는 포효布絞를 두었으며, 대렴에는 포효와 포금布紟을 두었으니 몸을 보호하는 것이 견고하다. 사마공司馬公[司馬光]은 간이함을 따르려고 하여 염습에 쓰는 옷이 적다. 그러므로 소렴에는 비록 포효를 두었으나 습에는 모가 없고 대렴에도 효금이 없으니, 이것은

9벌이니, 그렇다면 높고 낮음에 따라 습의의 수가 같지 않다. 제후는 7벌이고 천자는 12벌일 것이다.(士襲三稱. 子羔襲五稱. 今公襲九稱, 則尊卑襲數不同矣. 諸侯七稱, 天子十二稱與.)"

81 公西赤 : 公西가 氏이고 赤이 이름이며, 자는 子華이다. 공자의 제자이다.

82 공자의 상에는 … 더하였다. : 『孔子家語』에 나오는 글이다.

83 사는 습의가 9벌이다. : 사는 公의 잘못된 인용이다.

84 사람이 죽으면 … 된다. : 『禮記』「檀弓下」에 나오는 子游의 말이다. "사람이 죽으면 싫어하게 되고 무능하면 등을 돌리게 된다.(人死斯惡之矣, 無能也斯倍之矣.)"

85 옛사람은 남긴 … 보관하였다. : 이 글은 전후 맥락상 문맥이 서로 맞지 않는다. 그리하여 『家禮輯覽』에서는 "'古人'에서부터 '廟中'이라고 한 곳까지 16자는 주석의 글이다."고 하였으며, 『家禮增解』는 이를 따라 이 부분을 高閌의 自註로 처리하였다. 『家禮輯覽』(『沙溪全書』 권27)「喪禮」(沐浴, 襲, 奠, 爲位, 飯含). 『家禮增解』 권3「喪禮1」

소략하다. 선생이 처음『가례』를 찬술할 때에는 모두 사마공의『서의』를 취하였다. 나중에 배우는 자들과 예를 논의할 때에는 고씨의 상례를 가장 좋은 것으로 생각하여 자신의 치상治喪에 대해 명을 남겼을 때에는『의례儀禮』를 쓰도록 하였으니, 여기에서 버리고 취하여 절충한 뜻을 볼 수 있다. 하물며 옛날 염습에 쓰는 옷이 많았던 경우에는 어떻겠는가! 그러므로 옛날에는 수례襚禮[86]가 있었다. 의복을 수라고 한다.[87]『사상례』에는 "친척이 수의를 보내고 서형제庶兄弟가 수의를 보내며, 붕우가 수의를 보내고 또 군주가 사람을 시켜 수의를 보낸다."고 하였다. 지금 세속에는 습은 있으나 대렴과 소렴이 없어졌기 때문에 수례 또한 따라서 없어지게 되었으니 애석하다. 그러나 고씨[高闊]의 설을 다 따르려고 하면 진실로 가난한 사람은 제대로 갖출 수 있는 것이 아니다. 그러므로 사마공[司馬光]이 걱정한 것과 같은 것이 있으니 다만 재력이 미치는 바를 헤아려서 하면 될 것이다. 그런 까닭에 내가 습·소렴·대렴 아래에『의례儀禮』와 아울러 고씨의 설을 모두 기술하여 참고하도록 하였다."

[20-3-0]

靈座 영좌, 魂帛 혼백, 銘旌 명정

[20-3-1]
置靈座, 設魂帛.
영좌靈座[88]를 놓고 혼백魂帛[89]을 설치한다.

> 設椸於尸南, 覆以帕. 置倚卓其前, 結白絹爲魂帛置倚上. 設香爐合盞注酒果於卓子上. 侍者朝夕設櫛頮奉養之具, 皆如平生.
>
> 시신의 남쪽에 횃대를 설치하고 보로 덮는다. 그 앞에 의자와 탁자를 놓고 흰 명주를 묶어 혼백魂帛을 만들어 의자 위에 놓는다. 향로·향합·술잔·주전자·술·과일을 탁자 위에 진설하며, 시종은 아침저녁으로 빗질하고 세수하며 봉양하는 데에 필요한 도구를 진설하기를 모두 평소처럼

---

86 襚禮: 弔喪하는 이가 보내는 죽은 이에게 입힐 의복. 보내는 것이 재물이면 賻, 음식이면 奠이라 한다.

87 의복을 수라고 한다. :『家禮增解』에 의거하여 自註로 처리하였다.『家禮增解』권3「喪禮1」

88 靈座: 魂帛을 모셔두는 几筵을 말하며 靈几 또는 靈座交椅라고도 한다. 아래 주석에서 "흰 명주를 묶어 혼백을 만들고는 의자 위에 놓는다."고 하였는데 이때의 '의자'가 바로 靈座交椅이다. 이와 달리 장사 지낸 후 제사나 사당에서 쓰는 것은 神座交椅라고 한다.

89 魂帛: 神主를 만들기 전에 흰 명주 또는 모시로 만든 임시적인 神位. 初喪 중에만 쓰고 葬事 뒤에는 神主를 쓴다. "혼백을 만드는 제도는 두 가지가 있는데 명주를 그냥 묶기도 하고 同心結을 하기도 한다.『家禮儀節』에 따르면 '명주를 묶는 제도는 흰 명주 1필을 양쪽 끝에서 마주 말아 들여서 묶는 것이고, 동심결의 제도는 명주를 길게 접어 서로 맞꿰어 묶은 다음 위로 머리를 내고 옆으로 두 귀를 내고 나서 그 나머지를 아래로 드리워 두 발을 만들어 마치 사람 모양과 같이 하는 것이다. 두 방법이 다 좋다.'고 하였다."『喪禮備要』「혼백의 제구」항목 참조

한다.

○ 司馬溫公曰：“古者鑿木爲重以主其神. 今令式亦有之. 然士民之家未嘗識也. 故用束帛依神, 謂之魂帛, 亦古禮之遺意也. 世俗皆畫影置於魂帛之後, 男子生時有畫像, 用之猶無所謂. 至於婦人, 生時深居閨門, 出則乘輜軿, 擁蔽其面. 旣死豈可使畫工直入深室, 揭掩面之帛, 執筆訾相, 畫其容貌! 此殊爲非禮. 又世俗或用冠帽衣履, 裝飾如人狀, 此尤鄙俚, 不可從也.”[90]

사마온공司馬溫公 사마광司馬光이 말했다. “옛날에는 나무를 깎아 중重[91]을 만들고서 그 신神을 주인으로 삼았다. 지금의 법식에도 있으나 사민士民의 집에서는 알지 못한다. 그러므로 묶은 비단으로 신을 의탁하여 혼백이라고 하니, 또한 고례古禮에서 전해진 뜻이다. 세속에서는 모두 영정을 그려 혼백의 뒤에 두는데, 남자는 살아있을 때는 그린 초상화가 있으면 그것을 써도 말할 게 없지만 부인의 경우에는 살아있을 때 규문에 깊이 거처하였고, 외출할 때에는 수레[輜軿][92]를 타고 얼굴을 가렸으니, 죽었다고 어떻게 화공이 깊은 방에 바로 들어가 얼굴을 덮은 비단을 들추고 붓을 잡고 얼굴을 살펴 그 용모를 그리게 할 수 있겠는가! 이것은 전혀 예가 아니다. 또 세속에서는 간혹 관모, 의복, 신발을 써서 사람의 형상처럼 장식하기도 하는데, 이것은 더욱 비속하여 따를 수 없다.”

[20-3-1-1]

問：“重.”

朱子曰：“三禮圖有畫像, 可攷. 然且如司馬公之說, 亦自合時之宜, 不必過泥於古也.”[93]

중重에 대해 물었다.

주자가 대답했다. “『삼례도三禮圖』[94]에 그림이 있으니 상고해 볼 수 있다. 그러나 이를테면 사마광司馬光의 말대로 또한 스스로 시대의 마땅함에 부합하면, 굳이 고례古禮에 지나치게 구애될 필요는

- - - - - - - - - - - - - - - - - - - -

90 『書儀』 권5 「魂帛」

91 重：『禮記』 「檀弓下」 ‘殷主綴重焉’ 鄭玄 注에 “重은 신주와 같은 예법이다. 은나라 사람들은 신주를 만들고 나면 중은 묶어서 죽은 자의 殯廟의 묘정에 달아 두었고, 주나라에서는 신주를 만들면 중을 철거하여 매장하였다.(重, 主道也. 殷人作主而聯其重, 縣諸廟也, 周人作主, 徹重埋之.)”고 하였다. 이에 대해 方殼은 “무릇 重과 主는 모두 귀신이 의지하게 하는 것일 뿐이다. 그런데도 ‘중’이라고 하고 ‘주’라고 하는 것은 어째서 그렇게 말하는 것인가? 매장하기 이전에는 柩가 있다. 구가 있는데 또 중을 설치하기 때문에 重이라고 하는 것이다. 이미 매장하고 나면 廟가 있으니 묘가 있으면 반드시 신주를 세워야 한다. 이 때문에 主라고 하는 것이다.(夫重與主, 皆所以依神而已. 或曰重, 或曰主, 何也? 始死而未葬, 則有柩矣. 有柩而又設重, 所以爲重也. 旣有廟矣, 有廟而必立主, 是爲主也.)”고 하였다. 또 『禮記』 「雜記」의 주에는 “중은 虞祭를 마치면 祖廟의 문밖 동쪽에 매장한다.(虞祭畢, 埋於祖廟門外之東.)”고 하였다. 부록 그림 44 참조

92 輜軿：무거운 수레를 輜라고 하고 가벼운 수레를 軿이라고 하는데, 모두 부인들이 타는 수레이다.

93 『朱文公文集』 권63 「答郭子從」(1)

94 『三禮圖』：『家禮輯覽』에는 “『唐書』 「藝文志」에 夏侯氏의 『三禮圖』 권12가 있고, 또 張溢의 『三禮圖』 권9가 있다.”라고 소개하고 있으나, 宋代 聶崇義가 편찬한 『三禮圖集注』를 가리키는 듯하다.

없다."

[20-3-1-2]

楊氏復曰 : "禮, 大夫無主者, 束帛依神, 司馬公用魂帛, 蓋取束帛依神之意. 高氏曰, '古人遺衣裳必置於靈座, 旣而藏於廟中,' 恐當從此說. 以遺衣裳置於靈座, 而加魂帛於其上可也."

양복楊復이 말했다. "예에 대부로서 신주가 없는 자는 비단을 묶어 신을 의탁한다고 하였으니, 사마광司馬光이 혼백魂帛을 쓴 것도 아마 비단을 묶어 신을 의탁한다는 뜻을 취한 것이다. 고씨高氏高閌는 '옛사람은 남긴 옷을 반드시 영좌靈座에 보관해 두었다가 이윽고 묘廟 중에 보관하였다.'고 하였으니, 마땅히 이 설을 따라서 남긴 옷을 영좌에 두고 그 위에 혼백을 올려놓아도 될 것이다."

[20-3-2]

立銘旌.

명정을 세운다.

以絳帛爲銘旌. 廣終幅, 三品以上九尺, 五品以下八尺, 六品以下七尺. 書曰, '某官某公之柩,' 無官即隨其生時所稱. 以竹爲杠如其長, 倚於靈座之右.

붉은 비단으로 명정銘旌[95]을 만든다. 너비는 온폭을 다 쓰되, 3품 이상은 9척, 5품 이하는 8척, 6품 이하는 7척이다. '某官某公之柩(어떤 관직 아무 공의 영구)'[96]라고 쓰되, 관직이 없으면 살아있을 때의 호칭을 따른다. 대나무로 깃대를 그 길이만큼 만들고는 영좌의 오른쪽에 기대어 놓는다.[97]

. . . .

95 銘旌 : 『禮記』「檀弓下」에 "銘은 깃발에 죽은 자를 밝히는 것이다. 죽은 자는 얼굴과 형체를 볼 수 없기 때문에 旗로써 식별하게 하는 것이다. 사랑하였음에 그 이름을 기록하는 것이고, 공경하였음에 그 도리를 극진하게 하는 것일 뿐이다.(銘, 明旌也. 以死者爲不可別已, 故以其旗識之. 愛之斯錄之矣, 敬之斯盡其道焉耳.)"고 하였다. 이에 대한 주에는 "『儀禮』「士喪禮」에 '銘은 아무개씨 아무개의 靈柩라고 쓴다.(銘曰, 某氏某之柩.)'고 하였다. 이에 대한 소에는 '사는 길이가 3척이고, 대부는 5척이고, 제후는 7척이고, 천자는 9척이다. 명을 받지 못한 사의 경우에는 검은색 비단의 길이는 반폭으로 하고, 붉은색 비단 끝 부분의 길이는 온폭을 다 쓰되 너비는 3寸이다. 반폭의 길이는 1척이고, 온폭의 길이는 2척이니, 전체의 길이는 3척이다. 사랑하였음에 그 이름을 기록하는 것이고, 공경하였음에 그 도리를 극진하게 하는 것이다. 愛라고 하고 敬이라고 하였으니, 허례허식이 아니다.(士長三尺, 大夫五尺, 諸侯七尺, 天子九尺. 若不命之士, 則以緇長半幅, 䞓末長終幅廣三寸. 半幅一尺也, 終幅二尺也, 是總長三尺. 夫愛之而錄其名, 敬之而盡其道. 曰愛, 曰敬, 非虛文也.)"고 하였다.

96 某官某公之柩(어떤 관직 아무 공의 영구) : 『禮記』「曲禮」에 "상 위에 있는 것을 尸라고 하고, 관 속에 있는 것을 柩라고 한다.(在牀曰尸, 在棺曰柩)"고 하고, 그 陳澔 集說에는 "柩는 오래간다는 뜻인 久이다. 이 죽은 자는 몸에 흙이 닿지 않게 할 수가 없기 때문에 관 안에서 시신이 오래도록 보존되게 하고자 하는 것이다.(柩, 久也. 此化者無使土親膚, 故在棺欲其久也.)"고 하였다.

97 부록 그림 45 참조

[20-3-2-1]

司馬溫公曰 : "銘旌設跗, 立於殯東. 註, 跗, 杠足也. 其制如傘架." [98]

사마온공이 말했다. "명정에 받침대를 설치하여 빈소의 동쪽에 세워 놓는다. 자주自註에 '부跗는 깃대의 발이다. 그 모양은 우산의 받침대와 같다.'[99]고 하였다."

[20-3-3]

不作佛事.

불공佛供을 드리지 않는다.

司馬溫公曰 : "世俗信浮屠誑誘, 於始死及七七日百日朞年再朞除喪飯僧設道場, 或作水陸大會, 寫經造像, 修建塔廟, 云, '爲死者滅彌天罪惡, 必生天堂, 受種種快樂, 不爲者必入地獄, 剉燒舂磨, 受無邊波吒之苦.'

사마온공司馬光이 말했다. "세속에서는 불교의 속임과 꾐을 믿어 사망한 날 및 49일·100일·1년·2년·탈상에 스님에게 공양하고 도량을 열며, 어떤 경우에는 수륙대회水陸大會[100]를 열기도 하고, 불경을 필사筆寫하고 불상을 만들며, 탑묘塔廟를 세우면서 다음과 같이 말한다. '죽은 자를 위해 하늘 가득한 죄악을 멸하면 반드시 천당에서 태어나 온갖 쾌락을 받지만, 하지 않는 자는 반드시 지옥에 들어가 저미고 태우며 찧고 갈리며 끝없이 신음하는 고통을 받게 된다.'

殊不知人生含氣血. 知痛癢. 或剪爪剃髮, 從而燒斫之, 已不知苦, 況於死者形神相離! 形則入於黃壤, 朽腐消滅, 與木石等. 神則飄若風火, 不知何之. 借使剉燒舂磨, 豈復知之!

그러나 이것은 사람이 살아있을 때 기혈氣血을 지니고 있어 통증과 가려움증을 지각하지만 손톱을 자르고 머리를 깎아서 태우거나 잘라도 이미 고통을 지각하지 못하는 것을 하물며 형체와 정신이 서로 분리된 죽은 사람의 경우에는 어떻겠는가! 형체는 땅 속으로 들어가 썩고 사라져 나무나 돌과 같게 되고, 정신은 바람이나 불처럼 흩날려 어디로 가는지 조차 모르는데 설사 저미고 태우며 찧고 갈린다고 한들 어떻게 그것을 다시 지각하겠는가!

且浮屠所謂天堂地獄者, 計亦以勸善而懲惡也. 苟不以至公行之, 雖鬼, 可得而治乎! 是以唐廬州刺史李舟與妹書曰, '天堂無則已, 有則君子登, 地獄無則已, 有則小人入.' 世人親死而禱浮屠, 是不以其親爲君子, 而爲積惡有罪之小人也, 何待其親之不厚哉! 就使其親實積惡有罪, 豈賂浮屠所能免乎! 此則中智所共知, 而擧世滔滔信奉之, 何其易惑而難曉也! 甚者至有傾家破産然後已. 與其如此, 曷若早賣田營墓而葬之乎!

또 불교에서 말하는 천당과 지옥 또한 따져보니 선을 권장하고 악을 징계하려는 것이다. 만일 지극히 공평무사公平無私하게 행하지 않는다면 귀신인들 어떻게 다스릴 수 있겠는가! 이 때문에

98 『書儀』 권5 「大斂殯」
99 자주에 '跗는 … 같다. : 『書儀』에 自註로 실려 있다. 그러나 "跗, 杠足也. 其制, 如人衣架."로 되어 있다.
100 水陸大會 : 물이나 육지에 있는 孤魂과 아귀에게 法食을 공양하는 법회.

家禮三 · 205

당唐나라 여주자사廬州刺史 이주李舟는 누이동생에게 보낸 편지에서 '천당이 없으면 그만이지만 있다면 군자가 오를 것이요, 지옥이 없다면 그만이지만 있다면 소인이 들어갈 것이다.'고 하였다. 세상 사람들이 어버이가 죽으면 부처에게 비는 것은 자신의 어버이를 군자로 여기지 않고 악을 쌓아 죄가 있는 소인으로 여기는 것이니, 얼마나 자신의 어버이를 후대厚待하지 않는 것인가! 설령 자신의 어버이가 실제로 악을 쌓아 죄가 있다한들, 어찌 부처에게 뇌물을 준다고 면할 수 있는가! 이것은 보통의 지혜로도 모두 아는 것인데 온 세상이 도도하게 불교를 신봉하니, 어찌 그토록 의혹되기는 쉽고 깨우치기는 어려운가! 심한 경우에는 가세가 기울어 파산지경이 되고서야 그만두니 이처럼 되기보다는 일찍 밭을 팔고 묘지를 마련하여 장사 지내는 것이 어떻겠는가!

彼天堂地獄, 若果有之, 當與天地俱生. 自佛法未入中國之前, 人死而復生者亦有之矣. 何故無一人誤入地獄, 見閻羅等十王者耶! 不學者固不足與言, 讀書知古者, 亦可以少悟矣."[101]

저 천당과 지옥이 과연 있다면, 당연히 천지와 함께 생겨났을 것이니 불법이 중국에 들어오기 전에도 사람들 중에 죽었다가 다시 살아난 자가 또한 있어야 할 것이다. 그런데 어찌하여 한 사람도 지옥에 잘못 들어갔다가 염라대왕 등 시왕十王[102]을 만나본 자가 없는가! 배우지 않은 사람은 참으로 함께 말할 게 없지만, 책을 읽어 옛 것은 아는 사람이라면 또한 작은 지식으로도 깨달을 수 있을 것이다."

執友親厚之人, 至是入哭可也.

친구와 친분이 두터웠던 사람은 이때부터 들어가서 곡해도 된다.

主人未成服, 而來哭者當服深衣. 臨尸哭盡哀, 出拜靈座, 上香再拜. 遂弔主人. 相向哭盡哀. 主人以哭對無辭.

주인이 아직 성복成服하지 않았는데 와서 곡하는 사람은 마땅히 심의를 입어야 한다. 시신에게 다가가서 곡하여 슬픔을 다하고, 나가서 영좌에 절하고는 향을 올리고 재배하고, 마침내 주인에게 조문한다. 서로 바라보고 곡하면서 슬픔을 다하며, 주인은 곡으로 대답하고 말하지 않는다.[103]

• • • • • • • • • • • • • • • • • • • •

101 『書儀』 권5 「魂帛」

102 十王 : 지옥에서 죄의 경중을 정하는 十位의 왕으로, 첫 번째는 秦廣, 두 번째는 所江, 세 번째는 宋帝, 네 번째는 五官, 다섯 번째는 閻羅, 여섯 번째는 變成, 일곱 번째는 泰山, 여덟 번째는 平等, 아홉 번째는 都市, 열 번째는 轉輪이다.

103 습을 마치고 영좌를 설치하고서 친분이 두터운 사람이 들어가 곡하는 묘사는 부록 그림 46 참조

[20-4-0]

小斂 염, 袒 단, 括髮 괄발, 免 문, 髽 좌, 奠 전, 代哭 대곡

[20-4-1]

厥明

다음 날

> 謂死之明日.
>
> 죽은 다음 날을 말한다.

執事者陳小斂衣衾.

집사자는 소렴에 쓸 옷과 이불을 편다.[104]

> 以卓子陳於堂東壁下. 據死者所有之衣, 隨宜用之. 若多則不必盡用也. 衾用複者. 絞, 橫
> 者三, 縱者一, 皆以細布或綵, 一幅而析其兩端爲三. 橫者取足以周身相結, 縱者取足以掩
> 首至足而結於身中.
>
> 탁자를 써서 당堂의 동쪽 벽 아래에 진설한다. 죽은 사람이 소유했던 옷에 의거하여 적당하게
> 쓰고, 많으면 다 쓸 필요는 없다. 이불은 겹이불을 쓰며, 효絞는 가로로 묶는 것이 3개이고 세로로
> 묶는 것이 1개이니, 모두 가는 베 또는 비단 1폭을 그 양 끝으로 갈라서 3개로 만든다. 가로로
> 묶는 것은 몸을 둘러 서로 묶을 수 있을 만큼 취하고, 세로로 묶는 것은 머리를 덮고 발까지
> 이르게 하되 몸 중간에서 묶을 수 있을 만큼 취한다.

[20-4-1-1]

> 高氏曰 : "襲衣所以衣尸, 斂衣則包之而已. 此襲斂之辨也."
>
> 고씨高氏[高閌]가 말했다. "습의는 시신에 입히는 옷이고, 염의는 시신을 쌀 뿐이다. 이것이 습의와
> 염의가 다른 점이다."

[20-4-1-2]

> "小斂衣尙少, 但用全幅細布. 析其末而用之. 凡斂欲方, 半在尸下, 半在尸上. 故散衣有倒
> 者, 惟祭服不倒. 凡鋪斂衣, 皆以絞紟爲先. 小斂美者在內, 故次布散衣, 後布祭服. 大斂美
> 者在外, 故次布祭服, 後布散衣也."
>
> (고씨가 말했다.) "소렴은 옷이 오히려 적으나, 다만 온폭의 가는 포를 쓰며, 그 끝을 갈라서 쓴다.
> 무릇 염은 방정하게 하려는 것이니, 반은 시신의 아래에 두고 반은 시신의 위에 둔다. 그러므로

---

104 집사자는 소렴에 … 편다. : 『家禮補註』에 "옷과 이불의 숫자에 많고 적음이 있기에, 소렴이니 대렴이니
   하는 이름이 있는 것이다.(以衣衾之數有多少, 故有小大之名.)"고 하였다.

산의散衣[105]는 거꾸로 놓는 경우가 있으나, 다만 제복祭服은 거꾸로 놓지 않는다.[106] 무릇 염의를 펼칠 때에는 모두 효금絞紟[107]을 먼저 펴고, 소렴은 좋은 것을 안에 두기 때문에 다음으로 산의를 펴고, 그 뒤에 제복을 편다. 대렴은 좋은 것을 밖에 두기 때문에 다음으로 제복을 펴고, 그 뒤에 산의를 편다."

[20-4-1-3]

"斂以衣爲主. 小斂之衣必以十九稱, 大斂之衣, 多至五十稱. 夫旣襲之後, 而斂衣若此之多, 故非絞以束之, 則不能以堅實矣. 凡物束練緊急, 則細小而堅實. 夫然故衣衾足以朽肉, 而形體深秘, 可以使人之勿惡也. 今之喪者衣斂旣薄, 絞冒不施, 懼夫形體之露也. 遽納之於棺, 乃以入棺爲小斂, 蓋棺爲大斂. 入棺旣在始襲之時, 蓋棺又在成服之日, 則是小斂大斂之禮皆廢矣."

(고씨가 말했다.) "염은 옷을 위주로 한다. 소렴의 옷은 반드시 19벌로 하며, 대렴의 옷은 많을 경우 50벌에 이른다. 습하고 난 뒤에도 염의가 이처럼 많기 때문에 효포絞布로 묶지 않으면 견실해 질 수 없다. 무릇 물건을 묶을 때 단단히 동여매면 가늘고 작아지며 견실해진다. 그런 까닭에 옷과 이불은 육신이 썩어도 형체는 깊숙이 감추어지게 할 수 있으니, 사람들이 싫어하지 않게 할 수 있는 것이다. 요즈음 상을 치르는 사람들은 염의가 이미 얇은데도 효絞와 모冒를 하지 않으니, 형체가 드러날까 두려워서 황급하게 관 속에 넣고는 마침내 입관하는 것으로 소렴을 삼고, 관 뚜껑을 덮는 것으로 대렴을 삼는다. 입관은 이미 처음 습할 때 하고, 관 뚜껑을 덮는 것은 또 성복成服하는 날에 하니, 이것은 소렴과 대렴의 예가 모두 없어진 것이다."

[20-4-1-4]

楊氏復曰: "按儀禮士喪小斂衣十九稱. 絞, 橫三縮一. 廣終幅析其末. 注云, 絞, 所以收束衣服爲堅急也. 以布爲之. 縮, 縱也. 橫者三幅, 縱者一幅, 析其末, 令可結也."

양복楊復이 말했다. "살펴보니 『의례儀禮』「사상례士喪禮」에 '소렴의 옷은 19벌이다. 효絞는 가로로

---

105 散衣: 염을 할 때 말아서 빈 데를 채우는 옷가지. 『儀禮』「士喪禮」의 散衣에 대한 주에 "襐衣(앞의 주 참조) 이하로 袍와 繭 따위의 옷이다.(襐衣以下, 袍繭之屬.)"고 하였다. 이에 대한 소에는 "袍와 繭은 솜을 넣은 옷의 다른 이름으로 똑같이 산의 등속에 들어간다.(袍繭有著之異名, 同入散衣之屬也.)"고 하였다. 이때 새 솜으로는 繭를 만들고 묵은 솜으로는 袍를 만든다. 『禮記』「玉藻」의 다음 인용 참조 "纊爲繭, 縕爲袍. 注, 纊謂今之新綿也, 縕謂舊絮也."

106 제복은 거꾸로 … 않는다. : '거꾸로[倒]'는 윗도리를 거꾸로 놓아서 옷깃이 시신의 발쪽에 있게 한 상태이다. 『禮記』「喪大記」 '小斂之衣, 祭服不倒.'의 疏에 "윗도리를 거꾸로 하여 옷깃이 발 사이에 있게 하는 것이 있으나, 제복만은 존귀하여 비록 산의로 입히지 않더라도 옷깃을 거꾸로 하여 발에 있게 하지는 않는다.(衣有倒, 領在足間者, 唯祭服尊, 雖散不著, 而領不倒在足也.)"고 하였다. 그리고 『儀禮』「士喪禮」의 주에 "祭服은 존귀하여 거꾸로 놓지 않는다.(祭服尊, 不倒也.)"고 하였다.

107 絞紟: 염습할 때 시신을 싸고 묶는 띠와 이불로, 絞衾이라고도 한다.

된 것이 3개, 세로로 된 것이 1개이다. 너비는 온폭이며 그 끝을 가른다.'고 하였다. 주에는 '효絞는 의복을 거두어 묶어, 단단하게 하기 위한 것으로, 베로 만든다. 축縮은 「세로로 묶는 것縱」이다. 가로로 묶는 것은 3폭이고 세로로 묶는 것은 1폭이니, 그 끝을 갈라서 묶을 수 있게 한다.'고 하였다."

[20-4-2]
設奠.

전奠을 차린다.

> 設卓子于阼階東南, 置奠饌及盞注於其上, 巾之. 設盥盆帨巾各二于饌東. 其東有臺者, 祝所盥也, 其西無臺者, 執事者所盥也. 別以卓子設潔滌盆新拭巾於其東, 所以洗盞拭盞也. 此一節至遣並同.

> 동쪽 계단 동남쪽에 탁자를 설치하고, 그 위에 전奠할 음식과 술잔, 주전자를 놓고는 보로 덮는다. 음식의 동쪽에 대야·물동이·수건을 각각 2개씩 마련하되, 그 동쪽에 받침대가 있는 것은 축관祝官이 손을 씻는 곳이고, 서쪽에 받침대가 없는 것은 집사자가 손을 씻는 곳이다. 그 동쪽에 따로 탁자를 사용하여 결척분潔滌盆(설거지 그릇), 새 식건拭巾(행주)을 놓는데 잔을 씻고 잔을 닦기 위한 것이다. 이 한 구절은 견전遣奠까지 모두 같다.

具括髮麻, 免布, 髽麻.

괄발할 삼, 문할 베, 복머리를 틀 삼을 갖춘다[具].[108]

> 括髮, 謂麻繩撮髻, 又以布爲頭䙌也. 免, 謂裂布或縫絹廣寸, 自項向前交於額上, 卻遶髻, 如著掠頭也. 髽, 亦用麻繩撮髻, 竹木爲簪也. 設之皆於別室.

> 괄발括髮[109]은 삼끈으로 상투를 묶고, 다시 또 베로 두수頭䙌(머리띠)를 만드는 것을 말한다. 문은, 너비는 1촌의 찢은 베 또는 기운 비단으로 목으로부터 앞으로 이마 위에서 교차시키고 다시 상투를 두르는 것을 말하니, 마치 약두掠頭[110]를 쓴 것과 같다. 복머리[髽] 또한 삼끈을 써서 상투를 묶고 대나무로 비녀를 만들며, 모두 별실에다 마련해 놓는다.

---

108 갖춘다具.: 이 문장의 동사로 쓰인 '갖춘다具'는 사실 위 문장의 마지막에 와서 '전 드릴 도구를 마련함(設奠具)'이 되어야 한다는 것이다. 河西 金麟厚는 "이 아래에 나오는 '其' 자는 '奠' 자 아래에 있어야 하는데, 이는 大斂章을 보면 알 수가 있다.(下文具字, 當在奠字下. 觀大斂章可見.)"고 하였다. 그러나 『家禮』의 저본인 司馬光의 『書儀』에는 "具括髮麻免布及髽麻."라는 문장이 보이고 그 위 문장에는 "設奠"이라는 표현이 없다. 따라서 이 문장은 표점상의 오류가 아니라, 『書儀』의 문장을 그대로 싣고 있다고 보는 것이 합당하다. 『家禮輯覽』(『沙溪全書』 권27)「喪禮」(소렴)

109 括髮: 喪을 當한 사람이 成服 前에 풀었던 머리를 묶어서 상투를 트는 것이다.

110 掠頭: 河西 金麟厚는 "掠頭는 오늘날의 網巾과 같다.(掠頭, 如今之網巾.)"고 하였다. 『河西先生全集』 권12 「家禮考誤」. 부록 그림 47 참조

設小斂牀, 布絞衾衣.

소렴할 상을 설치하고[111] 효포絞 · 이불衾 · 옷衣을 편다.

> 設小斂牀, 施薦席褥于西階之西. 鋪絞衾衣, 擧之升自西階, 置於尸南. 先布絞之橫者三於下以備周身相結, 乃布縱者一於上以備掩首及足也. 衣或顚或倒, 但取正方, 唯上衣不倒.
>
> 소렴할 상을 설치하고 짚자리 · 돗자리 · 요를 서쪽 계단의 서쪽에 깐다. 효포 · 이불 · 옷을 펴서 들고는 서쪽계단으로 올라가 시신의 남쪽에 놓는다. 먼저 효포 중 가로 끈 3개를 아래에 펴서 몸을 둘러 서로 묶을 준비를 하고는 세로 끈 1개를 위에 올려서 머리를 덮어 다리에 오도록 준비한다. 옷은 뒤집거나 거꾸로 놓되 다만 정방형을 취하도록 하고 상의만은 거꾸로 놓지 않는다.

乃遷襲奠.

습전襲奠을 옮긴다.

> 執事者遷置靈座西南. 俟設新奠乃去之. 後凡奠皆放此.
>
> 집사자가 영좌 서남쪽에 옮겨다 놓고, 새 전奠을 차리기를 기다렸다가 치운다.[112] 이후의 모든 전은 다 이와 같다.

遂小斂.

마침내 소렴을 한다.

> 侍者盥手擧尸, 男女共扶助之. 遷於小斂牀上, 先去枕, 而舒絹疊衣以藉其首. 仍卷兩端以補兩肩空處. 又卷衣夾其兩脛, 取其正方. 然後以餘衣掩尸, 左衽不紐. 裹之以衾, 而未結以絞, 未掩其面. 蓋孝子猶俟其復生, 欲時見其面故也. 斂畢, 別覆以衾.
>
> 시종이 손을 씻고 시신을 들며 남녀가 함께 부축하여 돕는다. 소렴상 위로 옮기고는 먼저 베개를 치우고 비단 겹옷을 펴서 머리에 괸다. 이어 두 양 끝을 말아 양 어깨의 빈 곳을 채우고, 또 옷을 말아 두 다리에 끼워서 정방형을 취한다. 그런 다음 남은 옷으로 시신을 덮는다. 왼쪽으로 옷섶을 여미되 매듭지어 묶지는 않는다.[113] 이불로 싸되 아직 효포로 묶지 않으며 그 얼굴도

. . . .

111 소렴할 상을 설치하고 : 『家禮儀節』에 "상을 들어서 시신의 남쪽에 놓는다.(擧牀置于尸南.)"고 하였다.

112 새 奠을 … 치운다. : "효자는 차마 어버이로 하여금 잠시라도 依憑할 바가 없게 하지 않는다.(孝子不忍使其親須臾無所憑依.)" 『儀禮』「士喪禮」 주

113 왼쪽으로 옷섶을 … 않는다. : 이 표현은 『儀禮』「士喪禮」의 경문 "습의는 3벌이다(乃襲三稱)"에 대한 鄭玄의 주에 보인다. 그러나 정현의 이 주는 『禮記』「喪大記」의 경문 "소렴과 대렴에 있어서는 모두 옷섶袵을 왼쪽으로 여미며, 絞布로 묶되 매듭을 지어 묶지는 않는다.(小斂大斂皆左衽, 結絞不紐.)"에서 비롯된 것이다. 여기서 정현은 "좌임은 옷섶이 왼쪽으로 향하는 것이니 살아있을 때와는 반대이다.(左衽, 衽鄉左, 反生時也.)"라고 주를 달았는데, 이에 대한 소에는 "'袵은 옷의 섶이다. 살아 있을 때 오른쪽으로 향하도록 여미는 것은 왼손으로 띠를 당겨 풀기 편하기 때문이다. 죽었을 경우 옷섶을 왼쪽으로 향하도록 여미는 것은 다시는 풀지 않을 것임을 보이는 것이다. '絞布로 묶되 매듭을 지어 묶지는 않는다.'는 것은, 살아 있을 때에는 띠를 묶을 적에 모두 매듭을 지어 묶어 띠를 당겨 쉽게 풀 수 있도록 하지만, 죽었을 때에는 다시는 띠를 풀

덮지 않는다. 효자는 여전히 다시 살아나기를 기다리며 수시로 그 얼굴을 보려고 하기 때문이다.[114] 염을 마치면 따로 이불로 덮는다.[115]

主人主婦憑尸哭擗.

주인과 주부는 시신에 기대어 곡하며 가슴을 두드린다.

> 主人西向憑尸哭擗. 主婦東向亦如之.
>
> 주인은 서향한 채 시신에 기대어 곡하며 가슴을 두드린다. 주부는 동향하여 또한 그와 같이 한다.
>
> ○ 凡子於父母憑之. 父母於子, 夫於妻執之. 婦於舅姑奉之. 舅於婦撫之, 於昆弟執之. 凡憑尸, 父母先, 妻子後.
>
> 무릇 자식은 부모에 대해 기대어 곡하고, 부모가 자식에 대해서와 남편이 아내에 대해서는 붙잡는다. 며느리가 시부모에 대해서는 쳐받들고, 시아버지가 며느리에 대해서는 어루만지며, 형제에 대해서는 붙잡는다. 무릇 시신에게 기대는 것은 부모가 먼저 하고 처와 자식은 나중에 한다.[116]

袒括髮免髽於別室.

별실에서 단袒하고 괄발括髮하고 문免하고 복머리[髽]를 한다.

. . . .

뜻이 없기 때문에 효포로 조이고 나서 묶을 때 매듭을 지어 묶지 않는다는 것이다.(袵衣襟也. 生鄕右, 左手解抽帶便也. 死則襟鄕左, 示不復解也. 結絞不紐者, 生時帶並爲屈紐, 使易抽解, 若死則無復解義, 故約束畢結之, 不爲紐也.)"고 하였다. 그러나 『禮記』「喪大記」에 대한 이러한 해석을 통해서는 이 글은 이해되기 어렵다. 다시는 풀 일이 없으니 '매듭지어 묶지 않는다(不紐)'는 설명은 바로 다음의 문장 "이불로 싸되 아직 효포로 묶지 않으며 그 얼굴도 덮지 않는다. 효자는 여전히 다시 살아나기를 기다리며 수시로 그 얼굴을 보려고 하기 때문이다."와 상충되기 때문이다. 따라서 '매듭지어 묶지 않는다.'는 번역은 '매듭지어'에 강조점이 있는 것이 아니라 오히려 '묶지 않는다.'에 강조점이 있어야 한다. 즉 '묶기는 묶되 매듭을 지어 묶지 않는다.'는 것이 아니라 '매듭은 물론 아예 묶지도 않는다.'는 것이다. 정현의 주석이 몰고 온 이러한 이해의 난맥상이 『家禮輯覽』에 정현을 옹호하는 고봉 및 퇴계문인들과 대립각을 형성하면서 대략적으로 소개되어 있다. 『家禮輯覽』(『沙溪全書』 권27)「喪禮」(小斂)

114 이불로 싸되 … 때문이다. : 『家禮儀節』에 "살펴보니 『儀禮』「士喪禮」에 '염을 마치고 휘장을 철거한다.'는 글은 있어도, (『家禮』에서 말한) '효포를 묶지 않으며 얼굴을 가리지 않으니 다시 살아나기를 기다리는 것처럼 하는 것이다.'는 설은 없다. 『가례』의 이 설은 아마도 『書儀』에 바탕을 두었을 것이다. 이제 만일 날씨가 무더울 때라면 죽은 자의 기운이 끊어지고 시신이 싸늘해져 결단코 다시는 살아날 리가 없다. 그러니 『儀禮』에 의거해서 염을 마치는 것이 옳다.(按儀禮有卒斂徹帷之文, 無有未結絞, 未掩面, 猶俟其生之說. 家禮此說蓋本書儀也. 今擬若當天氣喧熱之時, 死者氣已絶肉已冷, 決無可生之理. 宜依儀禮卒斂爲是.)"고 하였다.

115 소렴의 묘사는 부록 그림 48 참조

116 부모가 먼저 … 한다. : 尊卑의 순서로 함을 말한 것이다. '凡憑尸, 父母先, 妻子後.'는 『禮記』「喪大記」에서 인용된 것인데, 그 集說에 "… 높은 이가 먼저 기대고 낮은 이가 뒤에 기댄다.(父母先, 妻子後, 謂尸之父母妻子也. 尊者先憑, 卑者後憑.)"고 하였다.

男子斬衰者袒括髮. 齊衰以下至同五世祖者, 皆袒免於別室. 婦人髽於別室.

남자 중에 참최복을 입는 사람은 단하고 괄발한다. 자최복 이하부터 5대조가 같은 사람[117]들까지는 모두 별실에서 단하고 문한다.[118] 부인은 별실에서 복머리를 한다.[119]

[20-4-2-1]

司馬溫公曰: "古禮, 袒者, 皆當肉袒, 免者, 皆當露髮. 今袒者止袒上衣, 免者惟主人不冠. 齊衰以下去帽, 著頭巾加免於其上亦可也. 婦人髽也, 當去冠梳."[120]

사마온공司馬溫公司馬光이 말했다. "고례에 단袒을 하는 사람은 모두 '육신이 드러나도록 어깨를 벗었고[肉袒],'[121] 문免을 하는 사람은 모두 머리카락을 드러내었다. 요즈음 단하는 사람은 그저 윗옷만을 벗어 단하고, 문은 오직 주인만 관을 쓰지 않는다. 자최복 이하는 모자를 벗고 두건을 쓴 채로 그 위에 문을 해도 된다. 부인은 복머리를 할 때 마땅히 관소冠梳(관과 빗)를 없애야 한다."

[20-4-2-2]

楊氏復曰: "小斂變服, 斬衰者袒括髮. 今人無袒括髮一節, 何也? 緣世俗以襲爲小斂, 故失此變服一節. 在禮, 聞喪奔喪, '入門詣柩前再拜哭盡哀, 乃就東方去冠及上服, 被髮徒跣, 如始喪之儀. 詣殯東面坐哭盡哀, 乃就東方袒括髮. 又哭盡哀, 如小斂之儀. 明日後日朝夕哭,

---

117 5대조가 같은 사람 : 4從, 즉 10寸까지를 말한다. 고조(4대조)가 같으면 8촌, 증조가 같으면 6촌, 할아버지가 같으면 4촌이 된다. 상복은 8촌까지 입는데, 8촌을 특히 드러내는 말로 '同高祖八寸'이라 한다.

118 자최복 이하부터 … 문한다. : 『禮記』「大傳」에 "4대의 조상이 같은 사람들 간에 緦麻服을 입는 것은 상복이 궁해진 것이다. 5대의 조상이 같은 사람들 간에 단과 문만 하는 것은 동성의 은혜가 줄어든 것이다. 6대가 되면 친속의 관계가 끊어진다.(四世而緦, 服之窮也. 五世祖免, 殺同姓也. 六世親屬竭矣.)"고 하였다. 주에는 "4대는 고조이다. 고조를 같이하는 자는 시마복을 입는데, 상복은 여기에서 다하는 것이다. 그러므로 '상복이 궁해진 것이다'고 한 것이다. '5대가 되는 자에 대해서는 단과 문만 한다'는 것은, 고조의 아버지를 함께 이은 자는 서로 간에 단과 문을 할 뿐이라는 것을 말한다. 이는 동성의 은혜가 줄어든 것이다. 6대는 고조의 할아버지를 함께 이은 자로, 모두 단과 문조차 하지 않는다. 그러므로 '친속의 관계가 끊어지는 것이다'고 한 것이다.(四世, 高祖也. 同高祖者服緦麻, 服盡於此矣. 故云服之窮也. 五世祖免, 謂共承高祖之父者相爲祖免而已. 是減殺同姓也. 六世則共承高祖之祖者, 幷祖免亦無矣. 故曰親屬竭也.)"고 하였다.

119 남자 중에 … 한다. : "安卿(陳淳)이 물었다. '鄭玄의 『儀禮』 주와 소에 남자의 괄발과 문, 그리고 부인의 복머리[髽]를 두고 모두 幓頭를 착용하는 것과 같다고 하였는데 이른바 「幓頭」라는 것이 무엇입니까?' 주자가 대답했다. '삼두는 그저 오늘날의 掠頭編子와 같을 뿐이니, 목으로부터 앞으로 이마 위에서 교차하고는 다시 상투를 두르는 것이다. 「免(문)」은 간혹 이 글자의 본음인 「면」으로 읽기도 하는데, 冠을 제거하는 것을 말한다.'(安卿問, '鄭氏儀禮注及疏, 以男子括髮與免, 及婦人髽, 皆云「如著幓頭然」. 所謂幓頭, 何也?' 曰, '幓頭只如今之掠頭編子, 自項而前交於額上, 却繞髻也. 「免」, 或讀如字, 謂去冠.')" 『朱子語類』 권85, 32조목

120 『書儀』 권5 「大斂殯」에 기록된 글인 듯하나 사고전서 본에는 "원본의 글 윗부분이 빠져있다.(原本上文闕.)"로 되어 있다.

121 어깨를 벗었고[肉袒] : 자세한 풀이는 "육신이 드러나도록 한 쪽 어깨를 벗으므로 '肉袒'이라고 한다.(露肉體而袒衣, 故謂之肉袒.)"로 나타난다. 『禮記』「奔喪」 '肉袒'의 集說

猶祖括髮, 至家四日乃成服.' 夫奔喪, 禮之變也, 猶謹其序, 而況處禮之常, 可欠小斂一節, 又無祖括髮乎! 此則孝子知禮者, 所當謹而不可忽也."

양복楊復이 말했다. "소렴에서 변복할 때 참최복을 입는 사람은 단祖하고 괄발括髮하는데, 요즈음 사람들은 단하고 괄발하는 한 절목이 없는 것은 무엇 때문인가? 세속에서는 습을 소렴으로 삼기 때문에, 이 변복 한 절목을 뺀 것이다. 『예기禮記』「문상」과 「분상」에 '문에 들어가 영구 앞에 나아가 재배하고 곡하며 슬픔을 다하고는, 동쪽으로 가서 관과 윗옷을 벗고 머리카락을 풀고 맨발을 벗기를 처음 상을 당했을 때의 의례대로 한다. 빈소에 나아가 동향하고서 앉아 곡하면서 슬픔을 다하고는 동쪽으로 가서 단하고 괄발하고, 또 곡하면서 슬픔을 다하기를 소렴의 의례대로 한다. 그 다음 날부터 매일 아침저녁으로 곡할 때 여전히 단하고 괄발하였다가 집에 도착한지 4일째 되는 날에 마침내 성복을 한다.'고 하였다. 분상은 변례變禮인데도 오히려 그 순서를 신중히 하는데, 하물며 상례常禮에 처해 소렴 한 절목을 빠뜨리고, 또 단과 괄발을 없앨 수 있겠는가! 이것은 예를 아는 효자로서 마땅히 조심하여 소홀히 해서는 안 될 것이다."

[20-4-3]
還遷尸牀於堂中.
돌아와[122] 시상尸牀을 당 가운데로 옮긴다.

執事者徹襲牀, 遷尸其處. 哭者復位. 尊長坐, 卑幼立.
집사자는 염할 때의 상을 치우고 시신을 그 곳으로 옮긴다. 곡하는 사람은 제자리로 돌아간다. 항렬이 높거나 나이가 많은 사람은 앉고, 항렬이 낮거나 어린 사람은 선다.

乃奠.
전奠을 올린다.

祝帥執事者, 盥手擧饌, 升自阼階, 至靈座前. 祝焚香洗盞斟酒奠之. 卑幼者皆再拜. 侍者巾之.
축관은 집사자를 이끌고 손을 씻고 음식을 들어 동쪽 계단으로 올라가 영좌 앞에 이른다. 축관이 분향하고 잔을 씻어 술을 따라 올리면, 항렬이 낮거나 나이가 어린 사람은 모두 재배한다. 시종이 보로 덮는다.

主人以下哭盡哀. 乃代哭不絶聲.
주인 이하는 곡하면서 슬픔을 다한다. 마침내 대신 곡하여[123] 곡소리가 끊어지지 않도록 한다.

· ·

122 돌아와: "'還'은 상주가 별실에서 돌아옴을 말한다.(還, 謂主人自別室還.)" 『家禮輯覽』(『沙溪全書』 권27)「喪禮」(小斂)

123 대신 곡하여: 상주가 슬픔으로 몸을 상하지 않게 하기 위하여 대신 곡하는 일을 뜻한다. 『儀禮』「士喪禮」 '乃代哭'의 鄭玄 注에 "代는 대신한다는 뜻이다. 효자가 부모상을 당하여 슬픔으로 초췌해져서 죽은 자

大斂 대렴

[20-5-1]
厥明
다음 날

小斂之明日, 死之第三日也.
소렴한 다음 날이니, 죽은 지 3일째이다.

○ 司馬溫公曰: "禮曰, '三日而斂'者, 俟其復生也. 三日而不生, 則亦不生矣. 故以三日爲
之禮也. 今貧者喪具或未辦, 或漆棺未乾, 雖過三日亦無傷也. 世俗以陰陽拘忌, 擇日而斂,
盛暑之際, 至有汁出蟲流, 豈不悖哉!"124
사마온공司馬溫公[司馬光]이 말했다. "『예기禮記』에 '3일째 염한다'125고 한 것은 다시 살아나기를
기다리는 것이다. 3일이 되었어도 살아나지 않으면, 또한 살아나지 못하는 것이다. 그러므로
3일째 예를 행하는 것이다. 지금 가난한 사람이 상구喪具를 아직 장만하지 못했거나 관의 칠이
아직 마르지 않았다면 비록 3일을 넘기더라도 해로울 것은 없다. 세속에서는 음양구기陰陽拘忌126
로 택일하여 염하기도 하는데 더위가 심할 때에는 심지어 즙이 생기고 벌레가 나오기도 하니,
어찌 도리에 어긋나지 않겠는가!"

執事者陳大斂衣衾.
집사자는 대렴할 옷과 이불을 진설한다.

以卓子陳於堂東壁下. 衣無常數, 衾用有綿者.
탁자를 사용하여 당의 동쪽 벽 아래에 진설한다. 옷에는 일정한 수가 없고 이불은 솜이 들어
있는 것을 쓴다.

[20-5-1-1]

高氏曰: "大斂之絞, 縮者三, 蓋取一幅布裂爲三片也. 橫者五, 蓋取布二幅裂爲六片而用五
也. 以大斂衣多, 故每幅三析用之, 以爲堅之急也. 衾凡二. 一覆之. 一藉之."

때문에 산 사람이 손상당함을 예법으로써 방지하기 위하여 대신 곡을 시켜 곡소리가 끊이지 않게 할 뿐이
다.(代, 更也. 孝子始有親喪, 悲哀憔悴, 禮防其以死傷生, 使之更哭不絶聲而已.)"고 하였다.
124 『書儀』 권5 「大斂殯」에 기록된 글인 듯하나 사고전서 본에는 "원본의 글 윗부분이 빠져있다.(原本上文闕.)"
로 되어 있다.
125 『禮記』 「問喪」
126 陰陽拘忌: 陰陽家의 설에 구애되어서 꺼리는 것으로, 날짜가 좋지 못하다고 하는 따위를 이른다.

고씨高氏[高閌]가 말했다. "대렴의 효포는 세로로 묶는 것은 3개이니 1폭의 베를 가져다가 찢어서 3조각을 만든다. 가로로 묶는 것은 5개이니 2폭의 베를 가져다가 찢어서 6쪽을 만들어 5개를 쓴다. 대렴은 옷이 많기 때문에 매 폭마다 3갈래로 쪼개서 사용하여 단단하게 동여지도록 한다. 이불은 모두 2장이니 1장은 덮고 1장은 깐다."

[20-5-1-2]

楊氏復曰 : "儀禮士喪, '大斂衣三十稱. 紟不在算, 不必盡用.' 注云, '紟單被也. 小斂衣數, 自天子達, 大斂則異矣. 大斂布絞, 縮者三, 橫者五.'"

양복楊復이 말했다. "『의례儀禮』「사상례士喪禮」에 '대렴의 옷이 30벌이다. 금紟은 셈에 들어있지 않으니 다 쓸 필요가 없다.'고 하였다. 주에는 '금紟은 홑이불이다. 소렴은 옷의 수가 천자로부터 똑같지만 대렴은 다르다. 대렴의 효포絞布는 세로로 묶는 것이 3개이고 가로로 묶는 것이 5개이다.'고 하였다."

[20-5-2]

設奠具.

전奠을 올릴 도구를 진설한다.

> 如小斂之儀.
>
> 소렴의 의례와 같다.

擧棺入, 置於堂中少西.

관을 들고 들어가 당 가운데에서 약간 서쪽에 놓는다.

> 執事者, 先遷靈座及小斂奠於旁側. 役者擧棺以入, 置於牀西, 承以兩凳. 若卑幼則於別室. 役者出, 侍者先置衾於棺中, 垂其裔於四外.
>
> 집사자가 먼저 영좌와 소렴전을 옆으로 옮긴다. 역자役者가 관을 들고 들어가 상의 서쪽에 놓고는 두 개의 고임목으로 받친다. 항렬이 낮거나 나이가 어린 사람은 별실에서 한다. 역자가 나가면 시종이 먼저 관 속에 이불을 넣고 그 가장자리를 사방 바깥으로 드리운다.
>
> ○ 司馬溫公曰 : "周人殯於西階之上. 今堂室異制, 或狹小, 故但於堂中少西而已. 今世俗多殯於僧舍, 無人守視, 往往以年月未利, 踰數十年不葬. 或爲盜賊所發. 或爲僧所棄. 不孝之罪, 孰大於此!"
>
> 사마온공司馬光이 말했다. "주나라 사람은 서쪽 계단 위에 빈소를 차렸다. 지금은 당실堂室의 제도가 다르거나 협소하므로, 다만 당 중앙에서 약간 서쪽에 차릴 뿐이다. 요즈음 세속에서는 절에 빈소를 차리는 경우가 많은데, 지켜 감시하는 사람이 없는데다 종종 장사 지낼 연월일이 좋지 않다고 하여 수십 년이 넘도록 장사 지내지 못하기도 하여, 어떤 경우에는 도적에 의해 도굴되기도 하고, 어떤 경우에는 승려에 의해 버려지기도 하니, 불효의 죄가 무엇이 이보다 크겠는가!"

乃大歛

대렴을 한다.

> 侍者與子孫婦女俱盥手掩首結絞, 共擧尸納於棺中. 實生時所落齒髮, 及所剪爪於棺角. 又揣其空缺處卷衣塞之, 務令充實, 不可搖動. 謹勿以金玉珍玩置棺中, 啟盜賊心. 收衾先掩足, 次掩首, 次掩左, 次掩右, 令棺中平滿. 主人主婦憑哭盡哀. 婦人退入幕中. 乃召匠加蓋下釘. 徹牀, 覆柩以衣. 祝取銘旌設趺於柩東. 復設靈座於故處. 留婦人兩人守之.

시종은 자손, 부녀와 함께 손을 씻고서 머리를 덮고 효포로 묶고는 함께 시신을 들어 관속에 넣는다.[127] 살아있을 때 빠졌던 이빨과 머리카락, 그리고 잘라낸 손톱, 발톱을 관의 모서리에 채워 넣는다.[128] 또 빈 공간을 헤아려 옷을 말아 채우되, 가득 채워 넣어 흔들리거나 움직이지 않도록 한다. 삼가 금, 옥, 진품珍品들을 관 속에 넣음으로써 도적질을 할 마음이 생기지 않도록 한다. 이불을 거두어 먼저 발을 덮고, 다음으로 머리를 덮으며, 다음으로 왼쪽을 덮고, 다음으로 오른쪽을 덮어 관 속이 평평하게 가득 차도록 한다. 주인과 주부는 기대어 곡하면서 슬픔을 다한다. 부인은 물러나 장막 속으로 들어간다. 마침내 관장이를 불러 뚜껑을 덮고 못을 박고, 상을 치우고 옷으로 영구를 덮는다. 축관은 명정을 가져다가 영구의 동쪽에 있는 받침대에 세우고, 영좌를 있었던 곳에 다시 설치한다. 부인 두 사람을 머물게 하여 지키도록 한다.[129]

> ○ 司馬溫公曰 : "凡動尸擧棺, 哭擗無算. 然殯歛之際, 亦當輟哭臨視. 務令安固, 不可但哭而已."[130]

사마온공司馬溫公[司馬光]이 말했다. "무릇 시신을 움직이고 관을 들 때는 곡하면서 가슴을 치는 것을 셀 수 없이 한다. 그러나 빈하고 염할 때에는 또한 마땅히 곡을 그치고 가서 지켜보면서 안전하고 튼튼하도록 하는데 힘써야지, 그저 곡만 해서는 안 된다."

> ○ "按古者大歛而殯, 既大歛, 則累墼塗之. 今或漆棺未乾, 又南方土多螻蟻, 不可塗殯, 故從其便."[131]

(사마온공이 말했다.) "살펴보니 옛날에는 대렴을 하고서 빈소를 차렸고, 대렴을 하고 나면 벽돌을 쌓고 진흙을 발랐다. 지금은 경우에 따라 관의 칠이 마르지 않기도 하고, 게다가 남방의 흙은

---

127 시종은 자손, … 넣는다. : 『家禮儀節』에 "살펴보니 이것을 보면 대렴을 관 속에서 하지 않음을 알 수가 있다. 그런데 세속에서는 『家禮』의 권수에 나오는 圖가 주자의 본뜻이 아님을 모르고서 왕왕 그 설에 근거해서 관 속에서 대렴을 하는 경우가 있다. 이는 옛 예가 전혀 아니다. 더구나 관 속은 비좁아서 絞를 묶기가 몹시 어려우니, 禮書를 읽는 자가 자세하게 상고해 보아야 할 것이다."고 하였다.
128 살아있을 때 … 넣는다. : 『禮記』 「喪大記」에는 "임금과 대부의 경우에는 머리카락[鬠]과 손톱, 발톱을 관의 네 귀퉁이에 넣는다. 士의 경우에는 이를 파묻는다.(君大夫, 鬠爪實于緣中. 士埋之.)"고 하였다.
129 대렴에 대한 묘사는 부록 그림 49 참고
130 『書儀』 권5 「大歛殯」에 기록된 글인 듯하나, 사고전서 본에는 "원본의 글 윗부분이 빠져있다.(原本上文闕.)"로 되어 있다.
131 『書儀』 권5 「大歛殯」에 기록된 글인 듯하나, 사고전서 본에는 "원본의 글 윗부분이 빠져있다.(原本上文闕.)"로 되어 있다.

개미들이 많아 빈소에 흙을 바를 수도 없기 때문에 편리함을 따랐다."

設靈牀於柩東.

널의 동쪽에 영상靈牀을 설치한다.

牀帳薦席屛枕衣被之屬, 皆如平生時.

상·휘장·자리·병풍·베개·옷·이불 등등은 모두 살아있을 때와 같게 한다.

乃設奠.

전奠을 진설한다.

如小歛之儀.

소렴의 의례와 같다.

主人以下各歸喪次.

주인 이하는 각각 상차喪次로 돌아간다.

中門之外, 擇樸陋之室, 爲丈夫喪次. 斬衰寢苫枕塊, 不脫絰帶, 不與人坐焉. 非時見乎母也, 不及中門. 齊衰寢席. 大功以下異居者, 旣殯而歸, 居宿於外. 三月而復寢. 婦人次於中門之內別室, 或居殯側. 去帷帳衾褥之華麗者. 不得輒至男子喪次.

중문 밖에 질박하고 누추한 방을 골라 남자의 상차喪次로 삼는다. 참최복을 입은 사람은 거적을 깔고 자고 흙덩이를 벤다. 수질首絰[132]과 요대腰帶를 벗지 않으며[133] 남들과 함께 앉지도 않는다. 수시로 모친을 뵈어서도 안 되고 중문에 이르지도 않는다. 자최복을 입은 사람은 돗자리를 깔고 잠을 잔다. 대공복 이하 따로 사는 사람은 빈소가 차려지고 나면 사는 곳으로 돌아가 밖에서 자고 3개월 만에 침실로 돌아온다.[134] 부인들은 중문 안 별실을 상차를 삼거나 혹 빈소 옆에 거처한다. 휘장·이불·요 중에 화려한 것은 치우고, 함부로 남자의 상차에 가서도 안 된다.

止代哭者.

대신 곡하는 자를 그치게 한다.

---

132 首絰: 喪服을 입을 때 머리에 두르는 둥근테이다. 삼과 짚을 꼬아서 테를 만들어 남자는 두건, 굴건과 함께 쓰고 여자는 수질만을 쓴다. 뒤의 「成服」장에 자세히 보인다.
133 수질과 요대를 … 않으며: 『儀禮』「旣夕」 '不脫絰帶'의 鄭玄 주에서 "애통함과 슬픔으로 편안한 곳에 있지 못하는 것이다.(哀戚不在於安.)"고 하였다.
134 3개월 만에 … 돌아온다.: 『禮記』「喪大記」의 주에 "마침내 평소에 부인을 거느렸던 침소로 돌아온다는 것이다.(復寢, 乃復其平時婦人當御之寢.)"고 하였다.

[20-6-0]

成服 성복

[20-6-1]

厥明

다음 날

> 大斂之明日, 死之第四日也.
>
> 대렴을 한 다음 날이니, 죽은 지 4일째이다.

五服之人, 各服其服, 入就位. 然後朝哭, 相弔如儀.

5복에 해당하는 사람은 각자 자신이 입을 복장을 입고 들어가 자리로 나아간다. 그리고 나서 아침곡朝哭을 하고[135] 서로 조상弔喪하기를[136] 의례대로 한다.

[20-6-1-1]

> 楊氏復曰 : "三日大斂, 可以成服矣, 必四日而後成服, 何也? 大斂雖畢, 人子不忍死其親. 故不忍遽成服, 必四日而後成服也. 禮, '生與來日, 死與往日,' 取此義也."
>
> 양복楊復이 말했다. "3일째에 대렴을 하고서 성복할 수 있는데, 반드시 4일 이후에 성복을 하는 것은 무슨 까닭인가? 대렴은 비록 마쳤으나 자식은 차마 어버이가 죽었다고 여기지 못한다. 그 때문에 차마 서둘러 성복하지 못하고 반드시 4일 이후에 성복하는 것이다. 『예기禮記』에 '산 사람은 다가올 날부터 세며, 죽은 사람은 지난날부터 센다.'[137]라는 것은 이러한 뜻을 취한 것이다."

. . . .

135 아침곡(朝哭)을 하고 : 河西 金麟厚는 "바로 아래(다음 장 제목)에서 말한 '朝夕哭'에서의 '朝哭'이다.(卽下所謂 朝夕哭之朝哭也.)"고 하였다. 『家禮輯覽』(『沙溪全書』 권27) 「喪服」(成服)

136 서로 조상하기를 : 『家禮儀節』에 "여러 아들과 손자가 조부의 앞과 諸父의 앞에 나아가서 무릎을 꿇고 곡하되 모두 슬픔을 다한다. 다시 또 조모의 앞과 諸母의 앞에 나아가서도 이와 같이 한다. 여자들은 조모와 제모의 앞에 나아가서 곡하며, 마침내 조부와 제부의 앞에 나아가서 남자들이 한 예법대로 곡한다. 주부 이하는 백숙모에게 나아가 곡하기를 또한 이와 같이 한다. 마치고 나면 자리로 돌아온다.(諸子孫, 就祖父前 及諸父前, 跪哭, 皆盡哀, 又就祖母及諸母前哭, 亦如之. 女子就祖母及諸母前哭, 遂就祖父諸父前, 如男子之 儀. 主婦以下, 就伯叔母哭, 亦如之. 訖復位.)"고 하였다. 『家禮儀節』 권4 「成服」. 김장생은 이러한 예가 『開 元禮』에서 처음 생겨나게 되었다고 말한다. 『家禮輯覽』(『沙溪全書』 권27) 「喪服」(成服)

137 『禮記』「曲禮」 '死與往日'의 集說에서 陳澔는 "'與'는 '세다[數]'와 같다. 성복을 하고 지팡이를 짚는 것은 살아 있는 사람의 일이니, 죽은 다음 날부터 계산해서 3일째 되는 날에 한다. 斂하고 殯하는 것은 죽은 자의 일이니, 죽은 날부터 계산해서 3일째 되는 날에 하는 것이다. 3일이 되어서 성복한다는 것은 바로 죽은 지 4일째 되는 날이다.(與, 猶數也. 成服杖, 生者之事也, 數死之明日爲三日. 斂殯, 死者之事也, 從死日數之爲 三日. 是三日成服者, 乃死之第四日也.)"고 하였다.

其服之制, 一曰斬衰三年.

그 복식 제도는 첫째, 참최 3년이다.

> 斬, 不緝也. 衣裳皆用極麤生布, 旁及下際皆不緝也. 衣縫向外. 裳前三幅・後四幅, 縫內
> 向, 前後不連. 每幅作三輒. 輒謂屈其兩邊相著而空其中也. 衣長過腰, 足以掩裳上際. 縫
> 外向. 背有負版, 用布方尺八寸, 綴於領下垂之. 前當心有衰, 用布長六寸廣四寸, 綴於左
> 衿之前. 左右有辟領, 各用布方八寸, 屈其兩頭相著爲廣四寸, 綴於領下, 在負版兩旁, 各擫
> 負版一寸. 兩腋之下有衽, 各用布三尺五寸, 上下各留一尺, 正方一尺之外, 上於左旁裁入
> 六寸, 下於右旁裁入六寸, 便於盡處相望斜裁. 却以兩方左右相沓, 綴於衣兩旁, 垂之向下.
> 狀如燕尾, 以掩裳旁際也.

> 참斬은 '꿰매지 않다.'이다.[138] 상의上衣와 하상下裳(치마)은 모두 굵은 생포生布를 쓰고, 옆과 아랫
> 단은 모두 꿰매지 않는다. 상의는 재봉선을 바깥으로 향하게 하고, 하상은 앞은 3폭이고 뒤는
> 4폭인데, 재봉선을 안으로 향하게 하고 앞과 뒤는 잇지 않는다. 매 폭마다 3개의 첩輒(주름)을
> 만든다. 첩은 양끝을 접어 서로 붙이고 그 가운데를 비워두는 것을 말한다.[139] 상의는 길이가
> 허리를 지나 하상의 윗단을 덮을 수 있게 하고, 재봉선은 바깥으로 향하게 한다. 등에는 부판負版
> 이 있는데, 가로 세로 1척 8촌의 방형方形의 베를 써서 깃 아래에 달아 드리운다. 앞에는 가슴에
> 최가 있는데 길이 6촌, 너비 4촌의 베를 써서 왼쪽 옷깃 앞에 단다. 왼쪽과 오른쪽에는 벽령辟領
> [適]이 있는데, 각각 가로 세로 8촌의 방형의 베를 써서 그 양 머리를 접고 서로 붙여서 너비가
> 4촌이 되게 하고는, 깃 아래에 달되, 부판 양쪽 옆에서 각각 부판보다 1촌을 안쪽으로 집어넣는
> 다.[140] 양 겨드랑이 아래에는 임衽이 있는데, 각각 3척 5촌의 베를 써서 위 아래로 각각 1척을
> 남겨두고 네모나게 1척 바깥에서, 위로는 왼쪽 옆에서 6촌을 재단하여 들이고, 아래로는 오른쪽
> 끝에서 6촌을 재단하여 들이고는 그 두 끝 지점에서 서로 비스듬히 재단한다. 다시 양쪽의 좌우

---

138 斬은 '꿰매지 … 이다. : 또 다른 하나의 해석을 소개하면 다음과 같다. 『儀禮』「喪服」의 '斬衰
  裳' 소에 "斬衰裳'은 3升布를 잘라 衰와 裳을 만든다는 것을 말한다. '재단하여 자른다裁割'고 하지 않고 '자른다斬'고
  말한 것은, 애통함이 매우 심한 뜻을 취한 것이다. 『禮記』「雜記」에 '縣子는 「삼년복의 상은 그 슬픔이 몸을
  써는 것과 같고, 기년복의 상은 그 슬픔이 몸을 깎는 것과 같다.」고 하였다.'고 하였으니 애통함에 깊고
  얕음의 차이가 있음을 말한 것이다.(斬衰裳者, 謂斬三升布以爲衰裳. 不言裁割而言斬者, 取痛甚之意. 雜記,
  縣子云, 三年之喪如斬, 期之喪如剡, 謂哀有深淺.)"

139 下裳의 묘사는 부록 그림 50 참조

140 『儀禮』「喪服」의 기에 "負版은 너비가 適(辟領)보다 1촌이 더 나온다.(負廣出於適寸.)"고 하였다. 주에는 "부
  판은 辟領보다 바깥 옆면이 1촌 더 나온다.(負出於辟領外旁一寸.)"고 하였다. 또 소에는 "부판은 등 위에
  있으므로 부판이라는 이름을 얻었다.(以在背上, 故得負名)"고 하였다. 『家禮輯覽』에서는 "살펴보니 適은 왼
  쪽과 오른쪽에 있는 벽령이니, 闊中 부분까지 아우른 너비가 1척 6촌이고, 부판은 너비가 1척 8촌이다.
  그러므로 『家禮』의 註에서 '각각 부판보다 1촌을 집어넣는다.(按適謂左右辟領, 幷闊中尺六寸而負板則尺八
  寸. 故家禮註, 各擫負版一寸.)'고 한 것이다."고 하였다. 『家禮輯覽』(『沙溪全書』 권27)「成服」

가 서로 포개지도록 하여 상의의 양 옆에 달아 아래쪽으로 드리우면, 형상이 마치 제비꼬리처럼 되어 하상의 옆단을 덮게 된다.[141]

冠比衣裳用布稍細. 紙糊爲材, 廣三寸, 長足跨頂前後, 裏以布, 爲三輒皆向右. 縱縫之. 用麻繩一條, 從額上約之, 至項後交過前, 各至耳, 結之以爲武. 屈冠兩頭入武內, 向外反屈之, 縫於武. 武之餘繩垂下爲纓, 結於頤下.

관冠은 상의上衣·하상下裳에 비해 조금 가는 베를 쓴다. 풀 먹인 종이를 재료로 삼아 너비는 3촌이 되게 하고 길이는 정수리의 앞과 뒤를 타넘을 수 있게 하여 베로 싸고는 3개의 첩輒(주름)을 만들되, 모두 오른쪽을 향하게 하고, 세로로 재봉한다. 삼 끈 1가닥을 써서 이마 위에서부터 매되, 정수리 뒤에서 교차하여 앞을 지나 각각 귀에 이르게 하고는 묶어서 무武를 만든다. 관의 양 머리를 접어 무의 안쪽으로 넣고는 바깥쪽을 향해 반대로 접어서 무에 재봉한다. 무의 남은 끈은 아래로 드리워 갓끈을 삼아 턱 아래에서 묶는다.[142]

首絰以有子麻爲之, 其圍九寸. 麻本在左. 從額前向右圍之, 從頂過後, 以其末加於本上, 又以繩爲纓以固之, 如冠之制. 腰絰大七寸有餘, 兩股相交, 兩頭結之, 各存麻本, 散垂三尺. 其交結處, 兩旁各綴細繩繫之. 絞帶用有子麻繩一條, 大半腰絰. 中屈之爲兩股, 各一尺餘, 乃合之. 其大如絰. 圍腰從左過後至前, 乃以其右端穿兩股間, 而反揷於右, 在絰之下.

수질首絰[143]은 '씨가 열리는 삼有子麻(암삼)'[144]으로 만드니, 그 둘레가 9촌이다.[145] 삼의 밑동을

• •

141 부록 그림 51, 그림 52 참조

142 冠과 首絰에 대한 묘사는 부록 그림 53 참조

143 부록 그림 53 참조

144 씨가 열리는 삼有子麻(암삼)] : 씨가 열리는 삼이란 암삼으로 '苴麻'라고 한다. 이와 달리 씨가 열리지 않는 삼은 수삼으로 '枲麻'라고 한다. 그런데 『家禮』와는 달리 옛날에는 苴麻으로 참최복을 짓고, 枲麻로 자최복을 지었다. 『禮記』 「間傳」에 "참최는 무엇 때문에 암삼으로 복을 짓는가? 암삼은 모습이 추악하니, 마음속에서 일어나는 슬픔을 드러내 바깥으로 나타내 보이는 것이다. 참최복은 그 모습이 암삼과 같다. 자최복은 그 모습이 수삼과 같다. 대공복은 그 모습이 중지하는 것과 같다. 소공복과 시마복은 슬픈 모습만 갖추어도 된다.(斬衰何以服苴? 苴惡貌也, 所以首其內而見諸外也. 斬衰貌若苴. 齊衰貌若枲. 大功貌若止. 小功緦麻, 容貌可也.)"고 하고, 그 陳澔 集說에는 "참최는 암삼으로 복을 짓는다'는 것은, 苴絰을 두르고 苴杖을 짚는 것이다. 씨가 열리는 삼으로 저질을 만든다. 竹杖 역시 苴杖이라고 한다. '모양이 추악하다'는 것은, 疏에, '암삼은 본디 黎黑色이다.'고 하였고, 또 「喪服小記」의 疏에서는 '지극한 애통함이 안에서 뭉치면 반드시 그 형색이 바깥으로 나타난다.'고 하였으니, 그 때문에 衰, 裳, 絰, 杖을 모두 암삼의 색깔로 갖추는 것이다. '首'는 겉으로 표시한다는 뜻이니, 그 속마음이 애통한 것을 바깥으로 드러내 보이는 것이다. '枲'는 牡麻로, 마르면 그 색이 회색과 비슷하다. 大功服의 상은 비록 자최복의 애통함과는 같지 않으나, 그 용모는 역시 구애되는 바가 있어서 마음대로 하지 못하는 것과 같다. 이 또한 평상시의 모습을 변화시키는 것이다.(斬衰服苴, 苴絰與苴杖也. 麻之有子者以爲苴絰. 竹杖亦曰苴杖. 惡貌者, 疏云, 苴是黎黑色, 又小記疏云, 至痛內結, 必形色外章, 所以衰裳絰杖俱備苴色也. 首者, 標表之義, 蓋顯示其內心之哀痛於外也. 枲, 牡麻也, 枯, 黯之色似之. 大功之喪, 雖不如齊斬之痛, 然其容貌, 亦若有所拘止而不得肆者. 蓋亦變其常度也.)"고 하였다. 『喪禮備要』에서 김장생 또한 "수질은 참최에는 苴麻, 곧 암삼을 쓰고, 자최 이하에서는 枲麻 곧 수삼을 쓰며, 緦麻에는 熟麻(삶은 삼)를 쓴다."고 하였다. 『喪禮備要』(『沙溪全書』 권31) 「絰帶의 도구」

왼쪽에 있게 한다. 이마 앞에서부터 오른쪽으로 둘러서 정수리 뒤쪽을 지나 그 끝을 밑동의 위에 포개고는 다시 또 끈으로 갓끈을 삼아 고정시키는데 관의 제도와 같게 한다. 요질腰絰은 굵기가 7촌 남짓하니,[146] 두 가닥을 서로 꼬아 두 머리를 묶고는 각각 삼 밑동을 남겨두어 3척을 흩어서 늘어뜨린다. 꼬아서 묶은 곳은 양 옆에 각각 가는 끈을 달아서 맨다. 효대絞帶[147]는 '씨가 열리는 삼有子麻(암삼)' 끈 1가닥[148]을 쓰는데 굵기는 요질腰絰의 반이다. 중간을 접어 두 가닥을 만들되 각각 1척 남짓하게 하고는 합치는데, 합친 굵기는 요질과 같다. 허리를 둘러 왼쪽에서부터 뒤를 지나 앞으로 오게 하고는 오른쪽 끝을 두 가닥 사이에 끼워 넣고 되돌려 오른쪽에 꽂는데 요질의 아래에 있게 한다.

○ 苴杖用竹, 高齊心, 本在下. 屨亦粗麻爲之. 婦人則用極粗生布爲大袖長裙蓋頭, 皆不緝. 布頭䚡, 竹釵, 麻屨. 衆妾則以背子代大袖. 凡婦人皆不杖. 其正服, 則子爲父也. 其加服, 則嫡孫父卒爲祖若曾高祖承重也. 父爲嫡子當爲後者也. 其義服, 則婦爲舅也. 夫承重則從服也. 爲人後者, 爲所後父也. 爲所後祖承重也. 夫爲人後則妻從服也. 妻爲夫也. 妾爲君也.

저장苴杖[149]은 대나무를 쓰고, 높이는 가슴과 나란히 하되 밑동을 아래에 둔다. 구屨(신발) 또한 거친 삼으로 만든다. 부인은 매우 거친 생포生布를 써서 대수大袖[150]·장군長裙[151]·개두蓋頭[152]를

• •

145 그 둘레가 9촌이다. : 여기서 둘레는 길이가 아니라 굵기이며, 그 尺度는 이미 앞에서 나왔듯이 指尺으로 가운데 손가락 가운데 마디를 1촌으로 삼는다. 그러기에 『喪禮備要』에서 首絰은 "대충의 길이는 1척 7, 8촌이고, 둘레(굵기)는, 참최는 9촌, 자최는 7촌, 대공은 5촌, 소공은 4촌, 시마는 3촌이다."고 하였다. 『喪禮備要』(『沙溪全書』 권31) 「絰帶의 도구」

146 腰絰은 굵기가 … 남짓하니 : "그 둘레(굵기)는 참최는 7촌, 자최는 5촌, 대공은 4촌, 소공은 3촌, 시마는 2촌이며 … 총 길이는 7, 8척이다." 『喪禮備要』 '括髮, 免, 髽의 도구' 항목 참고. 부록 그림 54 참조

147 부록 그림 54 참조

148 끈 1가닥 : 끈 1가닥의 길이는 18~19척이다. 이를 반을 접어 1척 가량의 고리를 만들어 쓰므로 실제의 길이는 8~9척 정도가 된다. 『喪禮備要』 「絰帶의 도구」

149 苴杖 : 苴杖은 대나무로 만드는 것인데도 '苴(암삼)'라는 이름을 붙인 것은 암갈색의 추악한 모습으로 참최복의 애통함을 상징하였기 때문이다. 앞의 주 '씨가 열리는 삼' 항목 참조. 그러기에 『禮記』「喪服小記」의 주에서 "마음이 칼로 저미는 것과 같이 아프므로 용모가 반드시 검푸르게 되는 것이다. 이 때문에 衰, 裳, 絰, 杖을 모두 암삼의 색깔로 갖추는 것이다.(心如斬斫, 故貌必蒼苴, 所以衰裳絰杖俱備苴色也.)"고 한 것이다. 부록 그림 54 참조

150 大袖 : 『家禮儀節』에 "오늘날의 부인들이 입는 短衫과 같은데, 넓고 크다. 그 길이는 무릎까지 닿는다. 소매의 길이는 1척 2촌이다. 그 끝단은 모두 재봉선을 바깥으로 향하도록 하되 감치지 않으니, 남자들이 입는 衰衣의 제도에 준한 셈이다. 살펴보니 옛날에는 부인들도 모두 衰가 있었다. 『家禮』는 『書儀』를 바탕으로 하여 시속에서 입는 복식으로 대신하였다. 이른바 大袖라는 것은 오늘날의 세상에는 어떠한 복인지 모른다. 지금 민가에서는 상을 당했을 때 부녀자들이 혹 單衫을 입기도 하고 혹 長衫을 입기도 하니 그 제도가 일치하지 않는다.(如今婦人單衫而寬大. 其長至膝. 袖長一尺二寸. 其邊皆縫向外不緶邊, 準男子衰衣制. 按古者婦人皆有衰. 家禮本書儀而代以時俗之服. 所謂大袖者今世不知何等服也. 今人家有喪, 婦女或爲單衫或爲長衫, 其制不一.)"고 하였다." 『國朝五禮儀』에는 "우리나라의 장삼이다.(國長衫)"고 하였다.

만들되, 모두 꿰매지 않는다. 두수頭𢅻는 베로 만들고, 비녀는 대나무로 만들며, 구구(신발)는 삼으로 만든다. 여러 첩들은 배자背子[153]로 대수大袖를 대신한다. 모든 부인은 다 지팡이를 짚지 않는다. 참최 3년의 정복正服[154]은 아들이 부친을 위해 입는다. 가복加服[155]은 '적손嫡孫 중에 부친이 죽어 조부 또는 증조부나 고조부를 위해 승중한 자嫡長孫'가 입는다. 부친이 '적자嫡子 중에 마땅히 후사後嗣가 될 자嫡長子'를 위해 입는다.[156] 의복義服[157]은 며느리가 시아버지를 위해 입는다. (남편이) 승중했을 경우 (남편의 복을) 따라서 입는다. 남의 후사가 된 자가 후사로 삼은 부친을 위해 입는다. 후사로 삼은 조부를 위해 승중했을 경우에 입는다. 남편이 남의 후사가 되었을 경우 처는 (남편의 복을) 따라서 입는다. 처가 남편을 위해서 입는다. 첩妾이 군君을 위하여 입는다.[158]

[20-6-2-1]

問 : "周制有大宗之禮, 立嫡以爲後, 故父爲長子三年. 今大宗之禮廢, 無立嫡之法, 而子各得以爲後. 則長子少子不異, 庶子不得爲長子三年, 不必然也. 父爲長子三年, 亦不可以嫡庶論也."

朱子曰 : "宗法雖未能立, 然服制自當從古. 是亦愛禮存羊之意, 不可妄有改易也. 如漢時宗

• • • • • • • • • • • • • • • • • • •

151 長裙 : 『家禮儀節』에 "아주 거친 麻布 6幅으로 만드는데, 모두 12조각[破]으로 마름질하여 이를 이어 붙여서 裙을 만든다. 그 길이는 땅에 끌리도록 하며, 그 邊幅은 모두 재봉선이 안쪽으로 향하도록 하고, 끝단은 감치지 않는다. 남자들이 입는 衰裳의 제도에 준하여 만든다. 살펴보건대, 『事物紀原』에 '隋나라에서 長裙을 만들었는데, 12조각을 가지고 만들었다. 지금의 大衣 가운데에 그것이 있다.'고 하였다. 그러나 幅이라고 말하지 않고 破라고 말하였으니, 그 뜻은 1폭을 나누어서 2조각으로 한 것이다. 그러므로 그 제도가 이와 같은 듯하다. 그러나 古禮를 보면 부녀자들에게도 衰服이 있었다. 衰裳의 제도에 준하지 않고 앞쪽을 3폭으로 하고 뒤쪽을 4폭으로 하되, 폭마다 3개의 주름을 잡아서 만들면 옛 뜻을 잃지 않을 것이다."고 하였다.

152 蓋頭 : 부인들이 외출할 때 얼굴을 가리던 것이다. 『國朝五禮儀』에는 "개두는 우리나라 여자들이 착용하는 笠帽로 대신한다."고 하였다.

153 背子 : 『國朝五禮儀』에 "우리나라의 蒙頭衣이다."고 하였다.

154 正服 : 상복의 정규 복식이다.

155 加服 : 정복보다 무겁게 입는 복식이다. 예컨대 정복의 경우, 조부에게는 자최 부장기, 증조부에게는 자최 5월, 고조부에게는 자최 3월이나 승중 손자는 가복이 되어 참최 3년을 입게 된다.

156 부친이 '嫡子 … 입는다. : 『儀禮』「喪服」에 참최는 "아버지가 장자를 위하여 입는 복이다.(父爲長子.)"고 하였다. 주에는 "嫡子라고 말하지 않은 것은 상하를 통하게 한 것이니, 또한 적자를 세워 장자로 삼은 것임을 말한 것이다.(不言嫡子, 通上下也, 亦言立嫡以長.)"고 하였다. 또 소에는 "또한 적자를 세워 장자로 삼은 것임을 말한 것이다'는 것은, 適妻의 소생은 모두 이름을 적자라고 하며, 첫째 아들이 죽으면 적처의 소생인 둘째 아들을 데려다 세워 역시 장자라고 이름하는 것임을 보이고자 한 것이다.(言立嫡以長者, 欲見嫡妻所生皆名嫡子, 第一子死, 則取嫡妻所生第二長者, 立之, 亦名長子.)"고 하였다.

157 義服 : 혈연이 없는 사람이 의리로써 입는 복식을 의미한다.

158 첩이 君을 … 입는다. : "첩이 남편을 君이라고 하는 것은, 자신의 맞상대로 여기지 못해 더 높인 것이다. 이는 비록 士라도 역시 그러하다.(妾謂夫爲君者, 不得體之, 加尊之也. 雖士亦然.)" 『儀禮』「喪服」 傳

子法已廢, 然其詔令猶云, ‘賜民當爲父後者爵一級.’ 是此禮猶在也, 豈可謂宗法廢, 而庶子皆得爲父後者乎?"159

물었다. "주나라 제도에는 대종大宗의 예법이 있었으니, 적장자嫡長子를 세워 후사後嗣로 삼았기 때문에 부친이 장자長子를 위해 3년복을 입었습니다.160 지금은 대종의 예법이 폐하여 적장자를 세우는 법이 없으니, 아들이 각각 후사가 될 수 있습니다. 그렇다면 장자와 소자少子가 다르지 않으니, ‘서자庶子(장자 이외의 아들)에 대해서는 장자를 위한 3년 복을 입을 수 없다.’161는 것은 굳이 그럴 필요가 없습니다. 부친이 장자를 위하여 3년 복을 입는 것 또한 적장자와 서자를 기준으로 따질 수 없습니다." 주자가 대답했다. "종법이 비록 확립되지 못했으나, 복제服制는 마땅히 옛 것을 따라야 한다. 이것 또한 ‘예를 아껴 양을 남겨두는’162 뜻이니, 함부로 고치거나 바꾸어서 안 된다. 예컨대 한漢나라 때 종자법이 이미 폐하였으나, 그 조령詔令에는 여전히 ‘백성들 중에 부친을 위해 후사가 된 자에 해당하는 경우 벼슬을 한 등급 하사한다.’고 하였다.163 이러한 예가 여전히 있는데, 어찌 종법이 폐하였다고 서자가 모두 부친의 후사가 될 수 있다고 할 수 있겠는가?"

[20-6-2-2]

楊氏復曰 : "喪服制度, 惟辟領一節, 沿襲差誤, 自通典始. 按喪服記云, ‘衣二尺有二寸,’ 蓋指衣身自領至腰之長而言之也. 用布八尺八寸, 中斷以分左右, 爲四尺四寸者二. 又取四尺

. . . .

159 『朱文公文集』권63「答郭子從」(1) : "周制有大宗之禮, 乃有立適之義, 立適以爲後, 故父爲長子權其重者若然. 今大宗之禮廢, 無立適之法, 而子各得以爲後, 則長子少子當爲不異. 庶子不得爲長子三年者, 不必然也. 父爲長子三年者, 亦不可以適庶論也."(이상 곽자종의 질문) "宗子雖未能立, 然服制自當從古, 是亦愛禮存羊之意, 不可妄有改易也. 如漢時宗子法已廢, 然其詔令猶云賜民當爲父後者爵一級, 是此禮意猶在也. 豈可謂宗法廢 而諸子皆得爲父後乎?"(이상 주자의 답변)

160 부친이 長子를 … 입었습니다. : 바로 위 문단의 "부친이 ‘嫡子 중에 마땅히 後嗣가 될 자嫡長子’를 위해 입는다."라는 조항에 해당한다.

161 『儀禮』「喪服」, 傳. "서자에 대해서는 장자를 위한 3년복을 입지 못하니, 할아버지를 이은 정체가 아니기 때문이다.(庶子不得爲長子三年, 不繼祖也.)" 주에는 "‘서자’라는 것은 아버지의 후사가 된 자의 동생이다. ‘庶’라고 말한 것은 멀리 구별하는 것이다.(庶子者, 爲父後者之弟也. 言庶者, 遠別之也.)"고 하였다.

162 『論語』「八佾」. "자공이 告朔의 예에 羊을 희생으로 바치는 제도를 없애려고 하였다. 공자가 말했다. ‘賜야! 너는 양을 아끼려는구나. 나는 그 예를 아끼노라.’고 하였다.(子貢欲去告朔之餼羊. 子曰, ‘賜也, 爾愛其羊, 我愛其禮.’)" 요컨대, ‘예를 아껴 양을 남겨두는 뜻’이란 근본을 잊지 않기 위해 잔존해 있는 예의 양식을 보존함을 말한다.

163 한나라 때 … 하였다. : 『史記』에 다음과 같은 글이 있다. "(文帝 원년에) 有司가 ‘미리 太子를 세우는 것은 종묘와 사직을 중하게 여겨 천하를 잊지 않는 것입니다. … 아들 啓가 가장 나이가 많으며 순후하고 인자하니, 태자로 세우소서.’라고 하자, 문제가 허락하였다. 그러고는 이를 인하여 천하의 백성들 가운데 대를 이어 부친의 후사가 된 자에 해당하는 경우 각각 벼슬 한 등급씩을 하사하였다.(有司가, ‘豫建太子, 所以重宗廟社稷, 不忘天下也. … 子某最長純厚慈仁, 請建以爲太子.’ 上乃許之. 因賜天下民當代父後者爵各一級.)" 한나라는 문제로부터 부친의 후사가 된 자에게 벼슬을 주어 이후 景帝·武帝, 그리고 후한 桓帝까지 이어졌다. 『史記』권10「孝文本紀」. 『後漢書』권7「桓帝紀」

四寸者二, 中摺以分前後, 爲二尺二寸者四. 此即尋常度衣身之常法也. 合二尺二寸者四, 疊爲四重, 從一角當領處四寸下, 取方裁入四寸, 乃記所謂'適博四寸,' 註疏所謂'辟領四寸'是也.

양복楊復이 말했다. "상복제도에서 오직 '벽령辟領' 한 대목만이 잘못된 것을 이어 받은 것은 『통전』164에서 비롯되었다. 살펴보니, 『의례儀禮』「상복」 기記165에 '상의上衣는 2척 2촌이다.'고 하였는데, 이는 상의의 몸판인 깃에서 허리까지의 길이를 가리켜 말한 것이다. 8척 8촌의 베를 써서 중간을 잘라 좌우로 나누면, 4척 4촌이 되는 것이 2장이다. 또 4척 4촌인 2장을 가지고 중간을 접어 앞뒤로 나누면, 2척 2촌이 되는 것이 4장이다. 이것이 바로 통상 상의의 몸판을 재는 변함없는 방법이다. 2척 2촌인 4장을 합하고 포개어 4겹을 만들고는, 깃 부분 한 모서리의 4촌 아래에서부터 네모나게 재단하여 4촌을 넣으니, 바로 기記에서 말한 '적適의 너비가 4촌이다.'고 한 것과 주소註疏에서 말한 '벽령은 4촌이다.'고 한 것이 이것이다.

按鄭註云, '適, 辟領也.' 則兩物即一物也. 今記曰'適,' 註疏又曰'辟領,' 何爲而異其名也. 辟, 猶開也. 從一角當領處, 取方裁開入四寸, 故曰辟領. 以此辟領四寸, 反摺向外, 加兩肩上, 以爲左右適, 故曰適. 乃疏所謂'兩相向外各四寸'是也. 辟領四寸旣反摺, 向外加兩肩上, 以爲左右適, 故後之左右, 各有四寸虛處當脊而相並, 謂之闊中. 前之左右, 各有四寸虛處當肩而相對, 亦謂之闊中. 乃疏所謂'闊中八寸'是也. 此則衣身所用布之處, 與裁之之法也.

살펴보니, 정현鄭玄의 주에서 '적適은 벽령辟領이다.'고 하였으니, 그렇다면 둘은 바로 하나이다. 지금 기記에서는 '적'이라고 하였는데 주소에서는 또 '벽령'이라고 하니, 무엇 때문에 그 이름을 달리하는가? '벽辟'은 '열다'와 같다. 깃 부분 한 모서리에서부터 네모나게 재단하여 4촌을 열어 넣기 때문에 '벽령'이라고 한 것이다. 이 벽령 4촌을 반대로 접고는 밖을 향해 양 어깨 위에 올려 좌우의 적適을 삼기 때문에 '적適'이라고 한다. 바로 소에서 말한 '양쪽이 서로 밖으로 향한 것이 각각 4촌이다.'고

<hr />

164 『通典』: 唐나라의 宰相 杜佑(735~812)가 편찬한 制度史로 200권이다. 766년에 착수하여 30여 년에 걸쳐 初稿가 완성되고, 그 후에도 많은 補筆이 있었던 것으로 추정된다. 玄宗(재위 712~756) 시대에 劉秩이 撰한 『政典』 35권을 核으로 하여, 역대 正史의 志類를 비롯해서 紀傳·雜史·經子, 당대의 법령·開元禮(玄宗 때의 禮制) 등의 자료를 참조하여, 食貨(經濟)·選擧(官吏登用)·職官·禮·樂·兵·刑·州郡·邊防의 각 부문으로 나누어, 상고로부터 中唐에 이르는 國制의 要項을 종합한 것이다. 때에 따라서는 저자의 의견도 삽입하였다. 구성이 질서정연하고, 내용이 풍부하여 중당 이전의 제도를 통람하는 데 가장 유용한 책이다. 이 책은 北宋의 宋白 등의 『續通典』, 南宋의 鄭樵의 『通志』, 元나라 馬端臨의 『文獻通考』 등에 큰 영향을 끼쳤다.

165 記: 『儀禮』「士冠禮」 賈公彦 疏에 "記는 모두 경전에 갖추어지지 않은 것을 기록한 것이며, 아울러 먼 상고 시대의 말을 기록한 것이다. 鄭玄은 '燕禮'에 대한 주에서 '후세에 와서는 쇠미해졌는데, 幽王과 厲王 때에 이르러서 더욱더 심해져 예악에 관한 서적이 점차 폐해져 버려지게 되었다.'고 하였다. 아마도 이후로 기가 있게 되었을 것이다. 또 살펴보니 상복의 기는 子夏가 傳을 지었으니, 응당 스스로 짓고서 도리어 스스로 해석하지는 않았을 것이다. 그러니 기는 마땅히 자하 이전인 공자의 시대에 있었을 것이다. 그러나 누가 기록한 것인지 정확하게는 모르겠다.(記者皆是記經不備, 兼記經外遠古之言. 鄭注燕禮云, 後世衰徵, 幽厲尤甚, 禮樂之書稍稍廢棄. 蓋自爾之後有記乎. 又案喪服記子夏爲之作傳, 不應自造還自解之. 記當在子夏之前孔子之時. 未知定誰所錄.)"고 하였다.

한 것이 이것이다. 벽령 4촌을 반대로 접고 나서는 밖으로 향해 양 어깨 위에 올려 좌우의 적을 삼았기 때문에, 뒤의 좌우에는 등뼈 부분에 각각 4촌의 빈 곳이 생겨 서로 나란하니, 이 곳을 활중闊中이라고 한다. 앞의 좌우에도 어깨부분에 각각 4촌의 빈 곳이 생겨 서로 마주하니, 또한 이 곳을 활중闊中이라고 한다. 바로 소에서 말한 '활중은 8촌이다.'고 한 것이 이것이다. 이것이 바로 옷의 몸판에 쓰이는 포의 용처用處와 옷의 몸판을 재단하는 방법이다.

註又云, '加辟領八寸, 而又倍之'者, 謂別用布一尺六寸以塞前後之闊中也. 布一條縱長一尺六寸, 橫闊八寸, 又縱摺而中分之, 其下一半, 裁斷左右兩端各四寸, 除去不用. 只留中間八寸, 以加後之闊中元裁辟領各四寸處, 而塞其缺當脊之相並處, 此所謂'加辟領八寸'是也. 其上一半全一尺六寸不裁, 以布之中間, 從項上分左右, 對摺向前垂下. 以加於前之闊中與元裁斷處, 當肩相對處相接以爲左右領也. 夫下一半加於後之闊中者, 用布八寸, 而上一半從項下, 以加前之闊中也, 又倍之而爲一尺六寸焉. 此所謂'而又倍之'者是也. 此則衣領所用之布, 與裁之之法也.

주에서 또 '벽령 8촌을 더하고 또 두 배로 더한다.'는 것은 별도로 베 1척 6촌을 써서 앞뒤의 활중을 막는다는 것을 말한다. 세로의 길이 1척 6촌, 가로의 너비 8촌인 베 1조를 다시 세로로 접어 중간을 나누고는, 그 아래 부분 반은 좌우 양 끝 각각 4촌을 재단하여 잘라내서 버리고 쓰지 않는다. 중간의 8촌만을 남겨두고는, 뒤의 활중인 처음 각각 4촌의 벽령을 재단했던 곳에 더해, 등뼈 부분에 비어 있는 서로 나란한 곳을 막으니, 이른바 '벽령 8촌을 더한다.'고 한 것이 이것이다. 그 윗부분 반은 1척 6촌을 그대로 두어 재단하지 않고는 베의 중간을 기준으로 목 위에서부터 좌우를 나누면서 앞을 향해 맞접어 아래로 드리운다. 그리하여 앞의 활중인 처음 재단했던 곳에 더하여 어깨부분에 서로 마주한 곳에 서로 붙여 좌우의 깃으로 삼는다. 아래 부분의 반은 뒤의 활중에 더하였으니 베 8촌을 썼고, 윗부분 반은 목에서부터 내려오면서 앞의 활중에 더하였으니 또 두 배로 더하여 1척 6촌이 되었다. 위에서 말한 '두 배로 더한다.'는 것이 바로 이것이다. 이것이 바로 옷깃에 쓰인 베와 그것을 재단하는 방법이다.

古者衣服吉凶異制, 故衰服領與吉服領不同, 而其制如此也. 註又云, '凡用布一丈四寸'者, 衣身八尺八寸, 衣領一尺六寸, 合爲一丈四寸也. 此是用布正數, 又當少寬其布, 以爲針縫之用. 然此即衣身與衣領之數, 若負衰帶下及兩衽, 又在此數之外矣. 但領必有袷, 此布何從出乎? 曰. 衣領用布闊八寸, 而長一尺六寸. 古者布幅闊二尺二寸, 除衣領用布闊八寸之外, 更餘闊一尺四寸, 而長一尺六寸, 可以分作三條施於袷而適足無餘欠也.

옛날에 의복은 길사와 흉사가 제도가 달랐기 때문에 최복의 깃과 길복의 깃이 같지 않았으니, 그 제도가 이와 같다. 주에 또 '무릇 베 1장 4촌을 쓴다.'고 한 것은 몸판 8척 8촌과 옷깃 1척 6촌을 합하여 1장 4촌이 된다는 것이다. 이것이 소용된 베의 정수正數이지만, 그 밖에 베를 조금 넉넉하게 하여 침봉針縫할 때의 용도로 삼아야 한다. 그러나 이것은 바로 몸판과 옷깃의 수이며, 예컨대 부판負板, 최衰, 대하帶下 및 양임兩衽은 또 이 수에 들지 않는다. 그러나 깃은 반드시 겁袷(속깃)[166]을 두어야 하는데, 이 베는 어디에서 나오는가? 옷깃에 쓰이는 베는 너비가 8촌이고 길이는 1척 6촌이다. 옛날에 베는 폭당 너비가 2척 2촌이니, 옷깃에 소용되는 베의 너비 8촌을 제외하면, 다시 남은 것이 너비 1척 4촌에, 길이 1척 6촌이니, 이것을 3조로 나누어 겁(衱)에 써도 적(適)은 남거나 모자람이 없을 것이다.

通典以辟領爲適, 本用註疏, 又自謂喪服記文難曉, 而用臆説以參之. 既別用布以爲辟領, 又不言制領所用何布, 又不計衣身衣領用布之數, 失之矣. 但知衣身八尺八寸之外, 又別用布一尺六寸以爲領, 凡用布共一丈四寸, 則文義不待辨而自明矣."

『통전』에서 벽령을 적이라고 한 것은 본래 주소註疏를 인용한 것인데도, 또 스스로 '『의례儀禮』「상복」 기記에 나오는 문장은 알기 어렵다.'[167]고 하여 억설을 써가면서 참용하였다. 이미 별도의 베를 써서 벽령을 만들고는, 또 옷깃을 만들 때 소용되는 것이 어떤 베인지 말하지 않고, 또 몸판과 옷깃에 쓰이는 베의 수를 계산하지도 않았으니, 잘못이다. 그러나 몸판 8척 8촌 외에 다시 별도의 베 1척 6촌을 써서 옷깃을 만든다는 점을 알면, 모두 1장 4촌의 베를 쓰는 셈이니, 글의 뜻이 분별되기를 기다리지 않아도 저절로 분명해질 것이다."

[20-6-2-3]

"又按喪服記及註云, '袂二尺二寸', 緣衣身二尺二寸, 故左右兩袂亦二尺二寸, 欲使縱橫皆正方也. 喪服記又云, '袪尺二寸, 袪者, 袖口也,' 袂二尺二寸, 縫合其下一尺, 留上一尺二寸以爲袖口也."

(양복이 말했다.) "또 살펴보니 『의례儀禮』「상복」의 기記와 주에 '소매는 2척 2촌이다.'고 한 것은 옷의 몸판이 2척 2촌이기 때문에 좌우의 양 소매 또한 2척 2촌인 것이니 가로 세로가 모두 정방형이 되도록 한 것이다. 「상복」 기記에도 또 '「거袪」는 1척 2촌이니, 「거袪」는 소맷부리이다.'고 한 것은, 소매 2척 2촌에서 아래 1척을 봉합하여 위 1척 2촌을 남겨 소맷부리로 삼은 것이다."

[20-6-2-4]

"又按喪服記云, '衣帶下尺,' 緣古者上衣下裳, 分別上下, 不相侵越. 衣身二尺二寸, 僅至腰而止, 無以掩裳之際, 故於衣帶之下, 用縱布一尺, 上屬於衣, 橫繞於腰, 則以腰之闊狹爲準, 所以掩裳上際, 而後綴兩衽於其旁也."

(양복이 말했다.) "또 살펴보니 「상복」 기記에서 '의대하척衣帶下尺(상의의 띠 아래 1척 부분)'[168]이라고

. . . .

166 袷(속깃) : "옷깃 속에 가하는 것이다.(加於領裏者)"『增補四禮便覽』권4「成服」, 衣의 袷 조항

167 『儀禮』「喪服」 … 어렵다. : 『通典』「五服衰裳制度」. 아래에서 杜佑는 "살펴보니『儀禮』「喪服」記의 본문은 이해하기가 매우 어렵다. 이제 먼저 그 제도에 대해 말하고, 다음에 經文을 인용해 놓았으니 후학들이 쉽고 상세하게 살펴볼 수 있기를 바란 것이다.(按喪服記本文甚難曉. 今先言其制, 次引經文, 所冀後學易爲詳覽云.)"고 하였다.

168 衣帶下尺(상의의 띠 아래 1척 부분) : 喪服 上衣의 허리 부분 명칭. 이를 설명문으로 하여 '上衣는 띠 아래로 1척이다.'로 풀이할 소지가 있으나, 다음에 의해 명사로 풀이된다.
  ① "의대하척. 의대하척은 허리이다. 상의의 허리를 말한다.(衣帶下尺. 衣帶下尺者, 要也. 謂衣要也.)"『儀禮』 「喪服」「注疏」권11

한 것은 옛날 상의上衣와 하상下裳이 위와 아래를 분별하여 서로 침범하지 않게 하였기 때문이다. 몸판 2척 2촌은 허리에 겨우 도달하고 멈추어 하상下裳의 윗단을 덮지 않았기 때문에, 상의의 띠 아래에 세로로는 베 1척을 써서 위로 상의에 붙이고 가로로는 허리를 감았다. 그렇다면 이것은 허리의 넓음과 좁음을 기준으로 삼은 것이니, 그로써 하상의 윗단을 덮은 다음에 그 옆에 두 개의 임衽을 달았던 것이다."

[20-6-2-5]

"度用指尺, 中指中節爲寸. 首絰·腰絰, 圍九寸七寸之類亦同."

(양복이 말했다.) "자는 지척指尺을 쓰니 가운데 손가락 가운데 마디가 1촌이 된다.[169] '수질首絰과 요질腰絰은 둘레가 9촌과 7촌이다.'는 따위가 또한 같은 것이다."

[20-6-2-6]

"菅屨, 儀禮註, '菅屨, 非屨也,' 家禮云. '屨以粗麻爲之.' 恐當從儀禮爲正."

(양복이 말했다.) "간구菅屨[170]는 『의례儀禮』 주에 '간구는 풀로 엮은 신非屨이다.'고 하였으나 『가례』에는 '구屨(신발)는 거친 삼으로 만든다.'고 하였는데, 마땅히 『의례儀禮』를 따르는 것을 올바름으로 삼아야 할 듯하다."

[20-6-2-7]

"儀禮, '妻爲夫, 妾爲君, 女子子在室爲父, 布總箭笄髽, 衰三年.' 以家禮參攷之. 儀禮, '小斂婦人髽於室, 以麻爲髽,' 家禮, '小斂婦人用麻繩, 撮髻爲髽,' 其制同. 儀禮, '婦人成服, 布總六寸, 謂出紒後所垂者六寸. 箭笄長尺,' 家禮, '婦人成服, 布頭𦇧竹釵,' 所謂布頭𦇧, 即儀禮之布總也. 所謂竹釵, 即儀禮之箭笄也.

(양복이 말했다.) "『의례儀禮』「상복」에 '처는 남편을 위해, 첩은 군君을 위해, 시집 안 간 딸[171]은

---

② "의대하척은 그 물건이 아래 1자를 말하니 아래를 향하여 헤아리면 1척으로 그 치수를 말한다. 지금은 그것을 지목하여 '대하척'이라고 한다.(衣帶下尺 言其物下尺者 向下量之一尺 言其度也 今則目之曰帶下尺矣.)" 『儀禮』「鄭註句讀」 卷11 「喪服」

③ 사례편람에는 '(帶下尺)'으로 물건 표시를 하고 "세로는 너비 1자 1치의 베를 써서 위로 상의에 붙이고, 가로는 허리를 두르되 허리의 둘레를 기준으로 삼고 시접 1치를 제하면 높이는 1자가 된다.(帶下尺, 用縱布廣一尺一寸, 上屬於衣, 橫繞於腰, 以腰之闊狹爲度, 除縫餘一寸, 則高一尺)"고 하여 크기 위치 등을 설명하였다. 『增補四禮便覽』 권4 「成服」, 衣의 帶下尺(帶下尺) 조항

이상에서 '의대하척'은 要·衣要·帶下尺으로도 나타난 것을 확인할 수 있다.

169 부록 그림 12 참조

170 菅: 『韻會』에서는 "음은 居와 閑의 반절이다."고 하였다. 또 『毛詩』에 "'菅'은 음이 '간'이다.(菅音奸)"고 하였다. 『毛詩』「小雅」, 〈白華〉 '白華菅兮' (音義). 부록 그림 54 참조

171 시집 안 간 딸[女子子在室]: 『禮記』「曲禮上」 주에서 鄭玄은 "남자에겐 '子'를 한번만 칭하면서 여자에겐 '자'를 중첩해서 ('女子子'라고) 말한 것은 남자와 구별되도록 하기 위해서이다.(男子則單稱子, 女子則重言子者,

아버지를 위해 베로 머리를 묶고 살대[箭]로 만든 비녀를 꽂으며 복머리를 하고 최衰 3년 복을 입는다.'고 하였다. 『가례』로써 참고하여 고찰해 보기로 한다. 『의례儀禮』「사상례士喪禮」에 '소렴에 부인은 실室에서 복머리를 틀되 삼으로 복머리를 튼다.'고 하였고, 『가례』에서는 '소렴에 부인은 삼끈을 써서 머리를 모아 복머리를 튼다.'고 하였으니, 그 제도가 같다. 『의례儀禮』「상복喪服」에 '부인은 성복成服에 베로 머리를 묶은 것이 6촌이고, 〈머리를 묶고 남은 끈을 내어 뒤로 늘어뜨린 것이 6촌이라는 것이다.〉[172] 살대[箭]로 만든 비녀는 길이가 1척이다.'고 하였고, 『가례』에서는 '부인은 성복에 두수頭纚(머리띠)는 베로 만들고 비녀는 대나무로 만든다.'고 하였는데, 이른바 '두수는 베로 만든다[布頭纚].'는 것이 바로 『의례儀禮』의 '베로 머리를 묶는다[布總].'는 것이고, 이른바 '비녀는 대나무로 만든다[竹釵].'는 것이 『의례儀禮』의 '살대로 만든 비녀[箭笄]'이다.

凡喪服上曰衰, 下曰裳. 儀禮, 婦人但言衰不言裳者, 婦人不殊裳. 衰如男子衰, 下如深衣, 無帶下尺, 無衽. 夫衰如男子衰, 未知備負版辟領之制與否. 下如深衣, 未知裳用十二幅與否. 此雖無文可明, 但衣身必二尺二寸, 袂必屬幅, 裳必上屬於衣, 裳旁兩幅必相連屬. 此所以衣不用帶下尺, 裳旁不用衽也. 今放家禮則不用此制, 婦人用大袖長裙蓋頭. 男子衰服純用古制, 而婦人不用古制, 此則未詳.

무릇 상복은 상의를 '최衰'라고 하고 하의를 '상裳'이라고 한다. 『의례儀禮』에서 부인의 상복으로 단지 최衰만 말하고 상裳을 말하지 않은 것은 부인은 상裳을 달리하지 않기 때문이다. 최衰는 남자의 최衰와 같되, 아래는 심의深衣와 같아서 대하척帶下尺도 없고 임衽도 없다. 최衰가 남자의 최衰와 같다고 해서 부판과 벽령의 제도를 갖추는지 알지 못하고, 아래로는 심의와 같다고 해서 하상下裳에 12폭을 쓰는지도 알지 못한다. 이것은 비록 밝힐 만한 글이 없으나, 다만 몸판은 반드시 2척 2촌이고, 소매는 반드시 폭을 이어붙이며,[173] 하상下裳은 반드시 위로 상의에 이어 붙이고, 하상下裳의 양 옆 폭은 반드시 서로 이어 붙인다. 이것이 상의上衣에 대하척을 쓰지 않고 하상下裳의 옆에 임衽을 쓰지 않는 까닭이다. 지금 『가례』를 살펴보면 이러한 제도를 쓰지 않고 부인은 대수大袖·장군長裙·개두蓋頭를 쓰고, 남자의 최복衰服은 순전히 옛날 제도를 쓰지만 부인은 옛날 제도를 쓰지 않으니, 왜 그런지 알 수 없다.

儀禮, 婦人有絰帶. 絰, 首絰也, 帶, 腰帶也. 圍之大小無明文, 大約與男子同. 卒哭丈夫去

別於男子.)"고 하였다.

172 머리를 묶고 … 것이다. : 『儀禮』「喪服」 본문이 아니라 주이다. 하여 〈〉안에 넣어 표기하였다.

173 소매는 반드시 … 이어붙이며 : 『儀禮』「喪服」 記의 '袂屬幅' 주에 "'屬'은 '이어 붙이다[連]'이다. 幅을 이어 붙인다는 것은 줄이지 않는다는 것을 말한다.(屬, 猶連也. 連幅, 謂不削.)"고 하였다. 소에는 "'幅을 이어 붙인다'는 것은 2척 2촌의 폭을 다 쓰는 것을 말한다. 무릇 베를 써서 옷이나 과녁을 만들 때에는 모두 邊幅 1촌을 빼고 재봉하여 줄인다. 그런데 지금 여기서는 폭을 이어 붙이니, 그렇다면 이는 변폭을 줄이지 않고 폭 전체를 다 써서 소매를 만드는 것이다. 반드시 변폭을 잘라 내지 않고 만드는 것은, 아래 글에 나오는 '衣二尺二寸'과 크기를 같게 해 가로 세로 모두 2척 2촌으로 정방형이 되도록 한 것이다.(屬幅者, 謂整幅二尺二寸. 凡用布爲衣物及射矦, 皆去邊幅一寸爲縫殺. 今此屬連其幅, 則不削去其邊幅, 取整幅爲袂. 必不削幅者, 欲取與下文衣二尺二寸同, 縱橫皆二尺二寸正方者也.)"고 하였다.

麻帶服葛帶, 而首絰不變. 婦人以葛爲首絰, 而麻帶不變. 旣練, 男子除絰, 婦人除帶. 其謹於絰帶變除之節若此. 家禮婦人並無絰帶之文, 當以禮經爲正."

『의례儀禮』에는 "부인은 질絰과 대帶가 있다. 질은 수질首絰이고 대는 요대腰帶이다. 둘레[174]의 크기는 분명한 글이 없으나 대략 남자와 같다. 졸곡卒哭에 남자는 삼띠를 벗고 칡띠를 차며 수질은 바꾸지 않는다. 부인은 칡으로 수질을 만들고 삼띠는 바꾸지 않는다. 연제練祭를 마쳤으면 남자는 질絰을 벗고 부인은 대帶를 벗으니, 질과 대를 바꾸고 벗는 예절을 신중히 하는 것이 이와 같다. 『가례』에는 부인의 경우 질과 대를 한다는 글이 없으니, 마땅히 예경으로 올바름을 삼아야 한다."

[20-6-2-8]

"喪服斬衰傳曰, '童子何以不杖? 不能病也. 婦人何以不杖? 不能病也.' 疏曰, '「童子不杖」, 此庶童子也. 問喪云, 「童子當室, 則免而杖矣」, 謂適子也. 婦人不杖, 亦謂童子婦人. 若成人婦人正杖. 喪大記云, 「三日子夫人杖, 五日大夫世婦杖.」 諸經皆有婦人杖. 又如姑在爲夫杖, 母爲長子杖. 按喪服小記云, 「女子子在室爲父母, 其主喪者不杖, 則子一人杖.」 鄭云, 「女子子在室, 亦童子也. 無男昆弟, 使同姓爲攝主不杖, 則子一人杖謂長女也. 許嫁及二十而笄, 笄爲成人. 成人, 正杖也. 是其童女爲喪主, 則亦杖矣.'」 愚按家禮用書儀服制, 婦人皆不杖, 與問喪喪大記喪服小記不同. 恨未得質正."

(양복이 말했다.) "『의례儀禮』「상복」참최 전傳에 '동자는 왜 지팡이를 짚지 않는가? 병이 나지 않기 때문이다. 부인은 왜 지팡이를 짚지 않는가? 병이 나지 않기 때문이다.'고 하였다. 소에는 '동자는 지팡이를 짚지 않는다.」에서 이 사람은 서동자庶童子이다. 『예기禮記』「문상問喪」에서 「동자로서 아버지의 대를 잇는 자는 문免을 하고 지팡이를 짚는다.」고 한 것은 적자適子를 말한다. 부인은 지팡이를 짚지 않는다는 것 또한 동자의 부인을 말한다. 성인의 부인婦人인 경우에는 바로 지팡이를 짚는다. 『예기禮記』「상대기喪大記」에는 「3일째 아들과 부인夫人이 지팡이를 짚고, 5일째 대부와 세부世婦가 지팡이를 짚는다.」고 하였고, 여러 경전에 모두 「부인은 지팡이를 짚는다.」는 조목이 있다. 또 예컨대 「시어머니가 살아있어도 남편을 위해 지팡이를 짚으며 모친은 장자를 위해 지팡이를 짚는다.」[175] 살펴보니, 「상복소기喪服小記」에 「시집 안 간 딸이 부모를 위해 지팡이를 짚는 경우는 상을 주관하는 자가 지팡이를 짚지 못할 때이니, 딸 한 사람이 지팡이를 짚는다.」고 하였다. 정현鄭玄은 「시집 안 간 딸은 또한 동자이다. 남자 형제가 없으면 동성同姓인 사람이 상주喪主를 대신하되 지팡이를 짚지 않으니, 딸 한 사람이 지팡이를 짚는다는 것은 장녀를 말한다. 시집가는 것을 허락 받았거나 20세가 되면 계례笄禮를 하고 계례를 하면 성인이 되니, 성인은 바로 지팡이를 짚는다. 이것은 동녀童女가 상주가 될 경우에도 지팡이를 짚는다는 것이다.」고 하였다.'[176] 내가 살펴보니, 『가례』에서 『서의』의

174 둘레: 길이가 아니라 굵기를 말한다.
175 시어머니가 살아있어도 … 짚는다.: 『禮記』「喪服小記」
176 「동자는 지팡이를 … 하였다.: 모두 賈公彦의 소에 나오는 글이다. 정확한 글은 다음과 같다. "童子不杖, 此庶童子也. 案問喪云, '童子當室則免而杖矣', 謂適子也. 雜記又云, '童子不杖不菲', 則直有衰裳絰帶而已. 婦

의복儀服제도를 차용하여 '부인은 모두 지팡이를 짚지 않는다.'고 한 것은 『예기禮記』의 「문상」・「상대기」・「상복소기」와 다르니, 질정을 받지 못하는 것이 한스럽다."

[20-6-2-9]

劉氏璋曰. "衰服之制, 前言已載. 惟裳制則未之詳. 按司馬溫公曰, '古者五服皆用布, 以升數爲別, 其以八十縷爲一升.' 又衰裳記曰, '凡衰外削幅, 裳內削幅幅三袧.' 疏曰, '衰外削幅者, 謂縫之邊幅向外. 裳內削幅者, 謂縫之邊幅向內. 有幅三袧者, 據裳而言. 用布七幅, 幅二尺二寸. 兩畔各去一寸爲削幅, 則二七十四丈四尺. 若不辟積其腰中, 則束身不得就. 故一幅布凡三處屬之.' 又禮惟斬衰不緝, 餘衰皆緝之, 緝必外向, 所以別其吉服也."

유장劉璋이 말했다. "최복衰服 제도는 앞에서 말한 것에 이미 실려 있지만 상裳의 제도만은 상세하지 못하다. 사마온공司馬溫公司馬光은 '옛날에 5복은 모두 베를 썼고, 승升 수로 구별하였으니, 80올을 1승으로 삼았다.'[177]라고 하였다. 또 「최상衰裳」 기記[178]에는 '무릇 최衰는 폭을 밖으로 줄이고, 상裳은 폭을 안으로 줄이되 폭마다 3개씩 주름을 잡는다.'고 하였는데 소疏에는 '최衰는 폭을 밖으로 줄인다는 것은 재봉한 폭의 끝을 밖으로 향하게 한다는 것을 말하고, 상裳은 폭을 안으로 줄인다는 것은 재봉한 폭의 끝을 안으로 향하게 한다는 것을 말한다. 폭마다 3개의 주름이 있다는 것은 상裳에 의거하여 말한 것이다. 베 7폭을 쓰는데 폭마다 2척 2촌이니, 양쪽 끝 각각 1촌을 빼서 삭폭削幅으로 삼으면 2×7=14, 1장 4척이다. 만약 허리 가운데를 주름 잡지 않으면, 몸을 묶을 수가 없다. 그러므로 1폭마다 모두 세 곳씩 주름을 잡는 것이다.' 또 예경에 따르면, 오직 참최만 꿰매지 않고 나머지 최는 모두 꿰매며, 꿰맨 곳을 반드시 밖으로 향하게 하는 것은 길복吉服과 구별하기 위해서이다."

[20-6-2-10]

"又杖屨一節, 按三家禮云, '斬衰苴杖, 竹也. 爲父. 所以杖用竹者, 父是子之天. 竹圓亦象天. 內外有節, 象子爲父, 亦有內外之痛. 又貫四時而不變, 子之爲父, 亦經寒溫而不改. 故用之也. 菅屨, 謂以菅草爲屨. 毛傳云, 「野菅也. 已漚爲菅.」又云, 「菅菲外納」, 則周公時謂之屨, 子夏時謂菲. 外納者, 外其飾, 向外編之也.'"

유장劉璋이 말했다. "또 지팡이와 신 한 대목은 살펴보니 『삼가례』[179]에 다음과 같이 말했다. '참최의

- -

人不杖, 亦謂童子婦人. 若成人婦人, 正杖. 喪大記云, '三日子夫人杖, 五日大夫世婦杖.' 諸經皆有婦人杖. 文明此童子婦人. 案喪服小記云, '女子在室爲父母, 其主喪者不杖, 則子一人杖.' 鄭云, '女子子在室, 亦童子也. 無男昆弟, 使同姓爲攝主不杖, 則子一人杖謂長女也.' 許嫁及二十而笄, 笄爲成人, 成人正杖也. 是其童女爲喪主, 則亦杖矣."

177 『書儀』 권6 「五服制度」
178 「衰裳」 記 : 『儀禮』 「喪服」 記를 말한다.
179 『三加禮』 : 宋나라 聶崇義가 지은 『三禮圖集注』를 말한다. 해당 원문은 다음과 같다 : "苴杖, 竹也. 爲父. 所以杖用竹者, 父是子之天. 竹圓亦象天. 竹又外內有節, 象子爲父, 亦有外內之痛. 又能貫四時而不變, 子之爲父哀痛, 亦經寒溫而不改. 故用竹也." "菅屨謂以菅草爲屨. 毛傳云, '白華, 野菅也. 已漚爲菅. 箋云, 「白華於野,

저장은 대나무이다. 부친을 위해 지팡이로 대나무를 쓰는 것은 부친은 자식의 하늘이기 때문이다. 대나무가 둥근 것 또한 하늘을 상징하고, 안팎으로 마디가 있는 것은 자식이 부친을 위하여 또한 안팎으로 애통함이 있음을 상징하며, 또 사계절이 지나도록 변하지 않으니, 자식이 부친을 위함이 또한 추위와 더위를 겪으면서도 바뀌지 않으므로 대나무를 사용하는 것이다. 간구菅屨는 간초菅草로 신을 만든 것을 말한다. 『모시』에 「들에 나는 간초이다. 충분히 물에 담궈야 간이 된다.」[180]라고 하였다. 또 「간菅과 비菲는 외납한다.」고 하였으니, 주공周公 당시에는 구屨라고 하였고, 자하子夏 당시에는 비菲라고 하였다.[181] 외납한다는 것은 장식을 밖으로 한다는 것이니 밖을 향하여 엮는 것이다.'"

[20-6-2-11]

黃氏瑞節曰 : "先生長子塾卒, 以繼體服斬衰. 禮謂之加服, 俗謂之報服也."

황서절黃瑞節이 말했다. "선생은 장자인 숙塾이 죽자 종통을 계승繼體하여 참최를 입었다. 예경에서는 가복加服이라고 하고, 세속에서는 보복報服이라고 한다."

[20-6-3]

二曰齊衰三年.

둘째, 자최 삼년이다.

齊, 緝也. 其衣裳冠制, 並如斬衰. 但用次等麄生布, 緝其旁及下際. 冠以布爲武及纓. 首経以無子麻爲之. 大七寸餘, 本在右, 末繫本下, 布纓. 腰経大五寸餘. 絞帶以布爲之, 而屈其右端尺餘. 杖以桐爲之, 上圓下方. 婦人服同斬衰. 但布用次等爲異. 後皆倣此.

자는 꿰매는 것이다. 그 상의上衣·하상下裳·관冠의 제도는 모두 참최와 같다. 다만 다음 등급의 굵은 생포를 쓰고 그 옆단과 아랫단을 꿰맨다. 관은 베로 무武와 갓끈을 만든다. 수질首経은 '씨가 열리지 않는 삼(수삼)'으로 만든다. 굵기는 7촌 남짓이고 밑동은 오른쪽에 있으며, 끝을 밑동 아래에 매고 갓끈은 베로 만든다. 요질腰経은 굵기가 5촌 남짓이다. 효대絞帶는 베로 만들되 오른쪽 끝을 1척 남짓 접는다. 지팡이는 오동나무로 만들되 위는 둥글고 아래는 네모나게 한다. 부인의 복은 참최와 같다. 다만 베를 다음 등급으로 쓴다는 점이 다르다. 이후는 모두 같다.

其正服, 則子爲母也. 士之庶子爲其母同, 而爲父後則降也. 其加服, 則嫡孫父卒爲祖母,

- -

已漚, 名之爲菅. 漚菅柔韌中用矣.」此菅亦是已漚者用之爲屨. 又下傳云, 「菅屨者, 菅菲外納也.」然則周公時謂之屨, 子夏時謂之菲. 外納者, 外其飾也, 謂向外編之也. 子夏作喪服傳故也."『三禮圖集注』「苴杖」과「菅屨」 항목.

180 『毛詩』「小雅」〈白華〉'白華菅兮'의 疏에는 다음과 같은 글이 보인다 : "漚之柔韌, 異其名, 謂之爲菅. 因謂在野未漚者爲野菅耳."

181 주공 당시에는 … 하였다. : 『家禮輯覽』에서 김장생은 「『儀禮』의 經에 '菅屨'라고 하였고, 傳에 '菅菲'라고 하였는데, 경은 바로 주공이 지은 것이고, 전은 바로 자하가 지은 것이다. 그러므로 이렇게 이른 것이다."고 하였다. 『家禮輯覽』(『沙溪全書』 권27)「成服」

若曾高祖母承重者也. 母爲嫡子當爲後者也. 其義服, 則婦爲姑也. 夫承重則從服也. 爲繼母也. 爲慈母, 謂庶子無母而父命他妾之無子者慈己也. 繼母爲長子也. 妾爲君之長子也. 자최 3년의 정복正服은 아들이 모친을 위해서 입는다. 사士의 서자庶子도 모친을 위해 정복을 입지만 부친의 후사後嗣가 되었을 경우에는 내려 입는다. 가복加服은 '적손嫡孫 중에 부친이 죽어 조모祖母 또는 증조모曾祖母나 고조모高祖母를 위해 승중한 자嫡長孫가 입는다. 모친이 '적자嫡子 중에 마땅히 후사가 될 자嫡長子'를 위해 입는다. 의복義服은 며느리가 시어머니를 위해 입는다. (남편이) 승중한 경우에는 (남편의 복을) 따라서 입는다. 계모繼母를 위해 입는다. 자모慈母를 위해 입으니, 서자庶子가 모친이 없어 부친이 자식이 없는 다른 첩에 명하여 자기를 길러준 경우를 말한다. 계모가 장자를 위해 입는다. 첩이 군君의 장자를 위해 입는다.

[20-6-3-1]

楊氏復曰 : "按儀禮補服條, 當增祖父卒而後爲祖母後者也, 爲所後者之妻, 若子也."

양복楊復이 말했다. "『의례경전통해儀禮經傳通解』[182] 「보복補服」[183]조를 살펴보니, '조부가 죽은 후에 조모의 후사가 된 자가 입는다.[184] 후사로 삼은 자의 처를 위해 자식처럼[185] 입는다.'는 조목을 첨가해야 한다."

[20-6-3-2]

劉氏璋曰 : "齊衰削杖, 桐也. 爲母. 按三家禮云, '桐者言同也, 取內心悲痛, 同於父也. 以外無節, 象家無二尊, 外屈於天. 削之使下方者, 取母象於地也. 疏屨者, 粗屨也. 疏, 讀如不熟之疏, 草也. 斬衰重而言菅, 以見草屨, 擧其惡貌. 齊衰輕而言疏, 擧草之總稱也. 不杖章言麻屨. 齊衰三月與大功同繩屨. 小功總麻輕, 又沒其屨號.' 麻屨註云不用草."

유장劉璋이 말했다. "자최의 삭장削杖은 '오동나무桐'니, 모친을 위해 짚는다. 살펴보니 『삼가례三家禮』에 '동桐(오동나무)은 동同(같음)을 말하니, 마음속의 비통함이 부친과 같음同을 취한 것이다. 밖에

<hr>

182 『儀禮經傳通解』: 송대 성리학자 朱子가 『儀禮』를 經文으로 하고 『禮記』 및 기타 禮書를 傳으로 하여 편집한 책으로 37권이다. 家禮・鄕禮・學禮・邦國禮・王朝禮・喪禮・祭禮의 7개 부문으로 구성되었으나 실제 주자가 완성한 것은 가례・향례・학례・방국례이며, 왕조례는 미완성이고, 상례와 제례는 주자 사후에 제자 黃榦이 보충하여 29책의 『儀禮經傳通解續』으로 완성하였다.

183 「補服」: 黃榦이 보충하여 완성한 『儀禮經傳通解續』 卷 第8 「補服 8」에 실려 있다.

184 조부가 죽은 … 입는다. : 원문에는 "祖父卒而後爲祖母後者三年."으로 되어 있다. 그러나 『禮記』 「喪服小記」에 나오는 글이다. 이에 대해 소에서 孔穎達은 "조부가 돌아가셨을 때 아버지가 살아 계시면 자신은 비록 조부를 위하여 기년복을 입으나, 지금은 아버지가 돌아가시고 조모의 상을 당하였으므로 자신 또한 조모를 위하여 삼년복을 입는 것이다.(若祖卒時, 父在, 己雖爲祖期, 今父没後, 祖母亡時, 己亦爲祖母三年也.)"고 하였다.

185 자식처럼[若子]: 『家禮儀節』에 "'若子'라고 한 곳에서의 '若'자는 '如'자와 같은 뜻으로 해석하니, 그 사람의 친아들과 같이 함을 이른다."고 하였다.

마디가 없는 것은 집안에 지존至尊이 둘이 없고 밖으로 하늘에 굽힘을 상징한다. 깎아서 아래 부분을
네모나게 한 것은 모친을 땅으로 형상한 것을 취한 것이다. 소구疏屨는 거친 신이다. 「소疏」는 독음
이 익히지 않은 「소」와 같으니, 풀이다. 참최는 중히 여겨 「간菅」이라고 말했으니, 풀의 본체를
보여 그 거친 모습을 든 것이고, 자최는 가볍게 여겨 「소」라고 말했으니, 풀의 총칭을 든 것이다.
부장장不杖章에서는 삼신[麻屨]이고, 자최 3월과 대공은 같이 승구繩屨이다. 소공과 시마는 가볍게
여겨 또 신에 대한 호칭이 없다.'186 삼신[麻屨]의 주에 '풀을 쓰지 않는다.'고 하였다.”

[20-6-3-3]

“凡言杖者, 皆下本, 順其性也. 高下各齊其心, 其大小如腰絰.”

(유장劉璋이 말했다.) “무릇 지팡이는 모두 밑동을 아래로 하니, 본성을 따른 것이다. 높이는 각각
가슴과 나란하게 하고, 굵기는 요질과 같게 한다.”

[20-6-4]

杖期

장기

> 服制同上. 但又用次等生布. 其正服, 則嫡孫父卒祖在爲祖母也. 其降服, 則爲嫁母出母也.
> 其義服, 則爲父卒繼母嫁而己從之者也. 夫爲妻也. 子爲父後, 則爲出母嫁母無服. 繼母出
> 則無服也.

복식 제도는 위와 같다. 다만 또 그 다음 등급의 생포를 쓴다. 자최 장기杖期의 정복正服은 적손이
부친이 죽고 조부가 살아있을 때 조모를 위해 입는다. 강복降服187은 가모嫁母188와 출모出母189를
위해 입는다. 의복義服은 부친이 죽어 계모가 재가하여 자신도 따라간 자를 위해 계모가 입는다.
남편이 처를 위해 입는다. 아들이 부친의 후사가 되었을 경우, 출모와 가모를 위해서는 복이
없다. 계모가 쫓겨났을 경우에는 복이 없다.

[20-6-4-1]

楊氏復曰：“按齊衰杖期, 恐當添爲所後者之妻若子也, 祖父在, 嫡孫爲祖母也. 據先生儀禮
經傳補服條修, 首一條已具齊衰三年下.”

---

186 『三禮圖集注』「削杖」과「疏屨」항목：“桐之言同也, 欲取内心悲痛同之於父也. 以桐外無節, 象家無二尊, 故外
屈於父, 爲之齊衰, 經時而有變也. 又按變除云, 削之使下方者, 取母象於地也.” “疏屨者, 麤屨也. 〈傳讀如疏不
熟之疏, 疏, 草也. 疏, 取用草之義.〉是故斬衰重而言菅屨, 故見草體, 擧其惡貌也. 齊衰輕而言疏屨, 故擧草之
總稱也. 自此已下各擧差降之宜, 故不杖章言麻屨, 齊衰三月與大功同, 繩屨. 小功總麻輕, 又没其屨號.”
187 降服：정규 상복보다 등급을 내려 입는 것을 말한다.
188 嫁母：부친이 죽어 재가한 모친을 말한다.
189 出母：부친에 의해 쫓겨난 모친을 말한다.

양복楊復이 말했다. "살펴보니 자최 장기杖期에 마땅히 '후사로 삼은 자의 처를 위해 자식처럼 입는다. 조부가 살아있을 경우 적손이 조모를 위해 입는다.'는 조목이 첨가되어야 할 듯하다. 선생의『의례경전통해』「보복補服」조에 의거하면 처음 한 조목은 이미 자최 3년 아래에 갖춰져 있다."[190]

[20-6-5]
不杖期
부장기

服制同上. 但不杖, 又用次等生布. 其正服, 則爲祖父母. 女雖適人, 不降也. 庶子之子爲父之母, 而爲祖後則不服也. 爲伯叔父也. 爲兄弟也. 爲衆子男女也. 爲兄弟之子也. 爲姑姊妹女在室, 及適人而無夫與子者也. 婦人無夫與子者, 爲其兄弟姊妹及兄弟之子也. 妾爲其子也. 其加服, 則爲嫡孫, 若曾玄孫當爲後者也. 女適人者, 爲兄弟之爲父後者也. 其降服, 則嫁母出母爲其子, 子雖爲父後猶服也. 妾爲其父母也. 其義服, 則繼母嫁母爲前夫之子從己者也. 爲伯叔母也. 爲夫兄弟之子也. 繼父同居, 父子皆無大功之親者也. 妾爲女君也. 妾爲君之衆子也. 舅姑爲嫡婦也.

복식 제도는 위와 같다. 다만 지팡이를 짚지 않고, 또 그 다음 등급의 생포를 쓴다. 자최 부장기不杖期의 정복正服은 조부모를 위해 입는다. 여자가 비록 시집을 갔더라도[191] 내려 입지 않는다. 서자의 아들이 부친의 모친을 위해 입되, 조부의 후사가 되었을 경우에는 입지 않는다. 백숙부를 위해 입고, 형제를 위해 입는다. 중자衆子인 남녀를 위해 입는다. 형제의 아들을 위해 입는다. 시집 안 간 고모, 손위 누이, 손아래 누이, 딸 및 시집갔으나 남편과 자식이 없는 자를 위해 입는다. 남편과 자식이 없는 부인이 자신의 형제, 자매 및 형제의 아들을 위해 입는다. 첩이 자신의 아들을 위해 입는다. 가복加服은 적손 또는 증손·현손 중에 마땅히 후사가 될 자를 위해 입는다. 시집간 딸이 형제 중에 부친의 후사가 된 자를 위해 입는다. 강복降服은 가모嫁母와 출모出母가 자신의 아들을 위해 입으며, 아들이 비록 부친의 후사되었어도 입는다. 첩이 자신의 부모를 위해 입는다. 의복義服은 계모繼母와 가모가 전 남편의 아들 중에 자신을 따라온 자를 위해 입는다. 백숙모를 위해 입는다. 남편 형제의 아들을 위해 입는다. 계부와 함께 살되 계부와 아들에게 대공의 친족이 없는 경우에 입는다.[192] 첩이 여군女君(본부인)을 위해 입는다.[193] 첩이 군의

<hr/>

190 처음 한 … 있다. : 자최 3년뿐만 아니라 자최 杖期에도 이미 갖춰져 있다. 『儀禮經傳通解續』 권8 「補服8」 참조

191 여자가 비록 … 갔더라도[女雖適人] : "무릇 여자가 大夫 이상에게 시집가는 것을 嫁라고 하고, 士庶人에게 시집가는 것을 適人이라고 한다.(凡女行於大夫以上曰嫁, 行於士庶人曰適人.)"『儀禮』「喪服」'子嫁反在父之室' 주

192 계부와 함께 … 입는다. : "아들 쪽의 집안에 대공의 內親이 없고 계부의 집에도 대공의 내친이 없으며, 계부가 자신의 재물로써 이 아들을 위하여 집과 사당을 지어주어 아들이 생부에 대한 四時의 제사를 끊어지지 않게 하였을 경우, 이 세 가지 일이 모두 갖추어졌으면 곧 함께 산 것이 된다. 이때 아들은 계부를 위해서 기년복을 입어야 하니, 계부의 은혜가 깊기 때문이다. 이 세 가지 일 가운데 어느 하나라도 빠뜨렸을 경우에

중자衆子를 위해 입는다. 시부모가 적부嫡婦(맏며느리)를 위해 입는다.

[20-6-5-1]

楊氏復曰. "按不杖期註, 正服當添一條, 姊妹旣嫁相爲服也."

양복楊復이 말했다. "부장기不杖期의 주를 살펴보니, 정복에 마땅히 '시집간 자매는 서로 복을 입는다.'는 하나의 조항을 첨가해야 한다."

[20-6-5-2]

其義服當添一條, 父母在則爲妻不杖也.

(양복이 말했다.) "의복義服에 마땅히 '부모가 살아 있는 경우 처를 위해 지팡이를 짚지 않는다.'는 하나의 조항을 첨가해야 한다."

[20-6-5-3]

"按爲人後者, 爲其父母報, 女子子適人者爲其父母, 此是不杖期大節目, 何以不書也? 蓋此條在後凡男爲人後者, 與女適人者, 爲其私親皆降一等中, 故不見於此."

(양복이 말했다.) "살펴보니, '남의 후사가 된 자는 자신의 부모를 위해 보복報服한다. 시집간 딸이 자신의 부모를 위해 입는다.'는 것이 부장기不杖期의 큰 절목인데, 왜 기록하지 않았는가? 이 조목은 뒤에 '무릇 남의 후사가 된 남자와 시집간 딸은 자신의 사친私親을 위해 모두 한 등급 내려 입는다.'는 조항에 있기 때문에 여기에 드러내지 않은 것이다."

[20-6-6]

五月

5월

는 따로 산 것이 된다. 가령 이 세 가지 일이 모두 갖추어졌다가 나중에 혹 계부에게 아들이 생겨났을 경우, 이는 바로 계부에게 대공의 내친이 있게 된 것이니, 또한 따로 산 것이 된다. 이와 같은 경우에는 아들은 계부를 위하여 자최 3월복을 입는다. 그러나 처음에 어머니와 함께 계부의 집으로 갔을 때에 계부에게 대공의 내친이 있거나, 자기에게 대공의 내친이 있거나, 계부가 자기를 위하여 집과 사당을 지어 주지 않았을 경우, 이 세 가지 일 가운데 어느 한 가지라도 해당된다면, 이는 비록 함께 계부의 집에서 살았더라도 역시 동거하지 않은 계부가 되는 것이니, 계부를 위해 아무런 상복도 입지 않는다.(子家無大功之內親, 繼父家亦無大功之內親, 繼父以財貨爲此子築宮廟, 使此子四時祭祀不絶, 三者皆具, 卽爲同居. 子爲之期, 以繼父恩深故也. 三者若闕一事, 則爲異居. 假令前三者皆具, 其後或繼父有子, 卽是繼父有大功之內親, 亦爲異居矣. 如此繼父死, 爲之齊衰三月. 子初與母往繼父家時, 或繼父有大功內親, 或己有大功內親, 或繼父不爲己築宮廟, 三者家亦名不同居繼父, 全不服之矣.)"『儀禮』「喪服」, '繼父同居者' 소

193 첩이 女君(본부인)을 … 입는다. : "무슨 까닭으로 기년복을 입는가? 첩이 여군을 섬기는 것은 며느리가 시부모를 섬기는 것과 같다.(何以期也? 妾之事女君, 與婦之事舅姑等.)"『儀禮』「喪服」, '妾爲女君' 傳

服制同上. 其正服, 則爲曾祖父母, 女適人者不降也.

복식 제도는 위와 같다. 자최 5월의 정복正服은 증조부·증조모를 위해 입되, 시집간 여자라도 내려 입지 않는다.

三月

3월

服制同上. 其正服, 則爲高祖父母, 女適人者不降也. 其義服, 則繼父不同居者, 謂先同今異, 或雖同居, 而繼父有子, 已有大功以上親者也. 其元不同居者則不服.

복식 제도는 위와 같다. 자최 3월의 정복은 고조부·고조모를 위해 입되, 시집간 여자라도 내려 입지 않는다. 의복은 함께 살지 않는 계부에게 입는데, 앞서 함께 살았으나 지금은 따로 살거나, 비록 함께 살더라고 계부에게 아들이 있어 이미 대공 이상의 친족이 있는 경우에 입는다. 원래 함께 살지 않은 경우에는 복을 입지 않는다.

[20-6-6-1]

楊氏復曰: "按儀禮補服條, 當增爲所後者之祖父母, 若子也."

양복楊復이 말했다. "『의례경전통해』「보복補服」 조를 살펴보니, '후사로 삼은 자의 조부·조모를 위해 아들처럼 입는다.'[194]라는 조목을 첨가해야 한다.

[20-6-7]

三曰大功九月.

셋째, 대공 9월이다.

服制同上. 但用稍粗熟布. 無負版衰辟領. 首経五寸餘. 腰経四寸餘. 其正服則爲從父兄弟姊妹, 謂伯叔父之子也. 爲衆孫男女也. 其義服, 則爲衆子婦也. 爲兄弟子之婦也. 爲夫之祖父母, 伯叔父母, 兄弟子之婦也. 夫爲人後者, 其妻爲本生舅姑也.

복식 제도는 위와 같다. 다만 조금 거친 삶은 베를 쓴다. 부판·최·벽령은 없다. 수질은 5촌 남짓이다. 요질은 4촌 남짓이다. 대공 9월의 정복은 종부형제(4촌형제)·종부자매(4촌자매)를 위해 입는데, 백부와 숙부의 자식을 말한다. 중손자衆孫子·중손녀衆孫女를 위해 입는다. 의복은 중자衆子의 부인을 위해 입는다. 형제의 아들의 부인을 위해 입는다. 남편의 조부·조모, 백부·백모, 숙부·숙모를 위해 입으며 남편의 형제의 아들의 부인을 위해 입는다. 남편이 남의 후사가 된 경우 그 처가 본래 낳아준 시부모를 위해 입는다.

---

194 『儀禮經傳通解續』 권8 「補服8」

[20-6-7-1]

楊氏復曰 : "儀禮註云, '前有衰, 後有負版, 左右有辟領, 孝子哀戚之心無所不在.' 疏云, '衰者, 孝子有哀摧之志. 負者, 負其悲哀. 適者, 指適緣於父母, 不念餘事.'"

양복楊復이 말했다. "『의례儀禮』「상복」, 주에 '앞에는 최가 있고, 뒤에는 부판이 있으며, 좌우에 벽령이 있으니 효자의 애통하고 슬픈 마음이 있지 않은 곳이 없다.'고 하였다. 소에는 '「최」는 효자가 애최哀摧(비통함)의 뜻을 지니고 있는 것이다. 「부負」는 비애를 짊어지고 있는 것이다. 「적適」은 부모로 말미암아 다른 일을 생각하지 않음을 지적指適하는 것이다.'고 하였다."

[20-6-7-2]

"又按註疏釋衰負版辟領三者之義, 惟子爲父母用之. 旁親則不用也. 家禮至大功乃無衰負版辟領者, 蓋家禮乃初年本也. 後先生之家所行之禮, 旁親皆無衰負版辟領. 若此之類, 皆從後來議論之定者爲正."

(양복이 말했다.) "또 살펴보니, 주소註疏에서 풀이한 최·부판·벽령 세 가지의 뜻은 오직 자식이 부모를 위해 쓰는 것이며, 방친旁親은 쓰지 않는다. 『가례』에서 대공에 이르러서야 마침내 최·부판·벽령이 없는 것은 아마도 『가례』가 바로 초년 시절의 본이기 때문일 것이다. 나중에 선생이 집에서 행하던 예에는 방친은 모두 최·부판·벽령이 없었으니, 이와 같은 따위는 모두 나중에 정해진 의론을 따르는 것이 올바른 것이다."

[20-6-7-3]

"大功九月, 恐當添爲同母異父之昆弟也. 或曰爲外祖母也. 据先生儀禮經傳補服條修, 同母異父之昆弟本子游答公叔木之問. 以同父同母則服期, 今但同母而是親者血屬, 故降一等. 蓋恩繼於母, 不繼於父. 若子夏答狄儀以爲齊衰則過矣. 故注疏家以大功爲是. 外祖母, 只据魯莊公爲齊王姬服大功, 檀弓或曰, '外祖母也.' 今家禮以外祖父母爲小功正服, 則當以家禮爲正."

(양복이 말했다.) "대공 9월에 마땅히 '모친이 같고 부친이 다른 형제를 위해서 입는다.'와 어떤 사람은 '외조모外祖母를 위해 입는다.'는 조목을 첨가해야 한다. 선생의 『의례경전통해』「보복補服」 조에 정리된 것에 의거하였으면,[195] 모친이 같고 부친이 다른 형제의 경우는 자유子游가 공숙주公叔木[196]의

---

195 선생의 『儀禮經傳通解』 … 의거하였으면 : 두 조목 모두 『儀禮經傳通解續』 권8 「補服 8」에 나온다. 그러나 이미 책 제목이 시사하듯이 원래의 출전은 『禮記』「檀弓上」이다. 각각의 원문은 다음과 같다. "公叔木에게 모친이 같고 부친이 다른 형제가 있었는데 그가 죽자 子游에게 물었다. 자유가 대답했다. '아마 대공일 것이다.' 狄儀에게 모친이 같고 부친이 다른 형제가 있었는데 또 그가 죽자 子夏에게 물었다. 자하가 대답했다. '나는 전에 그것에 관해 듣지 못했다. 魯나라 사람이라면 그를 위해 자최복을 입는다.' 적의는 자최복을 입었다. 지금 자최복을 입는 것은 적의의 물음에서 시작되었다.(公叔木有同母異父之昆弟死, 問於子游, 子游曰, 其大功乎. 狄儀有同母異父之昆弟死, 問於子夏. 子夏曰, 我未之前聞也. 魯人則爲之齊衰. 狄儀行齊衰. 今之齊衰, 狄儀之問也.) 제나라에서 王姬의 상을 부고하자 魯나라 莊公이 그를 위해 대공복을 입었다. 이를

물음에 답한 것에 바탕한 것이다. 부친이 같고 모친이 같은 경우에는 기년복을 입지만 여기서는 그저 모친만 동일하여 모친의 피붙이일 뿐이기 때문에 한 등급을 내려 입는다.[197] 이는 은혜가 모친에게서 이어지고 부친에게서는 이어지지 않기 때문이다.[198] 자하子夏가 적의狄儀에게 답하여 자최복을 입는다고 한 것은 지나치다. 그러므로 주소가들은 대공복이 올바르다고 하였다. 외조모를 위해 입는다는 조목은 단지 노魯나라 장공莊公이 제齊나라 왕희王姬를 위해 대공복을 입은 것에 대해[199] 『예기禮記』「단궁檀弓」에서 어떤 사람이 '외조모이기 때문이다.'고 한 것에 근거한 것이다. 지금 『가례』에서는 외조부모에게는 소공을 정복으로 삼고 있으니, 마땅히 『가례』를 올바른 것으로 삼아야 한다."

[20-6-7-4]

劉氏垓孫曰："沈存中説喪服中曾祖齊衰服, 曾祖以上皆謂之曾祖. 恐是如此. 如此, 則皆合有齊衰三月服. 看來高祖死, 豈有不爲服之禮! 須合行齊衰三月也. 伊川頃言祖父母喪, 須是不赴擧. 後來不曾行. 今法令雖無明文, 看來爲士者爲祖父母期服内, 不當赴擧.[200] '今人齊衰用布大細, 又大功小功皆用苧布, 恐皆非禮. 大功須用市中所賣火麻布稍細者, 或熟麻布亦可. 小功須用庹布之屬. 古者布帛精粗, 皆用升數, 所以説布帛精粗不中數, 不鬻於市. 今更無此制, 聽民之所爲. 所以倉卒難得中度者, 只得買來自以意擇製之耳.'[201]"

유해손劉垓孫이 말했다. "'심존중沈存中[沈括][202]은 상복喪服 중에 증조에겐 자최복을 입는다고 말했으

. . . .

두고 어떤 사람은 '왕희는 노나라를 경유하여 제나라에 시집갔으므로 노나라 임금이 그녀를 위해 출가한 자매에 대해 입는 복인 대공복을 입은 것이다.'고 하였다. 어떤 사람은 '왕희는 노나라 임금의 외조모이므로 대공복을 입은 것이다.'고 하였다.(齊轂王姬之喪, 魯莊公爲之大功. 或曰, 由魯嫁, 故爲之服姊妹之服. 或曰, 外祖母也, 故爲之服.)"

196 公叔木 : '木'는 음이 '式'과 '樹'의 반절이고 또 음이 '朱'이다. 그런데 『世本』에 '衛 獻公이 成子 當을 낳았고, 당은 文子 拔을 낳았으며, 발이 朱를 낳았다.'고 하였다. 그러나 『春秋』에는 戌로 되어 있다. 定公 14년에 노나라로 도주하였다.

197 부친이 같고 … 입는다. : 앞의 『禮記』「檀弓上」 경문에 대한 鄭玄의 주 "親者屬大功是"에 대해 孔穎達이 소에서 풀이한 내용을 축약한 글이다. 전문은 다음과 같다. "鄭意以爲同母兄弟, 母之親屬服大功是也. 所以是者, 以同父同母則服期, 今但同母, 而以母是我親生, 其兄弟是親者血屬, 故降一等而服大功. 案聖證論王肅難鄭, '禮, 稱親者血屬, 謂出母之身, 不謂出母之子服也. 若出母之子服大功, 則出母之父母服應更重, 何以爲出母之父母無服?' 王肅云, '同母異父兄弟服大功者, 謂繼父服齊衰, 其子降一等, 故服大功.' 馬昭難王肅云, '異父昆弟, 恩繼於母, 不繼於父, 肅以爲從繼父而服, 非也.' 張融以爲繼父同居有子, 正服齊衰三月, 乃爲其子大功, 非服之差, 元説是也."

198 이는 … 때문이다. : 앞의 孔穎達의 소에 등장하는 馬昭의 견해이다.

199 노나라 장공 … 대해 : 『春秋左氏傳』 莊公 2년 조에 "秋七月, 齊王姬卒."이라고 하였다.

200 『朱子語類』 권85, 34조목

201 『朱子語類』 권85, 28조목

202 심존중(沈括 : 1031~1095) : 北宋 浙江 錢塘 사람이다. 자는 存中이고 호는 夢溪翁이며, 沈周의 아들이다. 아버지를 따라 두루 지방의 관직생활을 하였다. 仁宗 皇祐 8년(1063년) 揚州司理參軍에 임명되었고, 3년

니, 증조 이상을 모두 증조라고 한 것이니, 이와 같은 듯하다. 이와 같이 해야 한다면 모두 마땅히 자최 3월복을 입어야 하니, 살펴보건대 고조高祖가 죽었는데 어찌 복을 입지 않는 예가 있겠는가! 마땅히 자최 3월복을 입어야만 한다. 이천伊川程頤은 예전에 조부모의 상에 과거 시험을 보러 가지 않아야 한다고 말했고, 이후에도 과거시험을 보러 간 일이 없다. 지금 법령에 분명한 글이 없으나 살펴보건대 사士가 된 자가 조부모를 위해 기년복을 입는 동안에는 마땅히 과거시험을 보러 가지 않아야 한다.' '요즈음 사람들은 자최복에 너무 가는 베를 쓰고, 또 대공·소공복에 모두 저포苧布(모시)를 쓰니, 다 비례非禮인 듯하다. 대공복에는 시중에서 파는 조금 가는 화마火麻(大麻)를 쓰고, 혹 삶은 삼베도 괜찮다. 소공복에는 건포虔布[203] 따위를 쓴다. 옛날에는 포백布帛의 정교함과 거칢은 모두 승수升數를 가지고 따졌기 때문에 「포백은 정교함과 거칢이 도수度數에 맞지 않으면 시장에서 팔지 못한다.」[204]라고 말했던 것이다. 요즈음에는 더 이상 이러한 제도가 없어 백성들이 하는 대로 따른다. 그 때문에 다급한 가운데에서는 도수에 맞는 것을 얻기 어려우니, 그저 사와서 스스로 가려서 만들 따름이다.'"

[20-6-8]

四曰小功五月.

넷째, 소공小功 5월이다.

> 服制同上. 但用稍熟細布. 冠左縫. 首絰四寸餘. 腰絰三寸餘. 其正服, 則爲從祖祖父, 從祖祖姑, 謂祖之兄弟姊妹也. 爲兄弟之孫. 爲從祖父從祖姑, 謂從祖祖父之子, 父之從父兄弟姊妹也. 爲從祖兄弟姊妹, 謂從祖父之子, 所謂再從兄弟姊妹者也. 爲外祖父母, 謂母之父母也. 爲舅, 謂母之兄弟也. 爲甥也, 謂姊妹之子也. 爲從母, 謂母之姊妹也. 爲同母異父之兄弟姊妹也.

> 복식 제도는 위와 같다. 다만 조금 삶은 가는 베를 쓴다. 관冠은 왼쪽으로 재봉한다. 수질은 4촌 남짓이며, 요질은 3촌 남짓이다. 소공 5월의 정복正服은 종조조부從祖祖父(4촌조부)와 종조조고從祖祖姑(4촌대고모)를 위해 입는 것이나, 조부의 형제와 조부의 자매를 말한다. 형제의 손자를 위해 입는다. 종조부從祖父(5촌백숙부)와 종조고從祖姑(5촌고모)를 위해 입으니, 종조조부의 자식과

・・・・・・・・・・・・・・・・・・
뒤 昭文館編校가 되었다. 그는 司天監의 직무를 겸직하면서 천문 연구에 몰두하였다. 『南郊式』을 저술하여 郊祭 의식의 개혁을 건의하였는데, 神宗은 그의 건의를 수용하였다. 심괄은 관직에 있는 동안 王安石의 신법을 발전적으로 시행하여 많은 공적을 쌓았다. 또한 그는 박학으로 널리 유명하였는데 특히 天文・律曆・方志・音樂・醫學・卜算 등에 조예가 깊었다. 저서로는 평에 손님들과 함께 논의했던 것을 모아서 편집한 『夢溪筆談』이 있으며, 그 밖에 『長興集』과 『蘇沈良方』 등이 있다. 후일 그의 실증적인 과학연구는 주자에게 큰 영향을 주었다.

203 虔布: 어떤 사람이 "虔州에서 생산되는 포이다.(虔州之布)"고 하였다. 『家禮輯覽』(『沙溪全書』 권28)「喪禮」(成服)

204 포백은 정교함과 … 못한다. : 『禮記』「王制」에 "布帛의 정교함과 거칢이 升數에 맞지 않거나 폭의 너비가 양에 맞지 않을 경우에는 시장에서 팔지 못한다.(布帛精麤不中數, 幅廣狹不中量, 不粥於市.)"고 하였다.

부친의 종부형제從父兄弟와 종부자매從父姊妹를 말한다. 종조형제從祖兄弟(6촌형제)와 종조자매從祖姊妹(6촌자매)를 위해 입는데, 종조부의 자식을 말하니, 이른바 재종형제再從兄弟와 재종자매再從姊妹이다. 외조부모外祖父母를 위해 입는데, 모친의 부모를 말한다. 외삼촌舅을 위해 입는데, 모친의 형제를 말한다. 생질甥姪을 위해서 입는데, 자매의 아들을 말한다. 종모從母(이모)를 위해서 입는데 모친의 자매를 말한다. 모친은 같고 부친이 다른 형제와 자매를 위해서 입는다.

其義服, 則爲從祖祖母也. 爲夫兄弟之孫也. 爲從祖母也. 爲夫從兄弟之子也. 爲夫之姑姊妹, 適人者不降也. 女爲兄弟姪之妻, 已適人亦不降也. 爲娣姒婦, 謂兄弟之妻相名, 長婦謂次婦曰娣婦, 娣婦謂長婦曰姒婦也. 庶子爲嫡母之父母兄弟姊妹, 嫡母死, 則不服也. 母出, 則爲繼母之父母兄弟姊妹也. 爲庶母慈己者, 謂庶母之乳養己者也. 爲嫡孫, 若曾玄孫之當爲後者之婦, 其姑在則否也. 爲兄弟之妻也. 爲夫之兄弟也.

의복義服은 종조조모從祖祖母[205]를 위해 입는다. 남편 형제의 손자를 위해 입는다. 종조모從祖母[206]를 위해 입는다. 남편 종형제의 아들을 위해 입는다. 남편의 고모와 자매를 위해 입는데, 시집간 사람도 내려 입지 않는다. 여자가 형제와 조카[姪][207]의 처를 위해서 입는데, 이미 시집갔어도 내려 입지 않는다. 제부娣婦(손아래 동서)와 사부姒婦(손위 동서)를 위해 입는데, 형제의 처가 서로 부르는 이름을 말하니 큰 며느리가 작은 며느리를 제부娣婦라고 하고 제부娣婦는 큰 며느리를 사부姒婦라고 한다. 서자庶子가 적모嫡母의 부모·형제·자매를 위해서 입는데, 적모가 죽었을 경우에는 입지 않는다. 모친이 쫓겨났을 경우 계모繼母의 부모·형제·자매를 위해서 입는다. 서모庶母 중에서 자기를 길러준 자를 위해서 입는데, 서모 중에서 자기에게 젖을 먹여 길러 준 자를 말한다. 적손嫡孫이나 증손曾孫, 또는 현손玄孫 중에서 후사가 될 자의 부인을 위해 입는데 시어머니가 있으면 입지 않는다. 형제의 처를 위해 입는다. 남편의 형제를 위해 입는다.[208]

[20-6-8-1]

楊氏復曰: "按儀禮補服條, 當增爲所後者妻之父母若子也, 姑爲適婦不爲舅後者也, 諸侯爲適孫之婦也."

양복楊復이 말했다. "『의례경전통해』「보복」 조를 살펴보니,[209] 마땅히 '후사로 삼은 자의 처의 부모를 위해 자식처럼 입는다. 시어머니가 시아버지의 후사가 되지 못한 장자의 아내인 적부適婦를 위해 입는다.[210] 제후가 적손適孫의 부인을 위해 입는다.'는 조목을 첨가해야 한다."

· · · · · · · · · · · · · · · · · · · ·

205 從祖祖母 : 부친의 伯母와 叔母를 말한다. 4촌조모이다.
206 從祖母 : 부친의 종형제의 부인을 말한다. 5촌종숙모이다.
207 조카[姪] : "자매가 형제의 아들을 호칭하여 '姪'이라고 하고, 형제간에 서로 아들을 칭하여 '從子'라고 한다. (姊妹呼兄弟之子爲姪, 兄弟相呼其子爲從子.)" 『朱子語類』 권87, 50조목
208 부록 그림 55, 그림 56, 그림 57 참조
209 『儀禮經傳通解』「補服」 … 살펴보니 : 『儀禮經傳通解續』 권8 「補服8」
210 시어머니가 시아버지의 … 입는다. : 『儀禮經傳通解續』 권8 「補服8」에는 "適婦不爲父後者, 則姑爲之小功." 으로 되어 있다.

[20-6-9]

五日緦麻三月.

다섯째, 시마緦麻[211] 3월이다.

服制同上. 但用極細熟布. 首絰三寸, 腰絰二寸, 並用熟麻. 纓亦如之. 其正服, 則爲族曾祖父, 族曾祖姑, 謂曾祖之兄弟姊妹也. 爲兄弟之曾孫也. 爲族祖父, 族祖姑, 謂族曾祖父之子也. 爲從父兄弟之孫也. 爲族父族姑, 謂族祖父之子也. 爲從祖兄弟之子也. 爲族兄弟姊妹, 謂族父之子, 所謂三從兄弟姊妹也. 爲曾孫玄孫也. 爲外孫也. 爲從母兄弟姊妹, 謂從母之子也. 爲外兄弟, 謂姑之子也. 爲內兄弟, 謂舅之子也. 其降服, 則庶子爲父後者爲其母, 而爲其母之父母兄弟姊妹則無服也.

복식 제도는 위와 같다. 다만 매우 가는 삶은 베를 쓴다. 수질은 3촌이고 요질은 2촌이되 모두 삶은 삼을 쓴다. 갓끈 또한 같다. 시마 3월의 정복은 족증조부族曾祖父(5촌증대부), 족증조고族曾祖姑(5촌증대고모)를 위해 입는데, 증조의 형제와 자매를 말한다. 형제의 증손曾孫을 위해 입는다. 족조부族祖父(6촌대부), 족조고族祖姑(6촌대고모)를 위해 입는데, 족증조부의 자식을 말한다. 종부형제從父兄弟의 손자를 위해 입는다. 족부族父(7촌숙부)와 족고族姑(7촌고모)를 위해 입는데 족조부의 자식을 말한다. 족형제族兄弟(8촌형제)와 족자매族姊妹(8촌자매)를 위해 입는데, 족부의 자식을 말하니 이른바 삼종형제三從兄弟와 삼종자매三從姊妹이다. 증손과 현손玄孫을 위해 입는다. 외손外孫을 위해 입는다. 종모형제從母兄弟(이종사촌형제)와 종모자매從母姊妹(이종사촌자매)를 위해 입는데, 종모의 자식을 말한다. 외형제外兄弟(고종사촌)를 위해서 입는데, 고모의 아들을 말한다. 내형제內兄弟(외종사촌)를 위해서 입는데 외삼촌의 아들을 말한다. 강복降服은 서자庶子 중에 부친의 후사가 된 자가 자신의 모친을 위해 입는데, 자신의 모친의 부모·형제·자매를 위해서는 복이 없다.

其義服, 則爲族曾祖母也. 爲夫兄弟之曾孫也. 爲族祖母也. 爲夫從兄弟之孫也. 爲族母也. 爲夫從祖兄弟之子也. 爲庶孫之婦也. 士爲庶母, 謂父妾之有子者也. 爲乳母也. 爲壻也. 爲妻之父母, 妻亡而別娶亦同. 即妻之親母, 雖嫁出猶服也. 爲夫之曾祖高祖也. 爲夫之從祖祖父母也. 爲兄弟孫之婦也. 爲夫兄弟孫之婦也. 爲夫之從祖父母也. 爲從父兄弟子之婦也. 爲夫從兄弟子之婦也. 爲夫從父兄弟之妻也. 爲夫之從父姊妹, 適人者不降也. 爲夫之外祖父母也. 爲夫之從母及舅也. 爲外孫婦也. 女爲姊妹之子婦也. 爲甥婦也.

---

211 緦麻:『儀禮』「喪服」의 傳에 "緦라는 것은 15승 가운데에서 그 절반을 제거하되 올은 마전을 하고 베는 마전을 하지 않은 것이다.(緦者, 十五升, 抽其半, 有事其縷, 無事其布.)"고 하였다. 주에서 鄭玄은 "그것을 緦라고 하는 것은, 그 올을 마전하여 실과 같이 가느다랗게 만들었기 때문이다. '抽'는 '제거하다'이다.(謂之緦者, 治其縷, 細如絲也. 抽, 猶去也.)"고 하였다. 또 소에서는 "15승 가운데에서 그 절반을 제거한다.'는 것은, 80올이 1승이니 15승 1200올에서 그 절반인 600올을 제거한 것이다. 올의 가늘기는 朝服과 같으나 승수는 그 절반이니, 가늘면서도 성기다고 할 수가 있다. 이것은 복이 가장 가벼운 까닭이다. 또 緦가 그 베를 마전하지 않은 것은 슬픔이 밖에 있기 때문이다.(十五升抽其半者, 以八十縷爲升, 十五升千二百縷, 抽其半六百縷. 縷麤細如朝服, 數則半之, 可謂緦而疏, 服最輕故也. 緦者不治其布, 哀在外也.)"라고 하였다.

의복義服은 족중조모族曾祖母(5촌증대모)를 위해 입는다. 남편 형제의 증손을 위해 입는다. 족조모 族祖母(종조백숙모)를 위해 입는다. 남편의 종형제의 손자를 위해 입는다. 족모族母(재종백숙모)를 위해 입는다. 남편의 종조형제從祖兄弟의 자식을 위해 입는다. 서손庶孫의 부인을 위해 입는다. 사土가 서모庶母를 위해 입는데, 부친의 첩 중에 아들이 있는 자를 말한다. 유모乳母를 위해 입는다. 사위를 위해 입는다. 처의 부모를 위해 입는데, 처가 죽어 따로 장가들었어도 똑같으니, 즉 처의 친모親母가 비록 재가하여 나갔더라도 복은 같다. 남편의 증조와 고조를 위해 입는다. 남편의 종조조부모從祖祖父母를 위해 입는다. 형제의 손자의 부인을 위해 입는다. 남편 형제의 손자의 부인을 위해 입는다. 남편의 종조부모從祖父母(5촌백숙부모)를 위해 입는다. 종부형제의 아들의 부인을 위해 입는다. 남편 종형제의 아들의 부인을 위해 입는다. 남편의 종부형제의 처를 위해 입는다. 남편의 종부자매를 위해 입는데 시집을 갔더라도 내려 입지 않는다. 남편의 외조부모를 위해 입는다. 남편의 종모從母(이모)와 외삼촌을 위해 입는다. 외손자며느리[外孫婦]를 위해 입는다. 여자가 자매의 며느리를 위해 입는다. 생질의 부인[甥婦]을 위해 입는다.[212]

[20-6-9-1]

楊氏復曰：“當增爲同爨也, 爲朋友也, 爲改葬也, 大夫爲貴妾也, 士爲妾有子也. 按通典漢 戴德云, ‘以朋友有同道之恩, 故加麻三月.’ 晉曹述初問, ‘有仁人義士矜幼携養積年, 爲之制 服, 當無疑耶?’ 徐邈答曰. ‘禮緣情耳. 同爨緦, 朋友麻.’

양복楊復이 말했다. “마땅히 「한 솥밥을 먹는 자[同爨]」를 위해서 입는다. 붕우를 위해서 입는다. 개장改葬을 위해서 입는다. 대부가 귀첩을 위해서 입는다. 사土가 자식이 있는 첩을 위해서 입는다.’는 조목을 첨가해야 한다. 살펴보니 『통전通典』에 한漢나라 대덕戴德[213]은 ‘붕우는 도를 함께하는 은혜가 있기 때문에 마麻 3월을 가복加服한다.’[214]라고 하였다. 진晉나라 조술초曹述初가 ‘인仁한 사람과 의로운 사람이 아이를 가엾게 여겨 데려다가 여러 해 동안 키웠다면 그를 위해 복服을 만들어도 의심이 없겠지요?’라고 물었다. 서막徐邈[215]이 대답했다. ‘예는 정情에서 말미암을 뿐이니, 한 솥밥을 먹은 자에게는 복이 시緦이고 붕우에게는 복이 마麻이다.’[216]라고 하였다.

---

212 부록 그림 55, 그림 56, 그림 57 참조

213 戴德 : 생몰년 미상. 중국 前漢 시대의 經學者이자, 今文禮學인 大戴學의 창시자이다. 자는 延君이며, 梁(河 南省 商丘) 출신이다. 조카인 戴聖·慶普와 함께 后蒼에게서 예를 배웠다. 대성을 小戴라고 부르는 데 대해 그를 大戴라고 부른다. 信都王(劉囂)의 太傅를 지냈으며 宣帝 때 博士에 임명되었다. 그의 예학은 徐良과 斿卿에게 전수되었다. 그는 고대의 각종 예의에 관한 논술을 선집하여 『大戴禮記』를 저술하였으나, 현행의 『禮記』인 대성의 『小戴禮記』가 성행한 반면 이 책은 유행되지 못하여 책 가운데 많은 부분이 소실되고 현재는 35편만이 전한다.

214 『通典』 권101 「朋友相爲服議」

215 徐邈 : 姑幕人으로, 휘장을 드리우고 글을 읽으면서 城邑으로 들어가지 않았다. 謝安이 천거하여 中書舍人이 되었으며, 『五經音訓』을 찬정하였으므로 학자들이 宗師로 삼았다. 벼슬은 驍騎將軍을 지냈다.

216 『通典』 권101 「朋友相爲服議」

又按儀禮補服條, 同爨, 謂以同居生, 於禮可許. 旣同爨而食, 合有緦麻之親. 改葬, 謂墳墓以他故崩壞, 將亡失尸柩也. 言改葬者, 明棺物毁敗, 改設之如葬時也. 此臣爲君也, 子爲父也, 妻爲夫也. 餘無服. 必服緦者, 親見尸柩, 不可以無服. 緦三月而除之, 謂葬時服之.

또 『의례경전통해』「보복」 조를 살펴보니,[217] '동찬同爨'은 동거하여 사는 것을 말하니 예에 허용할 수 있다. 이미 한 솥밥을 먹었다면 시마의 친함이 있을 것이다.[218] 개장改葬은 분묘가 다른 이유로 붕괴되어 장차 시구尸柩를 망실할 수도 있음을 말한다. 개장한다고 말하는 것은 관물棺物이 헐거나 부서져서 장례 때처럼 다시 설치함을 밝히는 것이다. 이러한 경우에는 신하가 군주를 위해 입고, 자식이 부친을 위해 입으며, 처가 남편을 위해 입으며,[219] 나머지는 복이 없다. 반드시 시마복을 입어야 하는 자는 몸소 시구를 볼 것이니, 복이 없어서는 안 된다. 시마복은 3개월이 되면 벗으니,[220] 장례 동안에 복을 입는다는 것을 말한다.[221]

又按通典戴德云, '制緦麻具而葬, 葬而除, 謂子爲父, 妻妾爲夫, 臣爲君, 孫爲祖後者也. 其餘親皆弔服.' 魏王肅云, '非父母無服. 無服則弔服加麻.' 士妾有子而爲之緦. 無子則已. 謂士卑, 妾無男女則不服, 不別貴賤也. 大夫貴妾, 雖無子猶服之. 故大夫爲貴妾緦, 是別貴賤也.'

또 살펴보니 『통전』에서 대덕戴德은 '시마의 도구를 만들어 장사 지내고, 장사 지내고는 벗으니, 아들이 부친을 위해 입고, 처첩이 남편을 위해 입으며 신하가 군주를 위해 입고, 손자로 조부의 후사가 된 자가 입는 것을 말하며, 그 나머지 친속은 모두 조복弔服을 한다.'고 하였다. 위魏나라 왕숙王肅[222]은 '부모가 아니면 복이 없으며, 복이 없으면 조복弔服으로 마麻를 가복加服한다.'고 하였다.[223] '사士는 첩이 자식이 있으면 그녀를 위해 시마복을 입으며, 자식이 없으면 그만둔다.'[224]는 것은 '사士는 비천하여 첩에게 자식이 없으면 복을 입지 않는 것이니 귀천을 구별하지 않음'[225]을 말한다. '대부는 귀첩貴妾이면 비록 자식이 없더라도 복을 입으니 그러므로 대부가 귀첩을 위해 시마

• • • • • • • • • • • • • • • • • •
217 또 『儀禮經傳通解』 … 살펴보니 : 『儀禮經傳通解續』 권8 「補服8」의 '補緦'를 말한다.
218 이미 한 … 있을 것이다. : 정현의 주에 대한 孔穎達의 소에 나오는 글이다.
219 분묘가 다른 … 입으며 : 『禮記』「喪服」의 經文 "改葬緦"에 대한 정현의 주에 나오는 글이다.
220 반드시 시마복을 … 벗으니 : 정현의 주에 나오는 글이다.
221 장례 동안에 … 말한다. : 공영달의 소에 나오는 글이다.
222 王肅(195~256) : 중국 삼국시대의 魏나라 학자이자 정치가이다. 자는 子雍이며 東海(山東省) 출생으로 王朗의 아들이다. 時事와 제도에 대한 의견을 건의하여 정치활동을 하고, 散騎常侍의 벼슬에 승진하였다. 그의 딸은 司馬文王에게 시집을 가서 晉나라 武帝를 낳았다. 아버지에게 今文學을 배웠으나 古文學者 賈達·馬融의 현실주의적 해석을 이어, 鄭玄의 讖緯說을 혼합한 통일해석을 반박하였다. 많은 경서를 주석하고 신비적인 색채를 실용적인 해석으로 대체하고, 정현의 禮學(사회생활을 규제하는 학문) 체계에 반대하여 『聖證論』을 지었다. 그의 학설은 모두 위나라의 官學으로서 공인받았다. 그 밖의 저서로 『孔子家語』·『古文尙書孔安國傳』 등이 있다.
223 『通典』 권102 「改葬服議」
224 『禮記』「喪服小記」 經文
225 앞의 『禮記』「喪服小記」 경문에 대한 정현의 주

복을 입는 것은 귀천을 구별한 것이다.'"[226]

[20-6-9-2]

劉氏垓孫曰: "司馬公書儀, 斬衰古制, 而功緦又不古制, 此却可疑. 蓋古者五服皆用麻, 但布
有差等, 皆用冠絰, 但功緦之絰小耳. 今人吉服不古, 而凶服古, 亦無意思. 今俗喪服之制,
下用橫布作襴, 惟斬衰用不得."[227]

유해손劉垓孫이 말했다. "사마공司馬公[司馬光]은 『서의書儀』에서 '참최는 옛 제도이나 공功과 시緦는
옛 제도가 아니니, 이 점은 의심할 만하다. 옛날에는 5복에 모두 삼麻을 썼지 다만 베는 차등을
두었으며, 모두 관冠과 질絰을 썼지 다만 공功과 시緦의 질絰이 작았을 뿐이다. 요즈음 사람들은
길복은 옛날대로 하지 않으면서 흉복은 옛날대로 하니 또한 생각이 없는 것이다. 요즈음 세속의
상복喪服 제도는 하의下衣에 가로 베를 써서 난삼襴衫을 만들지만 참최만은 써서는 안 된
다.'고 하였
다.'"

[20-6-10]

凡爲殤服, 以次降一等.

무릇 '어려서 죽은 자[殤]'[228]를 위해 입는 복은 차례로 한 등급씩 내려 입는다.

凡年十九至十六爲長殤, 十五至十二爲中殤, 十一至八歲爲下殤. 應服期者, 長殤降服大功
九月. 中殤七月, 下殤小功五月. 應服大功以下, 以次降等. 不滿八歲, 爲無服之殤, 哭之以
日易月. 生未三月, 則不哭也. 男子已娶, 女子許嫁, 皆不爲殤.

무릇 나이 19세부터 16세까지는 장상長殤이라고 하고, 15세부터 12세까지는 중상中殤이라고 하
며, 11세부터 8세까지는 하상下殤이라고 한다.[229] 마땅히 기년복을 입어야 할 자는 장상에는 대공

....

226 앞의 『禮記』「喪服小記」 경문에 대한 공영달의 소에 나오는 글이다.

227 사마광의 『書儀』가 인용처라고 말하고 있으나 정작 『書儀』에서는 보이지 않는다. 다만 『朱子語類』에 이와
거의 흡사한 글이 소개되어 있다 : 問, "朝祖時有遷祖奠, 恐在祖廟之前. 祖無奠而亡者難獨享否?" 曰, "不須如
此理會. 禮說有奠處便是合有奠, 無奠處便合無奠, 更何用疑? 其他可疑處郤多. 如溫公疑斬·齊古制, 而功·
緦又卻不古制, 是何說也? 古者五服皆用麻, 但有等差, 皆有冠絰, 但功·緦之絰小耳. 今人吉服不古而凶服古,
亦無謂也. 今俗喪服之制, 下用橫布作襴, 惟斬衰用不得." 『朱子語類』 권85, 46조목

228 어려서 죽은 자[殤] : "'殤'은 '애통하다[痛]'이다. 어떤 곳에는 '傷'으로 되어 있다.(殤, 痛也. 或作傷.)" 『韻會』
"殤이란 남녀가 冠禮나 笄禮를 올리기 전에 죽어, 상심할 만한 것이다.(殤者, 男女未冠笄而死, 可傷者.)" 『儀
禮』「喪服」, '殤'에 대한 鄭玄의 주

229 무릇 나이 … 한다. : "성인이 아닌 자는 19세에서부터 16세까지는 장상이라 하고, 15세에서부터 12세까지는
중상이라 하며, 11세부터 8세까지는 하상이라 하고, 8세 이하는 모두 복이 없는 상이 된다. 상복이 없는
상일 경우에는 날수로 달수를 대신한다. 날로 달을 대신하는 상은 그를 위하여 애통해하기는 하지만 복은
없다. 그러므로 자식이 태어난 지 3개월이 되면 아버지가 이름을 지어주며, 죽으면 곡을 한다. 이름을 지어주
기 전에 죽었으면 곡을 하지 않는다.(蓋未成人也, 年十九至十六爲長殤, 十五至十二爲中殤, 十一至八歲爲下
殤, 不滿八歲以下爲無服之殤. 無服之殤, 以日易月. 以日易月之殤, 殤而無服. 故子生三月, 則父名之, 死則哭

9월로 내려 입고, 중상에는 7월로 내려 입으며,[230] 하상에는 소공 5월로 내려 입는다. 마땅히 대공 이하의 복을 입어야 할 자도 차례로 등급을 내려 입으며, 8세가 차지 않았을 경우에는 복이 없는 상殤이라고 하는데, 달수를 날수로 바꾸어 곡을 한다.[231] 태어난 지 3개월이 지나지 않았을 경우에는 곡을 하지 않는다. 남자가 이미 장가들었거나 여자가 시집가는 것을 허락한 경우에는 모두 상殤이라고 하지 않는다.[232]

이에 대한 疏에서 賈公彦은 "세 등급의 殤喪은 모두 4년 간격으로 차이를 두는데, 이는 四時에서 법을 취한 것으로, 곡물이 사시에 따라서 변하기 때문이다. 또 8세 이상에게는 복이 있고 7세 이하에게는 복이 없는 것은, 살펴보니 『孔子家語』「本命」에 '남자는 태어난 지 8개월이 되면 젖니가 나고, 8세가 되면 새 이가 난다. 여자는 태어난 지 7개월이 되면 젖니가 나고, 7세가 되면 새 이가 난다.'고 하였는데, 지금 傳에서는 남자에 의거하여 말하였으므로 8세 이상을 복이 있는 殤喪으로 삼은 것이다. 傳에서 '태어난 지 3개월이 되면 반드시 이름을 지어주고 비로소 곡한다.'고 한 것은, 3개월은 한 節氣로 天氣가 변하며, 눈을 떠서 사람을 알아보므로 사람들이 사랑스럽게 여긴다. 그러므로 이름을 지어주는 것에 의거하여 한계로 삼은 것이다. '이름을 지어주기 전에 죽으면 곡하지 않는다.'는 것은, 꼭 날수로 달수를 바꾸는 것에 의거하여 곡하는 것이 아니라, 처음에 죽었을 때에는 또한 마땅히 곡을 할 뿐이다.(三等殤, 皆以四年爲差, 取法四時穀物變易故也. 又以八歲已上爲有服, 七歲已下爲無服者, 案『家語』「本命」云, '男子八月, 生齒, 八歲亂齒. 女子七月, 生齒, 七歲亂齒,' 今「傳」據男子而言, 故八歲已上爲有服之殤也. 「傳」'必以三月造名, 始哭之'者, 以其三月一時, 天氣變, 有所識盼人, 所加憐. 故據名爲限也. 云, '未名則不哭也'者, 不正依以日易月而哭, 初死, 亦當有哭而已.)"고 하였다.

『禮記』「喪服小記」에는 "殤을 당한 사람이 상복을 벗을 경우에는, 그 제사는 반드시 '玄' 차림으로 한다.(除殤之喪者, 其祭也必玄.)"고 하였다. 이에 대한 集說에서 陳澔는 "'玄'은 玄冠과 玄端을 말한다. 殤喪에는 虞祭·卒哭 및 練祭의 變服이 없다. 상복을 벗을 때의 제사는 현관·현단·黃裳 차림으로 한다. 이것은 성인의 상의 경우, 담복을 벗고 입는 服이기 때문에, 성인의 상과는 다르다.(玄謂玄冠玄端也. 殤無虞卒哭及練之變服. 其除服之祭, 用玄冠玄端黃裳. 此於成人爲釋禫之服, 所以異於成人之喪也.)"고 하였다.

230 중상에는 7월로 … 입으며 : "5복의 정복에는 7월복이 없고 오직 대공의 중상에만 있다.(五服之正, 無七月之服, 惟此大功中殤有之.)" 『儀禮』「喪服」, 殤에 대한 賈公彦의 소

231 달수를 날수로 … 한다. : 『喪禮備要』에서 사계는 이에 대해 다음과 같이 말한다. "살펴보니 정현은 '달수를 날수로 바꾼다는 것은 태어난 지 한 달일 경우 하루를 곡하는 것을 말한다.'고 하였다. (가공언은) 그 소에서 '7세일 경우 한 해가 12개월이므로 84일을 곡한다. 이는 부모가 자식에게나 하는 것이고 그 나머지 친속은 관계가 없다.'고 하였다. 그러나 王肅과 馬融은 '곡하는 날수로 복 입을 달수를 바꾸는 것이니, 殤이 기년에 해당되는 친속일 경우, 13일을 곡하고, 시마에 해당되는 친속일 경우, 3일로 제한한다.'고 하였다. 두 설이 같지 않으므로 일단 함께 두어 참고에 대비한다.(按, 鄭云, '以日易月, 謂子生一月, 哭之一日.' 疏云, '若至七歲, 歲有十二月, 則八十四日哭. 此則唯據父母於子, 不關餘親. 王肅馬融以爲以哭之日, 易服之月, 殤之期親, 則旬有三日哭, 緦麻之親, 則以三日爲制. 兩說不同, 姑存之, 以備參考.)" 金長生, 『喪禮備要』「成服」'服制'

232 남자가 이미 … 않는다. : 杜佑의 『通典』에 있는 말이다. 『禮記』「喪服小記」에는 "남자가 관례를 하면 殤이라고 하지 않고, 여자가 계례를 하면 殤이라고 하지 않는다.(丈夫冠而不爲殤, 婦人筓而不爲殤.)"고 하였다. 또 "우리나라 『경국대전』에서는 '이미 관직을 받은 자는 모두 殤이라고 하지 않는다(本朝經國大典, 已受職者, 幷不爲殤.)"고 하였다. 『家禮輯覽』(『沙溪全書』권28)「成服」하

凡男爲人後, 女適人者, 爲其私親, 皆降一等. 私親之爲之也, 亦然.

무릇 남의 후사가 된 자와 시집간 여자는 자신의 생부모[私親][233]를 위해 모두 한 등급 내려 입는다.[234] 생부모가 그들을 위해 복을 입을 때도 그렇게 한다.

女適人者降服未滿被出, 則服其本服. 已除則不復服也.

시집간 여자가 복을 내려 입다가 상복 기간이 차지 않아 쫓겨났을 경우에는 본래의 복을 입으며, 이미 복을 벗은 경우에는 다시 복을 입지 않는다.

○ 凡婦服夫黨, 當喪而出, 則除之.

무릇 부인이 남편의 친족을 위해 복을 입을 때, 상을 당했더라도, 쫓겨났으면 벗는다.[235]

○ 凡妾爲其私親, 則如衆人.

무릇 첩이 자신의 '생부모[私親]'를 위해 입는 복은 일반 사람들과 같다.[236]

[20-6-10-1]

司馬溫公曰 : "喪服小記云, '爲父母喪, 未練而出則三年, 旣練而出則已. 未練而返則期, 旣練而返則遂之.'"[237]

. . . .

233 私親 : 남자가 남의 후사가 되거나 여자가 시집가기 전의 자신의 생부모를 말한다.

234 무릇 남의 … 입는다. : 남의 후사가 된 남자가 자신의 생부모[私親]를 위해 모두 한 등급 내려 입는 것에 대해서는 『儀禮』「喪服」에, "다른 사람의 후사가 된 자가 그 생부모를 위하여 報服으로 입는 것이다.(爲人後者爲其父母報.)"고 하였고, 이에 대한 傳에는 "왜 기년복을 입는가? 두 사람에 대해 斬衰服을 입지 못하기 때문이다.(傳曰, 何以期也? 不貳斬也.)"고 하였다.
또 시집간 여자는 자신의 생부모[私親]를 위해 모두 한 등급 내려 입는 것에 대해서는 『儀禮』「喪服」에 "딸로서 다른 사람에게 시집간 자가 친부모를 위해서 입는 것이며, 형제로서 아버지의 후사가 된 자를 위해서 입는 것이다.(女子子適人者, 爲其父母, 昆弟之爲父後者.)"고 하였고, 이에 대한 傳에서는 "부친을 위해 왜 기년복을 입는가? 부인은 두 사람에 대해 참최복을 입지 못하기 때문이다. 부인은 두 사람에 대해서 참최복을 입을 수 없는 것은 무엇 때문인가? 부인에게는 三從의 의리가 있을 뿐, '독자적으로 행동하는(專用)' 도리가 없기 때문이다. 그러므로 시집가기 전에는 아버지를 따르고, 시집가서는 남편을 따르며, 남편이 죽으면 아들을 따르는 것이다. 그러므로 아버지는 자식의 하늘이며, 남편은 아내의 하늘이다. 부인은 두 사람에 대해 참최복을 입지 못한다는 것은 하늘이 둘일 수 없다고 하는 것처럼 부인은 至尊이 둘일 수 없는 것이다.(傳曰, '爲父何以期也? 婦人不貳斬也. 婦人不貳斬者何也? 婦人有三從之義, 無專用之道. 故未嫁從父, 旣嫁從夫, 夫死從子. 故父者子之天也, 夫者妻之天也. 婦人不貳斬者, 猶曰不貳天也, 婦人不能二尊也.)"라고 하였다.

235 무릇 부인이 … 벗는다. : 『禮記』「喪服小記」에 "부인이 상을 당하여 쫓겨난 경우에는 벗는다.(婦當喪而出, 則除之.)"고 하였다. 이에 대한 주에서 鄭玄은 "상을 당했다는 것은 시부모의 상을 당한 것이다.(當喪, 當舅姑之喪也.)"고 하였다.

236 무릇 첩이 … 같다. : 『儀禮』「喪服」에 "公의 妾에서 士의 첩까지는 그 친부모를 위해 (기년복을) 입는다.(公妾以及士妾, 爲其父母.)"고 하였으며, 『儀禮』「喪服」 記에는 "첩이 私兄弟를 위해 입는 복은 邦人과 같다.(凡妾爲私兄弟, 如邦人.)"고 하였다. 그렇다면 그 상복은 다른 사람에게 시집간 딸과 같은 것이다. 『家禮輯覽』(『沙溪全書』 권28「成服下」

237 『書儀』 권6 「五服制度」

사마온공이 말했다. "『예기禮記』「상복소기」에 '친부모를 위한 상의 경우, 아직 연제練祭를 지내지 않고서 쫓겨났으면 3년복을 입고, 이미 연제를 지내고서 쫓겨났으면 그만 입으며, 아직 연제를 지내지 않고서 시집으로 돌아왔으면 기년복을 입고, 이미 연제를 지내고서 돌아왔으면 그대로 3년복을 다 입는다.'[238]고 하였다."

[20-6-11]

成服之日, 主人及兄弟始食粥.

성복成服하는 날, 주인과 형제는 비로소 죽을 먹는다.[239]

> 諸子食粥. 妻妾及期九月疏食水飮, 不食菜果. 五月三月者飮酒食肉, 不與宴樂. 自是無故不出. 若以喪事及不得已而出入, 則乘樸馬布鞍素轎布簾.
>
> 모든 자식들은 죽을 먹는다. 처첩 및 기년과 대공 9월복을 입는 사람은 거친 밥을 먹고 물을 마시되, 야채와 과일은 먹지 않는다.[240] 5월복과 3월복을 입는 사람은 술을 마시고 고기를 먹되, 잔치에 참석하지는 않는다. 이제부터 이유 없이 외출하지 않으며, 상사喪事 및 부득이한 일로 출입하는 경우에는 박마樸馬[241]를 타고 베로 된 안장을 하며 소교素轎[242]를 타고 베로 된 주렴을

---

238 『禮記』「喪服小記」의 경문이다. 이에 대한 集說에서 陳澔는 "친부모의 상을 당하여 아직 期年이 되지 않고서 남편에게 쫓겨난 경우에는, 친부모를 위해 삼년상을 입는 제도를 끝까지 마친다. 이는 자신과 남편 집안의 인연이 끊어졌으므로 그 정이 다시 친부모에게 융성해지기 때문이다. 친부모 상의 小祥 뒤에 쫓겨났을 경우, 이것은 자신의 朞年服을 이미 벗은 것이니, 다시 형제와 똑같이 3년복을 입을 수 없다. 그러므로 그만 입는 것이다. 쫓겨난 뒤에 부모의 상을 만나 미처 기년이 되지 않았는데 남편이 다시 돌아오라고 명한 경우에는, 다만 기년복만으로 마친다. 기년 뒤에 돌아올 경우에는, 그대로 3년상을 다 마친다. 이는 이미 형제를 따라 小祥服을 입고 있었기에 3년상을 중도에서 폐할 수 없기 때문이다.(若當父母之喪, 未期而爲夫所出, 則終父母三年之制. 爲己與夫族絶, 故其情復隆於父母也. 若在父母小祥後, 被出, 是己之朞服已除, 不可更同兄弟爲三年服矣. 故已也. 若被出後, 遇父母之喪未及期, 而夫命之反, 則但終期服. 反在期後, 則遂終三年. 蓋緣已隨兄弟小祥服, 三年之喪不可中廢也.)"고 하였다.

239 成服하는 날, … 먹는다. : 『儀禮』「旣夕」에 "죽을 마시되 아침에 1溢의 쌀, 저녁에 1溢의 쌀을 사용한다. 야채와 과일은 먹지 않는다.(歠粥, 朝一溢米, 夕一溢米, 不食菜果.)"고 하였다. 그 주에서 鄭玄은 "배불리 먹거나 맛있는 것을 먹는 데 있지 않다.(不在於飽與滋味.)"고 하였다. 여기서 '1溢'은 용량 단위로 한 줌의 쌀을 말한다.

240 야채와 과일은 … 않는다. : 『儀禮』「旣夕」에 "열매가 나무에 있는 것을 果라고 하고, 땅에 있는 것을 蓏(나)라고 한다.(實在木曰果, 在地曰蓏.)"고 하였는데, 그 소에서 賈公彦은 "'나무에 있는 것을 果라고 하는데, 대추나 밤과 같은 따위이다. 땅에 있는 것을 蓏라고 하는데, 오이나 박 같은 따위이다.(在木曰果, 棗栗之屬. 在地曰蓏, 瓜瓠之屬.)"고 하였다.

241 樸馬 : 갈기를 깎지 않은 말로, 喪輿를 끄는 등 喪禮에 쓰인다. 『春秋左傳』哀公 2년 조의 '素車樸馬' 소에서 孔穎達은 "『禮記』「曲禮」에 '대부가 나라를 떠날 때에는 「髦馬(다팔머리 갈기를 지닌 말)」를 탄다.'고 하였는데 鄭玄은 '모마는 갈기를 깎지 않는다.'고 하였으니 바로 이것이 박마이다.(曲禮云, '大夫去國乘髦馬,' 鄭云, '髦馬不鬀落也, 則此樸馬.')."라고 하였다.

242 素轎 : 居喪 중에 喪制가 타는 흰 가마.

한다.[243]

凡重喪未除而遭輕喪, 則制其服而哭之. 月朔設位, 服其服而哭之, 旣畢, 返重服. 其除之也, 亦服輕服. 若除重喪而輕服未除, 則服輕服以終其餘日.

무릇 '무거운 상[重喪]'[244]이 아직 끝나지 않았는데 가벼운 상을 만난 경우에는[245] 그 가벼운 복을 지어 입고 곡을 한다. 매월 초하루에 신위를 설치하고 그 가벼운 복을 입고서 곡을 하고, 마치고 나면 무거운

• • • • • • • • • • • • • •

243 素輴를 타고 … 한다. : 『儀禮』「旣夕」에 "주인은 粗惡한 수레를 탄다. 주부가 타는 수레도 그와 같다. 거친 포로 '袂'을 친다.(主人乘惡車. 主婦之車, 亦如之. 疏布袂.)"고 하였는데, 이에 대한 주에서 鄭玄은 "'袂'은 수레에 둘러치는 장막으로, 蓋弓에 드리운다.(袂者, 車裳幃, 於蓋弓垂之.)"고 하였다. 蓋弓은 수레의 '덮개(蓋)'를 지탱하기 위해 설치한 나무로 된 시렁을 말한다.

244 무거운 상[重喪] : 대공 9월 이상을 말한다.

245 무릇 '무거운 … 경우에는 : 『禮記』「曾子問」에서 "증자가 물었다. '부친상과 모친상이 함께 있으면 어떻게 합니까? 어느 쪽을 먼저 하고, 어느 쪽을 뒤에 합니까?' 공자가 말했다. '장사 지내는 것은 가벼운 상을 먼저 하고 무거운 상을 뒤에 하며, 奠을 올리는 것은 무거운 상을 먼저 하고 가벼운 상을 나중에 하는 것이 예이다. 모친의 殯宮을 열고나서 장사 지낼 때까지는 奠을 올리지 않으며, 장사 지내러 갈 때에도 次에서 哭하지 않는다. 모친의 장사를 마치고 돌아와서는 (부친의 빈소에) 奠을 올리고나서 빈들에게 부친의 빈궁을 여는 일을 고하고 장사 지낼 준비에 들어간다. 虞祭는 무거운 상을 먼저 지내고 가벼운 상을 나중에 지낸다.'고 하였다.(曾子問曰. "竝有喪, 如之何? 何先? 何後?" 孔子曰. "葬先輕而後重, 其奠也先重而後輕, 禮也. 自啓及葬不奠, 行葬不哀次. 反葬, 奠而後辭於殯(賓), 遂脩葬事. 其虞也, 先重而後輕禮也.)"

陳澔는 이에 대한 集說에서 "증자가 '동시에 부모상이나 조부모상이 있다면, 선후의 차례가 어떻게 됩니까?'고 묻자, 공자는 '장사 지내는 것은 모친을 먼저 하고 부친을 뒤에 하며, 奠을 올리는 것은 부친을 먼저 하고 모친을 나중에 한다.'고 말하였다. '自'는 從이다. 어머니의 殯宮을 연 뒤로부터 장사 지낼 靈柩를 내가려고 하기 전까지는 오직 모친에게만 啓殯에 따른 奠, 朝廟에 따른 전 및 祖奠과 遣奠만을 진설하여 올릴 뿐, 殯宮에서 부친을 위하여 奠을 진설하지 않는다. 그러므로 '殯宮을 열고나서 장사 지낼 때까지는 奠을 올리지 않는다.'는 것은 부친에게 奠을 올리지 않는다는 것을 말한다. '次'라는 것은 대문 바깥의 오른쪽으로, 평소에 빈을 접대하던 곳이다. 영구가 이곳에 이르면, 효자의 마음이 비통하여 영구를 실은 수레가 잠시 멈추게 된다. 여기서는 부친의 喪柩가 빈궁에 있기 때문에 모친을 장사 지내려고 떠날 때 효자는 빈을 접대하던 곳에서 모친을 위해 슬픈 정을 펼 수 없다. 그러므로 영구를 실은 수레가 잠시 멈추지 않는다. 모친을 장사 지내고 돌아와서는 바로 부친의 빈궁으로 가서 奠을 올리고는 빈들에게 내일 부친의 빈궁을 열겠다고 말한다. 빈들이 나가고나서 효자는 드디어 아버지를 장사 지낼 일을 진행한다. 장사 지내는 것은 情을 빼앗는 일이다. 그러므로 가벼운 상을 먼저 한다. 전을 올리는 것은 奉養하는 일이다. 그러므로 무거운 喪에 먼저 전을 올리는 것이다. 虞祭 또한 전을 올리는 따위이다. 그러므로 역시 무거운 상을 먼저 올리는 것이다.(曾子問, '同時有父母或祖父母之喪, 先後之次如何?' 孔子言, '葬則先母而後父, 奠則先父而後母.' 自, 從也. 從啓母殯之後, 及至葬柩欲出之前, 惟設母啓殯之奠, 朝廟之奠, 及祖奠遣奠而已, 不於殯宮爲父設奠. 故云「自啓及葬不奠」謂不奠父也. 次者, 大門外之右, 平生待賓客之處. 柩至此, 則孝子悲哀, 柩車暫停. 今爲父喪在殯, 故行葬母之時, 孝子不得爲母伸哀於所次之處. 故柩車不暫停也. 及葬母而反, 即於父殯設奠, 告語於賓以明日啓父殯之期. 賓出之後, 孝子遂修營葬父之事也. 葬是奪情之事. 故先輕. 奠是奉養之事, 故先重也. 虞祭, 亦奠之類, 故亦先重.)"라고 하였다.

복으로 돌아간다. 무거운 복을 벗으면 또한 가벼운 복을 입는다. 무거운 상을 마쳤는데 가벼운 복이 끝나지 않은 경우에는 가벼운 복을 입고서 남은 날을 마친다.

[20-6-11-1]

問: "從母之夫, 舅之妻, 皆無服, 何也?"

朱子曰: "先王制禮, 父族四, 故由父而上, 爲從曾祖服緦麻, 姑之子, 姊妹之子, 女子之子皆有服, 皆由父而推之故也. 母族三, 母之父, 母之母, 母之兄弟. 恩止於舅, 故從母之夫, 舅之妻, 皆不爲服, 推不去故也. 妻族二, 妻之父, 妻之母. 乍看時似乎雜亂無紀, 子細看則皆有義存焉."

又言: "呂與叔集中一婦人墓誌, '凡遇功緦之喪, 皆蔬食終其月,' 此可爲法."[246]

물었다. "종모從母(이모)의 남편(이모부)과 외삼촌의 처(외숙모)에게 모두 복이 없는 것은 무슨 까닭입니까?"

주자가 대답했다. "선왕이 만든 제도에 부친의 친족이 넷이므로 부친으로부터 위로 종증조從曾祖曾祖의 兄弟를 위해서 시마복을 입고, 고모의 자식, 자매의 자식, 딸의 자식이 모두 복이 있으니, 모두 부친으로부터 미루어 나갔기 때문이다. 모친의 친족이 셋이니, 모친의 부친, 모친의 모친, 모친의 형제이다. 은정恩情이 외삼촌에서 그치기에 종모(이모)의 남편, 외삼촌의 처는 모두 복을 입지 않으니, 미루어 나가지 못하기 때문이다. 처의 친족이 둘이니, 처의 부친, 처의 모친이다. 언뜻 보기에는 뒤섞여 질서가 없는 것 같으나 자세히 보면 모두 의리가 존재한다."

또 말했다. "여여숙呂與叔[呂大臨][247]의 문집 중, 한 부인의 묘지墓誌에 '무릇 공공과 시緦의 상을 만나면 모두 「거친 밥蔬食」으로 그 해당하는 상복기간을 마쳤다.'고 하였으니, 이것을 법으로 삼을 만하다."

[20-6-11-2]

問: "喪禮衣服之類, 逐時換去, 如葬後換葛衫, 小祥後換練布之類. 今之墨縗可便於出入, 而不合於禮經, 如何?"

曰: "若能不出, 則不服之亦好. 但要出外治事, 則只得服之."[248]

• •

246 『朱子語類』 권87, 49조목: 黃文問, "從母之夫, 舅之妻, 皆無服, 何也?" 曰, "先王制禮: 父族四, 故由父而上, 爲從曾祖服緦麻, 姑之子, 姊妹之子, 女子之子, 皆有服, 皆由父而推之故也. 母族三: 母之父, 母之母, 母之兄弟. 恩止於舅, 故從母之夫, 舅之妻, 皆不爲服, 推不去故也. 妻族二: 妻之父, 妻之母. 乍看時, 似乎雜亂無紀. 仔細看, 則皆有義存焉." 又言: "呂與叔集中一婦人墓誌, 言凡遇功·緦之喪, 皆蔬食終其身. 此可爲法." 又言: "生布加碾治者爲功."

247 呂大臨(1040~1092): 자는 與叔이고, 당시 藝閣先生으로 불리었다. 송대 藍田(현 섬서성 소속) 사람으로 『呂氏鄕約』을 쓴 呂大鈞의 동생이다. 처음에는 張載를 스승으로 모셨으나, 장재가 죽은 뒤 二程에게 배워 謝良佐·游酢(유초)·楊時와 함께 '程門四先生'이라 일컫는다. 太學博士·秘書省正字를 역임하였다. 저서는 『禮記傳』·『考古圖』 등이 있다.

248 『朱子語類』 권89, 39조목. 그러나 질문의 앞부분인 "喪禮衣服之類, 逐時換去, 如葬後換葛衫, 小祥後換練布

물었다. "상례에서 의복 따위는 시기마다 바꾸어 입으니, 예컨대 장사葬事 뒤에는 갈삼葛衫으로 바꾸고, 소상小祥 뒤에는 연포練布로 바꾸어 입는 것 같은 따위입니다. 지금의 묵최墨縗[249]는 출입하기에는 편리하나 예경에는 맞지 않으니, 어떻습니까?"

(주자가 대답했다.) "외출하지 않을 수 있다면 입지 않는 것이 또한 좋다. 다만 외출하여 일을 처리하려고 하면, 입을 수밖에 없다."

[20-6-11-3]

問 : "居喪爲尊長强之以酒, 當如何?"

曰 : "若不得辭, 則勉徇其意亦無害. 但不可至沾醉, 食已復初可也."

問 : "坐客有歌唱者, 如之何?"

曰 : "當起避."[250]

물었다. "상중에 존장尊長이 술을 강권할 때는 어떻게 해야 합니까?"

(주자가 대답했다.) "사양할 수 없다면, 그의 뜻을 따르는 것도 해로울 것이 없다. 다만 흠뻑 취해서는 안 되니, 마시다가 멈춰 처음 상태를 회복해야 옳다."

물었다. "좌객 중에 노래를 부르는 자가 있으면 어떻게 합니까?"

대답했다. "마땅히 일어나 피해야 한다."

[20-6-11-4]

楊氏復曰 : "心喪三年. 按儀禮, '父在爲母期.' 註, '子於母, 雖爲父屈而期, 心喪猶三年.' 唐前上元元年, 武后上表請父在爲母終三年之喪."

양복楊復이 말했다. "심상心喪[251]은 3년을 지낸다. 살펴보니, 『의례儀禮』에 '부친이 살아 있으면 모친을 위해 기년복을 입는다.'[252]고 하였고, 주에는 '자식은 모친에 대해, 비록 부친을 위해 굽혀서 기년복을 입지만 심상心喪은 여전히 3년을 지낸다.'[253]고 하였다. 당唐나라 앞 상원上元[254] 원년(674년)에

之類."는 『朱子語類』 권89, 22조목의 全文이며, 그것도 주자의 말로 실려 있다.

249 墨縗 : 直領에 墨笠과 墨帶를 갖춘 베옷으로, 부친이 살아있을 때 당한 모친상의 禫祭 뒤와 생부모의 小祥 뒤에 입는다. 그러나 『喪禮備考』에서 沙溪(金長生)는 "묵최는 이미 고대의 제도가 아니고, 또 우리나라 풍속에서도 사용하지 않으므로 방립과 생포직령으로 대용한다.(墨縗旣非古制, 又非國俗所用, 故代以方笠生布直領.)"고 하였다.

250 『朱子語類』 권89, 46조목

251 心喪 : 喪服은 입지 않으나 喪制와 같은 마음으로 謹身하는 일을 말한다.

252 『儀禮』「喪服」. 이에 대해 『禮記』「喪服四制」에서는 "하늘에는 두 해가 없고, 땅에는 두 왕이 없으며, 나라에는 두 임금이 없고, 집에는 두 지존이 없기에 하나로 다스리는 것이다. 그러므로 부친이 살아 있으면 모친을 위해 자최 기년복을 입는다는 것은 두 지존이 없음을 보인 것이다.(天無二日, 土無二王, 國無二君, 家無二尊, 以一治之也. 故父在爲母齊衰期者, 見無二尊也.)"고 하였다.

253 賈公彦의 疏에 나오는 글이다.

무후武后가 표表를 올려 부친이 살아 있는데 모친을 위해 3년상을 마치게 해달라고 청하였다."[255]

[20-6-11-5]

"禮記, ‘師心喪三年.’"[256]

(양복이 말했다.) "『예기禮記』에 ‘스승에게는 심상 3년을 지낸다.’[257]고 하였다."

- - - - - - - - - - - - - -

254 앞 上元 : 당나라에서는 ‘上元’이란 연호를 두 번 썼는데, 먼저 高宗 때의 상원은 674년부터 675년까지이며, 뒤에 肅宗 때의 상원은 760년부터 761년까지이다. ‘앞 상원’이란 바로 高宗 때의 상원을 말한다.

255 唐나라 앞 … 청하였다. : 『舊唐書』 권27 「禮儀7」

256 『禮記』「檀弓」

257 스승에게는 심상 … 지낸다. : 『禮記大全』의 주에서 劉孟治는 "심상이란 몸에 衰麻의 상복을 걸치지는 않았으나 마음속에 애통하고 슬픈 정이 있는 것이니, 이른바 ‘아버지 상을 당한 것과 같이 하지만 상복은 입지 않는다.’는 것이다.(心喪, 身無衰麻之服, 而心有哀戚之情, 所謂若喪父而無服也.)"고 하였다. 또 『禮記』「檀弓」에서는 "공자의 상에 문인들이 어떤 복을 입어야 할지 몰랐다. 이때 자공은 ‘옛날에 夫子께서 顔淵의 상을 당했을 때 마치 아들의 상을 당한 것처럼 하시면서도 복은 없었고, 子路의 상을 당했을 때에도 그러하셨다. 그러므로 夫子의 상을 당해서도 아버지의 상을 당한 것처럼 하면서 상복은 없이 하면 될 것이다.’(孔子之喪, 門人疑所服. 子貢曰, 昔者夫子之喪顔淵, 若喪子而無服. 喪子路亦然. 請喪夫子若喪父而無服.)"고 하였다. 그런데 『禮記』「檀弓上」에 "공자의 상에 제자들이 모두 經帶를 한 채 밖으로 나왔다.(孔子之喪, 二三子皆經而出.)"라고 하였고, 陳澔는 이 集說에서 "弔服에 麻를 더 걸친 경우에는 밖으로 나오면 變服하는데, 지금 밖으로 나오면서도 질대를 벗지 않은 것은 스승을 높인 것이다.(弔服加麻者, 出則變之. 今出外而不免經, 所以隆師也.)"고 하였다.

弔服에 麻를 더 걸친 것도 喪服이니, 心喪에는 ‘복이 없다(無服)’는 말과 서로 모순된다. 이에 대해 程子는 『二程遺書』 권2上에서 다음과 같이 말한다. "스승에 대해 服을 세우지 않은 것은 세울 수 없기 때문이다. 마땅히 情의 두터움과 얇음, (배운) 일의 큼과 작음에 따라 대처해야 한다. 예컨대 顔子(顔淵)나 閔子(閔損)가 공자와의 관계에는 비록 참최3년복을 입어도 괜찮을 것이다. 자신을 성취시켜 준 공로가 군주나 부친과 나란하기 때문이다. 그 차서에는 각각 깊음과 얕음이 있으니, 그 실정에 맞게 하면 될 뿐이다. 아래로 하찮은 技藝에도 스승이 없는 사람이 없는데, 어떻게 일률적으로 복을 제정할 수 있겠는가?(師不立服, 不可立也. 當以情之厚薄事之大小處之. 如顔閔於孔子, 雖斬衰三年, 可也. 其成己之功與君父並. 其次各有淺深, 稱其情而已. 下至曲藝莫不有師, 豈可一概制服?)" 橫渠(張載) 또한 『張子全書』 권8에서 다음과 같이 말했다. "성인이 스승을 위한 복을 제정하지 않은 것은, 스승은 定體가 없기 때문이다. 어떻게 스승으로 삼게 되는가? 저 사람의 착함을 보고서 자신이 본받으면 스승으로 삼게 되는 것이다. 그러므로 친구 사이처럼 상대방의 한마디 말과 한 가지 의리를 얻는 경우도 있고, 서로 친해져서 형제 사이처럼 되는 경우도 있으며, 자기 자신을 성취시켜 주어 은혜가 천지와 부모처럼 되는 경우도 있다. 어떻게 일률적으로 복을 입을 수 있겠는가? 이 때문에 성인이 스승을 위한 복을 제정하지 않은 것이니, 心喪을 지내면 된다. 공자가 죽었을 때 弔服에 麻를 더 입은 것도 복이니, 또한 복이 없다고도 말할 수 없다.(聖人不制師之服, 師無定體, 如何是師? 見彼之善而己效之, 便是師也. 故有得其一言一義如朋友者, 有相親炙而如兄弟者, 有成就己身而恩如天地父母者. 豈可一概服? 故聖人不制其服, 心喪之可也. 孔子死, 弔服如麻, 亦是服也, 卻不得謂無服也.)"

明나라 丘濬은 『家禮儀節』에서 여러 사례를 들어 스승을 위해 입는 服制를 제시하고 있다. "송나라 유학자 黃榦은 그의 스승인 朱子의 상에 弔服에 麻를 더 입되, 深衣처럼 만들고는 冠經(首經)을 착용하였다. 王柏은 그의 스승인 何基의 상에 심의를 입고는 帶經(腰經)을 더 착용하고, 관에는 絲武를 더하였다. 왕백이 죽자

[20-6-11-6]

"今服制令, '庶子爲後者爲其母緦, 亦解官申心喪三年.'"

(양복이 말했다.) "요즈음 복제의 법령에 '서자 중에 후사가 된 자는 자신의 모친을 위해 시마복을 입고, 또한 관직을 그만두고 심상 3년을 지내야 한다.'²⁵⁸고 하였다."

[20-6-11-7]

"母出及嫁, 爲父後者雖不服, 申心喪三年."

(양복이 말했다.) "모친이 쫓겨났거나 재가한 경우, 부친의 후사가 된 자는 비록 복을 입지 않으나 심상 3년을 한다."

[20-6-11-8]

"爲人後者爲其父母不杖期, 亦解官申心喪三年."

(양복이 말했다.) "남의 후사가 된 자는 자신의 부모를 위해 부장기不杖期를 입으며, 또한 관직을 그만두고 심상 3년을 한다."

[20-6-11-9]

"嫡孫祖在, 爲祖母齊衰杖期. 雖期除, 仍心喪三年. 先生曰. '喪禮須從儀禮爲正. 如父在爲母期, 非是薄於母, 只爲尊在其父, 不可復尊在母. 然亦須心喪三年. 這般處皆是大項事, 不是小節目, 後來都失了. 而今國家法爲所生父母, 皆心喪三年, 此意甚好.'"

(양복이 말했다.) "적손은 조부가 살아 있는 경우, 조모를 위해 자최 장기를 입고, 비록 기년복을 벗었더라도 이어서 심상 3년을 지낸다. 선생이 말했다. '상례는 반드시 『의례儀禮』를 올바른 것으로 삼아야 한다. 예컨대「부친이 살아 있으면 모친을 위해 기년복을 입는다.」는 것은 모친을 박대하는

....

그의 제자인 金履祥은 상례를 행할 때 白布巾에 首絰을 더 착용하였는데, 수질은 시마복처럼 작았고, 띠는 細苧를 썼다. 황간·왕백·김이상 세 사람은 모두 주자 문하의 嫡統을 전수한 사람들이니, 그들이 만든 스승을 위한 복은 근거가 없는 것이 아닐 것이다. 후세에 스승의 은혜와 의리를 위해 복을 입으려는 사람들은 마땅히 이에 준하여 법으로 삼아야 한다.(宋儒黃幹喪其師朱子, 弔服加麻, 制如深衣, 用冠絰. 王柏喪其師何基, 服深衣加帶絰, 冠加絲武. 柏卒, 其弟子金履祥喪之則加絰於白巾, 絰如緦服而小, 帶用細苧. 黃王金三子者皆朱門之嫡傳, 其所制之師服非無稽也. 後世欲服其師之恩義者, 宜準之以爲法云. : 『大學衍義補』권51「家鄕之禮上之下」)."

258 관직을 그만두고 … 한다. : "宋나라 郭稹이 어려서 아버지를 잃었는데 그의 어머니가 改嫁하였다. 얼마 뒤에 어머니가 죽자 곽진이 관직을 사직하고서 상복을 입었다. 知禮院 宋祁가 '곽진이 상복을 입은 것은 예에 지나친 것이다.'고 하자 황제가 조서를 내려 有司들로 하여금 널리 의논하게 하고는 馮元 등이 상주한 의론에 따라 관직을 사임하고서 심상을 입도록 허락하였는데 이는 곽진에게서 시작된 것이다.(宋郭稹幼孤, 母更嫁. 既而母喪, 稹解官持服喪. 知禮院宋郊言稹持服喪爲過禮, 詔下有司博議, 用馮元等奏, 聽解官申心喪. 蓋始於稹.)"『家禮輯覽』(『沙溪全書』권28)「成服」하
郭稹은 字는 仲微이고 宋나라 祥符 사람이다. 그에 관한 기록이 『宋史』권301「列傳」제60에 실려 있다.

것이 아니라, 다만 지존至尊이 부친에게 있기 때문에 다시 모친을 높일 수가 없다. 그러나 또한 반드시 심상 3년을 지내야 한다. 이 같은 것들은 모두 큰 항목의 일이고 작은 절목이 아닌데도 뒤에 와서 모두 잃어버리고 말았다. 그러나 요즈음 국가 법령에 「낳아준 부모를 위해서는 모두 심상 3년을 지낸다.」고 하였으니, 이러한 뜻은 매우 좋다."[259]

[20-6-11-10]

"又按先生此書雖自儀禮中出, 其於國家之法未嘗遺也, 前章所論爲所生父母心喪, 槩可見矣. 五服年月之制, 旣已備載, 則式假一條, 恐亦當補入. 今喪葬假寧格, 非在職遭喪, 期三十日, 大功二十日, 小功十五日, 緦麻七日, 降而絶服三日. 無服之殤, 期五日, 大功三日, 小功二日, 緦麻一日. 葬期五日, 大功三日, 小功二日, 緦麻一日. 除服, 期三日, 大功二日, 小功緦麻一日."

(양복이 말했다.) "또 살펴보건대, 선생의 이 책이 비록 『의례儀禮』에서 나왔지만, 국가의 법에 대해서도 빠트리지 않았으니, 앞 장에서 논의한 '낳아준 부모를 위해 심상을 지낸다.'는 조항을 대체로 볼 수 있다. 5복 연월 제도가 이미 갖춰져 실려 있으면, 식가式假(경조사 휴가) 한 조목도 보충하여 넣어야 할 듯하다. 지금 상장가령격식喪葬假寧格式(상·장례에 주는 휴가 규정)[260]에 재직 중에 상을 만난 경우가 아니면, 기년에는 30일, 대공에는 20일, 소공에는 15일, 시마에는 7일, 강복降服하여 복이 끝났을 때에는[261] 3일이다. 복이 없는 상殤은 기년에는 5일, 대공에는 3일, 소공에는 2일, 시마에는 1일이다. 장례 때는 기년에는 5일, 대공에는 3일, 소공에는 2일, 시마에는 1일이며, 복을 벗을 때는 기년에는 3일, 대공에는 2일, 소공·시마에는 1일이다."

[20-6-11-11]

"在職遭喪, 期七日, 大功五日, 小功緦麻三日. 降而絶服之殤一日. 本宗及同居無服之親之喪一日. 改葬期以下親一日. 私忌, 在職·非在職, 祖父母父母並一日, 逮事高曾同."

(양복이 말했다.) "재직 중에 상을 만난 경우에는 기년에는 7일, 대공에는 5일, 소공·시마에는 3일이다. 강복하여 복이 없어진 상殤은 1일이다. 본종本宗 및 함께 사는데 복이 없는 친족의 상은 1일이다. 개장改葬에는 기년 이하의 친족은 1일이다. 사친私親의 기일忌日에는 재직 중이건 아니건, 조부·조모, 부친·모친 모두 1일이며, 고조·증조를 살아서 섬겼을 경우에도 똑같다."

· · · · · · · · · · · · · · · ·

259 『朱子語類』 권89, 60조목
260 喪葬假寧格式: "'假'는 給假의 뜻이고, '寧'은 寧神의 뜻이니, 휴가를 주어 신령을 편하게 모시게 하는 일에 대한 격식이다.(假, 給假之假也, 寧, 寧神之寧也, 給假寧神之格式.)"『家禮輯覽』(『沙溪全書』 권28)「成服」 하
261 降服하여 복이 … 때에는: 艮齋 田愚는 "'강복을 입어서 복이 끝났다'는 것은, 모든 강복에서 시마복에서 한 등급을 내려 입으면 복이 끝나 복을 입지 않게 되는 것을 말하니, 그래도 3일간의 휴가를 주는 것이다.(降而絶服, 謂凡降服, 降緦一等, 絶而不服, 猶假三日也.)"고 하였다. 『家禮註解』(『艮齋先生續集』 권5)

[20-7-0]

朝夕哭奠 조석곡전,²⁶² 上食 상식

[20-7-1]

朝奠

아침 전奠을 올린다.

> 每日晨起, 主人以下皆服其服入就位. 尊長坐哭, 卑者立哭. 侍者設盥櫛之具于靈牀側. 奉
> 魂帛出就靈座, 然後朝奠. 執事者設蔬果脯醢. 祝盥手焚香斟酒. 主人以下再拜哭盡哀.
>
> 매일 새벽에 일어나 주인 이하는 모두 자신에게 해당하는 복을 입고 들어가 자리로 나아가서,
> 존장尊長은 앉아서 곡을 하고 항렬이 낮은 사람은 서서 곡을 한다. 시자는 영상靈牀²⁶³ 옆에 손
> 씻고 빗질할 도구를 놓고, 혼백魂帛을 받들어 영좌靈座에 모셔놓고²⁶⁴ 아침 전奠을 올린다.²⁶⁵
> 집사자는 야채·과일·포脯·육장[醢]을 차려놓고, 축관이 손을 씻고서 분향하고 술을 따르면,
> 주인 이하는 재배하고 곡을 하며 애통함을 다한다.²⁶⁶

· ·

262 朝夕哭·奠: 沙溪는 "살펴보니 『儀禮』에는 조석곡과 전이 본래 두 가지 일인데도 어떤 사람은 한 가지
일로 알고 있으니 옳지 않다.(按『儀禮』朝夕哭與奠, 自是兩事, 而或者認爲一項, 非是.)"고 하였다. 『喪禮備要』
(『沙溪全書』권32)「成服」‘服制’ 河西 金麟厚는 "이것은 예의 昏定晨省이다.(此, 禮之昏定晨省也.)"라고 하였
다. 『河西先生全集』권12「家禮考誤」

263 靈牀: 靈枕이라고도 한다. 대렴 이후 靈柩나 殯의 동쪽에 휘장을 치고 살던 당시의 침실을 형상화한 곳으로
상·휘장·자리·병풍·베개·옷·이불 등을 모두 살아 있을 때와 같게 한다.(앞의 ‘大斂’ 항목 참조) 그
앞에 靈座를 설치하고는 저녁이면 혼백을 영상에 모시고, 아침에 다시 영좌로 모셔 내왔다가 저녁에 夕奠을
마치면 다시 영상으로 모셔 들인다.

264 혼백을 받들어 … 모셔놓고: 『家禮補註』에 "영상에 들어가서 뫼시고 나오는 것이다.(入靈牀奉出也.)"고 하
였다. 『家禮輯覽』(『沙溪全書』권28)「朝夕哭奠」. 『家禮輯覽』에 여러 차례 인용되고 있는 『家禮補註』가 누구
에 의한 어떤 책인지 정작 『家禮輯覽』에는 아무런 언급이 없다. 이는 『家禮輯覽』의 많은 주석들을 차용하고
있는 李宜朝의 『家禮增解』 또한 마찬가지이다.
 · 중요한 주석들을 소개하면 다음과 같다.
 1) 1231년경, 주자의 또 다른 제자 楊復의 『家禮附注』
 2) 남송 말 劉垓孫의 『家禮增注』
 3) 元대 1305년 黃瑞節이 펴낸 성리대전 본 『家禮』의 모본인 朱子成書 본 『家禮』
 4) 元대 말 劉璋의 『家禮補注』
 5) 明대 1415년 주자서성 본 『家禮』를 모본으로 삼고 『家禮補註』를 안배하여 간행한 성리대전 본 『家禮』

265 아침 奠을 올린다.:『禮記』「檀弓上」에 "조전은 해가 뜰 때 올리고, 석전은 ‘해가 지기 전[逮日]’에 올린다.(朝
奠日出, 夕奠逮日.)"고 하였다. 이에 대한 集說에서 陳澔는 "‘체일’은 ‘해가 아직 떨어지기 전’이다.(逮日, 及日
未落也.)"고 하였다. 또 『儀禮』「旣夕禮」記의 疏에서 賈公彦은 "반드시 조전은 해가 뜨기를 기다려서 올리
고, 석전은 해가 지기 전에 올리니, 이것은 부모의 신령이 陽의 기운을 따라오도록 하기 위해서다.(必朝奠待
日出, 夕奠須日未沒者, 欲得父母之神, 隨陽而來故也.)"고 하였다.

266 매일 새벽에 … 다한다. : "물었다. ‘상례에는 술도 마시지 않고 고기도 먹지 않는데, 朝夕奠과 친구들이

劉氏璋曰 : “凡奠用脯醢者, 蓋古人家常有之. 如無別具饌數器亦可. 夫朝夕奠者, 謂陰陽交接之時思其親也. 朝奠將至, 然後徹夕奠. 夕奠將至, 然後徹朝奠. 各用罩子. 若暑月恐臭敗, 則設饌如食頃去之. 止留茶酒果屬, 仍罩之.”

유장劉璋이 말했다. “무릇 전奠에 쓰이는 포와 육장醢은 아마도 옛사람들의 집에는 항상 있었을 것이다. 만일 없다면 따로 음식 몇 가지를 갖춰주면 된다. 아침저녁으로 전奠을 올리는 것은 음과 양이 교접할 때에 어버이를 사모한다는 것을 말한다. 아침 전을 올릴 즈음에 저녁의 전을 치우고, 저녁 전을 올릴 즈음에 아침 전을 치우며, 각각 조자罩子[267]를 사용한다. 여름철에 냄새나거나 부패할까 염려되면 한 끼 식사 시간만큼만 차려놓았다가 치우고, 차와 술, 과일 따위만 남겨 그대로 덮어둔다.”[268]

[20-7-2]

食時上食.

식사 때 음식을 올린다.[269]

如朝奠儀.

아침 전奠을 올리는 의례와 같다.

夕奠

저녁 전을 올린다.

如朝奠儀. 畢, 主人以下奉魂帛, 入就靈座, 哭盡哀.

아침 전을 올리는 의례와 같다. 마치고나면 주인 이하는 혼백魂帛을 모셔다가 영좌靈座에 모셔놓고,[270] 곡을 하며 애통함을 다한다.

와서 올린 奠饌은 어떻게 합니까?' (주자가) 말했다. '服이 없는 친척에게 주면 될 것이다.'(問, '喪禮不飮酒, 不食肉, 若朝夕奠, 及親朋來奠之饌, 則如之何?' 曰, '與無服之親可也.')”『朱子語類』권89, 44조목

267 罩子 : 『家禮集說』에서 馮善은 “조는 대나무로 골격을 만들고, 白生絹으로 둘러서 만든다.(罩, 用竹爲格, 白生絹爲之.)”고 하였다.

268 여름철에 냄새나거나 … 덮어둔다. : 『書儀』 권6 「夕奠」에 동일한 글이 실려 있다.

269 음식을 올린다. : 『儀禮』 「士喪禮」의 記에 “평상시에 봉양하던 것으로, 饋・羞・湯沐을 여느 날처럼 진설한다.(燕養, 饋羞湯沐之饌如他日.)”라고 하였다. 이에 대한 주에서 鄭玄은 “'燕養'은 평상시에 供養하는 데에 쓰던 것들이고, '饋'는 아침저녁으로 먹던 밥이고, '羞'는 사철에 나는 진귀한 물품이고, '湯沐'은 때를 벗기기 위한 것이다.(燕養, 平常所用供養也. 饋, 朝夕食也. 羞, 四時之珍異. 湯沐, 所以洗去汙垢.)”고 하였다.

270 영좌에 모셔넣고 : 『家禮補註』에 “영좌는 마땅히 靈牀으로 되어야 한다.(靈座當作靈床.)”고 하였다. 앞의 주 '靈牀' 항목 참조. 『家禮儀節』에서 丘濬은 “시자가 먼저 靈牀 안으로 들어가서 이불을 펴고 베개를 놓은 뒤에 나와서 혼백을 받들고 영상 위에 모시고, 신은 영상 아래에 두고 아침에 펼쳐놓았던 세수하고 빗질하는 도구를 거둔다.(侍者, 先入靈牀內, 舖被安枕, 然後出奉魂帛, 安牀上. 置靸鞋于牀下, 收晨所陳頮櫛之具.)”고 하였다. 『家禮儀節』 권5 '夕奠'

哭無時.

곡을 하는 데는 정해진 때가 없이 한다.[271]

> 朝夕之間, 哀至, 則哭於喪次.
>
> 아침과 저녁 사이에 애통함이 북받치면 상차喪次에서 곡을 한다.

朔日則於朝奠設饌.

매월 초하루에는 아침 전奠에 음식을 차린다.

> 饌用肉魚麨米食羹飯各一器. 禮如朝奠之儀.
>
> 음식은 고기·생선·면麨[272]·떡·국·밥을 각각 한 그릇씩 차리며, 예는 아침 전을 올리는 의례
> 와 같다.

[20-7-2-1]

> 問 : "母喪朔祭, 子爲主?"
>
> 朱子曰 : "凡喪父在父爲主, 則父在子無主喪之禮也."
>
> 又曰 : "父没兄弟同居, 各主其喪. 註云, '各爲妻子之喪爲主也.' 則是凡妻之喪, 夫自爲主
> 也. 今以子爲喪主似未安."[273]
>
> 물었다. "모친 상喪의 매월 초하루 제사는 아들이 주인이 됩니까?"
>
> 주자朱子가 말했다. "모든 상에는 부친이 살아 있으면 부친이 주인이 되니,[274] 부친이 살아 있는데
> 아들이 상을 주관하는 예禮는 없다."
>
> 또 말했다. "(『예기禮記』「분상」에) '부친이 돌아가신 뒤에 형제가 함께 살고 있으면 각각 그 상을
> 주관한다.'고 한 주에 '각자 처자를 위한 상에 주인이 된다.'[275]고 하였으니, 모든 처의 상에는 본래

---

271 곡을 하는 … 한다.:『儀禮』「喪服」에 "곡은 낮이건 밤이건 때가 없다.(哭晝夜無時.)"라고 하였다. 이에 대한
   소에서 賈公彦은 "때가 없이 곡을 하는 경우가 셋이 있다. 막 죽은 뒤부터 殯을 하기 이전까지는 곡소리가
   끊어지지 않게 하는데, 이것이 첫 번째 때가 없이 곡하는 것이다. 殯을 한 뒤부터 卒哭祭 이전까지는 阼階
   아래에서 아침저녁으로 곡을 하고, 廬次 속에서도 사모하는 마음이 들면 곡을 하는데, 이것이 두 번째 때가
   없이 곡하는 것이다. 練祭를 지내고 난 뒤에는 조석으로 곡하지 않고 다만 여차 안에 있을 때 10일이나
   5일마다 사모하는 마음이 들면 곡을 하는데, 이것이 세 번째 때가 없이 곡하는 것이다. 졸곡을 지낸 뒤부터
   연제를 지내기 이전까지는 아침저녁으로만 곡하는데, 이것은 일정하게 때가 있는 경우이다.(哭有三無時.
   始死未殯已前, 哭不絶聲, 一無時. 既殯已後卒哭祭已前, 阼階之下爲朝夕哭, 在廬中思憶則哭, 二無時. 既練之
   後, 無朝夕哭, 唯有廬中, 或十日, 或五日, 思憶則哭, 三無時也. 卒哭之後未練之前, 唯有朝夕哭, 是一有時也.)"
   고 하였다.

272 麨:'麪'과 같다.

273 『朱文公文集』권43「答陳明仲」(9)

274 모든 상에는 … 되니 : "남편이 아내의 제사를 지낼 때에도 마땅히 절해야 된다.(夫祭妻, 亦當拜.)"『朱子語類』
   권90, 103조목

남편이 주인이 되는 것이다. 지금 아들로 상주를 삼는 것은 온당치 못한 듯하다."

[20-7-2-2]

高氏曰 : "若遇朔望節序, 則具盛饌, 其品物, 比朝夕奠差衆. 禮疏曰, '士則月望不盛奠,' 唯朔奠而已."

고씨高氏高閌[276]가 말했다. "매월 초하루, 보름, 절기를 만날 경우에는 성찬을 갖추되 그 물품은 아침 저녁에 올리는 전奠보다 조금 많게 한다. 『의례儀禮』의 소에 '사士는 매월 보름에는 전을 성대하게 차리지 않는다.'[277]고 하였으니, 오직 매월 초하루에만 전을 성대하게 차릴 뿐이다."[278]

[20-7-2-3]

楊氏復曰 : "按初喪立喪主條, 凡主人謂長子, 無則長孫承重以奉饋奠. 今乃謂父在父爲主, 父在子無主喪之禮, 二說不同, 何也? 蓋長子主喪以奉饋奠, 以子爲母喪, 恩重服重故也. 朔奠則父爲主者, 朔, 殷奠, 以尊者爲主也. 喪服小記曰, '婦之喪, 虞卒哭, 其夫若子主之,' 虞卒哭, 皆是殷祭, 故其夫主之. 亦謂父在父爲主也, 朔祭父爲主, 義與虞卒哭同."

양복楊復이 말했다. "살펴보니 초상에 상주를 세우는 조목에 무릇 주인은 장자長子를 말하는데, 없을 경우에는 장손이 승중하여 궤전饋奠[279]을 받든다. 그런데 여기서는 부친이 살아 있으면 부친이 주인이 되므로, 부친이 살아 있으면 아들이 상을 주관하는 예가 없다고 말하니, 두 가지 설이 같지 않은 것은 무슨 까닭인가? 장자가 상을 주관하여 궤전을 받드는 것은 자식은 모친상에 대해 은혜가 무겁고 복이 무겁기 때문이다. 매월 초하루에 전奠을 올릴 때 부친이 주인이 되는 것은 매월 초하루는 전을 성대하게 차리므로 높은 자尊者를 주인으로 삼는 것이다. 『예기禮記』「상복소기」에 '부인의 상은 우제虞祭와 졸곡卒哭에는 남편과 아들이 주관한다.'고 하였는데, 우제와 졸곡 모두 성대한 제사이므로 남편이 주관하니, 이 또한 부친이 살아 있으면 부친이 주인이 된다는 것을 말한다. 매월 초하루의 제사에 부친이 주인이 되는 것도 우제·졸곡과 뜻이 동일하다."

---

275 鄭玄의 주이다.

276 高閌(1094~1150) : 자는 抑崇, 시호는 憲敏이며 鄞縣 사람이다. 태학에서 楊時에게 수학하였으며, 태학에서 경술을 위주로 할 것을 건의하였다. 南宋 초에 禮部를 맡아서 당시 禮制의 대부분을 論定했고, 『厚終禮』·『春秋集注』 등을 저술하였다.

277 『儀禮』「土喪禮」에 "月半不殷奠."이라는 경문이 있는데, 이에 대해 鄭玄은 "'殷'은 '성대하다'이다. 土는 매월 보름에는 다시 초하루의 성대한 전만큼 하지 않는다.(殷, 盛也. 土月半不復如朔盛奠.)"고 하였다. 高閌의 글은 바로 이 대목을 나름대로 풀이한 것이다.

278 이 글이 高閌의 『厚終禮』에 실려 있는 듯하나, 전문 인용인지, 부분 인용인지 불분명하다.

279 饋奠 : 喪期 동안 아침저녁으로 奠을 올려서 산 사람처럼 섬기거나 제사에서 사용되는 음식을 비롯한 祭需를 말한다.

[20-7-3]

有新物, 則薦之.

새로 난 음식물이 있으면 천신薦新한다.

　　　如上食儀.

　　　상식上食하는 의례와 같다.

[20-7-3-1]

劉氏璋曰 : "孝子之心, 事死如事生, 斯須不忘其親也. 如遇五穀百果一應新熟之物, 必以薦之, 如上奠儀. 凡靈座之間, 除金銀酒器之外, 盡用素器, 不用金銀錢飾, 以主人有哀素之心故也."

유장劉璋이 말했다. "효자의 마음은 죽은 이를 섬기기를 산 이를 섬기는 것처럼 하여[280] 잠시라도 자신의 어버이를 잊지 않아야 한다. 예컨대 오곡백과[281] 등 일체 새로 익은 것이 생기면 반드시 위에서 전을 올리는 의례처럼 천신해야 한다. 무릇 영좌靈座에 금과 은으로 만든 술 그릇 외에는 모두 소박한 그릇을 쓰고 금과 은으로 된 장식[282]을 쓰지 않는 것은 주인에게 애통하여 꾸미지 않으려는 마음이 있기 때문이다."[283]

· ·

280　죽은 이를 … 하여 :『中庸』18장. "踐其位, 行其禮, 奏其樂, 敬其所尊, 愛其所親, 事死如事生, 事亡如事存, 孝之至也."

281　五穀 : 稻·黍·稷·麥·菽

282　금과 은으로 된 장식(金銀錢飾) : 河西 金麟厚는 "錢은 아마도 '鏤(쇠붙이 장식)'가 되어야 할 듯하다.(錢, 疑當作鏤.)"고 하였다. 金麟厚,『河西先生全集』권12「家禮考誤」

283　무릇 靈座에 … 때문이다. :『禮記』「檀弓上」에 "奠에 소박한 그릇을 쓰는 것은 살아 있는 사람에게 애통하여 꾸밈이 없는 마음이 있기 때문이다.(奠以素器, 以生者有哀素之心也.)"고 하였다. 이에 대한 주에서 鄭玄은 "哀素는 애통하여 꾸밈이 없음을 말한다.(哀素, 言哀痛無飾也.)"고 하였다. 또 소에서 孔穎達은 "奠은 막 죽었을 때부터 장사 지낼 때까지의 제사 이름을 말한다. 이 시기에는 尸童이 없이 바닥에 차려두기 때문에 '奠'이라고 한다.(奠, 謂始死至葬之祭名. 以其時無尸置奠於地, 故謂之奠.)"고 하였다. 이렇듯 공영달은 막 죽었을 때부터 장사 지낼 때까지 올리는 '奠'도 제사의 범주에 포함시키고 있다. 다만 '奠'이 갖는 일차적인 의미인 '바닥에 두다.'는 풀이와 尸童이 없다는 점에서 일반적인 제사와 구별하고 있을 뿐이다.

'奠도 넓은 의미의 제사로 보는 이러한 입장은『禮記』「雜記上」의 "祭事에서는 孝子·孝孫이라고 칭하고, 喪事에서는 哀子·哀孫이라고 칭한다.(祭稱孝子孝孫, 喪稱哀子哀孫.)"라는 경문에 대한 그의 주에서도 보인다. 여기에서 그는 "祭事는 길제이니, 卒哭 이후의 제사를 말한다. 길하면 효자의 마음을 펼 수 있으므로 축문에 '孝'라고 말하고, 子나 孫은 祭主를 따른다. 喪事에서 哀子·哀孫이라고 칭하는 것은 虞祭 이전의 凶祭를 말한다. 喪을 당하면 애통하여 사모하는 마음을 펼 수 없다. 그러므로 '哀'라고 칭하는 것이다. 그 때문에『儀禮』「士虞禮」에서는 哀子라고 칭하고, 졸곡에서야 孝子라고 칭하는 것이다.(祭, 吉祭也, 謂自卒哭以後之祭. 吉則申孝子之心, 祝辭云孝也, 或子或孫, 隨其人. 喪稱哀子哀孫, 謂自虞以前凶祭也, 喪則痛慕未申, 故稱哀也. 故士虞禮稱哀子, 卒哭乃稱孝子.)"고 하였다. 말하자면 공영달에게 虞祭 이전의 '奠은 吉祭가 아닌 凶祭이다. 넓은 의미에서는 둘 다 제사이지만 흉제일 경우에는 길제와 구별하여 奠이라고 부를 뿐이다. 주자 또한 이러한 공영달의 해석을 그대로 수용하고 있다. 그 또한『朱文公文集』권61「答嚴時亨」(3)에서

[20-8-0]

弔 조,[284] 奠 전, 賻 부[285]

· · · · · · · · · · · · ·

주자는 또한 "상례에서 장사 지내기 이전에는 모두 奠이라고 한다. 그 예는 매우 간략하니, 이는 애통함에 꾸미지 못하고 이제 막 죽은 자에게 또한 차마 서둘러 귀신의 예로 섬기지 못하기 때문이다. 虞祭에서부터 비로소 제사라고 한다. 그러므로 禮家들은 또 奠은 喪祭가 된다고 하고 虞祭는 吉祭가 된다고 하니, 이는 점차로 길함으로 나아가기 때문이다.(喪禮, 自葬以前, 皆謂之奠. 其禮甚簡, 蓋哀不能文, 而於新死者亦未忍遽以鬼神之禮事之也. 自虞以後, 方謂之祭. 故禮家又謂奠爲喪祭, 而虞爲吉祭, 蓋漸趨於吉也.)"고 하였다. 물론 虞祭는 凶祭에서 吉祭로 나아가는 과도기적 성격을 갖기에 관점에 따라 흉제에도, 길제에도 속할 수 있다. 그러나 전적으로 길제라고 할 수 있는 것은 사실 卒哭祭부터이다.

그러나 吳澄은 奠과 祭祀를 엄격하게 구별하고 있다. 앞의 『禮記』「檀弓下」 경문에 대한 주에서 그는 "虞祭 이전에는 부모의 상을 당한 지 오래지 않아 奠을 올릴 뿐, 제사를 지낸다고 하지 않는다. 전을 올리는 것은 부모를 공경하지 않아서가 아니라 애통한 마음이 특별히 심하기 때문이다. 예는 질박함을 숭상하므로 꾸미는 데 마음을 쓰지 않는다. 그러므로 소박한 기물을 사용하는 것이다. 虞祭를 지낸 이후에는 부모의 상을 당한 지 점차 오래되어 가고, 卒哭 · 祔祭 · 練祭 · 祥祭는 비록 여전히 喪制 중에 있어도, 이미 제사의 예이다. 이들 제사는 부모에 대해 애통해하지 않는 것이 아니라, 공경하는 마음이 더욱 높아가니, 초상 때에 소박한 기물과 같지 않다. 예를 다하면서 점차로 꾸미게 되는 것이 어찌 죽은 자가 참으로 와서 흠향하기 때문에 그러는 것이겠는가? 또한 스스로 그 예를 다하여 부모를 공경하는 마음을 다하는 것이다. 대개 상은 애통함을 위주로 하고, 제사는 공경함을 위주로 한다. 그러므로 喪에서는 소박한 기물의 질박함으로 전을 올려 애통함을 보이고, 제사의 경우에는 예의 꾸밈을 다하여 공경함을 기탁하는 것이다.(虞以前, 親喪未久, 奠而不謂之祭. 其奠也, 非不敬其親也, 其哀特甚. 禮尙質朴, 無心於飾. 故用素器. 虞以後, 親喪漸久, 卒祔練祥, 雖猶在喪制之中, 然已是祭祀之禮. 其祭祀也, 非不哀其親也, 敬心加隆, 非如初喪之素器也. 其盡禮而漸文, 豈謂死者眞能來饗而然? 亦自盡其禮以致敬親之心焉. 大槪喪主於哀, 祭主於敬. 故喪奠以素器之質而見其哀, 祭祀則盡禮之文以寓其敬.)"고 하였다. 이렇듯 오징은 奠과 제사의 차이를 꾸밈 없는 애통함과 예의 꾸밈을 다하는 공경함이라는 인간의 내면적 마음가짐을 기준으로 구별하고 있다. 그러나 吳澄은 元나라의 학자로 그의 이러한 주장이 예학의 보편성을 지녔다고 보기는 어려울 것이다. 이상의 논의를 종합하여 도표화하면 다음과 같다.

〈奠과 祭의 공통점과 차이〉

	공통점	차이점								
		시기	성격	喪主의 칭호	마음 가짐	음식	절차	尸童의 유무	器物 장식 유무	의복 색깔
奠	'奠'도 '祭'의 명칭	始死~ 葬事	凶祭 (喪祭)	哀子 (孤子)	애통함	야채 · 과일 · 포 · 육장	再拜	무	무	흰색계열 (무가공)
祭		卒哭 이후	吉祭	孝子	공경함	위의 奠饌 외에 생선 · 고기 · 구운간 · 면식 · 미식 · 국 · 밥 등	參神 · 降神 · 進饌 · 三獻 · 侑食 · 闔門 · 啓門 · 辭神 등	유	유	검은색 계열 (가공)

※ 장사 지내고 집으로 돌아와 한낮에 지내는 虞祭는 이때부터 朝夕奠을 없애고 제사의 형식을 갖는다는 점에서는 길제의 성격을 갖고 있지만, 여전히 애통함이 북받치면 곡을 한다는 점에서는 흉제의 성격을 갖는다. 그리하여 虞祭는 흉제에서 길제로 나가는 과도기적 특징을 지닌다.

284　弔：『禮記』「檀弓上」에 "사람이 죽어도 조문하지 않는 경우가 셋이 있으니, 두려워서 죽고[畏], 압사하여 죽으며[厭] 물에 빠져 죽은[溺] 경우이다.(死而不弔者三, 畏厭溺.)"고 하였다. 이에 대한 주에서 方慤은 "전쟁터에서 용맹이 없는 것은 효가 아니거늘 두려워서 죽는 자이겠는가! 군자는 위험한 담장 아래에는 서지 않거늘 압사하여 죽는 자이겠는가! 효자는 배를 타고 유람하지 않거늘 물에 빠져 죽는 자이겠는가! 이 세 가지는 모두 '올바른 죽음[正命]'이 아니다. 그러므로 先王이 제정한 예에 조문하지 않는 경우를 두게 된 것이다.(戰陣無勇非孝也, 其有畏而死者乎! 君子不立巖牆之下, 其有厭而死者乎! 孝子舟而不游, 其有溺而死者乎! 三者之死皆非正命也. 故先王制禮在所不弔.)"고 하였다.

『禮記』「少儀」에 "尊長이 자신보다 等級(신분·항렬·나이)이 높으면, 조문할 때, 때를 기다려서 가고, 아무 때나 혼자서 가지 않는다.(尊長於己踰等, 喪俟事, 不犆弔.)"고 하였다. 이에 대한 주에서 孔穎達은 "俟事'는 朝夕哭을 할 때를 기다리는 것을 말한다. '不犆弔'는 아무 때나 조문하러 가지 않는 것을 말한다.(俟事, 謂待朝夕哭時. 不犆弔, 謂不非時而獨弔.)"고 하였다.

『禮記』「曾子問」에 "공자는 '3년상 중에 다른 사람을 조문하여 곡하는 것은 虛禮가 아니겠는가?(三年之喪而弔哭, 不亦虛乎?)'고 하였다."고 하였다. 이에 대한 주에서 孔穎達은 "자신에게 상이 있는데 다른 사람을 조문하며 곡하고 애통해한다면, 자신의 본래 애통함을 잊은 것이니, 이것은 자신의 3년복이 허례가 된다. 마음은 자신의 애통함에 있는데, 다른 사람(의 애통함)을 잊은 채 다른 사람에게 곡한다면, 이것은 조문이 허례이다.(蓋己有喪, 弔彼而哭哀彼, 則忘己本哀, 是己服爲虛也. 若心存於己哀, 忘彼而哭彼, 是於弔爲虛也.)"고 하였다.

『禮記』「檀弓上」에 "殯所를 모시고 있을 때 먼 친척 형제의 상을 들으면 비록 緦麻服을 입는 사이라도 반드시 가야 한다. 그러나 형제의 상이 아닐 경우에는 비록 이웃의 상이라도 가지 않는다.(有殯, 聞遠兄弟之喪, 雖緦必往. 非兄弟, 雖鄰不往.)"고 하였다. 이에 대한 集說에서 陳澔는 "3년상 중에 빈소에 있을 경우에는 외출하여 조문하지 않는다. 그러나 형제의 경우에는 恩義가 있으므로 비록 먼 곳에 살고 있는 시마복을 입는 형제라도 또한 마땅히 가서 곡해야 한다. 형제의 상이 아닐 경우에는 비록 가깝더라도 가지 않는다.(三年之喪在殯, 不得出弔. 然於兄弟則恩義存焉, 故緦服兄弟之異居而遠者, 亦當往哭. 其喪若非兄弟, 則雖近不往.)"고 하였다.

『禮記』「檀弓下」에 "子張이 죽자, 증자는 모친상이 있어 자최복을 입고 가서 곡하였다. 어떤 사람이 '자최복을 입을 때는 조문하지 않는다.'고 말하자, 증자는 '내가 조문한 것인가?'고 하였다.(子張死, 曾子有母之喪, 齊衰而往哭之. 或曰, '齊衰不以弔.' 曾子曰, '我弔也與哉?')"고 하였다. 이에 陳澔는 "모친상의 복을 입고 친구의 상에 곡하는 것은 예를 한참 벗어난 것이기 때문에 어떤 사람이 제지한 것이다. 그러나 증자의 생각은 '내가 자장의 죽음에 통상의 예에 따른 조문을 한 것인가?'고 했다. 이제 상고해 보니, 이 뜻은 단지 친구의 의리가 높고 두텁기 때문에 가서 곡하지 않을 수 없고, 또 상복을 벗고 갈 수도 없으니, 그저 가서 곡만 하고 조문하는 예는 행하지 않았다는 것이다. 그러므로 '내가 조문한 것인가?'고 한 것이다.(以喪母之服而哭朋友之喪, 踰禮已甚, 故或人止之. 而曾子之意, 則曰'我於子張之死, 豈常禮之弔而已哉? 今詳此意, 但以友義隆厚, 不容不往哭之, 又不可釋服而往, 但往哭而不行弔禮耳. 故曰, '我弔也與哉?')"고 하였다. 그러기에 『書儀』에서 司馬溫公(司馬光)은 "형제의 상이 아니면 비록 이웃이라도 가서 조문하지 않지만, 친구가 죽었을 경우에는 비록 자최복을 입었더라도 또한 가서 곡할 수 있다. 증자가 자장을 위해 곡한 것이 이것이다.(非兄弟, 雖鄰不往, 若執友死, 雖齊衰, 亦可以往哭. 曾子之哭子張, 是也.)"고 하였다. 『書儀』권5「弔·酹·賻·襚」

285　賻：『禮經傳通解續』권14에 "재화를 보내는 것을 '賻'라고 하고, 수레와 말을 '賵'이라고 하며, 의복을 보내는 것을 '襚'라고 하고 애호하던 것을 보내는 것을 '贈'이라고 하며, 패옥을 보내는 것을 '含'이라고 한다. 부와 봉은 산 자를 돕기 위한 것이고, 증과 수는 죽은 자를 전송하기 위한 것이다.(貨財曰賻, 輿馬曰賵, 衣服曰襚, 玩好曰贈, 玉貝曰含. 賻賵, 所以佐生也, 贈襚, 所以送死也.)"고 하였다.

[20-8-1]

凡弔皆素服.

무릇 조문할 때에는 모두 흰 옷을 입는다.

> 幞頭衫帶, 皆以白生絹爲之.
>
> 복두·삼·띠는 모두 흰 생견生絹[286]으로 만든다.

[20-8-1-1]

> 問 : "今弔人用橫烏, 此禮如何?"
>
> 朱子曰 : "此是玄冠以弔, 正與孔子所謂, 羔裘玄冠不以弔者, 相反."[287]
>
> 물었다. "요즈음 조문하는 사람들은 횡오橫烏[288]를 착용하는데, 이것은 예에 어떻습니까?"
>
> 주자가 대답했다. "이것은 현관(검은 관)을 쓰고 조문하는 것이니, 바로 공자가 '고구羔裘[289]와 현관 차림으로는 조문하지 않는다.'[290]고 말한 것과는 상반된다."

[20-8-2]

奠用香茶燭酒果.

전奠에는 향·차·초·술·과일을 쓴다.

- -

『禮記』「曲禮上」에 "조문할 때 賻儀를 낼 수 없으면, 그 비용을 묻지 않는다.(弔喪弗能賻, 不問其所費.)"고 하였다. 이에 대한 集說에서 陳澔는 "재물을 가지고서 상사를 돕는 것을 '賻'라고 한다. 묻지 않는 것은, 그저 묻기만 하는 것을 부끄러움으로 여긴 것이다.(以貨財助喪事曰賻. 不問者, 以徒問爲可愧也.)"고 하였다.

286 生絹 : 삶지 않은 명주실로 짠 깁을 말한다.

287 『朱子語類』권89, 63조목 : "問, '今弔者用橫烏, 如何?' 曰, '此正與「羔裘玄冠不以弔」相反, 亦不知起於何時. 想見當官者旣不欲易服去弔人, 故杜撰成箇禮數. 若閒居時, 只當易服用敍衫.'"

288 橫烏 : 沙溪 金長生은 "복두이다.(幞頭也.)"고 하였다. 『家禮輯覽』(『沙溪全書』권28)「弔·奠·賻」. 복두가 3척의 검은 명주로 머리를 싸기 때문에 '橫烏'라는 별칭을 얻은 듯하다.

289 羔裘 : 군주의 경우에는 검은 양가죽[羔]으로 가선을 대고, 大夫의 경우에는 豹皮로 袪와 褎를 꾸민다. 거와 수는 모두 옷소매[袂]이다. 袂는 옷소매의 넓은 부분이고, 거와 수는 좁은 부분(소맷부리)이다.

290 『論語』「鄕黨」 '緇衣羔裘'와 '羔裘玄冠不以弔'의 集註에서 주자는 "羔裘는 검은 양의 가죽을 쓴다. 喪事는 흰색을 위주로 하고, 吉事는 검은색을 위주로 한다. 조문할 때 반드시 變服하는 것은 죽은 이를 애통하게 여기기 때문이다.(羔裘, 用黑羊皮. 喪主素, 吉主玄. 弔必變服, 所以哀死.)"고 하였다. 고구는 새끼 양가죽으로 만든 갖옷이고, 玄冠은 비단으로 만든 관으로, 조정에 나아갈 때 착용하는 朝服이다.

有狀. 或用食物, 即別爲文.

조장弔狀[291]이 있다. 혹 음식물을 쓸 경우에는 별도로 제문祭文을 작성한다.

賻用錢帛.

부의賻儀[292]에는 돈과 비단을 쓴다.

有狀, 惟親友分厚者有之.

부장賻狀은 오직 친척이나 벗으로서 교분이 두터운 사람만 한다.

[20-8-2-1]

司馬溫公曰 : "東漢徐稺, 每爲諸公所辟, 雖不就, 有死喪, 負笈赴弔. 嘗於家豫炙雞一隻, 以一兩綿絮漬酒中, 暴乾以裹雞. 徑到所赴家隱外, 以水漬絮, 使有酒氣汁米飯, 白茅爲藉. 以雞置前, 醊酒. 畢, 留謁則去, 不見喪主. 然則奠貴哀誠, 酒食不必豐腆也."[293]

사마온공司馬溫公[司馬光]이 말했다. "동한東漢의 서치徐稺[294]는 여러 사람들에 의해 천거될 때마다 나

....

291 弔狀 : 조문하는 글로서 그 양식은 다음과 같다.(뒤의 '致賻奠狀' 참조)
"○관직 아무개.
어떤 물건 얼마만큼.
위의 물건을 삼가 사람을 시켜 보내 어떤 관직 아무 공의 靈筵(시신을 모셔 놓은 자리)에 올려 奠의 의식을 갖추게 하오니 엎드려 바라옵건대 흠향하여 받아주십시오. 삼가 글을 올립니다.
　　　　　　　　○년 ○월 ○일
　　　　　　　　○관직 아무개가 삼가 弔狀을 올립니다."
292 賻儀 :『儀禮』「旣夕」의 주에서 鄭玄은 "賻란 '보충해 주다,' '도와주다'이다.(賻之言, 補也, 助也.)"고 하였다. 『春秋穀梁傳』, 隱公 元年 조에는 "거마를 부조하는 것을 '賵'이라고 하고 옷과 이불을 부조하는 것을 '襚'라고 하며 패옥을 부조하는 것을 '含'이라고 하고 재화와 財錢을 부조하는 것을 '賻'라고 한다.(乘馬曰賵, 衣衾曰襚, 貝玉曰含, 財錢曰賻.)"고 하였다. 또한『禮記』「少儀」에는 "賻儀를 가지고 온 사람은 주인에게 명을 전하고 나서 꿇어앉아 바닥에 내려놓는다. 예를 돕는 집사자가 그것을 들며, 주인은 직접 받지 않는다.(賻者, 旣致命坐委之. 擯者擧之, 主人無親受也.)"고 하였다. 그 소에서 孔穎達은 "吉事일 때에 사람들이 물건을 보내왔을 경우에는 주인이 스스로 절하고 받는다. 그러나 상주는 애통함과 슬픔 속에 있어 절하고 받지 못하기에 집사자가 그것을 들게 하는 것일 뿐이다.(吉時, 若人饋物, 主人自拜受之. 有喪主於哀戚, 不得拜受, 使擯者受擧之而已.)"고 하였다.
293 『書儀』권7「親賓致賻贈」. "徐稺, 每爲諸公所辟, 雖不就, 有死喪, 負笈赴弔. 常于家豫炙雞一隻, 以一兩綿絮漬酒中, 暴乾以裹雞. 徑到所赴家隱外, 以水漬絮, 使有酒氣, 汁米飯, 白茅爲藉. 以雞置前醊酒. 畢, 留謁則去, 不見喪主. 然則奠貴哀誠, 酒食不必豐腆也." 徐稺의 이 일화는『資治通鑑』권54에도 실려 있다. "稺雖不應諸公之辟, 然聞其死喪, 輒負笈赴弔. 常於家豫炙雞一隻, 以一兩綿絮漬酒中, 暴乾以裹雞. 徑到所赴家隱外, 以水漬綿, 使有酒氣斗米飯, 白茅爲藉. 以雞置前, 醊酒. 畢, 留謁則去, 不見喪主."
294 徐稺(97~168) : 字는 孺子이고 豫章의 南昌 사람이다. 陳蕃이 예장의 수령으로 있을 때 빈을 만나지 않다가도 서치가 오면 특별히 걸상[榻] 하나를 마련해 주었다가 떠나간 뒤에는 다시 매달아 놓았다고 한다.『後漢書』권83「徐稺傳」

아가지 않다가도 상사喪事가 있으면 상자炬를 지고 달려가 조문하였다. 집에서 미리 닭 한 마리를 굽고는 솜 한 냥을 술에 적셔 햇볕에 말렸다가 닭을 싸서, 부고한 집의 묘소隧[295]에 빨리 가서는 물로 솜을 적셔 술기운이 있게 하여 쌀밥을 말고 흰 띠로 자리를 깔고, 닭을 앞에 놓고 땅에 술을 붓는다.[296] 마치면 명함을 두고 바로 떠나 상주를 만나지 않는다. 그러므로 전奠은 애통함과 정성이 귀한 것이니, 술과 음식을 반드시 많이 차릴 필요는 없다."

[20-8-3]

具刺通名.

명함刺[297]을 갖추어 통성명한다.

> 賓主皆有官, 則具門狀, 否則名紙, 題其陰面. 先使人通之, 與禮物俱入.
>
> 빈과 주인이 모두 관직이 있으면 명함門狀을 구비하고, 없으면 명지名紙(명함 종이)의 뒷면에 이름을 써서, 먼저 사람을 시켜 알리고, 예물과 함께 들여보낸다.

入哭奠, 訖, 乃弔而退.

들어가서 곡哭하고서 치전致奠하고, 마치면 조문하고 물러 나온다.[298]

> 旣通名, 喪家炷火燃燭布席, 皆哭以俟. 護喪出迎賓. 賓入至廳事進揖曰, "竊聞某人傾背, 不勝驚怛. 敢請入酹, 幷伸慰禮." 護喪引賓入, 至靈座前哭盡哀. 再拜焚香, 跪酹茶酒. 俛伏興. 護喪止哭者. 祝跪讀祭文奠賻狀於賓之右. 畢, 興. 賓主皆哭盡哀. 賓再拜.
>
> 이름을 통지하고 나면, 상가에서는 향 피우고 촛불을 밝히고 돗자리를 펴놓고는 모두 곡을 하면서 기다리며, 호상護喪이 나가 빈을 맞이한다. 빈은 들어와 청사廳事에 이르면 나아가 읍하면서 "아무개께서 '돌아가셨다는 말을 들으니傾背', 놀라움과 슬픔을 견디기 어렵습니다. 감히 들어가 술을 올리고酹[299] 아울러 위로의 예를 펴고자 합니다."라고 말하면, 호상이 빈을 인도하여 들어가

---

295 묘소[隧]: 『書儀』에는 '家隧'로 되어 있는데, 묘와 墓道를 말한다.

296 땅에 술을 붓는다.: '酹'은 '철'로 독음하는데, 술을 땅에 부어 제를 올리는 것을 말한다.

297 명함[刺]: 『事始』에 "옛날에는 종이가 없어서 대나무나 나무를 깎아 성명을 썼다. 그러므로 그것을 '자'라고 하였다. 뒤에 종이에 썼으므로 名紙라고 하였다.(古未有紙, 削竹木以書姓名. 故謂之刺. 後以紙書, 故曰名紙.)"고 하였다.

298 들어가서 哭하고서 … 나온다.: 『禮記』「曲禮上」에 "산 사람을 아는 자는 조문하고, 죽은 이를 아는 자는 슬퍼한다. 산 사람을 알고 죽은 이를 알지 못하면 조문하되 슬퍼하지 않는다. 죽은 이를 알고 산 사람을 알지 못하면 슬퍼하되 조문하지 않는다.(知生者弔, 知死者傷. 知生而不知死, 弔而不傷, 知死而不知生, 傷而不弔.)"고 하였다. 그 集說에서 陳澔는 方慤의 말을 인용하여, "산 자를 알지도 못하는데 조문하면 그 조문은 아첨에 가깝고, 죽은 자를 알지도 못하는데 슬퍼하면 그 슬픔은 거짓에 가깝다.(不知生而弔之, 則其弔也近於詔, 不知死而傷之, 則其傷也近於僞.)"라고 하였다.

299 술을 올리고[酹]: 河西 金麟厚는 "'酹'는 마땅히 '奠'으로 되어야 한다.(酹當作奠.)"고 하였다.(『河西先生全集』 권12「家禮考誤」). 뒤의 '꿇어 앉아 술을 붓는다.'는 표현 또한 같다. 그 이유에 대해서는 뒤의 '楊復이 말했

영좌 앞에 이르면 곡을 하며 애통함을 다하고, 재배하고 분향하고는 꿇어앉아 차와 술을 올리고, 엎드렸다 일어난다. 호상이 곡을 하는 사람을 그치게 하면, 축관은 빈의 오른쪽에 꿇어앉아 제문·전장奠狀·부장賻狀을 읽고, 마치면 일어선다. 빈과 주인이 모두 곡을 하며 애통함을 다하고, 빈은 재배한다.

主人哭出, 西向稽顙再拜. 賓亦哭, 東向答拜. 進曰, "不意凶變, 某親某官奄忽傾背. 伏惟哀慕, 何以堪處?" 主人對曰, "某罪逆深重, 禍延某親. 伏蒙奠酹, 并賜臨慰, 不勝哀感." 又再拜. 賓答拜. 又相向哭盡哀. 賓先止, 寬譬主人曰, "脩短有數, 痛毒奈何? 願抑孝思, 俯從禮制." 乃揖而出, 主人哭而入. 護喪送至廳事, 茶湯而退. 主人以下止哭.

주인은 곡을 하며 나와 서향하고서 머리를 한동안 바닥에 대고는 재배하면,[300] 빈 또한 곡을

. . . .

다.'로 시작되는 문단 참조. 또한 奠을 올리지 않을 경우에는 '酹'를 '哭'으로 고친다.(『喪禮備要』)

300 머리를 한동안 … 재배하면: 『禮記』「檀弓上」에서 "공자는 '절한 뒤에 머리를 한 동안 바닥에 대는 것은 예절의 순서를 따르는 것이다. 머리를 한 동안 바닥에 댄 뒤에 절하는 것은 지극함을 지극히 하는 것이다. 3년상에 나는 그 지극함을 따르겠다.'고 하였다.(孔子曰, '拜而后稽顙, 頹乎其順也. 稽顙而后拜, 頎乎其至也. 三年之喪, 吾從其至者.')" 이에 대한 주에서 鄭玄은 전자는 은나라의 상례에서 절하는 것(殷之喪拜)이고, 후자는 주나라의 상례에서 절하는 것(周之喪拜)이라고 하였다. 또 陳澔는 集說에서 "이것은 상례에서 절하는 순서를 말한 것이다. 절은 빈에게 절하는 것이다. '稽顙'은 머리를 바닥에 대는 것으로, 애통함이 지극한 것이다. 절하여 빈에게 예를 표하고, 머리를 바닥에 대고서 자신의 애통함을 다하는 것을 '예의 순서'라고 한 것은, 먼저 남에게 공경함을 더하고서 자신의 애통함을 다하는 것을 예의 순서를 얻었다고 한 것이다. '頎'는 측은함의 발로인데, 그것을 '지극하다'고 한 것은 애통함이 항상 어버이에게 있으면서도 공경함을 잠시 다른 사람에게 베푼 것을 스스로 다하는 도리를 극진하게 했다고 한 것이다. 夫子가 '그 지극함을 따르겠다.'고 한 것은, 또한 예절의 순서를 따르기보다는 차라리 슬픈 것이 낫다는 뜻이다.(此言喪拜之次序也. 拜拜賓也. 稽顙者, 以頭觸地, 哀痛之至也. 拜以禮賓, 稽顙以自致, 謂之順者, 以其先加敬於人, 而后盡哀於己, 爲得其序. 頎者惻隱之發也, 謂之至者, 以其哀常在於親, 而敬暫施於人, 爲極自盡之道也. 夫子從其至者, 亦與其易也, 寧戚之意.)"고 하였다.

朱子 또한 이에 대해 여러 가지 설명을 하고 있다. "稽顙한 뒤에 절하는 것과 절한 뒤에 계상하는 것"에 대해 묻자, 朱子가 말했다. "양손을 바닥에 대는 것을 절[拜]이라고 한다. '절한 뒤에 稽顙한다.'는 것은 평상시처럼 먼저 두 손으로 바닥에 엎드린 뒤에 머리를 앞으로 당겨 바닥에 대는 것이다. '계상한 뒤에 절한다.'는 것은 양손을 벌려 먼저 머리를 바닥에 대고는 평상시처럼 손을 맞잡는 것이다. '頓首' 또한 머리를 당겨 바닥에 조금 대는 것이다. '稽首'는 머리를 당겨 조금 오랫동안 바닥에 있는 것인데, '稽'는 '稽留(머무르다)'의 뜻이다.(問"稽顙而后拜, 拜而后稽顙", 曰, "兩手下地曰拜. '拜而后稽顙', 先以兩手伏地如常, 然後引首向前扣地. '稽顙而后拜', 開兩手, 先以自扣地, 卻交手如常. 頓首, 亦是引首少扣地. 稽首, 是引首稍久在地, 稽者, 稽留之意. 『朱子語類』 권87, 39조목)"

또한 주자는 『朱子語類』 권87, 39조목에서 "계상한 뒤에 절한다.'는 것은 먼저 머리를 바닥에 댄 후에 손을 내리는 것인데, 이것이 상례의 절이다. '절한 뒤에 稽顙한다.'는 것은 요즘 사람들이 평상시에 하는 절이다.(稽顙而后拜', 謂先以頭至地, 而後下手, 此喪拜也. 若'拜而後稽顙', 則今人常用之拜也.)"라고 하였다. 또 권87, 41조목에서는 "稽顙한 뒤에 절한다.'에서 稽顙은 머리를 바닥에 대는 것이다. '拜'라는 글자는 두 손[手]을 내리는 데에서 온 글자이다.(稽顙而後拜', 稽顙者, 首觸地也. '拜'字從兩手下.)"라고 하였다. 이상의 논의를 살펴볼 때, '稽顙'은 '머리를 한동안 바닥에 대다.'로 번역하였고, '頓首'는 '頓'이 '조아리다.'는 뜻이므로 '머리

하며 동향하고서 답배하며[301] 나아가 "뜻밖의 몹쓸 변고로 ○친속某親 ○관某官께서 갑자기 돌아가셨습니다. 삼가 생각건대 애통함과 사모함을 어떻게 감당하시겠습니까?"라고 말한다. 주인은 "저의 죄가 너무 무거워 화禍가 ○친속某親에게 미쳤습니다. 삼가 전과 뇌주를 받잡고 아울러 오셔서 위로까지 해주시니, 애통함을 견디지 못하겠습니다."라고 말하고는 또 재배하면, 빈은 답배한다. 또 서로 마주 보고 곡을 하며 애통함을 다한다. 빈이 먼저 멈추고 주인을 달래며 "명命의 길고 짧음에는 운수가 있으니, 쓰라리게 아파한들 어쩌겠습니까? 원컨대 효자의 사모함을 억누르고 마음을 굽혀 예제禮制를 따르십시오."라고 말하고는 읍하고 나오고, 주인은 곡을 하며 들어가며, 호상은 청사까지 전송하고 차와 탕을 대접하고 물러간다.[302] 주인 이하는 곡을 그친다.[303]

○ 若亡者官尊, 即云‘薨逝.’ 稍尊即云‘捐館.’ 生者官尊, 則云‘奄棄榮養.’ 存亡俱無官, 即云色養. 若尊長拜賓, 禮亦同此. 惟其辭各如啟狀之式, 見卷末.

죽은 자가 관직이 높으면 ‘훙서薨逝’라고 한다. 조금 높으면 ‘연관捐館’[304]이라고 한다. 살아 있는 자(즉, 喪主)가 관직이 높으면 ‘엄기영양奄棄榮養’[305]이라고 한다. 살아 있는 자와 죽은 자가 모두 관직이 없으면 ‘색양色養’[306]이라고 한다. 존장尊長(어른)이 빈에게 절할 경우, 예 또한 이와 같다. 다만 그때마다 하는 말은 각각 계장啟狀의 양식과 같은데, 권卷의 말미에 보인다.

[20-8-3-1]

司馬溫公曰 : "凡弔人者, 必易去華盛之服, 有哀戚之容. 若賓與亡者爲執友, 則入酹. 婦人非親戚, 與其子爲執友, 嘗升堂拜母, 則不入酹. 凡弔及送喪者, 問其所乏, 分導營辦. 貧者爲之執紼負土之類, 毋擾及其飮食財貨可也."[307]

. . . .
를 바닥에 조아리다.'로 번역하였다.
301 빈 또한 … 답배하며 : 『家禮儀節』에서 丘濬은 "살펴보니, 『禮記』「曲禮」에 ‘조문할 때가 아니거나 나라의 군주를 알현할 때가 아니면 답배하지 않는 경우가 없다.'고 하였으니, 조문할 때 답배하지 않는 것은 분명하다. 그러나 『家禮』에는 『書儀』의 설에 근본하여 마침내 시속을 따라 빈과 주인이 답배한다는 글이 있다. 예는 마땅함을 따르니, 두 선생이 아마 의리로써 일으킨 것 같다.(按「曲禮」‘凡非弔喪, 非見國君, 無不答拜者,’ 則弔喪不答拜明矣. 而『家禮』本『書儀』, 乃從俗有賓主答拜之文. 蓋禮從宜, 二先生蓋以義起也.)"라고 하였다. 『家禮儀節』 권5「朝夕哭奠・上食」
302 차와 탕을 … 물러간다. : 『家禮集說』에서 馮善은 "천박한 세속에서 술과 음식을 차려놓고 빈을 접대하는 일이 있는데, 예가 아니다. 마땅히 통렬하게 없애야 한다.(薄俗有設酒食待客者, 非禮. 宜痛革之.)"고 하였다.
303 부록 그림 58 참조
304 捐館 : ‘거처를 버리다.'는 뜻으로 높은 사람의 죽음을 말한다.
305 奄棄榮養 : ‘갑자기 영화로운 봉양을 버리다.'는 뜻으로 높은 사람의 죽음을 말한다.
306 色養 : 자식이 낯빛을 화기롭게 하여 부모를 봉양하는 것, 혹은 자식이 부모의 안색을 살피면서 봉양하는 것을 말한다. 子夏가 孝에 대해서 물었을 때, 공자가 ‘色難'이라고 대답한 데에서 나온 말로, 자식이 즐거운 얼굴색으로 부모를 봉양하기 어렵다는 해설과 부모의 안색을 잘 살펴서 잘 봉양하기 어렵다는 해설이 있다. 『論語』「爲政」

사마온공이 말했다. "무릇 조문하는 사람은 반드시 화려하고 성대한 옷을 벗고 애통하고 슬픈 용모를 지녀야 한다. 빈이 죽은 자와 친구인 경우에는 들어가 술을 따른다. 부인의 상에는 친척이거나 그 자식과 친구여서 당에 올라가 일찍이 모친에게 절한 자가 아니면 들어가 술을 따르지 않는다. 무릇 조문하거나 장례에 참석하는 자는 그 부족한 것을 물어 분담하여 장만한다. 가난한 자는 상여 줄을 잡거나 흙을 지는 따위의 일을 하고, 그 음식과 재화를 어지럽히지 말아야 한다."

[20-8-3-2]

高氏曰 : "旣謂之奠, 而乃燒香酹酒, 則非奠矣. 世俗承習久矣, 非禮也."

고씨高氏[高閌]가 말했다. "이미 '전奠'이라고 말해 놓고 향불을 피우고 술을 붓는다면 '전奠'이 아니다. 세속에서 이런 습속을 이어온 지 오래되었으나 예가 아니다."

[20-8-3-3]

又曰 : "喪禮, 賓不答拜. 凡非弔喪, 無不答拜者. 胡先生書儀曰, '若弔人是平交, 則落一膝, 展手策之, 以表半答. 若孝子尊, 弔人卑, 則側身避位, 候孝子伏次. 卑者即跪還. 須詳緩去就, 無令跪伏與孝子齊.'"

또 말했다. "상례에서 빈은 답배하지 않는다고 하나 무릇 조문할 때가 아니면 답배하지 않는 일이 없다. 호선생胡先生[胡瑗]은 『서의書儀』308에서 '조문하는 사람이 평교平交 사이인 경우에는 한 쪽 무릎을 꿇고 손을 펴서 부축하면서 반답半答을 표한다. 효자喪主가 높고 조문하는 사람이 낮은 경우에는 몸을 옆으로 하여 자리를 피하고는 효자가 제자리에서 엎드리기를 기다리고, 낮은 사람은 바로 꿇어 앉아 몸을 돌려서 피한다.309 행동을 조심스럽고 천천히 하여 꿇어 엎드리는 것을 효자와 나란하지 않도록 해야 한다.'"

[20-8-3-4]

楊氏復曰 : "按程子張子與朱先生後來之說. 奠, 謂安置也, 奠酒則安置於神座前. 旣獻則徹去. 奠而有酹者, 初酌酒, 則傾少酒於茅, 代神祭也. 今人直以奠爲酹, 而盡傾之於地, 非也. 高氏之說亦然, 與此條所謂入酹跪酹, 似相牴牾. 蓋家禮乃初年本, 當以後來已定之說爲正. 詳見祭禮降神條."

양복楊復이 말했다. "정자程子[程頤]・장자張子[張載], 그리고 주선생朱先生[朱熹]의 이후의 설을 살펴보니 '전奠'은 '두다.'를 말하니, 술을 전奠한다는 것은 신좌 앞에 두는 것이고, 이때 이미 올렸던 것은 치운다. 전奠할 때 뇌酹가 있는 것은 처음 술을 따르면 기울여 모사茅沙에 조금 부어 신神을 대신해 제사 지내는 것이다. 요즈음 사람들은 곧바로 전奠을 뇌酹로 간주하여 모두 기울여 땅에 부으니,

---

307 『書儀』권5 「喪禮1」(弔酹賻襚). 그러나 인용된 글은 '조・뇌・부・수' 항목 여러 군데에 있는 글을 모아서 편집한 것이다.
308 胡瑗의 『吉凶書儀』를 말한다.
309 몸을 돌려서 피한다. : 沙溪는 '還'을 '돈다[旋]'로 풀이하였다. 『家禮輯覽』(『沙溪全書』권28) 「弔・奠・賻」

잘못된 것이다. 고씨高氏[高閌]의 설도 그러하니, 이 조목에서 '들어가 술을 붓고', '꿇어앉아 술을 붓는다.'고 한 것과는 서로 상충되는 듯하다. 『가례』는 바로 초년의 책이니, 마땅히 나중에 나와 이미 확정된 설로 올바른 것으로 삼아야 한다. 제례, 강신降神 조에 자세히 보인다."

[20-8-3-5]

又曰 : "按弔禮主人拜賓, 賓不答拜, 此何義也? 蓋弔賓來, 有哭拜或奠禮, 主人拜賓以謝之. 此賓所以不答拜也. 故高氏書有半答跪還之禮. 凡禮必有義, 不可苟也. 書儀家禮從俗, 有賓答拜之文, 亦是主人拜賓, 賓不敢當, 乃答拜. 今世俗弔賓來, 見几筵哭拜, 主人亦拜, 謂代亡者答拜, 非禮也. 旣而賓弔主人, 又相與交拜, 亦非禮也."

또 말했다. "살펴보니 조례弔禮에 주인이 빈에게 절하는데도 빈은 답배하지 않으니, 이것은 무슨 의미인가? 조문하는 빈이 오면 곡을 하며 절을 하거나 전奠을 올리는 예가 있으니, 주인이 빈에게 절하면서 사례하는 것이다. 이것이 빈이 답배하지 않는 까닭이다. 그러므로 고씨[高閌]의 책에서 반답하거나 꿇어앉아 도는 예가 있는 것이다. 무릇 예는 반드시 의리가 있으니 구차해서는 안 된다. 『서의』와 『가례』에 세속을 따라 '빈이 답배한다.'는 글이 있는 것 또한 주인이 빈에게 절하면 빈이 감당하지 못하여 답배하는 것이다. 요즈음 세속에서는 조문하는 빈이 와서 궤연几筵[310]을 보고 곡을 하면서 절하면, 주인 또한 절하는 것을 죽은 자를 대신해 답배하는 것이라고 하는데, 예가 아니다. 이윽고 빈이 주인을 조문할 때 또 서로 더불어 맞절하는 것 또한 예가 아니다."

[20-9-0]

聞喪 문상, 奔喪 분상,[311] 治葬 치장

[20-9-1]

始聞親喪哭.

. . . .

310 几筵 : 『禮記』「檀弓下」에 "虞祭에 尸童을 세우고 궤연을 마련한다.(虞而立尸有几筵.)"고 하였다. 이에 대한 集說에서 陳澔는 "장사 지내기 전에는 살아 있는 사람의 예로써 섬기고, 장사를 지내면 부모의 형체를 이미 파묻었으므로 우제에는 시동을 세워 신령을 형상화한다. '筵'은 席이다. 大斂에 奠을 올릴 때에는 비록 자리는 있으나 안석几은 없다. 이때에 안석과 자리를 설치하여 서로 짝이 되게 한다.(未葬之前, 事以生者之禮. 葬則親形已藏. 故虞祭則立尸以象神也. 筵, 席也. 大斂之奠, 雖有席而無几. 此時則設几與筵, 相配也.)"고 하였다. 따라서 이 글에서 几筵을 보고 절할 때는 이미 처음 朝夕哭하는 시기를 지나 최소한 우제 이후인 셈이다.

311 奔喪 : 『禮記』「奔喪」 '六射天地四方' 주에서 方殼은 "남자는 사방에 일이 있기 마련이니, 만일 四方에서 일이 있다면, 어찌 부모를 떠나지 않을 수 있겠는가? 그렇다면 분상하는 일이 불행히도 때때로 생긴다. 이것이 先王이 분상의 예를 만든 까닭이다.(四方男子所有事, 苟有事於四方, 安能免離親哉? 然則奔喪之事不幸而時亦有焉. 此先王所以作爲之禮也.)"고 하였다.

처음 부모의 상을 들으면 곡을 한다.

親, 謂父母也. 以哭答使者, 又哭盡哀問故.

'친親'은 부모를 말한다. 곡으로 사자使者에게 답하고, 또 곡을 하며 애통함을 다하고는 그렇게 된 까닭을 묻는다.[312]

易服.

옷을 갈아입는다.

裂布爲四脚. 白布衫·繩帶·麻屨.

베를 찢어 사각건四脚巾[313]을 만든다.[314] 흰 베 옷, 새끼 띠, 삼신[麻屨] 차림을 한다.

- - - - - - - - - - - - - - - - - - - -

312 곡으로 使者에게 … 묻는다. : 『禮記』「奔喪」에는 "부모의 상을 처음 들으면 곡으로써 사자에게 답한다. 애통함을 다하면 돌아가신 까닭을 묻고, 또 다시 곡하며 애통함을 다한다.(始聞親喪, 以哭答使者. 盡哀問故, 又哭盡哀.)"라고 되어 있다. 『書儀』 권6 「問喪·奔喪」에도 똑같다.

313 四脚巾 : 상제가 小斂에서 成服까지 쓰는 네모난 건을 말한다.(부록 그림 59 참조) 『朱文公文集』 권69 「君臣服議」에서 주자는 四脚巾에 대해 다음과 같이 말한다. 사각의 제도는 "네모난 布 사방 1幅을 가지고 앞쪽의 두 모서리에는 2개의 큰 띠[帶]를 매달고, 뒤쪽의 두 모서리에는 2개의 작은 띠를 매단다. 정수리를 덮어 네 변을 드리우고는 이어서 앞쪽에 있는 抹額(이마를 묶는 수건으로 抹頭라고도 함)으로 머리 뒤쪽에 큰 띠를 묶고, 다시 뒤쪽 모서리를 거두어서 상투 앞에 작은 띠를 묶는다. 이것으로 옛날의 冠을 대신하였는데 또한 幞頭라고 이름 붙였고, 또한 折上巾이라고도 이름 붙였다. 그 뒤에는 바로 검은 깁[漆紗]을 가지고 만들고는 오로지 복두라고만 하였는데 사실은 본래 하나의 물건이다. 요즘 예관들이 복두로 사각을 풀이 하는 것이 이것이다.(用布一方幅, 前兩角綴兩大帶, 後兩角綴兩小帶. 覆頂四垂, 因以前邊抹額而繫大帶於腦後, 復收後角而繫小帶於髻前. 以代古冠, 亦名幞頭, 亦名折上巾. 其後乃以漆紗爲之而專謂之幞頭, 其實本一物也. 今禮官以幞頭解四脚是矣.)"고 하였다.
그러나 『家禮儀節』 권5 「聞喪·奔喪」에서 丘濬은 "살펴보니, 포를 찢어서 脚을 만드는 것은, 『家禮』가 『書儀』에 바탕을 두고 있으니, 아마도 당시에는 이런 제도가 있었던 듯하다. 지금은 세상 사람들이 쓰고 있지 않은데 갑자기 이것을 쓰고 길을 가면 세속 사람들이 놀라 이상하게 볼 것이다. 그리하여 씨가 있는 거친 삼베로 衫을 만들고, 白帽를 쓰고서 麻繩으로 묶고, 삼으로 만든 鞋(신발)를 신어야 할 듯하다.(按裂布爲脚, 『家禮』本『書儀』, 恐是當時有此製. 今世人不用, 忽然以行路, 恐駭俗觀擬. 用有子粗麻布爲衫, 戴白帽, 束以麻繩, 著麻鞋.)"고 하였다.

314 『喪禮備要』「聞喪」에서 沙溪는 "살펴보니, 여기에 마땅히 '머리를 푸는[被髮]' 하나의 절목이 있어야 하는데 『家禮』에는 보이지 않는다. 이는 윗글의 「初終」의 儀節에 연결시킨 것이다. 『家禮儀節』의 「대문 안으로 들어가서 靈柩 앞으로 나아가 다시 옷을 갈아입는다.」는 조항에는 '동쪽으로 나아가 막 돌아가셨을 때처럼 머리를 풀어 늘어뜨린다.'는 말이 있으니, 그렇다면 초상 소식을 처음 들었을 때 머리를 풀고 맨발을 해야 한다. 그러나 奔喪을 할 때 머리를 풀고는 길을 나설 수 없기 때문에 머리를 거두어 사각건을 쓰는 것이다. 집에 도착하면 다시 머리를 풀고 맨발을 한다.(按此當有被髮一節, 『家禮』不見. 蓋蒙上文初終之儀也. 儀節於 「入門詣柩前再變服」條, 有曰, '就東方, 被髮如初喪,' 則始聞喪, 被髮徒跣. 而爲奔喪, 不可被髮而行, 故斂髮, 著四角巾. 到家, 又被髮徒跣也.)"라고 하였다.

遂行.

마침내 길을 나선다.

> 日行百里, 不以夜行. 雖哀戚, 猶辟害也.
>
> 하루에 백 리를 가되, 밤에는 가지 않는다.[315] 애통하고 슬프더라도 해를 입는 일은 피하려는 것이다.[316]

道中哀至, 則哭.

도중에 애통함이 북받치면 곡을 한다.

> 哭避市邑喧繁之處.
>
> 곡할 때에는 저잣거리나 고을 등 시끄럽고 번잡한 곳을 피한다.
>
> ○ 司馬溫公曰 : "今人奔喪, 及從柩行者, 遇城邑則哭, 過則止, 是飾詐之道也."[317]
>
> 사마온공[司馬光]이 말했다. "요즈음 사람들 중에 분상奔喪하거나 영구를 따라가는 자들은 성읍을 만나면 곡을 하고 지나치면 그치는데 이것은 꾸미고 속이는 것이다."

望其州境, 其縣境, 其城, 其家, 皆哭.

집이 있는 주州의 경계, 현縣의 경계, 성城, 집이 바라보이면 모두 곡을 한다.

> 家不在城, 望其鄕哭.
>
> 집이 성城에 있지 않을 경우에는, 집이 있는 마을을 바라보일 때 곡을 한다.

入門詣柩前再拜, 再變服就位哭.

문에 들어가 영구 앞에 나아가 재배하고, 다시 옷을 갈아입고 자리에 나아가 곡을 한다.[318]

> 初變服, 如初喪. 柩東西向坐, 哭盡哀. 又變服, 如大小斂, 亦如之.
>
> 처음 옷을 갈아입는 것은 초상과 같다.[319] 영구靈柩의 동쪽에 서향하고 앉아 곡을 하며 애통함을

315 하루에 백 … 않는다. : 『禮記』「奔喪」에서 "오직 부모의 상만은 (새벽) 별을 보고 길을 떠나고 (저녁) 별을 보고 멈춘다.(唯父母之喪, 見星而行, 見星而舍.)"라고 하였다. 이에 대한 주에서 方慤은 "옛날에 吉事에는 하루에 50리를 갔다. 지금은 凶變의 다급함 때문에 그 배를 가는 것이다.(古者, 吉行五十里. 今以凶變之遽, 故倍之.)"라고 하였다. 그러나 『書儀』에서 司馬光은 "혹시 親屬과 함께 가더라도 하루에 100리를 갈 수 없다. 그러나 도중에 또한 머물러 있어서도 안 된다.(雖或有親屬皆行, 不能日行百里, 道中亦不可滯留也.)"고 하였다. 『書儀』 권6 「問喪 · 奔喪」

316 애통하고 슬프더라도 … 것이다. : 『禮記』「奔喪」, 鄭玄의 주. 『書儀』 권6 「聞喪 · 奔喪」

317 『書儀』 권6 「聞喪 · 奔喪」

318 부록 그림 60 참조.

319 처음 옷을 … 같다. : 『書儀』에 "관과 윗옷을 벗고는 머리를 풀고 윗옷 앞자락을 걷어 올려 띠에 꽂으며 맨발을 하는데, 막 돌아가셨을 때의 의례대로 한다.(去冠及上服, 被髮扱衽徒跣, 如始死之儀.)"고 하였다. 『書儀』 권6 「聞喪 · 奔喪」

다한다.[320] 또 옷을 갈아입는 것은 대·소렴과 같은데,[321] 또한 그와 같이 한다.[322]

··················

320 靈柩의 동쪽에 … 다한다. : 『禮記』「奔喪」에 "집에 도착하면 문의 왼쪽으로 들어가서 서쪽 계단으로 올라간다. 빈소의 동쪽에서 서쪽을 향해 앉아 곡을 하며 슬픔을 다한다. 그리고는 括髮(풀어 늘어뜨렸던 머리를 삼끈으로 상투를 묶고, 다시 또 베로 머리띠를 만드는 것)을 하고 袒(윗옷 왼쪽 소매를 벗어 어깨를 드러내는 것)을 한다. 당 동쪽으로 내려와서 자리에 나아가 서쪽을 향해 곡하고 발을 구른다. 벽의 동쪽에서 단을 한 것을 가리고 首絰을 착용하고는 絞帶를 착용한다. 본래의 자리로 돌아와 빈에게 절하고 발을 구른다. 손님을 보내고 다시 본래의 자리로 돌아온다. 늦게 도착한 빈이 있을 경우, 절하고 발을 세 번 구르며 빈을 보내는 것은 모두 처음과 같다. 여러 주인들과 형제가 모두 문을 나온다. 문을 나오면 곡을 그친다. 殯宮의 문을 닫으면 相者가 次로 나갈 것을 알린다. 또다시 곡할 때에도 괄발하고 단을 하며 발을 구르며, 세 번째 곡할 때도 똑같이 괄발을 하고 단을 하며 발을 구른다.(至於家, 入門左, 升自西階. 殯東西面坐, 哭盡哀. 括髮袒. 降堂東即位, 西鄉哭成踊. 襲絰于序東, 絞帶. 反位拜賓成踊. 送賓反位. 有賓後至者, 則拜之成踊送賓, 皆如初. 衆主人兄弟皆出門. 出門哭止. 闔門, 相者告就次. 於又哭, 括髮袒成踊, 於三哭猶括髮袒成踊.)"고 하였다. 이에 대한 集說에서 陳澔는 "이것은 부친상에 분상하는 예를 말한 것이다. 자식 된 자는 계단을 오르내릴 때 阼階(동쪽 계단)로 다니지 않는다. 지금은 부친이 막 돌아가셨을 때이니, 차마 살아계실 때와 다르게 할 수 없기 때문에 문의 왼쪽으로 들어가고 서쪽 계단으로 올라가는 것이다. 집에 있을 때 부친이 돌아가신 경우에는 비녀를 꽂고 纚로 머리를 묶으며, 소렴을 마치고는 括髮을 한다. 여기서는 바깥에서 왔으므로 바로 괄발을 하고 袒을 한 것이다. 鄭玄은 '이미 殯을 한 경우에는 자리가 아래에 있다. 여기서는 분상이 殯 이후에 있으므로 서쪽 계단으로 내려가 堂 아래의 동쪽 자리로 나아간 것이다. 「襲絰」은 단을 했던 것을 가리고 腰帶[腰絰]와 首絰을 더 착용하는 것이다. 「벽의 동쪽」은 당 아래에 있지만 당 위쪽 담벽의 동쪽에 해당한다. 麻를 흐트러뜨려서 드리우지 않는 것 또한 집에 있을 때의 의절과 다르다. 여기서의 絞帶는 바로 「襲絰」의 「絰」이지, 革帶를 본뜬 絞帶가 아니다. 絰은 무겁고, 혁대를 본뜬 효대는 가볍다. 「反位」는 먼저 나아갔던 자리로 되돌아가는 것이다. 무릇 빈에게 절할 때에는 모두 빈의 자리로 나아가 절하고, 절을 마치면 자기의 자리로 되돌아와서 곡을 하고 발을 구른다. 次는 倚廬인데 중문 밖에 있다. 「또다시 곡할 때에도」는 다음 날 아침이고, 「세 번째 곡할 때에도」는 다시 또 그 다음 날 아침인데, 모두 당에 올라가 괄발을 하고 또 단을 하는 것은 처음에 도착하였을 때와 같다.'고 하였다.(此言奔父喪之禮. 爲人子者, 升降不由阼階. 今父新死, 未忍異於生. 故入自門左升, 自西階也. 在家而親死, 則笄纚, 小斂畢, 乃括髮. 此自外而至, 故即括髮而袒衣也. 鄭云, '已殯者位在下. 此奔喪在殯後, 故自西階降而即其堂下東之位也. 襲絰者掩其袒而加要絰也. 序東者在堂下, 而當堂上序牆之東也. 不散麻者, 亦異於在家之節也. 此絞帶即襲絰之絰, 非象革帶之絞帶也. 絰重, 象革帶之絞帶輕. 反位, 復先所即之位也. 凡拜賓皆就賓之位而拜之, 拜竟則反己之位而哭踊也. 次, 倚廬也, 在中門外. 又哭, 明日之朝也, 三哭又其明日之朝也. 皆升堂而括髮且袒, 如始至時.)"라고 하였다.

321 또 옷을 … 같은데 : 앞의 「小斂」 절목에서의 복식은 다음과 같다. "별실에서 袒하고 括髮하고 免(문)하고 '복머리를 한다[髽].'" 주에서는 "남자 중에 참최복을 입는 사람은 단하고 괄발한다. 자최복 이하부터 5대조가 같은 사람들까지는 모두 별실에서 단하고 免한다. 부인은 별실에서 복머리를 한다."고 하였다. 대렴 절목에는 복식에 대한 언급이 없지만 소렴과 같아 생략한 것이다. 『禮記』「奔喪」에 "또 다시 곡할 때에 괄발하고 문하고 발을 구르며, 세 번째 곡할 때에도 괄발하고 문하고 발을 구른다.(於又哭, 括髮袒成踊, 於三哭, 猶括髮袒成踊.)"고 하였는데, 이때의 두 번째 곡과 세 번째 곡은 각각 소렴과 대렴을 형상화한 것이다. 앞의 「小斂」 절목 및 다음의 陳澔의 주 참조

322 또한 그와 … 한다. : "'또한 그와 같이 한다'는 것은, 靈柩의 동쪽에 서향하고 앉아 곡을 하며 애통함을 다한다는 것이다.(亦如之者, 柩東西向坐, 哭盡哀.)" 金麟厚, 『河西先生全集』 권12 「家禮考誤」

後四日, 成服.

4일 뒤에 성복한다.

> 與家人相弔, 賓至拜之如初.
>
> 집안사람들과 서로 조문하고, 빈이 올 경우 절하는 것은 처음과 같다.

若未得行, 則爲位不奠.

만약 아직 갈 수 없는 경우에는[323] 자리를 마련하되 전奠은 올리지 않는다.[324]

> 設倚子一枚, 以代尸柩, 左右前後設位哭如儀. 但不設奠. 若喪側無子孫, 則此中設奠如儀.
>
> 교의倚子 하나를 설치하여 시구尸柩를 대신하고 좌우, 앞뒤에 자리를 마련하여 의례대로 곡을 한다.[325] 그러나 전奠은 진설하지 않는다. 상을 당한 측에 자손이 없으면 여기서 의례대로 전奠을 진설한다.

變服.

옷을 갈아입는다.[326]

> 亦以聞後之第四日.
>
> 또한 상을 들은 지 4일째이다.

在道至家, 皆如上儀.

도중에 있거나 집에 도착한 경우에는 모두 위의 의례대로 한다.

> 若喪側無子孫, 則在道朝夕爲位設奠. 至家但不變服, 其相弔拜賓如儀.
>
> 상을 당한 측에 자손이 없는 경우에는 도중에 아침저녁으로 자리를 마련하여 전奠을 올린다. 집에 도착한 경우에는 다만 옷은 갈아입지 않을 뿐,[327] 서로 조문하고 빈에게 절하는 것은 의례대로 한다.

---

323 만약 아직 … 경우에는: 『禮記』「奔喪」에 "아직 길을 떠나지 못한 경우에는 성복한 뒤에 간다.(若未得行, 則成服而后行.)"고 하였다. 이에 대한 集說에서 陳澔는 "아직 길을 떠나지 못한 경우는 군주의 명을 받들어 사신으로 간 일이 아직 끝나지 못한 것과 같은 것이다.(不未得行, 若奉君命而使事未竟也.)"고 하였다.

324 부록 그림 61 참조

325 의례대로 곡을 … 한다.: 앞의 「襲」 조목에 보이는 尸牀 동쪽과 서쪽에서 곡을 하는 위치를 말한다. 李宜朝, 『家禮增解』권9 「聞喪·奔喪」 참조

326 옷을 갈아입는다.: 變服에 대해 沙溪는 "살펴보니, 變 자는 成 자의 오자인 듯하다. 또 살펴보니, 丘濬의 『家禮儀節』에 다음 날 變服하고 4일째 되는 날 成服한다고 하였으니, 마땅히 이것을 근거로 삼아야 한다.(按 變字疑成字之誤. 又按丘儀次日變服, 第四日成服, 當以是爲據.)"고 하였다. 『家禮輯覽』(『沙溪全書』권28) 「聞喪·奔喪」

327 옷은 갈아입지 … 뿐: 이미 成服했으므로 갈아입지 않는다. 그러기에 『書儀』에 "이미 성복한 사람은 단과 괄발을 하지 않는다.(已成服者, 不袒括髮.)"고 하였다. 『書儀』권6 「聞喪·奔喪」

若旣葬, 則先之墓哭拜.

이미 장사를 지낸 경우에는 먼저 묘소에 가서 곡을 하고 절한다.[328]

之墓者, 望墓哭, 至墓哭拜, 如在家之儀. 未成服者, 變服於墓. 歸家詣靈座前哭拜, 四日成服如儀. 已成服者亦然. 但不變服.

묘소에 가는 사람은 묘소를 바라보게 되면 곡을 하고, 묘소에 도착하면 곡을 하고 절하는데 집에서의 의례처럼 한다. 아직 성복成服하지 않은 사람은 묘소에서 옷을 갈아입는다. 집에 돌아오면 영좌靈座 앞에 나아가 곡을 하고 절하며 4일째에는 의례대로 성복한다. 이미 성복한 사람 또한 그렇게 하되,[329] 다만 옷은 갈아입지 않는다.

• • • • • • • • • • • • • • • • • • •

328 이미 장사를 … 절한다. : 『禮記』「奔喪」에 "분상하는 자가 빈소에 미처 오지 못하였을 경우에는 먼저 묘로 가서 북쪽을 향해 앉아 곡하며 애통함을 다한다. 衆主人들은 그를 기다렸다가 묘의 왼쪽 자리, 부인들은 묘의 오른쪽 자리에 나아가 발을 세 번 구르며 애통함을 다한다. (분상자는) 括髮하고 동쪽 주인의 자리로 나아가 絰과 絞帶를 착용하고는 곡하며 발을 구른다. 빈에게 절하고는 다시 제자리로 돌아와 발을 구른다. 相者가 일이 끝났음을 알린다. 그러고는 冠을 쓰고 돌아온다. 문 왼쪽으로 들어와 북쪽을 바라보고 곡하며 애통함을 다한다. 괄발하고 袒을 하고 발을 구른다. 동쪽 자리에 나아가 빈에게 절하고 발을 구른다. 빈이 나가면 주인은 절하고서 보낸다. 나중에 온 빈이 있을 경우, 절하고 발을 구르며 보내는 것은 처음과 같다. 중주인과 형제들은 모두 빈소의 문을 나온다. 문밖으로 나오면 곡을 그친다. 상자가 자리로 나아갈 것을 알린다. 또다시 곡할 때에는 괄발하고 발을 구른다. 세 번째 곡할 때에도 괄발하고 발을 구른다. 3일째에 成服을 하고, 다섯 번째 곡할 때에 상자가 일이 끝났음을 알린다.(奔喪者不及殯, 先之墓, 北面坐哭盡哀. 主人之待之也, 卽位於墓左, 婦人墓右, 成踊盡哀. 括髮, 東卽主人位, 絰絞帶哭成踊. 拜賓反位成踊. 相者告事畢. 遂冠歸. 入門左, 北面哭盡哀. 括髮袒成踊. 東卽位拜賓成踊. 賓出主人拜送. 有賓後至者則拜之成踊送賓, 如初. 衆主人兄弟皆出門. 出門哭止. 相者告就次. 於又哭, 括髮成踊. 於三哭猶括髮成踊. 三日成服, 於五哭, 相者告事畢.)"고 하였다.

이에 대해 陳澔는 集說에서 다음과 같이 풀이한다. "'빈소에 미처 오지 못하였을 경우'는 장사가 끝난 뒤에야 온 것이다. 靈柩가 이미 집에 있지 않을 경우에는 마땅히 먼저 묘로 가서 곡을 해야 한다. 여기에서의 '분상자'는 適子이다. 그러므로 그를 기다렸던 衆主人(맏상제 이외의 상제들)들과 부인들이 모두 묘소로 가서 묘 좌우로 나뉜 자리로 나아가는 것이다. 분상자는 괄발하고 동쪽 주인의 자리로 나아간다. 예를 마치면 상자가 일을 마쳤다고 아뢴다. '그러고는 관을 쓰고 돌아온다'는 것은, 괄발한 채 길을 나설 수가 없기 때문이다. 관은 素委貌('委貌'는 흰 비단 모자)를 이른다. 문을 들어오고 문을 나갈 때의 문은 모두 殯宮의 문을 말한다. 다섯 번 곡하는 것은 처음 도착했을 때는 막 돌아가신 것을 형상화하여 첫 번째 곡하는 것이고, 다음 날은 소렴을 형상화하여 두 번째 곡하는 것이며, 그 다음 날은 대렴을 형상화하여 세 번째 곡하는 것이고 또 그 다음 날 성복하는 날은 네 번째 곡하는 것이며, 사람들이 그 다음 날 다섯 번째 곡하는 것은 아침에 하는 곡만을 헤아리고 저녁에 하는 곡은 헤아리지 않은 것이다.(不及殯, 葬後乃至也. 尸柩旣不在家, 則當先哭墓. 此奔喪者是適子, 故其衆主人之待之者與婦人皆往墓所, 就墓所分左右之位, 奔者括髮而於東偏卽其主人之位. 禮畢則相者以畢事告. 遂冠而歸者, 不可以括髮行於道路也. 冠謂素委貌. 入門出門皆謂殯宮門也. 五哭者, 初至象始死爲一哭, 明日象小斂爲二哭, 又明日象大斂爲三哭, 又明日成服之日爲四哭, 又明日爲五哭, 皆數朝哭, 不數夕哭.)" 본문의 "主人之待之也"에서 主人을 陳澔는 衆主人으로 풀이하고 있으나, 鄭玄은 이 글을 "주인이 기다리는 사람들은 집에 있는 사람들을 말한다.(主人之待之, 謂在家者也.)"로 풀이하고 있다. 말하자면, 주인인 분상자가 衆主人과 衆婦女를 기다린다는 것이다.

齊衰以下聞喪, 爲位而哭.

자최 이하의 복을 입는 사람은 상을 들으면 자리를 마련하고 곡을 한다.

尊長於正堂, 卑幼於別室.

존장尊長(항렬이 높거나 나이가 많은 사람)은 정당正堂에서 하고, 비유卑幼(항렬이 낮거나 나이가 어린 사람)은 별실에서 한다.

○ 司馬溫公曰 : "今人皆擇日擧哀. 凡悲哀之至, 在初聞喪. 卽當哭之, 何暇擇日! 但法令有不得於州縣公廨擧哀之文, 則在官者當哭於僧舍, 其他皆哭於本家可也."330

사마온공司馬光이 말했다. "요즈음 사람들은 모두 날을 택하여 '애통함을 나타낸다擧哀.'331 무릇 슬픔과 애통함이 지극해지는 것은 처음 상을 들었을 때이니, 당장 곡해야 하는데 어느 겨를에 날을 택하겠는가! 다만 법령에 주州·현縣의 관청에서는 곡을 할 수 없다는 글이 있으니, 관직에 있는 사람은 마땅히 절에서 곡해야 하고, 그 밖에 다른 사람들은 본가에서 곡을 하는 것이 옳다."

若奔喪, 則至家成服.

분상奔喪하는 경우에는 집에 도착하여 성복成服한다.

奔喪者, 釋去華盛之服, 裝辦卽行. 旣至, 齊衰望鄕而哭, 大功望門而哭, 小功以下至門而哭. 入門詣柩前哭再拜. 成服就位, 哭弔如儀.

분상하는 사람은 화려하고 성대한 옷을 벗고 준비가 되면 바로 길을 떠난다. 도착해서는 자최는 고향이 바라보이면 곡을 하고, 대공은 문이 바라보이면 곡을 하며, 소공 이하는 대문에 이르러 곡을 한다. 문에 들어가 영구 앞에 나아가 곡을 하고 재배하고, 성복하고 자리에 나아가 곡을 하고 조문하는데 의례대로 한다.

若不奔喪, 則四日成服.

분상하지 않는 경우에는 4일째에 성복한다.

不奔喪者, 齊衰三日中朝夕爲位會哭, 四日之朝成服, 亦如之. 大功以下, 始聞喪爲位會哭, 四日成服, 亦如之. 皆每月朔爲位會哭. 月數旣滿, 次月之朔, 乃爲位會哭而除之. 其間哀至則哭可也.

분상하지 못하는 사람 중에 자최는 3일 동안 아침저녁으로 자리를 마련하고 모여서 곡을 하고, 4일째 아침에 성복하기를 또한 그와 같이 한다. 대공 이하는 처음 상을 들었을 때 자리를 마련하고 모여서 곡을 하고, 4일째에 성복하기를 또한 그와 같이 한다. 모두 매월 초하루에는 자리를

---

329 이미 성복한 … 하되: 河西는 "'또한 그렇게 한다'는 것은, 집에 돌아오면 靈座 앞에 나아가 곡을 하고 절한다는 것이다.(亦然者, 歸家詣靈座前哭拜也.)"라고 하였다. 金麟厚, 『河西先生全集』 권12 「家禮考誤」

330 『書儀』 권6 「聞喪·奔喪」

331 애통함을 나타낸다擧哀. : 죽음을 애통해 하며 곡으로 나타내는 것을 말한다.

마련하고 모여서 곡을 하고, 달수가 차면, 다음 달 초하루에 자리를 마련하고 모여서 곡을 하고는 복服을 벗으며, 그 사이에 애통함이 북받치면 곡을 해도 된다.

[20-9-2]

三月而葬, 前期擇地之可葬者.

3개월 만에 장사[332] 지내는데, 기일 전에 장사 지낼 만한 땅을 고른다.

司馬溫公曰 : "古者天子七月, 諸侯五月, 大夫三月, 士踰月而葬. 今五服年月敕王公以下皆三月而葬. 然世俗信葬師之說, 旣擇年月日時, 又擇山水形勢, 以爲子孫貧富貴賤賢愚壽夭盡繫於此. 而其爲術又多不同, 爭論紛紜, 無時可決. 至有終身不葬, 或累世不葬, 或子孫衰替忘失處所, 遂棄捐不葬者. 正使殯葬實能致人禍福, 爲子孫者, 亦豈忍使其親臭腐暴露, 而自求其利邪? 悖禮傷義, 無過於此. 然孝子之心, 慮患深遠, 恐淺則爲人所扣, 音骨 深則濕潤速朽. 故必求土厚水深之地而葬之, 所以不可不擇也.

332 葬事 : "葬이라는 말은 '감추다[藏]'이니, 祖考(조상)의 遺體를 감추는 것이다. 자손으로서 그 조고의 유체를 감추는 경우에는 반드시 삼가고 신중하며 정성스럽고 공경스러운 마음을 다하여 안전하고 단단하며 장구한 계책을 도모해야 한다. 그 형체가 온전하고 신령이 편안토록 할 수 있다면, 자손이 번성하여 제사가 끊어지지 않을 것이다. 이것은 자연스러운 이치이다. 이 때문에 옛사람들의 葬事는 반드시 그 땅을 고르고 점을 쳐서 결정하였으며, 불길할 경우에는 다시 땅을 고르고 다시 점을 쳤다. 근세 이후로는 점을 치는 법이 비록 없어졌으나, 땅을 고르는 설은 여전히 남아 있다. 행세깨나 하는 집안의 士·庶人들은 자신의 선조를 장사 지내려고 할 때 널리 술사를 초빙하고 널리 명산을 방문하여 서로 비교해서 가장 좋은 곳을 고른 다음에 묘를 쓰지 않는 경우가 없었다. 혹시라도 고른 것이 정밀하지 않아 땅이 불길할 경우에는, 반드시 물·벌레·바람 따위가 있어 묘지 안을 해쳐 조고의 형체와 신령을 편안치 못하게 하고, 자손들 또한 죽거나 멸족되는 우환이 있게 하니, 몹시 두려워할 만한 일이다. 혹 길한 땅을 얻었다 해도 두텁게 묻지 않거나 깊이 감추지 않으면, 전쟁으로 난리가 날 때 화를 만나 도굴되어 바깥으로 드러나는 변고가 없지 않을 것이다. 이것은 또 크게 염려해야 할 일이다.(葬之爲言, 藏也, 所以藏其祖考之遺體也. 以子孫而藏其祖考之遺體, 則必致其謹重誠敬之心, 以爲安固久遠之計. 使其形體全而神靈得安, 則其子孫盛而祭祀不絕. 此自然之理也. 是以古人之葬, 必擇其地而卜筮以決之, 不吉則更擇而再卜焉. 近世以來卜筮之法, 雖廢而擇地之說猶存. 士庶稍有事力之家, 欲葬其先者, 無不廣招術士, 博訪名山, 參互比較擇其善之尤者, 然後用之. 其或擇之不精, 地之不吉, 則必有水泉螻蟻地風之屬, 以賊其內, 使其形神不安, 而子孫亦有死亡絕滅之憂, 甚可畏也. 其或雖得吉地而葬之不厚, 藏之不深, 則兵戈亂離之際, 無不遭罹發掘暴露之變. 此又其所當慮之大者也.)" 『朱文公文集』 권15 「山陵議狀」

『禮記』「王制」에 "천자로부터 서인에 이르기까지 상을 치를 때는 죽은 자를 따르고 제사를 지낼 때에는 산 자를 따른다.(自天子達於庶人, 喪, 從死者, 祭, 從生者.)"고 하였다. 이에 대한 集說에서 陳澔는 "『中庸』(18장)에 '아버지가 대부이고 아들이 士일 경우, 장사 지내는 것은 대부의 예로써 하고 제사 지내는 것은 사의 예로써 한다. 아버지가 사이고 아들이 대부일 경우에는 장사 지내는 것은 사의 예로써 하고 제사 지내는 것은 대부의 예로써 한다.'고 하였다. 장사 지낼 때에는 죽은 자의 爵(벼슬)으로써 하고, 제사 지낼 적에는 산 자의 祿(祿俸)으로써 하는 것은 이 뜻과 같다.(中庸曰, '父爲大夫, 子爲士, 葬以大夫, 祭以士. 父爲士, 子爲大夫, 葬以士, 祭以大夫.' 蓋葬, 用死者之爵, 祭, 用生者之祿, 與此意同.)"고 하였다.

사마온공司馬溫公[司馬光]이 말했다. "옛날에는 천자는 7개월, 제후는 5개월, 대부는 3개월 만에 장사를 지냈으며 사土는 달을 넘겨 장사 지냈다.[333] 지금 『오복년월칙五服年月敕』[334]에 왕공王公 이하는 모두 3개월 만에 장사 지낸다. 그러나 세속에서는 장사葬師[地官][335]의 말을 신뢰하여 연월 일시를 택하는 것은 물론, 산수의 형세까지 택하고는 자손의 빈부貧富 · 귀천貴賤 · 현우賢愚 · 수요壽夭가 모두 여기에 달려 있다고 여긴다. 그러나 그 술법이 또 대부분 같지 않아 논쟁이 분분하니, 결판날 때가 없다. 심지어 종신토록 장사 지내지 않기도 하고, 어떤 경우에는 여러 대가 지나도록 장사 지내지 않으며, 어떤 경우에는 자손이 쇠퇴하는 바람에 그 처소를 망실하여 마침 내 버려져 장사 지내지 않는 경우도 있다. 설사 빈장殯葬이 실제로 사람에게 화禍 · 복福을 불러올 수 있다 한들, 자손 된 자 또한 어찌 차마 자신의 부모가 냄새나고 부패하거나 노출되도록 한 채, 자신의 이익을 구할 수 있겠는가? 예의를 그르치고 도의를 해침이 이보다 지나친 일이 없다. 그러나 효자의 마음은 후환을 우려함이 깊어 얕게 묻으면 남에게 도굴을 당하지 않을까

333 옛날에는 천자는 … 지냈다. : 『禮記』「王制」에 "천자는 7일 만에 殯을 하고 7개월 만에 장사 지내고, 제후는 5일 만에 빈을 하고 5개월 만에 장사 지내며, 대부와 사와 서인은 3일 만에 빈을 하고 3개월 만에 장사 지낸다.(天子, 七日而殯, 七月而葬, 諸侯, 五日而殯, 五月而葬, 大夫士庶人三日而殯, 三月而葬.)"고 하였다. 이에 대한 集說에서 陳澔는 "제후는 천자보다 낮추어 5개월이 지난 뒤에 장사 지내고, 대부는 제후보다 낮추어 3개월이 지난 뒤에 장사 지내며, 사와 서인은 또 대부보다 낮추기 때문에 달을 넘겨서 장사 지낸다. 여기서는 총괄해서 '대부와 사와 서인은 3일 만에 빈을 한다.'고 하였는데, 이것은 참으로 (대부와 사와 서인 이) 동일한 것이다. 그러나 모두 3개월 만에 장사 지내는 것은 아니다. 위의 글에서는 낮추어 줄인 것이 모두 두 달씩임을 아래에서 알 수가 있기 때문에 생략하여 말한 것이다. 孔氏(孔穎達)가 『春秋左氏傳』(成公 3년조)에서 '대부는 3개월 만에 장사 지내고, 土는 달을 넘겨서 장사 지낸다.'는 구절을 인용한 것은 '대부는 죽은 달을 제외하고 3개월 만에 장사 지내고, 土는 죽은 달을 헤아려서 3개월 만에 장사 지낸다.'는 것을 말한다. 그 때문에 달을 넘겨서 장사 지낸다고 한 것일 뿐이다.(諸侯降於天子而五月, 大夫降於諸侯而三月, 士庶人又降於大夫, 故踰月也. 今總云, '大夫士庶人三日而殯,' 此固所同. 然皆三月而葬則非也. 其以上文降殺 俱兩月, 在下可知, 故畧言之歟. 孔氏引左傳'大夫三月, 士踰月'者謂大夫除死月, 爲三月, 士數死月, 爲三月, 是 踰越一月. 故言踰月耳.)"라고 하였다.

334 『五服年月敕』: 책 이름. 송나라 劉筠 지음. 권1

335 葬師[地官]: 臨川吳氏[吳澄]는 "葬師의 설은 남방에서 성행하였는데, 郭氏[郭璞]의 『葬書』가 그 술법의 鼻祖 이다. 이는 반드시 脈絡이 유래하는 곳을 헤아리고, 형세가 멈추고 모이는 곳을 살피되 물이 들어오지 않고 바람이 흐트러뜨리지 않아야 땅속의 生氣를 올라타고 죽은 자의 유골이 항상 따뜻하고 썩지 않도록 보양할 수 있다는 것이다. 그러나 죽은 자의 體魄이 편안하면 자손이 그 기를 받아 산 자가 쇠잔해지지 않는 것은 바로 이치의 자연스러움이지, 마음에 그 효험이 반드시 그럴 거라고 기대하고 있는 데에 있는 것이 아니다. 만약 어떤 땅이냐에 따라 公이 될 수도, 侯가 될 수도, 재상이 될 수도, 장수가 될 수 있다고 한다면, 술법을 지닌 자들이 이런 설을 부르짖어 세상 사람들을 어리석게 만들고는 무거운 복채를 요구하는 것인데, 그 말을 어찌 믿을 수 있겠는가?(葬師之術, 盛於南方, 郭氏葬書者, 其術之祖也. 蓋必原其脈絡之所從來, 審其形 勢之所止聚, 有水以界之, 無風以散之, 然後能乘地中之生氣, 以養死者之留骨, 俾常溫煖, 而不逮朽腐. 死者之 體魄安, 則子孫之受其氣, 以生者不致凋瘁, 乃理之自然, 而非有心於覬其效之必然也. 若曰'某地, 可公, 可侯, 可相, 可將, 則述者倡是説, 以愚世之人, 而要重貺焉者也, 其言豈足信哉?)"라고 하였다. 『吳文正集』권29「贈 朱順甫序」

싶고, '扣'은 음이 '골骨'이다. 깊이 묻으면 축축하여 빨리 썩지나 않을까 걱정한다. 그러므로 반드시 흙이 두텁고 물이 깊은 땅을 찾아 장사 지내는 것이니, 그 때문에 잘 고르지 않을 수 없다.

或問：'家貧鄕遠不能歸葬, 則如之何?'

公曰：'子游問喪具, 夫子曰,「稱家之有無.」子游曰,「有無惡音烏乎乎齊子細切?」夫子曰,「有母過禮. 苟無矣, 斂手足形還葬, 懸棺而窆, 人豈有非之者哉?」昔廉范千里負喪, 郭平自賣營墓, 豈待豐富, 然後葬其親哉? 在禮未葬不變服, 食粥, 居廬, 寢苫枕塊. 蓋閔親之未有所歸, 故寢食不安. 奈何舍之出游, 食稻衣錦? 不知其何以爲心哉?

어떤 사람이 물었다. '집이 가난하고 고향이 멀어 돌아가 장사 지낼 수 없다면 어떻게 합니까?' 사마온공司馬溫公[司馬光]이 말했다. '자유子游가 상례의 재구材具에 대해 묻자, 공부자孔夫子께서 말씀하셨다.「집안에 (재물의) 있고 없음에 맞게 하면 된다.」자유가「있고 없음을 어떻게 알맞게 합니까?」[336]라고 묻자 공부자께서 말씀하셨다.「있더라도 예에 지나치지 말라. 없는 경우에는 손과 발, 몸만 염하면 서둘러 장사 지내[337] 관을 매달아 하관[下棺]한들[338] 남들이 어찌 비난하겠는가?」라고 말씀하셨다. 옛날에 염범廉范[339]은 천리를 짊어지고 가서 장사 지냈고, 곽평郭平[340]은 품을 팔아 묘를 마련하였으니, 어찌 부유해지고 나서야 부모를 장사 지내겠는가? 예경禮經에「장사 지내기 전에는 옷을 바꿔 입지 않으며 죽을 먹고 여막에 거처하면서 거적을 깔고 흙덩이를 베고 잔다.」고 하였다. 부모가 아직 귀의할 곳이 없는 것을 걱정하기 때문에 침식을 편치 않게 하는 것이다. 어찌 부모를 버려둔 채 나가 돌아다니면서 쌀밥을 먹고 비단옷을 입겠는가? 그런 사람은 무슨 심보를 가졌는지 알지 못하겠다.

世人又有遊宦沒於遠方, 子孫火焚其柩, 收燼歸葬者. 夫孝子愛親之肌體, 故斂而藏之. 殘毀他人之尸, 在律猶嚴, 況子孫乃悖謬如此? 其始蓋出於羌胡之俗, 浸染中華, 行之旣久, 習以爲常. 見者恬然曾莫之怪, 豈不哀哉? 延陵季子適齊, 其子死, 葬於嬴博之間, 孔子以爲合禮. 必也不能歸葬, 葬於其地可也. 豈不猶愈於焚之哉?'[341]

336 있고 없음을 … 합니까?：『禮記』「檀弓上」의 集說에서 陳澔는 "'惡乎齊'는 '어떻게 후함과 박함을 알맞게 합니까?'를 말한다.(惡乎齊, 言何以爲厚薄之劑量也.)"고 하였다.

337 서둘러 장사 지내：『禮記』「檀弓上」의 集說에서 陳澔는 "'還葬'은 염을 마치고 곧바로 장사 지내는 것을 말한다.(還葬, 謂斂畢即葬.)"고 하였다.

338 관을 매달아 하관한들：『禮記』「檀弓上」의 주에서 "관에 새끼줄을 달아서 손으로 관을 내리고, 관을 내리는 데 쓰이는 豐碑나 綍(율：밧줄)을 설치하지 않는 것이다.(謂以手縣繩而下之, 不設碑綍也.)"라고 하였다

339 廉范：후한 杜陵 사람. 자는 叔度. 15세 때 아버지가 난을 당해 촉 땅에서 죽자 직접 그곳으로 가서 아버지의 널을 맞이해 왔다. 널을 싣고 운구하던 중 배가 난파되어 모두 빠져 죽었으나 그만은 살아남아 천리 길을 모셔다가 장사를 지냈다.『後漢書』권31「廉范傳」참조

340 郭平：한나라 사람.『漢書』에 "곽평은 집안이 가난하였으나 힘써 학문을 닦았다. 어버이가 죽어 장사를 치를 수가 없자, 마침내 자신의 몸을 부잣집에 팔아 날품을 팔아 마련한 돈으로 묘를 만드니, 향당에서 칭찬하였다. 孝廉科에 천거되어 관직이 大夫에 이르렀다.(平, 家貧力學. 親死, 不能葬, 遂賣身富家, 爲傭覓錢, 營墓, 鄕邦稱之. 擧孝廉, 官至大夫.)"고 하였다.『家禮輯覽』(『沙溪全書』권29)「治葬」

세인들 중에는 또 벼슬 살다가 먼 지방에서 죽어서 자손이 그 영구靈柩를 화장하고는 재를 수습하고 돌아와 장사 지내는 사람이 있다. 효자는 부모의 육신을 아끼기 때문에 염습하여 장사 지내는 것이다. 남의 시신을 훼손하는 것도 법에서 엄하게 다스리는데 하물며 자손이 이와 같이 도리에 어긋나게 할 수 있겠는가? 그 시작은 아마 오랑캐의 풍습에서 나왔으나 차츰 중국에도 물들어 행해진 지 이미 오래되어 습속習俗이 상도常道가 되어서, 보는 사람도 아무렇지도 않은 듯 괴이하게 여기는 일이 없으니, 어찌 애통하지 않은가? 연릉延陵 계자季子가 제나라에 가다가 그 아들이 죽자 영嬴과 박博 땅 사이에서 장사 지냈는데 공자는 예에 맞다고 하였다.[342] 반드시 돌아와 장사 지낼 수 없다면, 죽은 그 곳에서 장사 지내도 되니, 어찌 화장하는 것보다 낫지

341 『書儀』 권7 「卜宅兆葬日」

342 延陵 季子 … 하였다.: 『禮記』「檀弓下」에 "연릉 계자가 제나라에 갔다가 돌아오는 도중에 그의 맏아들이 죽어서 제나라의 嬴邑(영읍)과 博邑 사이에 장사 지냈다. 공자는 '연릉 계자는 예에 밝은 吳나라 사람이다.' 고 하였다. 그러고는 가서 연릉 계자가 장사 지내는 것을 보았다. 그 壙中의 깊이는 샘까지는 닿지 않았으며, 염하는 데에는 당시의 옷을 썼으며, 장사 지낸 뒤에는 봉분을 쌓았는데 너비와 깊이는 墓穴을 덮을만하였으며, 그 높이는 손을 짚을만하였다. 이를 마치고 나서는 왼쪽 어깨를 드러내고 오른쪽으로 무덤 주위를 돌았으며, 세 번 부르짖어 '뼈와 살이 흙으로 돌아가는 것은 命이다. 魂氣는 가지 않는 곳이 없다. 가지 않는 곳이 없다.'고 하였다. 그러고는 드디어 떠나갔다. 그러자 공자는 '연릉 계자는 예에 합당하게 하였구나!'라고 하였다.(延陵季子適齊, 於其反也, 其長子死, 葬於嬴博之間. 孔子曰, '延陵季子吳之習於禮者也.' 往而觀其葬焉. 其坎深不至於泉, 其斂以時服, 旣葬而封, 廣輪揜坎, 其高可隱也. 旣封左袒, 右還其封, 且號者三, 曰, '骨肉歸復于土, 命也. 若魂氣則無不之也·無不之也.' 而遂行. 孔子曰, '延陵季子之於禮也, 其合矣乎!')."고 하였다. 이에 대한 集說에서 陳澔는 다음과 같이 풀이한다. "吳나라의 공자 札이 임금 자리를 사양하고 延陵에 살았으므로 연릉 계자라고 부른다. 嬴과 博은 제나라의 두 고을 이름이다. '샘까지는 닿지 않았다'는 것은 깊이가 적당함을 말한다. '당시의 옷'은 죽었을 때의 추위와 더위에 따라 입었던 옷을 말한다. '봉분'은 흙을 쌓아서 墳墓를 만든 것이다. 너비를 '廣'이라고 하고 깊이를 '輪'이라고 한다. 아래로는 겨우 묘혈을 덮을만하였으며, 위로는 겨우 손을 짚을만하였으니 모두 검소한 제도이다. 왼쪽 어깨를 드러낸 것은 陽의 변화함을 보인 것이고, 오른쪽으로 무덤 주위를 돈 것은 陰의 돌아감을 보인 것이다. 뼈와 살이 흙으로 되돌아가는 것은 음의 하강이고, 魂氣가 가지 않는 곳이 없는 것은 양의 상승이다. 음양은 기이니 命이란 기가 모인 곳이다. 연릉 계자가 '뼈와 살이 흙으로 되돌아가는 것은 命이다'고 한 것은, 精氣의 사물 역할이 다한 것이다. '혼기는 어디든지 갈 수 있다.'고 말한 것은 떠도는 혼의 변화함에 일정한 方所가 없는 것이다. 장수하거나 요절하는 것은 처음 태어날 때 타고나는 것이니, 命이라고 할 수가 있고, 혼기는 죽고 나면 흩어지는 것이니 명이라고 할 수가 없다. 두 번이나 '가지 않는 곳이 없다.'고 말한 것은 永訣을 상심하는 지극한 정으로서 그 혼이 자신을 따라서 돌아가기를 바라는 것이다. 이는 여행 중에 장사 지내는 절차에 합당할 뿐만 아니라, 또한 幽明의 일에도 통한 것이다. 합당하다는 것은 夫子가 잘한다고 한 것이다.(吳公子札, 讓國以居延陵, 故曰延陵季子. 嬴博, 齊二邑名. 不至於泉, 謂得淺深之宜也. 時服, 隨死時之寒暑所衣也. 封, 築土爲墳也. 橫曰廣, 直曰輪, 下則僅足以掩坎, 上則纔至於可隱, 皆儉制也. 左袒, 以示陽之變, 右還, 以示陰之歸. 骨肉之歸土, 陰之降也, 魂氣之無不之, 陽之升也. 陰陽氣也, 命者氣之所鍾也. 季子以骨肉歸復于土爲命者, 此精氣爲物之有盡. 謂魂氣則無不之者, 此遊魂爲變之無方也. 壽夭得於有生之初, 可以言命, 魂氣散於旣死之後, 不可以言命也. 再言無不之也者, 恐傷離訣之至情, 而冀其魂之隨己以歸也. 不惟適旅葬之節, 而又且通幽明之故. 宜, 夫子之善之也.)"

않겠는가?"

○ 程子曰: "卜其宅兆, 卜其地之美惡也, 非陰陽家所謂禍福者也. 地之美, 則其神靈安, 其子孫盛, 若培壅其根, 而枝葉茂, 理固然矣. 地之惡者則反是. 然則曷謂地之美者? 土色之光潤, 草木之茂盛, 乃其驗也. 父祖子孫同氣, 彼安則此安. 彼危則此危, 亦其理也. 而拘忌者, 惑以擇地之方位, 決日之吉凶, 不亦泥乎? 甚者不以奉先爲計, 而專以利後爲慮, 尤非孝子安厝之用心也. 惟五患者不得不謹, 須使他日不爲道路, 不爲城郭, 不爲溝池, 不爲貴勢所奪, 不爲耕犁所及也. 一本云, '所謂五患者, 溝渠, 道路, 避村落, 遠井窯.'"[343]

정자程子程頤가 말했다. "묘 자리를 점치는 것은[344] 그 땅이 좋은지 나쁜지를 점치는 것이지, 음양가들이 말하는 화·복을 점치는 것이 아니다. 땅이 좋을 경우, 그 신령이 편안하고 그 자손이 번성하는 것은 마치 뿌리를 북돋아주면 가지와 잎이 무성해지는 것과 같으니,[345] 이치가 참으로 그러하다. 땅이 나쁜 경우에는 이와 반대이다. 그렇다면 땅이 좋다는 것은 무엇을 말하는가? 흙빛이 윤기가 나고 초목이 무성한 것이 바로 그 징표이다. 조부·부친·아들·손자는 기氣가 같으니, 저쪽이 평안하면 이쪽도 평안하고 저쪽이 위태로우면 이쪽도 위태로운 것 또한 그러한 이치이다. 금기禁忌에 얽매인 자들이 미혹된 채 땅의 방위를 가리고 날의 길흉을 결정하는 것은 또한 잘못된 것이 아닌가? 심한 경우에는 선조를 모시고자 하지 않고 후손을 이롭게 하려는 생각만 하니, 편안히 묘에 모시려는 효자의 마음 씀이 더더욱 아니다. 오직 다섯 가지의 후환을 삼가지 않으면 안 되니, 뒷날 도로가 되지 않도록 해야 하고, 성곽이 되지 않도록 해야 하며, 도랑과 못이 되지 않도록 해야 하고, 권세가에게 빼앗기지 않도록 해야 하며, 경작지가 되도록 하지 않아야 한다. 어떤 책에서는 '이른바 다섯 가지 후환이란 도랑, 도로, 마을을 피하는 일, 우물과 가마터를 멀리하는 일이다.'고 하였다."

○ 按古者葬地葬日, 皆決於卜筮, 今人不曉占法, 且從俗擇之, 可也.[346]

- - - - - - - - - - - - -

343 『二程文集』 권11 「葬説」

344 묘 자리를 점치는 것은: 『孝經』「喪親」장에 "묘 자리를 점쳐 편안히 모신다.(卜其宅兆而安措之.)"고 하였는데, 주에서 唐 玄宗은 "'宅'은 墓穴이고 '兆'는 塋域이다.(宅, 墓穴也, 兆, 塋域也.)"고 하였다.

345 땅이 좋을 … 같으니: 風水說에서 부귀를 바라는 설은 비록 믿을 수가 없으나, 生氣에 올라타 조상의 유체를 편안하게 한다는 것은 아마 伊川의 根本과 枝葉에 대한 논의에도 부합하는 점이 있어 先儒들도 자주 취하였다. 文公[朱熹] 선생과 蔡季通[蔡元定]은 미리 자신을 장사 지낼 墓穴을 점쳐두었는데, 죽었을 때 門人들이 양식을 싸들고 상여 줄을 매고서 6일이 지나서야 비로소 장사 지낼 곳에 도착하였으니, 이 또한 묘 자리를 신중하게 고른 것이다. 옛날 주자가 땅을 고르는 것을 논할 때 반드시 먼저 그 主勢의 彊弱, 風氣의 聚散, 水土의 淺深, 穴道의 偏正, 力量의 全否를 따져보고 나서야 그 땅의 좋고 나쁨을 비교할 수 있다고 하였다. 후세의 葬地를 고르는 자는 진실로 주자의 이 설을 바탕으로 삼고 伊川의 윤기 나는 흙 빛깔과 무성한 수목의 징표 및 다섯 가지 환란에 대한 방비를 참고한다면, 아마도 좋은 장지를 얻게 될 것이다.(風水之說, 其希覬富貴之說, 雖不可信, 若夫乘生氣以安祖考之遺體, 蓋有合於伊川本根枝葉之論, 先儒往往取之. 文公先生與蔡季通預卜葬穴, 及沒, 門人裹糗行絈, 六日始至, 蓋亦愼擇也. 昔朱子論擇地, 謂必論其主勢之彊弱, 風氣之聚散, 水土之淺深, 穴道之偏正, 力量之全否, 然後可以較其地之美惡. 後之擇葬地者, 誠本朱子是說, 而參以伊川光潤茂盛之驗, 及五患之防, 庶幾得之矣.)" 『家禮儀節』 권5 「喪禮考證」

살펴보니 옛날에는 장지와 장례일을 모두 점으로 결정하였으나 요즈음 사람들은 점법에 밝지 않으니, 우선 시속을 따라 택하는 것이 좋다.[347]

[20-9-3]
擇日, 開塋域, 祠后土.

날을 택하며,[348] 묘역을 파고 후토신后土神[349]에게 제사 지낸다.[350]

. . . .

346 『性理大全』의 편제에 따르면 대체로 처음 어떤 저자의 글이 인용되면 다른 저자의 이름이 나오기 전까지는 처음 저자의 글이 이어진다. 그러나 『家禮』에서 '按'으로 시작되는 이 글은 앞의 글에 대한 朱子 자신의 생각을 기록한 『家禮』 본문이지, 편집자가 주자의 다른 문헌에서 인용한 글이거나 앞의 저자, 즉 여기서는 程子의 글이 아니다.

347 살펴보니 옛날에는 … 좋다. : "지리법은 비유하자면 針灸와 같으니 본래 일정한 穴이 있어 조금의 차이가 있어서도 안 된다.(蓋地理之法, 譬如針灸, 自有一定之穴, 而不可有毫釐之差.)"『朱文公文集』 권15「山陵議狀」
"바람은 어디든 들어가지 않음이 없다. 관은 땅속에 있어도 바람이 불면 삐뚤어지거나 뒤집히기도 한다. 땅 위에 물건을 두면 세찬 바람이 불어도 움직일 수 없다. 그러나 바람이 땅 속에서 쌓였다가 발출되려고 할 때에는 그 힘이 사납다.(風無處不入. 棺在地中, 吹喝吹翻. 地上置物, 烈風未能吹動. 風在地中, 蘊蓄欲發, 其力盛猛也.)"『朱子語類』 권89, 75조목 참조
"程氏 집안은 선생의 형제 때부터는 장사 지내는 곳마다 昭穆으로 묘혈을 정했는데, 墓師(地官)를 쓰지 않고 5색의 비단을 10일 동안 땅에 묻고는 색의 명암을 보고 땅의 기운이 좋은지 나쁜지를 점쳤다.(程氏自先生兄弟, 所葬以昭穆定穴, 不用墓師, 以五色帛埋旬日, 視色明暗, 卜地氣善否.)"『二程外書』 권11
‧"파거나 뚫은 곳이 너무 많은 곳은 地氣가 이미 새나가 비록 吉地라도 또한 힘이 온전치 않다. 그리하여 조상의 묘역 옆에서 자주 토지공사를 일으켜 놀라게 하면 또한 재앙을 늘릴 수 있는 것이다. 이것은 비록 술법가들의 설이지만 또한 이치가 없는 것은 아니다.(穿鑿已多之處, 地氣已洩, 雖有吉地, 亦無全力. 而祖塋之側, 數興土功, 以致驚動, 亦能挺災. 此雖術家之說, 然亦不爲無理.)"『朱文公文集』 권15「山陵議狀」

348 날을 택하며 : 『家禮儀節』에서 丘濬은 "묘 자리를 잡고 나면 날짜를 택하여 함께 모여 장사 지낼 친인척과 동료들에게 계빈할 기일을 미리 알린다.(既得地, 則擇日, 預先以啓期告于親戚姻婭僚友之當會葬者.)"고 하였다. 『家禮儀節』 권5「治葬」. 따라서 "이 大文의 큰 글씨인 '擇日'은 곧 장사 지낼 날짜이다. 어떤 사람은 묘역을 파고 땅에 제사하는 날짜를 택하는 것으로 여기는데, 잘못이다.(此大文大書擇日, 卽葬日也. 或以爲擇開塋祠土日者, 誤也.)"고 하였다. 李宜朝, 『家禮增解』 권10「治葬」

349 后土神 : 『禮記』「月令」의 주에서 丘光庭은 "五行 가운데에서 유독 土神만을 后라고 칭하는데, 后는 君主이다. 중앙에 위치해 있으면서 四行을 거느리므로 군주라고 칭하는 것이다.(五行, 獨土神稱后, 后君也. 位居中統領四行, 故稱君也.)"고 하였다.
『家禮儀節』에서 丘濬은 "살펴보니, 古禮에 비록 '묘소의 왼쪽에 奠을 놓아둔다.'는 글이 있지만, 이른바 后土氏는 없다. 오직 당나라 『開元禮』에만 있는데 司馬溫公의 『書儀』는 『開元禮』에 바탕을 두고 있고, 『家禮』는 『書儀』에 바탕을 두고 있다. 그 가운데에서 喪禮 조항을 보면, 墓域을 팔 때 및 하관하고 墓祭를 지낼 때에 모두 후토씨에게 제사를 지낸다. 그러나 후토라는 칭호는 皇天과 짝을 이루고 있으니, 土‧庶人의 집안에게는 참람한 듯하다. 文公의 『大全』을 살펴보면 토지신에게 제사 지낸다는 글이 있으니, 이제 후토를 토지로 고치는 것이 마땅할 듯하다.(按古禮, 雖有舍奠墓左之文, 而無所謂后土氏者. 惟唐開元禮有之. 溫公『書儀』本『開元禮』, 『家禮』本『書儀』. 其喪禮開塋域及窆與墓祭, 俱祀后土. 然后土之稱, 對皇天也, 士庶之家, 有似乎僭. 考之文公『大全集』, 有祀土地文, 今擬改后土氏, 爲土地之神.)"고 하였다.

主人旣朝哭, 帥執事者, 於所得地掘穴. 四隅外其壤, 掘中南其壤, 各立一標. 當南門立兩標. 擇遠親或賓客一人, 告后土氏. 祝帥執事者, 設位於中標之左南向. 設盞注酒果脯醢於其前. 又設盥盆帨巾二於其東南. 其東有臺架, 告者所盥, 其西無者, 執事者所盥也. 告者吉服入, 立於神位之前北向, 執事者在其後東上. 皆再拜. 告者與執事者皆盥帨. 執事者一人取酒注西向跪, 一人取盞東向跪. 告者斟酒反注, 取盞酹于神位前, 俛伏興, 少退立. 祝執版立於告者之左東向跪讀之曰, "維某年歲月朔日子某官姓名, 敢告于后土氏之神. 今爲某官姓名, 營建宅兆, 神其保佑, 俾無後艱. 謹以淸酌脯醢祇薦于神, 尚饗." 訖, 復位. 告者再拜, 祝及執事者皆再拜. 徹, 出. 主人若歸, 則靈座前哭再拜. 後倣此.

주인은 아침 곡을 하고 나서 집사자를 이끌고 잡아둔 땅에 가서 '광중壙中을 판다掘穴.'351 네 귀퉁이에서 파낸 흙을 바깥에 내어두고 가운데에서 파낸 흙은 남쪽에 내어두되352 각각 푯말을 하나씩 세우고, 남쪽 문에 해당하는 곳에는 푯말 두 개를 세운다. 먼 친척이나 빈 한 사람을 골라 후토신에게 아뢴다. 축관祝官은 집사자를 이끌고 중간 푯말 왼쪽에 남향하여 신위를 설치하고, 그 앞에 잔·주전자·술·과일·포·육장醢을 진설하고, 또 그 동남쪽에 세숫대야와 수건을 두 개씩 놓는다. 그 동쪽에 받침대가 있는 것은 아뢰는 자가 손을 씻는 곳이고, 그 서쪽에 받침대가 없는 것은 집사자가 손을 씻는 곳이다. 아뢰는 사람이 길복을 입고 들어가 신위의 앞에 서서 북향하고, 집사자는 그 뒤에 서되 동쪽이 상석上席이다. 모두 재배한다. 아뢰는 사람과 집사자 모두 손을 씻고, 집사자 중 한 사람은 술주전자를 들고 서향하여 꿇어앉고, 한 사람은 잔을 들고 동향하여 꿇어앉는다. 아뢰는 자는 술을 따르고 나서 술주전자를 돌려주고 잔을 들어 신위 앞에 술을 붓고는 엎드렸다가 일어나 조금 물러나 선다. 축관은 축판을 들고 아뢰는 사람의 왼쪽에

• • • • • • • • • • • • • • • • • • • •

그러나 后土氏之祭에 대해 묻자, 주자는 "하늘에는 제사 지낼 수 없지만 土神은 백성의 입장에서 제사 지낼 수 있다. 비록 토신이라고 하나 그저 작은 대상으로 말할 뿐, 예컨대 천자가 소위 皇天이나 后土에게 제사 지낼 때처럼 큰 대상이 아니다.(天不可祭, 而土神, 在民亦可祭. 雖曰土神, 而只以小者言之, 非如天子所謂祭皇天后土之大者也.)"고 하였다. 『朱子語類』 권90, 139조목 참조

350 后土神에게 제사 지낸다. : "장사 지낼 때 토지에 제사 지내는 것은 奠이고 묘제를 지낼 때 토지에 제사 지내는 것은 祭이다.(葬時祠土地, 奠也, 墓祭祠土地, 祭也.)" 朴世采, 『南溪集』 권39 「答梁季通問」 辛未追答.

351 壙中을 판다掘穴. : '掘兆'의 誤字이다. 『家禮儀節』에서 丘濬은 "살펴보건대, 掘兆라고 하는 것은 땅의 사방 모퉁이를 파서 塋域을 만드는 것을 말한다. '兆'는 穴을 파는 것을 말한다. 『家禮』의 刻本은 오류가 많아 '兆' 자가 '穴' 자로 되었는데, 잘못된 것을 이어받은 지 오래되었다. 이는 본문이 단지 영역을 파는 것임을 전혀 모르는 것이다. 아랫글의 '穿壙'에서야 비로소 혈을 파는 것이다.(按掘兆, 謂掘地四隅爲塋兆之域. 兆謂開穴. 家禮刻本多誤以兆字爲穴字, 相承之誤久矣. 殊不知本文止是開塋域, 下文穿壙, 方是掘穴.)"고 하였다. 여기서 兆와 穴의 개념이 명백하게 드러난다. '兆'는 塋域(무덤 구역)이고, '穴'은 壙(광중)이다. 이는 "兆는 무덤 구역을 말한다.(兆, 謂塋界.)"(『爾雅』 '兆' 郭璞注), "穴은 무덤의 광중을 말한다.(穴, 謂塚壙中也.)"(『詩經』 「王風 大車」 '死則同穴' 鄭玄注)에서 거듭 확인된다.

352 네 귀퉁이 … 내어두되 : 『儀禮』 「士喪禮」의 "네 귀퉁이를 파서 그 흙을 바깥에 두고 가운데를 파서 그 흙을 남쪽에 둔다.(掘四隅, 外其壤, 掘中, 南其壤.)"에 대한 疏에서 賈公彦은 "장사 지낼 때 머리를 북쪽에 두기 때문에 파낸 흙은 발쪽에 있는 것이다.(爲葬時北首, 故壤在足處.)"고 하였다.

서서 동향하여 꿇어앉아 읽는데, "유維 ○년年[年號幾年] ○해[歲(歲次干支)]³⁵³ ○월月[幾月] 초하루朔[支朔] 일자日子[幾日干支]에 ○관某官 아무개[姓名]가 후토신에게 감히 아룁니다. 지금 ○관 아무개를 위해 무덤을 쓰니 신께서 보우하사 훗날 어려움이 없게 해주십시오. 삼가 맑은 술·포·육장[醢]을 신께 올리오니 흠향하시길 바랍니다[尚饗]."³⁵⁴고 하고, 마치고 나면 자리로 돌아간다. 아뢰는 사람이 재배하면 축과 집사자도 모두 재배하고, 상을 거두어 나온다. 주인은 집에 귀가하면 영좌 앞에서 곡하고 재배하며, 이후에는 모두 이것을 따른다.³⁵⁵

[20-9-3-1]

司馬溫公曰 : "苴卜, 或命筮者, 擇遠親或賓客爲之. 及祝執事者, 皆吉冠素服. 註云, '非純吉, 亦非純凶. 素服者, 但徹去華采珠金之飾而已.'"³⁵⁶

사마온공司馬溫公[司馬光]이 말했다. "거북점을 치거나 시초점을 치는 사람은, (그 주에) '먼 친척이나 빈을 골라 하게 한다.'고 하였다. 그리고 축과 집사자는 모두 길관吉冠을 쓰고 소복素服을 입는다. 그 주註에 '순전한 길관도, 순전한 흉관도 아니며, 소복이란 화려한 채색, 구슬, 금 장식을 없앨 뿐이다.'고 하였다."

[20-9-4]

遂穿壙.

마침내 광壙을 판다.

司馬溫公曰 : "今人葬有二法. 有穿地直下爲壙, 而懸棺以窆者, 有鑿隧道旁穿土室, 而擡柩於其中者."³⁵⁷

사마온공司馬溫公[司馬光]이 말했다. "지금 사람들의 장례에는 두 가지 법이 있다. 땅을 수직으로 파고 내려가 광壙을 만들고는 관을 매달아 하관하는 것이 있고, 수도隧道³⁵⁸를 뚫고 옆으로 토실을 파서 그 속으로 관을 밀어 넣는 것이 있다."

按古者唯天子得爲隧道, 其他皆直下爲壙, 而懸棺以窆. 今當以此爲法. 其穿地宜狹而深,

• • • • • • • • • • • • • • • • • •

353 歲次 : 歲는 歲星 곧 木星을 가리키며, 次는 머무름을 뜻한다. 세성은 12년 만에 한 번씩 돌므로 이 세성이 어디에 머무르고 있음을 뜻하는바, 告辭·祭文 등의 첫머리에 연도를 가리키는 말로 쓴다. 세성이 子에 머물면 子년이고 乙에 머물면 乙년 등이 된다.

354 흠향하시길 바랍니다[尚饗]. : "『儀禮』「士虞禮」 주에서 鄭玄은 '尙은 바라다.(庶幾也.)'라고 하였는데, 힘써 권한다는 뜻이다.(勸强之意)." 『常變通攷』 권18 「卒哭」 '祝式'

355 무덤을 파고 后土氏에게 아뢰는 묘사는 부록 그림 62 참조

356 『書儀』 권7 「卜宅兆葬日」 : 『書儀』에 "擇遠親或賓客爲之." 구절도 司馬光의 註이다. 따라서 이 문단은 "苴卜, 或命筮者, 及祝執事者," 구절이 전체의 주어이다. 『書儀』에 의거하여 文意가 통하게 고쳤다.

357 『書儀』 권7 「穿壙」 : 『書儀』에는 "葬有二法. 有穿地直下爲壙, 置柩以土實之者, 有先鑿埏道, 旁穿土室, 擡柩於其中者. 臨時從宜. 凡穿地宜狹而深, 壙中宜穿."라고 되어 있다.

358 隧道 : 墓穴로 비스듬히 파 내려간 통로. 壙中에 이르는 地下道

狹則不崩損, 深則盜難近也.

살펴보니 옛날에는 천자만이 수도를 만들었고, 나머지는 모두 수직으로 파고 내려가 광을 만들고는 관을 매달아 하관하였으니, 지금은 이것을 법으로 삼아야 한다. 땅을 팔 때에는 마땅히 좁고 깊어야 하니, 좁으면 무너지지 않고, 깊으면 도굴꾼이 접근하기 어렵다.[359]

[20-9-4-1]

問 : "合葬夫妻之位."

朱子曰 : "某初葬亡室時, 只存東畔一位, 亦不曾考禮是如何"

陳安卿云 : "地道以右爲尊, 恐男當居右."

曰 : "祭時以西爲上, 則葬時亦當如此方是."[360]

남편과 처를 합장하는 자리[361]에 대해 물었다.

주자가 말했다. "나는 애초에 죽은 아내를 장사 지낼 때 그저 동쪽에 한 자리를 남겨두었을 뿐, 또한 예에 어떠한지는 상고하지 않았다."

진안경陳安卿[陳淳][362]이 말했다. "지도地道는 오른쪽을 높이니 남자가 마땅히 오른쪽에 있어야 할 것 같습니다."

(주자가 말했다.) "제사 지낼 때는 서쪽을 윗자리로 삼으니, 장사 지낼 때도 마땅히 이렇게 해야 옳다."

[20-9-4-2]

"人家墓壙棺槨, 切不可太大. 當使壙僅能容槨, 槨僅能容棺乃善. 去年此間陳家墳墓遭發掘者, 皆緣壙中太濶. 其不能發者, 皆是壙中狹小, 無著脚手處, 此不可不知也. 此間墳墓山脚低卸, 故盜易入."

(주자가 말했다.) "사람들의 묘墓·광壙·관棺·곽槨은 너무 크게 해서는 절대로 안 된다. 광은 곽이 겨우 들어갈 수 있게 하고 곽은 관이 겨우 들어갈 수 있게 해야 좋다. 작년 이 동네 진씨 집안

. . . .

359 살펴보니 옛날에는 … 어렵다. : 본문에는 司馬溫公[司馬光]의 말이 여기까지 이어지고 있지만 이 문단은 주자의 견해이다. 『書儀』에서 사마온공은 장례의 두 가지 방법에 대해 '때에 임해서 마땅함을 따른다.(臨時從宜.)'고 말하고 있기 때문이다.

360 『朱子語類』 권89, 71조목

361 남편과 처를 … 자리 : 『白虎通』에 "合葬은 부부가 함께하는 도이다. 그러므로 『詩經』에 '살아서는 室을 달리하지만, 죽어서는 묘혈을 함께 한다.'고 하였다.(合葬者, 所以同夫婦之道也. 故詩曰'穀則異室, 死則同穴.')."고 하였다. 『禮記』「檀弓上」에 "季武子는 '합장하는 것은 옛날의 예가 아니다. 그러나 (합장의 예가) 周公 이래로 그 예가 고쳐진 적이 없다.(合葬, 非古也. 自周公以來, 未之有改也.)'고 하였다."고 하였다.

362 陳安卿(陳淳, 1159~1223) : 자가 安卿이고, 호는 北溪이다. 송대 龍溪(현 복건성 漳州) 사람으로 주희가 장주 지사일 때 주희의 제자가 되어, 주희에게 '남쪽에 와서 나의 도가 진순 한 사람을 얻었다'는 칭찬을 받았다. 시호는 文安이다. 저서는 『字義詳講』·『論孟學庸口義』·『北溪大全集』 등이 있다.

분묘가 도굴당한 것도 모두 광중이 너무 넓었기 때문이다. 도굴할 수 없는 경우는 모두 광중이 협소하여 발붙이거나 손댈 곳이 없을 때이니 이 점을 알지 않으면 안 된다. 이곳의 분묘들은 산비탈이 낮기 때문에 도적들이 들어가기 쉽다."

問：“墳與墓何別?”

曰：“墓想是塋域, 墳即封土隆起者. 『光武紀』云, ‘爲墳但取其稍高, 四邊能走水足矣.’ 古人墳極高大, 壙中容得人行, 也没意思. 今法令一品以上, 墳得高一丈二尺, 亦自儘高矣.”

李守約云：“墳墓所以遭發掘者, 亦陰陽家之説有以啓之. 蓋凡發掘者, 皆以葬淺之故. 若深一二丈, 自無此患. 古禮葬亦許深.”

曰：“不然. 深葬有水. 嘗見興化漳泉間墳墓, 甚高. 問之則曰, ‘棺只浮在土上. 深者僅有一半入地, 半在地上, 所以不得不高其封.’ 後來見福州人舉移舊墓, 稍深者無不有水. 方知興化漳泉淺葬者, 蓋防水爾. 北方地土深厚, 深葬不妨. 豈可同也?”[363]

물었다. “분墳과 묘墓는 어떻게 다릅니까?”

(주자가) 말했다. “묘는 아마도 무덤 구역이고 분은 흙을 높게 쌓은 곳이다. 『광무기光武紀』에 ‘분墳을 만들 때에는 다만 조금 높게 하고 사방으로 물이 흐를 수 있게 하면 충분하다.’고 하였다. 옛사람들은 봉분을 매우 높고 크게 하고 광중은 사람이 다닐 수 있게 하였는데 또한 아무런 의미가 없다. 요즈음 법령에 1품 이상은 봉분의 높이를 1장丈 2척尺으로 할 수 있는데 그것도 높다.”

이수약李守約[364]이 말했다. “분묘가 도굴을 당하는 것은 또한 음양가의 설이 그렇게 만든 것입니다. 무릇 도굴을 하는 경우는 모두 매장할 때 얕게 파기 때문입니다. 만약 깊이를 1~2장丈 정도로 한다면 이러한 후환이 저절로 없어질 것입니다. 고례古禮에도 또한 무덤을 깊게 하는 것을 허락하였습니다.”

(주자가 말했다.) “그렇지 않다. 깊게 파서 장사 지내면 물이 나게 된다. 흥화興化·장장漳·천泉[365] 지역의 분묘를 본 적이 있는데 너무 높았다. 왜 그런지 물어보았더니 ‘관은 그저 땅위에 떠 있을 뿐이다. 깊이는 고작 반만 땅속에 묻혀 있고 반은 땅위에 있기 때문에 봉분을 높게 하지 않을 수 없다.’고 하였다. 나중에 복주福州에서 구묘舊墓를 이장하는 것을 보았는데 조금 깊은 것은 물이 없는 것이 없었다. 그제서야 흥화興化·장漳·천泉 지역에서는 무덤을 얕게 파는 것이 물을 막는 길뿐임을 알게 되었다. 북방은 땅이 깊고 두터워 무덤을 깊게 파서 장사 지내도 무방하다. 어찌 똑같을 수 있겠는가?”

---

363 『朱子語類』권89, 74조목
364 李守約: 송나라 사람. 자가 수약이다. 이름은 閎祖이고 호는 綱齋이며, 光澤 사람이다. 進士試에 급제하여 廣東撫幹을 지냈다. 아버지인 李呂가 주자와 벗이 되었으며, 세 아들이 주자에게 從學하였는데, 그중에서 굉조가 뜻을 독실히 하고 생각을 정밀히 하였으므로 주자가 家塾에 머물게 하였다.
365 興化·漳·泉: 『家禮集覽』에 “興化는 郡의 이름이고, 漳泉은 두 州의 이름이다. 모두 福建道의 福州에 속해 있다.”고 하였다. 『家禮輯覽』(『沙溪全書』권29)「治葬」참조

[20-9-5]

作灰隔

회격을 만든다.

穿壙旣畢, 先布灰末於壙底, 築實厚二三寸. 然後布石灰細沙黃土拌勻者於其上. 灰三分, 二者各一可也. 築實厚二三尺, 別用薄板爲灰隔, 如椁之狀. 內以瀝靑塗之厚三寸許, 中取容棺. 墻高於棺四寸許, 置於灰上, 乃於四旁旋下四物, 亦以薄板隔之. 炭末居外, 三物居內, 如底之厚. 築之旣實, 則旋抽其板近上, 復下炭灰等而築之, 及墻之平而止.

蓋旣不用椁, 則無以容瀝靑, 故爲此制. 又炭禦木根, 辟水蟻. 石灰得沙而實, 得土而黏, 歲久結而爲全石. 螻蟻盜賊皆不得進也.

광중壙中을 파는 일이 끝나면 먼저 광중 바닥에 숯가루를 깔되 두께 2~3촌寸을 다져 채운다. 그 다음 그 위에 석회, 고운 모래, 황토를 골고루 섞은 것을 펴는데, 석회 3푼分에 나머지 둘은 각각 1푼의 비율로 배합하는 것이 좋다. 두께 2~3척을 다져 채우고는 따로 얇은 판366으로 회격灰隔을 곽椁의 모양처럼 만든다. 안쪽은 역청瀝靑[松脂油]을 두께 3촌쯤 바르고, 가운데에 관棺을 넣을 수 있게 한다.367 회벽灰壁은 관보다 4촌쯤 높게 하여 석회 위에 두고는 사방에 네 가지 것들(숯가루, 석회, 고운 모래, 황토)을 둘러 붓고 또한 얇은 판으로 막는다. (이때 네 가지 것들 중) 숯가루는 바깥쪽에 넣고, 세 가지 것들은 안쪽에 넣되, 바닥의 두께와 같게 한다. 다져 채우고 나면, 판368을 곧바로 위쪽 가까이 빼내고 다시 숯가루와 석회 등을 붓고 다져서 회벽과 평평해지면 그친다.

이미 곽을 쓰지 않았다면 역청을 바를 데가 없기 때문에 이 제도를 쓰는 것이다. 또 숯가루는 나무뿌리를 막고 물과 개미를 물리친다.369 석회는 모래와 섞이면 단단해지고, 황토와 섞이면 차지는데, 세월이 오래되면 굳어 완전히 돌처럼 되니, 개미 등의 벌레와 도적들이 모두 들어올 수 없다.370

○ 程子曰: "古人之葬, 欲比化者不使土親膚. 今奇玩之物, 尙保藏固密, 以防損汙, 況親之遺骨'當何如哉! 世俗淺識, 惟欲不見而已, 又有求速化之說者, 是豈知必誠必信之義? 且非欲求其不化也, 未化之間, 保藏當如是爾."371

---

366 얇은 판: 『家禮集說』에서 馮善은 "판의 두께는 2촌이다.(板厚二寸)."고 하였다.

367 가운데에 棺을 … 한다.: 『家禮集說』에서 馮善은 "둘레에 약 7·8촌을 비워 회회와 모래를 채울 수 있도록 한다.(周圍約空七八寸, 使可實灰沙)."고 하였다.

368 板: 『家禮補註』에 "板은 바로 다지는 데 쓰는 판이다.(板乃築板)."고 하였다.

369 또 숯가루는 … 물리친다.: 尤庵(宋時烈)은 "숯가루는 죽은 것으로 정이 없기 때문에 나무뿌리가 들어가지 못한다. 옛사람들이 숯가루를 사용한 것은 이 때문이다. 그러나 사람들이 이장할 때 나무뿌리가 관을 뚫고 들어간 경우를 많이 보게 되는데 흙을 기름지게 하는 것과 다름없다. 『喪禮備要』에서 쓰지 않는다는 설은 뜻이 아마 이 때문일 것이다.(蓋炭末死物無情, 故木根不入. 古人用之者以此也. 然人家遷葬時, 多見木根貫穿, 無異土肉. 『備要』不用之說, 意或以此耳.)"라고 하였다. 『宋子大全』 권114 「答成達卿晚徵」 戊辰四月

370 부록 그림 63 참조

○ 정자程子가 말했다. "옛사람의 장례는 죽은 이를 위해 흙이 살갗에 닿지 않도록 하려는 것이다. 요즘에는 진기한 완구 물건도 오히려 견고하고 치밀하게 보호하고 간수하여 손상되거나 더러워지는 것을 막는데, 하물며 부모의 유골은 어떻게 해야 되겠는가! 세속의 식견이 깊지 않은 사람들은 다만 보이지 않게만 하려들 뿐이고, 나아가 빨리 썩도록 해야 한다고 말하는 사람도 있으니, 이들이 어찌 반드시 정성을 다하고 반드시 미덥게 해야 한다는 뜻[372]을 알겠는가? 또 썩지 않게 하려는 것이 아니라, 아직 썩기 전에 보호하고 간수하기를 마땅히 이와 같이 해야 할 따름이다."

[20-9-5-1]

問 : "槨外可用灰雜沙土否?"

朱子曰 : "只純用炭末, 置之槨外, 槨內實以和沙石灰."

或曰 : "可純用灰否?"

曰 : "純灰恐不實, 須雜以篩過細沙, 久之灰沙相乳入, 其堅如石. 槨外四圍上下一切實以炭末, 約厚七八寸許, 旣辟濕氣, 免水患, 又截樹根不入. 樹根遇炭, 皆生轉去, 以此見炭灰之妙. 蓋炭是死物無情, 故樹根不入也. 抱朴子曰, '炭入地千年不變.'"

問 : "范家用黃泥拌石灰, 實槨外, 如何?"

曰 : "不可. 黃泥久之, 亦能引樹根."

又問 : "古人用瀝青. 恐地氣蒸熱, 瀝青溶化, 棺有偏陷却不便."

曰 : "不曾親見用瀝青利害. 但書傳間多言用者, 不知如何."[373]

물었다. "곽 밖에 석회에 모래와 흙을 섞은 것을 써도 됩니까?"

주자가 말했다. "오직 순전히 숯가루만 사용하여 곽 밖에 넣고 곽 안에는 모래와 석회를 섞은 것으로 채운다."

어떤 이가 물었다. "순전히 석회만 사용해도 됩니까?"

(주자가) 말했다. "순전히 석회만으로는 부실할 듯하니, 반드시 채로 거른 고운 모래를 섞어야 오래 지나면 석회와 모래가 서로 흡수하여 돌처럼 견고해진다. 곽 밖의 사방과 위·아래에는 모두 숯가루를 채우되 두께가 약 7~8촌쯤 되어야 습기를 물리쳐 수해 걱정을 면하는 것은 물론, 나무뿌리를 차단해 들어오지 못하게 한다. 나무뿌리가 숯을 만나면 모두 억지로 방향을 돌리니, 이로써 숯과

---

371 『二程文集』 권11 「記葬用柏棺事」

372 정성을 다하고 … 뜻 : 『禮記』 「檀弓上」에 "상을 당하면 3일 만에 殯을 하는데 무릇 시신에 사용하는 것(습렴에 필요한 옷이나 이불 등)은 반드시 정성을 다하고 반드시 미덥게 하여 후회하는 일이 있도록 하지 말아야 한다.(喪三日而殯, 凡附於身者, 必誠必信, 勿之有悔焉耳矣.)"고 하였는데, 이에 대한 주에서 方慤은 "'반드시 정성을 다한다.'는 것은 죽은 자에 대해서 속이는 것이 없는 것을 말하고, '반드시 미덥게 한다.'는 것은 산 자에 대해서 의심스러운 것이 없는 것을 말한다.(必誠, 謂於死者無所欺, 必信, 謂於生者無所疑.)"고 하였다.

373 『朱子語類』 권89, 74조목

석회의 오묘함을 알게 된다. 숯은 죽은 것으로 정情이 없기 때문에 나무뿌리가 들어오지 못하는 것이다. 포박자抱朴子[葛洪][374]는 '숯은 땅속에서 천년이 지나도 변하지 않는다.'고 하였다."

물었다. "범씨范氏[范如圭][375] 집안에서는 황토 진흙에 석회를 섞은 것을 곽 밖에 채웠는데 어떻습니까?"

(주자가) 말했다. "안 된다. 황토 진흙은 오래되면 또한 나무뿌리를 끌어들일 수 있다."

또 물었다. "옛사람은 역청瀝靑을 썼습니다. 땅의 기운이 열을 증발시키면 역청이 녹아 관이 기울거나 함몰될 것이니 좋지 않을 듯합니다."

(주자가) 말했다. "역청을 쓰는 것이 이로운지 해로운지 직접 본 일이 없다. 다만 전해오는 글에 쓴다는 말이 많은데 어떤지는 알지 못하겠다."

[20-9-5-2]

"禮壙中用牲體之屬, 久之必潰爛, 却引蟲蟻, 非所以爲亡者慮久遠也. 古人壙中置物甚多, 以某觀之, 禮文之意大備, 則防患之意反不足. 要之只當防慮久遠, 毋使土親膚而已. 其他禮文皆可略也. 又如古者棺不釘, 不用漆粘. 而今灰漆如此堅密, 猶有蟻子入去, 何況不使釘漆? 此皆不可行."[376]

(주자가 말했다.) "예경禮經에 '광중 안에 생체牲體 따위를 쓴다.'고 했는데 오래되면 반드시 썩어 문드러져 오히려 벌레와 개미를 끌어들이니, 죽은 이를 위해 사려가 깊은 것이 아니다. 옛사람은 광중 안에 넣어준 물건이 매우 많았으나, 내 생각으로는 예문의 뜻을 크게 갖추면 우환을 막는 뜻은 오히려 부족해진다. 요컨대 오직 우환을 방비하려는 사려가 깊어야 하니, 흙이 살갗에 닿지 않도록 해야 할 뿐이고, 기타의 예문은 모두 생략해도 된다. 또 예컨대 옛날에는 관에 못질하지도 않고 옻칠하지도 않았는데, 요즈음에는 회칠을 이처럼 견고하고 치밀하게 하여도 오히려 개미가 들어오니 어떻게 못질하고 옻칠하지 않을 수 있겠는가? 이것들을 모두 실행할 수 없다."

[20-9-5-3]

楊氏復曰 : "先生答廖子晦曰, '所問葬法, 後來講究木槨瀝靑, 似亦無益. 但於穴底先鋪炭屑築之, 厚一寸許, 其上即鋪沙灰. 四傍即用炭屑, 側厚一寸許, 下與先所鋪者相接. 築之旣

374 抱朴子(葛洪, 283~343경): 중국東晉 시대의 학자이자 道士. 자는 稚川이고 호는 抱朴子이다. 鄭隱에게 仙道를 배우고 關內侯 등의 관직을 지내다가 물러나 羅浮山에 들어가 저술과 煉丹에 전념하였다. 저서에 『抱朴子』·『神仙傳』이 있다.

375 范氏(范如圭, 1102~1160): 송나라 사람. 字는 伯達이고, 建州 建陽 사람이다. 徽宗 崇寧 원년(1102)에 태어나 高宗 紹興 30년(1160)에 죽었으니 향년 59세이다. 어려서 외삼촌인 胡安國에게서 『春秋』를 수학하였다. 그 때문에 그의 학문은 경전에 뿌리를 두고 있어 쓸모없는 글이 없다. 저서에 문집 10권이 있다. 퇴계는 "范은 范如圭로, 韋齋(朱松) 선생의 친구였으므로 주자가 부형으로 섬겼다.(范, 范如圭. 韋齋先生執友. 朱子以父兄事之.)"고 하였다. 『退溪先生續集』 권6 「答李棐彦問目」

376 『朱子語類』 권89, 67조목

平, 然後安石槨於其上. 四傍又下三物如前. 槨底及棺四傍上面, 復用沙灰實之. 俟滿加蓋.
復布沙灰, 而加炭屑於其上. 然後以土築之. 盈坎而止.

蓋沙灰以隔螻蟻. 愈厚愈佳, 頃嘗見籍溪先生說, 嘗見用灰葬者, 後因遷葬, 則見灰已化爲
石矣. 炭屑則以隔木根之自外至者, 亦里人改葬所親見. 故須令常在沙灰之外, 四面周密,
都無縫罅, 然後可以爲固. 但法中不許用石槨, 故此不敢用全石. 只以數片合成, 庶幾不戾
法意耳.'"

양복楊復이 말했다. "선생은 요자회廖子晦[377]에게 다음과 같이 답했다. '질문한 장법葬法을 나중에
강구해 보니 목곽과 역청은 또한 무익할 듯하다. 다만 광중 바닥에 먼저 숯가루를 깔아 다지되,
두께 1촌쯤 되게 하고 그 위에 바로 모래와 회를 깐다. 사방 옆에는 바로 숯가루를 쓰는데 옆으로
두께 1촌쯤 되게 하여 아래로 먼저 깔았던 것과 서로 닿게 하여, 다져 쌓은 것이 평평해지면 그
위에 석곽을 안치한다. 사방 옆에 또 앞에서처럼 세 가지 것들(회, 고운 모래, 황토)을 붓는다. 곽의
바닥 및 관의 사방 윗면은 다시 모래와 회로 채우고, 가득차면 덮개를 덮는다. 다시 모래와 회를
깔고 숯가루를 그 위에 깔고 흙으로 다져서 구덩이를 채우면 그친다. 모래와 회는 개미 등의 벌레를
차단하려는 것이니 두터울수록 좋다. 얼마 전 적계선생籍溪先生[378]의 설을 보니, 「회를 사용하여 장사
지내는 것을 보았었는데 나중에 이장移葬하면서 보니 회가 이미 변해서 돌이 되어 있었다.」고 한다.
숯가루가 밖에서 들어오는 나무뿌리를 막는 것은 또한 마을사람들이 개장改葬할 때 직접 보았으니,
반드시 항상 모래와 회 밖에 있도록 해야 사방이 두루 치밀해져 전혀 틈이 없게 되니, 그래야 견고해
질 수 있다. 다만 법령에는 석곽을 쓰지 못하게 하므로 이 일로 감히 온전한 돌을 쓰지 못하고,
다만 돌 몇 조각을 합해 맞추어 법의 뜻에 어긋나지 않기를 바랄 뿐이다.'"[379]

[20-9-6]

刻誌石

지석誌石[380]을 새긴다.

. . . .

377 廖子晦 : 송나라 사람 廖德明. 자는 子晦이고, 호는 槎溪이다. 順昌(현 복건성 소속) 출신으로 주희의 문인이
　　다. 1169년 진사에 급제하여 知莆田縣·吏部左選郞官을 역임하였다. 젊어서는 불교에 깊은 관심을 보이다가
　　楊時의 저술을 읽고 깨달은 바가 있어 朱熹에게 나아가 수학하였다. 저서는 『文公語錄』·『春秋會要』·『槎溪
　　集(사계집)』이 있다.
378 籍溪先生 : 송나라 사람 胡憲(1068~1162). 崇安 출신으로 胡安國의 조카이다. 紹興 연간에 鄕貢으로 太學에
　　들어갔는데 劉勉之와 더불어 남몰래 伊洛의 설을 익혔다. 그 이후 학업에만 오로지 마음을 두었고, 고향으로
　　돌아가서 힘껏 농사를 지어 양친을 봉양하였으며, 從遊하는 사람들이 날로 늘어나서 세상에서는 적계 선생
　　이라고 불렸다. 朱子가 나이 14세 때 아버지를 잃고는 遺訓을 받들어 籍溪 胡憲 原仲, 白水 劉勉之 致中,
　　屛山 劉子翬 彦沖 세 군자의 문하에 나아가 수학하였다.
379 『朱文公文集』 권45 「答廖子晦」(13)
380 誌石 : "齊나라 王儉은 '지석은 예경에 나오지 않는다. 宋나라 元嘉(424~453) 연간에 顔延之가 王球의 墓誌를
　　지어 묘소 아래에 글을 묻었는데, 장차 천년이 지나 지형이 바뀌어도 후손들이 알게 하려고 한 것이다.

用石二片, 其一爲蓋, 刻云, '某官某公之墓.' 無官則書其字曰, '某君某甫.' 其一爲底, 刻云, '某官某公諱某字某某州某縣人, 考諱某某官, 母氏某封, 某年月日生,' 敍歷官遷次, 某年月日終, 某年月日葬於某鄉某里某處, 娶某氏某人之女, 子男某某官, 女適某官某人.'

돌 두 조각을 쓰되 그 한 쪽은 덮개를 만들어 '○관 ○공지묘某官 某公之墓'라고 새긴다. 관직이 없는 경우에는 자字를 써 '○군某君 ○보某甫'라고 한다. 그 다른 한 쪽은 '밑의 것[底]'을 만들어 '○관某官 ○공某公 휘○諱某 자○字某 ○주某州 ○현인某縣人, 고考는 휘○諱某 ○관某官이고, 모씨母氏[381]는 ○봉某封이며 ○년 ○월 ○일에 태어났다'고 쓰고, '지낸 벼슬과 옮긴 직위, ○년 ○월 ○일에 사망하여 ○년 ○월 ○일에 ○향 ○리 ○처에 장사 지냈으며, ○씨 ○인의 딸에게 장가 들어, 자식 중 아들 아무개는 ○관, 딸은 ○관 ○인에게 시집갔다.'고 새긴다.

婦人夫在則蓋云, '某官姓名某封某氏之墓.' 無封則云, '妻.' 夫無官則書夫之姓名. 夫亡則云, '某官某公某封某氏.' 夫無官則云, '某君某甫妻某氏.' 其底敍年若干適某氏, 因夫子致封號, 無則否. 葬之日以二石字面相向, 而以鐵束束之. 埋之壙前近地面三四尺間. 蓋慮異時陵谷變遷, 或誤爲人所動, 而此石先見. 則人有知其姓名者, 庶能爲掩之也. 其底敍年若干適某氏, 因夫子致封號, 無則否.

葬之日以二石字面相向, 而以鐵束束之, 埋之壙前近地面三四尺間. 蓋慮異時陵谷變遷, 或誤爲人所動, 而此石先見, 則人有知其姓名者, 庶能爲掩之也.

부인은 남편이 살아 있으면, 덮개에 '○관某官 아무개[姓名] ○봉某封 ○씨지묘某氏之墓'라고 한다. 봉호가 없으면, '처妻'라고 한다. 남편이 관직이 없으면 남편의 성명을 쓴다. 남편이 죽은 경우에는 '○관某官 ○공某公 ○봉某封 ○씨某氏'라고 한다. 남편이 관직이 없는 경우에는 '○군某君 ○보某甫 처○씨妻某氏'라고 한다. 그 밑의 것에는 나이 몇 살에 ○씨에게 시집가서 남편과 아들로[382] 인해 봉호를 받았다는 점을 서술하되, 봉호가 없으면 쓰지 않는다.

장사 지내는 날, 두 돌에 글을 쓴 면을 서로 바라보게 하여 철사로 묶고는 광 앞 3~4척 사이의 가까운 지면에 묻는다. 이는 훗날 지형이 바뀌거나, 남들에 의해 잘못 옮겨졌을 때를 고려한 것인데, 이 돌이 먼저 발견되면 사람들 중에 그 성명을 아는 자가 아마도 묻어주기를 바라는 것이다.[383]

그렇다면 宋나라와 齊나라 이후에 墓誌가 생긴 셈이다. 근래에는 귀하건 천하건 모두 사용된다.'고 하였다. (齊王儉曰, '石誌, 不出禮經. 宋元嘉中, 顔延之作王球墓誌, 埋文墓下, 將以千載之後, 陵谷變遷, 欲後人有所聞知. 然則宋齊以來, 有墓誌也. 近代貴賤通用之.)' 『翰墨全書』

381 母氏 : "살펴보니 '氏' 자 위에 '某' 자가 빠져 있다.(按氏上, 闕某字.)" 『家禮輯覽』(『沙溪全書』 권29) 「治葬」

382 남편과 아들 : "退溪는 주자의 설을 인용하여 '夫子는 남편이다.'고 하였다. 나는 남편과 아들이라고 생각한다.(退溪引朱子之說, 曰'夫子, 夫也.' 愚謂夫及子也)" 『家禮輯覽』(『沙溪全書』 권29) 「治葬」

383 부록 그림 64 참조

造明器,

명기明器[384]와

> 刻木爲車馬僕從侍女, 各執奉養之物. 象平生而小. 准令五品六品三十事, 七品八品二十
> 事, 非陞朝官十五事.

> 나무를 깎아 거마·복종僕從·시녀를 만들어 각각 봉양하던 물건을 들고 있도록 한다. 평소의
> 모습을 본뜨되 작게 만든다. 법령에 준하면 5품과 6품은 30가지, 7품과 8품은 20가지, 조관朝官에

384 明器 : 『禮記』「檀弓上」에 "공자는 '죽은 자를 보내는 데에 전적으로 죽은 자에 대한 예로만 대한다면 인하지
못하니 그렇게 할 수 없다. 죽은 자를 보내는 데에 전적으로 산 자에 대한 예로만 대한다면 지혜롭지 못하니
그렇게 할 수 없다. 그러므로 竹器는 산 사람이 쓰지 못하고, 瓦器는 광택이 없으며, 木器는 무늬를 새기지
못한다. 그것을 명기라고 하는 것은 神明의 도로 대하는 것이다.'고 하였다.(孔子曰, '之死而致死之, 不仁而不
可爲也. 之死而致生之, 不知而不可爲也. 是故竹不成用, 瓦不成味, 木不成斲. 其曰明器, 神明之也.')"고 하였다.
이에 대한 주에서 劉孟治는 다음과 같이 말했다. "'之'는 '가다.'이니, 之死는 예로써 죽은 자를 전송하는
것이다. 죽은 자를 전송할 때 전적으로 죽은 자의 예로만 대우하는 것은 부모를 사랑하는 마음이 없는 것이
니 仁하지 못하다. 그러므로 행할 수 없다. 죽은 자를 전송할 때 전적으로 산 자의 예로만 대우하는 것은
사리를 밝히는 밝음이 없는 것이니 지혜롭지 못하다. 그러므로 또한 행할 수 없다. 이것이 先王께서 明器를
만들어 죽은 자를 전송하게 된 까닭이다. 竹器는 테두리가 없어서 쓸모가 없고, 瓦器는 거칠고 질박하여
광택을 지닌 기포가 나지 않으며, 木器는 가공하지 않아 조각하거나 새긴 문양이 없고 거문고와 비파는
비록 줄을 당겨도 고르지 않아 탈 수가 없으며, 竽笙은 비록 구비되었어도 화음을 이루지 않아 불 수가
없다. 비록 쇠북과 경쇠가 있어도 매달거나 걸 틀이나 기둥이 없어 칠 수가 없다. 무릇 이것들은 다 죽은
자에게만 쓸 수도 없고 산 사람에게만 쓸 수도 없으니, 지혜가 있고 지혜가 없는 사이에서 죽은 자를 대우하
는 것이다. 그러므로 器物을 구비했어도 쓸 수가 없다. 기물을 구비하였으니 죽은 자로만 대우하지 않는
것이고, 쓸 수가 없으니 또한 산 자로만 대우하지도 않는 것이다. 그것을 明器라고 하는 것은 神明의 도로써
대우하는 것이다.(之, 往也, 之死, 謂以禮往送於死者也. 往於死者而極以死者之禮待之, 是無愛親之心, 爲不
仁, 故不可行也. 往於死者而極以生者之禮待之, 是無燭理之明, 爲不知, 故亦不可行也. 此所以先王爲明器以
送死者. 竹器則無縢緣而不成其用, 瓦器則矗質而不成其黑光之沫, 木器則樸而不成其雕斲之文, 琴瑟則雖張
絃而不平, 不可彈也. 竽笙, 雖備具而不和, 不可吹也. 雖有鐘磬而無懸挂之簨虡, 不可擊也. 凡此皆不致死, 亦
不致生, 而以有知無知之閒待死者. 故備物而不可用也. 備物則不致死, 不可用則亦不致生. 其謂之明器者, 蓋
以神明之道待之也.)"라고 하였다.
또 다른 주에서 陳祥道는 "신명의 기물이라고 하지 않고 그저 明器라고 한 것은, 神의 어둠은 밝히지 않을
수 없기 때문이다. 『周官』에 신에게 베푸는 기물은 모두 '明'이라고 하였다. 그러므로 물을 明水라고 하고
불을 明火라고 하는 것에서부터 明齋·明燭·明竁에 이르기까지 모두가 신명에게 베푸는 것이다. 竹·瓦·
木의 용도, 그리고 거문고와 비파, 竽笙, 쇠북과 경쇠의 음악에 '明' 자를 붙이면, 용도는 용도가 아니고,
음악은 음악이 아니라, 神에게 베푸는 것이다. 宋나라 襄公이 부인을 장사 지낼 때 초장醢·육장醢 등
수많은 옹기들을 부장하였는데, 어찌 이 점을 알았겠는가?(不曰神明之器, 特曰明器者, 以神之幽不可明故
也. 周官凡施於神者, 皆曰明. 故水曰明水, 火曰明火, 以至明齋明燭明竁者, 皆神明之也. 蓋其有竹瓦木之所
用, 琴瑟竽笙鍾磬之所樂者, 明之也, 所用非所用, 所樂非所樂, 神之也. 宋襄公葬其夫人, 醢醢百甕, 豈知此
哉?)"라고 하였다.
또 『禮記』「檀弓下」에는 "塗車(진흙으로 수레를 빚어 만든 것)와 芻靈(띠풀을 묶어 사람과 말을 만든 것)은
옛날부터 있었는데, 明器의 도리이다.(塗車芻靈, 自古有之, 明器之道也.)"고 하였다.

오르지 못한 사람은 15가지이다.

下帳,

하장下帳[385]과

　　謂牀帳茵席椅卓之類. 亦象平生而小.

　　평상·천막·깔개·돗자리·의자·탁자 따위를 말한다. 또한 평소 분위기를 살리되 작게 한다.

苞,

포苞[386]와

　　竹掩一, 以盛遣奠餘脯.

　　대나무 덮개 하나에 견전례遣奠禮를 하고 남은 포脯를 담는다.

[20-9-6-1]

　　劉氏璋曰 : "既夕禮, '苞二, 所以裹奠羊豕之肉.' 註云, '用便易者, 謂茅長難用, 裁取三尺一道編之.'"

　　유장이 말했다. "「기석례」에 '포苞가 둘이니, 전奠에 올린 양고기와 돼지고기를 싸기 위한 것이다.'고 하였다. 그 주에 '간편한 것을 쓴다는 것은 띠풀이 길어 쓰기 어려우니 3척尺씩 잘라 한 줄로 엮는다는 말이다.'고 하였다."

385　下帳 : 『常變通攷』에서 柳長源은 "'帳'은 '供帳'의 '帳'과 같다. 무릇 기물을 펼쳐놓은 것을 통괄하여 '供帳'이라고 한다. 그러므로 이때의 침상[牀], 돗자리[席], 의자[椅], 탁자[卓] 따위를 '帳' 자로 포괄한 것이다. '下' 자는 '上下'의 '하'이다.(帳猶供帳之帳. 凡鋪陳器物, 總謂之供帳. 故此牀席椅卓之類, 以帳字包之. 下字, 上下之下.)"고 하였다. 이 글에 이어 그는 "『周禮』 疏에 下帳은 上帳에 상대하여 이름 붙인 것이다. 棺을 내리고 '見'을 덮는다는 것은 그것이 위에 있어 볼 수 있기에 上帳이라고 한 것이니, 그렇다면 먼저 무덤[藏] 속에 들어가 볼 수 없는 것은 그 때문에 下帳이라는 이름을 얻었다.(『周禮』 疏, 下帳, 對上帳而名. 蓋下棺加見者, 以其在上可見, 而謂之上帳, 則其先入藏中, 而不可見者, 所以得下帳之名也.)"고 하였다. 그러나 유장원이 말한 『周禮』 疏가 누구의 글인지 불분명하다. 다만 賈公彦은 『周禮』 「司几筵」의 소에서 "既窆則加見者, 既夕下棺訖, 則加見. 見謂道上帳帷荒將入藏以覆棺. 言見者, 以其棺不復見, 唯見帷荒, 故謂之見也."라고 하였다. 유장원은 아마도 이 글을 해설적으로 인용한 듯하다.

　　퇴계는 "下帳은 아래로 드리우는 장막으로, 床帳(관을 덮는 휘장)과 茵席(관 밑에 까는 자리)을 가리켜서 말한 것이다.(下帳, 下之之帳, 指床帳茵席而言.)"고 하였다.

　　그러나 사계는 『疑禮問解』에서 "하장은 아마 上服에 상대하여 말한 듯하다. 예컨대 公服·靴·笏·幞頭·襴衫은 몸의 위쪽에 쓰는 물건이므로 上服이라고 하고, 牀帳·茵席·椅子·卓子는 몸의 아래쪽에 쓰는 물건이므로 下帳이라고 한다. 퇴계의 생각은 아래로 드리우는 장막이라고 하는데 옳지 않은 듯하다.(下帳者, 恐是對上服而言也. 如公服靴笏幞頭襴衫, 在身上之物, 故曰上服, 牀帳茵席椅卓, 在人身之下者也, 故曰下帳. 退溪之意, 則以爲當下之帳, 恐未然)"고 하였다. 『疑禮問解』(『沙溪全書』 권39) 「治葬」

386　苞 : 갈대 등을 짜서 만든 용구로, 魚肉 등을 담아두는 데 쓴다. 부록 그림 65 참조

[20-9-7]

筲,

소筲[387]와

竹器五, 以盛五穀.

대나무 용기 다섯 개에 5곡(벼 · 기장 · 피 · 보리 · 콩)을 담는다.[388]

[20-9-7-1]

司馬溫公曰 : "今但以小甕貯五穀, 各五升, 可也."[389]

사마온공司馬溫公[司馬光]이 말했다. "요즈음에는 단지 작은 옹기에 오곡을 저장하니, 각각 5승升씩이면 된다."

[20-9-7-2]

劉氏璋曰 : "旣夕禮, '筲三, 容與簋同. 盛黍稷麥, 其實皆淪.' 註云, '皆湛之以湯. 神之所享, 不用食道, 所以爲敬.'"

유장劉璋이 말했다. "「기석례」에 '소筲는 셋인데 용량은 궤簋와 같다. 기장, 피, 보리를 담되 그 알곡을 모두 데친다.'[390]고 하였다." 그 주에 '모두 끓인 물에 담그는 것이다. 신이 흠향하는 것은 음식의 도를 쓰지 않으니, 공경하기 때문이다.'고 하였다.

[20-9-8]

罌,

앵罌[391]과

甆器三, 以盛酒醯醢.

387 筲 : 대나무를 짜서 만든 그릇으로, 용량은 1두 2승을 담을 수 있다고도 하고, 1두를 담을 수 있다고도 하며, 혹 5승을 담을 수 있다고도 한다. 부록 그림 65 참조

388 대나무 용기 … 담는다. : 『儀禮』「旣夕禮」에 "筲 세 개에 기장 · 피 · 보리를 담는다.(筲三黍稷麥)."라고 하였는데 여기서 '다섯 개에 오곡을 담는다.'라고 한 것은 『開元禮』에 바탕하였기 때문이다. 李宜朝, 『家禮增解』 권10 「治葬」 부록 그림 65 참조

389 『書儀』 권7 「明器 · 下帳 · 苞筲 · 祠版(명기 · 하장 · 포소 · 사판)」

390 데친다[淪]. : 『儀禮』「旣夕禮」 '其實皆淪' 주에서 鄭玄은 "쌀과 보리는 모두 끓는 물에 담근다. 귀신이 흠향하는 것을 알지 못해 食道를 쓰지 않으니 공경하기 때문이다.(米麥皆湛之湯. 未知神之所享, 不用食道, 所以爲敬.)"고 하였다. 이에 대한 소에서 賈公彦은 "귀신이 흠향하는 것을 알지 못한다는 것은 귀신은 그윽하고 어두워서 산 사람이 볼 수가 없기 때문에, 담그기만 하고 익히지 않는 것이다.(未知神之所享者, 以其鬼神幽暗, 生者不見, 故淹而不熟.)"고 하였다.

391 罌 : 磁器이다. 덮개인 羃이 있으며, 아가리 부분의 지름은 4촌이고, 허리 부분의 지름은 7촌 5분이고, 밑바닥의 지름은 4촌 2분이고, 높이는 8촌 2분이고, 용량은 3승이다. 부록 그림 65 참조

자기甆器 셋으로 술·초장[醯]·육장[醢]을 담는다.

○ 司馬温公曰: "自明器以下, 俟實土及半, 乃於其旁穿便房以貯之."[392]

사마온공司馬温公[司馬光]이 말했다. "명기明器 이하의 것들은 흙을 반 정도 채워서 그 옆에 편방便房[393]을 뚫어 저장한다."

○ 按此雖古人不忍死其親之意, 然實非有用之物. 且脯肉腐敗, 生蟲聚蟻, 尤爲非便. 雖不用可也.[394]

살펴보니, 이것은 옛사람들이 차마 부모가 죽은 것으로 여기지 못하겠다는 뜻이나 실제로는 유용한 물건이 아니다. 더구나 포육脯肉은 부패하면 벌레가 생기고 개미가 꼬이니 더더욱 좋지 않다. 쓰지 않아도 될 것이다.

大轝,

큰 상여[395]와

古者柳車, 制度甚詳. 今不能然, 但從俗爲之, 取其牢固平穩而已.

其法用兩長杠, 杠上加伏兎, 附杠處爲圓鑿. 別作小方床以載柩. 足高二寸. 旁立兩柱, 柱外施圓柄令入鑿中, 長出其外. 柄鑿之間, 須極圓滑, 以膏塗之, 使其上下之際, 柩常適平. 兩柱近上, 更爲方鑿加橫扃. 扃兩頭出柱外者, 更加小扃. 杠兩頭施橫杠, 橫杠上施短杠. 短杠上或更加小杠. 仍多作新麻大索以備扎縛.

此皆切要實用不可闕者. 但如此制, 而以衣覆棺, 亦足以少華道路. 或更欲加飾, 則以竹爲之格, 以綵結之, 上如撮蕉亭, 施帷幔, 四角垂流蘇而已. 然亦不可太高. 恐多罣礙. 不須大華. 徒爲觀美. 若道路遠, 决不可爲此虛飾. 但多用油單裹柩, 以防雨水而已.

옛날 유거柳車[396]는 제도가 매우 상세하였다. 요즈음에는 그렇지 못하고 그저 습속을 따라 만들

392 『書儀』 권7 「穿壙」: 其明器下帳五穀牲酒等物, 皆于埏道旁, 別穿窟室, 爲便房以貯之. 其直下穿壙者, 既實土將半, 乃于其旁, 穿便房以貯之.

393 便房: 살아 있을 때 기거하던 것을 형상하여 묘 속에 만들어 놓은 방. 便은 편안하다는 의미이다. 옛날에는 壙中이 매우 넓었는데, 가운데 관을 안치한 곳은 正房이 되고 광중의 관 동쪽에 下帳을 설치하여 靈座를 안치한 곳은 편방이 된다. 『常變通攷』에는 "편은 곁의 의미이다. 광 옆을 뚫어 방을 만든다.(便側也 穿壙側爲房)"라고 하였다. 『順菴集 卷7 答鄭士成晩器喪禮問目 丙戌』, 『常變通攷 卷30 家禮考疑下 治葬』

394 『性理大全』의 편제에 따르면 대체로 처음 어떤 저자의 글이 인용되면 다른 저자의 이름이 나오기 전까지는 처음 저자의 글이 이어진다. 그러나 『家禮』에서 '按'으로 시작되는 이 글은 앞의 글에 대한 朱子 자신의 생각을 기록한 『家禮』 본문이지, 편집자가 주자의 다른 문헌에서 인용한 글이 거나 앞의 저자, 즉 여기서는 司馬温公[司馬光]의 글이 아니다. 후대에 간행된 『欽定儀禮義疏』·『讀禮通考』 등에 朱子의 글로 실려 있다. "苞筲甕以盛羊豕五穀酒醯醢, 雖古人不忍死其親之意, 然實非有用之物. 且脯肉腐敗, 生蟲聚蟻, 尤爲非便. 雖不用可也."

395 큰 大轝의 묘사는 부록 그림 66 참조

396 柳車: 『周禮』에 柳車의 "'柳'는 '모으다[聚]'는 말이니, 여러 장식이 모인 것이다.(柳之言聚, 諸飾之所聚.)"고

되, 견고하고 평온함을 취할 뿐이다.

그 방법은 긴 장대 둘을 사용하여 장대 위에 엎드려 있는 복토伏兔(토끼 문양의 부품)를 덧대고는, 장대를 부착한 곳에 둥근 구멍을 뚫는다. 별도로 작은 네모난 상을 만들어 영구靈柩를 싣는다. 발의 높이는 2촌寸이다. 옆에 두 개의 기둥을 세우고는 기둥 밖으로 둥글게 자루를 만들어 구멍 속에 끼워 넣고 밖으로 길게 나오게 한다. 자루와 구멍 사이에는 매우 둥글고 매끄럽게 기름을 발라 오르락내리락할 때 영구가 항상 평형을 유지하도록 해야만 한다. 양 기둥 위쪽에 다시 네모나게 구멍을 뚫고 빗장을 끼우며, 기둥 밖으로 나온 양 빗장 머리에 다시 작은 빗장을 끼운다. 장대의 양 머리에도 가로 장대를 설치하고, 가로 장대 위에는 짧은 장대를 설치한다. 짧은 장대 위에 간혹 작은 장대를 더하기도 한다. 그러고는 새 삼으로 굵은 새끼줄을 많이 만들어 묶을 때를 대비한다.

이것은 모두 실제의 사용에 매우 필요하여 빠뜨릴 수 없는 것이다. 다만 이 제도처럼 하면서도 옷으로 관을 덮으면 또한 상여가 가는 길을 조금 화려하게 할 수 있을 것이다. 혹은 좀 더 꾸미고자 한다면, 대나무로 격자格子를 만들어 비단 끈으로 묶고 위에는 촬초정撮蕉亭처럼 하여 장막을 설치하고는 네 귀퉁이에는 술流蘇을 드리우면 된다. 그러나 또한 너무 높아서는 안 되니 걸리는 일이 많을 수도 있다. 너무 호화스럽게 할 필요도 없으니 한갓 보기에만 아름다울 뿐이다. 길이 멀 경우에는 결코 이런 헛된 장식치레를 해서는 안 된다. 그저 유단油單(기름종이)을 많이 써서 영구를 싸서 빗물만 막으면 된다.[397]

[20-9-8-1]

朱子曰 : "某舊爲先人飾棺, 考制度作帷幌, 延平先生以爲不切. 而今禮文覺繁多, 使人難行. 後聖有作, 必是裁減了, 方始行得."[398]

주자가 말했다. "내가 옛날 부모님을 위해 관을 장식할 때 제도를 고찰하여 유황帷幌[399]을 만들었는데 연평선생延平先生[400]은 절실한 것이 아니라고 하였다. 지금은 예문이 깨닫기에 번다하여 사람들이 행하기 어려우니, 후대에 성인이 나와 반드시 줄이고서야 비로소 행할 수 있다."

하였다. 柳車에 대한 묘사는 부록 그림 67 참조

397 竹格에 대한 묘사는 부록 그림 68 참조

398 『朱子語類』 권89, 65조목

399 帷幌 : 喪車를 덮는 휘장으로, 옆에 있는 것은 유라고 하고, 위에 있는 것은 황이라고 한다. 임금은 龍帷와 黼幌으로 장식하고, 대부는 畫帷로 장식하며, 士는 布帷와 布幌으로 장식하는데, 그림을 그려 넣지 않은 白布로 만든다. 『禮記』「喪大記」 '飾棺君龍帷' 鄭玄 주 참조

400 延平先生 : 송나라 학자 李侗(1093~1163). 자는 顯中이고, 延平先生이라고 불린다. 南劍州劍浦(현재 복건성 南平) 사람으로 楊時·羅從彦과 함께 '南劍三先生'이라 불린다. 나종언에게서 二程의 학문을 배우고, 40여 년 간 세속을 끊고 연구한 뒤에 '理一分殊' 등 이정의 학문을 주희에게 전수해 주었다. 저서는 『延平文集』이 있다.

[20-9-9]

翣.

삽翣[401]을 만든다.

以木爲筐, 如扇而方. 兩角高, 廣二尺, 高二尺四寸. 衣以白布, 柄長五尺. 黼翣畫黼, 黻翣畫黻, 畫翣畫雲氣. 其緣皆爲雲氣. 皆畫以紫, 准格.

나무로 테를 만들되 부채처럼 모나게 한다. 양쪽 뿔은 높고 너비는 2척이며, 높이는 2척 4촌이다. 흰 베로 옷을 입히고 자루는 길이가 5척이다. 보삽黼翣에는 보黼(도끼 모양)를 그리고, 불삽黻翣에는 불黻('己'자가 서로 등진 모양)을 그리며, 화삽畫翣에는 구름을 그린다. 가선은 모두 구름 모양이되 모두 자색紫色으로 그리고 격식에 맞게 한다.[402]

作主.

신주神主[403]를 만든다.

程子曰: "作主用栗. 趺方四寸, 厚一寸二分. 鑿之洞底以受主身. 身高一尺二寸, 博三寸, 厚寸二分. 剡上五分爲圓首. 寸之下勒前爲頷而判之, 四分居前, 八分居後. 頷下陷中, 長六寸, 廣一寸, 深四分. 合之植於趺下. 齊竅其旁以通中. 圓徑四分居三寸六分之下. 下距趺面七寸二分. 以粉塗其前面."[404]

정자程子가 말했다. "신주를 만들 때는 밤나무를 쓴다. 받침대는 가로세로 4촌이고, 두께는 1촌 2분이다. 바닥에 구멍을 뚫어 신주의 몸통을 끼운다. 몸통은 높이가 1척 2촌이고, 너비가 3촌이며, 두께는 1촌 2분이다. 위쪽 5분을 깎아 머리를 둥글게 하고, 1촌 아래 앞을 깎아 턱을 만들고는 쪼개되 앞쪽은 두께가 4분이고, 뒤쪽은 두께가 8분이다. 턱 아래의 함중陷中은 길이가 6촌이고,

- - - - - - - - - - - - - - -

401 翣: 『禮記』「喪大記」에 "君主는 黼翣이 둘, 黻翣이 둘, 畫翣이 둘인데 모두 '圭[瑞玉]'를 꼭대기에 장식한다. 大夫는 黻翣이 둘, 畫翣이 둘인데 모두 '綏'를 꼭대기에 장식한다. 士는 畫翣이 둘인데 모두 '綏'를 꼭대기에 장식한다.(君, 黼翣二, 黻翣二, 畫翣二, 皆戴圭. 大夫, 黻翣二, 畫翣二, 皆戴綏. 士, 畫翣二, 皆戴綏.)"고 하였다. 이에 대한 주에서 鄭玄은 "'綏'는 '緌'가 되어야 하고, 독음은 '冠緌의 緌(유)와 같다.(綏當爲緌, 讀如冠緌之緌).'고 하였으며, 疏에서 孔穎達은 "'緌'를 꼭대기에 장식한다는 것은 5가지 색깔의 깃을 가지고 '緌(늘어뜨린 장식)'를 만들어 삽의 양 모서리에 매다는 것이다. 삽은 길에서는 상여를 가리고, 槨에 들어서는 靈柩를 가린다.(戴緌者, 用五采羽, 作緌, 綴翣之兩角也. 翣, 在路則障車, 入槨則障柩.)"고 하였다.

402 翣에 대한 묘사는 부록 그림 69 참조

403 神主: 『五經異義』에서 許愼은 "신주는 신령을 형상화한 것이다. 효자는 장사 지내고 나면 마음을 의지할 곳이 없으므로 虞祭를 지내고서 신주를 세워 섬긴다. 오직 천자와 제후만이 신주가 있고, 경과 대부는 신주가 없으니, 존비의 차등을 둔다.(主者, 神象也. 孝子旣葬, 心無所依, 故虞而立主以事之. 唯天子諸侯有主, 卿大夫無主, 尊卑之差也)."고 하였다.
주자는 "옛사람들은 막 죽었을 때부터 魂을 조문하고 魄을 돌아오게 하며, 重을 세우고 神主를 설치하였으니, 조금이라도 그의 정신이 항상 그것들 안에서 이어지게 하려는 것이다.(古人自始死, 弔魂復魄, 立重設主, 便是常要接續他些子精神在這裏)."고 하였다. 『朱子語類』 권3, 67조목

404 『二程文集』 권11 「作主式」

너비가 1촌이며, 깊이는 4분이다. 앞쪽과 뒤쪽을 합쳐서 받침대에 꽂고, 나란하게 양쪽에 구멍을 뚫어 함중과 통하게 한다. 원의 지름은 4분이고 3촌 6분 아래에 있다. 아래로 받침대 면과의 거리는 7촌 2분이고, 분粉을 앞면에 바른다."405

○ 司馬溫公曰 : "府君夫人共爲一櫝."406

사마온공司馬溫公[司馬光]이 말했다. "남편과 부인은 하나의 독을 같이 쓴다."

○ 按古者虞主用桑, 將練而後易之以栗. 今於此便作栗主以從簡便. 或無栗, 止用木之堅者. 櫝用黑漆, 且容一主. 夫婦俱入祠堂, 乃如司馬氏之制.407

살펴보니, 옛날에는 우제의 신주는 뽕나무를 사용하다가 연제練祭를 지내고 나서는 밤나무로 바꾸었다. 지금 여기서는 밤나무 신주를 만들어 간편함을 따른다. 혹 밤나무가 없으면 그저 견고한 나무를 쓰면 된다. 독櫝은 검은 옻칠을 쓰고, 또 하나의 신주를 넣을 수 있어야 한다. 부부가 함께 사당에 들어가면, 마침내 사마씨司馬氏[司馬光]의 제도대로 한다.408

[20-9-9-1]

程子曰 : "庶母亦當爲主, 但不可入廟, 子當祀於私室. 主之制度則一. 蓋有法象不可益 損, 益損則不成矣."

정자가 말했다. "서모 또한 신주를 만들어야 하지만, 다만 사당에는 들어갈 수 없으니 아들은 사실私室에서 제사 지내야 한다. 신주의 제도는 한 가지이다. 대저 법도가 있어409 더하거나 덜 수 없으니, 더하거나 덜면 성립되지 않는다."

[20-9-9-2]

朱子曰 : "伊川制, 士庶不用主, 只用牌子. 看來牌子當如古制, 只不消二片相合, 及竅其旁以通中.410 且如今人未仕, 只用牌子, 到任後不中換了. 若是士人, 只用主, 亦無大利害.411

405 神主와 櫝에 대한 묘사는 부록 그림 70 참조

406 『書儀』 권7 「明器・下帳・苞筲・祠版」: 府君夫人只爲一匣

407 이 글 또한 앞의 사례처럼 앞의 司馬光에 대해 朱子가 자신의 견해를 밝힌 글이다.

408 마침내 사마씨 … 한다. : 앞 구절의 "남편과 부인이 하나의 독을 같이 쓴다."라는 것이다.

409 법도가 있어 : "계절[時]・日・月・辰에서 법을 취했으니, 받침[趺]이 사방 4촌인 것은 한 해의 4계절[時]을 본떴고, 높이가 1척 2촌인 것은 12달을 본떴으며, 몸통의 너비가 30分인 것은 한 달의 날수를 본떴고, 두께가 12분인 것은 하루의 時辰을 본떴다.(取法於時日月辰, 趺方四寸象歲之四時, 高尺有二寸象十二月, 身博三十分象月之日, 厚十二分象日之辰.)" 『二程文集』 권11 「作主式」

410 『朱子語類』 권90, 78조목: "伊川制, 士庶不用主, 只用牌子. 看來牌子當如主制, 只不消做二片相合, 及竅其旁以通中."

411 『朱子語類』 권90, 79조목: "問, ‘庶人家亦可用主否?’ 曰, ‘用亦不妨. 且如今人未仕, 只用牌子, 到仕後不中換了. 若是士人只用主, 亦無大利害.’ 又問, ‘祧主當如何?’ 曰, ‘當埋之於墓. 其餘祭儀, 諸家祭禮已備具矣. 如欲行之, 可自仔細考過.’"

主式乃伊川先生所制, 初非朝廷立法, 固無官品之限. 萬一繼世無官, 亦難遽易. 但繼此不當作耳. 牌子亦無定制. 竊意亦須似主之大小高下, 但不爲判合陷中可也. 凡此皆是後賢義起之制. 今復以意斟酌, 於古禮未有考也. [412]

주자가 말했다. "이천伊川(程頤)의 제도에 사士·서인庶人은 신주를 사용하지 않고 단지 패자牌子(위패)만을 쓸 뿐이다.[413] 살펴보니 패자는 옛 제도[414]와 같아야 하지만 다만 두 조각을 서로 합치거나 옆에 구멍을 뚫어 함중과 통하게 할 필요는 없다. 요즘 사람들은 벼슬하지 않았을 때에는 그저 패자만을 사용하고 임명된 뒤에도 중도에 바꾸지 않는다. 사인士人의 경우 오직 신주만을 사용한다고 해도 크게 이롭거나 해롭지는 않다. 신주를 만드는 법식은 이천선생이 만든 것이지, 애초에 조정에서 세운 법이 아니니, 참으로 관직과 품계의 한계가 없다. 만일 대를 이어 관직이 없더라도 또한 갑자기 바꾸기는 어려울 것이다. 다만 이 다음에는 (신주를) 만들지 않아야 한다. 패자 또한 일정한 제도가 없지만 생각해보니 또한 신주의 크기와 유사하게 하되, 다만 쪼개서 합치거나 함중을 파지는 않아도 될 것이다. 무릇 이것은 모두 후대의 현인들이 의리로 일으킨 제도이니, 지금 다시 뜻을 헤아려 보아도 고례에서 상고할 곳이 없다.[415]

今詳伊川主式書屬稱, 本註, 屬, 謂高曾祖考, 稱, 謂官或號行, 如處士秀才幾郎幾公之類. 如此則士庶可通用. 周尺當省尺七寸五分弱. 程集與書儀誤註五寸五分弱. 溫公圖以謂三司布帛尺, 即省尺. 程沙隨尺, 即布帛尺. 今以周尺校之, 布帛尺正是七寸五分弱. 然非有聲律高下之差, 亦不必屑屑然也. 得一書爲據足矣."

상고해보니 이천의 「신주식」에서 '속屬·칭稱을 쓴다'는 것은 본주本註에 「속」은 고조·증조·조·

---

412 『朱文公文集』 권61 『答曾光祖』(2)

413 伊川(程頤)의 제도에 … 뿐이다. : 신주를 사용하는 것에 대해 묻자 이천은 "평범한 집에서는 쓸 수 없으니 그저 패자만 사용해도 된다. 우리 집 신주 양식은 제후의 제도를 줄인 것이다.(白屋之家, 不可用, 只用牌子, 可矣. 如某家主式, 是殺諸侯之制也.)"고 하였다.

414 옛 古制 : 『朱子語類』 권90, 78조목에는 '主制', 즉 '신주의 제도'로 되어 있는데, 문맥상 이것이 옳은 듯하다. 李宜朝, 『家禮增解』 권10 「治葬」 참조

415 주자가 말했다. … 없다. : "살펴보니, '伊川制'부터 '以通中'까지가 한 조목이고, '且如'부터 '大利害'까지가 한 조목인데, 모두 『朱子語類』에 보인다. '主式'부터 '未有考也'까지가 한 조목인데, 『朱子大全』의 「答曾光祖書」에 보인다. 이 세 조항은 각각 그 뜻이 있는데도, 부주에 끌어들일 때 합쳐서 하나로 만들었다. 그 때문에 위와 아래의 글 뜻이 서로 딱 들어맞지 않는 듯하다. 또 『朱子大全』에는 '새로 만들어서는 안 된다(不當作)'는 구절 아래 自註인 '관직이 있는 자는 스스로 신주를 만들어도 무방하다.'는 구절이 있다. 이것에 의거해 볼 때 주자의 뜻은 바로 다음과 같다. '신주를 만드는 식은 원래 나라의 제도가 아니니 본래 官品에 따른 한계가 없다. 비록 자손이 관직이 없더라도 선조가 이미 만들어놓은 신주를 꼭 바꿀 필요는 없다. 다만 이 다음에는 마땅히 牌子를 만들고 신주를 만들지 말아야 한다. 관직이 있는 자는 스스로 신주를 만들 수 있다.'(按自伊川制至以通中爲一條, 自且如至大利害爲一條, 俱見語類. 自主式至未有考也爲一條, 見大全答曾光祖書. 三條各有其義, 而附註收入之際, 合而一之. 故上下文勢, 似不襯合. 且大全不當作下, 朱子自註云, 有官人自作主不妨云云. 據此朱子之意, 乃謂主式, 元非國制, 本無官品之限. 雖子孫無官, 不必易祖先已作之神主. 但繼此則當作牌子而不當作神主. 有官者自當作神主也.)" 『家禮輯覽』(『沙溪全書』 권29) 「治葬」

고를 말하고, 「칭」은 벼슬 또는 호칭이나 항렬을 말하니, 처사處士·수재秀才, 몇째 랑郎, 몇째 공公과 같은 따위이다.'고 하였다. 이와 같다면 사인士人과 서인庶人도 통용할 수 있다. 주척周尺은 성척省尺의 7촌 5분 조금 모자라는 것에 해당하는데, 정자의 문집과 『서의』에서는 5촌 5분 조금 모자라는 것이라고 잘못 주석하였다. 온공溫公(司馬光)의 도식에서는 삼사포백척三司布帛尺[416]이 바로 성척이라고 하였다. 정사수程沙隨[417]의 척이 바로 포백척이니, 주척을 포백척에 대보면, 포백척이 바로 7촌 5분 조금 모자라는 것에 해당한다. 그러나 성률聲律의 높낮이의 차이가 있는 것은 아니니 또한 굳이 소소하게 따질 필요는 없다. 하나의 책을 얻어 근거로 삼으면 족하다."

[20-10-0]

遷柩 천구, 朝祖 조조, 奠 전, 賻 부, 陳器 진기, 祖奠 조전

[20-10-1]

發引前一日, 因朝奠以遷柩告.

발인 하루 전에, 아침 조전朝奠을 올리면서 영구를 옮기겠다고 아뢴다.

設饌如朝奠. 祝斟酒訖, 北面跪告曰, "今以吉辰遷柩. 敢告." 俛伏興. 主人以下哭盡哀再拜. 蓋古有啓殯之奠. 今既不塗殯, 則其禮無所施. 然又不可全無節文, 故爲此禮也.

음식을 차리는 것은 조전朝奠처럼 한다. 축관이 술을 따르고 나면 북향하여 꿇어앉아서 "이제 좋은 날에 영구를 옮깁니다. 감히 아룁니다."고 하고 부복하였다가 일어나면, 주인 이하는 곡을 하며 애통함을 다하고 재배한다.[418] 옛날에는 계빈啓殯에 올리는 전奠이 있었으나, 지금은 빈에 흙을 바르지 않으니[419] 그 예는 시행할 곳이 없다. 그러나 그렇다고 절문節文을 완전히 없앨 수 없으므로, 이 예를 행하는 것이다.[420]

---

416 三司布帛尺: 송나라 자. 三司의 布帛 관리용 자

417 程沙隨: 송나라 寧陵 사람. 이름은 逈이고, 호는 沙隨이며 자는 可久이다. 靖康의 난에 紹興의 餘姚로 이사해 살았다. 과거에 급제하여 관직이 上饒令에 이르렀다. 일찍이 嘉興의 聞人茂德과 嚴陵의 喩樗에게 수학하였으며, 『古易章句』·『古周易考』·『易傳外編』·『古占法』·『景祐集韻』 등을 저술하였다. 주자가 박식하고 단아한 군자라고 칭찬하였다.

418 주인 이하는 … 재배한다.: "영구를 털 때에는 功布를 사용하고, 덮을 때에는 侇衾(영구를 덮는 이불, 또는 柩衣)을 사용한다.(拂柩用功布, 幠用侇衾.)"『喪禮備要』(『沙溪全書』 권33)「啓殯」. 이때 "분향이나 재배의 글귀가 없는 것은 영구가 사당에 인사드리는 것을 상을 당한 자가 대행할 수 없기 때문이다.(無焚香再拜之文, 蓋靈柩辭廟, 喪者不可代行也.)"『退溪集』 권28「答金伯榮富仁可行富信悼敍文目」喪禮 乙卯.

419 흙을 바르지 않으니: 장사를 치를 때까지 관을 안전하게 보관하기 위하여 관을 구덩이에 안치한 다음 그 위를 덮고는 빈틈없이 흙을 발라 밀봉하는 것을 말한다.

420 靈柩를 모시고 祠堂을 찾아뵙고서 廳事에 옮기는 묘사는 부록 그림 71 참조

[20-10-1-1]

楊氏復曰：“古禮自啓殯至卒哭, 更有兩變服之節. 啓殯斬衰男子括髮, 婦人髽. 蓋小斂括髮髽. 今啓殯亦見尸柩, 故變同小斂之節也. 此是一節. 今旣不塗殯, 則亦不啓, 雖不變服可也. 古禮啓殯之後, 斬衰男子免, 至虞卒哭皆免. 此又是一節. 『開元禮』, 主人及諸子皆去冠絰以斜布巾帕頭, 亦放古意. 『家禮』今皆不用, 何也? 司馬公曰, ‘自啓殯至於卒哭, 日數甚多, 若使五服之親, 皆不冠而袒免, 恐其驚俗. 故但各服其服而已.’”

양복이 말했다. “고례에는 계빈啓殯에서부터 졸곡卒哭까지 두 번 더 변복變服하는 절차가 있었다. 계빈에는 참최복을 입는 남자는 괄발括髮하고, 부인은 복머리를 한다. 소렴에도 괄발括髮하고 복머리를 한다. 지금 계빈에도 시구尸柩(시체가 들은 관)를 보게 되므로, 변복은 소렴의 절차와 같이 하니 이것이 하나의 절차이다. 요즈음에는 이미 빈殯에 흙을 바르지 않으니 또한 계빈하지도 않으니 비록 변복을 하지 않아도 괜찮다. 고례에는 계빈啓殯하고 나서 참최복을 입는 남자는 문免을 하고 우제와 졸곡까지 모두 문을 하였으니, 이것이 또 하나의 절차이다. 『개원례』에 주인과 여러 아들들은 모두 관과 질을 벗고 사포건斜布巾[421]으로 머리를 맨다고 한 것도 옛 뜻을 따른 것이다. 『가례』에서는 지금 모두 쓰지 않는 것은 무슨 까닭인가? 사마공司馬公司馬光은 ‘계빈부터 졸곡까지는 날수가 매우 많으니, 만일 오복을 입는 친척들이 모두 관을 쓰지 않고 단祖과 문免을 하게 한다면 속인들을 놀라게 할까 염려되기 때문에 각각 자신에게 해당하는 복을 입을 따름이다.’[422]고 하였다.”

[20-10-2]

奉柩朝於祖.

영구를 모시고 조묘祖廟(사당)를 찾아뵙는다.[423]

> 將遷柩, 役者入, 婦人退避. 主人及衆主人輯杖立視. 祝以箱奉魂帛前行, 詣祠堂前. 執事者奉奠及倚卓次之, 銘旌次之. 役者擧柩次之, 主人以下從哭. 男子由右, 婦人由左. 重服在前, 輕服在後, 服各爲敍. 侍者在末. 無服之親男居男右, 女居女左, 皆次主人主婦之後. 婦人皆蓋頭. 至祠堂前, 執事者先布席, 役者致柩於其上北首而出. 婦人去蓋頭. 祝帥執事者設靈座及奠于柩西東向. 主人以下就位立, 哭盡哀止. 此禮蓋象平生將出, 必辭尊者也.
>
> 영구를 옮기려고 일꾼이 들어오면 부인은 물러나 피한다. 주인과 중주인衆主人(맏상제 이외의 상제들)은 상장喪杖을 들어 바닥을 짚지 않고[424] 서서 살펴본다. 축관은 상자에 혼백을 모시고 앞서

. . . .

421 斜布巾: 주자는 “斜布는 바로 민간의 초상에서 成服을 하지 않았을 때 사용하는 것이다. 성복한 뒤에는 벗는다. 옛날 免의 遺制이다.(斜布, 乃民間初喪, 未成服時所用. 旣成服, 去之. 蓋古者, 免之遺制也.)”고 하였다. 『朱文公文集』 권69 「君臣服議」

422 『書儀』 권7 「啓殯」

423 영구를 모시고 … 찾아뵙는다. : 『禮記』 「檀弓下」에 “상례에 祖廟를 찾아뵙는 것은 죽은 자의 孝心을 따르는 것이다. 자기가 거처하던 곳을 떠나는 것이 애통하기 때문에 祖考의 사당에 다녀간 뒤에 가는 것이다.(喪之朝也, 順死者之孝心也. 哀離其室也, 故至於祖考之廟而后行.)”고 하였다.

나서 사당 앞으로 간다.[425] 집사자는 전奠과 의자·탁자를 받들어 다음에 가고 명정은 그 다음에 간다. 일꾼들이 영구를 들고 그 다음에 가고 주인 이하는 따라가며 곡한다. 남자는 오른쪽으로 가고 부인은 왼쪽으로 간다.[426] 복이 무거운 사람이 앞에 서고 복이 가벼운 사람이 뒤에 서니, 복에 따라 각각 차례를 삼는다. 시자侍者는 끝에 있으며, 복을 입지 않은 친척은 남자는 복을 입은 남자의 오른쪽에 서고 여자는 복을 입은 여자의 왼쪽에 서는데 모두 주인과 주부의 뒤에 차례로 선다. 부인은 모두 개두蓋頭를 한다. 사당 앞에 이르면 집사자가 먼저 자리를 깔고 일꾼들이 그 위에 머리가 북쪽을 향하도록[427] 영구를 놓고 나간다. 부인은 개두를 벗는다. 축관이 집사자를 거느리고 영구의 서쪽에 영좌와 전을 동향하도록 놓으면, 주인 이하는 자리에 나아가 서서 곡하면서 애통함을 다하고는 그친다. 이 예는 평소에 외출할 때 반드시 어른에게 인사드리던 것을 본뜬 것이다.

[20-10-2-1]

楊氏復曰: "按儀禮'朝祖正柩之後, 遂匠始納載柩之車于階間,' 即家禮所謂大舉也. 方其朝祖時, 又別有軼軸. 註云, '軼軸狀如長牀.' 夫軼狀如長牀, 則僅可承棺, 轉之以軸, 輔之以

- -

424 喪杖을 들어 … 않고: 「喪大記」에 "빈에 곡할 때에는 상장을 짚고, 영구에 곡할 때에는 상장을 들어 바닥을 짚지 않는다.(哭殯則杖, 哭柩則輯杖.)"라고 하였다. 『禮記』 「喪大記」

425 사당 앞으로 간다.: 『儀禮』 「旣夕禮」에 "(영구를) 조묘로 옮길 때에는 軼軸을 사용한다. (영구는) 서쪽 계단으로 올라간다. 영구를 두 기둥 사이에 바르게 놓을 때에는 夷牀을 사용한다.(遷于祖用軸. 升自西階. 正柩于兩楹閒用夷牀.)"고 하였다. 이에 대한 주에서 鄭玄은 "영구는 오히려 자식의 도리를 쓰기에 阼階로 다니지 않는 것이다. '두 기둥 사이'는 시골집의 문과 들창문을 본뜬 것이다.(柩也, 猶用子道, 不由阼也. 兩楹閒象鄉户牖也.)"고 하였다. 이에 대한 소에서 賈公彦은 "시골집의 문과 들창문은 두 기둥 사이에서 약간 서쪽으로 있다.(鄉户牖, 則在楹閒近西矣.)"고 하였다.

426 남자는 오른쪽으로 … 간다.: 『儀禮』 「旣夕禮」의 주에서 鄭玄은 "남자는 오른쪽으로 가고, 여자는 왼쪽으로 간다.(丈夫由右, 婦人由左.)"고 하였는데, 그 소에서 賈公彦은 "남자는 오른쪽으로 가고 여자는 왼쪽으로 가는 것을 아는 것은 『禮記』 「內則」에 '도로에서 남자는 오른쪽으로 가고, 여자는 왼쪽으로 간다.'고 하였고, 이때 鄭玄은 '地道는 오른쪽을 높인다.'고 하였기 때문이다.(知男子由右, 婦人由左者, 以「內則」云'道路男子由右, 女子由左,' 鄭云'地道尊右.' 彼謂吉時, 此雖凶禮, 亦依之也.)"고 하였다.
李宜助는 "영구를 따라 殯門을 나가 남향할 때를 기준으로 말하자면, 남자는 오른쪽으로 가니 서쪽이고, 여자는 왼쪽으로 가니 동쪽이다. 사당 앞에 차례로 서는 경우에는 남자가 오른쪽으로 가는 것은 동쪽에 있는 것이고, 여자가 왼쪽으로 가는 것은 서쪽에 있는 것이니, 사당에서 차례로 서는 위치와 꼭 맞는다.(以從柩出殯門南向之時言之, 則男由右則西也, 女由左則東也. 至祠堂前立, 則男由右者, 因在東, 女由左者, 因在西. 正合祠堂序立之位矣.)"고 하였다. 『家禮增解』 권10 「遷柩·朝祖」

427 머리가 북쪽을 향하도록: 『儀禮』 「旣夕禮」의 소에서 賈公彦은 "이미 '조묘를 찾아뵙는다(朝祖)'고 말하였으니, 발을 향하게 해서는 안 된다.(既言朝祖, 不可以足鄉之.)"고 하였다. 또 『儀禮』 「士喪禮」의 소에서도 그는 "조묘를 찾아뵐 때 머리를 북쪽으로 하는 것은 죽은 자의 효심을 따르는 것이다.(祖廟北首, 順死者之孝心.)"고 하였다.
주자는 "옛사람들은 시구를 모두 머리가 남쪽을 향하도록 하였으나, 오직 祖廟를 찾아뵐 때만은 북쪽으로 머리를 향하도록 하였다.(古人屍柩皆南首, 唯朝祖之時爲北首耳.)"고 하였다. 『朱文公文集』 권63 「答余正甫」(2)

人, 故得以朝祖. 旣正柩, 則用夷牀.

蓋朝祖時, 載柩則有輁軸, 正柩則有夷牀. 後世皆闕之. 今但使役者擧柩, 柩旣重大, 如何可擧? 恐非謹之重之之意. 若但魂帛朝于祖, 亦失遷柩朝祖之本意. 恐當從儀禮別制輁軸以朝祖, 至祠堂前, 正柩用夷牀北首. 祝帥執事者設靈座及奠于柩西東向, 主人以下就位立哭盡哀止."

양복이 말했다. "살펴보니, 『의례儀禮』「기석례旣夕禮」에 '조묘祖廟(사당)에서 조상을 뵙고 영구를 바로 놓은 다음, 수인遂人과 장인匠人이[428] 비로소 영구를 실을 수레를 계단 사이에 들여놓는다.'고 한 것이 바로 『가례』에서 말한 대여大輿이다. 조묘를 찾아뵐 때에는 또 별도로 공축輁軸[429]이 있었다. 주에는 '공축의 모양은 긴 상牀과 같다.'[430]라고 하였다. 공축輁은 모양이 긴 상과 같아서 겨우 영구를 올려놓고 축으로 굴리고 사람이 돕기 때문에 조묘를 뵐 수 있는 것이다. 영구를 바로 놓을 때에는 이상夷牀[431]을 쓴다.

조묘를 뵐 때 영구를 실을 때에는 공축이 있고, 영구를 바로 놓을 때에는 이상夷牀이 있었는데 후세에는 모두 이것들이 빠져 있다. 지금은 다만 일꾼에게 영구를 들게 하는데 영구가 이미 무겁고 큰데, 어떻게 들 수 있겠는가? 아마도 삼가고 정중하게 모시는 뜻이 아닌 듯하다. 만일 그저 혼백魂帛만으로 조묘를 찾아뵙는다면 또한 영구를 옮겨 조묘를 찾아뵙는 본뜻을 잃는 것이다. 『의례儀禮』를 따라 별도로 공축을 만들어 조묘를 찾아뵙는데, 사당 앞에 이르러 영구를 바르게 할 때에는 이상夷牀을 써서 머리를 북쪽으로 하는 것이 마땅할 듯하다. 축관이 집사자를 거느리고 영구의 서쪽에 영좌靈座와 전奠을 동향하도록 진설하면, 주인 이하는 자리에 나아가 서서 애통함을 다해 곡하고 그친다."

[20-10-2-2]

"輯, 斂也, 謂擧之不以拄地也."

"'집집輯'은 상장喪杖을 거두는 것이니, 들어서 바닥을 짚지 않는 것을 말한다."[432]

• •

428 遂人과 匠人 : 『儀禮』의 주에서 鄭玄은 "遂匠은 遂人과 匠人이다. 수인은 영구를 끌고 가는 일을 주관하고, 장인은 영구를 싣고 하관하는 일을 주관하니, 서로 보좌한다.(遂匠, 遂人匠人也. 遂人主引徒役, 匠人主載柩窆職, 相左右也.)"고 하였다. 이에 대한 소에서 賈公彦은 "『周禮』에 수인과 장인이 있는데 천자의 관원이다. 士는 비록 신하가 없지만 또한 수인과 장인이 있어 葬事를 주관한다.(『周禮』有遂人匠人, 天子之官. 士, 雖無臣, 亦有遂人匠人, 主其葬事.)"고 하였다.

429 부록 그림 72 참조

430 輁軸의 모양은 … 같다. : 鄭玄의 주

431 夷牀 : 『儀禮』「旣夕禮」에 "侇牀은 양쪽 계단 사이에 놓는다.(侇牀饌于階閒.)"고 하였다. 이에 대한 주에서 鄭玄은 "侇 자는 본래 '夷'로 되어 있다. 侇라는 말은 '시신'이다. 조묘를 찾아뵐 때 이 상을 써서 영구를 바르게 한다.(侇字本作夷. 侇之言尸也. 朝正柩用此牀.)"고 하였다. 이에 대한 소에서 賈公彦은 "영구가 祖廟의 양쪽 기둥 사이에 이르러 시신의 머리를 북쪽으로 향하게 할 때 바로 이 상을 쓰므로 夷牀이라고 이름 붙였다.(柩至祖廟兩楹之間, 尸北首之時, 乃用此牀, 故名夷牀也.)"고 하였다.

432 『禮記』「喪大記」

[20-10-2-3]

"旣夕禮, '遷于祖, 正柩于兩楹間, 席升, 設于柩西, 奠設如初.' 註, '奠設如初, 東面也. 不統於柩, 神不西面也. 不設柩東, 東非神位也.'"

"「기석례」에 '조묘祖廟(사당)에 옮겨서 두 기둥 사이에 영구를 바르게 하고, 자리를 올라가서 영구의 서쪽에 설치하고 전奠은 처음과 같이 진설한다.'고 하였다. 주에 '전을 처음과 같이 차린다는 것은 동향한다는 것이다. (동향하면) 영구에 통섭되지 않으니, 신령은 서향하지 않기 때문이다. 영구의 동쪽에 차리지 않으니, 동쪽은 신위가 아니다.'433라고 하였다.

[20-10-3]

遂遷于廳事.

마침내 청사로 옮긴다.

> 執事者設帷於廳事. 役者入, 婦人退避. 祝奉魂帛導柩右旋. 主人以下男女, 哭從如前. 詣廳事, 執事者布席. 役者置柩于席上南首而出. 祝設靈座及奠于柩前南向. 主人以下, 就位坐哭, 藉以薦席.
>
> 집사자는 청사에 휘장을 치고, 일꾼이 들어오면 부인은 물러나 피한다. 축관은 혼백을 모시고 영구를 인도하여 오른쪽으로 돌아가면, 주인 이하의 남녀는 앞에서와 같이 곡하면서 따라간다. 청사에 이르면 집사자는 자리를 펴고, 일꾼들은 자리 위에 머리가 남쪽으로 향하도록 영구를 놓고 나간다.434 축관이 영좌靈座와 전奠을 영구 앞에 남향하도록 진설하면 주인 이하는 자리에

---

433 전을 처음과 … 아니다. : 鄭玄의 주이다. 이에 대한 소에서 賈公彦은 다음과 같이 말했다. "영구에 통섭되지 않으니, 신령은 서향하지 않기 때문이다.'는 것은, 영구 가까이에 奠을 진설하지 않는다는 말이다. 만약 영구와 가까우면 영구에 통섭된다. 신령은 서향하지 않기 때문에 동쪽 가까이에서 영구에 통섭되지 않는 것이다. 신령은 서향하지 않는다는 점을 알면, 特牲과 少牢는 모두 奧(서남쪽)의 자리에 동향하도록 진설하니, 천자와 제후 또한 서향하지 않는다는 점을 알 수 있다. '영구의 동쪽에 차리지 않으니, 동쪽은 신위가 아니기 때문이다.'는 것은, 이 또한 신위가 奧의 자리에 있지 동쪽에 있지 않다는 것에 근거하여 말한 것이다. 그렇다면 소렴에 奠을 시신의 동쪽에 진설하는 것은, 막 돌아가셨을 때에는 차마 산 사람과 다르게 할 수가 없기 때문이다. 대렴 이후에는 전을 모두 室 가운데에 진설하는데, 또한 영구에 통섭되지 않는다. 이 奠을 室에 차리지 않는 것은, 실 가운데는 신령이 있는 곳이지, 죽은 자에게 전을 올리는 곳이 아니기 때문이다.(不統於柩, 神不西面也者, 謂不近柩設奠. 若近柩, 則統於柩. 爲神不西面, 故不近東統於柩. 知神不西面者, 特牲少牢皆設席於奧東面, 則天子諸侯亦不西面可知. 云不設柩東, 東非神位也者, 此亦據神位在奧不在東而言也. 若然, 小斂奠設于尸東者, 以其始死未忍異於生. 大斂以後奠皆設于室中, 亦不統於柩. 此奠不設于室者, 室中神所在, 非奠死者之處故也.)"

434 일꾼들은 자리 … 나간다. : 『家禮』에서 大斂과 殯을 할 때 영구는 당 서쪽에 있다. 그런데 靈座는 당 가운데 설치하므로 銘旌과 靈牀의 앞에 있지 영구 앞에 있는 것이 아니다. 여기 '廳事로 옮긴다.'는 조목에 이르러 영좌가 영구 앞에 설치되면, 이 靈座와 靈柩는 모두 당 가운데 있게 되어 靈牀은 다시 설치되지 않는다. 그렇다면 장사 지낼 때 비록 영상을 철거한다는 명확한 문구는 없지만 영상이 이때부터 이미 철거되었음을 알 수 있다. 正寢에서 청사로 옮겼으니 이미 점점 멀어져 가는 것이다. 그러므로 다시는 봉양의 예를 쓰지

나아가 앉아서 곡하는데 거적을 깐다.

乃代哭.

그리고는 대신 곡하게 한다.

  如未斂之前, 以至發引.

  염斂하기 전과 같이 하고, 발인까지 한다.

親賓致奠賻.

친척과 손님은 전奠과 부의賻儀를 보낸다.[435]

  如初喪儀.

  초상의 의례와 같다.[436]

....

않는다. 명정은 여전히 받침대를 설치하여 다시 영구 동쪽에 세워야 하는데, 아래 '받침을 제거하고 잡는다.' 는 문구에 의거하여 알 수 있다.(『家禮』大斂殯時, 柩在堂西, 而靈座設於堂中, 則在銘旌與靈牀之前, 而不在 柩前矣. 及此遷于廳事, 而靈座設于柩前, 則是靈座與柩, 皆在堂中, 而靈牀不復設矣. 然則葬時, 雖無徹靈牀之 明文, 而靈牀之自此時已徹, 可知. 蓋自正寢, 遷于廳事, 已是卽遠之漸, 故不復用奉養之禮耳. 銘旌則猶當設 跗, 復立於柩東, 據下去跗執之之文, 可知.)"『家禮增解』권10「遷柩」

435 친척과 손님은 … 보낸다. :『儀禮』「旣夕禮」에 "형제는 賻과 奠을 보내도 괜찮다. 아는 사람은 봉은 보내지만 전은 보내지 않는다.(兄弟賵奠可也. 所知則賵而不奠.)"고 하였다. 이에 대한 주에서 鄭玄은 "형제는 服이 있 는 친척이다. 봉도 보낼 수 있고 전도 보낼 수 있는 것은, 두터운 관계를 허여한 것이다. 봉과 전은 산 자에게 든 죽은 자에게든 양쪽 다 보낼 수 있다. '所知'는 평소에 안부를 물으면서 서로 알고 지내는 사람이니, 형제보 다 내린다. 奠은 죽은 자에게 보내는 것이 지나치므로 전을 보내지 않는 것이다.(兄弟, 有服親者. 可且賵且奠, 許其厚也. 賵奠, 於死生兩施. 所知, 通問相知也, 降於兄弟. 奠, 施於死者爲多, 故不奠.)"고 하였다.
또 이에 대한 소에서 賈公彦은 "무릇 小功服 이하가 형제가 된다. 이미 형제라고 말했으니, 복이 있는 친척임 이 분명하다. 大功服 이상이 아님을 아는 것은 대공복 이상은 재물을 함께 하는 의리가 있어 봉과 전을 보내는 법이 없기 때문이다. 여기서는 아는 사람은 봉을 보내는 것을 허여하고 전을 보내는 것을 허여하지 않았으며, 형제에 대해서는 봉과 전 둘 다를 허여하였다. 앞의 經文에서도 또한 賓에게 賵·奠·賻 등 세 가지가 있었는데, 거기에서도 또한 모두 한 번에 행하지 못함을 보였다. 三禮 중에서, 있으면 그중 어떤 것이든 그 하나를 행할 수 있음을 보였기 때문에 총괄해서 보인 것이다.(凡小功以下爲兄弟. 既言兄弟, 明有服 親者也. 知非大功以上者, 以大功以上有同財之義, 無致賵奠之法. 此所知許其賵, 不許其奠, 兄弟許貳賵兼 奠, 而上經亦賓而有賵有奠有賻三者, 彼亦不使竝行俱見之. 見三禮之中, 有則任行其一, 故總見之.)"고 하였다.
초상집에 도와주는 물건으로는 賵·奠·賻 이외에도 含·襚가 있다. 孔穎達은 "賵·賻·含·襚는 모두 상례 에 보내주는 물건이다. 봉은 수레·말이고, 부는 재물·비단이고, 함은 주옥이고, 수는 옷인데, 총괄하여 贈이라고 하니, 증은 보낸다는 뜻이다.(賵賻含襚皆贈喪之物. 賵, 車馬, 賻, 財帛, 含, 珠玉, 襚, 衣物, 總謂之 贈, 贈, 送也.)"(『禮記』「文王世子」'至于賵賻承含'의 孔穎達疏)라고 하였고, 元 敖繼公은 奠에 대해 "奠은 보내와서 장례 奠의 물건으로 할 수 있는 것을 말한다.(奠謂致可以爲葬奠之物也)"(『儀禮集說』卷13 '若奠'의 敖繼公集說)라고 하였다.

436 초상의 의례와 같다. : 앞의 「弔·奠·賻」 조목을 가리켜 말한 것이다.
"程子가 부친의 장례를 치를 때에 周恭叔(周行己)에게 빈 접대를 주관하도록 하였다. 빈이 술을 마시고 싶어

陳器.

기물을 진설한다.[437]

> 方相在前, 狂夫爲之, 冠服如道士, 執戈揚盾. 四品以上四目爲方相, 以下兩目爲魌頭. 次
> 明器·下帳·苞·筲·甖, 以牀昇之. 次銘旌, 去跗執之. 次靈車, 以奉魂帛香火. 次大轝,
> 轝旁有翣, 使人執之.

방상시方相氏[438]가 앞에 있으니 광부狂夫가 하게하고[439] 관복을 도사처럼 입고서 창을 잡고 방패

. . . .

하여 주공숙이 이를 아뢰자 선생이 말하였다. '사람(나)을 악에 빠뜨리지 말라.'(程子葬父, 使周恭叔主客. 客欲酒, 恭叔以告, 先生曰, '勿陷人於惡.')『二程外書』권7

주자는 "상례를 치를 때는 그저 평소의 음식으로 객을 접대해야 한다. 祭饌 중에 '냄새나는 葷食'은 단지 하인에게 나누어 주는 것이 좋다.(喪葬之時, 只當以素食待客. 祭饌葷食, 只可分與僕役.)"고 하였다. 『朱子語類』권9, 45조목

437 기물을 진설한다. : 『禮記』「喪服小記」에 "明器를 펼쳐놓는 방법은 많이 펼쳐놓았다가 줄여서 들여도 되고 줄여서 펼쳐놓았다가 모두 들여도 된다.(陳器之道, 多陳之而省納之可也, 省陳之而盡納之可也.)"고 하였다. 이에 대한 集說에서 陳澔는 다음과 같이 말했다. "陳器'는 장사를 지낼 때 함께 부장하는 명기를 진열하는 것이다. 무릇 붕우나 빈이 贈贈한 명기는 모두 진열해야 하는데, 이것이 이른바 '많이 펼쳐놓는다.'는 것이다. 壙中에 넣는 것은 일정한 수가 있으므로 '줄여서 들여도 된다.'고 한 것이다. '省'은 '줄이다.'이다. 주인이 만든 명기는 예에 의거하여 한도가 있으므로, '줄여서 펼쳐놓았다가 모두 들여도 된다.'고 한 것이다.(陳器, 陳列從葬之明器也. 凡朋友賓客所贈遺之明器, 皆當陳列, 所謂'多陳之'也. 而所納於壙者有定數, 故云'省納之可也.' 省, 減殺也. 若主人所作者, 依禮有限, 故云'省陳之而盡納之可也.')

438 方相氏 : 귀신을 쫓는 의식에 쓰이는 儺者(나자 : 疫鬼를 쫓는 자) 중의 하나이다. "곰가죽을 쓰고 금빛 눈을 4개 달았으며 검은 상의에 붉은 치마를 입고 창과 방패를 들었다.(蒙熊皮, 黃金四目, 玄衣朱裳, 執戈揚盾)"(『周禮』「夏官 司馬」 方相氏 조목). 방상시의 험악한 모습은 비정상적인 기괴한 표정을 드러내어 악귀를 쫓고자 하는 데서 비롯되었다.

『事物紀元』에 "「軒轅本紀」에 '헌원씨가 周遊할 적에 元妃인 螺祖가 길에서 죽었다. 次妃인 嫫母에게 감시하고 보호하게 하자 방상시를 두었다.'고 하였다. 防喪이라고도 하는데, 이것이 그 시원일 것이다.(軒轅本紀曰, '帝周游時, 元妃螺祖死于道, 令次妃嫫母監護, 因置方相.' 亦曰, '防喪', 此盖其始也.)"고 하였다.

원래 중국에서 고대 周나라 이래로 葬禮 풍습에서 악귀를 몰아내는 의미로 사용되던 것이 한국에서는 5, 6세기경 신라시대부터 장례와 驅儺儀式에 사용되었다는 기록이 보인다. 궁중에서 儺禮儀式에 방상시를 이용했다는 기록은 『東國文獻備考』에 "그날 방상시가 가면을 썼는데 황금 눈이 4개다.(其日, 方相氏着假面, 黃金四目.)"라는 글이 보인다. 중국사신 등의 영접에도 악귀를 쫓는 뜻으로 사용되었다. 그후 차차 용도가 변해 장례 때 악귀를 쫓을 목적으로 상여 앞에 세우기도 했다. 공식적으로 가장 크게 방상시가 동원된 사례는 마지막 國喪인 고종황제의 장례식이었다. 실물로 온전하게 남은 것은 창덕궁에서 발견된 조선시대 유물인데, 이 가면이 당시 국장 때 사용되었던 것인지 여분으로 만들어진 것인지 확실하게 알 수 없다. 재료는 松栢을 사용했으며 홍록색의 안료를 칠한 흔적이 보인다. 最古의 방상시 가면 유물로는 壺杆塚(경주시 노서동에 있는 신라고분)에서 출토된 4目의 木心漆面을 꼽으며 중요민속자료 제16호로 지정되어 있다.

439 狂夫가 하게 하고 : 『禮記』「月令」 '命國難' 大全 소에서 方愨은 "'역귀를 쫓는 일驅儺'은 狂夫가 하게 하는데, 狂疾狂疽은 陽이 남아도니, 양이 남아돌면 음의 사특함을 이길 수 있기 때문이다.(難, 以狂夫爲之, 狂疾以陽有餘, 唯陽有餘, 足以勝陰慝故也.)"고 하였다.

를 든다. 4품 이상은 눈이 네 개 있는 방상으로 하고, 4품 이하는 눈이 두 개 있는 기두魌頭로 한다.[440] 다음으로 명기明器·하장下帳·포포·소쑟·앵뾅을 상에 담아 마주 들고 간다. 이어 명정은 받침대를 제거하고 들고 간다. 그 다음으로 영거에 혼백과 향불을 모신다. 그 다음에는 대여大 轝이니, 대여 옆에 삽翣을 두어 사람들이 잡게 한다.

[20-10-3-1]

劉氏璋曰: "司馬溫公喪禮陳器篇內, 於下帳之下, 有曰上服二字者. 註云, '有官則公服靴笏 幞頭, 無官則襴衫鞋履之類.' 又'大轝旁有翣, 貴賤有數, 庶人無之.' 今書雖不曾載, 姑附 此, 亦備引用."

유장劉璋이 말했다. "사마온공司馬溫公[司馬光]의 「상례」「진기陳器」편[441] 속에는 '하장下帳' 아래에 '상복上服'이라는 두 글자가 있다. 그 주에는 '관직이 있으면 공복公服·화靴·홀笏·복두幞頭, 관직이 없으면 난삼襴衫·혜鞋·리履 따위이다.'고 하였다. 또 '대여 옆에 삽翣을 두는데 귀천에 따라 일정한 수가 있고, 서인庶人은 없다.'고 하였다. 지금 이 책에는 실려 있지 않으니, 임시로 여기에 부기하여 인용에 대비한다."

[20-10-4]

日晡時設祖奠.

당일 포시晡時[442]에 조전祖奠[443]을 차린다.

饌如朝奠. 祝斟酒訖, 北向跪告曰, "永遷之禮, 靈辰不留, 今奉柩車, 式遵祖道." 俛伏興. 餘如朝夕奠儀.

음식은 조전朝奠과 같이 한다. 축관은 술을 따르고 나서 북향하여 꿇어앉고는 "영원히 옮겨가는 예를 행함에 좋은 날은 머물러 있지 않으니, 이제 영구 수레에 모시고서 길 떠날 의식을 준행합니다."고 하고, 엎드렸다가 일어난다. 나머지는 조석전朝夕奠의 의례와 같이 한다.

○ 司馬溫公曰: "若柩自他所歸葬, 則行日但設朝奠哭而行. 至葬乃備此, 及下遣奠禮."[444] 사마온공司馬溫公[司馬光]이 말했다. "영구가 다른 곳에서 돌아와 장사 지내는 경우에는 떠나는 날 은 조전朝奠만을 차리고 곡을 하며 떠나며, 장사를 지낼 때에는 바로 이 조전祖奠과 다음에 나오는 견전례遣奠禮를 갖춘다."

---

440 方相과 魌頭의 묘사는 부록 그림 73 참조
441 『書儀』 권8
442 晡時: 申時(15시~17시)이다.
443 祖奠: 죽은 사람이 길을 떠나는 것을 전송하면서 지내는 제사이다. 여기에서 "'祖'는 죽은 사람이 길을 떠나는 것을 말한다.(死者將行曰'祖'.)"『家禮輯覽』(『沙溪全書』권29)「遷柩·朝祖·奠·賻·陳器·祖奠」
444 『書儀』 권8「遣奠」: 若柩自他所將歸葬鄕里, 則但設酒果或脯醢, 朝哭而行. 至葬日之朝, 乃行遣奠, 及讀賻禮

[20-11-0]

遣奠 견전

[20-11-1]

厥明, 遷柩就擧.

다음 날, 영구를 대여大擧로 옮긴다.

> 擧夫納大擧於中庭, 脫柱上橫扃. 執事者徹祖奠. 祝北向跪告曰, "今遷柩就擧. 敢告." 遂遷
> 靈座置傍側. 婦人退避. 召役夫遷柩就擧. 乃載, 施扃加楔, 以索維之, 令極牢實. 主人從柩
> 哭降視載. 婦人哭於帷中. 載畢, 祝帥執事者, 遷靈座于柩前南向.

상여꾼은 대여를 뜰 중앙中庭[445]에 들여놓고, 기둥 위에 가로놓인 빗장을 빼낸다. 집사자는 조전
祖奠을 거두면, 축관은 북향하여 꿇어앉고는 "지금 영구를 대여로 옮깁니다. 감히 아룁니다."고
하고, 마침내 영좌靈座를 옮겨 옆에 놓으면, 부인은 물러나 피한다. 일꾼을 불러 영구를 대여로
옮기고, 마침내 영구를 신고서 빗장을 지르고 쐐기를 박고서는 새끼로 묶어 아주 단단하게 한다.
주인은 영구를 따라 곡하고 내려와 신는 것을 살피고, 부인은 휘장 안에서 곡한다. 신고 나면
축관은 집사자를 거느리고 영좌를 영구 앞으로 남향하도록 옮긴다.

[20-11-1-1]

> 司馬溫公曰 : "啓殯之日, 備布三尺, 以盥濯灰治之布爲之. 祝御柩執此以指麾役者."[446]

사마온공司馬光이 말했다. "계빈啓殯하는 날 베 3척을 준비하되, 잿물로 빨아 길들인 베로 만들고,
축관은 영구를 인도할 때 이것을 들고 일꾼들을 지휘한다."[447]

· ·

445 뜰 중앙中庭: 청사 앞, 대문 안의 뜰이다.

446 『書儀』권8「啓殯」: 『書儀』본문에 "계빈하는 날 일찍 일어나 집사자는 영당 앞 계단 위와 청사 중앙에
자리를 세로로 깔고 이어서 청사에는 휘장을 친다. 길이가 3척인 功布를 준비한다.(啓殯之日, 夙興, 執事者
縱置席於影堂前階上及聽事中央, 仍帷其聽事. 備功布長三尺.)"고 하였고, 이에 대한 주에 "조금 가는 새 베로
만든다. 축관이 영구를 인도할 때 이것을 잡고 일꾼들을 지휘한다.(以新布稍細者爲之, 祝御柩執此, 以指麾
役者也.)"고 하였다. 『儀禮』「士喪禮」에는 "功布는 두드려 잿물로 빨고 길들인 베이다.(功布, 鍛濯灰治之布
也.)"고 하였는데, 『家禮』에서 『書儀』를 인용할 때 '功布'를 '잿물로 빨아 길들인 베(盥濯灰治之布)'로 풀이한
듯이 보인다.

447 축관은 영구를 … 지휘한다.:『儀禮』「旣夕禮」의 주에서 鄭玄은 "(공포는) 柩車大擧의 앞에 자리한다. 길에
높은 곳, 낮은 곳, 기울어진 곳, 무너진 곳이 있으면, 포를 내리거나 쳐들며, 왼쪽으로 하거나 오른쪽으로
하여 조절하는 것이다.(居柩車之前. 若道有低仰傾虧, 則以布爲抑揚左右之節.)"고 하였다.
이에 대한 소에서 賈公彦은 "'길에 낮은 곳이 있다.'는 것은 언덕을 내려갈 때를 말하고, '길에 높은 곳이
있다.'는 것은 언덕을 올라갈 때를 말하며, 기울어진 곳과 무너진 곳은 길 양쪽 가에 수레의 좌우 바퀴자국이
있을 때 높은 곳과 낮은 곳이 있다는 것을 말한다. '포를 내리거나 쳐들며, 왼쪽으로 하거나 오른쪽으로
하여 조절한다.'는 것은 길에 낮은 곳이 있으면 포를 내려서 언덕을 내려간다는 것을 알게 하고, 길에 높은

劉氏璋曰 : "儀禮云, '商祝拂柩用功布, 幠火吳切用侇衾.' 註曰, '商祝, 祝習商禮者. 商人教之以敬於接神. 功布, 拂去棺上塵土. 幠, 覆之, 爲其形露也. 侇之言尸也, 侇衾覆尸之衾也.'"

유장이 말했다. "『의례儀禮』에 '상축商祝은 영구를 털 때 공포功布를 쓰고, 덮을 때에는 「호幠」는 「화火」와 「오吳」의 반절反切이다. 이금侇衾[448]을 사용한다.'고 하였다. 주에는 '상축은 축관으로서 상商나라 예를 익힌 자이다. 상나라 사람들은 신을 접할 때 경건하도록 가르쳤다. 공포功布[449]는 관 위의 먼지나 흙을 털어내는 것이다. 「호幠」는 「덮다」이니, 그 형체가 드러나기 때문이다. 이侇는 시신을 말하니, 이금은 시신을 덮는 이불이다.'고 하였다."[450]

乃設遣奠.

견전遣奠을 차린다.

饌如朝奠, 有脯. 惟婦人不在. 奠畢, 執事者徹脯納苞中, 置輴牀上. 遂徹奠.

음식은 조전朝奠과 같으나 포脯가 있다. 다만 부인은 참여하지 않는다. 견전례를 마치면 집사자는 포脯를 거두어 포苞 안에 넣고는[451] 들고 갈 상牀 위에 놓고, 마침내 전을 치운다.

- -

곳이 있으면 포를 쳐들어 언덕을 올라간다는 것을 알게 하는 것을 말한다. '왼쪽으로 하거나 오른쪽으로 한다.'는 것은, 길이 기울어지거나 무너져 높거나 낮을 경우, 그 포를 왼쪽으로 하거나 오른쪽으로 하여 길에 기울거나 무너진 곳이 있음을 알게 하는 것을 말한다.('道有低', 謂下坂時, '道有仰', 謂上坂時, '傾虧', 謂道之兩邊, 在車左右轍有高下. 云'以布爲抑揚左右之節'者, 道有低, 則抑下其布, 使知下坂, 道有仰, 則揚擧其布, 使知上坂. 云'左右'者, 謂道傾虧高下, 則左右其布, 使知道之有傾虧也.)고 하였다.

448 侇衾 : 靈柩를 덮는 이불로 柩衣라고도 한다. 『禮記』「喪大記」에 "소렴 이후에는 이금을 쓰는데, 이금의 質과 殺를 재단하는 방법은 冒를 만드는 법과 같다.(小斂以往, 用夷衾, 夷衾質殺之裁, 猶冒也.)"고 하였다. 이에 대한 集說에서 陳澔는 "소렴 때에는 冒가 있으므로 衾을 쓰지 않는다. 소렴을 마친 이후로는 이금을 써서 시신을 덮는다.(小斂有此冒, 故不用衾. 小斂以後則用夷衾覆之.)"고 하였다.
   그러나 『儀禮』「旣夕禮」의 소에서 賈公彦은 다음과 같이 말한다. "夷衾은 본래 상구를 덮으려는 것이다. 그러므로 斂을 할 때에는 쓰지 않는다. 이때(계빈할 때) 棺을 덮었으니, 이 뒤 祖廟를 찾아뵐 때나 入壙下棺할 때에는 비록 이금을 쓴다고 말하지 않았어도, 또 철거한다는 글이 없어도, 관을 덮는 것으로 말하자면, 영구를 따라 입광해야 하는 것이다.(夷衾本擬覆柩. 故斂時不用. 今得覆棺, 於後朝廟及入壙, 雖不言用夷衾, 又無徹文, 以覆棺言之, 當隨柩入壙矣.)"

449 부록 그림 74 참조

450 『儀禮』에 '商祝은 … 하였다. : 『儀禮』「士喪禮」의 경문과 그에 대한 鄭玄의 주를 인용한 것이다.

451 脯를 거두어 … 넣고는 : '苞'는 이미 흠향하고서 빈에게 俎를 보내는 것을 형상한 것이다. 부모이지만 죽은 뒤에는 빈처럼 대접하는 것이 애통한 정을 나타내는 방법이다. 『家禮輯覽』(『沙溪全書』 권29)「遣奠」

[20-11-2-1]

楊氏復曰 : "高氏禮, 祝跪告曰 '靈輀旣駕, 往卽幽宅. 載陳遣禮, 永訣終天.'"

양복이 말했다. "고씨[高閎]의 예에 '축관은 꿇어앉고 「영이靈輀[大轝]에 이미 멍에를 메었으니, 유택幽宅으로 가십니다. 영구를 싣고서 견전례를 행하오니 영원히 작별이옵니다.」고 아뢴다.'고 하였다."

[20-11-2-2]

"載, 謂升柩於轝也. 以新組左右束柩於轝, 乃以橫木楔柩足兩旁, 使不動搖."

(양복이 말했다.) "'재載'는 대여에 영구를 올려놓는 것을 말한다. 새 끈으로 영구를 대여 좌우로 묶고는 횡목으로 영구 받침 양 옆에 쐐기를 박아 움직이지 않도록 한다."

[20-11-3]

祝奉魂帛, 升車焚香.

축관은 혼백을 모셔다 영거靈車에 올리고서 분향한다.

別以箱盛主, 置帛後. 至是婦人乃蓋頭出帷, 降階立哭. 守舍者哭辭盡哀, 再拜而歸. 尊長則不拜.

따로 상자에 신주를 담아 혼백 뒤에 둔다. 이때부터 마침내 부인은 개두蓋頭를 하고 휘장을 나와 계단을 내려가 서서 곡한다. 집을 지키는 자는 애통함을 다하여 곡하고 하직하고는 재배하고 돌아간다. 존장은 절하지 않는다.

[20-12-0]

發引 발인

[20-12-1]

柩行.

영구가 떠난다.

方相等前導, 如陳器之敍.

방상시 등이 앞에서 인도하고, 기물은 진열한 순서대로 간다.[452]

主人以下男女哭步從.

주인 이하 남녀는 곡하며 걸어서 따라간다.[453]

. . . .

452 發引 행렬의 묘사는 부록 그림 75 참조

453 주인 이하 … 따라간다. : 묘소가 멀리 있거나 병이 들어 걸어서 갈 수 없을 경우, 沙溪는 "모든 예경에서는

如朝祖之敍. 出門則以白幕夾障之.

조묘祖廟를 찾아뵐 때의 순서와 같이 하고, 문을 나가면 흰 장막으로 양 옆을 가린다.

尊長次之, 無服之親又次之, 賓客又次之.

존장이 그 다음이고, 복이 없는 친척이 또 그 다음이며, 빈이 또 그 다음이다.

皆乘車馬. 親賓或先待於墓所, 或出郭哭拜辭歸.

모두 수레나 말을 탄다. 친척과 빈은 먼저 묘소에 가서 기다리거나, 혹은 성곽을 나가 곡하고 절하고는 작별하고 돌아간다.

親賓設幄於郭外道旁, 駐柩而奠.

친척과 빈은 성곽 밖 길옆에 장악帳幄을 치고서 영구를 멈추게 하여 전奠을 올린다.[454]

如在家之儀.

집에 있을 때의 의례처럼 한다.

塗中遇哀則哭.

도중에 슬픔이 북받치면 곡한다.

효자가 영구를 따를 때, 수레와 말을 타는 것을 허락하지 않았다. 그 때문에 『家禮』에서는 오직 常禮만을 말했을 뿐, 變禮는 언급하지 않았다. 또 살펴보니 『開元禮』에 '성곽을 나가면 친족이나 빈 중에 돌아갈 사람들은 영구를 실은 수레를 임시로 멈추게 하고, 내외의 높은 항렬들은 모두 車馬에서 내려 차례대로 서서 곡하고, 친족과 빈은 차례대로 영구를 실은 수레의 왼쪽에 나아가서 서서 곡하며, 항렬이 낮은 자는 재배하고서 물러난다. 친족과 빈이 이미 돌아가고 나면 내외의 사람들이 수레나 말을 탄다.'고 하였고, 그 주에는 '墓가 멀거나 병이 들어 걸을 수 없는 자는 堊車(흰색 수레)를 타고 墓域 300보 앞에서 모두 내린다.'고 하였다.(凡禮, 孝子從柩者, 不許乘車馬. 故『家禮』只言其常, 不及其變. 且按『開元禮』, '出郭, 若親朋還者, 權停柩車, 內外尊行者, 皆下車馬, 序立哭, 親賓以次就柩車之左, 立哭, 卑者再拜而退. 親賓旣還, 內外乘車馬.' 註, '墓遠及病不堪步者, 乘堊車, 去塋三百步皆下.')"고 하였다.

454 친척과 빈은 … 올린다. : 『五禮儀』의 "친척과 빈은 영구를 멈추게 하고 전을 올린다.(親賓駐柩而奠.)"라는 조목 아래 "바로 路祭이다.(卽路祭.)"고 하였다.
沙溪는 "살펴보니, 『儀禮』「旣夕禮」의 記에 '오로지 임금의 명에 의해서만 길에서 영구를 멈출 수 있을 뿐, 그 밖에는 상구를 멈추지 않는다.'고 하였다. 이에 대한 주에서 (정현은) '감히 神을 머물러 있게 하지 못하는 것이다.'고 하였다. 또 살펴보니, 『開元禮』에 '성곽을 나가면, 친족이나 빈 중에 돌아갈 사람들은 영구를 실은 수레를 임시로 멈추고는 차례대로 나아가 곡하며 슬픔을 다한다. 항렬이 낮은 자는 재배하고 물러난다.' 고 하였을 뿐, 이른바 '영구를 멈추게 하고 전을 올린다.'는 설은 없다. 이 예가 어느 책에서 나온 것인지 잘 모르겠으나, 아마 또한 당시의 俗禮를 溫公(司馬光)이 『書儀』에 채록해 넣었고, 『家禮』가 그것을 따른 듯하다.(按「旣夕」記, '惟君命止柩于堩, 其餘則否.' 註'不敢留神也.' 又按『開元禮』, '出郭, 若親朋還者, 權停柩車, 以次就哭盡哀. 卑者再拜而退,' 無所謂'駐柩而奠'之說. 未知此禮出於何書也, 疑亦當時俗禮, 而溫公『書儀』采入, 而『家禮』因之.)"고 하였다.

若墓遠, 則每舍, 設靈座於柩前, 朝夕哭奠. 食時上食. 夜則主人兄弟皆宿柩旁, 親戚共守衛之.

묘소가 멀 경우에는 머물 때마다[455] 영구 앞에 영좌를 설치하고 아침저녁으로 곡하고 전을 올리고, 식사 때에는 음식을 올린다. 밤이 되면 주인과 형제는 모두 영구 옆에서 자고 친척도 함께 지킨다.

[20-13-0]

及墓 급묘, 下棺 하관, 祠后土 사후토, 題木主 제목주, 成墳 성분

[20-13-1]

未至, 執事者先設靈幄,

도착하기 전에 집사자가 먼저 영악靈幄을 설치하고,

在墓道西南向, 有椅卓.

묘도墓道 서쪽에 남향하여 교의와 탁자를 놓는다.

親賓次,

친척과 빈의 상차喪次,

在靈幄前十數步, 男東女西. 次北與靈幄相直皆南向.

영악 앞 십여 걸음쯤에 남자는 동쪽, 여자는 서쪽에 자리를 한다. 상차는 북쪽으로 영악과 서로 직선이 되게 하되 모두 남향한다.

婦人幄.

부인의 장악帳幄을 설치한다.

在靈幄後壙西.

영악의 뒤, 광壙의 서쪽에 있다.

方相至.

방상시方相氏가 도착한다.

以戈擊壙四隅.

창으로 광壙의 사방 모퉁이를 친다.[456]

455 머물 때마다 : 『周禮』의 주에 "'舍'는 짐을 풀고 머무는 곳이다.(舍, 所解止之處.)"고 하였다. 『韻書』에는 "35리가 1舍이다.(三十五里, 爲一舍.)"고 하였다.
456 창으로 壙의 … 친다. : 『周禮』에 "묘소에 도착하여 壙에 들어갈 때 창으로 네 귀퉁이를 쳐서 方良을 몰아낸

明器等至.

명기 등이 도착한다.

> 陳於壙東南北上.
>
> 광광壙의 동남쪽에 진열하되 북쪽이 상석上席이다.

靈車至.

영거가 도착한다.

> 祝奉魂帛就幄座. 主箱亦置帛後.
>
> 축관은 혼백魂帛을 모시고 영악靈幄의 영좌靈座로 나아가며, 신주 상자 또한 혼백의 뒤에 둔다.

遂設奠而退.

그러고는 전을 진설하고 물러난다.

> 酒果脯醢.
>
> 술·과일·포·육장[醢]을 차린다.[457]

柩至.

영구가 도착한다.

> 執事者先布席於壙南. 柩至, 脫載置席上北首. 執事者取銘旌去杠置柩上.
>
> 집사자는 먼저 광광壙의 남쪽에 자리를 편다. 영구가 도착하면 실은 것을 꺼내 자리 위에 놓고 머리를 북쪽으로 둔다.[458] 집사자는 명정銘旌을 가져다 장대를 제거하고 영구 위에 놓는다.

· ·

다.(及墓入壙, 以戈擊四隅, 毆方良.)"고 하였다. 이에 대한 주에서 鄭玄은 "方良은 罔兩이다. 천자의 槨은 측백나무의 黃腸으로 속을 만들고 겉은 돌로 만드는데, 『國語』에 '나무와 돌로 된 괴물이 夔罔兩이다.'고 하였다.(方良, 罔兩也. 天子之槨, 柏黃腸爲裏, 而表以石焉, 國語曰, '木石之怪, 夔罔兩.')"고 하였다. 鄭鍔은 "장례 때 나무와 돌을 쓰는데, 나무와 돌은 오래되면 변하여 괴물이 생겨나므로 처음 장사 지낼 경우에 몰아내는 것이다. 이 또한 厭勝(엽승: 해로운 기를 억눌러 이기는 것)의 술책이다.(葬則用木石, 木石久而變, 恠生, 故始葬則毆之. 亦厭勝之術也.)"고 하였다.

457 술·과일 … 차린다. : "영좌 앞 탁자에 차린다.(設於靈座前卓子.)" 『喪禮備要』(『沙溪全書』 권33) 「及墓」

458 머리를 북쪽으로 둔다. : 『禮記』 「檀弓下」에 "北方에 머리를 북쪽으로 두고 장사 지내는 것은 三代(夏·殷·周)에 통용되던 예이니, 어두운 곳으로 가기 때문이다.(葬於北方北首, 三代之達禮也, 之幽之故也.)"라고 하였다. 이에 대한 集說에서 陳澔는 "북방은 國城의 북쪽이다. 殯할 때 여전히 머리를 남쪽으로 두는 것은 차마 어버이를 귀신으로 대할 수 없기 때문이다. 장사를 지내면 죽은 자의 일이 끝난다. 그러므로 장사 지낼 때에는 북쪽으로 머리를 두는 것이니, 三代가 이 예를 사용하였다. 남방은 환하고 밝으며, 북방은 그윽하고 어둡다. '어두운 곳으로 간다.'는 것은 북쪽으로 머리를 두는 뜻을 풀이한 것이다.(北方, 國之北也. 殯猶南首, 未忍以鬼神待其親也. 葬, 則終死事矣. 故葬而北首, 三代通用此禮也. 南方, 昭明, 北方, 幽暗. 之幽, 釋所以北首之義)"하였다. 또 方慤은 "남방은 陽으로서 밝고 북방은 陰으로서 어둡다. 사람이 태어날 때에는

主人男女各就位哭.

주인과 남녀는 각각 자리에 나아가 곡한다.[459]

> 主人諸丈夫立於壙東西向. 主婦諸婦女立於壙西幄内東向. 皆北上. 如在塗之儀.
>
> 주인과 모든 장부는 광의 동쪽에서 서향하여 서고, 주부와 모든 부녀자는 광의 서쪽에 있는 장막 안에서 동향하여 서되, 모두 북쪽을 상석上席으로 하고, 길에서 하는 의식처럼 한다.

賓客拜辭而歸.

빈은 절을 하고서 작별하고 돌아간다.[460]

. . . .

어둠에서부터 밝음으로 나온다. 그러므로 산 사람은 남쪽을 향하는 것이다. 죽게 될 때에는 밝음에서부터 어둠으로 돌아간다. 그러므로 죽은 자는 머리를 북쪽으로 두는 것이다. 모두 陰陽의 이치에 순응할 뿐이다. 삼대 시대의 예가 비록 화려함과 질박함의 변천이 있지만, 장사 지낼 때 북방에서 북쪽으로 머리를 두는 일은 모두 다 시행되었으니, 모두 죽은 자가 어둠으로 돌아가는 것에 순응하였기 때문이다.(南方, 以陽而明, 北方, 以陰而幽. 人之生也, 則自幽而出乎明. 故生者南鄉. 及其死也, 則自明而反乎幽. 故死者北首. 凡以順陰陽之理而已. 三代之禮, 雖有文質之變, 至於葬之北方北首, 則通而行之者, 皆所以順死者之反乎幽故也.)고 하였다.

459　주인과 남녀는 … 곡한다. : 『儀禮』「既夕禮」에 "주인은 袒하고 衆主人은 서향하는데 북쪽이 상석이다. 부인은 동향한다.(主人袒, 衆主人西面, 北上. 婦人東面.)"고 하였다. 그 주에서 鄭玄은 "羨道(墓道) 옆에 자리한다.(俠羨道爲位.)"고 하였다. 그 소에서 賈公彦은 "주인이 袒하는 것은 하관을 위해 변복하는 것이다.(主人袒者, 爲下棺變.)"고 하였다.

460　빈은 절을 … 돌아간다. : 『禮記』「雜記下」에 "서로 이름만 알던 사이에는 영구가 廟宮을 나갔을 때 물러가며, 서로 揖한 사이에는 哀次(애통해하며 슬픔을 표하는 곳)에서 물러가며, 서로 안부를 묻던 사이에는 下棺한 뒤에 물러가며, 서로 幣帛을 주고받던 사이에는 反哭한 뒤에 물러가며, 친구 사이에는 虞祭와 祔祭가 끝난 뒤 물러간다.(相趨也, 出宮而退, 相揖也, 哀次而退, 相問也, 既封而退, 相見也, 反哭而退, 朋友, 虞祔而退.)"고 하였다. 이에 대한 集說에서 陳澔는 "조문하는 예에는 은정과 의리에 두터움과 얇음이 있기 때문에 물러가거나 머무르는데 더디고 빠른 차이가 있다.(弔喪之禮, 恩義有厚薄, 故去留有遲速.)"라고 하였다.

또 소에서 孔穎達은 "'相趨'는 효자와 본래 서로 면식이 없고, 그저 이름만 들었을 뿐인데 조문하러 온 것을 말한다. 정이 이미 가볍기 때문에 靈柩가 廟宮의 문을 나갔을 때 물러간다. '相揖'은 다른 곳에서 만나 서로 읍했던 사이를 말한다. 은정이 약간 깊기 때문에 영구가 출발하여 대문 밖의 哀次에 이를 때 물러간다. '相問'은 일찍이 서로 선물을 주고받던 일이 있던 사이를 말한다. 은정이 더욱 깊기 때문에 하관이 끝나고서 물러간다. '相見'은 몸소 폐백을 들고 왕래했던 사이를 말한다. 은정이 더욱 두텁기 때문에 장사를 마치고 효자가 반곡하며 집으로 돌아온 뒤에 물러간다. 친구는 지난날 정이 무겁고 사나 죽으나 똑같이 깊기 때문에 虞祭와 祔祭가 끝난 뒤 물러간다.(相趨, 謂與孝子本不相識, 但相聞姓名, 而來會趨喪也. 情既輕, 故柩出廟之宮門而退去. 相揖, 謂經會他處, 已相揖者也. 恩微深, 故待柩出至大門外之哀次而退去也. 相問, 謂曾相餉遺. 恩轉深, 故至窆竟而退也. 相見, 謂身經自執摯相詣往來, 恩轉厚, 故至葬竟, 孝子反哭還至家時而退也. 朋友疇昔情重, 生死同殷, 故至主人祔而退也.)"고 하였다.

『常變通攷』에서 柳長源은 "이러한 관점에서 말한다면, 장사 지내고 나서 물러간다면 이는 서로 만났을 때 안부를 묻는 사이의 빈이니, 중간을 들어서 위와 아래의 항목들을 보인 것이다.(以此而言, 此既葬而退, 是相見問遺之賓, 擧中以見上下.)"고 하였다. 『常變通攷』 권16 「빈들은 절을 하고서 작별하고 돌아감(賓客拜辭而歸)」

主人拜之. 賓答拜.

주인이 절하면 빈은 답배한다.

乃窆.

하관한다.[461]

> 先用木杠橫於灰隔之上, 乃用索四條, 穿柩底鐶, 不結而下之. 至杠上, 則抽索去之. 別摺細布若生絹, 兜柩底而下之. 更不抽出, 但截其餘棄之. 若柩無鐶, 即用索兜柩底兩頭放下, 至杠上, 乃去索. 用布如前. 大凡下柩最須詳審用力, 不可誤有傾墜動搖. 主人兄弟宜輟哭, 親臨視之. 已下再整柩衣銘旌, 令平正.

> 먼저 나무장대를 회격灰隔 위에 가로질러 놓고는, 새끼줄 네 가닥을 영구 바닥의 쇠고리에 끼워 묶지 않은 채 내린다. 장대 위에 놓이면 새끼줄을 뽑아 제거하고, 따로 가는 베나 생견生絹을 접어 영구 밑으로 넣어서 내리며, 다시 빼내지 않고 다만 그 나머지를 잘라버린다. 영구에 쇠고리가 없는 경우에는 새끼줄을 영구 바닥의 양쪽 끝으로 넣어서 내리고, 장대 위에 놓이면 새끼줄을 제거한다. 베를 사용하는 것은 앞과 같다.[462] 대개 영구를 내릴 때에는 가장 세심하게 살피면서 힘을 써야 하니, 잘못하여 기울어져 떨어지거나 흔들려서는 안 된다.[463] 주인과 형제들은 마땅히 곡을 멈추고 몸소 가서 살펴보아야 한다. 내리고 나서는 영구를 덮은 옷[464]과 명정을 다시 정돈하여 평평하고 바르게 해야 한다.[465]

主人贈.

주인은 현훈玄纁을 드린다.[466]

．．．．．．．．．．．．．．．．．．．．

『禮記』「檀弓下」에 "장사 지낼 때 조문하는 자는 반드시 상여줄[引]을 잡는다. 영구를 따라 壙까지 가는 경우에는 모두 관줄(綍)을 잡는다.(弔於葬者, 必執引. 若從柩及壙, 皆執綍.)"고 하였다. 그에 대한 주에서 鄭玄은 "'引'은 영구 수레의 새끼줄을 당기는 것이고, '綍'은 棺의 새끼줄을 당기는 것이다.(引, 引柩車之索也, 綍, 引棺索也.)"고 하였다. 그에 대한 소에서 孔穎達은 "'引'은 '길고 멀대[長遠]'는 말이다. 그러므로 수레에 있으니, 수레는 갈 길이 멀기 때문이다. '綍'은 '들어 올리다[撥擧]'는 뜻이다. 그러므로 棺에 있으니, 관을 들어 올릴 뿐 길거나 멀지 않기 때문이다.(引者, 長遠之名, 故在車, 車行遠也. 綍是撥擧之義. 故在棺, 棺惟撥擧不長遠也.)"고 하였다.

461 하관한다. : "茵席(관 아래 까는 자리)을 먼저 들인다.(茵先入)." 『儀禮』「旣夕禮」. "장사는 비 때문에 중지하지 않는다.(葬不爲雨止.)" 『禮記』「王制」

462 먼저 나무장대를 … 같다. : "경우에 따라 두 기둥과 轆轤(도르레)를 사용하기도 하는데, 매우 편하고 좋다.(或用兩柱轆轤, 極便好)." 『喪禮備要』(『沙溪全書』 권33)「及墓」. 부록 그림 78 참조

463 下棺에 관한 묘사는 부록 그림 76, 그림 77, 그림 78 참조

464 영구를 덮은 옷: 柩衣는 債衾을 말한다.

465 "翣은 하관한 뒤 광중에 꽂아 두는데「檀弓上」에 '周나라 사람들은 담장으로 삽을 둔다.'는 것이 이것이다.(翣, 旣窆, 樹於壙中. 檀弓曰, '周人牆置翣,' 是也.)" 『儀禮』「喪大記」

466 주인은 현훈을 드린다. : 『禮記』「雜記」의 주에서 鄭玄은 "槨 안에 물건을 넣어 죽은 자를 송별하는 것이다.

玄六纁四, 各長丈八尺. 主人奉置柩旁, 再拜稽顙. 在位者皆哭盡哀. 家貧或不能具此數, 則玄纁各一可也. 其餘金玉寶玩, 並不得入壙, 以爲亡者之累.

검은 비단 여섯과 붉은 비단 넷을 쓰되 각각 길이는 1장 8척이다. 주인은 받들어 영구 옆에 두고는[467] 재배하고 머리를 조아리면, 자리에 있는 사람들은 모두 곡하면서 애통함을 다한다. 집이 가난하여 이 수만큼 구비할 수 없는 경우에는 검은 비단과 붉은 비단 각각 하나씩만 써도 된다. 그 밖의 금·옥·보물·노리개는 결코 광중에 넣어 죽은 자에게 누가 되게 해서는 안 된다.

加灰隔内外蓋.

회격 안팎의 덮개를 덮는다.

先度灰隔大小, 制薄板一片, 旁距四墻, 取令脗合. 至是加於柩上, 更以油灰彌之. 然後旋旋少灌瀝青於其上, 令其速凝, 即不透板. 約已厚三寸許, 乃加外蓋.

먼저 회격의 크기를 헤아려 얇은 판 한 쪽을 만들되, 옆으로 네 회벽과의 거리에 딱 들어맞도록 해서 이제 영구 위에 올려놓고 다시 유회油灰로 틈을 메운다. 그러고는 돌아가며 역청을 그 위에 조금씩 부어 빨리 응고되도록 하면 판에 스며들지 않는다. 대략 두께가 3촌쯤 되면 마침내 바깥 뚜껑을 덮는다.[468]

· ·

(以物送別死者於椁中也.)"고 하였다.

沙溪는 "살펴보니, 『儀禮』「旣夕禮」에 '邦門에 이르면 公이 宰夫를 시켜 玄纁의 束帛(비단 5필을 각각 양쪽 끝에서부터 마주 말아 한 묶음으로 만든 예물)을 드린다.'고 하였는데, 그 주에서 鄭玄은 「邦門」은 「城門(國城의 北門)」이다. 「公」은 나라의 군주이다. 「贈」은 「보내다」이다.'라고 하였으며, 소에서 賈公彦은 '드리는 데 玄纁의 束帛을 쓰는 것은 바로 壙中에 이르러서 하관을 마쳤을 때 주인이 죽은 자에게 드릴 때 현훈의 속백을 쓰는 것이다. 군주가 하사한 물품은 소중한 것이므로 送終에 쓰는 것이다.'고 하였다. 이런 관점에서 본다면, 후세에는 비록 군주가 드리는 예가 없어졌지만, 『家禮』에서 보존한 뜻은 또한 예를 아껴 형식만이라도 보존하려는 뜻일 것이다.(按「旣夕禮」, '至于邦門, 公使宰夫, 贈玄纁束.' 註, '邦門, 城門也. 公, 國君也. 贈, 送也.' 疏, '贈用玄纁束帛者, 即是至壙窆訖, 主人贈死者, 用玄纁束帛也. 以其君物所重, 故用之送終也.' 以此觀之, 後世雖無君贈之禮, 而『家禮』所以存之意, 亦是愛禮存羊之意歟.)"고 하였다. 『家禮輯覽』(『沙溪全書』 권29)「及墓·下棺·祠后土·題木主·成墳」

467 주인은 받들어 … 두고는: "현과 훈을 나누어 양쪽 곁(관과 곽 사이)에 놓아야 할 듯하다.(似當以玄纁分, 置兩旁.)"『家禮輯覽』(『沙溪全書』 권29)「及墓·下棺·祠后土·題木主·成墳」. "주자의 예를 따라 구와 곽 사이에 두되 현은 오른쪽, 훈은 왼쪽에 두어야 한다.(當從朱子禮, 置柩椁之間, 以玄右纁左.)"『宋子大全』 권129「答三錫」

468 먼저 회격의 … 덮는다. : "살펴보니, 內蓋가 바로 이른바 '薄板'이라는 것이고, 外蓋는 바로 이른바 '마침내 바깥 덮개를 덮는다.'는 것이다.(按内蓋, 即所謂薄板也, 外蓋, 即所謂乃加外蓋也.)"『家禮輯覽』(『沙溪全書』 권29)「及墓·下棺·祠后土·題木主·成墳」

實以灰.

회로 채운다.

三物拌勻者居下, 炭末居上, 各倍於底及四旁之厚. 以酒灑而躡實之, 恐震柩中, 故未敢築. 但多用之以俟其實耳.

세 가지(석회·모래·황토)를 골고루 섞어 아래에 깔고 숯가루는 위에 펴되, 각각 바닥과 사방의 두께보다 배가 되도록 한다. 술을 뿌리고 밟아서 채우되,[469] 영구 안이 흔들릴 염려가 있으므로 감히 다지지는 않는다. 다만 많이 써서 견실해지기를 기다릴 뿐이다.

乃實土而漸築之.

그러고는 흙을 채우고 조금씩 다진다.

下土每尺許, 即輕手築之, 勿令震動柩中.

흙을 1척쯤 내려 부을 때마다 가볍게 손으로 다져서 영구 안이 움직이지 않도록 한다.

祠后土於墓左.

묘墓의 왼쪽에서 후토신에게 제사를 지낸다.

如前儀. 祝版同前. 但云, "今爲某官封謚, 窆玆幽宅." 神其後同.

앞의 의례와 같고, 축판도 앞과 같다. 다만 '지금 ○관봉시某官封謚를 이 유택幽宅에 하관합니다.'고 한다. '신기神其'라는 글 이후는 같다.[470]

[20-13-1-1]

劉氏璋曰. "爲父母形體在此, 故禮其神以安之."

유장劉璋이 말했다. "부모의 형체가 여기에 있기 때문에 그 신에게 예를 드려 편하게 하는 것이다."

[20-13-2]

藏明器等.

명기明器 등을 넣는다.

實土及半, 乃藏明器下帳苞筲罌於便房, 以版塞其門.

흙을 채워 반쯤 되면, 마침내 명기·하장下帳·포苞·소筲·앵罌을 편방便房에 넣고 판자로 그 문을 막는다.

. . . .

469 술을 뿌리고 … 채우되: "살펴보니, 지금 세속에서 관에 松烟(소나무를 태운 그을음)을 칠할 때 반드시 술에 타서 칠하는 것은 바로 잘 붙게 하기 위한 뜻이다. 丘濬의 『家禮儀節』에서는 묽은 술을 사용하였다.(按如今俗漆棺松烟, 必以酒和之, 乃得粘之意. 丘儀用淡酒.)" 『家禮輯覽』(『沙溪全書』 권29)「及墓·下棺·祠后土·題木主·成墳」

470 부록 그림 79 참조

下誌石.

지석을 내린다.[471]

> 墓在平地, 則於壙內近南, 先布磚一重, 置石其上. 又以磚四圍之, 而覆其上. 若墓在山側峻處, 則於壙南數尺間, 掘地深四五尺, 依此法埋之.

묘墓가 평지에 있으면 광중 안의 남쪽 가까운 곳에 먼저 벽돌[磚] 한 층을 깔고 그 위에 지석을 놓는다. 또 벽돌로 사방을 둘러싸고 그 위를 덮는다. 묘가 산기슭 험준한 곳에 있으면 광에서 앞쪽으로 몇 자 사이에 4~5자 깊이로 땅을 파고는 이러한 방법으로 묻는다.[472]

復實以土而堅築之.

다시 흙을 채우고 단단히 다진다.

> 下土亦以尺許爲準, 但須密杵堅築.

흙을 붓는 것은 또한 1척쯤을 기준으로 삼되, 다만 공이질을 촘촘하게 하여 단단히 다져야 한다.

題主.

신주를 쓴다.[473]

> 執事者設卓子於靈座東南西向, 置硯筆墨. 對卓置盥盆帨巾如前. 主人立於其前北向. 祝盥手出主臥置卓上, 使善書者盥手西向立, 先題陷中. 父則曰, '故某官某公諱某字某第幾神主,' 粉面曰, '考某官封諡府君神主,' 其下左旁曰, '孝子某奉祀.' 母則曰, '故某封某氏諱某字某第幾神主,' 粉面曰, '妣某封某氏神主,' 旁亦如之. 無官封則以生時所稱爲號. 題畢, 祝奉置靈座, 而藏魂帛於箱中以置其後. 炷香斟酒執版出於主人之右, 跪讀之. 日子同前. 但云, '孤子某敢昭告于考某官封諡府君. 形歸窀穸, 神返室堂. 神主旣成, 伏惟尊靈舍舊從新, 是憑是依.' 畢懷之, 興復位. 主人再拜哭盡哀止. 母喪稱哀子. 後放此. 凡有封諡, 皆稱之.

· ·

471 지석을 내린다. : 주자가 말했다. "일찍이 선배들의 설을 보니, '대체로 지석은 광에서 위로 2, 3척쯤 되는 곳에 있어야 한다. 바로 훗날 어쩌다가 잘못해서 삼태기나 삽에 의해 파헤쳐졌을 때 그래도 중지할 수가 있기 때문이다. 만약 광중에 파묻는다면 이미 시신이 드러나게 될 테니, 혹시 지석이 눈에 띄더라도 아무런 소용이 없게 된다.'고 하였는데, 이 설은 이치가 있다.(嘗見前輩說, '大凡誌石湏在壙上二三尺許, 即它日, 或爲畚鍤誤及, 猶可及止. 若在壙中, 則已暴露矣, 雖或見之, 無及於事也,' 此說有理)." 『朱文公文集』 권63 「答李繼善」(4)

472 부록 그림 80 참조

473 신주를 쓴다. : 陶庵 李縡가 말했다. "신주를 쓰는 항목이 흙을 채운 뒤에 있는 것은 문세가 그렇게 만든 것이지, 반드시 흙을 채우기를 기다린 뒤에 신주를 써야 한다는 말이 아니다. 형체가 무덤 속으로 돌아가면, 神魂은 떠돌아 머물 곳이 없으니, 참으로 속히 신주를 써서 기댈 곳이 있게 해야 한다. '자제를 머물게 하여 흙을 채우는 일을 살피게 한다.'는 다음의 글을 보면 알 수 있다.(題主在實土之後, 文勢使然, 非謂必待實土而後題之. 形歸窀穸, 則神魂飄忽, 無所湊泊, 固當卽速題主, 俾有所憑依. 觀於下文'留子弟監視實土,' 可知矣.)" 『四禮便覽』 권5 「及墓」

後皆放此.

집사자는 탁자를 영좌靈座 동남쪽에 서향하도록 놓고, 벼루·붓·먹을 둔다. 탁자 맞은편에는 대야·물동이·수건을 앞의 경우처럼 놓는다. 주인은 그 앞에 북향하여 선다. 축관은 손을 씻고 신주를 꺼내 탁자 위에 누여놓고, 글씨를 잘 쓰는 사람에게 손을 씻고 서향하여 서서 먼저 함중陷中에 글씨를 쓰게 한다. 부친의 경우에는 '고故 ○관某官 ○공某公 휘○諱某 자○字某 몇째第幾 신주神主'474라고 하고, 분면粉面에는 '고考475 ○관某官476 봉封477 시諡 부군府君 신주'라고 하며,

· ·

474 故 某官 … 신주: 頤菴 宋寅은 神主題式 가운데 '몇째[第幾]'라는 문구에 대해 다음과 같이 말했다. "『家禮』의 陷中에 쓰는 법식은 '故 ○관(某官) ○공(某公) 휘○(諱某) 자○(字某) 몇째[第幾] 신주'인데, 『家禮儀節』에서는 '第幾가 '行幾(항기)'로 되어 있다. 또 『家禮』에서 粉面에 쓸 때에는 屬·稱을 쓴다고 한 부분의 주에 '屬은 高祖·曾祖·祖·考를 말하고, 稱은 벼슬 또는 호칭이나 항렬을 말하니, 예컨대 처사·수재, 몇째 랑, 몇째 공과 같다.'고 하였다. 行과 第 두 글자는 바로 중국의 俗語로 경우에 따라 輩行이라고도 하는데, 예컨대 우리나라에서 칭하는 行列이나 座目과 같은 것이다. 중국인들은 '같은 아버지에게서 태어난 형제(同生兄弟)'에 대해서 멀고 가까움, 남과 여를 구분하지 않은 채 그 순서에 따라 호칭한다. 그중 가장 연장자는 大兄이라고 하고, 둘째와 셋째 이하는 그저 숫자만을 붙일 뿐 일정한 한계가 없으니, 예컨대 崔大·杜二·陳三·盧四·南八·歐九·六嫂·四娘 등에서 볼 수 있다. 친족이 많을 경우에는 50~60명에 이르기도 하는데, 이것은 바로 태어난 순서로서 貴賤·存沒을 기준으로 고치지 못한다. 그러므로 항렬이 높건 낮건, 늙었건 젊었건, 모두 호칭하였다. 우리나라에서는 이런 제도를 쓰지 않기 때문에 『家禮』를 연구하는 사람들도 모르는 경우가 많다. 어떤 사람은 대종과 소종의 분지를 가리킨다고 여기기도 하고, 어떤 사람은 사당에 들어가는 순서를 따지는 것이라고 여기기도 한다. 그렇다면 장차 粉面처럼 세대에 따라 改稱해야 하는가? 어찌 함중은 고치지 않는다는 법식에 모순되는가? 오호라! 이것은 중국에서는 비록 아동이나 부녀자들도 모두 알 수 있는 것인데, 우리 동방에서는 명색이 儒者라고 하는 자들조차도 혹 잘못에 집착하는 경우가 있다. 불행히도 선비가 한 쪽 구석에 태어나는 바람에 이와 같은 점이 있게 된 것이다. 지금 우리나라의 풍속에서는 이미 行과 第의 호칭을 쓰지 않으니, 그렇다면 함중에도 또한 쓰지 않는 것이 올바른 것이다.(『家禮』陷中題式曰, '故某官某公諱某字某第幾神主,' 丘氏『儀節』, 則第幾作行幾. 又於『家禮』題粉面, 書屬稱之註曰, '屬, 謂高曾祖考, 稱, 謂官或號行, 如處士秀才幾郞幾公.' 蓋行第二字, 乃中國俗語, 或云輩行, 如吾東所稱行列座目之語也. 中國人於同生兄弟, 不分遠近男女, 從其次第稱呼. 其最長者謂之大, 其二三以下, 只計數無定限, 如崔大杜二陳三盧四南八歐九六嫂四郞可見. 而族多者, 至五六十外, 此乃天生次第, 不以貴賤存歿而有改. 故爲尊卑老少之通稱. 吾東俗不用此, 故講『家禮』者, 多昧焉. 或以爲應指大小宗分支, 或以爲當計入祠堂次第. 然則將如粉面隨世改稱耶? 何其矛盾於陷中不改之法歟? 嗟乎! 此於中國, 雖兒童婦女皆所能知, 而在吾東, 則名爲儒者, 亦或執迷. 士之生於偏方之不幸, 有如是夫. 今東俗, 旣不用行第之稱呼, 則其於陷中, 亦勿書, 可也.)"고 하였다. 『頤庵先生遺稿』 권9(별집 1) 「禮說」

475 考: 앞의 『家禮圖』에서는 "예경과 『家禮』 舊本에는 高祖考 위에 모두 '皇' 자를 썼었는데 大德(원 成宗 연호) 연간에 省部에서 금지하여 '皇'을 회피하였다. 이제는 '顯' 자를 쓰는 것이 옳다.(禮經及家禮舊本, 於高祖考上, 皆用皇字, 大德年間, 省部禁止回避皇字. 今用顯可.)"고 하였다.
이에 대해 尤庵은 "『家禮』 구본에서는 皇考·皇妣라고 칭했으나 별본에서는 考·妣라고만 칭했다. 오랑캐 元나라에서 '皇' 자를 금지시키고 '顯' 자를 칭하도록 하였는데, 예를 좋아하는 집안에서는 오랑캐 元나라의 제도를 싫어하여 별본을 따라 그저 考·妣라고 칭했을 뿐이다. 그러나 『朱子大全』의 「선조에게 고하는 축문(告先祖祝文)」에 '惟我顯考'라는 문구가 있다. 오랑캐 元나라의 제도도 또한 여기에서 나왔으니, 그대로 현자를 쓴다 한들 혐의할 것이 없겠다. 『家禮』의 축사에 '故' 자를 더한 것은 과연 신주의 제도와 다른 점이

그 아래 왼쪽 옆에는 '효자孝子 아무개 봉사某奉祀'라고 한다. 모친의 경우에는 (함중에) '고故 ○봉某封 ○씨某氏 휘○諱某 자○字某 몇째 신주'라고 하고, 분면粉面에는 '비妣 ○봉某封 ○씨某氏 신주'라고 하며, 옆 또한 부친의 신주와 같게 쓴다. 관직이나 봉호가 없는 경우에는 생시에 부르던 것을 호칭으로 삼는다.[478] 쓰는 일을 마치면 축관은 신주를 받들어 영좌에 놓고 혼백을 상자 안에 넣어 그 뒤에 놓는다. 향을 피우고 술을 따르고는 축판을 들고 주인의 오른쪽으로 나와 꿇어앉아 읽는다. 날짜는 앞과 같다. 다만 '고자孤子 아무개가 감히 고故 ○관某官 봉封 시諡 부군府君께 아룁니다. 형체는 무덤[窀穸][479] 속으로 가셨지만 신령은 집안으로 돌아오십시오. 신주가 이미 완성되었으니, 삼가 바라옵건대[480] 높으신 신령께서는 옛것을 버리고 새것을 좇아 여기에 기대고 여기에 의지하십시오.'라고 한다. 마치면 그것을 품고[481] 일어나서 자리로 돌아간다. 주인은 재배하고 곡하면서 애통함을 다하고는 그친다. 모친상에는 '애자哀子'[482]라고 일컬으며, 뒤에도 이와 같다. 무릇 봉호나 시호가 있으면 모두 그것을 일컬으며, 뒤에도 모두 이와 같다.

[20-13-2-1]

問: "夫在, 妻之神主宜書何人奉祀?"

• •

있는데, 그 이유를 모르겠다.(『家禮』舊本, 稱皇考皇妣, 別本則只稱考妣. 胡元禁皇字而俾稱顯字, 好禮之家, 嫌於胡元之制, 從別本, 只稱考妣矣. 然『朱子大全』「告先祖祝文」, 有'惟我顯考'之文. 胡元之制, 亦出於此, 則仍用顯字, 亦無所嫌耶! 『家禮』祝辭, 加以故字, 果與神主之制有異, 未知所以.)고 하였다. 『宋子大全』 권101 「答鄭景由」 또 南溪 朴世采 또한 "顯考의 칭호는 (송나라 주원양의)『周元陽祭錄』에 보이고, 韓魏公(韓琦)도 그 칭호를 사용했다.(顯考之稱, 見於『周元陽祭錄』, 韓魏公, 亦嘗用之.)고 하였다. 『南溪集』 권28 「答尹子仁」 (庚申二月十八日)

476 ○관某官: 『朱子大全』에 의거하면, 實職을 먼저 쓰고, 贈職(추증된 직)을 뒤에 쓰는 것이 옳다.(據『朱子大全』, 則先書實職, 後書贈職, 爲是.)『宋子大全』 권87 「答尹體元復元」(辛亥三月二十一日)

477 封: "예컨대, 韓琦가 魏國公에 책봉되고, 富弼이 鄭國公에 책봉된 것이다."『家禮增解』 권10 「及墓·下棺·祠后土·題木主·成墳」

478 관직이나 봉호가 … 삼는다.: 沙溪는 "관직이 없는 자는 학생으로 칭하지 않으면 다른 칭호가 없으니, 형편상 어쩔 수 없이 學生·處士·秀才로 써야 한다. 각각 마땅함을 따르면 된다.(無官者, 不稱學生, 則無他稱號, 勢不得已, 當書學生處事秀才. 各隨其宜, 可也.)"고 하였고, 또 "丘濬은 '관직이 없이 죽은 남자의 부인은 마땅히 시속대로 孺人이라고 칭해야 한다.'고 하였다. 이것이 '예가 궁하면 아래를 따른다.'는 의리이다.(丘氏謂 '無官婦人, 宜如俗稱孺人.' 蓋'禮窮, 則從下'之義也.)"고 하였다. 『疑禮問解』(『沙溪全書』 권39) 「題主」

479 窀穸: 窀穸은 『增韻』에 "墓穴이다."고 하였다.

480 삼가 바라옵건대: "항렬이 낮거나 나이가 어린 사람에게 고할 때에는 이 문구를 뺀다.(告卑幼, 去此二字.)" 『喪禮備要』(『沙溪全書』 권33) 「及墓」

481 그것을 품고: 축문을 품고 불태우지 않는 것을 말한다. 沙溪는 "집에 와서 虞祭를 지낸 뒤에 불태우는 것이 좋다.(至家行虞祭後, 焚之可也.)"고 하였다. 『同春堂集』 별집 권1 「上沙溪金先生」

482 哀子: "부모가 함께 죽었을 경우에는 '孤哀子'라고 칭하고, 승중한 경우에는 '孤孫'·'哀孫'·'孤哀孫'이라고 칭하며, 아래도 모두 이와 같다.(父母俱亡, 稱孤哀子, 承重, 稱孤孫哀孫孤哀孫, 下皆倣此.)"『喪禮備要』(『沙溪全書』 권33) 「及墓」

朱子曰 : "旁註施於所尊, 以下則不必書也. "[483]

물었다. "남편이 살아 있을 경우, 아내의 신주에는 누가 봉사奉祀한다고 써야 합니까?"

주자가 말했다. "방주旁註(신주 왼쪽 옆에 쓴 祭主의 성명)는 높은 분에게 시행하는 것이니 (죽은 자가) 아랫사람일 경우에는 쓸 필요가 없다."

[20-13-2-2]

高氏曰 : "觀木主之制, 旁題主祀之名, 而知宗子之法不可廢也. 宗子承家主祭, 有君之道, 諸子不得而抗焉. 故禮'支子不祭. 祭必告於宗子,' '宗子爲士, 庶子爲大夫, 則以上牲祭於宗子之家, 其祝詞曰, 「孝子某爲介子某, 薦其常事,」' '若宗子居於他國, 庶子無廟, 則望墓爲壇以祭, 其祝詞曰, 「孝子某使介子某, 執其常事,」' 若宗子死, 則稱名不稱孝.' 蓋古人重宗如此. 「自宗子之法壞, 而人不知所自來, 以至流轉四方, 往往親未絶而有不相識者.」 是豈教人尊祖收族之道哉?"

고씨高氏高閌가 말했다. "목주木主 제도를 보면, 옆면에 제사를 주관하는 사람의 이름을 쓰니, 종자의 법을 폐지할 수 없음을 알 수 있다. 종자가 가문을 이어 제사를 주관하는 것은 군상君上과 같은 도리가 있으니, 모든 아들이 맞설 수 없다. 그러므로『예기禮記』에 '지자支子는 제사를 지내지 못한다. 제사를 지내려면 반드시 종자에게 알려야 한다.'[484]라고 하였고, '종자가 사士가 되고, 서자가 대부大夫가 된 경우에는 상생上牲小牢으로 종자의 집에서 제사 지내면서 축문 내용은 「효자孝子 아무개가 개자介子 아무개를 위해 상사常事[485]를 드립니다.」라고 한다.'[486]라고 하였으며, '종자가 다른

· ·

483 『朱文公文集』「答竇文卿」(4) : 두문경의 질문에 대한 주자의 답이다. 두문경은 좀 더 구체적으로 다음과 같이 묻고 있다. "夫在妻之神主宜何書何人奉祀? 若用夫, 則題嬪某氏神主, 旁注夫某祀否? 夫祭妻而云, '奉祀', 莫太尊否?"

484 『禮記』「曲禮下」

485 常事 : 小祥의 제사를 가리킨다. 『儀禮』「士虞禮」의 記에 "소상에 '이 常事를 드린다.(小祥, 薦此常事)."고 하였는데, 그 주에서 鄭玄은 "'常'이라고 말한 것은 1년이 되어 제사를 지내는 것이 예법이라는 것이다. 古文에는 '常'이 '祥'으로 되어 있다.(言常者, 朞而祭, 禮也. 古文常爲祥.)"고 하였다. 또 소에서 賈公彦은 "우제와 부제는 常事가 아니다. 1주기가 되어 천기가 변화함에 효자가 사모하여 제사 지내는 것이 常事이다.(虞祔之祭非常. 一期天氣變易, 孝子思之而祭, 是其常事.)"고 하였다. 그리고 다음 장 大祥의 祝辭에는 小祥에서의 '薦此常事'에서 '常事'를 '祥事'로 고친다고 하였다. 이렇게 볼 때 이때의 '常事'는 '小祥'의 제사만을 뜻하는 것으로 볼 수 있다.

그러나 『禮記』「曾子問」에 "종자가 士가 되고, 서자가 大夫가 된 경우에는 上牲小牢으로 종자의 집에서 제사 지내면서, 축문 내용은 '孝子 아무개가 介子 아무개를 위해 常事를 드립니다.'고 한다.(宗子爲士, 庶子爲大夫, 則以上牲祭於宗子之家, 其祝詞曰, '孝子某爲介子某, 薦其常事.')"고 하였고, 또 "종자가 다른 나라에 거주하고 서자가 사당廟이 없는 경우에는 묘소를 바라보고 壇을 만들어 제사 지내면서 축문 내용은 '효자 아무개가 개자 아무개를 시켜 常事를 집행하도록 하였습니다.'고 한다.(若宗子居於他國, 庶子無廟, 則望墓爲壇以祭, 其祝詞曰, '孝子某使介子某, 執其常事.')"고 하였다. 이때 보이는 '常事'라는 표현은 앞의 경우처럼 小祥의 제사만을 의미한다고 보기 어렵다. 이에 대한 集說에서 陳澔 또한 "'常事를 드린다.'는 것은 그해의

나라에 거주하고 서자가 사당^廟이 없는 경우에는 묘소를 바라보고 단^壇을 만들어 제사 지내면서 축문 내용은 「효자 아무개가 개자 아무개를 시켜 상사를 집행하도록 하였습니다.」고 한다. 종자가 죽었을 경우에는 이름을 부르고, 효자라고 칭하지 않았으니'[487] 옛사람은 종자를 이와 같이 중시하였다. '종자의 법이 무너져 사람들은 자신의 뿌리를 모르고 사방으로 떠돌아다녀 이따금 친속이 끊어지지 않았는데도 서로 알아보지 못하는 경우가 생겼다.'[488] 이것이 어찌 사람들이 조상을 높이고 친족을 거두도록 하는 도리라고 하겠는가?"

[20-13-3]

祝奉神主升車.

축관은 신주를 모시고 수레에 오른다.[489]

魂帛箱在其後.

혼백상자는 그 뒤에 있다.

執事者徹靈座遂行.

집사자는 영좌를 거두어 마침내 떠난다.

主人以下哭從如來儀. 出墓門, 尊長乘車馬. 去墓百步許, 卑幼亦乘車馬. 但留子弟一人監視實土以至成墳.

주인 이하는 올 때의 의례처럼 곡하면서 따른다. 묘문^{墓門}을 나서면 존장은 수레나 말을 탄다. 묘와의 거리가 100보쯤 되면, 항렬이 낮거나 나이가 어린 사람도 수레나 말을 탄다. 다만 자제 가운데 한 사람을 남겨두어 흙을 채우는 일에서부터 봉분을 만드는 일까지 살피게 한다.

墳高四尺. 立小石碑於其前, 亦高四尺, 趺高尺許.

봉분[490]의 높이는 4척이며, 그 앞에 작은 비석을 세우는데 역시 높이가 4척이며, 받침대의 높이는 1척정

常事를 드린다는 것이다.(薦其常事者, 薦其歲之常事也.)"고 하였는데, 이때의 '常事'는 '常祀', 즉 그해의 고정된 제사, 또는 常祭, 즉 통상적인 제사로 보는 것이 타당할 듯하다. '常事'의 事는 『家禮』의 여러 축문에서 보이듯이 '祭祀'를 의미하고, 그에 따라 '常祀'는 『春秋左傳』 僖公 31년조 기사의 '禮不卜常祀.'나 『新唐書』 「禮樂志」1의 '凡歲之常祀, 二十有二.'에서처럼 '고정된 제사'를 뜻하고, 또한 常祭는 四時祭처럼 통상적인 제사를 의미하기 때문이다. 이상의 논의를 총괄하면, '常事'는 좁은 의미에서는 小祥의 제사를 뜻한다. 그러나 넓은 의미에서는 '그해의 고정된 제사'를 의미한다.

486 『禮記』「曾子問」
487 『禮記』「曾子問」
488 『二程遺書』 권15에 "宗子法壞, 則人不自知來處, 以至流轉四方, 往往親未絶不相識."이라고 하였다.
489 축관은 신주를 … 오른다. : 『家禮補註』에 "곧 靈車이다.(卽靈車也)."고 하였다.
490 封墳 : 봉분에 관해 沙溪는 同春堂(宋浚吉)과의 문답에서 다음과 같이 말했다.
　　물음: "圓墳(둥근 무덤)과 馬鬣墳(말갈기처럼 위가 뾰족하게 생긴 무덤) 가운데 어느 제도가 좋은지 모르겠

도로 한다.

司馬溫公曰: "按令式墳碑石獸大小多寡, 雖各有品數, 然葬者當爲無窮之規. 後世見此等物, 安知其中不多藏金玉邪? 是皆無益於亡者, 而反有害. 故令式又有貴得同賤, 賤不得同貴之文. 然則不若不用之爲愈也."[491]

사마온공司馬溫公[司馬光]이 말했다. "살펴보니, 영식令式[492]에 봉분·비석·석수石獸의 크기와 수에 비록 각각 품계에 따른 수량이 있으나, 장사 지내는 자는 마땅히 무궁한 대책을 만들어야 한다. 후세에 이런 것들을 보고 어찌 그 속에 금과 옥이 많이 들어 있다고 여기지 않겠는가? 이것들은 모두 죽은 자에게 무익함은 물론, 도리어 해가 된다. 그러므로 영식에도 '귀한 사람을 천한 사람과 같게 할 수는 있어도 천한 사람을 귀한 사람과 같게 할 수 없다.'는 조문이 있다. 그렇다면 사용하지 않는 편이 낫다."

○ 今按孔子防墓之封, 其崇四尺. 故取以爲法, 用司馬公説別立小碑, 但石須闊尺以上, 其厚居三之二, 圭首而刻其面, 如誌之蓋. 乃略述其世系名字行實而刻於其左, 轉及後右而周焉. 婦人則俟夫葬乃立, 面如夫亡誌蓋之刻云.[493]

이제 살펴보니, 공자의 방묘防墓[494]의 봉분은 그 높이가 4척이다. 그러므로 이것을 법으로 삼고, 사마공[司馬光]의 설대로 작은 비석을 별도로 세우되, 다만 돌은 너비가 1척 이상이며, 두께는 그 3분의 2가 되게 하였다. 머리는 비스듬히 뾰족하게 하고 그 앞에는 지석의 덮개와 같이 새긴다. 이에 그 계보·이름·자字·행실을 간략히 기술하되 그 왼쪽에 새기고, 뒷면과 오른쪽으로 돌아가며 두루 새긴다.[495] 부인의 경우에는 남편의 장사를 기다렸다가 세우되, 앞면은 남편의 지석의 덮개처럼 새긴다.[496]

· ·

습니다. 『禮記』 「檀弓上」에 '子夏는 「과거에 夫子께서 『나는 봉분이 堂처럼 네모지고 높은 것도 보았고, 제방처럼 긴 것도 보았고, 기와를 이은 夏屋(문에 세운 행랑채)처럼 넓으면서 낮은 것도 보았고, 도끼처럼 위가 뾰족한 것도 보았다.』고 하셨는데, 도끼처럼 만드는 것이 세속에서 말하는 마렵봉이다.」고 하였다.'고 하였습니다. 이에 의거하면 마렵봉의 제도를 준용하는 것이 마땅한데, 오늘날 세속에서 이 제도를 사용하는 자가 드문 것은 무엇 때문입니까?(圓墳與馬鬣, 不知何制爲得. 「檀弓」 '子夏曰, 「昔者夫子言之曰, 『吾見封之若堂者矣, 見若坊者矣, 見若覆夏屋者矣, 見若斧者矣』, 從若斧者焉, 馬鬣封之謂也云云.」' 據此則當以馬鬣爲準, 而今俗罕爲此制, 何歟?)"

답변: "마렵봉이 원분에 비해 흙을 덮는 곳이 매우 넓으니, 뾰족한 모서리를 약간 없애면 견고하여 완전하다. 우리 집은 여러 代의 무덤에 모두 이 제도를 사용하였다.(馬鬣比圓墳, 覆土頗廣, 稍去稜隅, 則似或堅完. 吾家累代墓, 皆從此制.)" 『同春堂集』 별집 권1 「上沙溪金先生」

491 『書儀』 권7 「碑·誌」
492 令式: 「宗室及外臣葬敕令式」으로 추정된다. 송나라 元豊(神宗 연호) 연간에 출간되었다. 『宋史』 권204 「藝文」3
493 주자의 『家禮』 본문이다.
494 공자의 防墓: 防山에 있는 공자 부모의 묘로 중국 山東省 曲阜縣 동쪽에 있다.
495 그 왼쪽에 … 새긴다.: 왼쪽은 쓰는 사람 기준이며, 왼쪽 가에서부터 돌아서 오른쪽 가에 이르도록 두루 함을 말한다. 『家禮增解』 권10 「及墓·下棺·祠后土·題木主·成墳」 참고
496 墓墳과 碑石의 묘사는 부록 그림 81 참조

[20-13-3-1]

司馬溫公曰 : "古人有大勳德, 勒銘鍾鼎, 藏之宗廟. 其葬則有豐碑以下棺耳. 秦漢以來, 始命文士襃贊功德, 刻之於石, 亦謂之碑. 降及南朝, 復有銘誌, 埋之墓中. 使其人果大賢邪, 則名聞昭顯, 衆所稱頌, 流播終古, 不可掩蔽, 豈待碑誌始爲人知? 若其不賢也, 雖以巧言麗詞, 强加采飾, 功侔呂望, 德比仲尼, 徒取譏笑, 其誰肯信?

사마온공이 말했다. "옛사람은 커다란 공훈과 덕행이 있으면, 종鍾과 정鼎에 명銘을 새겨 종묘에 보관하였다. 장사 지낼 때에는 풍비豐碑[497]를 가지고 하관하였을 뿐이다. 진秦·한漢 이래 비로소 문사文士에게 명하여 공덕을 기려 돌에 새겼는데 이것을 또한 비碑라고 하였다. 그 뒤 남조南朝에 이르러 다시 묘지명을 써서 묘 속에 묻었다. 가령 그 사람이 과연 매우 어진 사람이었다면, 명성이 밝게 드러나 많은 사람들의 칭송이 영원토록 퍼져 덮어 가리지 못할 텐데, 어찌 비와 명에 의지하고서야 비로소 사람들에게 알려지겠는가? 만약 어질지 못한 사람이었다면, 비록 교묘한 말과 아름다운 표현으로 억지로 치장하여 공은 여망呂望[498]과 비슷하고 덕은 중니仲尼(孔子)와 견줄만하다고 한들, 그저 기롱과 비웃음만 살 것인데, 누가 믿으려 들겠는가?

碑猶立於墓道, 人得見之, 誌乃藏於壙中, 自非開發, 莫之睹也. 隋文帝子秦王俊薨, 府僚請立碑. 帝曰, '欲求名, 一卷史書足矣, 何用碑爲? 徒與人作鎭石耳.' 此實語也. 今旣不能免, 依其誌文, 但可直叙鄕里世家官簿始終而已. 季札墓前有石, 世稱孔子所篆云, '嗚呼有吳延陵季子之墓.' 豈在多言, 然後人知其賢也? 今但刻姓名於墓前, 人自知之耳."[499]

비석은 그래도 묘도墓道에 세워 사람들이 볼 수 있지만, 지석誌石은 바로 광중 속에 매장하여 파보지 않으면 보는 사람도 없다. 수隋나라 문제文帝의 아들 진왕秦王 준俊[500]이 죽자 관리들이 비석을 세울 것을 청하니, 문제는 '명성을 구하고자 한다면, 한 권의 사서史書로 충분한데 비석을 어디에 쓰겠는가? 사람들에게 그저 진석鎭石[501]만 될 뿐이다.' 라고 하였다. 이것은 실제로 있었던 말이다. 지금은 이미 그렇게 하는 것을 면할 수 없다면, 그 지문에 의거하여 다만 그저 향리·세가世家·관품의

---

497 豐碑 : 관을 下棺할 적에 사용하는 기구. 나무를 碑처럼 만들어서 속을 파내어 비게 하고 그 공간에 轆轤를 장치하고 줄을 관에 맨 뒤에 그 줄을 조종하여 하관하는 장치를 말한다. 부록 그림 82 참조

498 呂望 : 성은 姜, 이름은 尙. 그 선조를 呂 땅에 봉했으므로 呂氏[呂尙]가 되었다. 渭水 가에 숨어 낚시질로 소일했는데, 周文王이 사냥 나갔다가 만나보고 크게 기뻐하여 말하기를, "우리 太公(조상)이 그대 만나기를 바란 지 오래였다.(吾太公望子久矣)"라고 했으므로 太公望이라고 불렸다. 후에 武王을 도와 천하를 통일하고 그 공적으로 齊 나라에 봉해졌다. 『史記』 권32 「齊太公世家」

499 『書儀』 권7 「碑·誌」

500 俊 : 隋文帝의 셋째 아들. 秦孝王에 봉해졌으며, 開皇 20년(600년)에 죽었다. 『隋書』 권45

501 鎭石 : 흉사를 누르는 돌. "살펴보니, 術家에서 말하는 禳鎭法(나쁜 재앙이 일어나지 않도록 억눌러 막는 방술)에, '무릇 집안에 喪服이 끊이지 않는 자가 있을 경우에는 90근이 되는 돌을 艮方(동북쪽)에 묻으면 크게 길하다.'고 한다. 이른바 鎭石이라는 것 또한 아마 이러한 따위일 것이다.(按術家禳鎭法, '凡人家中有喪服不絶者, 以石九十斤埋於艮上, 大吉.' 所謂鎭石, 疑亦此類歟)." 『家禮輯覽』(『沙溪全書』 권29)「及墓·下棺·祠后土·題木主·成墳」

이력만을 써넣으면 된다. 계찰季札의 묘 앞에 비석이 있는데, 세상에서 일컫기를 공자가 써넣은 것은 '아! 오吳나라 연릉延陵 계자季子의 묘'라고 하였다. 어찌 많은 말들이 있고 나서야 사람들이 그의 어짊을 알겠는가? 이제 묘 앞에 그저 이름만 새겨놓아도 사람들이 저절로 알 것이다."

[20-14-0]

反哭 반곡502

[20-14-1]

主人以下奉靈車, 在塗徐行哭.

주인 이하는 영거를 모시고 길에서 천천히 걸으며 곡한다.

其反如疑, 爲親在彼. 哀至則哭.

돌아올 때에는 의심스러운 듯이 하여 부모가 저기에 계시지나 않을까 싶어 한하며,503 애통함이

. . . .

502 反哭:『禮記』「問喪」에 "門에 들어가도 보이지 않고, 堂에 올라가도 다시 보이지 않고, 室에 들어가도 보이지 않으니, 죽은 것이며, 잃은 것이며, 다시는 볼 수 없게 된 것이다. 그러므로 哭泣하고 가슴을 치고 발을 구르면서 애통함을 다하고서 그치는 것이다.(入門而弗見也, 上堂又弗見也, 入室又弗見也, 亡矣, 喪矣, 不可復見已矣. 故哭泣辟踊盡哀而止矣.)"라고 하고, 그 주에서 鄭玄은 "反哭의 뜻을 설명한 것이다.(説反哭之義也.)"고 하였다.

503 돌아올 때에는 … 한하며 : 장사를 마치고 집으로 돌아올 때 부모의 신령이 함께 돌아오지 못할까 노심초사하는 효자의 마음을 그린 것이다.『儀禮』「既夕禮」의 記에 "하관을 마치고 돌아올 때에는 수레를 빨리 몰지 않는다.(卒窆而歸, 不驅.)"고 하였다. 이에 대한 주에서 鄭玄은 "효자는 葬地로 갈 때에는 사모하는 듯이 하고, 돌아올 때에는 의심하는 듯이 하여 부모가 저곳에 계시지나 않을까 싶어 한다.(孝子往如慕, 反如疑, 爲親之在彼.)"고 하였다. 그 소에서 賈公彦은 다음과 같이 말했다. "'효자는 葬地로 갈 때에는 사모하는 듯이 하고, 돌아올 때에는 의심하는 듯이 한다.'는 것은 또한 『禮記』「問喪」의 글이기도 하다. '효자는 장지로 갈 때에는 사모하는 듯이 한다.'는 것은 마치 어린아이가 모친을 따라가며 울며 사모하는 듯이 하는 것이다. '돌아올 때에는 의심하는 듯이 한다.'는 것은 효자가 부모의 모습이 보이지 않아 精魂이 돌아오고 있는지 아닌지 알지 못하기 때문에 의심스러워하는 듯이 하는 것이다. '부모가 저곳에 계시지나 않을까 싶어 한다.'는 것은, 정신혼령이 그곳에 그대로 머물러 계시면서 자신을 따라 돌아오지 않는 듯이 여기는 것을 말한다. 이 말은 경전의 '수레를 빨리 몰지 않는다.'는 일을 풀이한 것이다.(孝子往如慕, 反如疑者, 亦『禮記』「問喪」文. 云「孝子往如慕」者, 如嬰兒隨母而啼慕, 「反如疑」者, 孝子不見其親, 不知精魂歸否, 故疑之.' 云「爲親之在彼」者, 謂疑精魂在彼, 不歸.' 言此者, 解經不驅之事.)"
이에 대해 『禮記』「檀弓上」에서는 다음과 같이 말했다. "공자가 衛나라에 있을 때 장사 지내는 사람이 있었다. 孔子가 보고는 말했다. '장사를 잘 치르는구나! 충분히 법으로 삼을 만하다. 너희들은 명심하여라.' 子貢이 물었다. '선생님께서는 무엇을 잘한다고 하시는 것입니까?' 공자가 말했다. '갈 때에는 사모하는 듯이 하고 돌아올 때에는 의심하는 듯이 하더구나.' 자공이 말했다. '어찌 빨리 돌아가서 虞祭를 지내는 것만 하겠습니까?' 공자가 말했다. '너희들은 명심하여라. 나는 능히 저렇게 하지 못했다.(孔子在衛有送葬者. 而夫子觀之曰, '善哉爲喪乎! 足以爲法矣. 小子識之.' 子貢曰, '夫子何善爾也?' 曰, '其徃也如慕, 其反也如疑.' 子

북받치면 곡한다.

至家哭.

집에 도착하면 곡한다.

> 望門即哭.
>
> 대문이 보이면 곡한다.

祝奉神主, 入置於靈座.

축관은 신주를 모시고 들어가 영좌에 놓는다.

> 執事者先設靈座于故處. 祝奉神主, 入就位櫝之. 并出魂帛箱置主後.
>
> 집사자는 먼저 영좌를 있던 곳[504]에 놓고, 축관은 신주를 모시고서 들어가 자리에 나아가 독[櫝]에 넣고, 아울러 혼백상자를 모셔 와서 신주 뒤에 둔다.

主人以下哭於廳事.

주인 이하는 청사[廳事]에서 곡한다.

> 主人以下及門哭入. 升自西階, 哭于廳事. 婦人先入哭於堂.
>
> 주인 이하는 대문에 도착하면 곡하면서 들어간다. 서쪽 계단으로 올라가 청사[廳事]에서 곡하고, 부인은 먼저 들어가 당[堂]에서 곡한다.[505]

[20-14-1-1]

> 朱子曰 : "反哭升堂, 反諸其所作也. 主婦入于室, 反諸其所養也. 須知得這意思, 則所謂'踐其位行其禮'等事, 行之自安, 方見得繼志述事之事."[506]
>
> 주자가 말했다. "반곡[反哭]을 당[堂]에 올라가서 하는 것은 돌아가신 분이 생활하시던 곳으로 돌아왔음

貢曰, '豈若速反而虞乎?' 子曰, '小子識之. 我未之能行也.')"
이에 대한 주에서 胡銓은 "'너희들은 명심하여라. 나는 능히 저렇게 하지 못했다.'고 한 것은, 애통해 하고 사모하는 것을 잘한다고 한 것이다. 虞祭는 늦게 지내더라도 해가 될 것이 없다.('小子識之我未之能行也,' 善其哀慕. 虞祭雖遲不害.)"고 하였다.

504 있던 곳 : "祖廟를 찾아뵙고 나서 영구를 청사로 옮기고 영좌를 영구 앞에 설치했으니 여기서 말하는 '있던 곳'은 청사를 가리키는 듯이 보인다. 그러나 아래 문장에서 '청사에서 곡한다. 그러고는 영좌 앞에 나아가 곡한다.'라고 하였으니 바로 正寢의 堂 가운데 '있던 곳'을 가리킨다.(朝祖後, 遷柩廳事, 而靈座設于柩前, 則此故處, 似指廳事. 然下文, '先哭于廳事, 而遂詣靈座前哭,' 則正指正寢堂中之故處也.)"『家禮增解』권10 「反哭」

505 부인은 먼저 … 곡한다. : "正寢의 堂으로 靈座가 설치된 곳이다.(卽正寢之堂, 靈座所設處也.)"『家禮增解』 권10 「反哭」

506 『朱子語類』 권87, 55조목

을 뜻한다. 주부가 실室에 들어가는 것은 돌아가신 분이 봉양을 받던 곳으로 돌아왔음을 뜻한다.'[507] 이 뜻을 알면 이른바 '그 자리를 밟아 그 예를 행하는'[508] 등의 일을 행할 때 저절로 편안하게 될 것이니, 비로소 '뜻을 계승하고 일을 전술하는 일'[509]을 알게 될 것이다."

[20-14-1-2]

楊氏復曰: "按先生此言, 蓋謂古者反哭于廟. 反諸其所作, 謂親所行禮之處, 反諸其所養, 謂親所饋食之處, 皆指反哭于廟而言也. 先生『家禮』反哭于廳事, 婦人先入哭于堂, 又與古異者, 後世廟制不立, 祠堂狹隘, 所謂廳事者乃祭祀之地, 主婦饋食亦在此堂也."

양복이 말했다. "살펴보니, 선생의 이 말은 아마도 옛날에는 조묘祖廟에서 반곡反哭하였다는 말이다. 돌아가신 분이 생활하던 곳으로 돌아왔다는 것은 (조묘에서) '부모가 예를 행하던 곳'[510]을 말하며, 그 봉양을 받던 곳으로 돌아왔다는 것은 (조묘에서) '부모가 공양供養을 받던 곳'[511]을 말하니, 모두 조묘祖廟에서 반곡하는 것을 가리켜서 한 말이다. 선생이 『가례』에서 '청사廳事에서 반곡하고 부인은 먼저 들어가 당堂에서 곡한다.'고 하여, 또 옛날과 다른 것은 후세에는 조묘祖廟제도가 확립되지 않고 사당이 협소해졌기 때문이니, 이른바 청사廳事가 바로 제사 지내는 곳이며, 주부가 봉양을 올리는 곳도 또한 이 당堂에 있다."[512]

[20-14-2]

遂詣靈座前哭.

그러고는 영좌 앞에 나아가 곡한다.

　　　盡哀止.

　　　애통함이 다하면 그친다.

· ·

507　反哭을 堂에 … 뜻한다. : 『禮記』「檀弓下」
508　그 자리를 … 행하는 : "그 자리를 밟아 그 예를 행하며, 그 음악을 연주하며, 그가 존경하던 바를 존경하고 친애하던 바를 사랑하며, 죽은 이를 섬기기를 산 이를 섬기듯이 하고 없는 이를 섬기기를 계신 이를 섬기듯이 하는 것이 효의 지극함이다.(踐其位, 行其禮, 奏其樂, 敬其所尊, 愛其所親, 事死如事生, 事亡如事存, 孝之至也.)" 『中庸』 19장
509　뜻을 계승하고 … 일 : "효는 사람의 뜻을 잘 계승하고, 사람의 일을 잘 전술하는 것이다.(夫孝者, 善繼人之志, 善述人之事者也.)" 『中庸』 19장
510　부모가 예를 행하던 곳 : 『禮記』「檀弓下」의 鄭玄의 주. 이때 예를 행하던 곳은 부모가 평소 제사·관례·혼례를 행하던 祖廟의 堂을 말한다.
511　부모가 공양을 받던 곳 : 『禮記』「檀弓下」의 鄭玄의 주. 이때 공양을 올리던 곳은 부모가 조상에게 공양을 올리던 祖廟의 室을 말한다.
512　주부가 봉양을 … 있다. : 『家禮』의 문맥상 이곳은 廳事의 堂이 아니라, 正寢의 堂이다. 부록 그림 83 참조. 또한 반곡과 관련하여 봉양을 올리는 것은 주부가 아니라, 돌아가신 부모가 행하던 일이다. 그리하여 『家禮增解』에서 李宜朝는 "양씨의 이 설은 아마 古經의 뜻을 잃은 듯하다.(楊氏此說, 恐失古經之旨也.)"고 하였다. 『家禮增解』 권10 「反哭」

有弔者拜之如初.

조문하는 사람이 있으면[513] 처음의 경우처럼 절한다.[514]

謂賓客之親密者旣歸, 待反哭而復弔. 檀弓曰, "反哭之弔也, 哀之至也. 反而亡焉, 失之矣. 於是爲甚."

빈 가운데 친밀한 사람이 돌아갔다가 반곡反哭을 기다려 다시 조문하는 것을 말한다. 『예기禮記』 「단궁하檀弓下」에 "반곡에 조문하는 것은 애통함이 지극한 것이다. 돌아왔는데도 안 계시니,[515] 잃은 것이다. 이에 애통함이 심한 것이다."라고 하였다.[516]

期九月之喪者, 飮酒食肉, 不與宴樂. 小功以下, 大功異居者, 可以歸.

기년期年과 구월九月의 상을 당한 사람은 술을 마시고 고기를 먹지만 잔치는 참여하지 않는다. 소공 이하와 대공으로 따로 사는 사람은 돌아가도 된다.

. . . .

513 조문하는 사람이 있으면 : "사람이 막 죽었을 때에는 돌아가신 것이 애통하고, 장사 지내고 나서는 안 계신 것이 애통하다. 안 계시면 그 애통함이 더욱 심하기 때문에 반곡할 때에 조문하는 예가 있는 것이다.(人之始死也, 則哀其死, 旣葬也, 則哀其亡. 其亡則哀爲甚矣, 故反哭之時有弔禮焉.)" 『禮記』「檀弓下」 嚴陵方氏(方慤)의 주

514 反哭을 하고 나서 조문을 받는 묘사는 부록 그림 83 참조

515 돌아왔는데도 안 계시니 : 『中庸』 주에서 주자는 "막 죽었을 때에는 '死'라고 하고 장사 지내고 나서는 '돌아 왔는데도 안 계시다.'고 한다.(始死謂之死, 旣葬則曰'反而亡'焉.)"고 하였다.

516 빈 가운데 … 하였다. : "殷나라는 봉분을 하고 나서 조문하였고, 周나라는 反哭에 조문하였는데, 공자는 '은나라는 너무 질박하니, 나는 주나라를 따를 것이다.'고 하였다.(殷旣封而弔, 周反哭而弔, 孔子曰, '殷已慤. 吾從周.')" 『禮記』「檀弓下」. 이에 대해 鄭玄은 "'封'은 마땅히 '窆'이 되어야 하는데, '窆'은 '下棺하다.'이다. '慤'은 이제 처음 슬퍼할 뿐, 아직 심하지 않은 것이다.(封當爲窆, 窆, 下棺. 慤者, 得哀之始, 未見其甚.)"고 하였다.

家禮四 가례 4

家禮四
가례 4

[21-15]

喪禮 상례

[21-15-0]

虞祭 우제[1]

. . . .

1 虞祭: 『儀禮』「士虞禮」의 주에서 鄭玄은 "'虞'는 '안정시키다.'이다. 士가 부모를 장사 지내고 나서 부모의 精魂을 영섭하여 집으로 돌아와서 한낮에 殯宮에서 제사 지내 안정시키는 것이다. 우제는 5례 가운데 흉례에 속한다.(虞, 安也. 士旣葬其父母, 迎精而反, 日中而祭之於殯宮以安之. 虞於五禮屬凶).'고 하였다. 또 『禮記』 「檀弓下」에서는 "장사 지낸 날에 우제를 올리는 것은 죽은 자가 차마 하루라도 떠나도록 하지 못하기 때문이다.(葬日虞, 弗忍一日離也.)"고 하였고, 그 주에서 鄭玄은 "(떠나게 하지 못하는 것은) 차마 돌아갈 곳이 없게 할 수 없는 것이다.(弗忍其無所歸.)"라고 하였다.

『家禮集說』에서 馮善은 "살펴보니, 『春秋公羊傳』註에 '천자는 아홉 번 우제를 지내는데 9일로 마디를 삼고, 제후는 일곱 번 우제를 지내는데 7일로 마디를 삼으며, 대부는 다섯 번 우제를 지내고, 사는 세 번 우제를 지낸다.'고 하였다. 춘추시대 말기에 대부가 제후의 예를 僭用하다가 후세에는 마침내 사람이 죽고 나서 매 7일마다 부처에게 공양을 바치고 중들에게 밥을 먹이면서 '地府의 閻羅大王을 알현해야 한다.'고 하였다. 아! 옛날 사람들이 일곱 번 우제를 지낸다는 설이 바로 이와 같은 것이겠는가? 후세의 황당무계함은 믿을 게 못 된다.(按傳註, '天子九虞, 以九日爲節, 諸侯七虞, 以七日爲節, 大夫五虞, 士三虞.' 春秋末世, 大夫僭用諸侯之禮, 後世遂以人死之後, 每七日必供佛飯僧, 言'當見地府某王.' 吁! 古人七虞之説, 乃如此哉? 後世妄誕不足信也.)"고 하였다. 沙溪의 『家禮輯覽』에는 馮善의 말로 기록하고 있으나 明나라 章潢의 『圖書編』 권110에는 劉璋의 말로 기록되어 있다.

『家禮儀節』에 "(이때부터) 禮生(예 담당자) 두 사람을 쓴다. 한 사람은 通贊(의식의 진행을 맡는다)이고, 한 사람은 贊引(여러 집사자들을 안내한다)이다.(用禮生二人, 一通贊, 一贊引.)"고 하였다. 『家禮儀節』 권6「虞祭」

葬之日, 日中而虞. 或墓遠則但不出是日可也. 若去家經宿以上, 則初虞於所館行之. 鄭氏曰, "骨肉歸于土, 魂氣則無所不之. 孝子爲其彷徨三祭以安之."

장사 지낸 날, 한낮[日中]²에 우제를 지낸다. 혹 묘가 멀 경우에는 이 날만 넘지 않으면 된다. 집에서 하루 이상 떨어진 곳에서 묵게 될 경우 초우제를 머무르는 곳에서 지낸다. 정씨鄭氏[鄭玄]는 "뼈와 살은 흙으로 되돌아갔으나 혼령은 가지 않는 곳이 없다.³ 효자는 그의 방황 때문에 세 번 제사를 지내 안정시키는 것이다."⁴라고 하였다.

[21-15-0-1]

朱子曰 : "未葬時奠而不祭, 但酌酒陳饌再拜. 虞始用祭禮. 卒哭謂之吉祭."⁵

주자가 말했다. "아직 장사 지내지 않았을 때에는 전奠만 올리고 제사는 지내지 않으며, 다만 술을 따르고 음식을 진설하고서 재배할 뿐이다. 우제虞祭에 처음으로 제사의 예를 사용한다.⁶ 졸곡卒哭은 길제吉祭라고 한다."

[21-15-1]

主人以下皆沐浴.

주인 이하는 모두 목욕한다.⁷

∙∙∙∙∙∙∙∙∙∙∙∙∙∙∙∙∙∙∙∙∙∙∙

2 『儀禮』「士虞禮」記의 주에서 "아침에 장사를 지내고 해가 중천에 떴을 때인 日中에 우제를 지낸다. 군자는 일을 거행할 때 반드시 辰正(매시간의 정각)을 쓴다. 再虞와 三虞는 모두 동이 틀 때 지낸다.(朝葬, 日中而虞. 君子擧事, 必用辰正也. 再虞三虞皆質明.)"고 하였다. 이에 대한 소에서 賈公彦은 "'辰正'은 아침·저녁·日中을 말한다. 아침에 장사 지낼 일이 있기 때문에 한낮에 이르러 우제를 행하는 것이다. '재우와 삼우는 모두 동이 틀 때 지낸다.'는 것은, 아침에 장사 지낼 일이 없기 때문에 모두 동이 틀 때 우제의 일을 행하는 것이니, 이것은 아침의 진정을 쓰는 것이다.('辰正'者, 謂朝夕日中也. 以朝有葬事, 故至日中而行虞事也. 云'再虞三虞皆質明'者, 以朝無葬事, 故皆質明而行虞事, 是用朝之辰正也.)"고 하였다.

3 뼈와 살은 … 없다. : 『禮記』「檀弓下」에 실린 延陵 季子의 "骨肉歸復于土, 命也. 若魂氣則無不之也."라고 한 말이다.

4 효자는 그의 … 것이다. : 『儀禮』「旣夕禮」'三虞'에 대한 鄭玄의 주. 주 전문은 다음과 같다. "'虞'는 喪祭의 이름이다. '虞'는 '안정시키다.'이다. 뼈와 살은 흙으로 되돌아갔으나 혼령은 가지 않는 곳이 없다. 효자는 그의 방황 때문에 세 번 제사를 지내 안정시키는 것이다. 아침에 장사 지내고 한낮에 虞祭를 지내는 것은 차마 하루라도 떠나지 못하도록 하는 것이다.(虞, 喪祭名. 虞, 安也. 骨肉歸於土, 精氣無所不之. 孝子爲其彷徨三祭以安之. 朝葬, 日中而虞, 不忍一日離.)"

5 『朱文公文集』 권50 「答程正思」(1) : "未葬時奠而不祭, 但酌酒陳饌再拜而已. 虞始用祭禮. 卒哭則又謂之吉祭." 이와 관련하여 『朱文公文集』 권61 「答嚴時亨」(3)에서 주자는 또한 "상례에서 장사 지내기 이전에는 모두 奠이라고 한다. 그 예는 매우 간략하니, 이는 애통함에 꾸미지 못하고 이제 막 죽은 자에게 또한 차마 서둘러 귀신의 예로 섬기지 못하기 때문이다. 虞祭에서부터 비로소 제사라고 한다. 그러므로 禮家들은 또 奠은 喪祭가 되고 虞祭는 吉祭가 된다고 하니, 이는 점차 길함으로 나아가기 때문이다.(喪禮, 自葬以前, 皆謂之奠. 其禮甚簡, 蓋哀不能文, 而於新死者亦未忍遽以鬼神之禮事之也. 自虞以後, 方謂之祭. 故禮家又謂奠爲喪祭, 而虞爲吉祭, 蓋漸趨於吉也.)"고 하였다.

6 아직 장사 … 사용한다. : 奠과 祭의 공통점과 차이를 도표화하면 다음과 같다.

或已晚不暇, 即畧自澡潔可也.

혹 너무 늦어 겨를이 없을 경우에는 대충 각자 깨끗이 씻어도 된다.

執事者陳器具饌.

집사자는 기물을 펼쳐놓고 음식을 마련한다.

> 盥盆帨巾各二於西階西南上. 東盆有臺, 巾有架, 西者無之. 凡喪禮皆放此. 酒瓶幷架一於靈座東南, 置卓子於其東, 設注子及盤盞於其上. 火爐湯瓶於靈座西南, 置卓子於其西, 設祝版於其上. 設蔬果盤盞於靈座前卓上. 匕筯居內當中, 酒盞在其西, 醋楪居其東. 果居外, 蔬居果內. 實酒于瓶. 設香案於堂中, 炷火於香爐. 束茅聚沙於香案前. 具饌如朝奠, 陳於堂門外之東.

세숫대야와 수건 각각 2개씩을 서쪽 계단 서남쪽에 두되,[8] 그 동쪽 대야는 '받침대[臺]'가 있고, 수건에는 '걸이[架]'가 있으나[9] 서쪽의 것들에는 없다.[10] 무릇 상례喪禮는 모두 이와 같다. 술병은 '걸이[架]' 하나와 함께 영좌靈座 동남쪽에 놓고, 탁자를 그 동쪽에 설치하며, 그 위에 주전자와 잔받침, 잔[11]을 올려둔다. 화로火爐[12]와 탕병湯瓶[13]은 영좌 서남쪽에 놓고, 탁자를 그 서쪽에 설치

· ·

〈奠과 祭의 공통점과 차이점〉

	공통점	차이점								
		시기	성격	喪主의 칭호	마음 가짐	음식	절차	尸童의 유무	器物 장식 유무	의복 색깔
奠	'奠'도 '祭'의 명칭	始死~葬事	凶祭 (喪祭)	哀子 (孤子)	애통함	야채 · 과일 · 포 · 육장	再拜	무	무	흰색계열 (무가공)
祭		卒哭 이후	吉祭	孝子	공경함	위의 奠饌 외에 생선 · 고기 · 구운간 · 면식 · 미식 · 국 · 밥 등	參神 · 降神 · 進饌 · 三獻 · 侑食 · 闔門 · 啓門 · 辭神 등	유	유	검은색 계열 (가공)

※ 장사 지내고 집으로 돌아와 한낮에 지내는 虞祭부터는 朝夕奠을 없애고 제사의 형식을 갖춘다는 점에서는 길제의 성격을 갖고 있지만, 여전히 애통함이 북받치면 곡을 한다는 점에서는 흉제의 성격을 갖는다. 그리하여 虞祭는 흉제에서 길제로 나가는 과도기적 특징을 지닌다.

7 주인 이하는 … 목욕한다. : 『儀禮』 「士虞禮」의 기에 "우제에는 목욕은 하되, 머리는 빗지 않는다.(虞沐浴不櫛.)"고 하였다. 이에 대한 주에서 鄭玄은 "머리를 빗지 않는 것은 꾸밈에 마음을 두지 않는 것이다. 오직 3년상만 머리를 빗지 않으며, 기년복 이하의 상은 머리를 빗어도 괜찮다.(不櫛未在於飾也. 唯三年之喪不櫛, 期以下櫛可也.)"고 하였다.

8 세숫대야와 수건 … 두되: 『儀禮』 「士虞禮」에 "서쪽 계단의 서남쪽에 洗를 설치한다.(設洗于西階西南.)"고 하였고, 또 臺와 架를 두어 동쪽을 높이고 있다는 점을 미루어볼 때 '南上'의 '上'은 衍文인 듯하다. 『家禮增解』 권11 「虞祭」

9 동쪽 대야는 … 있으나: 주인과 친속이 씻는 곳이다.

10 서쪽의 것들에는 없다. : 집사자가 씻는 곳이다.

11 주전자와 잔받침, 잔 : 降神(강신)에 쓴다.

하며, 그 위에 축판을 올려둔다. 채소와 과일, 잔반침과 잔을 영좌 앞 탁자 위에 둔다. 수저는 안쪽[14] 가운데 두고, 술잔은 그 서쪽에 두며, 초장접시醋楪[15]는 그 동쪽에 둔다. 과일은 바깥쪽에 두고, 채소는 과일 안쪽에 둔다. 병에 술을 채운다. 향안香案을 당堂 가운데 설치하고 향로에 불을 피운다. 모사茅沙 그릇을 향안 앞에 놓는다. 음식을 조전朝奠처럼 마련하여[16] 당의 문 밖 동쪽에 진설한다.[17]

祝出神主于座. 主人以下皆入哭.

축관이 신주를 영좌靈座에 내오면, 주인 이하는 모두 들어가 곡한다.

> 主人及兄弟倚杖於室外. 及與祭者皆入哭於靈座前. 其位皆北面. 以服爲列, 重者居前, 輕者居後. 尊長坐, 卑幼立. 丈夫處東西上, 婦人處西東上. 逐行各以長幼爲序. 侍者在後.

주인과 형제[18]는 실室 밖에 상장喪杖을 기대놓고[19] 제사에 참석한 사람들과 함께 모두 들어가

---

12 화로: 간과 고기를 굽기 위해 쓴다.

13 탕병: 點茶를 위해 쓴다.

14 안쪽: "안쪽은 상의 북쪽이니 제일 첫째 줄이다.(內卽床北, 第一行.)" 金長生, 『喪禮備要』

15 초장접시醋楪: 식초에 간장을 섞은 것을 담은 그릇이다. 『論語』「公冶長」 "子曰, '孰謂微生高直? 或乞醯焉, 乞諸其鄰而與之.'"에 대한 註에서 주자는 "醯는 醋이다."고 하였다.

16 음식을 朝奠처럼 마련하여: 河西 金麟厚는 "'朝' 위에 '朔日'이라는 글자가 있거나, 아니면 '朝'는 바로 '朔'자의 오자이다. 아래의 글에서도 마찬가지이다.(或朝上有朔日字, 或朝乃朔字之誤. 下同.)"고 하였다. 『河西先生全集』 권20 「家禮考誤」
    이에 대해 沙溪는 다음과 같이 설명한다. "살펴보니, 음식을 朝奠과 같이 마련한다면, 그저 채소·과일·脯·醢(육장)만 있을 뿐, 이른바 생선[魚]·고기[肉]·구운간炙肝·麵食·米食·국·밥 등은 없다. 그렇다면 (이 문단) 陳器(기물을 펼쳐놓는) 조항에서 이미 수저를 놓는다는 글이 있는데, 국이나 밥이 없어서야 되겠는가? 이것이 바로 河西가 '如朝奠'이라는 세 글자를 고쳐 '如朔奠'으로 읽으려고 한 까닭이다. 마땅히 丘氏(丘濬)의 『家禮儀節』을 따라 음식을 마련하고 진설하는 것을 모두 吉祭와 같은 방식으로 해야 한다.(按其饌如朝奠, 則只有蔬果脯醢, 而無魚肉炙肝麵米食羹飯矣. 然則陳器條, 旣有設匕筋之文而無飯羹可乎? 此河西所以欲將如朝奠三字, 改從如朔奠讀也. 宜從丘氏『儀節』, 具饌設饌, 並如吉祭之式.)" 『家禮輯覽』(『沙溪全書』 권29) 「虞祭」

17 수저는 안쪽 ⋯ 진설한다.: 음식을 진설하는 구체적인 순서가 다소 모호하다. 『家禮儀節』에서 丘濬은 다음과 같이 정리하였다. "靈座 앞의 탁자 위에, 영좌와 가까운 앞쪽 첫 줄의 가운데에 수저를 놓는다. 안쪽부터 술잔은 수저의 서쪽에 놓고, 초장접시는 동쪽에 놓는다. 국은 초장접시의 동쪽에 놓고, 밥은 술잔의 서쪽에 놓는다. 다음 두 번째 줄에는 예를 행할 때를 기다렸다가 음식(구운간·고기·생선·면·떡)을 올린다. 다음 세 번째 줄에는 채소·脯·醢(육장)를 진설한다. 다음 네 번째 줄에는 과일을 진설한다. 또 탁자의 앞쪽에 또 다른 탁자 하나를 놓고 犧牲을 담은 俎를 진설한다.(於靈座前卓子上, 近靈前一行, 設匕筋當中. 近內設酒盞在匕筋西, 醋楪在東. 羹在醋楪東, 飯在酒盞西. 次二行, 以俟行禮時進饌. 次三行, 設蔬菜脯醢. 次四行, 設果實. 又於卓子前, 置一卓以盛牲俎.)" 『家禮儀節』 권6 「虞祭」 부록 그림 84 참조

18 주인과 형제: 『儀禮』「士虞禮」에 따르면 이때 "주인과 형제는 장사 지낼 때와 같은 복장을 한다.(主人及兄弟, 如葬服.)"고 하였다.

19 室 밖에 ⋯ 기대놓고: 『儀禮』「士虞禮」에 "주인은 喪杖을 기대놓고 들어간다.(主人倚杖入)"고 하였는데, 그 주에서 鄭玄은 "주인은 북쪽을 돌아 喪杖을 서쪽 벽에 놓고 들어간다.(主人北旋倚杖西序, 乃入)"고 하였다.

영좌 앞에서 곡한다. 그 자리는 모두 북향이며, 복을 기준으로 줄을 서되, 복이 무거운 사람은 앞에 서고, 가벼운 사람은 뒤에 선다. 존장尊長(항렬이 높거나 나이가 많은 사람)은 앉고, 비유卑幼(항렬이 낮거나 나이가 어린 사람)는 서며, 남자는 동쪽에 자리하되 서쪽이 상석이고, 여자는 서쪽에 자리하되 동쪽이 상석이다. 줄마다 각각 장유長幼의 순서를 기준으로 차례를 정하며, 시자侍者는 뒤에 선다.

降神

강신降神의 예를 행한다.[20]

∙∙∙∙∙∙∙∙∙∙∙∙∙∙∙∙∙∙∙∙∙

그러나 앞의 본문에서 靈座가 설치된 곳은 古禮에서처럼 室이 아니라 室 밖의 堂이다. 따라서 喪杖을 기대어 놓는 곳도 室의 서쪽 벽이 아니라 堂의 서쪽 벽이어야 한다.

이에 대해 沙溪는 다음과 같이 설명하였다. "살펴보니, 喪禮에는 남자가 동쪽에 자리하고 여자가 서쪽에 자리하는데도 여기서는 '喪杖을 서쪽 벽에 기대어 놓는다.'고 한 것은 무슨 까닭인가? 禮에 喪을 치를 때에는 堂을 오르내릴 때 阼階로 다니지 않는다. (조계는 부친이 살아계실 때 오르내리던 곳이다.) 그러므로 동쪽에 자리를 만들어놓았지만 오르내릴 때에는 서쪽 계단으로 다니는 것이다. 여기서 喪杖을 서쪽 벽에 기대어놓는 것은 바로 이 때문이다.(按喪禮男位於東, 女位於西, 而今曰, '依杖西序'者, 何也? 禮居喪升降不由阼階. 故設位於東而升降則由西階. 其倚杖於西序者, 以此.)"『家禮輯覽』(『沙溪全書』권29)「虞祭」

그렇다면 왜 喪杖을 짚고 室(본문에서는 堂)에 들어가지 않는 것일까? 『禮記』「喪服小記」의 集說에서 陳澔는 "애통함이 더욱 줄어들고 공경함이 더욱 많아지기 때문이다.(盖哀益殺而敬彌多也.)"고 하였다.

20 降神의 예를 행한다. : 본문의 虞祭에는 降神 조목만 있고 參神 조목은 없다. 그리하여 『家禮儀節』권6 「虞祭」에서 丘濬은 降神 조목 아래 새로 '參神' 조목을 보충해 넣었는데 이에 대해 沙溪는 다음과 같이 비판하였다. "살펴보니, 이 아래에 丘氏(丘濬)는 「'參神'이라는 한 조목을 보충해 넣으면서, 虞祭는 「辭神」아래에 「주인 이하는 곡하고 재배한다.」는 말이 있지만, 「辭神」앞에 그저 주인은 예를 행하고 주인 이하는 차례로 서있을 뿐, 별도로 參拜하는 글이 없다. 지금 보충해 넣는다.'고 하였다. 그러나 내 생각으로는 虞祭 · 卒哭祭 · 大祥祭 · 小祥祭에는 모두 이른바 참신하는 글이 없고 오직 祔祭에만 있을 뿐인데, 그 아래의 주에도 그저 「祖考와 祖妣에게만 참신한다.」고 말할 뿐이니, 새 신주에 대해서는 별도의 참신하는 예가 없는 것이 분명하다. 그런데도 丘氏는 함부로 덧붙여 보충해 넣었으니, 『家禮』의 본뜻이 아니다.

대개 이른바 參神이라는 것은 參謁(찾아뵙고 절하는 것)하는 것이다. 무릇 제사 지낼 때 이미 다른 곳에 신주를 모시고 나면 헛되이 보아서는 안 되기 때문에 반드시 절을 하고서 알현하는 것이다. 새 신주의 경우, 3년 동안 효자가 항상 그곳에 거처하면서, 練祭를 지내기 전까지 그대로 朝夕哭을 두는 것은 살아 계실 때의 昏定晨省을 형상화한 것이다. 그래서 하루라도 靈座 앞에 있지 않은 적이 없으니, 비록 제사를 지내는 날을 만나더라도 參謁해야 된다는 뜻이 없다. 그러므로 그저 들어가서 곡한다고만 말한 것이다. (按此下丘氏補入參神一條曰, '虞祭於辭神下, 有云「主人以下哭再拜」而前此只是主人行禮, 主人以下序立而已, 別無參拜之文. 今補.' 然愚意虞卒哭大小祥祭, 并無所謂參神之文, 而只於祔祭有之, 而其下註, 特言「參祖考妣」, 則其於新主, 別無參神之禮明矣. 而丘氏妄herein補入, 非家禮本意. 意者所謂參神者, 參謁也. 凡祭旣奉主於別所, 則不可虛視, 故必拜而謁之. 至於新主, 則三年內孝子常居其處, 未練前, 仍有朝夕哭, 以象生時定省, 而未嘗一日不在於靈座前, 雖遇行祭之日, 無可參謁之義. 故只言入哭而已.)"『家禮輯覽』(『沙溪全書』권29)「虞祭」

그러나 『家禮增解』의 저자 李宜朝의 생각은 沙溪와 다르다. 물론 丘濬이 여기에 參神의 예를 끼워 넣은 것은 그에게도 터무니없는 일일 것이다. 그러나 그는 "하루라도 靈座 앞에 있지 않은 적이 없으니, 비록

祝止哭者, 主人降自西階, 盥手帨手, 詣靈座前焚香再拜. 執事者皆盥帨. 一人開酒實于注,
西面跪, 以注授主人. 主人跪受. 一人奉卓上盤盞, 東面跪於主人之左. 主人斟酒於盞, 以
注授執事者, 左手取盤, 右手執盞, 酹之茅上, 以盤盞授執事者. 俛伏興, 少退, 再拜復位.
축관이 곡하는 사람을 그치게 하면, 주인은 서쪽 계단으로 내려가 손을 씻고 수건으로 닦고서
영좌 앞에 나아가 분향하고 재배한다. 집사자도 모두 손을 씻고 수건으로 닦고, 집사자 한 사람이
술병을 열어 주전자에 채우고는 서향하여 꿇어앉아 주전자를 주인에게 준다. 주인은 꿇어앉아
받고, 다른 한 사람의 집사자는 탁자 위의 잔받침과 잔을 받들고는 동향하여 주인의 왼쪽에
꿇어앉는다. 주인은 술을 잔에 따르고서 주전자를 집사자에게 주고는, 왼손으로 잔받침을 잡고
오른손으로 잔을 잡아 모사 위에 붓고 잔받침과 잔을 집사자에게 주고, 엎드렸다가 일어서는
조금 물러나 재배하고 자리로 돌아간다.

祝進饌.

축관은 음식을 올린다.[21]

> 執事者佐之. 其設之敍如朝奠.
>
> 집사자가 돕는다. 진설하는 차례는 조전朝奠과 같다.[22]

. . . .

제사를 지내는 날을 만나더라도 참알해야 된다는 뜻이 없다."라는 沙溪의 주장에 의문을 제기하면서 다음과
같이 말한다. "3년 동안 어떻게 꼭 殯宮에만 거처하겠는가? 參神은 參謁하는 예로서 祠堂에 晨謁(새벽에
찾아뵙고 절하는 것)하는 것과 같으니, 바로 신으로 섬기는 예이다. 『家禮』에서는 부모가 살아계실 때에는
그저 매일 새벽에 인사만 드릴 뿐 절하지는 않는다. 그러므로 (『朱子語類』 권89, 36조목에서) 주자에게 '효자
가 靈柩의 앞에서 상례를 행할 때 전혀 절하지 않는 것은 무슨 까닭입니까?'라고 묻자, '차마 신령으로 섬기지
못하기 때문에 절하지 않는 것이다.'고 했으니, 상중의 제사에 전혀 참배가 없는 것은 주자가 아마도 산 자를
섬기는 예를 사용했기 때문이다. 『家禮』에는 3년 동안 산 자를 섬기는 예를 사용한 경우가 매우 많다.(三年內,
何必常處殯宮也? 蓋參神者, 是參謁之禮, 與祠堂晨謁同, 而乃神事之禮也. 『家禮』父母生時, 只有每晨唱喏, 而
無拜. 故有問於朱子曰, '孝子於屍柩, 在喪禮, 都不拜如何?' 答曰, '未忍以神事之, 故無拜云云', 則喪中祭, 都無
參拜者, 朱子蓋用生事之禮也. 『家禮』於三年內, 用事生之禮者, 蓋已多矣.)"
사계나 이의조나 參神을 參謁, 즉 '찾아뵙고 절하는 예'로 보는 것은 똑같다. 그러나 사계는 參謁에서 '찾아뵙
는' 것에 주목한다. 그리하여 상주가 이미 3년 상중 내내 靈柩 앞에서건 魂帛 앞에서건 神主 앞에서건 찾아뵈
므로 『家禮』에서 제사의 한 절차인 참신의 예가 없는 것은 당연하다고 본다. 그러나 이의조는 參謁에서 '절하
는' 것에 주목한다. 『家禮』에서는 매일 새벽 살아계신 부모에게 문안 인사를 드릴 때에는 절하지 않는다.
만일 절을 한다면, 이것은 이미 부모를 죽은 자로 섬기는 것이다. 그리하여 『家禮』에 參神의 예가 없는 것은
부모를 죽은 자로, 즉 신령으로 섬기지 않고, 효자의 마음이 차마 죽은 자로 섬기지 못하기 때문이라는 것이
다. 『家禮』의 喪祭에서 참배의 절차가 없는 것은 마지막 제사인 禫祭에 이르기까지 줄곧 관철되고 있다.
이의조의 이러한 지적은 사실 졸곡제 이후로는 吉祭로 보는 古禮와 구별되는 『家禮』의 특징을 일별하는
데 매우 중요한 시사점을 준다.

21 축관은 음식을 올린다. : "祝이 魚·肉·炙肝·米食·麵食을 靈座 앞 탁자 위에 비워둔 두 번째 줄에 올려
　진설한다.(祝, 以魚肉炙肝米麵食, 進列于靈前卓子上次二行空處.)" 『家禮儀節』 권6 「虞祭」
22 朝奠과 같다. : 앞의 역주 중 朝奠 항목 참조

初獻
초헌

主人進詣注子卓前, 執注北向立. 執事者一人取靈座前盤盞立於主人之左. 主人斟酒反注
於卓子上, 與執事者俱詣靈座前北向立. 主人跪, 執事者亦跪進盤盞. 主人受盞三祭於茅束
上, 俛伏興. 執事者受盞奉詣靈座前, 奠於故處. 祝執版出於主人之右, 西向跪讀之, 前同.
但云, "日月不居, 奄及初虞. 夙興夜處, 哀慕不寧, 謹以潔牲柔毛, 粢盛醴齊, 哀薦祫事, 尚
饗." 祝興. 主人哭, 再拜. 復位, 哭止. 牲用豕, 則曰'剛鬣.' 不用牲, 則曰'清酌庶羞.' 祫, 合
也, 欲其合於先祖也.

주인은 주전자가 놓인 탁자 앞으로 나아가 주전자를 잡고 북향하여 서고, 집사자 한 사람이
영좌 앞의 잔받침과 잔을 들고 주인의 왼편에 선다. 주인은 술을 따르고 주전자를 탁자 위에
되돌려 놓고는 집사자와 함께 영좌 앞으로 가서 북향하여 선다. 주인이 꿇어앉으면, 집사자도
꿇어앉아 잔받침과 잔을 올린다. 주인은 잔을 받아 모사茅沙그릇 위에 3번 제祭[23]하고는[24] 엎드렸
다가 일어난다. 집사자는 잔을 받아 받들고 영좌 앞으로 나와 있던 자리에 올려둔다.[25] 축관은
축판을 잡고 주인의 오른쪽으로 나와 서향하여 꿇어앉아 읽는데 축문 앞부분은 같다. 다만 "세월
이 머물지 않아 벌써 초우初虞가 되었습니다. 새벽부터 밤늦도록 애통하고 사모하는 마음에 편안
치 못하여, 삼가 결생潔牲[26]·유모柔毛[27]·자성粢盛[28]·예제醴齊[29]로 애통한 마음으로 협사祫事[30]

....

23 祭: 신령을 대신해서 술잔을 조금 기울여 붓는 것을 말한다. 옛날에는 음식을 먹을 때 반드시 제하였는데,
   신령은 스스로 祭할 수 없기 때문에 그 祭를 대신하는 것이다. 이와 달리 앞의 降神할 때의 酹酒는 말 그대로
   신령을 불러오는 의식으로 主人이 술잔을 다 기울여 땅(바닥)에 붓는다.
24 주인은 잔을 … 祭하고는: "虞祭에는 祭한 뒤에 獻하고 時祭에는 獻한 뒤에 祭하여 같지 않으니 무슨 까닭입
   니까? 하고 묻자, 寒岡鄭逑은 '虞祭는 애통하고 갑작스러워 그 예가 마땅히 간략하며, 時祭는 엄하고 공경해
   야 하니, 그 예를 갖추지 않을 수 없기 때문이 아니겠는가? 다만 司馬溫公司馬光의 『書儀』에는 시제와 우제
   가 그 예가 같으나, 주자는 『家禮』에서 『書儀』의 내용을 쓰지 않았다.'고 하였다.(問, '虞祭, 祭而後獻, 時祭,
   獻而後祭, 不同, 何也?' 寒岡曰, '豈不以虞祭哀遽, 其禮當簡, 時祭嚴敬, 其禮不得不備也耶? 但司馬公『書儀』,
   則與虞祭同禮, 而朱子於『家禮』, 不用『書儀』.)"『寒岡先生文集』 권6 「答朴廷老」
25 집사자는 잔을 … 올려둔다.: "虞祭의 獻盞은 집사자가 하고 時祭의 헌잔은 주인이 한다. 살펴보니 우제는
   제사의 예를 처음 사용한다. 상을 당한 사람이 哭하고 泣하는 나머지 스스로 올릴 수 없는데, 어떻게 시제와
   같을 수 있겠는가?(虞祭獻盞, 執事爲之, 時祭則主人爲之. 按虞祭, 初用祭禮. 喪人哭泣之餘, 未堪自奠, 何得與
   時祭同?)" 宋翼弼, 『家禮註說』(구봉선생집 권9) 「祭禮」
26 潔牲: 깨끗한 제물
27 柔毛: 羊. 『禮記』「曲禮」에 '羊을 柔毛라고 한다.(羊曰柔毛.)'고 하였고, 그 集說에서 陳澔는 '양은 살찌면 털이
   가늘고 부드럽다.(羊肥, 則毛細而柔弱.)'고 하였다.
28 粢盛: 黍稷[粢]을 담은 그릇[盛]이라는 뜻으로 제사의 '飯'을 가리킨다.
29 醴齊: 단술을 하루 묵혀 숙성한 것을 말한다. 醴酒 또는 甛酒라고도 하는데, '醴'는 술을 빚어 하룻밤을 묵혀서
   익힌 것이고, '齊'는 술을 빚을 때 누룩과 쌀의 양을 안배하여 만든 것이다.
30 祫事: 선조의 신주를 다 모아서 한꺼번에 드리는 제사이다. 그러나 이때의 初虞祭는 장사 지내는 날 집에
   돌아와 죽은 이에게 드리는 제사이지, 祫祭가 아니다. 그럼에도 初虞祭에서 祫事드린다고 표현한 이유는

를 드리오니 흠향하소서."라고 한다. 축관이 일어나면, 주인은 곡하고 재배하고, 자리로 돌아가
서 곡을 그친다. 희생으로 돼지를 사용하면 '강렵剛鬣'31이라고 하고, 희생을 쓰지 않으면 '청작서
수淸酌庶羞'32라고 한다. 협祫은 '합하다.'이니, 조상과 합하도록 하려는 것이다.

亞獻
아헌

> 主婦爲之. 禮如初. 但不讀祝, 四拜.
>
> 주부가 한다.33 예는 초헌과 같다. 다만 축문은 읽지 않으며 4배를 한다.

終獻
종헌

> 親賓一人, 或男或女爲之. 禮如亞獻.
>
> 친척이나 빈 중 한 사람, 또는 아들, 아니면 딸이 한다.34 예는 아헌亞獻과 같다.

侑食
유식35

. . . .

장차 삼우제와 졸곡제 후에 祔祭에서 先祖에게 合祔하겠다는 뜻을 미리 말한 것이다. 『家禮輯覽』(『沙溪全書』
권29)「虞祭」 참조

31 剛鬣 : 陳澔는 『禮記』「曲禮下」 '豕曰剛鬣'에 대한 주에서 '돼지가 살찌면 갈기가 억세다.(豕肥則剛鬣).'라고
하였다.

32 淸酌庶羞 : 술을 '淸酌'이라고 하는데, 거른 것을 '淸', 거르지 않은 것은 '糟'라고 한다. 庶羞는 고깃국膷·구운
고기[炙]·胾·醢 등의 4豆를 말한다.

33 주부가 한다. : 이때의 主婦는 喪主의 아내인가? 아니면 주부는 죽은 자의 아내인가? 沙溪는 다음과 같이
말했다. "살펴보니, 『家禮』의 '主婦' 조목에서 주부는 죽은 자의 아내를 말한다. 3년 안에 무릇 주부라고 하는
말은 다 죽은 자의 처를 가리키는 듯하다. 그러나 다만 橫渠張載는 '동쪽에서 犧象을 따르고, 서쪽에서 罍尊
을 따르는 것은 틀림없이 夫婦가 함께 제사 지내는 것이다. 어찌 어머니와 아들이 함께 제사 지낼 수 있겠는
가?'라고 하였다. 이런 관점에서 보면 初喪에는 죽은 자의 아내가 주부가 되어야 하나, 虞祭와 祔祭 이후에는
반드시 부부가 직접 해야 한다. 더 상세히 살펴보아야 한다.(按『家禮』主婦條, 主婦謂亡者之妻. 三年之內,
凡言主婦者, 似皆指亡者之妻. 而但橫渠云, '東酌犧象, 西酌罍尊, 須夫婦共事. 豈可母子共事?' 以此觀之, 初喪
則亡者之妻當爲主婦, 虞祔以後, 必夫婦親之. 更詳之.)" 『家禮輯覽』(『沙溪全書』 권29)「虞祭」

34 또는 아들 … 한다. : "時祭에 의거하면 남녀는 바로 주인의 자녀이다.(據時祭, 男女, 乃主人之子女)." 『家禮增
解』 권11 「虞祭」

35 侑食 : 『禮記』「禮器」 '周坐尸' 集說에서 陳澔는 "侑는 尸童에게 권하여 음식을 더 들게 하는 것이다.(侑者,
勸尸爲飮食之進.)"고 하였다.
沙溪는 "밥 가운데 숟가락을 꽂되 자루가 서쪽을 향하게 하고, 젓가락을 바로 놓는다. 살펴보니, 모든 제사는
侑食에 '숟가락을 꽂고 젓가락을 바로 놓는다.'는 조문이 있는데, 『家禮』의 虞祭·卒哭·祔祭·練祭·祥祭·

執事者執注就添盞中酒.

집사자는 주전자를 들고 나아가 잔에 술을 첨잔添盞한다.

主人以下皆出, 祝闔門.

주인 이하는 모두 나가고 축관은 문을 닫는다.[36]

主人立於門東, 西向. 卑幼丈夫在其後, 重行北上. 主婦立於門西, 東向. 卑幼婦女亦如之. 尊長休於他所如食間.

주인은 문의 동쪽에 서서 서향하고, 항렬이 낮거나 나이가 어린 남자들은 그 뒤에 서되, 여러 줄로 북쪽을 상석으로 하여 선다. 주부는 문의 서쪽에 서서 동향하고, 항렬이 낮거나 어린 여자도 남자들처럼 선다. 존장은 밥 먹는 시간 동안 다른 장소에서 쉰다.

[21-15-1-1]

楊氏復曰 : 「「士虞禮」, '無尸者, 祝闔牖戶如食間.' 詳見後四時祭禮.」

양복이 말했다. "「사우례」에 '시동尸童[37]이 없는 경우,[38] 축관은 들창문과 지게문을 밥 먹는 동안

. . . .

禪祭에는 모두 없고, 『의절』에도 없다. 왜 그런지 알지 못하겠다.(扱匙飯中, 西柄, 正筋. 按凡祭侑食, 俱有扱匙正筋之文, 而『家禮』虞卒哭祔練祥禪祭, 幷無之. 未知何也?)"고 하였다. 『喪禮備要』(『沙溪全書』 권33)「虞祭」

36 축관은 문을 닫는다. : 『儀禮』「士虞禮」에 "贊者는 室의 들창문과 지게문을 닫는다.(贊闔牖戶.)"고 하였다. 이에 대한 주에서 鄭玄은 "귀신은 어둡고 컴컴한 곳에 거처하기를 좋아한다. 혹자는 사람들에게서 멀리 떨어지려는 것인가?(鬼神尚居幽闇. 或者遠人乎?)"라고 하였다. 또「士虞禮」의 記에서 "식사하는 동안만큼 한다."고 하였는데, 주에서 鄭玄은 "시동이 밥을 한 끼 먹을 때 아홉 숟가락 뜨는 食頃 만큼 안 보이게 하는 것이다.(隱之, 如尸一食, 九飯之頃也.)"고 하였다.
古禮에는 几筵을 室 안에 설치했으므로 들창문과 지게문을 닫지만 지금 『家禮』에서는 靈座를 堂 안에 설치했으므로 堂의 문을 닫는다. 堂에 문이 없을 경우에는 발을 내린다.

37 尸童 : 『禮記』「檀弓下」의 集說에서 陳澔는 尸童에 대해 다음과 같이 설명하였다. "남자는 남자를 시동으로 삼고, 여자는 여자를 시동으로 삼는다. '尸'라는 말은 '머무르다主'이다. 부모의 모습이 보이지 않아 마음 붙일 곳이 없기 때문에 시동을 세워 죽은 자의 옷을 입게 하는데, 효자의 마음이 여기에 머무르게 하기 위한 것이다. 禪祭 이전에는 남녀가 시동을 다르게 하고 几를 다르게 한다. 祖廟에서 제사 지낼 경우에는 여자 시동이 없고, 几 또한 같게 한다. 『儀禮』「小牢饋食禮」에서 '○비某妃를 배향한다.'고 할 때에는 남자와 여자가 시동을 같게 한 것이다.(男則男子爲尸, 女則女子爲尸. 尸之爲言主也. 不見親之形容, 心無所係. 故立尸, 使之著死者之服, 所以使孝子之心主於此也. 禪祭以前, 男女異尸異几. 祭於廟則無女尸而几亦同矣. 少牢禮云'某妃配,' 是男女共尸.)"
『禮記』「曾子問」에 "공자는 '성인의 상에 제사 지내는 사람은 반드시 尸童을 두어야 하며, 시동은 반드시 「孫(孫子나 孫女)」으로 해야 하는데, 孫이 어리면 사람을 시켜 안고 있게 한다.'고 하였다. 孫이 없으면 同姓에서 취해도 된다.(祭成喪者必有尸. 尸必以孫, 孫幼, 則使人抱之. 無孫, 則取於同姓可也.)"라고 하였다.
주자는 "옛날에 시동을 세울 때에는 반드시 '一位'를 건너뛰었다. 손자는 조부의 시동이 될 수 있지만 아들은 부친의 시동이 될 수 없었는데, 昭·穆을 어지럽힐 수 없기 때문이다.(古者立尸必隔一位. 孫可以爲祖尸, 子不可以爲父尸, 以昭·穆不可亂也.)"고 하였다. 『朱子語類』 권90, 68조목. 또 그는 "옛사람이 시동을 세운 것은

달아둔다.'고 하였다. 뒤의 「사시제四時祭」의 예에 자세히 보인다."

[21-15-2]

祝啓門, 主人以下入哭辭神.

축관이 문을 열면, 주인 이하는 들어가 곡하고 사신辭神의 예를 행한다.

> 祝進當門北向噫歆, 告啓門三, 乃啓門. 主人以下入就位, 執事者點茶. 祝立于主人之右西向, 告利成. 歛主匣之, 置故處. 主人以下哭再拜. 盡哀止, 出就次, 執事者徹.

> 축관은 문에 이르러 북향하여 '어흠[噫歆]'하는 기침 소리를 세 번 내어[39] 문을 연다고 고하고는 문을 연다. 주인 이하는 들어가 자리에 나아가고 집사자는 차를 따른다.[40] 축관은 주인의 오른쪽에 서서 서향하여 이성利成을 고하고,[41] 신주를 거두어 갑匣에 넣고 있던 자리에 둔다.[42] 주인 이하는 곡하며 재배하고, 애통함을 다하고서 그치고 밖으로 나와서 머무는 곳으로 나아가며, 집사자는 상床을 거둔다.

祝埋魂帛.

축관은 혼백魂帛을 묻는다.[43]

> 祝取魂帛, 帥執事者埋於屏處潔地.

. . . .

또한 살아있는 사람의 생기를 그에게 접속시키려는 것이다.(古人立尸, 也是將生人生氣去接他.)"고 하였다. 『朱子語類』 권3, 67조목. 또 『朱子語類』 권90, 66조목에서는 다음과 같이 말했다. "옛사람이 시동을 쓴 것은 본래 죽은 사람과 하나의 기이기 때문이며, 또 살아있는 사람의 정신을 그의 정신과 교감시켜 붙여서 흠향할 수 있게 하였기 때문이다. 杜佑는 '옛사람은 질박하였는데, 시동을 세운 것은 非禮이다. 지금도 오랑캐들 중에는 여전히 시동을 쓰는 경우가 있다.'고 하였다.(古人用尸, 本與死者是一氣, 又以生人精神去交感他那精神, 是會附著歆享. 杜佑說古人質朴, 立尸爲非禮, 今蠻夷中猶有用尸者.)"

38 尸童이 없는 경우 : "시동이 없는 경우는 손자의 항렬 가운데 시킬 만한 자가 없다는 말이다. 殤 또한 이러한 경우이다.(無尸, 謂無孫列可使者. 殤亦是也.)" 『儀禮』 「士虞禮」 記, 鄭玄 주

39 '어흠[噫歆]'하는 기침 … 내어 : 『禮記』 「曾子問」에 "축관이 세 번 소리를 낸다.(祝聲三)"고 하였는데, 이에 대한 集說에서 陳澔는 "축관이 '어흠'하는 소리를 세 번 내는 것은 신령을 일깨워 듣게 하고는 마침내 고하는 것이다. '噫'는 탄식하는 소리이고, '歆'은 흠향하길 바란다는 뜻이다.(祝爲噫歆之聲者三, 以警動神聽, 乃告之也. 噫是歎恨之聲, 歆者欲其歆饗之義也.)"고 하였다.

40 차를 따른다. : "차를 올려 수저의 옆에 놓는다.(進茶, 置匙筯旁.)" 『家禮儀節』 권6 「虞祭」

41 축관은 주인의 … 고하고 : 『儀禮』 「士虞禮」에 "축관은 戶를 나가서 서쪽을 바라보고 利成을 고한다. 주인이 곡하며, 모두 곡한다.(祝出戶西面告利成. 主人哭, 皆哭.)"고 하였다. 이에 대한 주에서 鄭玄은 "서쪽을 바라보고 고하는 것은 주인에게 고하는 것이다. '利'는 '봉양하다.'와 같고, '成'은 '마치다.'이니, 봉양하는 예가 끝났음을 말하는 것이다. '봉양하는 예가 끝났다.'고 말하지 않는 것은, 시동이 한가롭다고 여기는 것을 꺼린 것이다.(西面告, 告主人也. 利, 猶養也, 成, 畢也, 言養禮畢也. 不言養禮畢, 於尸閒嫌.)"고 하였다.

42 축관은 주인의 … 둔다. : 虞祭가 끝나면 "축관은 축문을 들어 올려 불태우고 축판만 남겨둔다. 이후에도 이와 같다.(祝揭祝文焚之, 止留版. 後倣此.)" 『喪禮備要』(『沙溪全書』 권33) 「虞祭」

43 축관은 魂帛을 묻는다. : 이때에는 혼백에 깃들어 있던 신령이 이미 신주로 옮겨갔으므로 묻는 것이다.

축관은 혼백을 들고 집사자를 거느리고 후미진 곳 깨끗한 땅에 묻는다.

罷朝夕奠.

조석전朝夕奠을 그만둔다.[44]

> 朝夕哭. 哀至哭如初.
>
> 아침저녁으로 곡하고, 애통함이 북받치면 곡하는 것은 처음과 같이 한다.

遇柔日, 再虞.

유일柔日을 만나면 재우를 지낸다.

> 乙丁己辛癸爲柔日. 其禮如初虞. 惟前期一日陳器具饌. 厥明夙興, 設蔬果酒饌. 質明行事. 祝出神主于座. 祝詞改初虞爲再虞, 祫事爲虞事爲異. 若墓遠, 途中遇柔日, 則亦於所館行之.
>
> 을乙·정丁·기己·신辛·계癸가 들어가는 날이 유일柔日이니,[45] 그 예는 초우初虞와 같이 한다. 다만 하루 전에 기물을 진설하고 음식을 마련하며, 다음 날 새벽에 일어나 채소와 과일, 술과 음식을 진설한다. 동이 틀 무렵[46]에 제사를 지낸다. 축관은 신주를 영좌에 내온다. 축문 내용은 '초우初虞'를 '재우再虞'로 고치고 '협사祫事'를 '우사虞事'로 고치는 것만 다르다. 묘소가 멀어 도중에 유일을 만나는 경우에는 또한 머무는 곳에서 행한다.

遇剛日, 三虞.

---

44 朝夕奠을 그만둔다. : 『禮記』「檀弓下」에 "이날, 奠을 虞祭로 바꾼다.(是日也, 以虞易奠.)"고 하였는데, 이에 대한 集說에서 陳澔는 "始死奠·小殮奠·大殮奠·朝夕奠·朔月奠·朝祖奠·賵遣奠 따위는 모두 喪奠이다. 이날, 虞祭로 喪奠을 대체하고, 더 이상 올리지 않기 때문에 '우제로써 전을 바꾼다.'고 한 것이다.(始死小殮大殮朝夕朔月朝祖賵遣之類, 皆喪奠也. 此日以虞祭代去喪奠, 故曰'以虞易奠也.')"고 하였다. 虞祭에 비록 奠이 중단되었을지라도 여전히 애통함이 북받치면 곡을 하므로 아직은 凶祭이다. 그러나 奠이 중단되었기에 '虞奠'이 아니라 '虞祭'이니, 더 이상 이전의 凶祭와도 다르다. 따라서 虞祭는 凶祭에서 吉祭로 나가는 과도기적 특징을 갖는다.

45 乙·丁 … 柔日이니 : 柔日과 剛日은 각각 음과 양으로서 '고요함'과 '움직임'을 취한 것이다. 천간 중에서 柔日은 짝수 날, 즉 乙·丁·己·辛·癸가 들어가는 날이고, 剛日은 홀수 날, 즉 甲·丙·戊·庚·壬이 들어가는 날이다. 呂祖謙은 "剛日이나 柔日에 구애되지 않되, 다만 장사를 치른 날 우제를 지내고, 그 뒤 유일을 만나면 再虞를 지내며, 또 강일을 만나면 三虞를 지내고, 또 강일을 만나면 졸곡을 지낸다.(拘剛柔, 但於葬日, 卽虞, 後遇柔日, 再虞, 又遇剛日, 三虞, 又遇剛日, 卽卒哭.)"고 하였다. 『東萊呂氏葬儀』. 遂菴 權尙夏는 "初虞는 반드시 장사 지낸 날에 행하니, 강일과 유일을 따지지 않는다. 재우는 짝수이고, 삼우는 홀수이니, 날을 가려 행하는 것은 각각 음양을 따르는 것이다. 졸곡은 길제의 시작이기 때문에 강일을 쓴다.(初虞必於葬日之中行之, 不論剛柔. 再者偶數, 三者奇數, 擇日而行. 各從陰陽也. 卒哭, 吉祭之始, 故用陽日.)"고 하였다. 『寒水齋先生文集』 권18 「答金夏微」.

46 동이 틀 무렵 : 質明에 대한 『儀禮』「旣夕禮」의 주에서 鄭玄은 "'質'은 '처음, 갓, 正'이다."고 하였는데, 그 소에서 賈公彦은 "막 밝다.(正明: 동이 트다)"고 하였다.

강일剛日을 만나면 삼우三虞를 지낸다.

> 甲丙戊庚壬爲剛日. 其禮如再虞. 惟改再虞爲三虞, 虞事爲成事. 若墓遠, 亦途中遇剛日, 且闕之, 須至家乃可行此祭.
>
> 갑甲·병丙·무戊·경庚·임壬이 들어가는 날이 강일剛日이다. 그 예는 재우再虞와 같다. 다만 '재우再虞'는 '삼우三虞'로, '우사虞事'는 '성사成事'[47]로 고친다. 묘소가 멀어 또한 도중에 강일剛日을 만나는 경우에는 잠시 보류하였다가 반드시 집에 와서야 (강일에) 이 제사를 지낼 수 있다.

[21-16-0]

卒哭 졸곡[48]

> 「檀弓」曰: "卒哭曰'成事'. 是日也, 以吉祭易喪祭, 故此祭漸用吉禮."
>
> 『예기禮記』「단궁하檀弓下」에서 말하였다. "졸곡卒哭을 '성사成事'라고 한다.[49] 이날 상제喪祭를 길제吉祭로 바꾼다.[50] 그러므로 이 제사부터 점차 길례吉禮를 사용한다."

[21-16-1]

三虞後遇剛日, 卒哭. 前期一日, 陳器具饌.

삼우 뒤에 강일을 만나면 졸곡을 지낸다. 하루 전에 기물器物을 진설하고 음식을 마련한다.

・・・・・・・・・・・・・・・・・・・・・・

47 成事: "삼우를 成事라고 말한 것은 우제의 마침을 고하여 그 제사를 이루었다는 것을 말한다.(三虞曰成事者, 虞祭告終, 成其祭祀之謂也.)"『鄕校禮輯』

48 卒哭: 『禮記』「雜記下」에서 "士는 3개월에 장사 지내고 그달에 졸곡을 한다. 대부는 3개월에 장사 지내고 5개월에 졸곡을 한다. 제후는 5개월에 장사 지내고 7개월에 졸곡을 한다.(士三月而葬, 是月也, 卒哭. 大夫三月而葬, 五月而卒哭. 諸侯五月而葬, 七月而卒哭.)"고 하였다.
『儀禮』「喪服」傳의 소에서 賈公彦은 "졸곡이란 依廬(부모의 상중에 임시로 거처하는 여막) 안에서 아무 때나 하던 곡을 마치는 것을 말한다. 다만 아침과 저녁, 阼階 아래에서 일정한 시간을 두고 곡을 한다.(卒哭者, 謂卒去廬中無時之哭. 唯有朝夕於阼階下有時之哭.)"고 하였다. 橫渠[張載] 또한 "졸곡은 아무 때나 하던 곡을 마치는 것이지, 곡하지 않는 것이 아니다.(卒哭者, 卒去非常之時哭, 非不哭也.)"고 하였다. 『張子全書』권8「喪紀」

49 卒哭을 '成事'라고… 한다. : "졸곡을 成事라고 하는 것은, 祝辭에 '애통한 마음으로 成事를 올립니다.'고 하였는데, 제사가 吉로 이루어진 것이니, 졸곡제가 바로 吉祭이기 때문이다.(卒哭曰成事者, 盖祝辭曰'哀薦成事'也, 祭以吉爲成, 卒哭之祭乃吉祭故也.)"『禮記』「檀弓下」의 陳澔 集說. 말하자면 卒哭의 成事 개념은 졸곡에서 제사가 더 이상 喪祭 또는 凶祭가 아니라, 吉祭로 성취되었다는 의미이다.

50 이날 喪祭를 … 바꾼다. : 여기에서 "吉祭는 卒哭祭이고, 喪祭는 虞祭이다. 졸곡제가 우제의 뒤에 있으므로 '길제로 상제를 바꾼다.'고 한 것이다.(吉祭, 卒哭之祭也, 喪祭, 虞祭也. 卒哭, 在虞之後, 故云'以吉祭易喪祭也.')"『禮記』「檀弓下」의 陳澔 집설. 그러나 『儀禮』「士虞禮」의 소에서 賈公彦은 "졸곡제는 우제에 대해서 길제가 되지만, 졸곡제는 祔祭에 대해서 喪祭가 된다.(卒哭, 對虞爲吉祭, 卒哭, 比祔, 爲喪祭.)"고 하였다. 나아가 "喪을 치르는 가운데 28개월에 평상으로 돌아가는 것을 길제로 본다면, 담제 이전은 모두 喪祭가 된다.(若喪中對二十八月復平常爲吉祭, 則禫祭已前皆爲喪祭也.)"고 하였다. 『周禮』「春官」, 賈公彦 소

並同虞祭. 惟更設玄酒瓶一於酒瓶之西.

모두 우제虞祭와 동일하다. 다만 다시 현주玄酒[51]를 담은 병 하나를 술병 서쪽에 놓는다.

厥明夙興, 設蔬果酒饌.

다음 날 새벽에 일어나 채소·과일·술·음식을 진설한다.

並同虞祭. 唯更取井花水, 充玄酒.

모두 우제虞祭와 동일하다. 다만 다시 정화수井花水[52]를 떠서 현주玄酒를 채운다.

質明, 祝出主.

동이 틀 무렵 축祝은 신주를 내온다.

同再虞.

재우再虞와 같다.

主人以下皆入哭降神.

주인 이하는 모두 들어가 곡하고 강신의 예를 올린다.

並同虞祭.

모두 우제와 같다.

主人主婦進饌.

주인과 주부는 음식을 올린다.

主人奉魚肉, 主婦盥帨奉麪米食. 主人奉羹, 主婦奉飯以進, 如虞祭之設.

주인은 생선과 고기를 올리고, 주부는 손을 씻고 닦고서 면식麪食과 미식米食을 올린다. 주인은 국羹을 올리고 주부는 밥飯을 올리되, 우제虞祭와 같이 진설한다.

初獻

초헌

並同虞祭. 惟祝執版出於主人之左, 東向跪讀爲異. 詞並同虞祭. 但改三虞爲卒哭. 哀薦成

---

51 玄酒: 『禮記』「鄕飮酒義」에 "尊(준)에 玄酒가 있으니, 백성들에게 근본을 잊지 않도록 가르치는 것이다.(尊有玄酒, 敎民不忘本也.)"고 하였다. 그 集說에서 陳澔는 "태고적 세상에는 술이 없어 물로 예를 행하였다. 그 때문에 후세에 이어서 물을 玄酒라고 한 것이다. '근본을 잊지 않는다.'는 것은 예가 일어나게 된 유래를 생각하는 것이다.(太古之世, 無酒以水行禮. 故後世因謂水爲玄酒, '不忘本'者, 思禮之所由起也.)"고 하였다. 또 『禮記』「禮運」 '玄酒以祭' 集說에서 陳澔는 그는 "매번 제사를 지낼 때마다 꼭 현주를 진설하기는 하지만, 사실 현주를 잔에 따르지는 않는다.(每祭必設玄酒, 其實不用之以酌.)"고 하였다.
52 井花水: 井華水라고도 하는데, 아침에 첫 번째로 길어 올린 물을 가리킨다.

事下云: "來日隮祔于祖考某官府君, 尚饗."

모두 우제虞祭와 같다. 다만 축관은 축판을 들고 주인의 왼쪽으로 나와 동향하여 꿇어앉아 읽는 것만이 다르다.[53] 축문 내용祝詞은 모두 우제虞祭와 같다.[54] 다만 '삼우三虞'를 '졸곡卒哭'으로 고친다. '애통한 마음으로 성사를 올립니다.' 아래에 "내일 조고祖考 ○관부군께 '올려[隮]' 부祔하겠사오니, 흠향하소서."라고 한다.

○按此云'祖考', 謂亡者之祖考也.

살펴보니, 여기서 '조고祖考'라고 한 것은 죽은 이의 조고祖考를 말한다.

[21-16-1-1]

朱子曰 : "溫公以虞祭讀祝於主人之右, 卒哭讀祝於主人之左, 蓋得禮意."[55]

주자가 말했다. "온공溫公司馬光이 우제虞祭에는 주인의 오른쪽에서 축을 읽고, 졸곡卒哭에는 주인의 왼쪽에서 축을 읽는다고 한 것은 예의 뜻에 맞다."

[21-16-1-2]

楊氏復曰 : "高氏禮, 祝進讀祝文曰, '日月不居, 奄及卒哭. 叩地號天, 五情靡潰. 謹以淸酌

---

53 축관은 축판을 … 다르다. : 이에 대해 沙溪는 "살펴보니, 우제는 상제이므로 서쪽을 향하여 아뢰고, 졸곡은 길제이므로 동쪽을 바라보고 아뢴다.(按虞祭, 喪祭, 故西向告, 卒哭, 吉祭, 故東面告也.)"고 하였다. 『家禮輯覽』(『沙溪全書』 권29)「卒哭」. 이는 음양에서 喪祭인 우제는 음에 속하고, 吉祭인 졸곡제는 양에 속하기 때문이다.

54 축문 내용祝詞은 … 같다. : 우제와 졸곡제는 전자는 喪祭이고 후자는 吉祭이다. 상제와 길제의 차이점 중의 하나는 축문에서의 상주의 호칭 문제이다. 禮經에서 살펴보면, 『禮記』「雜記上」에 "祭事에서는 孝子·孝孫이라고 칭하고, 喪事에서는 哀子·哀孫이라고 칭한다.(祭稱孝子孝孫, 喪稱哀子哀孫.)"고 하였다.

이에 대한 소에서 孔穎達은 "祭事는 길제이니, 卒哭 이후의 제사를 말한다. 길하면 효자의 마음을 펼 수 있으므로 축문에 '孝'라고 말하고, 子나 孫은 祭主를 따른다. 喪事에 哀子·哀孫이라고 칭하는 것은 虞祭 이전의 凶祭를 말한다. 喪을 당하면 애통하여 사모하는 마음을 펼 수 없다. 그러므로 '哀'라고 칭하는 것이다. 그 때문에 『儀禮』「士虞禮」에서는 哀子라고 칭하고, 졸곡에서야 孝子라고 칭하는 것이다.(祭, 吉祭也, 謂自卒哭以後之祭. 吉則申孝子之心, 祝辭云孝者也, 或子或孫, 隨其人. 喪稱哀子哀孫, 謂自虞以前凶祭也, 喪則痛慕未申. 故稱哀也. 故士虞禮稱哀子, 卒哭乃稱孝子.)"고 하였다.

그런데 『家禮』에서는 우제와 졸곡제가 축문에서의 상주의 호칭이 모두 哀子로 같다. 그렇다면 『禮記』를 따르지 않는 것은 무슨 까닭인가? 그것은 『家禮』가 『禮記』를 따르지 않고 『儀禮』를 따르고 있기 때문이다. 『儀禮』에서는 졸곡제의 축문에서도 상주의 칭호를 哀子로 표현하였다. 그러기에 黃幹은 그의 『儀禮經傳通解續』에서 "졸곡제에 喪祭를 吉祭로 바꾼다면, 마땅히 孝子·孝孫이라고 칭해야 하는데, 지금은 오히려 애자로 칭하고 있으니, 어찌 효자가 차마 그 애통함을 잊지 못해 부제에 이르러 신령으로 모시고서야 '효'라고 칭하는 것이 아니겠는가?(卒哭之祭, 是以吉祭易喪祭, 則合稱孝子孝孫. 今尙稱哀者, 豈孝子不忍忘其哀至祔而神之乃稱孝歟?)"고 하였다. 『儀禮經傳通解續』, 권7「卒哭·祔·練·祥·禫記」7

沙溪 또한 "살펴보니, 『儀禮』와 『家禮』에서는 祔祭에 비로소 孝라 칭하니, 마땅히 『儀禮』를 따라야 한다.(按『儀禮』·『家禮』, 則祔祭始稱孝, 當從『儀禮』.)"고 하였다. 『疑禮問解』(『沙溪全書』 권40)「祔」

55 『朱文公文集』「答程正思」(1)

庶羞, 哀薦成事, 尚饗. ’”

양복이 말했다. “고씨[高氏]高閌의 예[56]에, 축관이 나아가 축문을 읽으며 ‘세월이 머물지 않아 벌써 졸곡이 되었습니다. 땅을 치고 하늘에 외쳐도 슬픔이 다함이 없습니다. 삼가 맑은 술과 여러 음식으로 슬피 성사를 올리오니, 흠향하소서.’라고 한다고 하였다.”

[21-16-2]

亞獻 · 終獻 · 侑食 · 闔門 · 啓門 · 辭神.

아헌 · 종헌 · 유식 · 합문 · 계문 · 사신

　　並同虞祭. 唯祝西階上東面, 告利成.

　　모두 우제虞祭와 같으나, 다만 축관이 서쪽 계단 위에서 동향하여 이성利成을 고한다.

自是朝夕之間, 哀至不哭.

이때부터 아침과 저녁 사이에는 슬픔이 북받쳐도 곡하지 않는다.

　　猶朝夕哭.

　　여전히 아침저녁 곡은 한다.

主人兄弟疏食水飮, 不食菜果, 寢席枕木.

주인과 형제는 거친 밥을 먹고 물을 마시되, 채소와 과일은 먹지 않으며, 자리를 깔고 나무를 베고 잔다.[57]

[21-16-2-1]

　　楊氏復曰 : “按古者旣虞卒哭有受服. 練 · 祥 · 禫皆有受服. 蓋服以表哀, 哀漸殺, 則服漸輕. 然受服數更, 近於文繁. 今世俗無受服, 自始死至大祥, 其衰無變, 非古也. 『書儀』『家禮』從俗而不泥古, 所以從簡.”

　　양복이 말했다. “살펴보니, 옛날에는 우제虞祭와 졸곡卒哭을 마치면 수복受服[58]이 있었고, 연제 · 상

· · · · · · · · · · · · · · · · · · · ·

56　高氏[高閌]의 예 : 高閌의 『厚終禮』를 말한다.

57　주인과 형제는 … 잔다. : 『儀禮』「喪服」의 傳에 “우제를 지내고 나서 倚廬 주위의 풀을 깎고 기둥[柱]과 처마[楣]를 만들며, 잘 때에는 자리를 깔고 자고 거친 음식을 먹고 물을 마신다.(旣虞, 翦屛柱楣, 寢有席, 食疏食, 水飮.)”고 하였는데, 이에 대한 소에서 賈公彦은 “거친 쌀로 밥을 지어서 먹는 것이다. ‘물을 마신다.’고 한 것은, 우제를 지낸 뒤에 漿水(좁쌀로 만든 미음)나 酪粥(우유나 양유로 끓인 죽) 등을 먹을까 걱정되므로 물을 마신다고 한 것일 뿐이다.(用粗疏米爲飯而食之, 水飮者, 恐虞後飮漿酪之等, 故云飮水而已.)”고 하였다.

58　受服 : 무거운 복을 벗고 가벼운 복을 받는 것을 말한다. 『書儀』 권6 「五服制度」에서 司馬光은 “옛날에는 장사를 지내고 나면 練祭, 祥祭, 禫祭에 모두 受服을 두어 복을 바꿔 가벼운 복을 따랐다. 요즈음 세속에서는 수복이 없어 成服 때부터 大祥 때까지 衰服에 변복이 없다. 그러므로 장사 지내고 나서 집안에 거처할 때에

제·담제에도 모두 수복이 있었다. 상복은 애통함을 드러내는 것이니, 애통함이 점차 줄어들면 상복도 점차 가벼워진다. 그러나 수복을 자주 변경하는 것은 문식의 번잡함에 가깝다. 요즘 시속에는 수복이 없어 처음 죽었을 때부터 대상에 이르기까지 그 최복에 변함이 없으니, 고례가 아니다. 『서의』와 『가례』는 시속을 따라서 고례에 집착하지 않았으니, 간편함을 따른 것이다."

[21-17-0]

祔 부59

「檀弓」曰, "殷既練而祔, 周卒哭而祔. 孔子善殷." 註曰, "期而神之, 人情." 然殷禮既亡, 其本末不可考. 今三虞卒哭, 皆用周禮次第, 則此不得獨從殷禮.

『예기禮記』「단궁하」에 "은殷나라에서는 연제練祭를 지내고서 부제祔祭하였고, 주周나라에서는 졸곡卒哭을 지내고서 부제하였는데, 공자는 은나라 예를 좋게 여겼다."60고 하였다. 그 주에서 (정현은) "1년이 지나서 신령으로 여기는 것이 인정이다."고 하였다. 그러나 은나라 예는 이미 없어져 그 본말을 상고할 수 없다. 지금은 삼우三虞와 졸곡卒哭에 모두 주나라 예의 절차를 쓰고 있으니,

. . . .

입는 복을 별도로 만들어 입는데, 이 역시 수복하는 뜻이다.(古者葬既, 練祥禪皆有受服, 變而從輕. 今世俗無受服, 自成服至大祥, 其衰無變. 故於既葬, 別爲家居之服, 是亦受服之意也.)"고 하였다.

59 祔 : 『禮記』「檀弓下」의 集說에서 陳澔는 "'祔'란 '붙이다[附]'이다. 祔祭는 조부에게 다른 廟로 옮겨 가게 되었음을 아뢰고, 새로 죽은 자에게 이 廟에 들어가게 되었음을 아뢰는 것이다. 부제가 끝나면 우제를 지낼 적에 세운 신주를 正寢에 도로 모신다. 3년상을 마치고 四時의 길제를 만난 뒤에 새 신주를 받들어서 廟로 들인다.(祔之爲言, 祔也. 祔祭者, 告其祖父以當遷他廟, 而告新死者以當入此廟也. 畢事, 虞主復於寢. 三年喪畢, 遇四時之吉祭而後, 奉新主入廟也.)"고 하였다.

『禮記』「喪服小記」에 "祔할 곳이 없으면 한 대를 위로 건너뛰어 祔한다. 祔는 반드시 昭·穆을 기준으로 한다.(亡則中一以上而祔. 祔必以其昭穆.)"고 하였다. 그 集說에서 陳澔는 "'亡'는 '없다'이다. '中'은 '건너뛰다[間].'이다. 祖가 없는 경우에는 曾祖 한 위를 건너뛰어 高祖에게 祔한다. 증조를 건너뛰는 까닭은 昭·穆의 차례가 同列이 아니기 때문이다.(亡, 無也. 中, 間也. 若無祖, 則間曾祖一位而祔高祖. 所以間曾祖者, 以昭穆之次不同列.)"고 하였다.

주자는 다음과 같이 말하고 있다. : "신주를 祔하는 것과 遞遷하는 것은 따로 두 가지의 일이다. 祔한다는 것은 새로 죽은 자의 신주를 받들어 장차 이 묘에 옮겨올 것이라고 아뢰는 것이다. 아뢰고 나면 새로 죽은 자의 신주를 正寢에 도로 모시고, 祖의 신주 또한 아직 체천하지 않는다.(蓋祔與遷, 自是兩事. 祔者, 奉新死之主而告以將遷於此廟也. 既告已, 則復新死者之主於寢, 而祖亦未遷.)" 『朱文公文集』 권58 「答葉味道」(2)

『儀禮』「士虞禮」의 記에 "(졸곡제를 지낸) 다음 날 그 班列을 기준으로 祔祭하는데, 목욕하고 빗질을 하며 손발톱을 깎는다.(明日以其班祔 沐浴櫛翦)"고 하였다. 그 주에서 鄭玄은 "자신을 더욱 꾸미는 것이다.(彌自飾也.)"라고 하였으며, 이에 대한 소에 賈公彦은 "'자신을 더욱 꾸미는 것이다.'는 것은 앞의 글에서 '虞祭를 지낼 때에는 목욕은 하되 빗질은 하지 않는다.'고 하였는데, 이제 祔祭를 지내면서 (손발톱을 깎고) 빗질을 하니, 이는 자신의 꾸밈을 더하는 것이다.('彌自飾也'者, 上文'虞祭沐浴不櫛,' 今祔時櫛, 是彌自飾也.)"고 하였다.

60 공자는 은나라 … 여겼다. : 이에 대한 集說에서 陳澔는 "공자가 은나라의 祔祭를 좋게 여긴 것은 부모를 귀신으로 삼는데 급하지 않았기 때문이다.(孔子善殷之祔者, 以不急於鬼其親也.)"고 하였다.

이것만 은나라 예를 따를 수는 없다.

[21-17-1]

卒哭明日而祔. 卒哭之祭旣徹, 即陳器具饌.

졸곡卒哭 다음 날 부제祔祭한다. 졸곡의 제사를 거두고 나면, 기물器物을 진설하고 음식을 마련한다.

器如卒哭, 唯陳之於祠堂. 堂狹即於廳事隨便. 設亡者祖考妣位於中, 南向西上. 設亡者位 於其東南西向. 母喪則不設祖考位. 酒瓶玄酒瓶於阼階上. 火爐湯瓶於西階上. 具饌如卒 哭而三分. 母喪則兩分. 祖妣二人以上則以親者.

기물은 졸곡과 같되, 다만 사당祠堂에 펼쳐놓는다. 사당이 협소하면 청사廳事에서 형편대로 한다. 죽은 사람의 조고祖考·조비祖妣의 신위를 중앙에 남향하여 두되, 서쪽이 상석이다. 죽은 사람의 신위는 그 동남쪽에 서향하여 둔다. 모친상의 경우에는 죽은 사람의 조고의 신위는 놓지 않는다. 술병과 현주병은 조계阼階 위에 놓고, 화로와 탕병은 서쪽 계단 위에 놓는다. 음식을 마련하는 것은 졸곡과 같으나 신위가 셋이다. 모친상의 경우에는 신위가 둘이고, 죽은 사람의 조비가 2인 이상이면 친한 분에게 차린다.[61]

○「雜記」曰 : "男子祔于王父則配, 女子祔于王母則不配." 註, "有事於尊者, 可以及卑, 有 事於卑者, 不敢援尊也."

『예기禮記』「잡기상雜記上」에 "남자를 왕부王父[祖父]에게 부제祔祭할 때에는 (왕모를) 함께 제사 지내지만, 여자를 왕모王母[祖母]에게 부제할 때에는 (왕부를) 함께 제사 지내지 않는다."고 하였 다. 그 주에서 (정현은) "윗분에게 제사가 있을 경우에는 낮은 이에게 미칠 수 있지만 낮은 이에 게 제사가 있을 경우에는 감히 윗분을 끌어오지 못한다."고 하였다.

[21-17-1-1]

高氏曰 : "若祔妣, 則設祖妣及妣之位, 更不設祖考位. 若父在而祔妣, 則不可遞遷祖妣, 宜 別立室以藏其主, 待考同祔. 若考妣同祔, 則並設祖考及祖妣之位."

고씨高氏高閌가 말했다. "비妣를 부제할 경우에는 (비의) 조비祖妣와 비妣의 신위를 설치하고, 조고祖 考의 신위를 더 설치하지 않는다. 부친이 살아 있는데 비를 부제할 경우에는 조비를 체천하지 못하 니, 마땅히 따로 실室을 만들어 그 신주를 보관하다가 부친이 돌아가시기를 기다려 함께 부제해야 한다. 고考와 비妣를 같이 부제하면, (그들의) 조고와 조비의 신위를 함께 설치한다."

---

61 죽은 사람의 … 차린다. : 『禮記』「喪服小記」에 "며느리는 '남편의 祖姑'에게 合祔하는데, 조모가 세 사람일 경우에는 친한 분에게 합부한다.(婦祔於祖姑, 祖姑有三人, 則祔於親者.)"고 하였는데, 이에 대한 주에서 鄭玄 은 "'세 사람'이라는 것은 시아버지의 繼母가 두 사람일 경우이다. 친한 자는 시아버지의 生母를 이른다.(三人, 或有二繼也. 親者謂舅所生母也.)"고 하였다. 祠堂에서 祔祭를 행하는 묘사는 부록 그림 85 참조

[21-17-1-2]

胡氏泳曰：“高氏別室藏主之說恐未然. 先生内子之喪, 主只祔在祖妣之傍, 此當爲據”

호영胡泳[62]이 말했다. “고씨高氏[高閌]가 '별실에 신주를 보관한다.'는 설은 옳지 않은 듯하다. 선생朱熹은 내자内子[婦人][63]의 상喪에 신주를 단지 조비 옆에 합부合祔하였으니, 이것을 당연히 근거로 삼아야 한다.”

楊復曰：“父在祔妣, 則父爲主, 乃是夫祔妻於祖妣. 三年喪畢未遷尚祔于祖妣, 待父他日, 三年喪畢, 遞遷祖考妣, 始考妣同遷也. 高氏父在不可遞遷祖妣之説亦是. 但別室藏主説則非也.”

양복楊復이 말했다. “부친이 살아계신데 비妣를 합부合祔할 경우에는 부친이 주인이 되니, 바로 이것이 남편이 처를 조비에게 합부하는 것이다. 3년상을 마치더라도 옮기지 않고 여전히 조비에 합사하였다가 훗날 부친의 3년상을 마치기를 기다려 조고祖考와 조비祖妣를 체천하고 비로소 고考와 비妣를 함께 옮긴다. 고씨高氏[高閌]가 '부친이 살아있을 경우 조비를 체천하지 못한다.'는 설은 또한 옳다. 다만 별실에 신주를 보관한다는 말은 옳지 않다.”

[21-17-2]

厥明夙興, 設蔬果酒饌.

그 다음 날 일찍 일어나 채소·과일·술·음식을 진설한다.

> 並同卒哭.
>
> 모두 졸곡과 같다.

質明, 主人以下哭於靈座前.

동이 틀 무렵 주인 이하는 영좌靈座 앞에서 곡한다.

> 主人兄弟, 皆倚杖于階下, 入哭. 盡哀止.
>
> 주인과 형제는 모두 계단 아래에 상장喪杖을 기대어 놓고[64] 들어가 곡한다. 애통함을 다하고서 그친다.
> ○按此謂繼祖宗子之喪, 其世嫡當爲後者主喪乃用此禮. 若喪主非宗子, 則皆以亡者繼祖之宗主此祔祭.
>
> 살펴보니, 이것은 조부를 계승하는 종자宗子의 상을 말하는 것이니, 그 세대의 적장자로서 마땅히 후사가 되어야 할 자가 상례를 주관할 경우에 이 예를 사용한다. 상주喪主가 종자가 아닐

---

62 胡泳：자는 伯量이며, 송나라 建昌 사람이다. 주자의 제자로 학문이 견실하고 굳건하다는 평가를 받았으며, '洞源 선생'이라고 불렸다. 저서에 『四書衍說』이 있다.

63 内子[婦人]：『禮記』「喪大記」의 集說에서 陳澔는 “내자는 바로 大夫의 정처이다. 夫人으로 명을 받지 못하였으면 世婦라고 칭할 수가 없다. 그러므로 그저 내자라고만 칭할 뿐이다. 내자는 명을 받건 못 받건 통틀어 칭하니, 세부도 또한 내자이다.(内子卽大夫之正妻. 未受夫人所命, 則未可稱世婦. 故但稱内子. 内子蓋已命未命之通稱, 世婦, 亦内子也.)”고 하였다.

64 喪杖을 기대어 놓고：“부제에는 喪杖을 짚고 堂에 오르지 않는다.(祔, 杖不升於堂.)”『禮記』「喪服小記」

경우에는 모두 죽은 사람의 조부를 계승하는 종자가 이 부제祔祭를 주관한다.

○禮, 註云 : "祔于祖廟, 宜使尊者主之."[65]

『예기禮記』의 주에 "조상의 묘廟에 부제할 경우에는 마땅히 존자尊者가 주관하도록 해야 한다."고 하였다.

詣祠堂, 奉神主出, 置于座.

사당에 나아가 신주를 받들고 나와 영좌에 모신다.

> 祝軸簾啓櫝, 奉所祔祖考之主, 置于座, 內執事者奉祖妣之主, 置于座, 西上. 若在他所, 則置于西階上卓子上, 然後啓櫝.
>
> 축관은 발을 걷고 독을 열어 부제할 조고祖考의 신주를 모셔다가 영좌에 놓고, 내집사자는 조비祖妣의 신주를 모셔다가 영좌에 놓는데, 서쪽이 상석이다. 다른 장소에서 제사를 지낼 경우에는 서쪽 계단의 탁자 위에 놓은 후에 독을 연다.
>
> ○若喪主非宗子, 而與繼祖之宗異居, 則宗子爲告于祖, 而設虛位以祭. 祭訖除之.
>
> 상주가 종자가 아니면서 조고를 잇는 종자와 따로 사는 경우에는, 종자가 조고에게 아뢰고 허위虛位를 설치하여 제사 지내고[66] 제사가 끝나면 없앤다.

還奉新主, 入祠堂, 置于座.

돌아와 새 신주를 받들고 사당에 들어가 영좌에 모신다.

> 主人以下還詣靈座所哭. 祝奉主櫝, 詣祠堂西階上卓子上. 主人以下哭從如從柩之敍. 至門止哭. 祝啓櫝出主如前儀. 若喪主非宗子, 則唯喪主主婦以下還迎.
>
> 주인 이하는 돌아와서 영좌가 있는 곳에 나아가 곡을 한다. 축관이 신주독을 모시고 사당 서쪽 계단 위의 탁자로 나아가면, 주인 이하는 곡하면서 따라가는데, 영구靈柩를 따라가던 순서대로 한다.[67] 문에 이르면 곡을 그치고, 축관이 독을 열고 신주를 꺼내는 것은 앞의 의례와 같다. 상주가 종자가 아닐 경우에는 상주와 주부 이하만 돌아와 맞이한다.

敍立.

차례로 선다.

> 若宗子自爲喪主, 則敍立如虞祭之儀. 若喪主非宗子, 則宗子主婦分立兩階之下. 喪主在宗子之右, 喪主婦在宗子婦之左. 長則居前, 少則居後. 餘亦如虞祭之儀.

<hr />

65 『禮記』「喪服小記」의 "며느리 상의 부제는 시아버지가 주관한다.(婦之喪, 祔則舅主之.)"라는 經文에 대한 鄭玄의 주로 정확히는 다음과 같다. "祔於祖廟, 尊者宜主焉."

66 虛位를 설치하여 … 지내고: 紙牓을 사용한다. 『增補四禮便覽』 祔

67 靈柩를 따라가던 … 한다 : "祖廟를 찾아뵐 때'를 말한다.(謂朝祖時也.)" 『家禮增解』 권11 「祔」

종자 자신이 상주인 경우에는 우제虞祭의 의례와 같이 차례로 선다.[68] 상주가 종자가 아닌 경우에는 종자와 주부主婦[69]가 갈라져 양쪽 계단 아래에 선다. 상주는 종자의 오른쪽에 있고 상주부는 종자부의 왼쪽에 서되 나이가 많으면 앞에 있고 적으면 뒤에 선다. 나머지는 또한 우제의 의례와 같다.

參神
참신

在位者皆再拜, 參祖考妣.

자리에 있는 사람은 모두 재배하여 조고ㆍ조비에게 참신의 예를 드린다.[70]

降神
강신

若宗子自爲喪主, 則喪主行之, 若喪主非宗子, 則宗子行之. 並同卒哭.

종자 자신이 상주인 경우에는 상주가 행하고, 상주가 종자가 아닌 경우에는 종자가 행한다. 모두 졸곡과 같다.

祝進饌.
축관은 음식을 올린다.[71]

並同虞祭.

모두 우제와 같다.

---

68 虞祭의 의례와 … 선다. : "차례로 서는 위치는 虞祭는 영좌 앞에 있고, 祔祭는 양쪽 계단 아래에 있다. 여기서 '우제와 같다.'고 한 것은 남자는 동쪽, 여자는 서쪽에서 차례로 서는 의례를 말한 것이지, 영좌 앞에 서는 것을 말하지 않는다.(敍立之位, 虞祭則在靈座前, 祔祭則在兩階下. 此云'如虞祭'者, 以男東女西敍立之儀而言也, 非謂其立於靈座前也.)" 『家禮增解』 권11 「祔」

69 主婦 : "喪主의 처이다.(喪主之妻.)" 『退溪集』 권39 「答鄭道可問目」

70 조고ㆍ조비에게 … 드린다. : "새 신주에게만 참신의 예가 없는 것은 산 자를 섬기는 예를 사용한 것이다.(於新主, 獨無參神者, 是用事生之禮也.)" 『家禮增解』 권11 「祔」

71 축관은 음식을 올린다. : 虞祭에서 卒哭祭를 거쳐 祔祭로 진행되는 과정의 특징은 점차 喪制에서 吉祭로 제사의 축관이 이동한다는 점이다. 달리 말하자면 이것은 상주의 관점에서는 애통함이 차츰 줄어들고 공경함이 차츰 자라나는 과정이며, 죽은 자의 관점에서는 부모를 차마 죽은 자로 대우할 수 없어 산 자의 예로 섬기다가 차츰 부모를 귀신으로 대하며 죽은 자의 예로 섬기는 과정이기도 하다. 그러나 祔祭의 進饌은 사실 이러한 이동 과정과는 정반대 방향으로 움직이고 있다. 왜냐하면 주인과 주부가 進饌하는 졸곡제와 달리 祔祭에서는 오히려 축관이 진찬하고 있기 때문이다. 이는 古禮인 『儀禮』 「士虞禮」의 소에서 賈公彦이 "祔祭에 이르러 주부는 음식을 올리고 주인은 스스로 일을 한다.(至於祔祭, 主婦薦, 主人自執事也.)"고 한 것과도 다르다.

初獻
초헌

若宗子自爲喪主, 則喪主行之, 若喪主非宗子, 則宗子行之. 並同卒哭. 但酌獻先詣祖考妣前. 日子前同卒哭. 祝版但云, "孝子某, 謹以潔牲柔毛, 粢盛醴齊, 適于某考某官府君, 隮祔孫某官, 尚饗." 皆不哭. 內喪則云, "某妣某封某氏, 隮祔孫婦某封某氏." 次詣亡者前. 若宗子自爲喪主, 則祝版同前. 但云, "薦祔事于先考某官府君, 適于某考某官府君, 尚饗." 若喪主非宗子, 則隨宗子所稱. 若亡者於宗子爲卑幼, 則宗子不拜.

종자 자신이 상주인 경우에는 상주가 행하고, 상주가 종자가 아닌 경우에는 종자가 행한다. 모두 졸곡과 같다. 다만 술잔을 드릴 때 먼저 조고·조비 앞으로 나아간다. 날짜는 앞의 졸곡과 같다. 축판에는 다만 "효자 아무개가 삼가 결생·유모·자성·예제로 ○고某考 ○관부군某官府君에게 가서 손孫 ○관某官을 올려 부제하오니, 흠향하소서."[72]라고 하고, 모두 곡하지 않는다. 내상內喪[73]일 경우에는, "○비某妣[74] ○봉○씨某封某氏에게 손부孫婦 ○봉○씨某封某氏를 올려 부제합니다."고 하고는 다음에 죽은 이의 앞으로 나아간다. 종자 자신이 상주인 경우에 축판은 전과 같다. 다만 "선고先考 ○관부군某官府君에게 부사祔事 祭祀를 올리고자 ○고某考[75] ○관부군某官府君에

· ·

72 "효자 아무개가 … 흠향하소서.": 丘濬의 『家禮儀節』에는 '孝子'의 '子'가 '孫'으로 되어 있고, '某考'가 '曾祖考'로 되어 있다.(孝子之子作孫, 某考作曾祖考.) 여기서는 돌아가신 부친[考]의 신위를 부친의 祖考의 신위에 祔祭하면서 부친의 祖考에게 아뢰는 것이므로, 『家禮儀節』처럼 종자인 상주 입장에서는 자신을 孝孫으로, 부친의 조부를 曾祖考로 칭해야 한다.

73 內喪: 여기서는 좁은 의미에서 부녀자의 상을 말한다. 넓은 의미에서는 집안의 상을 의미한다. 『禮記』「曾子問」에서 "증자가 물었다. '장차 아들의 관례를 하려고 관례를 집행하는 사람들(빈과 찬자)이 도착하여 읍하고 사양하여 들어왔는데, 齊衰나 大功의 喪을 들었다면 어찌합니까? 孔子가 말했다. '內喪이면 그만두고, 外喪이면 관례는 치르되, 醴禮는 행하지 않는다. 음식을 치우고 자리를 소제한 후 자리에 나아가 곡한다. 관례를 집행하는 사람들이 도착하지 않은 경우에는 그만둔다.'(曾子問曰. '將冠子, 冠者至, 揖讓而入, 聞齊衰大功之喪, 如之何? 孔子曰. '內喪則廢, 外喪則冠而不醴. 徹饌而埽, 即位而哭. 如冠者未至則廢.')" 이때의 內喪은 大門 안의 상을 말하고, 外喪은 대문 밖의 상을 말한다.
그러기에 孔穎達은 소에서 다음과 같이 말하였다. "관례는 사당[廟]에서 하는데, 사당은 대문 안에 있다. 吉事와 凶事는 같이 행할 수 없기 때문에 內喪일 경우에는 그만두는 것이다. 外喪은 대문 밖의 상을 말한다. 상사가 다른 곳에 났으면 그래도 관례를 치를 수 있다. 다만 관례에서 三加禮를 마친 후 단술을 준비하여 새 관자에게 醴禮를 행해야 하지만, 지금은 이미 흉사를 만났으므로 그저 3가례만 하고 멈출 뿐, 초례는 행하지 않는다. 애당초 빈을 영접할 때 단술과 음식이 갖추어져 진설되었다면, 이제 모두 철거하고 또 관례를 치른 장소도 소제하여 청결하게 다시 새롭게 하고는 자리에 나가 곡한다. 빈과 찬자가 도착하지 않았을 경우에는 그만두고 관례를 행하지 않는다.(加冠在廟, 廟則在大門之內. 吉凶不可同處, 故內喪則廢. 外喪謂大門外之喪. 喪在他處, 猶可以加冠也. 但冠禮三加之後, 設醴以禮新冠之人, 今値凶事, 止三加而止, 不醴之也. 初欲迎賓之時醴及饌具皆陳設, 今悉徹去, 又埽除冠之舊位, 使淨潔更新, 乃即位而哭. 如賓與贊者未至, 則廢也而不冠也.)"

74 ○비某妣: 앞의 예처럼 '曾祖妣'로 고쳐야 한다.

75 ○고某考: 앞의 예처럼 '曾祖考'로 고쳐야 한다.

게 나가오니, 흠향하소서."라고 한다. 상주가 종자가 아닌 경우에는 종자가 칭하는 대로 따른다. 죽은 이가 종자보다 항렬이 낮거나 나이가 어린 경우, 종자는 절하지 않는다.

亞獻 · 終獻.

아헌 · 종헌.

> 若宗子自爲喪主, 則主婦爲亞獻, 親賓爲終獻. 若喪主非宗子, 則喪主爲亞獻, 主婦爲終獻. 並同卒哭及初獻儀, 惟不讀祝.
>
> 종자 자신이 상주인 경우에는 주부가 아헌을 하고, 친척이나 빈이 종헌을 한다. 상주가 종자가 아닌 경우에는 상주가 아헌을 하고 주부가 종헌을 한다. 모두 졸곡卒哭 및 초헌初獻의 의례와 같으나, 다만 축문은 읽지 않는다.

侑食 · 闔門 · 啓門 · 辭神.

유식 · 합문 · 계문 · 사신.

> 並同卒哭, 但不哭.
>
> 모두 졸곡卒哭과 같으나, 다만 곡하지 않는다.

祝奉主各還故處.

축관은 신주를 받들어 각각 있던 곳에 도로 모신다.

> 祝先納祖考妣神主于龕中匣之, 次納亡者神主西階卓子上匣之, 奉之反于靈座. 出門, 主人以下哭從如來儀. 盡哀止. 若喪主非宗子, 則哭而先行, 宗子亦哭送之, 盡哀止. 若祭於他所, 則考妣之主, 亦如新主納之.
>
> 축관은 먼저 조고祖考와 조비祖妣의 신주를 감실 안으로 모셔 상자에 넣고, 다음으로 죽은 사람의 신주를 서쪽 계단 탁자 위로 모셔 상자에 넣고는 받들고서 영좌로 되돌아온다. 문을 나서면 주인 이하는 곡하며 따라가는데 들어올 때의 의식과 같다. 애통함을 다하고서 그친다. 상주가 종자가 아닌 경우에는 곡하면서 먼저 가고 종자 또한 곡하면서 보내되 애통함을 다하고서 그친다. 다른 장소에서 제사 지내는 경우에는 조고와 조비의 신주 또한 새 신주와 같은 방식으로 모셔 들인다.

[21-17-2-1]

> 程子曰 : "喪須三年而祔, 若卒哭而祔, 則二年却都無事. 禮, 卒哭猶存朝夕哭. 無主在寢, 哭於何處?"[76]
>
> 정자程子[程頤]가 말했다. "상례는 반드시 3년이 되어야 부제祔祭를 올리는데, 만일 졸곡卒哭에 부제하

---

76 『二程遺書』권17 : "喪須三年而祔, 若卒哭而祔, 則三年却都無事. 禮, 卒哭猶存朝夕哭, 若無主在寢, 哭於何處?"

면 2년 동안[77] 전혀 일이 없게 된다. 예에 졸곡에도 여전히 아침과 저녁에 곡이 있다고 하였으니 정침正寢에 신주가 없다면 어디에서 곡하겠는가?"[78]

[21-17-2-2]

朱子曰 : "古者廟有昭穆之次. 昭常爲昭, 穆常爲穆, 故祔新死者于其祖父之廟, 則爲告其祖父以當遷他廟, 而告新死者以當入此廟之漸也. 今公私之廟, 皆爲同堂異室以西爲上之制, 而無復左昭右穆之次. 一有遞遷, 則羣室皆遷, 而新死者當入于其祔之故室矣. 此乃禮之大節, 與古不同, 而爲禮者, 猶執祔于祖父之文, 似無意義. 然欲遂變而祔于禰廟, 則又非愛禮存羊意."[79]

주자가 말했다. "옛날에는 묘廟에 소昭와 목穆의 차례가 있었다. 소는 항상 소가 되고 목은 항상 목이 되므로[80] 새로 죽은 사람을 그 조부의 묘廟에 부제할 경우, 그 조부에게는 마땅히 다른 묘廟로 옮겨야 함을 아뢰고 새로 죽은 사람에게는 이 묘廟에 들어갈 차례임을 아뢴다. 요즈음 공公 · 사私의 묘廟는 모두 동당이실同堂異室을 만들어 서쪽을 상석으로 삼는 제도이니, 이제는 좌소우목左昭右穆의

• • • • • • • • • • • • • • • • • •

77 2년 동안: 『二程遺書』에는 '3년 동안'으로 되어 있다. 앞의 각주 참조

78 이에 대해 주자는 "부제와 체천은 그 자체 두 가지 일이다. 부제를 지내고 나면 정침에 신주가 없다는 말은 자세히 살피지 못한 듯하다.(祔與遷自是兩事, 謂旣祔則無主在寢, 似考之未詳.)"라고 하였다. 『朱文公文集』 권63 「答李繼善」(4). 이 같은 논의가 『朱文公文集』 권58 「答葉味道」(2) ; 권62 「答王晉輔」(2) ; 권63 「與晏亞夫」(3)에도 보인다.

79 『朱文公文集』 권58 「答葉味道」. 이 글에 이어 주자는 "나름대로 생각해보니, 우물쭈물 대거나 견제하여 모두 실례가 됨을 면치 못하기보다는, 公 · 私의 廟를 회복하여 모두 左昭右穆의 제도를 만들도록 조정에 헌의하여 통쾌하게 한 번에 그 오류를 씻어버리는 것이 낫지 않겠는가?(竊意與其依違牽制, 而均不免爲失禮, 曷若獻議於朝, 盡復公私之廟, 皆爲左昭右穆之制, 而一洗其繆之爲快乎?)"라는 말로 편지를 마치고 있다.

80 소는 항상 … 되므로: 신주를 사당에 모시는 위치와 차례가 일정함을 말함. 신주는 두 줄로 배열하여 왼쪽(동쪽) 줄은 昭, 오른쪽(서쪽) 줄은 穆이라 하는데, 始祖의 神主를 한복판에 모시고 天子는 2 · 4 · 6世를 昭에, 3 · 5 · 7世를 穆에 모신다. 昭穆은 縱隊(남북)로 이동하고 左右(동서)로 이동하는 법이 없어서 昭에 배열되면 영원히 昭이고, 穆에 배열되면 영원히 穆이다. 昭의 2세가 祚遷하면 4세가 2세의 자리로 옮기고, 穆의 3세가 祚遷하면 5세가 3세의 자리로 옮긴다. 昭의 이동은 昭 전체가 이동하는 것이고 穆은 이동하지 않는다. 穆의 이동도 이와 같다. 앞뒤의 昭끼리는 祖孫 관계가 되고 穆끼리도 조손 관계가 되는데, 좌우로는 父子 관계가 된다. 『禮記』 「王制」에 "천자는 7묘이니 3昭 3穆과 太祖의 廟와 합하여 7묘이고, 제후는 5묘이니 2소 2목과 태조의 묘와 합하여 5묘이고, 대부는 3묘이니 1소 1목과 태조의 묘와 합하여 3묘이고, 사는 1묘이고, 서인은 寢에서 제사한다.(天子七廟, 三昭三穆, 與太祖之廟而七, 諸侯五廟, 二昭二穆, 與太祖之廟而五, 大夫三廟, 一昭一穆, 與太祖之廟而三, 士一廟, 庶人祭於寢.)"라고 하였다. 그리고 『中庸或問』에 "昭는 항상 昭가 되고 穆은 항상 穆이 되는 것은 禮家의 해설에 명백한 글이 있다. 2世를 祚遷하면 4世는 昭의 北廟로 옮기고 6世를 昭의 南廟에 附加한다. 3世를 祚遷하면 5世는 穆의 北廟로 옮기고 7世를 穆의 南廟에 附加한다. 昭가 附加되면 穆은 옮기지 않고, 穆이 附加되면 昭는 이동하지 않는다.[昭常爲昭, 穆常爲穆, 禮家之說有明文矣. 蓋二世祧, 則四世遷昭之北廟, 六世祔昭之南廟矣. 三世祧, 則五世遷穆之北廟, 七世祔穆之南廟矣. 昭者祔, 則穆者不遷, 穆者祔, 則昭者不動.]"라고 하였다.

차례가 없어졌다. 한 번 체천하면 여러 실이 모두 옮겨지고 새로 죽은 사람은 그 부친이 있던 실에 들어가게 된다. 이것은 바로 예의 큰 절목이 옛날과 같지 않은 것이니, 예를 행하는 자가 오히려 '조부에게 부제한다.'는 문장을 고집하는 것은 의미가 없는 듯하다. 그러나 마침내 변경하여 부친의 사당에 부제하려고 한다면 또한 '예를 아껴 형식을 보존한다.'는 뜻이 아니다."

[21-17-2-3]

楊氏復曰: "司馬禮·『家禮』, 並是旣祔之後, 主復于寢, 所謂奉主各還故處也."

양복楊復이 말했다. "사마司馬司馬光의 예와 『가례』는 모두 부제를 지낸 후 신주를 정침으로 모시고 오니, 이른바 '신주를 받들어 각각 있던 곳에 도로 모신다.'[81]라는 것이다."

[21-18-0]

小祥 소상[82]

鄭氏云: "祥, 吉也."[83]

• • • • • • • • • • • • • • • •

81 신주를 받들어 … 모신다. : 이 글의 경문, "축관은 신주를 받들어 각각 있던 곳에 도로 모신다.(祝奉主各還故處)."라는 것을 말한다.

82 小祥: 『禮記』「喪服小記」에 "期年이 되어 제사 지내는 것은 禮이고, 기년이 되어 除喪(상복을 벗는 것)하는 것은 道이다. 그러나 제사는 除喪을 위한 것이 아니다.(期而祭, 禮也, 期而除喪, 道也. 祭不爲除喪也.)"고 하였다. 이에 대한 주에서 鄭玄은 "기년이 되어 제사 지낸다는 것은 練祭를 말한다. 부모가 돌아가시고, 이제는 기년이 되었으니, 기년이 되면 마땅히 제사 지내야 한다. 기년이면 천도가 한 번 변하여 애통하고 측은한 마음이 더욱 줄어든다. 줄어들면 마땅히 除喪하는 것이니, 祭祀와 除喪은 서로 상관이 없다.(期而祭, 謂練祭也. 親亡, 至今而期, 期則宜祭. 期, 天道一變, 哀惻之情益衰. 衰則宜除, 不相爲也.)"라고 하였다.

이에 대한 소에서 孔穎達은 "祭는 본래 늘 부모를 뵈올 듯한 마음이 있기 때문이지, 除喪을 위해서 지내는 것이 아니다. 除는 본래 하늘의 운행이 감쇄하기 때문이지, 부모를 그리워하기 때문이 아니다. 두 가지 일이 비록 시기는 하나로 동일하지만, 서로 상관이 있는 것이 아니다. 그러므로 '제사는 상복을 벗기 위하여 지내는 것이 아니다.'고 한 것이다.(祭, 自爲存念見親, 不爲除喪而設, 除, 自爲天道減殺, 不爲存親. 兩事雖同一時, 不相爲也, 故云'祭不爲除喪也.')"고 하였다.

또 集說에서 陳澔는 "기년이 되어 제사 지낸다.'는 것은 小祥의 제사를 말하고, '기년이 되어 除喪한다.'는 것은 衰服과 經帶를 벗고 練服으로 갈아입는 것을 말한다. 소상의 제사는 바로 효자가 때에 따라 부모를 사모하는 예를 펼치는 것이고, 練祭에 남자가 수질을 벗고 부인이 요대를 벗는 것은 바로 산 자가 때에 따라 내리고 줄이는 도리이다. 소상의 제사와 연제가 비록 동시에 함께 거행되지만, 소상의 제사는 연제 때문에 지내는 것이 아니다.(期而祭, 謂小祥之祭也, 期而除喪, 謂除衰經易練服也. 小祥之祭, 乃孝子因時以伸其思親之禮也, 練時男子除首經婦人除要帶, 乃生者隨時降殺之道也. 祭與練, 雖同時並擧, 然祭非爲練而設也.)"고 하였다.

83 『儀禮』「士虞禮」의 記, '朞而小祥'에 대한 鄭玄의 주이다. 鄭玄은 여기서 "小祥은 제사 이름이니, 祥은 '길하다.'이다.(小祥, 祭名, 祥吉也)."고 하였다.

정씨[鄭玄]가 말했다. "'상祥'은 '길하다.'이다"

[21-18-1]

朞而小祥.

1주년이 되어 소상小祥의 제사를 지낸다.

> 自喪至此不計閏, 凡十三月. 古者卜日而祭. 今止用初忌, 以從簡易. 大祥倣此.
>
> 초상에서 이날까지 윤달은 따지지 않고[84] 모두 13개월이다. 옛날에는 날짜를 점쳐서 제사를 지냈으나, 지금은 간편하게 그저 첫 기일忌日을 이용한다. 대상大祥도 이와 같다.

前期一日, 主人以下沐浴陳器具饌.

하루 전, 주인 이하는 목욕을 하고 기물을 진설하며 음식을 마련한다.

> 主人率衆丈夫灑掃滌濯. 主婦率衆婦女滌釜鼎, 具祭饌. 他皆如卒哭之禮.
>
> 주인은 모든 장부들을 인솔하여 청소하고 제기를 씻고, 주부는 모든 부녀자들을 인솔하여 솥을 씻고 제사 음식을 마련한다. 다른 것은 모두 졸곡卒哭의 의례와 같다.

設次, 陳練服.

막차를 설치하고 연복練服을 펼쳐놓는다.[85]

> 丈夫婦人各設次於別所, 置練服於其中. 男子以練服爲冠, 去首経負版辟領衰. 婦人截長裙不令曳地. 應服期者改吉服. 然猶盡其月, 不服金珠錦繡紅紫. 唯爲妻者 猶服禫, 盡十五月

---

84 윤달은 따지지 않고 : 『通典』에 "鄭玄은 '달로써 헤아릴 경우에는 윤달을 헤아리고, 해로써 헤아릴 경우에는 윤달을 헤아리지 않는다.(以月數者, 數閏, 以年數者, 不數).'고 하였으며, 射慈(삼국 吳나라 사람)는 '3년상과 기년상은 해로써 헤아려서 윤달이 없고, 9월복 이하는 윤달을 헤아린다.(三年周喪, 歲數沒閏, 九月以下數閏也.)'고 하였다." 『家禮輯覽』(『沙溪全書』 권29)「小祥」, '不計閏'

85 연복을 펼쳐놓는다. : 『家禮儀節』에서 丘濬은 練服에 대해 다음과 같이 말했다. "살펴보니, 『家禮』에서 '막차를 설치하고 연복을 펼쳐놓는다.'고 한 곳에 '남자는 練服으로 冠을 만든다.'고 말했으면서도, 관을 만드는 제도는 말하지 않았다. 또 '首経·負版·辟領·衰를 벗는다.'고 말했으면서도 별도로 만드는 방법은 말하지 않았다. 이제 『韻書』에서 고찰해 보니, 練은 오랫동안 물에 담가 익힌 실이다. 잿물에 삶아 익힌 베로 冠과 服을 만들기 때문에 練이라고 한 것 같다. 이제 冠을 별도로 練을 써서 만들려고 하면, 그 제도는 衰冠을 만드는 것과 똑같지만, 다만 조금 굵은 익힌 삼베를 써서 만든다. 그 복식 또한 大功의 衰服과 같은데, 베는 조금 굵은 익힌 삼베를 써서 만들고, 負版·適·衰는 쓰지 않는다. 腰経은 칡으로 만들고, 삼신은 삼으로 꼰 새끼로 만든다. 부친을 위한 喪杖에 대나무를 쓰고 모친을 위한 喪杖에 오동나무를 쓰는 것은 옛날과 같다. 부인의 복식 제도 또한 조금 굵은 익힌 삼베로 만든다. 이렇게 하면 거의 練이라는 이름에 걸맞을 것이다.(按『家禮』於設次陳練服, 旣曰'男子以練服爲冠'而不言冠之制. 又曰'去首経負版辟領衰'而不言別有所制. 今考之『韻書』練溫熟絲也. 意其以練熟之布爲冠服, 故謂之練焉. 今擬冠別爲練, 其制一如衰冠, 但用稍麤熟麻布爲之. 其服制則亦如大功衰服, 而布用稍麤熟麻布爲之, 不用負版適衰. 腰経用葛爲之, 麻屨用麻繩爲之. 父杖用竹, 母杖用桐, 如故. 婦人服制, 亦用稍麤熟麻布爲之. 庶稱練之名.)" 『家禮儀節』 권6「小祥」, '設次陳練服'

而除.

남자와 여자는 각각 별도의 장소에 막차를 설치하고 그 안에 연복練服을 갖다 둔다. 남자들은 연복으로 관을 만들고,[86] 수질首絰·부판負版·벽령辟領·최衰를 제거한다.[87] 부인들은 장군長裙을 절단하여 바닥에 끌리지 않도록 한다. 기년복에 상응하는 사람들은 길복으로 고쳐 입는다. 그러나 그달이 끝났어도, 금·구슬·수놓은 비단옷·붉은색 옷은 입지 않는다. 다만 처를 위해 복을 입은 사람은 여전히 담복禫服을 입고 15개월을 마치고서 벗는다.

[21-18-1-1]

楊氏復曰 : "按『儀禮』「喪服」記, 載衰負版辟領之制甚詳. 但有闕文, 不言衰負版辟領何時而除. 司馬公『書儀』云, '旣練男子去首絰負版辟領衰,' 故『家禮』據『書儀』云, '小祥去首絰負版辟領衰.' 但禮經旣練男子除首絰, 婦人除腰帶, 『家禮』於婦人成服時, 並無婦人絰帶之文, 此爲疎略. 故旣練亦不言婦人除帶, 當以禮經爲正."

양복楊復이 말했다. "살펴보니, 『의례儀禮』「상복」 기記에, 최·부판·벽령의 제도를 매우 자세히 실었다. 다만 빠진 글이 있는데, 최·부판·벽령을 언제 벗어야 하는지 말하지 않았다. 사마공의 『서의』에 '연제를 지내고 나서 남자는 수질·부판·벽령·최를 벗는다.'[88]라고 하였기 때문에 『가례』 또한 『서의』에 근거하여 '소상에는 수질·부판·벽령·최를 벗는다.'고 하였다. 다만 예경에 '연제를 지내고 나서 남자는 수질을 벗고 부인은 요대를 벗는다.'[89]고 하였는데 『가례』에는 부인이 성복成服할

· · · · · · · · · · · · · · · · · · · ·

86 남자들은 연복으로 … 만들고: "『儀禮』「喪服」의 소에 賈公彦은 '연제를 지내고 나서는 익힌 베로 관을 만든다.'고 하였다. 이로써 본다면 이른바 練服의 「服」 자는 아마도 「布」 자로 읽어야 한다. 『五禮儀』의 이 조항을 인용한 곳에서도 '布' 자로 되어 있다.(按「喪服」疏, '旣練, 練布爲冠.' 以此觀之, 所謂練服之服, 恐當從布字讀. 『五禮儀』引此條, 亦作布.)"『家禮輯覽』(『沙溪全書』 권29) 「小祥」, '練服爲冠'

87 首絰·負版 … 제거한다.: "살펴보니, 『儀禮』·『禮記』·『儀禮經傳通解』 및 杜氏(杜佑)의 『通典』·『開元禮』 등의 책에는 모두 소상에 衰·負版·辟領을 제거한다는 글이 없다. 그러나 주자의 『家禮』에서는 溫公司馬光의 『書儀』에 따라 이를 제거하였으니, 俗禮를 따른 것이다. 이제 古禮에 의거하여 최·부판·벽령을 제거하지 않아도 안 될 것은 없을 것이다. 그러나 이것은 이미 온공과 주자를 거치면서도 고치지 않았으니, 후세 사람들은 이를 준행하는 것이 옳을 것이다.(按『儀禮』『禮記』『儀禮經傳通解』及杜氏『通典』『開元禮』等書, 並無小祥去衰負版辟領之文. 而朱子『家禮』從溫公『書儀』去之, 從俗禮也. 今依古禮不去衰負版辟領未爲不可. 然此已經溫公朱子而未之改焉, 後人遵而行之可也.)"『家禮輯覽』(『沙溪全書』 권29)「小祥」, '去負版辟領衰'

88 『書儀』 권9 「小祥」

89 연제를 지내고 … 벗는다.: 『禮記』「間傳」에 "(연제에) 남자는 수질을 벗고, 여자는 요대를 벗는다. 남자는 왜 수질을 벗는가? 여자는 왜 요대를 벗는가? 남자는 수질을 무겁게 여기고, 부인은 요대를 무겁게 여기기 때문이다. 복을 벗을 때에는 무거운 것을 먼저 벗고, 복을 바꿀 때에는 가벼운 것을 바꾼다.(男子除乎首, 婦人除乎帶. 男子何爲除乎首也? 婦人何爲除乎帶也? 男子重首, 婦人重帶. 除服者, 先重者, 易服者, 易輕者.)"고 하였다. 이에 대한 集說에서 陳澔는 "소상에 남자는 수질을 벗고, 부인은 요대를 벗는다. 이것은 먼저 중한 것을 벗는 것이다. 중한 상을 치르고 가벼운 상을 만났을 때, 남자는 요질을 바꾸고 부인은 수질을 바꾼다. 이것은 가벼운 것을 바꾸는 것이다.(小祥, 男子除首絰, 婦人除要帶. 此除先重也. 居重喪而遭輕喪, 男子則易要絰, 婦人則易首絰. 此易輕者也.)"고 하였다.

때 부인이 질대를 한다는 글이 없으니, 이는 소략한 것이다. 그런 까닭에 연제를 지내고 났을 때 또한 부인이 질대를 벗는다고 말하지 않았으니, 마땅히 예경을 기준으로 바로잡아야 한다."

[21-18-2]
厥明夙興. 設蔬果酒饌.
다음 날 새벽에 일어난다. 채소·과일·술·음식을 진설한다.

> 並同卒哭.
> 모두 졸곡卒哭과 같다.

質明, 祝出主. 主人以下入哭.
동이 틀 무렵 축관이 신주를 모셔 내오면, 주인 이하는 들어가 곡한다.

> 皆如卒哭. 但主人倚杖於門外, 與期親各服其服而入. 若已除服者來預祭, 亦釋去華盛之服. 皆哭盡哀止.
> 모두 졸곡과 같다. 다만 주인은 문 밖에 상장喪杖을 기대어놓고 기년복을 입은 친족과 함께 각각 해당하는 복을 입고 들어간다. 이미 복을 벗은 사람이 와서 제사에 참여했을 경우에도 또한 화려하고 성대한 복장은 벗는다. 모두 곡하면서 애통함을 다하고는 그친다.

乃出就次易服, 復入哭.
그러고는 나와 막차幕次로 가서 옷을 갈아 입고 다시 들어가 곡한다.

> 祝止之.
> 축관은 곡을 그치도록 한다.

降神
강신[90]

> 如卒哭.
> 졸곡과 같다.

三獻
삼헌

> 如卒哭之儀. 祝版同前. 但云, "日月不居, 奄及小祥. 夙興夜處, 小心畏忌, 不惰其身, 哀慕不寧. 敢用潔牲柔毛, 粢盛醴齊, 薦此常事, 尚饗."
> 졸곡의 의례와 같다. 축판도 앞과 같다. 다만 "세월이 머물지 않아 벌써 소상이 되었습니다.

---

90 降神: "降神 아래 進饌이라는 하나의 절차가 빠진 듯하다.(降神下, 恐脫進饌一節.)" 『家禮增解』 권11「小祥」

아침 일찍부터 밤늦도록 조심스럽고 두려워 몸을 게을리 하지 못했고[91] 애통하고 사모하는 마음에 편안하지 못하였습니다. 감히 결생潔牲·유모柔毛·자성粢盛·예제醴齊로 이 상사常事[92]를 드리오니, 흠향하시기 바랍니다."고 한다.

侑食·闔門·啓門·辭神.

유식·합문·계문·사신.

　　皆如卒哭之儀.

　　모두 졸곡의 의례와 같다.

止朝夕哭.

아침과 저녁에 하는 곡을 멈춘다.[93]

　　惟朔望未除服者會哭. 其遭喪以來, 親戚之未嘗相見者相見, 雖已除服, 猶哭盡哀, 然後敍拜.

. . . .

91　조심스럽고 두려워 … 못했고 : '조심스럽고 두려워 몸을 게을리 하지 못했고(小心畏忌, 不惰其身)'라는 표현은 본래 『儀禮』「士虞禮」 記에 나오는 祔祭의 축사인데, 『家禮』에서는 小祥에서 禫祭까지 인용하여 쓰고 있다.

92　常事 : 小祥의 제사를 가리킨다. 『儀禮』「士虞禮」의 記에 "소상에 이 常事를 드린다.(小祥, 薦此常事.)"고 하였는데, 그 주에서 鄭玄은 "'常'이라고 말한 것은 1년이 되어 제사를 지내는 것이 예법이라는 것이다. 古文에는 '常'이 '祥'으로 되어 있다.(言常者, 朞而祭, 禮也. 古文常爲祥.)"고 하였다. 또 소에서 賈公彦은 "우제와 부제는 常事가 아니다. 1주기가 되어 천기가 변화함에 효자가 사모하여 제사 지내는 것이 常事이다.(虞祔之祭非常. 一期天氣變易, 孝子思之而祭, 是其常事.)"고 하였다. 그리고 다음 장 大祥의 祝辭에는 小祥에서의 '薦此常事'에서 '常事'를 '祥事'로 고친다고 하였다. 이렇게 볼 때 이때의 '常事'는 '小祥'의 제사만을 뜻하는 것으로 볼 수 있다. 그러나 『禮記』「曾子問」에 "종자가 士가 되고, 서자가 大夫가 된 경우에는 上牲小牢으로 종자의 집에서 제사 지내면서, 축문 내용은 '孝子 아무개가 介子 아무개를 위해 常事를 드립니다.'고 한다.(宗子爲士, 庶子爲大夫, 則以上牲祭於宗子之家, 其祝詞曰, '孝子某爲介子某, 薦其常事.')"고 하였고, 또 "종자가 다른 나라에 거주하고 서자가 廟가 없는 경우에는 묘소를 바라보고 壇을 만들어 제사 지면서 축문 내용은 '효자 아무개가 개자 아무개를 시켜 常事를 집행하도록 하였습니다.'고 한다.(若宗子居于他國, 庶子無廟, 則望墓爲壇以祭, 其祝曰, '孝子某使介子某, 執其常事.')"고 하였다. 이때 보이는 '常事'라는 표현은 앞의 경우처럼 小祥의 제사만을 의미한다고 보기 어렵다. 이에 대한 集說에서 陳澔 또한 "'常事를 드린다.'는 것은 그해의 常事드린다는 것이다.(薦其常事者, 薦其歲之常事也.)"고 하였는데, 이때의 '常事'는 '常祀', 즉 그해의 고정된 제사, 또는 常祭, 즉 통상적인 제사로 보는 것이 타당할 듯하다. '常事'의 '事'는 『家禮』의 여러 축문에서 보이듯이 '祭祀'를 의미하고, 그에 따라 '常祀'는 『春秋左傳』 僖公 31년조 기사의 '禮不卜常祀.'나 『新唐書』「禮樂志」1의 '凡歲之常祀, 二十有二.'에서처럼 '고정된 제사'를 뜻하고, 또한 常祭는 四時祭처럼 통상적인 제사를 의미하기 때문이다. 이상의 논의를 총괄하면, '常事'는 좁은 의미에서는 小祥의 제사를 뜻한다. 그러나 넓은 의미에서는 '그해의 고정된 제사'를 의미한다.

93　아침과 저녁에 … 멈춘다. : 『儀禮』「喪服」 傳에 "연제를 지내고 나서는 곡하는 데에 일정한 때가 없다.(旣練, 哭無時.)"고 하였는데, 그 소에서 賈公彦은 "연제를 지내고 나서는 조석곡을 하지 않는다. 오직 堊室 안에서 10일이나 5일 만에 생각나면 곡한다.(練後無朝夕哭. 惟堊室中, 或十日, 或五日, 思憶則哭.)"라고 하였다.

다만 초하루와 보름에는 아직 복을 벗지 않은 사람들이 모여서 곡한다. 상을 당한 후 아직 서로 만나지 못한 친척을 만날 경우에는 이미 복을 벗었더라도 곡하며 애통함을 다하고 나서 차례대로 절한다.

始食菜果.

비로소 채소와 과일을 먹는다.[94]

[21-18-2-1]

問 : "妻喪踰期主祭?"

朱子曰 : "此未有考. 但司馬氏 '大小祥祭, 已除服者皆與祭,' 則主祭雖已除服, 亦何害於與祭乎? 但不可純用吉服, 須如吊服及忌日之服可也."[95]

물었다. "아내의 상에 기년을 넘겨서도 제사를 주관합니까?"

주자가 말했다. "이것은 아직 살펴보지 못했다. 다만 사마씨司馬氏司馬光는 '대상·소상의 제사는 이미 복을 벗은 사람도 모두 제사에 참여한다.'고 하였으니, 그렇다면 제사를 주관하는 사람이 이미 복을 벗었더라도 또한 제사에 참여하는데 무엇이 해롭겠는가? 다만 순수한 길복을 입어서는 안 되니, 반드시 조문할 때의 복장과 기일忌日의 복장처럼 입어야 옳다."

[21-19-0]

大祥 대상

[21-19-1]

再朞而大祥.

2주년에 대상大祥의 제사를 지낸다.[96]

自喪至此不計閏, 凡二十五月. 亦止用第二忌日祭.

초상부터 이때까지 윤달은 넣지 않고 모두 25개월이다. 또한 다만 두 번째 기일에 제사를 지낸다.

---

94 비로소 채소와 … 먹는다. : 『儀禮』「喪服」傳에 "연제를 지내고 나서는 外寢에서 머문다. 비로소 채소와 과일을 먹으며, 소찬을 먹는다.(旣練, 舍外寢. 始食菜果, 飯素食)"고 하였다. 이에 대한 주에서 鄭玄은 "외침에서 머무는 것은 中門의 바깥채 아래에 벽돌을 쌓아서 만들며, 흙칠을 하지 않으니, 이른바 堊室이다. '素'는 '예전대로'이니, 평소에 먹던 대로 회복한다는 말이다.(舍外寢, 於中門之外屋下, 壘墼爲之, 不塗堲, 所謂堊室也. 素, 猶故也, 謂復平生時食也.)"고 하였다.

95 『朱文公文集』「答陳明仲」(10)

96 2주년에 大祥의 … 지낸다. : 『禮記』「喪服四制」에 "부모의 상은 3년이 되어 大祥을 지낸다.(父母之喪, 三年而祥.)"고 하였다. 또 『禮記』「三年問」에서는 "3년상은 25개월에 끝난다.(三年之喪, 二十五月而畢.)"고 하였다.

前期一日, 沐浴陳器具饌.

하루 전, 목욕하고 기물을 펼쳐놓으며 음식을 마련한다.

> 皆如小祥.
>
> 모두 소상小祥과 같다.

設次, 陳禫服.

막차幕次를 설치하고 담복禫服을 펼쳐놓는다.[97]

> 司馬溫公曰: "丈夫垂脚黲紗幞頭·黲布衫·布裹角帶, 未大祥間暇以出謁者. 婦人冠梳假髻, 以鵝黃靑碧皀白爲衣履. 其金珠紅繡皆不可用."[98]
>
> 사마온공司馬溫公[司馬光]이 말했다. "남자들은 수각참사복두垂脚黲紗幞頭[99]·참포삼黲布衫[100]·포

....

97 幕次를 설치하고 … 놓는다. : 『禮記』「雜記下」에 "大祥에 주인이 除服할 때에는 그 전날 저녁에 기약하고 朝服으로 바꾸어 입으며, 다음 날 대상제를 지낼 때, 이어서 옛 복을 입는다.(祥, 主人之除也, 於夕爲期, 朝服, 祥因其故服.)"고 하였다. 이에 대한 주에서 鄭玄은 "祥은 대상이다.(祥, 大祥也.)"고 하였다. 그 소에서 孔穎達은 다음과 같이 말했다. "상제를 지낼 때 주인이 제복하는 절차이다. '그 전날 저녁에 기약한다.'는 것은 祥祭가 있기 전날 저녁에 미리 내일이 祥祭를 지내는 날이라고 아뢰는 것이다. '朝服'은 주인이 朝服으로 緇衣·素裳을 착용하는 것을 말하는데 冠으로는 縞冠을 쓴다. '대상제를 지낼 때, 이어서 옛 복을 입는다.'는 것은 다음 날 아침 祥祭를 지낼 때 주인이 이어서 그 전날 저녁에 예전 조복을 착용하는 것을 말한다.(祥祭之時, 主人除服之節. '於夕爲期,' 謂於祥祭前夕預告明日祭期也. '朝服,' 謂主人著朝服緇衣素裳, 其冠則縞冠也. '祥因其故服者,' 謂明旦祥祭時, 主人因著其前夕故朝服也.)"
『禮記』「喪服小記」에는 "성인이 되어 죽은 자의 상복을 벗을 경우에는 그 제사를 지낼 때 조복에 호관 차림을 한다.(除成喪者, 其祭也, 朝服縞冠.)"고 하였다. 이에 대한 集說에서 陳澔는 "성인이 되어 죽은 자의 상복을 벗을 경우에는 祥祭에 朝服에 縞冠을 쓴다. 조복은 玄冠에 緇衣, 素裳 차림을 하는 것이다. 지금은 현관을 쓰지 않고 호관을 쓰는데, 이것은 순전히 길한 祭服은 아니다.(若除成人之喪, 則祥祭用朝服縞冠. 朝服玄冠緇衣素裳. 今不用玄冠而用縞冠, 是未純吉之祭服也.)"고 하였다.
그러나 『家禮儀節』에서 丘濬은 "관직이 있는 자는 白布로 싼 모자에 흰 베로 만든 盤領袍와 布帶를 착용하고, 관직이 없는 자는 흰 베로 만든 巾에 白直領에 布帶를 착용하며, 부인은 순전히 素衣와 素履를 착용해야 할 듯하다.(擬有官者, 用白布裹帽, 白布盤領袍, 布帶, 無官者, 用白布巾, 白直領, 布帶, 婦人純用素衣履.)"고 하였다. 『家禮儀節』 권6 「小祥」 '設次陳禫服'의 『五禮儀』에도 白衣, 白笠, 白靴를 진설하는 조목이 있다. 『家禮輯覽』(『沙溪全書』 권29)「大祥」, '陳禫服' 참조
牛溪(成渾)는 『儀禮』에 '大祥의 縞冠은 바로 검은 날실에 흰색 씨실로 짠 것'이라고 하였는데, 『家禮』에서 黲色으로 대신한 것은 縞에 가깝고 당시에 사용했기 때문이다. 지금 時王의 제도는 이미 白笠을 예로 삼았으니, 비록 호와 참이 아닌들 어찌 어긋나겠는가?(『儀禮』, 大祥縞冠, 卽黑經白緯, 則『家禮』, 以黲代之, 以近縞而當時用故也. 今時王制, 旣以白笠爲禮, 雖非縞黲, 而豈可違之?)"고 하였다. 『牛溪集』 권4 「答李持平濟臣書」

98 『書儀』 권9 「大祥」: "今世丈夫, 禫服, 垂脚黲紗幞頭·皀布衫·脂皮·鑞鐵帶, 或布裹角帶, 未大祥間出詣人家, 亦假而服之. 婦人可以冠梳假髻, 以鵝黃靑碧皀白爲衣履. 其金銀珠玉紅繡皆不可用."

99 垂脚黲紗幞頭 : 옅은 청흑색의 깁으로 다리를 드리운 복두. 그러나 『家禮儀節』에서 丘濬은 "살펴보니, 『說文』에 黲은 옅은 청흑색이라고 하였다. 지금 세상에는 垂脚幞頭의 제도가 없다.(按『說文』, 黲, 淡靑黑也. 今世無垂脚幞頭之制.)"고 하였다. 『家禮儀節』 권6 「小祥」, '設次陳禫服'. 尤庵(宋時烈)은 "黲色은 우리나라의 옥

과각대布裹角帶[101]를 하니, 대상 제사를 아직 지내지 않았을 때 틈을 내어 나와서 뵙는 복장이다.[102] 여자들은 관冠·소梳(빗)·가계假髻[103]를 하고, 아황鵞黃색,[104] 청벽青碧색, 검고 흰 것으로 옷과 신을 만든다. 금·구슬·붉은 것·수놓은 것은 모두 쓸 수 없다."

[21-19-1-1]

問 : "子爲母大祥及禫, 夫已無服, 其祭當如何?"

朱子曰 : "今禮几筵必三年而除, 則小祥大祥之祭, 皆夫主之. 但小祥之後, 夫即除服, 大祥之祭, 夫亦恐須素服如弔服可也.[105] 但改其祝詞不必言爲子而祭也."[106]

물었다. "자식이 모친을 위해 지내는 대상과 담제에는 남편이 이미 복이 없는데, 그 제사는 어떻게 지내야 마땅합니까?"

주자가 말했다. "지금의 예에 궤연은 반드시 3년 만에 철거하니, 소상과 대상의 제사는 모두 남편이 주관한다. 다만 소상 후에는 남편이 복을 벗으니, 대상의 제사에는 남편이 반드시 조복弔服처럼 소복素服차림을 해야 옳을 듯하다. 다만 그 축문의 내용을 고쳐 자식을 위해 제사 지낸다고 말할 필요는 없다."

[21-19-2]

告遷于祠堂.

사당에 (신주를) 체천하겠다고 아뢴다.

> 以酒果告, 如朔日之儀. 若無親盡之祖, 則祝版云云, 告畢改題神主, 如加贈之儀. 遞遷而西, 虛東一龕以俟新主. 若有親盡之祖, 而其別子也, 則祝版云云, 告畢而遷于墓所不埋. 其支子也, 而族人有親未盡者, 則祝版云云. 告畢遷于最長之房, 使主其祭. 其餘改題遞遷如前. 若親皆已盡, 則祝版云云, 告畢埋于兩階之間. 其餘改題遞遷如前.

색과 회색 따위인 듯하다.(黔色, 恐是我國玉色灰色之類也.)"고 하였다. 『宋子大全』 권71 「答李擇之」

100 黔布衫 : 엷은 청흑색 포로 만든 저고리

101 布裹角帶 : 베로 각대를 싼 것

102 대상 제사를 … 복장이다. : "살펴보건대, 대상이 아직 지나지 않은 동안에는 단지 외출하여 알현할 때에만 이 복을 착용할 수가 있다. 대상에 이르러서야 비로소 평상복을 입는다.(按未大祥之間, 只於出謁之時着之. 至於大祥始常服也.)" 『家禮輯覽』(『沙溪全書』 권29) 「大祥」, ‘未大祥間暇以出謁者’

103 假髻 : 가발

104 鵞黃색 : "아황은 새끼 거위의 색깔이니, 희면서 약간 누렇다.(鵞黃, 是兒鵝色, 蓋白而微黃者也.)" 『宋子大全』 권71 「答李擇之」

105 弔 : 원문은 ‘巾’으로 잘못되어 있다.

106 『朱文公文集』 권59 「答竇文卿」(4) : "今禮几筵必三年而除, 則小祥大祥之祭, 皆夫主之. 但小祥之後, 夫即釋服, 大祥之祭, 夫亦恐須素服以祭〈如弔服可也〉. 但改其祝詞亦不必言爲子而祭也." 여기에는 ‘如弔服可也’ 글귀가 소주로 되어 있다.

술과 과일로 아뢰는데, 초하루의 의식과 같다.[107] 친함(제사 지낼 대수)이 다한 조상이 없는 경우에는 축판에 운운하고, 아뢰고 나서 신주를 고쳐 쓰되, 추증할 때의 의식과 같이 한다.[108] 체천하여 서쪽으로 옮기고 동쪽의 감실 하나를 비워 새 신주를 기다린다. 친함이 다한 조상이 있고 그 사람이 별자別子인 경우에는 축판에 운운하고, 아뢰고 나서 묘소로 옮기되 매장하지 않는다. 그 사람이 지자支子이면서 친함이 다하지 않은 족인族人이 있는 경우에는 축판에 운운하고, 아뢰는 일이 끝나면 최장방最長房[109]으로 옮겨 그 제사를 주관하게 한다. 그 나머지는 앞의 방식대로 신주를 고쳐 쓰고 체천한다. 친함이 모두 이미 다한 경우에는 축판에 운운하고, 아뢰고 나서 (사당) 양 계단의 사이에 매장한다. 그 밖에 신주를 고쳐 쓰고 체천하는 것은 앞과 같다.

厥明行事, 皆如小祥之儀.

그 다음 날 제사를 지내는 일은 모두 소상小祥의 의식대로 한다.

> 惟祝版改'小祥'曰'大祥', '常事'曰'祥事.'
>
> 다만 축판은 '소상'을 '대상'으로, '상사常事'를 '상사祥事'로 고친다.

畢, 祝奉神主入于祠堂.

마치면 축관은 신주를 받들고서 사당으로 들어간다.

> 主人以下哭從, 如祔之敍. 至祠堂前哭止.
>
> 주인 이하는 곡하면서 따라가는데 부제祔祭의 차례와 같다. 사당 앞에 도착하면 곡을 그친다.

徹靈座. 斷杖, 棄之屛處. 奉遷主埋于墓側. 始飲酒食肉而復寢.

영좌를 거두고, 상장喪杖은 부러뜨려 후미진 곳에 버린다.[110] 체천한 신주를 받들어 옮겨 묘소 옆에 묻는다. 비로소 술을 마시고 고기를 먹으며[111] 침실로 돌아간다.[112]

---

107 초하루의 의식과 같다. : 앞의 祠堂 章, "정조(설날)·동지·매월 초하루·보름에는 참배한다.(正至朔望, 則參.)"에서 매월 초하루의 의식을 말한다.

108 추증할 때의 … 한다. : 앞의 祠堂 章, "일이 있으면 아뢴다.(有事, 則告.)" 조목에 보인다.

109 最長房 : 高祖의 종손을 제외한 고조의 자손 중 친속서열에 따른 항렬이 가장 높은 생존 자손을 말한다. 長房이라고도 한다.

110 喪杖은 부러뜨려 … 버린다. : 『禮記』「喪大記」의 集說에서 陳澔는 "喪杖은 喪服보다 중하다. 대상을 지내고서 버리는데, 반드시 지팡이를 부러뜨려서 다른 용도로 쓸 수 없게 만들고, 후미진 곳에 버려서 다른 사람이 함부로 하지 못하게 한다.(杖於喪服爲重. 大祥棄之, 必斷截使不堪他用, 而棄於幽隱之處, 不使人褻賤之也.)"고 하였다.

111 비로소 술을 … 먹으며 : 『朱子語類』에는 주자가 장남 朱塾(1153~1162)의 大祥을 지낼 때의 근황이 기록되어 있다. "선생이 長子의 大祥을 지낼 때, 열흘 전에 아침저녁으로 곡을 하자, 諸子들이 술과 음식이 있는 모임에 나가지 않았다. 대상이 가까워지자 온 집안이 蔬食(소사 : 거친 음식)를 하였으며, 대상 날 제복하고 祔를 하였는데도 선생은 여러 날 근심하며 슬퍼하는 안색을 하였다.(先生以長子大祥, 先十日朝暮哭, 諸子不

[21-19-2-1]

問, "祧主."

朱子曰 : "天子諸侯有太廟夾室, 則祧主藏於其中. 今士人家無此, 祧主無可置處, 『禮記』説藏於兩階間. 今不得已只埋於墓所."[113]

조천祧遷[114]한 신주에 대해 물었다.

주자가 대답했다. "천자와 제후는 태묘에 협실夾室이 있으니 조천祧遷한 신주를 그 속에 모셨다.[115] 지금 사인士人의 집에는 이것이 없어 조천한 신주를 둘 만한 곳이 없으니, 『예기禮記』에 '두 계단 사이에 묻는다.'[116]라고 하였으나, 지금은 어쩔 수 없어 그저 묘소에 매장할 뿐이다."[117]

. . . .

赴酒食會. 近祥則擧家蔬食, 此日除祔, 先生累日顔色憂戚.)"『朱子語類』권89, 59조목

또 門人 胡伯量(胡永)이 편지에서 "근래 祥祭는 그저 2주기의 날만을 적용하는데, 비록 의복은 바꾸어 입지 않을 수 없겠지만 고기를 먹는 한 가지 절차만은 달을 넘기는 것으로써 절도를 삼고 싶은데 어떨지 모르겠습니다.(比者, 祥祭止用再忌日, 雖衣服不得不易, 惟食肉一節, 欲以踰月爲節, 不知如何?)."고 하자, 주자는 "달을 넘기는 것이 맞다.(踰月爲是.)"고 하였다. 『朱文公文集』권63「答胡伯量」(2)

112 침실로 돌아간다. :『禮記』「喪大記」에 "禫祭를 지내고 나서는 부인을 거느리고, 길제를 지내고 나서는 평상시의 침실로 돌아간다.(禫而從御, 吉祭而復寢.)"고 하였다. 이에 대한 集説에서 陳澔는 다음과 같이 말했다. "'從御'에 대해 鄭玄은 '부인을 거느리는 것'을 말한다고 하였고, 杜預는 '정사에 나아가 職事를 처리하는 것'을 말한다고 하였는데, 杜預의 설이 옳은 듯하다. 대개 '復寢'은 바로 평상시에 부인을 거느리던 침소로 돌아가는 것이다. '吉祭'는 사시에 지내는 통상적인 제사이다. 담제를 지낸 뒤에 같은 달에 길제를 만나면 길제를 마치고 침소로 돌아간다. 담제를 지내는 달이 길제를 지내는 달이 아닐 경우에는 달을 넘겨서 길제를 지낸 뒤에야 마침내 침소로 돌아간다.(從御, 鄭氏謂'御婦人,' 杜預謂'從政而御職事,' 杜説近是. 蓋復寢乃復其平時婦人當御之寢耳. '吉祭,' 四時之常祭也. 禫祭後, 值吉祭同月, 則吉祭畢而復寢. 若禫祭不值當吉祭之月, 則踰月而吉祭乃復寢也.)"

113 『朱子語類』권90, 53조목 : "問祧禮. 曰, '天子諸侯有太廟夾室, 則祧主藏於其中. 今士人家無此, 祧主無可置處. 禮注説藏於兩階間, 今不得已, 只埋於墓所.' 問, '有祭告否?' 曰, '横渠説三年後祫祭於太廟, 因其祭畢還主之時, 遂奉祧主歸於夾室, 遷主新主皆歸於廟. 鄭氏周禮注大宗伯享先王處, 亦有此意, 今略放而行之.' 問, '考妣入廟有先後, 則祧以何時?' 曰, '妣先未得入廟, 考入廟則祧.'"

114 祧遷 :『禮記』「祭法」의 주에서 鄭玄은 "'祧'란 '超'이다. '超'는 '위로 올라가다.'는 뜻이다.(祧之言超也. 超上去意.)"고 하였는데, 제사 지낼 대수가 다하여 사당에서 옮기는 것을 가리킨다.

115 천자와 제후는 … 모셨다. : 夾室에 祧主를 보관하는 것은 앞의 '祠堂' 附註에 보인다.

116 두 계단 사이에 묻는다. :『禮記』「檀弓下」의 鄭玄의 주이다.『禮記』「檀弓下」에 "重(신주를 대신하는 임시 木牌)은 神主의 도리이다. 殷나라에서는 신주를 만들어 중에 매달아 두었고, 周나라에서는 신주를 만들면 중은 철거하였다.(重, 主道也. 殷主綴重焉, 周主重徹焉.)"고 하였는데, 이에 대한 주에서 鄭玄은 "막 죽었을 때에는 신주를 만들지 못하고 重을 만들어 그 신을 의탁하게 하였다. 중은 虞祭를 지내고 땅에 묻고 나중에 신주를 만들었다.『春秋公羊傳』에 '虞主는 뽕나무를 쓰고, 練主는 밤나무를 쓴다.'고 하였다. '綴'은 '매다[聯].'와 같다. 殷나라 사람들은 (우제 때 신주를 만들고 나면) 重에 매어 廟에 달아두었다가 '顯考' 字를 지우고는 땅에 묻었다. 주나라 사람들은 (우제 때 신주를 만들면) 重은 철거하여 묻었다.(始死未作主, 以重主其神. 重既虞而埋之, 乃後作主. 春秋傳曰, '虞主用桑, 練主用栗.' 綴, 猶聯也. 殷人作主, 而聯其重以縣諸廟去顯考, 乃埋之. 周人作主, 徹重埋之.)"고 하였다.

그러나 "두 계단 사이에 묻는다."는 말은 鄭玄의 주에도 보이지 않고, 정현이 주에서 인용한『春秋公羊傳』

李繼善問曰 : “納主之儀, 禮經未見. 『書儀』但言, ‘遷祠版匣於影堂’, 別無祭告之禮. 周舜
敬以爲‘昧然歸匣, 恐未爲得.’ 先生前云, ‘諸侯三年喪畢皆有祭, 但其禮亡, 而大夫以下又不
可考.’ 然則今當何所攄耶?”

曰 : “橫渠說, ‘三年後祫祭於太廟, 因其告祭畢還主之時, 遂奉祧主歸於夾室, 遷主新主皆歸
于其廟.’ 此似爲得禮. 鄭氏『周禮』註, 大宗伯享先王處, 似亦有此意. 而舜敬所疑, 與熹所
謂, ‘三年喪畢有祭者’, 似亦暗與之合. 但旣祥而徹几筵, 其主且當祔于祖父之廟, 俟祫畢然
後遷耳.”[118]

이계선李繼善[119]이 물었다. “신주를 들이는 의식은 예경에서 보지 못했습니다. 『서의』에서는 다만
‘사판을 옮겨 영당에 넣어 둔다.’고만 하였고, 따로 아뢰는 제사는 없습니다. 이에 주순필周舜敬[120]은
‘아무 일 없이 넣어두는 것은 아마도 옳지 못한 듯합니다.’고 하였습니다. 선생은 전에 ‘제후가 3년상
을 마치면 다 제사가 있었으나 다만 그 예가 없어졌으며, 대부 이하는 또 상고할 수 없다.’고 하였습
니다. 그렇다면 이제 무엇에 근거해야만 합니까?”

(주자가) 말했다. “횡거橫渠[張載]의 설에 ‘3년 후 태묘太廟에 협제祫祭[121]하니, 아뢰고 제사 지내는

文公 2년 條 기사인 ‘虞主는 뽕나무를 쓰고, 練主는 밤나무를 쓴다.’에 대한 何休의 주에 보인다. 그는 그
주에서 “(연주는 밤나무를 쓴다는 것) 1주년에 지내는 練祭를 말하는데, 虞主를 양 계단 사이에 묻고 밤나
무로 바꾸어 쓴다.(謂期年練祭也, 埋虞主於兩階之間, 易用栗也.)”고 하였다.

117 지금은 어쩔 … 뿐이다. : 주자는 “桃遷하는 신주는 어디에 둡니까?(桃遷置何處?)”라고 묻자, 다음과 같이
말했다. “옛날에는 始祖의 廟에 夾室이 있어 모든 조천하는 신주는 다 협실에 두었는데 천자부터 사서인에
이르기까지 모두 그러하였다. 지금은 사서인의 집안에 감히 주제넘게 시조의 묘를 세울 수 없기 때문에
조천하는 신주를 둘 곳이 없다. 그저 伊川의 설과 같이 양쪽 계단 사이에 파묻을 수 있을 뿐이다. 우리
집안의 家廟에서도 또한 그와 같이 하였다. 양쪽 계단 사이는 사람들의 발길이 닿지 않으니, 정결한 곳을
취해 묻을 뿐이다. 그런데 오늘날 사람들의 가묘에 어찌 또한 이른바 양쪽 계단이 있겠는가? 그저 정결한
곳을 택해 파묻으면 된다. 그러나 생각해보니 始祖墓의 곁에 파묻는 것만 못하다. 시조묘가 없기 때문에
대처하기 어려울 경우는 다만 이와 같이 할 뿐이다.(古者始祖之廟有夾室, 凡祧主皆藏之於夾室, 自天子至於
士庶皆然. 今士庶之家不敢僭立始祖之廟, 故祧主無安頓處. 只得如伊川說, 埋於兩階之間而已. 某家廟中亦如
此. 兩階之間, 人跡不到, 取其潔爾. 今人家廟亦安有所謂兩階? 但擇淨處埋之可也. 思之, 不若埋於始祖墓邊.
緣無箇始祖廟, 所以難處, 只得如此.)”『朱子語類』권90, 54조목

118 『朱文公文集』권63 「答李繼善」(4)

119 李繼善 : 宋나라 南康 建昌 사람. 이름은 孝述이고, 李燔의 조카이다. 주자의 門人으로 그에게 답한 편지에
서, “의심스러운 뜻에 대해서 말한 것이 아주 정밀하다.”라고 칭송하였다.

120 周舜敬(1141~1202) : 이름은 謨이고, 南康 建昌 사람이다. 주자의 문인으로 주자는 그에 대해 “학문을 강론하
고 몸가짐을 지키는 일에 게으르지 않고 더욱더 부지런히 하였다.”고 하였다. 黃榦이 그의 묘지명을 지었다.

121 祫祭 : 程復心은 “祫祭에는 두 가지가 있다. 『禮記』「曾子問」에 ‘조묘에 협제를 지낼 때에는 축관이 네 묘의
신주를 맞이해 온다.’고 하였는데, 이것은 時祭를 지낼 때의 협제이다. 『春秋公羊傳』에는 ‘헐어낸 묘의 신주
는 태묘에 진열하고, 헐지 않은 묘의 신주는 모두 태묘에 올려 饋食한다.’고 하였는데, 이것은 大祫을 지낼
때 헐거나 헐지 않은 묘의 신주에게 제사 지내는 것이다.(祫有二. 「曾子文」曰, ‘祫祭於其祖, 則祝迎四廟之

예를 마치고 나서 신주를 도로 안치할 때, 마침내 조천祧遷할 신주는 협실夾室에 모시고, 체천할 신주와 새 신주는 모두 해당 감실에 모신다.'고 하였는데, 이는 예를 얻은 듯하다. 정씨鄭氏[鄭玄]의 『주례周禮』 주에서 대종백大宗伯이 선왕에게 제향하는 부분[122] 또한 이러한 뜻이 있는 듯하다. 순필이 의심한 것과 '내가 3년상을 마치면 제사가 있다.'고 한 것은 이들의 견해와 암암리에 합치하는 것 같다. 다만 대상을 지내고 나면 궤연을 치우고, 그 신주는 조부의 사당에 합부合祔하였다가 협제祫祭를 마치고 나서 옮겨야 할 것이다."[123]

[21-19-2-3]

楊氏復曰 : "『家禮』祔與遷, 皆祥祭一時之事. 前期一日以酒果告訖, 改題遞遷而西, 虛東一龕以俟新主. 厥明祥祭畢, 奉神主入于祠堂. 又按先生與學者書, 則'祔與遷是兩項事, 旣祥而徹几筵, 其主且當祔于祖父之廟, 俟三年喪畢, 合祭而後遷.'

蓋世次迭遷, 昭穆繼序, 其事至重, 豈可無祭告禮, 但以酒果告, 遽行迭遷乎? 在禮, 喪三年不祭. 故橫渠說, '三年喪畢祫祭於太廟, 因其祭畢還主之時, 迭遷神主', 用意婉轉, 此爲得禮, 而先生從之.

或者又以大祥除喪, 而新主未得祔廟爲疑. 竊嘗思之, 新主所以未遷廟者, 正爲體亡者尊敬祖考之意. 祖考未有祭告, 豈敢遽遷也? 況禮辨昭穆, 孫必祔祖! 凡合祭時孫尙祔祖, 今以新主且祔於祖父之廟, 有何所疑? 當俟告祭前一夕以薦告遷主畢, 乃題神主. 厥明合祭畢, 奉神主埋於墓所. 奉遷主新主各歸于廟. 故並述其說以俟參考."

양복楊復이 말했다. "『가례』에서 합부合祔하는 것과 체천遞遷하는 것은 모두 대상大祥 제사에서 동시에 하는 일이다. 하루 전에 술과 과일로 아뢰고 마치면, 신주를 고쳐 쓰고 서쪽으로 체천하여 동쪽의 감실 하나를 비워두고 새 신주를 기다린다. 다음 날 대상大祥을 지내고 마치면 신주를 받들어 사당에 들인다. 또 살펴보니, 선생이 배우는 자에게 보낸 편지에서는 '합부合祔하는 것과 체천遞遷하는 것은

主,' 此時祭之祫也. 『公羊傳』曰, '毁廟之主, 陳于太廟, 未毁廟之主, 皆升食于太廟.' 此大祫毁廟未毁廟之主而祭之也.")고 하였다.

122 鄭氏[鄭玄]의 『周禮』 … 부분 : 『周禮』「春官」에 "禮官의 무리는 大宗伯에 卿 1인이다. 대종백의 직은 나라의 天神과 人鬼와 地示의 예를 관장하여, 왕을 보좌해 邦國을 보호한다. 이에 肆獻祼으로 선왕을 제향하고, 饋食으로 선왕을 제향한다. 봄에는 祠祭를 지내 선왕을 제향하고, 여름에는 禴祭를 지내 선왕을 제향하며, 가을에는 嘗祭를 지내 선왕을 제향하고, 겨울에는 烝祭를 지내 선왕을 제향한다.(禮官之屬, 大宗伯, 卿一人. 大宗伯之職, 掌建邦之天神人鬼地示之禮, 以佐王建保邦國. 以肆獻祼享先王, 以饋食享先王. 以祠春享先王, 以禴夏享先王, 以嘗秋享先王, 以烝冬享先王.)"고 하였다. 이에 대한 주에서 鄭玄은 "魯나라의 예에는 3년의 상기를 마치고서 太祖에게 祫祭를 지내며, 다음 해 봄에 群廟에 禘祭를 지낸다. 그 뒤로는 5년마다 재차 殷祭를 지내되, 한 번은 祫祭로 지내고 한 번은 禘祭로 지낸다.(魯禮, 三年喪畢而祫祭於大祖, 明年春, 禘於群廟. 自爾以後, 率五年而再殷祭, 一祫一禘.)"고 하였다.

123 그 신주는 … 것이다. : 『家禮集說』에서 馮善은 "서인은 祫祭가 없다. 다만 4대의 신주를 正寢에서 合祭할 뿐이다.(庶人無祫, 但合祭四代於正寢.)"고 하였다.

두 가지 항목의 일로, 대상大祥을 지내고 나서 궤연几筵을 치우고, 그 신주는 마땅히 우선 조부의 사당에 합부하여 3년상을 마치기를 기다렸다가 합제를 지낸 후에 체천해야 한다.'고 하였다. 세대의 차례가 번갈아 옮겨가고 소목昭穆으로 차례를 이으니, 그 일은 매우 중요한데 어찌 제사 지내고 아뢰는 예도 없이 그저 술과 과일로만 아뢰고 나서 서둘러 체천을 행할 수 있겠는가? 예에 3년상 중에는 제사 지내지 못한다고 하였다. 그러므로 횡거橫渠張載가 '3년상을 마치면 태묘에 협제 하는데, 그 제사를 마치고서 신주를 도로 안치할 때 신주를 체천한다.'고 말한 것은 마음 씀씀이가 깊으니, 이 점이 예를 얻어 선생이 따른 것이다.

혹자는 또 대상에 옷을 벗었는데도 새 신주를 사당에 합부하지 못하는 것을 의심하였다. 나름대로 생각해보니, 신주를 사당에 옮기지 않는 것은 바로 죽은 사람이 조고祖考를 존경하는 뜻을 본받기 위한 것이다. 조고에게 아직 제사 지내고 아뢰지 않았는데, 어떻게 감히 서둘러 옮기겠는가? 하물며 소昭와 목穆을 구별하는 것을 예禮로 삼아 손자를 할아버지에게 합사하는 경우는 어떻겠는가? 무릇 합제할 때는 손자는 항상 할아버지에게 합사하니, 지금 새 신주를 우선 조부의 사당에 합사하는 것에 무슨 의심할 것이 있겠는가? 마땅히 아뢰고 제사 지내기 전날 저녁을 기다려, 음식을 올려 신주를 옮기겠다고 아뢰고 마치면 마침내 신주를 쓴다. 그 다음 날 합제하고 마치면, 조천할 신주를 받들어 묘소에 묻는다. 체천할 신주와 새 신주를 받들어 각각 사당에 모신다. 그러므로 그 설들을 모두 서술하여 참고에 대비한다.

[21-19-2-4]

高氏告祔遷祝文曰 : "年月日孝曾孫某, 罪積不滅, 歲及免喪. 世次迭遷, 昭穆繼序, 先王制禮, 不敢不至."

고씨高氏[高閌]가 부祔와 천遷을 아뢰는 축문에서 "○년 ○월 ○일, 효증손孝曾孫 아무개는 쌓인 죄가 없어지지도 않았는데 세월이 흘러 상喪을 마치게 되었습니다. 세대는 차례로 바뀌고 소목은 대를 이어가니, 선왕이 만드신 예를 감히 시행하지 아니할 수 없습니다."고 하였다.

[21-20-0]

禫 담

鄭氏曰 : "澹澹然平安之意."[124]

정씨鄭氏[鄭玄]가 말했다. "담담하여 평안하다는 뜻이다."

....

[124] 『儀禮』「士虞禮」記의 "한 달을 건너뛰어 담제를 지낸다.(中月而禫)"에 대한 鄭玄의 주이다. 이 구절에 대한 정현의 주 전문은 다음과 같다. "中, 猶間也. 禫, 祭名也. 與大祥間一月. 自喪至此, 凡二十七月. 禫之言, 澹澹然平安意也. 古文禫或爲導也." 또 『禮記』「喪服小記」 '再期之喪三年也'의 소에서 孔穎達은 "담제는 본래 생각 하는 정이 깊어 차마 서둘러 제복할 수 없기 때문에 담제를 둔 것이다.(禫者本爲思念情深, 不忍頓除, 故有禫也.)"라고 하였다.

[21-20-1]

大祥之後, 中月而禫.

대상大祥의 제사를 지낸 후, 한 달을 건너뛰어 담제를 지낸다.

> 間一月也. 自喪至此不計閏, 凡二十七月.
>
> 한 달을 건너뛴다. 초상부터 이때까지 윤달을 따지지 않고 모두 27개월이다.

[21-20-1-1]

> 司馬温公曰 : "「士虞禮」, '中月而禫.' 鄭註云 : '中, 猶間也. 禫, 祭名也. 自喪至此, 凡二十
> 七月.' 按魯人有朝祥而暮歌者, 子路笑之, 夫子曰, '踰月則其善也.' 孔子既祥, 五日彈琴而
> 不成聲, 十日而成笙歌. 「檀弓」曰, '祥而縞,' 註, '縞冠素紕也.' 又曰, '禫徙月樂.' 「三年問」
> 曰, '三年之喪, 二十五月而畢.' 然則所謂'中月而禫'者, 蓋禫祭在祥月之中也. 歷代多從鄭
> 説, 今律勅三年之喪, 皆二十七月而除, 不可違也."[125]

사마온공司馬温公[司馬光]이 말했다. "『의례儀禮』「사우례士虞禮」에 '한 달을 건너뛰어 담제를 지낸다.'
고 하였다. 이에 대한 정현鄭玄의 주에는 '「중中」은 「건너뛰다.」와 같다. 「담禫」은 제사 이름이다.
초상에서 이때까지 모두 27개월이다.'고 하였다. 살펴보니, 노魯나라 사람 중에 아침에 대상大祥을
지내고 저녁에 노래하는 사람이 있었는데 자로가 비웃자, 공자는 「한 달을 넘겼으면 좋았을 텐데.」
라고 하였다.[126] 공자는 대상을 지내고 나서 5일 만에 거문고를 탔으나 음률이 이루어지지 않았고,

. . . .

125 『書儀』 권9 「禫祭」

126 노나라 사람 … 하였다. : 『禮記』「檀弓上」. 전문은 다음과 같다. "노나라 사람 중에 아침에 大祥의 제사를
지내고 저녁에 노래하는 사람이 있었는데 자로가 비웃었다. 공자는 '유야! 네가 남을 책망하는 것이 끝내
그치질 않는구나! 3년의 상만 해도 너무 오랜 시간이란다.'라고 하였다. 자로가 나가자, 공자는 "너무 많은가?
달을 넘겼으면 좋았을 텐데.'라고 하였다.(魯人有朝祥而莫歌者, 子路笑之. 夫子曰, "由, 爾責於人, 終無已夫!
三年之喪, 亦已久矣夫.' 子路出, 夫子曰, '又多乎哉? 踰月則其善也.')" 이에 대해 『예기집설』에서 陳澔는 "아
침에 상제를 지내고 저녁에 노래를 부르는 것은 참으로 예가 아니다. 다만 禮敎가 쇠퇴한 때인데도 이 사람
만은 능히 3년상을 행하였으므로 부자께서 자로가 비웃는 것을 억누른 것이다. 그러나 결국 올바른 예는
아니므로, 학자들이 의심할까 걱정하여 자로가 나가기를 기다려서 말을 바로잡은 것이다. 그 뜻은, '이름은
비록 3년상이라고 하지만 실제로는 25개월이다. 지금 이미 24개월에 이르렀다. 이때부터 노래를 해도 되는
날까지 또 어찌 많은 날짜가 남았겠는가? 단지 조금 더 달을 넘겨 禫祭를 지내고서 노래를 하였다면 좋았을
것이다.'는 것이다. 성인은 이 사람에 대해 비록 예를 갖추도록 책망하지 않았지만, 또한 변례로 허여하지도
않았던 것이다.(朝祥莫歌, 固爲非禮. 特以禮敎衰廢之時, 而此人獨能行三年之喪, 故夫子抑子路之笑. 然終非
正禮, 恐學者致疑, 故俟子路出, 乃正言之. 其意, 若曰名爲三年之喪, 實則二十五月. 今已至二十四月矣. 此去
可歌之日, 又豈多有日月乎哉? 但更踰月而歌, 則爲善矣. 蓋聖人於此, 雖不責之以備禮, 亦未嘗許之以變禮
也.)"고 하였다. 또한 長樂陳氏[陳祥道]는 "『禮記』에서 '상제를 지낸 날에 素琴을 연주하는 것을 그르다고
하지 않으면서도 노래하는 것은 좋지 않게 여긴 것은 소금을 연주하는 것은 외부에서부터 소리가 일어나고,
노래는 속에서부터 소리가 나오기 때문이다.(記曰, '祥之日, 鼓素琴不爲非, 而歌則爲未善'者, 琴自外作, 歌由
中出故也.)"고 하였다.

10일 만에 연주와 노래가 이루어졌다.[127] 『예기禮記』「단궁상檀弓上」에 '대상大祥을 지내고서 호관縞冠을 쓴다.'고 하였는데, 그 주에서 (정현은) '호縞는 관에 흰 가선을 두른 것이다.'고 하였다. 또 '담제를 지내고 그 다음 달에 음악을 연주한다.'[128]라고 하였다. 『예기禮記』「삼년문三年問」에는 '3년상은 25개월 만에 마친다.'고 하였다. 그렇다면 이른바 '중월이담中月而禫'이라는 것은 담제가 대상大祥을 지내는 달 안에 있는 것이다. 그러나 역대로 정씨鄭氏[鄭玄]의 설을 많이 따랐고, 요즈음 법령에도 3년상은 모두 27개월 만에 복을 벗는다고 하였으니, 어겨서는 안 된다."

[21-20-1-2]

朱子曰 : "二十五月, 祥後便禫, 看來當如王肅之說, 於是月禫, 徙月樂之說爲順. 而今從鄭氏之說, 雖是禮宜從厚, 然未爲當."[129]

주자가 말했다. "25개월 만에 대상大祥을 지낸 후 바로 담제를 지내니, 살펴보건대 왕숙王肅[130]의 설처럼[131] 이달에 담제를 지내고 그 다음 달에 음악을 연주한다는 설을 따라야 한다. 요즈음 정씨鄭氏[鄭玄]의 설을 따르는 것은, 비록 예는 후함을 따라야 하지만 온당치 못하다."

[21-20-2]

前一月, 下旬卜日.

한 달 전, 하순에 날을 점친다.[132]

· ·

127 공자는 대상을 … 이루어졌다. : 『禮記』「檀弓上」
128 『禮記』「檀弓上」: 그 주에서 馬睎孟은 "담제를 지내는 달에 음악을 연주한다는 것은 다른 사람의 음악을 듣는 것이다. 그 다음 달에 음악을 연주한다는 것은 자기 자신이 연주하는 것이다.(禫月而樂者, 聽於人也. 在徙月而樂者, 作於己也)"고 하였다. 또 方慤은 "이달에 담제를 지내고 그 다음 달에 음악을 연주한다는 것이 노나라 사람이 아침에 상제를 지내고 저녁에 노래를 부르자 공자가 '달을 넘겨 했다면 좋았을 텐데.'라고 했던 근거이다.(是月徙月樂者, 魯人朝祥而莫歌, 孔子以爲踰月, 則其善者, 以此.)"고 하였다.
129 『朱子語類』 권89, 60조목 : "二十五月祥後便禫, 看來當如王肅之說, 於是月禫, 徙月樂之說爲順. 而今從鄭氏之說, 雖是禮宜從厚, 然未爲當. 看來而今喪禮須當從儀禮爲正. 如父在爲母期, 非是薄於母, 只爲尊在其父, 不可復尊在母, 然亦須心喪三年. 及嫂叔無服, 這般處皆是大項事, 不是小節目, 後來都失了. 而今國家法爲所生父母皆心喪三年, 此意甚好."
130 王肅(195~256) : 三國 시대 晉나라 사람이다. 자는 子雍이며, 王郎의 동생이다. 崇文館祭酒를 지냈으며, 蘭陵侯에 봉해졌다. 여러 경전에 대한 주석을 내었는데, 賈逵와 馬融의 학설을 중시하였으며, 鄭玄의 학설을 천시하였다.
131 王肅의 설처럼 : 沙溪는 "살펴보니, 『通典』에서 王肅이 '中月(달을 건너뛰다)을 月中(그달 중)으로 간주한다.'고 한 것이 바로 이것이다.(按『通典』王肅以中月爲月中者, 是也.)"고 하였다. 그러나 또한 그는 "살펴보니, 우리나라의 제도에 3년의 상은 27개월 만에 除喪한다.(按國制, 三年之喪, 二十七月而除.)"고 하였다. 『家禮輯覽』(『沙溪全書』 권30)「禫」, '當如王肅說'
132 하순에 날을 점친다. : 『禮記』「曲禮上」에 "무릇 날짜를 점칠 때에는 열흘 밖의 날을 먼 ○일이라고 하고, 열흘 안의 날을 가까운 ○일이라고 하는데, 喪事에는 먼 날을 먼저 점치고, 吉事에는 가까운 날을 먼저 점친다.(凡卜筮日, 旬之外曰遠某日, 旬之內曰近某日, 喪事先遠日, 吉事先近日.)"라고 하였다. 이에 대한 소에

下旬之首, 擇來月三旬各一日, 或丁或亥. 設卓子于祠堂門外, 置香爐香合环珓盤子于其上西向. 主人禮服西向, 衆主人次之, 少退北上. 子孫在其後, 重行北上. 執事者北向東上. 主人炷香熏珓, 命以上旬之日, 曰, "某將以來月某日, 祇薦禪事于先考某官府君, 尙饗." 卽以珓擲于盤, 以一俯一仰爲吉. 不吉更命中旬之日. 又不吉, 則用下旬之日. 主人乃入祠堂本龕前再拜, 在位者皆再拜. 主人焚香. 祝執辭立於主人之左, 跪告曰, "孝子某, 將以來月某日, 祇薦禪事于先考某官府君, 卜旣得吉, 敢告." 主人再拜, 降, 與在位者皆再拜. 祝闔門退. 若不得吉, 則不用'卜旣得吉'一句.

하순 초에 다음 달 삼순三旬의 각각 하루를 정일丁日이든 해일亥日이든 택한다.[133] 탁자를 사당

. . . .

서 孔穎達은 다음과 같이 말했다. "이달 하순에 다음 달 상순을 점치는 것은 열흘 밖의 날이다. 喪事는 葬事와 소상·대상의 두 祥祭를 말한다. 이것은 애통함을 빼앗는다는 뜻이니, 효자가 원하는 것이 아니라 다만 부득이한 것이다. 그러므로 먼저 먼 날에서부터 시작하여 의당 급하지 않음을 보이는 것이 그나마 효심을 펴는 것이다. 吉事는 제사·冠禮·昏禮 따위를 말한다.(今月下旬筮來月上旬, 是旬之外日也. 喪事謂葬與二祥. 是奪哀之義, 非孝子所欲, 但不獲已. 故先從遠日而起, 示不宜急, 微伸孝心也. 吉事, 謂祭祀冠昏之屬.)"『家禮集說』에서 馮善은 "경우에 따라서는 27개월의 마지막 날을 쓰기도 하는데, 또한 매우 편하다.(或用二十七月終日, 亦甚便)"고 하였다.

133 정일이든 해일이든 택한다. : 丁日을 취한 것은 '정녕스럽다'는 뜻으로, 『周易』「蠱卦」의 "先甲三日, 後甲三日(일이 시작되기 앞서 3일 동안 그 이유를 궁구하고, 일이 시작된 뒤에 앞일을 3일 동안 생각한다.)", 「巽卦」 "先庚三日, 後庚三日(일을 변경하기 앞서 3일 동안 궁구하고, 일을 변경한 뒤에 3일 동안 생각한다.)"에서 유래한 것이다. 『常變通攷』 권23「祭禮」時祭 上 前旬卜日에는 "劉敞이 말했다. '丁巳와 丁亥 모두 丁을 취하는 것은 경일 전 삼일(先庚三日)과 갑일 뒤 삼일(後甲三日)이기 때문이다. 대개 郊祭는 辛日을 점치고, 社祭는 甲日을 점치며, 宗廟祭는 丁日을 점치고, 亥日을 취함이 없다. 주석을 다는 이가 十干의 정일과 기일을 논하지 않고, 오로지 十二支의 해일을 취하여 해석한 것은 경문의 뜻에서 너무 멀리 벗어났다. 日에는 십간이 있고, 辰에는 십이지가 있다. 다섯 剛日로 여섯 陽辰에 짝하고, 다섯 柔日로 여섯 陰辰에 짝하니 甲子, 乙丑의 류가 이것이다. 日로써 辰을 짝하면, 丁丑 혹은 丁卯, 丁巳, 丁未, 丁酉, 丁亥가 되어 丁日이 확정되지 않으므로 다만 丁이 亥에 해당하는 하루를 들어서 말한 것인데, 그 뜻은 혹 己가 亥에 해당하는 己亥나 丁이 丑에 해당하는 丁丑이나 모두 사용한다고 한 것일 따름이다.(劉氏敞曰, "丁巳丁亥, 皆取於丁, 以先庚三日, 後甲三日故也. 大抵郊祭卜辛, 社祭卜甲, 宗廟祭卜丁, 無取於亥. 註家不論十干之丁己, 專取十二支之亥, 以爲解, 其失經文之意遠矣. 日有十干, 辰有十二支. 以五剛日, 配六陽辰, 以五柔日, 配六陰辰, 甲子乙丑之類是也. 以日配辰, 或丁丑或丁卯或丁巳丁未丁酉丁亥. 丁日不定, 故直擧丁當亥一日以言之, 其意, 或以己當亥, 或以丁當丑, 皆用之云爾.")고 하였고, 또 "朱子가 말했다. '先甲三日은 辛이고 後甲三日은 丁이며, 先庚三日은 丁이고 後庚三日은 癸이다. 丁과 辛은 모두 옛사람들이 제사 지낸 날이고, 다만 癸日은 사용처를 볼 수 없다.' 또 말했다. '庚은 바뀐다更는 말이며, 辛은 새롭다新는 말이며, 丁은 丁寧의 뜻이 있다.(朱子曰, '先甲三日是辛, 後甲三日是丁, 先庚三日是丁, 後庚三日是癸. 丁與辛, 皆是古人祭祀之日, 但癸日不見用處.' 又曰, '庚之言更也, 辛之言新也, 丁有丁寧之意.')"
그리고 『儀禮』「少牢饋食禮」에 "내일 丁亥 일에 황조고께 제물을 올려서 歲事를 올릴 것입니다.(來日丁亥用薦歲事于皇祖.)"고 하였다. 그 주에서 鄭玄은 '丁이 꼭 亥를 만나야 하는 것은 아니다. 그저 어떤 하나의 날을 들어서 말했을 뿐이다. 太廟에 禘제사를 지내는 것에 대해『大戴禮』에 '날짜는 丁亥 일을 쓰는데, 정해 일을 얻지 못하였을 경우에는 己亥 일이나 辛亥 일도 쓰며, 이마저 없으면 적어도 亥만 들어있는 날이

문밖에 설치하고는 향로香爐·향합香盒·배교环珓[134]·쟁반을 그 위에 서향하여 놓는다. 주인은 담복을 입고 서향하고, 여러 주인들은 차례대로 자리 하는데, 조금 물러나 서되 북쪽이 상석上席이다. 자손들은 그 뒤에 여러 줄로 서되 북쪽이 상석이다. 집사자는 북향하되 동쪽이 상석이다. 주인은 향을 피워 배교에 쏘이고[135] 상순의 날짜를 명하면서 "아무개가 다음 달 ○일에 선고先考 ○관부군君某官府君께 공경히 담사禪事를 올리려 하오니, 흠향하시기 바랍니다."고 하고는 배교를 쟁반에 던지는데 하나는 엎어지고 하나는 젖혀지는 것이 길吉이다.[136] 불길하면 다시 중순의 날짜로 명한다. 또 불길하면 하순의 날짜를 쓴다. 주인은 이에 사당으로 들어가 '해당 감실[本龕]' 앞에서 재배하고, 자리에 있는 자들도 모두 재배한다. 주인은 분향을 하면, 축祝은 축사祝辭를 들고 주인의 왼쪽에 꿇어앉아서 "효자 아무개가 다음 달, 며칠에 선고先考 ○관부군君某官府君께 공경히 담사를 올리고자 점을 쳐서 이미 길일을 얻었기에 감히 아룁니다."라고 아뢴다. 주인은 재배하고 내려와 자리에 있는 자들과 함께 모두 재배하면, 축관은 문을 닫고 물러간다. 길일을 얻지 못했을 경우에는 '점을 쳐서 이미 길일을 얻었다.'는 한 구절은 쓰지 않는다.

· ·

면 된다.(丁未必亥也. 直擧一日以言之耳. 禘于大廟禮曰, '日用丁亥, 不得丁亥, 則己亥辛亥亦用之, 無則苟有亥焉可也.")고 하였다. 여기서 鄭玄은 결국 十干과 十二支로 이루어진 날들 중에서 亥가 들어간 날이면 어떤 날이건 괜찮다고 말하고 있는 셈이다. 그러나 본문의 "丁日이든 亥日이든 택한다."고 한 것은 상순의 열흘 중에서 10간 중에 丁이 들어있거나 12지 중에 亥가 들어있는 날이면 어떤 날이든 상관없다는 의미이니, 鄭玄의 주와는 약간의 편차가 있다. 그러나 孔穎達은 본문처럼 어떤 날이든 상관없다고 주석하고 있는데, 아마도 주자는 이 입장을 따른 듯하다.
孔穎達은 다음과 같이 말했다. "'丁이 꼭 亥를 만나야 하는 것은 아니다. 그저 어떤 하나의 날을 들어서 말했을 뿐이다.'는 것은, 日에는 十干이 있고 辰에는 十二支가 있는데, 다섯 剛日을 여섯 陽辰에 배정하고, 다섯 柔日을 여섯 陰辰에 배정한 것이니, 예컨대 甲子나 乙丑이라고 말하는 것과 같은 것이다. 日을 辰에 배정하되, 丁日이 어떤 辰인지 정해두지 않았기 때문에 '정이 꼭 해를 만나야 하는 것은 아니다.'고 한 것이다. 經文에서 丁亥라고 한 것을 모두를 갖추어서 실을 수가 없어 그저 하나의 날만을 들어 丁이 亥를 만난 날을 말한 것이니, 그 나머지 己가 亥를 만났건, 丁이 丑를 만났건, 이들 날 등도 모두 쓸 수 있는 것이다.(丁未必亥也. 直擧一日以言之耳'者, 以日有十, 辰有十二, 以五剛日配六陽辰, 以五柔日配六陰辰, 若云甲子乙丑之等. 以日配辰, 丁日不定, 故云'丁未必亥.' 經云丁亥者, 不能具載, 直擧一日, 以丁當亥而言, 餘或以己當亥, 或以丁當丑, 此等皆得用之也.)"
참고로『家禮』가 바탕을 두고 있는 사마광의『書儀』에는 이런 점치는 일마저 생략하고 그저 "대상을 지내고 나서 한 달을 건너뛰어 담제를 지내는데, 이달 중에 편의에 따라 어떤 하나의 날을 택한다.(大祥後, 間一月禪祭, 是月之中, 隨便擇一日.)"라고 되어 있다.
禪祭를 지내기 위해 祠堂에서 날짜를 점치는 일에 대한 묘사는 부록 그림 86 참조

134 环珓의 모양은 부록 그림 87 참조
135 배교에 쏘이고 : "살펴보니,『易筮儀』에 '향로를 놓고 날마다 향을 피워 공경을 드리다가, 점을 칠 때에는 50개 산가지를 합하여 양쪽 손에 잡고 향로 위에서 연기를 쏘인다.'고 하였는데, 지금 여기서 '배교에 쏘이는 것'이 바로 이것이다.(按『易筮儀』, '置香爐, 日炷香致敬, 將筮合五十策, 兩手執之, 薰於爐上,' 今此熏珓則是也.)"『家禮輯覽』(『沙溪全書』권30)「禪」, '熏珓'
136 배교를 쟁반에 … 吉이다. : "모두 젖혀지면 보통이고 모두 엎어지면 凶이다.(皆仰爲平, 皆俯爲凶.)"

前期一日, 沐浴設位陳器具饌.

하루 전에 목욕하고 신위를 설치하며 기물을 진설하고 음식을 마련한다.

> 設神位於靈座故處. 他如大祥之儀.
>
> 영좌가 있던 곳에 신위를 설치한다.[137] 다른 것은 대상大祥의 의례와 같다.

厥明行事, 皆如大祥之儀.

그 다음 날 제사는 모두 대상大祥의 의식과 같다.

> 但主人以下詣祠堂. 祝奉主櫝置于西階卓子上, 出主置于座. 主人以下皆哭盡哀. 三獻不哭. 改祝版大祥爲禫祭, 祥事爲禫事. 至辭神乃哭盡哀. 送神主至祠堂不哭.
>
> 다만 주인 이하는 사당에 나아가고, 축관은 신주의 독櫝을 모셔다 서쪽 계단의 탁자 위에 놓고는 신주를 꺼내 자리에 놓는다. 주인 이하는 모두 곡하며 애통함을 다하고, 삼헌三獻을 드리되 곡은 하지 않는다. 축판을 고쳐 '대상大祥'을 '담제禫祭'라고 하고 '상사祥事'를 '담사禫事'라고 한다. 사신辭神에 이르면 곡하며 애통함을 다한다. 신주를 보내어 사당에 이르러도 곡하지 않는다.[138]

[21-20-2-1]

朱子曰 : "薦新告朔, 吉凶相襲, 似不可行. 未葬可廢, 旣葬則使輕服, 或已除者入廟行禮可也. 四時大祭, 旣葬亦不可行. 如韓魏公所謂'節祠'者, 則如薦新行之可也."[139]

주자가 말했다. "천신薦新과 곡삭告朔은 길흉이 서로 겹쳐 행해서는 안 될 듯하다. 장사를 지내지 않았을 경우에는 폐하는 것이 옳고, 이미 장사를 지냈을 경우에는 복이 가벼운 자나 혹은 이미 복을 벗은 자가 묘廟(사당)에 들어가 예를 행하게 하는 것이 옳다. 사시四時의 큰 제사는 이미 장사를 지냈더라도 행해서는 안 된다. 그러나 예컨대 한위공韓魏公[140]이 말한 '절사節祠'는 천신薦新의 의례대로 행하는 것이 옳다.

又曰 : "家間頃年居喪, 於四時正祭則不敢擧, 而俗節薦享則以墨衰行之. 蓋正祭三獻受胙, 非居喪所可行, 而俗節則唯普同一獻, 不讀祝, 不受胙也."[141]

또 말했다. "우리 집에서 지난해 상을 치를 때에는 사시四時의 정제正祭는 감히 지내지 못했으며, 속절俗節의 천향薦享에는 묵최墨衰[142]를 입고서 행하였다. 정제正祭의 삼헌三獻과 수조受胙는 상중에

---

137 영좌가 있던 … 설치한다. : "바로 정침의 堂 가운데이다.(卽正寢堂中.)" 『家禮增解』 권12 「禫」

138 신주를 보내어 … 않는다. : "신주는 아직도 조부의 감실에 합부한다.(神主, 猶祔祖龕.)" 『喪禮備要』(『沙溪全書』 권34)「禫祭」

139 『朱文公文集』 권63 「答胡伯量」(1)

140 韓魏公 : 韓琦(1008~1075) 송나라 安陽 사람. 자는 稚圭. 天聖 연간에 進士試에 급제하였고, 嘉祐 연간에 정승에 제수되었다. 그 뒤에 魏國公에 봉해졌으며 諡號는 忠獻이다. 그 뒤 다시 魏王에 추봉되었다.

141 『朱文公文集』 권61 「答曾光祖」(4)

142 墨衰 : 喪禮에서, 베 直領에 墨笠과 墨帶를 갖추어 입는 옷차림. 아버지가 살아계실 때 돌아가신 어머니의

는 행할 수 있는 것이 아니고, 속절俗節에는 두루 함께 한잔만 올릴 뿐 축을 읽지도, 수조를 하지도 않았다."

[21-20-2-2]

又曰: "喪三年不祭. 但古人居喪衰麻之衣不釋於身, 哭泣之聲不絶於口, 其出入居處言語飮食, 皆與平日絶異. 故宗廟之祭雖廢, 而幽明之間兩無憾焉. 今人居喪與古人異, 卒哭之後, 遂墨其衰, 凡出入居處言語飮食, 與平日之所爲皆不廢也, 而獨廢此一事, 恐亦有所未安. 竊謂欲處此義者, 但當自省所以居喪之禮, 果能始卒一一合於曲禮, 卽廢祭無可疑. 若他時不免墨衰出入, 或其他有所未合者尙多, 卽卒哭之前, 不得已準禮且廢, 卒哭之後, 可以畧做左傳杜註之說, 遇四時祭日以衰服特祀於几筵, 用墨衰常祀於家廟可也." [143]

또 말했다. "'3년의 상喪중에는 제사를 지내지 않는다.'[144] 다만 옛사람은 상중에 최마衰麻의 옷을 몸에서 벗지 않았고, 곡읍하는 소리가 입에서 끊이지 않았으니, 그 출입·거처·언어·음식이 모두 평상시와 전혀 달랐다. 그러므로 종묘의 제사를 비록 폐하더라도 죽은 자나 산 자나 모두 유감이 없었다. 요즘 사람들이 상을 치르는 것은 옛사람과 달라 졸곡卒哭 뒤에 마침내 묵최墨衰를 입고, 무릇 출입·거처·언어·음식과 평소의 행동을 모두 폐하지 않은 채, 유독 이 한 가지 일만 폐하니 또한 온당치 못한 점이 있는 듯하다. 내 생각으로는 이 의리에 처신하고자 하는 자가 오직 상을 치르는 예를 자성自省하여 시종일관 곡례曲禮[145]에 일일이 부합할 수 있다면, 제사를 폐하더라도 의심을 사지 않을 것이다. 만약 다른 때 묵최를 입고 출입하거나 기타 합당하지 못한 점이 오히려 많다면, 졸곡 전에는 부득이 예를 따라 폐하고 졸곡 뒤에는 『좌전』의 두주杜註의 설[146]을 대략 본받

. . . .

禫祭 뒤와 生家 부모의 小祥 뒤에 입는 喪服이다.

143 『朱文公文集』 권39 「答范伯崇」(6)

144 3년의 喪중에는 … 않는다. : 『禮記』「王制」. 呂大臨은 "상을 치를 때에는 두 가지 일을 함께 하지 못한다.'는 것은 제사가 비록 지극히 막중해도, 또한 지내서는 안 되는 점이 있다는 것이니, 제사 지낼 때 정성이 지극하면 애통함을 잊게 되고, 제사 지낼 때 정성이 지극하지 않으면 제사 지내지 않는 것만 못하기 때문이다.(喪不貳事, 則祭雖至重, 亦有所不可行, 盖祭而誠至, 則忘哀, 祭而誠不至, 不如不祭之爲愈也.)"고 하였다. 衛湜, 『禮記集說』 권30 '喪三年不祭'

145 曲禮 : 다른 판본에는 '古禮'로 되어 있다.

146 『左傳』의 杜註의 설 : 『春秋左氏傳』 僖公 33년 조의 기사에 "무릇 군주가 죽었을 경우에는 卒哭祭를 마치고 나서 祔祭하며, 祔祭하고 나서는 신주를 만들어 특별히 正寢에서 제사 지내고, 廟에서는 烝祭·嘗祭·禘祭를 지낸다.(凡君薨卒哭而祔, 祔而作主, 特祀於主, 烝嘗禘於廟.)"고 하였는데, 이에 대한 주에서 杜預는 "새 신주에 대해 이미 정침에서 특별히 제사 지냈으니, 종묘의 四時祭와 常祀는 마땅히 저절로 예전처럼 지내야 한다.(新主旣特祀於寢, 則宗廟四時常祀自當如舊.)"고 하였다.
그러나 이와 달리 『葉味道에게 답한 편지」에서 주자는 다음과 같이 말하였다. "이른바 '烝祭·嘗祭·禘祭'는 『禮記』「王制」의 '3년의 喪 중에는 제사를 지내지 않는다.'고 한 것과 부합하지 않는다. 아마도 左丘明의 이 설은 바로 당시의 잘못인데도 杜預가 그것을 그대로 따라 나라의 군주의 상에는 졸곡제를 지내고 除服한다는 설을 갖게 된 듯하니, 올바른 예가 아닌 듯하다. 대체로 좌씨가 예를 언급한 것은 이 같은 따위가

으면 될 것이니, 사시제四時祭를 지내는 날에는 최복衰服을 입고 특별히 궤연几筵에서 제사 지내며, 묵최를 입고서는 가묘에서 상사常祀를 지내면 된다.

[21-20-2-3]

楊氏復曰 : "先生以子喪不舉盛祭, 就祠堂內致薦, 用深衣幅巾, 祭畢反喪服, 哭奠子則至慟."[147]
양복楊復이 말했다. "선생은 아들의 상喪[148]에 제사를 성대하게 치르지 않았다. 사당 안으로 가서 천신薦新할 때에는 심의深衣와 복건幅巾을 사용하였고, 제사를 마치고 상복으로 바꾸어 입고는 곡하며 아들에게 전을 올렸는데 지극히 애통해 하였다."

[21-21-0]

居喪雜儀 거상잡의

[21-21-1]

「檀弓」曰, "始死, 充充如有窮, 旣殯, 瞿瞿如有求而弗得, 旣葬, 皇皇如有望而弗至. 練而慨然, 祥而廓然."
『예기禮記』「단궁상檀弓上」에 "이제 막 돌아가셨을 때에는, 슬픔이 앞을 가려 앞길이 꽉 막힌 듯하며, 빈소를 마련한 뒤에는 놀란 눈으로 두리번거리는데 무엇을 찾아도 찾지 못한 듯이 하며, 장사 지낸 뒤에는 안절부절못하는데 가려려도 기다려도 오지 않는 듯이 한다. 연제練祭에 탄식하며, 대상大祥에 허전해 한다."[149]라고 하였다.

. . . .

많다.(所謂'烝嘗禘於廟,' 則與「王制」'喪三年不祭'者不合. 疑左氏所説, 乃當時之失, 杜氏因之, 遂有國君卒哭而除服之説, 皆非禮之正. 大率左氏言禮, 多此類也.)"

147 『朱子語類』 권89, 54조목 : "先生以子喪, 不舉盛祭, 就影堂前致薦, 用深衣幅巾. 薦畢, 反喪服, 哭奠於靈, 至慟."

148 아들의 喪 : 주자의 장남 朱塾(1153~1162)의 상을 말한다.

149 이제 막 … 한다. : 孔穎達은 다음과 같이 말했다. "일이 한계에 이르고 이치가 막힌 것을 '窮'이라고 한다. 이것은 부모가 막 돌아가시면 효자는 쓰러져 통곡하는데 마음은 막히고 몸은 굽은 것이 마치 다급하게 길을 가는데 길이 끝나 다시 갈 곳이 없어 곤궁하고 다급한 모습과 같다. '旣殯, 瞿瞿如有求而弗得'은 斂襲하고 빈소를 마련한 후 마음과 몸이 조금 여유가 생긴 것이다. '瞿瞿'는 빠르게 두리번거리는 모습이다. '求'는 '찾대[覓]'와 같다. 항상 두리번거려 모습이 마치 잃어버린 것이 있는데 찾아보아도 찾을 수 없는 것과 같다. '旣葬, 皇皇如有望而弗至'는 또 좀 더 여유가 생긴 것이다. '皇皇'은 '불안한 모습[栖栖]'과 같다. 장사를 지낸 뒤에 부모가 풀과 흙으로 돌아가시어 효자의 마음과 몸은 불안하고 어쩔 줄 모르며 의지할 곳이 없는 것이 마치 저 사람이 오기를 기다려도 저 사람이 오지 않는 것과 같다. '練而慨然'은 더욱 여유가 생긴 것이다. 小祥이 되면 다만 세월이 말이 달리는 것처럼 빠름을 개탄할 뿐이다. '祥而廓然'은 大祥이 되면 마음이 쓸쓸하고 허전하여 즐겁지 않을 뿐이다.(事盡理屈爲窮, 言親始死, 孝子匍匐而哭之, 心形充屈, 如急行, 道極無所

家禮四·371

"顔丁善居喪, 始死皇皇焉如有求而弗得, 及殯, 望望焉如有從而弗及, 旣葬, 慨焉如不及, 其反而息."[150]

「단궁하檀弓下」에 "안정顔丁[151]은 상喪을 잘 치렀으니, 이제 막 돌아가셨을 때에는 찾아도 찾지 못할 때처럼 불안해 하고, 빈소를 차리고는 쫓아가도 따라잡지 못할 때처럼 실망하고, 장사 지낸 뒤에는 따라잡지 못할 것 같음을 탄식하며 돌아와 기다린다."[152]라고 하였다.

• • • • • • • • • • • • • • • • • • • •

復去, 窮急之容也. '旣殯, 瞿瞿如有求而弗得'者, 殯斂後, 心形稍緩也. 瞿瞿, 眼目速瞻之貌. 求猶覓也. 貌恒瞿瞿, 如有所失而求覓之不得然也. '旣葬, 皇皇如有望而弗至'者, 又漸緩也. 皇皇, 猶栖栖也. 至葬後, 親歸草土, 孝子心形栖栖皇皇, 無所依託, 如有望彼人來而彼人不至也. '練而慨然'者, 轉緩也. 至小祥, 但歎慨日月若馳之速也. '祥而廓然'者, 至大祥, 而寥廓情意, 不樂而已.)"

그러나 이에 대해 方慤은 "「檀弓下」에서 顔丁이 喪을 치르는 것을 기술할 때에는 막 죽었을 때 '불안해서 어쩔 줄 모른다皇皇'고 하였고 장사를 지내고 났을 때 '한탄한대慨焉'고 하였으며, 「問喪」에서는 反哭에 '불안해서 어쩔 줄 모른대皇皇'고 하였으니, 말한 것이 같지 않다. 군자에게는 종신토록 치러야 하는 상이 있는데, 부모를 사모하는 마음에 어찌 더함과 덜함이 있겠는가? 선왕이 예를 제정할 때 대략 그 등차를 만들었을 뿐이다. 그러므로 말한 것이 꼭 같지는 않다.(下篇述顔丁之居喪則言皇皇於始死, 言慨焉於旣葬, 「問喪」則言皇皇於反哭, 所言不同者, 蓋君子有終身之喪, 思親之心, 豈有隆殺哉? 先王制禮, 略爲之節而已. 故其所言不必同也.)"고 하였다.

150 『禮記正義』(北京大學出版社, 1999)에는 "顔丁善居喪, 始死皇皇焉如有求而弗得, 及殯, 望望焉如有從而弗及, 旣葬, 慨焉如不及, 其反而息."으로 되어 있다.

151 顔丁 : 춘추시대 魯나라 사람

152 顔丁은 喪을 … 기다린다. : 孔穎達은 다음과 같이 말했다. "이 한 대목은 효자가 상을 치를 때 애통함이 점점 줄어드는 것을 논의한 것이다. '이제 막 돌아가셨을 때에는 찾아도 찾지 못할 때처럼 불안해한다.'에서 '皇皇'은 '어찌할 바를 몰라 갈팡질팡하는 것'과 같으니 마치 찾는 물건을 찾지 못하는 것 같다. 「檀弓上」에서 '이제 막 돌아가셨을 때에는, 슬픔이 앞을 가려 앞길이 꽉 막힌 듯하다.'는 것은 모습이 옹색함을 말한 것이니, 또한 어쩔 줄 모르고 갈팡질팡하여 찾아도 찾지 못하는 마음이기도 하다. 전자와 후자가 각각 한쪽을 들었을 뿐이다. '빈소를 차리고는 쫓아가도 따라잡지 못할 때처럼 실망한다.'는 빈소를 차린 후에는 그 모습이 돌아보지도 않고 가는 사람을 쫓아가도 따라잡지 못하는 듯하다는 말이다. 「檀弓上」에서 '빈소를 마련한 뒤에는 놀란 눈으로 두리번거리는데 무엇을 찾아도 찾지 못한 듯이 한다.'고 한 것도 이것과 또한 같다. 다만 이제 막 돌아가셨을 때는 내면의 마음을 지적하였고, 빈소를 차리고 나서는 외면의 모습을 지적하였다. 그러므로 여기에서 '막 돌아가셨을 때에 찾아도 찾지 못한 것'은 내면의 마음에 의거한 것이고, 「檀弓上」에서 '빈소를 차리고 나서는 찾아도 찾지 못한 것'은 외면의 모습에 의거한 것이다. '장사 지낸 뒤에는 따라잡지 못할 것 같음을 탄식한다.'는 장사 지낸 뒤에 마음이 슬프고 다시는 따라잡지 못할 것 같음을 탄식한다는 말이다. '이미 따라갈 수 없으니 돌아와 기다린다.'에서, 윗글의 빈소를 차리고 난 뒤에 '쫓아가도 따라잡지 못한다.'고 한 것은 따라갈 수 있는 이치가 있는 것 같고, '장사 지낸 뒤에는 따라잡지 못할 것 같음을 탄식한다.'는 다시는 따라갈 수 없다는 말이므로 글이 서로 다른 것이다. 「檀弓上」에서 '장사 지낸 뒤에는 안절부절 못하는데 기다려도 오지 않는 것처럼 한다.'고 하였는데, 이것은 '장사 지낸 뒤에는 따라잡지 못할 것 같음을 탄식한다.'는 말과 역시 같다. 여기의 '始死皇皇'은 불안이 심하므로 '찾아도 찾을 수 없는 듯하다.'고 하였고, 「檀弓上」에서 말한 '旣葬皇皇'은 가벼우므로 '기다려도 오지 않는 듯하다.'고 하였다. 여기에서는 장사 지내는 것으로 그치고 練祭와 祥祭를 말하지 않았기 때문에 장사 지내고 나서 탄식하였다. 「檀弓上」에서는 장사 지내고 나서 練祭와 祥祭를 더 말했기 때문에 '練祭에 탄식하며, 大祥에 허전해 한다.'고 하였다. 다만 부모가

「雜記」, “孔子曰, ‘少連大連善居喪, 三日不怠, 三月不解, 期悲哀, 三年憂.’”

『예기禮記』「잡기하雜記下」에 “공자는 소련少連과 대련大連[153]은 상喪을 잘 치렀으니 3일 동안 태만하지 않았고, 3개월 동안 해이해지지 않았으며, 1년 동안 애통해하였고, 3년 동안 근심하였다.”고 하였다.

「喪服四制」曰, “仁者可以觀其愛焉, 知者可以觀其理焉, 彊者可以觀其志焉. 禮以治之, 義以正之, 孝子弟弟貞婦, 皆可得而察焉.”

돌아가셨을 때 哀悼하는 마음이 처음에는 심하지만 나중에는 점차 가벼워지니, 모두 ‘찾아도 찾을 수 없고,’ ‘기다려도 오지 않는’ 것 같은 점이 있지만 의거하는 바에 얕음과 깊음이 있을 뿐이다. 빈소를 차린 뒤에는 비록 외면에 의거하지만, 역시 여전히 애통함이 마음속에 있으나, 그것이 조금 가벼울 뿐이다. 그러므로 「檀弓上」의 鄭玄의 주에서 ‘모두 哀悼하는 마음이 있는 모습이다.’고 한 것이다.”(此一節, 論孝子居喪哀殺有漸之事. ‘始死, 皇皇焉如有求而弗得’者, ‘皇皇’猶彷徨, 如所求物不得. 上「檀弓」云‘始死, 充充如有窮’, 謂形貌窮屈, 亦彷徨求而不得之心. 彼此各擧其一. ‘及殯, 望望焉如有從而弗及’者, 謂殯後容貌望望焉, 如有從逐人後行而不及之. 上「檀弓」云‘既殯, 瞿瞿如有求而不得’, 與此亦同也. 但始死, 據內心所求, 殯後, 據外貌所求. 故此經始求死而不得, 據內心也. 上「檀弓」云‘既殯求而不得’, 據外貌也. ‘既葬, 慨焉如不及’者, 謂既葬之後, 中心悲, 慨然如不復所及. ‘既不可及, 其反而息’者, 上殯後云‘從而不及,’ 似有可及之理, ‘既葬, 慨焉如不及,’ 謂不復可及, 所以文異也. 上「檀弓」云, ‘既葬, 皇皇如有望而不至.’ 此謂既葬, 慨焉如不及, 亦同也. 此始死, 皇皇者, 是皇皇之甚, 故云‘如有求而弗得.’ 上「檀弓」云‘既葬, 皇皇’是輕, 故云‘望而不至.’ 此既葬則止, 不說練祥, 故葬後則慨然. 上「檀弓」葬後更說練祥, 故云, ‘練而慨然, 祥而廓然.’ 但親之死亡, 哀悼在心, 初則爲甚, 已後漸輕, 皆有求而不得, 望而不及, 但所據有淺深耳. 殯後雖據外貌, 亦猶哀在內心, 但稍輕耳. 故鄭注上「檀弓」云, ‘皆哀悼在心之貌.’)”

또 陳澔는 集說에서 다음과 같이 주석하였다. “顔丁은 魯나라 사람이다. ‘皇皇’은 ‘불안한 모습[栖栖]’과 같고, ‘望望’은 떠나면서 돌아보지 않는 모습이며, ‘慨’는 ‘한탄스러움[感悵]’의 뜻이니, 막 죽었을 때는 형체를 볼 수 있고, 殯을 하고 나서는 靈柩를 볼 수 있으나, 장사를 지내면 보이는 것이 없다. ‘쫓아가도 따라잡지 못할 듯하다.’는 것은 흡사 쫓아갈 수 있는 곳이 있는 것 같지만, 장사를 지낸 뒤에는 다시는 쫓아갈 곳이 있는 것 같지 않다. 그러므로 단지 ‘돌아오지 않을 것 같다.’고 하고, 또 ‘쉰다’고 하였으니, 쉬는 것은 기다리는 것과 같다. 부모를 차마 결코 잊어버리지 못하여 여전히 앉으나 서나 부모가 돌아오기를 기다리는 것이다. 장사 지내면 가고는 돌아오지 못하는 것이지만, 효자가 精靈(죽은 이의 魂魄)을 모시고 돌아올 때에는 아직도 (돌아오실지 모른다는) 의심이 남아있는 것 같다.(顔丁, 魯人. 皇皇, 猶栖栖也. 望望, 往而不顧之貌. 慨, 感悵之意. 始死形可見也, 既殯, 柩可見也, 葬則無所見矣. 如有從而弗及, 似有可及之處也. 葬後, 則不復如有所從矣. 故但言如不及其反, 又云而息者, 息猶待也. 不忍決忘其親, 猶且行且止, 以待其親之反也. 蓋葬者, 往而不反, 然孝子於迎精而反之時, 猶如有所疑也.)”

153 少連과 大連: 이 글의 말미에 “東夷의 아들이다.(東夷之子也)”고 하였다. 그 주에서 鄭玄은 “오랑캐[夷狄]에게서 태어났는데도 예를 알았다는 것을 말함이다.(言其生於夷狄而知禮也)”고 하였고, 陳澔는 “少連은 『論語』「微子」편에 보인다. ‘3일’은 어버이가 막 죽은 때이다. ‘不怠’는 절박한 애통함에 비록 음식을 먹지 않더라도 스스로 힘써 그 예를 다하였음을 말한다. ‘3개월’은 부모의 영구가 빈소에 있을 때이다. ‘解’는 ‘懈와 같으니, ‘게으르대[倦]’이다. 어떤 사람은 본음 본뜻으로 읽는데, 잠잘 때에 経帶를 벗지 않는 것을 말한다. ‘憂’는 근심 걱정에 초췌한 것을 말한다.(少連見『論語』. ‘三日’, 親始死時也. ‘不怠’, 謂哀痛之切雖不食而能自力以致其禮也. ‘三月’, 親喪在殯時也. ‘解’, 與懈同, 倦也. 或讀如本字, 謂寢不脫経帶也. ‘憂’, 謂憂戚憔悴.)”고 하였다.

『예기禮記』「상복사제喪服四制」[154]에 "인자仁者에게서는 그 사랑하는 마음을 볼 수 있고, 지자知者에게서는 그 도리를 볼 수 있으며, 강자彊者에게서는 그 의지를 볼 수 있다. 예로써 다스리고 의로써 바르게 하니, 효성스런 자식, 공손한 아우, 정숙한 부인을 모두 살필 수 있다."[155]라고 하였다.

- - - - - - - - - - - - - - - - -

[154] 「喪服四制」: 『禮記』의 편명으로, 이에 대한 소에서 孔穎達은 "'상복4제'라고 이름을 붙인 것은 상복의 제도가 仁·義·禮·智에서 취한 것임을 기록하였기 때문이다.(名曰'喪服四制'者, 以其記喪服之制, 取於仁義禮智也.)"고 하였고, 그 集說에서 陳澔는 "喪에는 네 가지 제도가 있는데, 恩惠로써 제도를 정하고, 義理로써 제도를 정하고, 節度로써 제도를 정하고, 權道로써 제도를 정하는 것을 말한다.(喪有四制, 謂以恩制, 以義制, 以節制, 以權制也.)"고 하였다. 그 經文 첫머리에서는 "喪에는 4제가 있는데 변화하여 마땅함을 따르는 것은 四時에서 취한 것이고, 은혜가 있고 이치가 있으며, 節度가 있고 權道가 있는 것은 人情에서 취한 것이다. 은혜는 仁이고 이치는 義이며, 절도는 禮이고 권도는 知이니, 인·의·예·지는 人道가 갖추어진 것이다.(喪有四制, 變而從宜, 取之四時也, 有恩, 有理, 有節, 有權, 取之人情. 恩者仁也, 理者義也, 節者禮也, 權者知也, 仁義禮知, 人道具矣.)"고 하였다.

[155] 인자에게서는 그 … 있다.: 이에 대한 集說에서 陳澔는 다음과 같이 말했다. "仁者가 아니면 부모를 친애하는 도리를 다할 수 없다. 그러므로 인자에게서 부모에 대한 사랑을 보게 된다. 知者가 아니면 喪을 치르는 이치를 궁구할 수 없다. 그러므로 知者에게서 그 이치를 보게 된다. 強者가 아니면 예를 실행하는 의지를 지킬 수 없다. 그러므로 강자에게서 그 의지를 보게 된다. 一說에는 '理'는 '다스리다[治]'이니, 斂襲·殯·葬事·祭祀의 일을 다스린다는 말이다. 오직 知者라야 喪事에 후회가 없을 수 있기 때문에 '그 다스림을 본다.'고 한 것이라고 하였다. 편의 첫머리에서는 仁義禮智가 四制의 근본이 된다고 말했는데, 여기에서 오직 '禮로써 다스리고, 義로써 바르게 한다.'고만 한 것은 恩仁이 또한 義를 겸하고, (知의) 권도가 禮를 어기는 것이 아니기 때문이다. 효성스런 자식, 공손한 아우, 정숙한 부인은 오직 집안의 다스림을 말한 것일 뿐이니, 군신을 언급하지 않은 것은 또한 章의 첫머리에 오직 부모의 상만을 말하였고, 恩制가 4제의 첫 머리가 되기 때문이다.(非仁者, 不足以盡愛親之道. 故於仁者觀其愛. 非知者, 不足以究居喪之理. 故於知者觀其理. 非强者, 不足以守行禮之志. 故於强者觀其志. 一說, 理治也, 謂治斂殯葬祭之事. 惟知者, 能無悔事也, 故曰觀其理. 篇首言仁義禮知爲四制之本, 此獨曰'禮以治'之, 義以正之'者, 蓋恩亦兼義, 權非悖禮也. 孝子弟弟貞婦專言門內之治, 而不及君臣者, 亦章首專言父母之喪, 而恩制爲四制之首故也.)"

또 呂大臨은 다음과 같이 주석하였다. "부모의 상에는 큰 변화가 세 가지 있다. 막 돌아가셨을 때부터 3일 동안이 첫 번째이고, 13개월이 되어 練祭를 지낼 때가 두 번째이며, 3년이 되어 祥祭를 지낼 때가 세 번째이다. 예에 따라 喪을 진행하지 않음이 없으나 이것을 잘하기는 어려우며, 처음에는 잘하지 못하는 사람이 없으나 끝까지 잘하기는 어렵다. 그러므로 이 세 가지 節目을 제대로 마치는 것을 喪을 잘 치렀다고 칭하는 것이니, 효성스런 자식, 공손한 아우, 정숙한 부인을 알 수 있는 것이다. 측은함에 애가 타고 애통함에 괴로워하는 것은 부모에게 독실한 仁者가 아니면 할 수 없다. 그러나 곡하고 발을 구르는 데에 節度가 없고 喪期에 일정한 수가 없으며, 喪服에 정미함과 거칢을 구별하지 않고 자리에 손님과 주인을 구별하지 않는 것은 바로 野人이나 오랑캐[夷狄]들이 마음 내키는 대로 거침없이 행하는 것이니, 그 지혜는 말할 것이 못 된다. 애통함이 용모에서 드러나고, 음성에서 드러나며, 언어에서 드러나고, 음식에서 드러나며, 거처에서 드러나고, 의복에서 드러나니, 輕重에 등급이 있고, 變除에 절도가 있는 것에서부터, 襲·含·斂·殯의 도구와 賓이 弔文하고 哭하는 형식에 이르기까지 어떤 것이든 예에 맞지 않음이 없게 하는 것은, 이치에 밝은 知者가 아니면 할 수 없다. 그러나 그 형식이 있더라도 실제로는 그에 걸맞지 못하고, 그 시작이 있더라도 힘써 제대로 마칠 수 없다면, 그 강함은 말할 것이 못 된다.

喪事는 감히 힘쓰지 않을 수 없는데, 이것은 뜻이 있는 강한 자라야 할 수 있는 것이다. 그러므로 옛날에 사람 됨됨이를 잘 보는 자는 말과 행동의 지향점을 살펴 性情을 알았고, 하는 일이 오래도록 유지되는지를

「曲禮」曰, "居喪未葬, 讀喪禮, 旣葬, 讀祭禮, 喪復常, 讀樂章."

『예기禮記』「곡례하曲禮下」에 "상을 치를 때에 장사 지내기 전에는 상례喪禮에 관한 글을 읽고, 장사 지낸 뒤에는 제례祭禮에 관한 글을 읽으며, 상을 마치고 일상으로 돌아오면 악장樂章을 읽는다."[156]라고 하였다.

. . . .

살펴 德을 알았다. 부모의 상은 사람이 온 힘을 다 바쳐야 하는 일이다. 죽은 자에게 곡하면서 애통해하는 것은 산 사람을 위해서가 아니니, 그 仁을 알 수 있다. '살아계실 때에는 예로써 섬기며, 돌아가셨을 때에는 예로써 장사 지내고 예로써 제사 지내니,' 그 知를 알 수 있다. 선왕이 제정해 놓은 예를 감히 다하지 않을 수가 없으니, 그 강함을 알 수 있다. 그러므로 군자가 사람 됨됨이를 볼 때에는 항상 이 점에서 살펴보았던 것이다.(父母之喪, 其大變有三. 始死至于三月, 一也, 十三月而練, 二也, 三年而祥, 三也. 莫不執喪也, 善於此者難, 莫不善其始也, 善於終者難, 故終茲三節, 以善喪稱者, 則孝子弟弟貞婦可得而知也. 惻怛痛疾悲哀志懣, 非仁者之篤於親, 則不能也. 然哭踊無節, 喪期無數, 服不別精粗, 位不別賓主, 乃野人夷狄直情徑行者, 其知不足道也. 哀之發於容體, 發於聲音, 發於言語, 發於飲食, 發於居處, 發於衣服, 輕重有等, 變除有節, 至於襲含斂殯之具, 賓客弔哭之文, 無所不中於禮, 非知者之明於理, 則不能也. 然有其文矣, 實不足以稱之, 有其始矣, 力不足以終之, 其強不足道也. 喪事不敢不勉, 此強有志者之所能也. 故古之善觀人者, 察其言動之所趨而知其情, 驗其行事之所久而知其德. 親喪者, 人之所自致者也. 哭死而哀, 非爲生者, 則其仁可知矣. '生事之以禮, 死葬之以禮, 祭之以禮,' 則其知可知矣. 先王制禮不敢不及, 則其強可知矣. 故君子之觀人, 常於此而得之.)"

156 상을 치를 … 읽는다. : 이에 대한 소에서 孔穎達은 다음과 같이 말했다. "喪禮는 朝夕奠·下室·朔望奠·殯宮·及葬 등의 예를 말하니, 이 예는 모두 장사 지내기 전이다. 제례는 虞祭·卒哭·祔·小祥·大祥의 예이다. '상을 마치고 일상으로 돌아오면 악장을 읽는다.'에서 '일상으로 돌아온다.'는 것은 大祥을 지내고 상복을 벗은 뒤를 말한다. '樂章은 樂書의 편장을 말하니, 詩를 말한다. 담제 뒤에는 길제가 되므로 담제 뒤에 읽는 것이 마땅한 것을 알겠다. 이상의 3가지 절목의 일은 반드시 미리 익혀야 하기 때문에 모두 읽는 것을 허락한 것이다.(喪禮, 謂朝夕奠下室朔望奠殯宮及葬等也, 此禮皆未葬以前. 旣葬讀祭禮者, 祭禮, 虞卒哭祔小祥大祥之禮也. 喪復常讀樂章者, 復常, 謂大祥除服之後也. 樂章, 謂樂書之篇章, 謂詩也. 禫而後吉祭, 故知禫後宜讀之. 此上三節事, 須預習, 故皆許讀之.)"

또 集說에서 陳澔는 "평상시로 돌아간다.'는 것은 상복을 벗고 난 뒤이다. '樂章'은 絃歌의 詩이다.(復常, 除服之後也. 樂章, 弦歌之詩也.)"고 하였다.

또 陳祥道는 이에 대해 다음과 같이 주석하였다. "喪을 당하지 않았는데도 喪禮를 읽는 것은 자식 된 자의 情이 아니다. 상을 치르면서도 상례를 읽지 않으면 지나치거나 아니면 미치지 못하는 잘못에 빠진다. 아직 장례를 마치지 않았는데도 祭禮를 읽는다면 이는 효자의 마음이 아니다. 이미 장례를 치렀는데도 제례를 읽지 않는다면 이것은 번독스러움의 잘못이 아니면 태만함의 잘못에 빠진다. 아직 상복을 벗지 않았는데도 樂章을 읽는다면 애통함이 부족해진다. 그러나 상을 치르고 평상으로 돌아갔는데도 악장을 읽지 않는다면 樂이 반드시 무너지고 만다.(非喪而讀喪禮, 則非人子之情. 居喪而不讀喪禮, 不失之過, 則失之不及. 未葬而讀祭禮, 則非孝子之情. 旣葬而不讀祭禮, 不失之黷, 則失之怠. 喪未除而讀樂章, 則哀不足. 喪復常而不讀樂章, 則樂必崩.)" 『禮記』「曲禮下」, '讀樂章「大全」

『朱子語類』에는 이와 관련된 이야기가 소개되어 있다. "蘇東坡가 伊川[程頤]이 司馬公[司馬光]의 喪을 주관하는 것을 보고는 '부친께서 살아 계시는데 어떻게 이렇게 상례를 배웠는가?'라고 기롱하였다. 그러자 사람들이 마침내 이천을 위해서 해명하면서 '이천은 앞서 어머니의 상을 당했으니 또한 그렇게 할 필요가 없다.'고 하였다. 이때는 사람들이 어려서부터 글을 읽어 예컨대 『禮記』나 『儀禮』와 같은 책들을 모두 이미 이해하고 있었다. 옛사람들이 상을 치를 때 상례를 읽는다고 한 것 또한 평소에 이해하고 있다가 상을 당했을 때 다시 책을 살펴보았던 것이지, 상을 당했을 때 비로소 상례를 읽고 이해했던 것이 아니다.(東坡見伊川主司馬

「檀弓」曰, "大功廢業, 或曰, '大功誦可也.'"今居喪但勿讀樂章可也.

『예기禮記』「단궁상檀弓上」에서는 "대공大功의 상에는 업業을 그만두지만 어떤 사람은 '대공大功의 상에 글을 외워도 된다.'고 하였다."[157]라고 하였다. 요즈음에는 상중에 악장만을 읽지 않는 것이 옳다.

「雜記」, "三年之喪, 言而不語, 對而不問."言, 言己事也. 爲人說爲語.

『예기禮記』「잡기하雜記下」에 "3년 상중에는 자신의 일만을 말하고 남을 위해 말하지 않으며 대답하고 묻지 않는다."[158]라고 하였다. '언言'은 자신의 일을 말하는 것이다. 남을 위해서 말하는 것은 '어語'이다.[159]

「喪大記」, "父母之喪, 非喪事不言. 旣葬與人立, 君言王事, 不言國事, 大夫士言公事, 不

公之喪, 譏其父在, '何以學得喪禮如此?' 然後人遂爲伊川解說, 道'伊川先丁母艱, 也不消如此.' 人自少讀書, 如禮記儀禮, 便都已理會了. 古人謂居喪讀喪禮, 亦平時理會了, 到這時更把來溫審, 不是方理會.)"『朱子語類』권93, 70조목

157 大功의 상에는 … 하였다. : 이에 대한 集說에서 陳澔는 다음과 같이 말했다. "'業'은 몸소 익히던 것이니, 예컨대 춤을 배우거나, 활쏘기를 배우거나, 琴瑟을 배우는 것과 같은 따위이다. 이것을 그만두는 것은 애통함을 잊지나 않을까 해서이다. '외운다.'는 것은 입으로 익히는 것이니, 잠시 외우는 것은 또한 괜찮다. 그러나 '어떤 사람이 말하였다.'고 하였으니, 또한 확정하지 않은 말이다.('業'者, 身所習, 如學舞學射學琴瑟之類. 廢之者, 恐其忘哀也. '誦'者口所習, 稍暫爲之亦可. 然稱或曰, 亦未定之辭也.)"
또한 陳祥道는 다음과 같이 말했다. "'業'은 弦歌(현악에 맞춰 노래하는 것)와 羽籥(춤추는 것)의 일이다. 외우는 것은 詩書와 禮樂의 글이다. 대공의 상에는 업은 그만두지만 외우는 것은 괜찮으니, 대공 이상의 상에는 업을 그만둘 뿐만 아니라 외우는 것도 해서는 안 된다. 대공 이하의 상에는 외우는 것이 괜찮을 뿐만 아니라 업 또한 그만두지 않는다.('業'者, 弦歌羽籥之事. '誦'者, 詩書禮樂之文. 大功廢業而誦可, 則大功而上, 不特廢業而誦亦不可. 大功而下, 不特誦可而業亦不廢也.)"
『朱子語類』에는 이와 관련된 제자와의 문답이 실려 있다. "喪을 치르면서 오직 喪禮만을 보고 다른 책을 읽지 않으려고 하였으니, 애통함을 방해하지 않을까 해서입니다. 그러나 다시 또 정신이 처음부터 흐릿하고 혼미함을 알고는 좀 더 전일하게 마음을 써서 制度와 名物을 살펴볼수록 더욱더 무미건조함을 깨닫게 됩니다. 이제 『論語』와 『孟子』를 읽고 싶은데, 어떨지 모르겠습니다.'고 묻자 주자가 말하였다. '喪을 치를 때 애초에 독서를 할 수 없다는 문구는 없다. 옛사람들은 喪을 치를 때 業을 그만두었다고 하는데, 이때의 業은 簴簵(순거 : 악기를 달거나 거는 틀) 위에 있는 판자이니, 業을 그만둔다는 것은 음악을 연주하지 않는 것을 말할 뿐이다. 옛사람들은 예와 악이 몸에서 떠나지 않았으나 오직 상을 치른 후에야 음악을 그만두었다. 그러므로 상을 치르고 평상으로 돌아가면 樂章을 읽었던 것이다. 『周禮』의 「司業」 또한 음악 담당관이다.'" (問, '居喪以來, 惟看喪禮, 不欲讀他書, 恐妨哀. 然又覺精神元自荒迷, 更專一用心去考索制度名物, 愈覺枯燥. 今欲讀語孟, 不知如何? 曰, '居喪初無不得讀書之文. 古人居喪廢業, 業是簴簵上版子 ; 廢業, 謂不作樂耳. 古人禮樂不去身, 惟居喪然後廢樂. 故'喪復常, 讀樂章. 周禮司業者, 亦司樂也.')"『朱子語類』 권89, 38조목

158 3년 상중에는 … 않는다. : 이에 대해 方愨은 鄭玄과는 달리 주석하였다. "'言'은 간략한 말이고 '語'는 상세한 말이다. '對'는 응답하는 것이고 '問'은 먼저 말하는 것이다. 간략하게 말하고 상세히 말하지 않으며, 대답은 하되 먼저 묻지는 않는 것은 상중에는 어떤 일도 겨를이 없기 때문이다.('言'畧而'語'詳. '對'應而'問'倡. 言而不語, 對而不問, 以居憂有所不暇故也.)"

159 '言'은 자신의 … '語'이다. : 鄭玄의 주

言家事."

『의례儀禮』「상대기喪大記」에는 "부모의 상喪 중에는 상사喪事가 아니면 말하지 않는다. 장사 지낸 후 남과 함께 서있을 때에는 군주(제후)는 왕사王事(천자의 일)만 말하고 국사國事(제후의 일)는 말하지 않으며, 대부大夫·사士는 공사公事(나라 일)만 말하고 가사家事(집안 일)는 말하지 않는다."고 하였다.

「檀弓」, "高子皐執親之喪, 未嘗見齒."[160]言笑之微.

『예기禮記』「단궁상檀弓上」에 "고자고高子皐[161]는 예에 따라 부모의 상을 진행할 때 이齒를 드러낸 적이 없었다."[162]라고 하였다. 미소微笑를 말한다.

「雜記」, "疏衰之喪, 旣葬, 人請見之則見, 不請見人. 小功請見人可也."

『예기禮記』「잡기하雜記下」에 "소최疏衰[163]의 상에는 장사 지낸 후 남이 만나자고 하면 만나지만, 남에게 만나자고 하지는 않는다. 소공小功의 상에는 남에게 만나자고 해도 된다."고 하였다.

又 "凡喪小功以上, 非虞祔練祥無沐浴." 「曲禮」, "頭有創則沐, 身有瘍則浴."

또 "모든 상에 소공小功 이상은 우제虞祭·부제祔祭·연제練祭·상제祥祭가 아니면 목욕하지 않는다."[164]라고 하였다. 『예기禮記』「곡례상曲禮上」에는 "머리에 부스럼이 있으면 머리를 감고, 몸에 종기가 있으면 몸을 씻는다."고 하였다.

「喪服四制」, "百官備, 百物具, 不言而事行者, 扶而起. 言而後事行者, 杖而起. 身自執事而後行者, 面垢而已."

---

160 해당 경문에는 "高子皐之執親之喪也, 泣血三年, 未嘗見齒."로 되어 있다.

161 高子皐: 공자의 제자 高柴(고시)이다. 子皐는 字이다.

162 高子皐는 예에 … 없었다. : 이에 대한 集說에서 陳澔는 "사람은 활짝 웃으면 잇몸이 드러나고, 중간쯤 웃으면 이가 드러나고, 살짝 웃으면 이가 드러나지 않는다.(人大笑, 則露齒本, 中笑, 則露齒, 微笑, 則不見齒.)"고 하였다. 또 이 글의 '執喪'에 대해 方慤은 "예경에서 喪에 대하여 居喪이라고 한 곳도 있고, 執喪이라고 한 곳도 있으며, 爲喪이라고 한 곳도 있는 것은 무슨 까닭인가? 몸으로 말할 경우에는 居喪이라고 하고, 예로 말할 적에는 執喪이라고 하며, 일로 말할 적에는 爲喪이라고 한다. 그러나 합하여 말하면 실제로는 한 가지이다.(經於喪有曰居, 有曰執, 有曰爲, 何也? 蓋以身言之, 則曰居, 以禮言之, 則曰執, 以事言之, 則曰爲. 合而言之, 其實一也.)"고 하였다.

163 疏衰 : 이에 대한 集說에서 陳澔는 "疏衰는 齊衰이다.(疏衰, 齊衰也.)"고 하였다. 또 『儀禮』「喪服」의 주에서 鄭玄은 "疏는 麤와 같다.(疏, 猶麤也.)"고 하였다.

164 모든 상에 … 않는다. : 이에 대한 集說에서 陳澔는 "몸을 깨끗이 닦고 꾸미는 것은 신령과 교통하기 위한 것이다. 그러므로 이 네 가지 제사가 아니면 목욕하지 않는 것이다.(潔飾, 所以交神. 故非此四祭, 則不沐浴也.)"고 하였다. 그러나 方慤은 "제사가 있으면 齋戒하지 않아서는 안 된다. 재계할 경우에는 목욕하지 않을 수가 없다.(有祭, 則不可以不齋戒. 齋戒, 則不可不沐浴.)"고 하였다.

『의례儀禮』「상복사제喪服四制」에 "백관百官이 완비되고 백물百物이 갖춰져 말하지 않아도 일이 행해지는 자는 부축을 받아서 일어난다. 말한 뒤에야 일이 행해지는 자는 상장喪杖을 짚고 일어난다. 몸소 일을 맡은 뒤에 일이 행해지는 자는 얼굴에 때垢만 낄 따름이다."[165]라고 하였다.

凡此皆古禮, 今之賢孝君子, 必有能盡之者. 自餘相時量力而行之可也.

이것은 모두 다 고례古禮이나 지금의 어질고 효성스러운 군자 중에는 반드시 극진히 할 수 있는 자가 있을 것이다. 이 외에는 때를 살피고 힘을 헤아려 행하면 된다.

[21-22-0]

致賻奠狀 치부전장[166]

[21-22-1]

具位姓某

직위[具位][167] 성○姓某

　　　　某物若干

　　　　어떤 물건 약간

右謹專送上, 某人靈筵, 聊備賻儀,香茶酒食云'奠儀' 伏惟[168]歆納. 謹狀. 年月日具位姓某狀.

封皮: 狀上某官靈筵. 具位姓某謹封.

∙∙∙∙∙∙∙∙∙∙∙∙∙∙∙∙∙∙∙∙∙

165 百官이 완비되고 … 따름이다. : 이에 대한 集說에서 陳澔는 "백관이 갖추어진 자는 王侯를 말하는데, 백관에게 위임하여 스스로 말하지 않더라도 일이 행해질 수 있기 때문에 효자가 병이 심해지는 것을 허락한다. 비록 병든 몸을 부축하는 지팡이가 있더라도 또한 일어날 수가 없기 때문에 다시 사람들이 부축해 주어야 마침내 일어나게 된다. 大夫와 士는 이미 백관과 百物이 없어 자신이 말을 해야 喪事가 마침내 행해질 수 있기 때문에 심하게 병드는 것을 허락하지 않는다. 그 때문에 지팡이를 짚고서 일어나며, 부축하는 사람을 쓰지 않는다. 庶人은 비천하여 부릴 만한 사람이 없다. 단지 자기 자신이 스스로 일을 해야 하기 때문에 몸이 병들게 해서는 안 된다. 그러므로 지팡이가 있어도 쓰지 않으며, 단지 얼굴에 때가 끼게 할 뿐이다.(百官備, 謂王侯也. 委任百官, 不假自言而事得行, 故許子病深. 雖有扶病之杖, 亦不能起, 故又須人扶乃起也. 大夫士既無百官百物, 須己言而后, 喪事乃行, 故不許致病, 所以杖而起, 不用扶也. 庶人卑, 無人可使. 但身自執事, 不可許病. 故有杖不用, 但使面有塵垢之容而已)"고 하였다. 주자는 "오직 천자와 제후라야 비로소 그 예를 온전히 펼 수 있고, 서인은 스스로 일을 집행하기에 그 예를 펼 수 없다.(蓋惟天子諸侯始得全伸其禮, 庶人皆是自執事, 不得伸其禮)"고 하였다. 『朱子語類』권83, 39조목

166 치부전장 : "奠은 향·차·초·술·과일을 쓰는데 書狀이 있으며, 賻는 돈·비단을 쓰는데 書狀이 있다.(奠, 用香茶燭酒果, 有狀, 賻, 用錢帛, 有狀)" 『圖書編』권110

167 具位 : 서신 등의 글을 쓸 때 글쓴이의 관직이나 신분을 밝히는 것으로 具官과 같다.

168 伏惟 : 삼가 … 하시길 바랍니다.

위 물건을 삼가 모인某人의 영연靈筵에 올려 부족하나마 부의향·차·술·음식을 '전의奠儀'라고 한다.를 갖추오니, 삼가 바라옵건대 흠납歆納하소서. 삼가 올립니다. ○년 ○월 ○일, 직위[具位] 성○姓某 올림. 피봉皮封 : ○관 영연에 올림. 직위[具位] 성○姓某 근봉謹封.

[21-22-1-1]

劉氏璋曰 : "司馬公『書儀』云 : '亡者官尊, 其儀乃如此. 若平交及降等, 即狀內無年, 封皮上用面籤題曰, 「某人靈筵.」于下云, 「狀謹封.」'"

유장이 말했다. "사마온공司馬溫公[司馬光]의 『서의』에 '망자의 관직이 높은 경우에는 그 형식이 이와 같다. 만약 평교平交간이나 등급이 낮은 사람[169]에게는 편지 안에 연도를 쓰지 않고 피봉 위에 면첨面籤[170]을 사용하여 「○인某人 영연靈筵」이라고 쓰고 아래에 「장근봉狀謹封」이라고 쓴다.'[171]고 하였다."

[21-23-0]

謝狀 사장

三年之喪, 未卒哭, 只令子姪發謝書.

3년상에 졸곡이 끝나기 전, 자질子姪에게[172] 명하여 감사의 글을 보내도록 한다.

[21-23-1]

具位姓某

직위具位[173] 성○姓某

　　　某物若干

　　　어떤 제물 약간

右伏蒙, 尊慈以某,發書者名. 某親違世,大官云, '薨沒'. 特賜賻儀,襚奠隨事. 下誠平交不用此二字. 不任哀感之至. 謹具狀上謝. 謹狀.餘並同前. 但封皮不用靈筵二字.

위 물건을 어른[尊慈]께서 아무개발신자의 이름의 ○친족이 세상을 떠나심에 높은 관직일 경우에는 '훙몰薨沒'이라고 쓴다. 특별히 부의賻儀수의襚儀와 전의奠儀일 경우에는 그에 따른다.를 보내주셨기에, 저의 정성에[下

<hr />

169 등급이 낮은 사람 : 신분·나이·항렬 등이 낮은 사람을 말한다.
170 面籤 : 작은 종이에다 글자를 적어 윗면에 붙이는 것을 말한다. 宋時烈, 『宋子大全』 권114 「答韓伯圭如琦」 참조
171 『書儀』 권9 「致賻襚狀」
172 子姪 : 아들과 조카를 말한다. 자질이 없으면 族人이 대신한다. 『喪禮備要』
173 具位 : 서신 등의 글을 쓸 때 글쓴이의 관직이나 신분을 밝히는 것으로 其官과 같다.

誠] 평교간에는 이 말을 쓰지 않는다. 지극한 애통함을 견딜 수 없습니다. 삼가 서장을 갖추어 사례를 올립니다. 삼가 올립니다. 나머지는 모두 앞과 같다. 다만 피봉에는 '영연靈筵'이라는 두 글자를 쓰지 않는다.

[21-23-1-1]

劉氏璋曰: "司馬公云, '此與所尊敬之儀. 如平交則狀內改尊慈爲仁私, 賜爲貺, 去下誠字. 後云, 「謹奉狀陳謝. 謹狀.」 無年. 封皮上用面籤題云, 「某人」, 下云, 「狀謹封.」'"174

유장이 말했다. "사마온공司馬溫公司馬光은 '이것은 존경하는 분에게 보내는 양식이다. 만약 평교간이면 편지 안에 「존자尊慈」를 「인사仁私」로 고치고, 「사賜」자를 「황貺」자로 고치며, 「하성下誠」자를 뺀다. 뒤에는 「삼가 글을 올려 사례를 드립니다謹奉狀陳謝. 삼가 올립니다.」고 하고, 연도는 쓰지 않는다. 피봉 위에 면첨面籤을 사용하여 「아무개某人」이라고 쓰고 아래에는 「장근봉狀謹封」이라고 한다.'"고 하였다.

[21-24-0]

慰人父母亡疏 위인부모망소

慰嫡孫承重者同.

적손嫡孫으로 승중承重한 사람을 위문할 때도 같다.

[21-24-1]

某頓首再拜言.

아무개는 머리를 조아리고 재배하고서 말씀드립니다.

降等止云, '頓首', 平交但云, '頓首言.'

등급이 낮은 사람에게는 '돈수頓首'라고만 하고, 평교간에는 '돈수언頓首言'이라고만 한다.

不意凶變,

뜻밖의 흉변凶變으로

亡者官尊, 卽云, '邦國不幸.' 後皆放此.

망자가 관직이 높을 경우에는 '방국邦國의 불행不幸'이라고 한다. 뒤의 경우에도 모두 이와 같다.

先某位

선○위先某位께서

• •

174 『書儀』 권9 「射賻襚書」

無官即云, '先府君.' 有契即加幾丈於某位府君之上. ○母云, '先某封.' 無封即云, '先夫人.' ○承重則云, '尊祖考某位, 尊祖妣某封.' 餘並同.

관직이 없으면 '선부군先府君'이라고 한다. 교분이 있으면 '○위부군某位府君' 위에 '몇째 어른幾丈'을 더한다. 어머니는 '선○봉先某封'이라고 한다. 봉호가 없으면 '선부인先夫人'이라고 한다. 승중承重한 경우에는 '존조고○위尊祖考某位, 존조비○봉尊祖妣某封'이라고 한다. 나머지는 모두 같다.

奄棄榮養,

갑자기 영화로운 봉양을 버리셨다니,

亡者官尊, 即云, '奄捐館舍,' 或云奄忽薨逝. 母封至夫人者, 亦云, '薨逝.' 若生者無官, 即云, '奄違色養.'

망자가 관직이 높으면, '갑자기 관사를 버리셨다奄捐館舍'고 하거나 '갑자기 홍서하셨다奄忽薨逝'고 한다. 어머니의 봉호가 부인夫人[175]에 이른 경우에도 '홍서'라고 한다. 살아있는 사람이 관직이 없는 경우에는 '갑자기 안색을 살펴 봉양하는 정성을 버리셨다奄違色養.'고 한다.

承訃驚怛, 不能已已.

부음을 받고 놀람을 그칠 수 없었습니다.

伏惟平交云, '恭惟.' 降等云, '緬惟.' 孝心純至, 思慕號絶, 何可堪居? 日月流邁, 遽踰旬朔. 經時即云, '已忽經時.' 已葬即云, '遽經襄奉.' 卒哭小祥大祥禫除各隨其時. 哀痛奈何? 罔極奈何? 不審自罹荼毒父在母亡, 即云, '憂苦.' 氣力何如? 平交云, '何似.' 伏乞平交云, '伏願.' 降等云, '惟冀.' 强加飦粥, 已葬則云, '疏食.' 俯從禮制.

삼가 생각해보니 평교간에는 '공손히 생각해보니恭惟'라고 한다. 등급이 낮은 사람은 '멀리 생각해보니緬惟'라고 한다. 효심이 순수하고 지극한데 사모함과 슬픔을 어찌 감당하시겠습니까? 날이 흐르고 달이 흘러, 어느새 열흘이 지나고 한 달이 지났습니다. 철이 지났을 경우에는 '벌써 철이 지났다已忽經時'고 하고 이미 장사를 지낸 경우에는 '벌써 장사를 마쳤다遽經襄奉'고 한다. 졸곡·소상·대상·담제의 때에도 각각 그 때를 따른다. 애통함을 어떻게 합니까? 망극함을 어떻게 합니까? 고통을 당하신 이래 부친이 살아있고 모친이 돌아가셨을 경우에는 '근심스럽고 고통스러운 일憂苦'이라고 한다. 기력이 어떠한지 알지 못하겠습니다. 평교간에는 '하사何似'라고 한다. 삼가 바라옵건대 평교간에는 '삼가 원하건대伏願'라고 한다. 등급이 낮은 사람에게는 '오직 바라건대惟冀'라고 한다. 억지로라도 죽을 드시고 이미 장사를 지낸 경우에는 '거친 밥疏食'이라고 한다. 굽히시어 예의 제도를 따르십시오.

---

175 夫人: 조선시대에는 정3품 堂上官 이상의 아내에 해당된다. 즉 貞敬夫人(정·종1품), 貞夫人(정·종2품), 淑夫人(정3품 당상관) 등을 말한다. 『經國大典』「吏典 外命婦」

某役事所麋, 在官即云, ‘職業有守.’ 未由奔慰,[176] 其於憂戀, 無任下誠. 平交已下, 但云, ‘未由奉慰, 悲係增深.’ 謹奉疏, 平交云, ‘狀.’ 伏惟鑒察平交以下, 去此四字. 不備謹疏. 平交云, ‘不宣謹狀.’

저는 일에 매여 관직이 있을 경우에는 ‘관직에 일이 있어[職業有守]’라고 한다. 달려가 위로할 길이 없기에 걱정스러움에 마음 둘 곳이 없습니다. 평교간 이하의 경우에는 다만 ‘받들어 위문할 길이 없어 슬픔이 더욱 심합니다.[未由奉慰, 悲係增深]’라고 한다. 삼가 말씀을 받들어 올리오니 평교간에는 ‘장狀’이라고 한다. 살펴주시길 바랍니다. 평교간 이하는 이 표현을 뺀다. 다 갖추지 못하고 삼가 편지를 올립니다. 평교간에는 ‘다 베풀지 못하고 장을 드립니다.[不宣謹狀]’고 한다.

月日具位, 降等用郡望. 姓某疏上. 平交云, ‘狀.’ 某官大孝苫前. 母亡即云, ‘至孝.’ 平交以下云, ‘苫次.’ 封皮疏上某官大孝苫前 具位姓某謹封. 降等即用面簽云. ‘某官大孝苫次郡望姓名狀謹封.’ 若慰人母亡即云, ‘至孝.’

○월 ○일, 직위[具位] 등급이 낮을 경우에는 ‘군망郡望’을 쓴다. 성○姓某가 편지를 올립니다. 평교간에는 ‘장狀’이라고 한다. ○관 대효大孝 짚자리 앞. 모친이 돌아가셨을 경우에는 ‘지효至孝’라고 한다. 평교간 이하는 ‘짚자리[苫次]’라고 한다. 피봉에는 소상疏上 ○관 대효大孝 짚자리 앞. 직위[具位] 성○姓某 근봉이라고 한다. 등급이 낮은 사람에게는 면첨面簽을 사용하여 ‘○관 대효 짚자리 앞 군망郡望[177] 성명姓名 장狀 근봉謹封’이라고 한다. 모친상을 당한 사람을 위문하는 경우에는 ‘지효至孝’라고 한다.

[21-24-1-1]

劉氏璋曰 : “裴儀云, ‘父母亡日月遠云, 「哀前」. 平交以下云, 「哀次」.’ 劉儀[178]云, ‘百日內云, 「苫次」. 百日外服次, 如尊則稱「苫前」「服前.」’ 今從劉儀.”

유장劉璋이 말했다. “배거裴苴의 『서의』에 ‘부모가 돌아가신 날과 달이 멀면 「애전哀前」이라고 하고 평교간 이하에는 「애차哀次」라고 한다’고 하였다. 유악劉岳의 『서의』에는 ‘100일 안에는 「점차苫次」라고 하고 100일 뒤에는 「복차服次」라고 하되, 높은 경우에는 「점전苫前」, 「복전服前」이라고 하였다. 여기서는 유악의 『서의』를 따른다.”

---

176 未由奔慰 : 『四禮便覽』에는 ‘未由奔慰’로 되어 있다.

177 郡望 : 그 郡에서 알려진 종족. 예컨대 隴西李氏, 太原王氏, 汝南周氏 등과 같은 것이다.

178 劉儀 : 『書儀』 권9 「慰人父母亡疏狀」에는 이 부분이 “劉岳書儀百日內苫前, 百日外云服次服前.”이라고 하여, 『書儀』가 劉岳의 『書儀』임을 알 수 있다. 『困學紀聞』 권14에 “鄭餘慶이 士와 庶人들의 吉凶 書疏의 형식을 채집하고 당시 집안사람들의 예를 섞어서 『書儀』 2권을 만들었다. 後唐 劉岳 등이 그 책을 增損하였는데 司馬光의 『書儀』는 이것에 근거한 것이다.(鄭餘慶採士庶吉凶書疏之式, 雜以當時家人之禮, 爲書儀兩卷. 後唐劉岳等增損其書, 司馬公書儀本於此.)”라고 하였다.

劉岳은 字가 昭輔이다. 典禮에 통하였고 進士에 뽑혔다. 後梁에 벼슬하여 翰林學士가 되었고, 後唐 莊宗 때 均州司馬로 폄직되었다가 明帝 때 吏部侍郎이 되고 祕書監으로 옮겼다가 太常卿으로 마쳤다. 조칙을 받들어 『新書儀』를 지었다.(『舊五代史』 권68 「劉岳列傳」)

[21-24-2]

重封疏上平交云, '狀.' 某官具位姓某謹封.

중봉(겉봉)에는 소상疏上 평교간에는 '장狀'이라고 한다. ○관, 직위[具位], 성○姓某 근봉謹封이라고 쓴다.

[21-25-0]

父母亡答人慰疏 부모망답인위소

嫡孫承重者同.

적손嫡孫으로 승중承重한 경우도 같다.

[21-25-1]

某稽顙再拜言. 降等云叩首, 去言字.

아무개는 머리를 바닥에 대고서 재배하고 말씀드립니다. 등급이 낮은 사람이라면 '머리를 바닥에 두드립니다.'고 말하고 '말씀드린다言.'는 말을 뺀다.

[21-25-1-1]

劉氏璋曰 : "劉儀'某叩首泣血言.' 按稽顙而後拜, 以頭觸地曰稽顙, 三年之禮也. 雖於平交降等者亦如此, 但去言字, 何則? 古禮受弔必拜之, 不問幼賤故也."

유장劉璋이 말했다. "유악劉岳의 『서의』에는 '아무개는 머리를 바닥에 두드리고 피처럼 소리 없이 나는 눈물을 흘리면서[179] 슬피 울며 말씀드립니다.'고 하였다. 살펴보니 머리를 바닥에 댄 뒤에 절을 한다는 것은 머리를 바닥에 대는 것을 '머리를 바닥에 댄다稽顙'고 하니, 3년상의 예이다. 비록 평교 간이나 등급이 낮은 자에게도 이와 같이 하되 다만 '말씀드린다言'는 말을 빼는 것은 무엇 때문인가? 고례에는 조문을 받으면 반드시 절을 하는데 어리거나 천함을 따지지 않았기 때문이다."

[21-25-2]

某罪逆深重, 不自死滅, 禍延先考. 母云先妣. 承重則祖父云先祖考. 祖母云先祖妣. 攀號擗踊, 五內分崩, 叩地叫天, 無所逮及. 日月不居, 奄踰旬朔隨時同前 酷罰罪苦父在母亡, 即云偏罰罪深.

---

179 피처럼 소리 … 흘리면서: 『禮記』「檀弓」에 "高子皐는 부모의 상을 당하여 3년 동안 피처럼 소리 없이 나는 눈물을 흘렸다.(高子皐之執親之喪也, 泣血三年)"고 하였는데, 이에 대한 孔穎達의 疏에서 "사람이 눈물을 흘릴 때에는 반드시 슬픈 소리로 말미암아 흘리는 것이다. 피가 나올 경우에는 소리 없이 나온다. 고자고는 비통함에 소리 없이 울었으며, 그 눈물 또한 피가 나오는 것처럼 나왔기에 '피처럼 소리 없이 나는 눈물을 흘렸다.'고 한 것이다.(人涕淚, 必因悲聲而出. 血出則不由聲也. 子皐悲無聲, 其涕亦出, 如血之出故, 云泣血.)"고 하였다.

父先亡則母與父同. 無望生全. 即日蒙恩, 平交以下去此四字. 祗奉几筵, 苟存視息.

아무개는 죄가 깊고 무거운데도 스스로 죽지 못하고 재앙이 선고先考에게 미쳤습니다. 모친은 '선비先妣'라고 한다. 승중承重한 경우에는 조부는 '선조고先祖考'라고 하고 조모는 '선조비先祖妣'라고 한다. 부여잡고 울부짖으며 가슴을 치고 발을 굴러 오장五臟이 찢어지고 무너지나 땅을 치고 하늘에 소리쳐도 어쩔 수가 없습니다. 해와 달이 머물지 않아 어느새 열흘이 지나고 한 달이 지나니, 때를 따르는 것은 앞과 같다.[180] 혹독한 벌을 받은 죄가 고통스러워 부친이 살아있고 모친이 돌아가셨을 때에는 '모친만 여윈 벌을 받은 죄가 심합니다偏罰罪深.'고 한다. 부친이 먼저 돌아가셨을 경우에는 모친은 부친의 경우와 같다. 온전히 살아갈 가망이 없습니다. 오늘 은혜를 입어 평교간 이하는 이 '오늘 … 입어'라는 표현을 뺀다. 경건하게 궤연을 모시고 구차하게 목숨을 부지하고 있습니다.

伏蒙尊慈, 俯賜慰問, 哀感之至, 無任下誠.

어른[尊慈]께서 내려주신 위문을 삼가 받고 보니, 애통함이 지극하여 마음 둘 곳이 없습니다.

> 平交云'仰承仁恩, 俯垂慰問, 其爲哀感, 但切下懷.' 降等云'特承慰問, 哀感良深.' ○司馬溫公曰: "凡遭父母喪, 知舊不以書來弔問, 是無相恤之心. 於禮不當先發書. 不得已須至先發, 即刪此四句."[181]
>
> 평교간에는 '귀하의 인자한 은혜를 받들고 내려준 위문을 우러러 받고 보니, 그 애통함이 저의 마음에 간절할 뿐입니다.'고 한다. 등급이 낮은 사람에게는 '특별히 위문을 받으니 애통함이 참으로 깊습니다.'고 한다. ○사마온공司馬溫公[司馬光]이 말했다. "무릇 부모상을 당했을 때, 친구가 편지를 보내와 조문하지 않으면, 이는 서로 구휼하는 마음이 없는 것이다. 예에 먼저 편지를 보내서는 안 된다. 부득이 먼저 발송해야 할 경우에는 위 네 구절(어른께서 … 없습니다)을 삭제한다."

未由號訴, 不勝隕絶. 謹奉疏降等云狀. 荒迷不次, 謹疏降等云狀. 月日孤子母喪稱哀子. 俱亡即稱孤哀子. 承重者稱孤孫·哀孫·孤哀孫. 姓名疏上, 某位. 座前. 謹空. ○平交以下, 去此二字.

부르짖어 하소연할 곳이 없어 목숨이 끊어질 지경입니다. 삼가 편지[疏]를 올리오나 등급이 낮은 사람에게는 '장狀'이라고 한다. 정신이 혼미하여 제대로 쓰지 못한 채[182] 삼가 편지[疏]를 보냅니다. 등급이 낮은 사람에게는 '장狀'이라고 한다. ○월 ○일 고자孤子 모친상에는 '애자哀子'라고 칭한다. 부모가 모두 돌아가셨을 경우에는 '고애자孤哀子'라고 칭한다. 승중한 자는 '고손孤孫'·'애손哀孫'·'고애손孤哀孫'이라고 칭한다. 성명 소상疏

<hr>

180 때를 따르는 … 같다. : 장사에서 담제까지를 말한다.

181 『書儀』 9권 「父母亡答人狀」

182 정신이 혼미하여 … 채 : 『韓墨全書』에 "무릇 五服의 喪中에는 書疏에 모두 '不次'라고 칭한다. 不次는 애통하여 말에 조리가 없는 것을 말한다. 간혹 다른 사람을 조문할 때에도 '不次'라고 하는 것은 죽은 사람을 애도하기 때문이다. 양친이 살아 계실 때에는 불차라고 칭해서는 안 된다.(凡居五服之喪, 書疏, 皆稱不次, 不次者, 謂哀痛言語無次序也. 或弔他人, 亦言不次者, 蓋悼亡者故也. 其或具慶下, 不可稱也.)"고 하였다

上, ○위某位. 좌전座前.[183] 근공謹空.[184] 평교간 이하는 이 두 글자를 뺀다.

[21-25-2-1]

朱子曰："父喪稱孤子, 母喪稱哀子. 溫公所稱, 蓋因今俗以別父母, 不欲混并之也, 且從之, 亦無害."[185]

주자가 말했다. "부친상에는 '고자孤子'라고 칭하고, 모친상에는 '애자哀子'라고 칭한다. 온공溫公[司馬光]이 말한 것은 지금 세속을 따라 부친과 모친을 분별한 것이니, 함께 섞지 않으려고 한 것이다. 우선 따르더라도 해로울 것이 없다."

[21-25-3]

封皮重封並同前. 但改具位爲孤子.

피봉皮封과 중봉重封은 모두 앞과 같다. 다만 '직위[具位]'를 '고자孤子'로 고친다.

[21-26-0]

慰人祖父母亡啓狀 위인조부모망계장

謂非承重者. 伯叔父母姑兄姊弟妹妻子姪孫同.

승중한 자가 아닌 경우를 말한다. 백숙부모伯叔父母 · 고姑(고모) · 형兄 · 자姊 · 제弟 · 매妹 · 처妻 · 자子 · 질姪 · 손孫도 동일하다.

[21-26-1]

某啓. 不意凶變, 子孫不用此句.

아무개는 아룁니다. 뜻하지 않은 흉변으로 자子 · 손孫에 대해서는 이 말을 쓰지 않는다.

尊祖考某位奄忽違世,

존조고 모위께서 갑자기 세상을 떠나셨으니,

---

183 座前：『因話錄』에 "閣下는 殿下보다 한 등급이 낮고, 座前은 几前보다 한 등급이 낮다."고 하였다.

184 謹空：중국 사신 許國은 "謹空은 左素와 같은 말로, 왼쪽을 여백으로 비워두는 것과 같은 따위이다."라고 하였다. 그러나 魏時亮은 "空은 바로 '白(아뢰다)' 자의 뜻이다."고 하였다. 또한 어떤 이는 "謹空은 '삼가 그 종이의 끝 부분을 비워두어서 가르침을 써주기를 기다린다.'는 말로, 공경하는 말이다."고 하였으며, 어떤 이는 "'근공'은 삼가 갖추어 쓰지 못한다는 뜻과 같은 바, 그 종이를 삼가 비워두고서 감히 다 쓰지 못하는 것이다."고 하였는데, 어느 것이 옳은지 모르겠다. 『家禮輯覽』「父母亡答人慰疏」'座前謹空' 항목 참고.

185 『朱文公集』 권63「答郭子從」：여기에는 첫 문장 "父喪稱孤子, 母喪稱哀子"가 없고, 다만 郭子從의 '孤哀子'에 대한 물음에 '溫公所稱' 이하의 말로 대답했을 뿐이다.

祖母曰尊祖妣某封. 無官封有契已見上.

조모는 '존조비 ○봉尊祖妣某封'이라고 한다. 관직과 봉호가 없는 경우와 교분이 있는 경우에 대해서는 이미 위에 보인다.[186]

○伯叔父母姑, 即加尊字, 兄姊弟妹加令字, 降等皆加賢字. 若彼一等之親有數人, 即加行第云幾某位. 無官云幾府君. 有契即加幾丈幾兄於某位府君之上. 姑姊妹則稱以夫姓云某宅尊姑令姊妹. ○妻則云賢閤某封, 無封則但云賢閤. ○子即云伏承令子幾某位. 姪孫並同. 降等則曰賢. 無官者稱秀才.

○백숙부모伯叔父母·고모(고모)의 경우에는 '존尊'자를 더하고, 형兄·자姊·제弟·매妹의 경우에는 '영令'자를 더하며 등급이 낮은 사람에게는 모두 '현賢'자를 더한다. 만일 그 같은 동일한 등급의 친속이 여러 사람인 경우에는 '항제行第(같은 항렬에서 몇 번째인지를 나타내는 말)'를 더하여 '몇째幾 ○위某位'라고 한다. 관직이 없으면 '몇째 부군幾府君'이라고 한다. 교분이 있으면 ○위부군某位府君 위에 몇째 장幾丈, 몇째 형幾兄을 더한다. 고姑(고모)·자姊·매妹는 남편의 성을 일컬어 '○댁존고某宅尊姑'·'○댁영자매某宅令姊妹'라고 한다. ○처는 '현합 ○봉賢閤某封'이라고 하되 봉호가 없는 경우에는 다만 '현합賢閤'이라고만 한다. ○자식에게는 '삼가 듣건대 영자令子 몇째幾 ○위某位'가 라고 한다. 질姪·손孫도 모두 같다. 등급이 낮은 사람에게는 '현賢'이라고 한다. 관직이 없는 자는 '수재秀才'라고 칭한다.

承訃驚怛, 不能已已.

부음을 받고 놀람과 슬픔을 멈출 수 없었습니다.

妻改怛爲愕, 子孫但云不勝驚怛.

처인 경우에는 '달怛'을 '악愕'으로 고치며, 자子·손孫의 경우에는 다만 '놀람을 견딜 수 없습니다.'고 한다.

伏惟恭惟緬惟見前.

삼가 생각해보니 공유恭惟·면유緬惟에 대해서는 앞에 보인다.

孝心純至, 哀慟摧裂, 何可勝任?

효심이 순수하고 지극하신데 애통하고 찢어지는 마음을 어떻게 견뎌낼 수 있겠습니까?

伯叔父母姑云親愛加隆, 哀慟沉痛, 何可堪勝? ○兄姊弟妹則云友愛加隆. ○妻則云伉儷義重, 悲悼沉痛. ○子·姪·孫則云慈愛隆深, 悲慟沉痛. 餘與伯叔父母姑同.

백숙부모伯叔父母·고모(고모)의 경우에는 '친애함이 더욱 크고 애통함이 너무 깊으신데 어떻게

· · · · · · · · · · · · · · · · · · · ·
186 관직과 봉호가 … 보인다. : 관직이 없으면 '府君'이라고 하고 봉호가 없으면 夫人이라고 하며, 교분이 있으면 '某位府君' 위에 '몇째 幾長'을 더한다.

감당할 수 있겠습니까?'라고 한다. ○형兄・자姊・제弟・매妹의 경우에는 '우애함이 더욱 크신데' 라고 한다. ○처의 경우에는 '부부의 의리가 중하니 비통함이 너무 깊으신데'라고 한다. ○자子・질姪・손孫의 경우에는 '자애함이 매우 깊고 비통함이 너무 깊으신데'라고 한다. 나머지는 백숙부모伯叔父母・고姑(고모)의 경우와 같다.

孟春猶寒, 寒溫隨時.
초봄의 날씨가 여전히 차가운데 추위와 더위는 철을 따른다.

不審尊體何似?
존체는 어떠하신지 모르겠습니다.

稍尊云動止何如? 降等云所履何似?
조금 높은 사람에게는 '지내시는 것이 어떠하십니까?'고 하고, 등급이 낮은 사람에게는 '지내시는 것[所履]이 어떠하십니까?'고 한다.

伏乞平交以下如前.
삼가 바라옵건대 평교간 이하는 앞과 같다.

深自寬抑, 以慰慈念.
깊이 스스로 잘 참으시어 모친의 마음을 위로하시길 바랍니다.

其人無父母即但云遠誠, 連書不上平.
그에게 부모가 없다면, 다만 '이 정성을 멀리까지 생각해 주십시오遠誠.'라고만 이어서 쓰고 줄을 바꿔 올려 쓰지 않는다.

某事役所縻, 在官如前.
저는 일에 매여 관직에 있는 경우에는 앞과 같다.

未由趨慰, 其於憂想, 無任下誠. 平交以下如前.
달려가 위로할 길이 없기에 걱정스러움에 마음 둘 곳이 없습니다. 평교간 이하인 경우에는 앞과 같다.

謹奉狀, 伏惟鑒察. 平交如前.
삼가 편지를 받들어 올리오니 살펴주시길 바랍니다. 평교간에는 앞과 같다.

不備平交如前
예를 갖추지 못하고 평교간에는 앞과 같다.

謹狀. 月日具位姓名狀上某位服前. 平交云服次.

삼가 편지를 올립니다. ○월 ○일 직위[具位] 성명 장상狀上, ○위某位 복전服前. 평교간에는 '복차服次'라고 한다.

[21-26-2]

封皮重封同前.

피봉과 중봉은 앞과 같다.

[21-27-0]

祖父母亡答人啓狀 조부모망답인계장

謂非承重者. 伯叔父母姑兄姊弟妹妻子姪孫同.

승중한 자가 아닌 경우를 말한다. 백숙부모伯叔父母·고姑(고모)·형兄·자姊·제弟·매妹·처妻·자子·질姪·손孫도 동일하다.

[21-27-1]

某啓. 家門凶禍,

아무개는 아룁니다. 집안에 흉한 재앙이 들어,

伯叔父母姑兄姊弟妹云家門不幸. ○妻云私家不幸. ○子·姪·孫云私門不幸.

백숙부모伯叔父母·고姑(고모)·형兄·자姊·제弟·매妹의 경우에는 '집안이 불행하여'라고 한다. ○처는 '사가私家가 불행하여'라고 한다. ○자子·질姪·손孫은 '사문私門이 불행하여'라고 한다.

先祖考,

선조고先祖考께서

祖母云先祖妣. ○伯叔父母云幾伯叔父母. ○姑云幾家姑. ○兄姊云幾家兄, 幾家姊. ○弟妹云幾舍弟, 幾舍妹. ○妻云室人. ○子云小子某. ○姪云從子某. ○孫云幼孫某.

조모는 '선조비先祖妣'라고 한다. ○백숙부모는 '몇째 백숙부모'라고 한다. ○고姑는 '몇째 가고家姑'라고 한다. ○형兄·자姊는 '몇째 가형家兄'·'몇째 가자家姊'라고 한다. ○제弟·매妹는 '몇째 사제舍弟'·'몇째 사매舍妹'라고 한다. ○처는 '실인室人'이라고 한다. ○자子는 '소자모小子某'라고 한다. ○질姪은 '종자○從子某'라고 한다. ○손孫은 '유손모幼孫某'라고 한다.

奄忽棄背,

갑자기 세상을 떠나셨으니,

兄弟以下云喪逝. ○子·姪·孫云遽爾夭折.

형제 이하는 '죽어서'라고 한다. ○자子·질姪·손孫은 '갑자기 요절하여'라고 한다.

痛苦摧裂不自勝堪,

애통하고 괴로워 찢어지는 아픔을 스스로 감당할 수 없습니다.

伯叔父母姑兄姊弟妹云摧痛酸苦, 不自堪忍. ○妻改摧痛爲悲悼. ○子·姪·孫改悲悼爲悲念.

백숙부모伯叔父母·고姑(고모)·형兄·자姊·제弟·매妹는 '찢어지듯 아프고 쓰려 스스로 감당할 수 없습니다.'고 한다. ○처는 '최통摧痛'을 '비도悲悼'로 바꾼다. ○자子·질姪·손孫은 '비도悲悼'를 비념悲念으로 바꾼다.

伏蒙尊慈, 特賜慰問, 哀感之至, 不任下誠. 平交降等如前. 孟春猶寒, 寒溫隨時. 伏惟恭惟緬惟如前. 某位尊體起居萬福. 平交不用起居, 降等但云動止萬福.

어른尊慈께서 특별히 내려주신 위문을 받고 보니 애통함이 지극하여 마음 둘 곳이 없습니다. 평교간이나 등급이 낮은 사람의 경우에는 앞과 같다. 초봄의 날씨가 여전히 차가운데 날씨는 철을 따른다. 삼가 공유恭惟·면유緬惟는 앞과 같다. ○위某位 존체尊體께서는 일상생활이 만복하시길 바랍니다. 평교간에는 '기거起居'라는 말을 쓰지 않으며, 등급이 낮은 경우에는 '동지動止가 만복하시기를'이라고 한다.

某卽日侍奉, 無父母卽不用此句. 幸免他苦, 未由面訴, 徒增哽塞. 謹奉狀上. 平交云陳. 謝不備 平交如前. 謹狀. 月日某郡姓名狀上某位座前謹空. 平交如前.

저는 오늘 받들어 모시면서 부모가 없을 경우에는 이 구절을 쓰지 않는다. 다행히도 다른 괴로움은 없으나 뵙고 하소연할 길이 없어 목만 더욱 멜 뿐입니다. 삼가 편지를 받들어 올려 감사의 말씀을 드립니다. 평교간에는 '진陳'이라고 한다. 사례를 갖추지 못하고 평교간에는 앞과 같다. 삼가 편지를 올립니다. ○월 ○일 ○군某郡 성명 장상狀上, ○위某位 좌전座前 근공謹空. 평교간에는 앞과 같다.

[21-27-2]
封皮重封如前.
피봉과 중봉은 앞과 같다.

[21-27-1-1]
劉氏璋曰: "司馬公云: '自伯叔父母以下, 今人多只用平時徃來啓狀. 止於小簡中言之, 雖亦可行, 但裴儀舊有此式, 古人風義敦篤當如此, 不敢輒刪.'"

유장劉璋이 말했다. "사마온공司馬溫公[司馬光]은 '백숙부모 이하에 대해서는 요즘에는 사람들이 그저 평상시 왕래하는 계장啓狀의 양식을 사용하는 경우가 많다. 단지 작은 서간 가운데서 언급해도 또한 되지만, 다만 배거裴茞의 『서의』에 옛날 이런 형식이 들어있어 고인들이 지녔던 품격의 돈독함이 마땅히 이와 같기에 감히 대번에 삭제하지 않는다.'고 하였다."

[21-28]

祭禮 제례[187]

[21-28-0]

四時祭 사시제[188]

[21-28-0-1]

司馬溫公曰 : "「王制」, '大夫士有田則祭, 無田則薦.' 註, '祭以首時, 薦以仲月.'"[189]

사마온공司馬溫公[司馬光]이 말했다. "『예기禮記』「왕제王制」에 '대부와 사士는 제전祭田이 있으면 제사 지내고, 제전이 없으면 천신薦新한다.'고 하였다. 그 주에는 '제사는 사계절 중 각각 그 첫 달[首時]에 하고, 천신은 각각 그 중월仲月에 한다.'[190]고 하였다."

[21-28-0-2]

高氏曰 : "何休云, '有牲曰祭, 無牲曰薦.' 大夫牲用羔, 士牲特豚, 庶人無常牲. 春薦韭, 夏薦麥, 秋薦黍, 冬薦稻. 韭以卵, 麥以魚, 黍以豚, 稻以雁, 取其新物相宜. 凡庶羞不踰牲, 若祭以羊, 則不以牛爲羞也. 今人鮮用牲, 唯設庶羞而已."

고씨高氏[高閌]가 말했다. "하휴何休[191]는 '희생이 있는 것을 제사라고 하고 희생이 없는 것을 천신薦新이라고 한다.'고 하였다. 대부는 희생에 '양의 새끼[羔]'를 쓰고, 사士는 희생에 '돼지 한 마리[特豚][192]'를

---

187 祭禮 : '祭'는 5례 중 吉禮에 속한다.(祭於五禮屬吉 : 『儀禮』「特牲饋食禮」鄭玄 주) 제사는 봉양을 미루어 행하고 효도를 이어가기 위한 것이다.(祭者所以追養繼孝也 : 『禮記』「祭統」)

188 四時祭 : "봄 제사를 '祠'라고 하고 여름 제사를 '礿'이라고 하며, 가을 제사를 '嘗'이라고 하고 겨울 제사를 '烝'이라고 한다. … 자주 지내면 더러워지고, 더러워지면 공경하지 않는다. 군자의 제사는 공경하면서도 더러워지지 않는다. 드물게 지내면 게으르게 되고 게을러지면 잊힌다. 士가 이 네 가지 제사를 지내지 못하였을 경우에는 겨울에는 갖옷을 입지 않고 여름에는 칡 베옷을 입지 않는다.(春曰祠, 夏曰礿, 秋曰嘗, 冬曰烝. … 亟則黷, 黷則不敬. 君子之祭也, 敬而不黷. 疏則怠, 怠則忘. 士不及玆四者, 則冬不裘, 夏不葛)"『春秋公羊傳』「桓公八年」

189 『書儀』권10「祭」

190 鄭玄의 주

191 何休 : 漢 靈帝 때 사람. 자는 邵公이고, 陳蕃에 의해 뽑혀 議郎이 되었다. 『春秋』를 기준으로 한나라의 일에 대해 100여 조항을 논박함으로써 公羊의 本旨를 얻었다고 한다.

192 돼지 한 마리[特豚] : 『儀禮』「士昏禮」의 주에 "특돈은 一豚이라는 말과 같다.(特豚, 猶一豚)"고 하였다.

쓰며, 서인은 일정한 희생이 없다. 봄에는 부추를 천신하고 여름에는 보리를 천신하며, 가을에는 기장을 천신하고 겨울에는 벼를 천신한다.[193] 부추에는 알을 쓰고 보리에는 물고기를 쓰며, 기장에는 돼지를 쓰고 벼에는 기러기를 쓰니,[194] 햇물건끼리 서로 마땅함을 취한 것이다. 무릇 서수庶羞[195]는 희생을 넘지 않아야 하니,[196] 양으로 제사를 지낼 경우에는 쇠고기로 음식을 만들지 않는다.[197] 요즈음 사람들은 희생을 쓰는 경우가 드무니, 오직 서수만 진설할 뿐이다."

[21-28-1]

時祭用仲月. 前旬卜日.

시제時祭는 중월仲月을 쓴다.[198] 열흘 전에 날을 점친다.

> 孟春下旬之首, 擇仲月三旬各一日, 或丁或亥. 主人盛服立於祠堂中門外西向. 兄弟立於主人之南, 少退北上. 子孫立主人之後, 重行西向北上. 置卓子於主人之前, 設香爐香盒杯珓及盤於其上. 主人搢笏, 焚香熏珓, 而命以上旬之日, 曰, "某將以來月某日, 諏此歲事, 適其祖考, 尚饗." 即以珓擲于盤, 以一俯一仰爲吉. 不吉, 更卜中旬之日. 又不吉, 則不復卜, 而直用下旬之日. 既得日, 祝開中門, 主人以下北向立, 如朔望之位. 皆再拜. 主人升焚香再拜. 祝執詞跪于主人之左, 讀曰, "孝孫某, 將以來月某日, 祇薦歲事于祖考, 卜既得吉. 敢告." 用下旬日, 則不言卜既得吉. 主人再拜, 降復位, 與在位者皆再拜. 祝闔門. 主人以下復西向位, 執事者立于門西皆東面北上. 祝立于主人之右, 命執事者曰, "孝孫某, 將以來月某日, 祇薦歲事于祖考, 有司具脩." 執事者應曰諾, 乃還.

> 맹춘孟春의 하순 초에, 중월仲月의 삼순三旬 중 각각 하루를 택하되, 정일丁日이나 해일亥日로 한다. 주인은 성복盛服하고 사당의 중문 밖에 서향하여 서며, 형제는 주인의 남쪽에 조금 물러나

193 봄에는 부추를 … 천신한다. : 『禮記』「王制」

194 봄에는 부추를 … 쓰니 : 『禮記』「王制」의 글이다. 그 주에서 嚴陵 方氏[方慤]는 "부추는 성질이 따스하니, 陽의 종류이다. 그러므로 알과 짝하게 하는 것은 알이 陰에 속하는 물건이기 때문이다. 보리와 기장은 모두 남방의 곡식이니, 또한 양에 속하는 종류이다. 그러므로 물고기나 돼지와 짝하게 하는 것은 물고기나 돼지가 모두 음에 속하는 사물이기 때문이다. 벼는 서방의 곡식이니, 음에 속하는 종류이다. 그러므로 기러기와 짝하게 하는 것은 기러기가 양에 속하는 사물이기 때문이다. 식물 중의 양에 속하는 것은 동물 중의 음에 속하는 것과 짝하고, 식물 중의 음에 속하는 것은 동물 중의 양에 속하는 것과 짝하는 것 또한 양이 음을 이기지 못하게 하고, 음이 양을 이기지 못하게 하는 것일 뿐이다.(韭之性溫, 則陽類也. 故以配卵, 卵陰物故也. 麥與黍皆南方之穀, 亦陽類也. 故配以魚與豚, 魚與豚皆陰物也. 稻爲西方之穀, 則陰類也. 故配以鴈, 鴈陽物故也. 植物之陽者配以動物之陰, 植物之陰者配以動物之陽, 亦使陽不勝陰, 陰不勝陽而已.)"고 하였다.

195 庶羞 : 희생 외의 여러 음식

196 서수는 희생을… 하니 : 『禮記』「王制」

197 양으로 제사를 … 않는다. : 『禮記』「王制」 鄭玄 주

198 시제는 중월을 쓴다. : 司馬光은 "지금 국가에서는 오로지 太廟에 향사할 때에만 孟月을 쓴다. 가령 周나라의 六廟와 宋나라의 濮王廟에는 모두 중월을 썼다. 이 때문에 일반 가정에서는 감히 맹월을 쓰지 못하는 것이다.(今國家唯享太廟用孟月. 自六廟濮王廟皆用仲月. 以此私家不敢用孟月)."고 하였다.

서되 북쪽이 상석上席이며, 자손은 주인의 뒤에 여러 줄로 서향하여 서되, 북쪽이 상석이다. 주인 앞에 탁자를 놓고, 향로香爐·향합香盒·배교杯珓·쟁반을 그 위에 펼쳐놓는다. 주인은 홀을 꽂고서 분향하고 배교에 향기를 쏘이고는 상순의 날짜를 명하면서 "아무개가 장차 다음 달 ○일에 세사歲事를 도모하려고 조고祖考에게 나아가니, 흠향하시기 바랍니다."라고 말한다. 그러고는 바로 배교를 쟁반에 던져 하나가 엎어지고 하나가 젖혀지면 길하다.[199] 길하지 않으면, 다시 중순의 날짜를 점친다. 또 길하지 않으면 다시 점치지 않고 바로 하순의 날짜를 쓴다.[200] 날짜를 정하고 나면, 축관은 중문을 열고, 주인 이하는 북향하여 서되, 삭망朔望 때의 위치대로 하여 모두 재배한다. 주인이 올라가 분향하고 재배하면, 축관은 축사를 가지고 주인 왼쪽에 꿇어앉고는 "효손孝孫[201] 아무개가 장차 다음 달 ○일에 조고祖考에게 세사를 공경히 지내고자 날을 점쳐 길한 날을 얻었습니다. 감히 아룁니다."라고 읽는다. 하순의 날짜를 쓸 경우에는 '날을 점쳐 이미 길한 날을 얻었다.'는 말은 하지 않는다. 주인은 재배하고 내려와 자리로 돌아가서 자리에 있는 사람들과 함께 모두 재배하면, 축관은 문을 닫는다. 주인 이하는 다시 서향하여 자리하고, 집사자는 문의 서쪽에 서서 모두 동향하는데 북쪽이 상석이다. 축관은 주인의 오른쪽에 서서 집사자에게 "효손 아무개가 장차 다음 달 ○일에 조고에게 공경히 세사를 지내려 하니, 유사有司는 준비하라!"라고 명하면, 집사자는 "예" 하고 응답하고는 물러선다.[202]

[21-28-1-1]

司馬溫公曰 : "孟詵家祭儀, 用二至二分. 然今仕宦者職業旣繁, 但時至事暇可以祭, 則卜筮, 亦不必亥日及分至也. 若不暇卜日, 則止依孟儀用分至, 於事亦便也."[203]

. . . .

199 하나가 엎어지고 … 길하다. : "모두 뒤집어지면 보통[平]이고, 다 엎어지면 凶이다.(皆仰爲平, 皆俯爲凶.)" 『書儀』

200 또 길하지 … 쓴다. : 그러나 『儀禮』 「少牢饋食禮」에서 賈公彦은 "상순이 불길하면 상순이 되어 또 중순을 점치고, 또 불길하면 중순에 이르러 또 하순을 점치며, 또 불길하면 그치고 제사 지내지 않는다. 점치는 것은 세 번을 넘지 않기 때문이다.(上旬不吉, 則至上旬, 又筮中旬, 又不吉, 至中旬, 又筮下旬, 不吉, 則止不祭, 以卜筮不過三也.)"고 하였다. 그러나 여기서는 이와는 다른 張載의 설을 따른 듯하다. 그는 다음과 같이 말했다. "제사에서 날을 점칠 때, 두 번 불길하면 그저 날을 도모하여 제사 지낼 뿐, 다시 점치지 않는 것은 『儀禮』에 '오직 먼 날을 점친다.'는 조문만 있지, 세 번 점친다고 말하지 않은 데에 근거한 것이다. 점치는 예는 단지 두 번만 할 뿐이니, 먼저 가까운 날을 점치고 뒤에 먼 날을 점친다. 모두 불길하면 바로 하순의 먼 날로써 도모한다. 이는 두 번의 점으로 귀신에게 명을 듣는다는 뜻을 다할 수 있고 제사는 그만둘 수 없기 때문이다.(祭之筮日, 若再不吉, 則止諏日而祭, 更不筮, 據儀禮, 唯有筮遠日之文 不云三筮. 筮日之禮, 只是二筮, 先筮近日, 後筮遠日, 不從則直諏日用下旬遠日, 蓋二筮足以致聽命鬼神之意, 而祀則不可廢.)" 李宜朝, 『家禮增解』 권13 「四時祭」 참조

201 孝孫 : "효손이라고 칭한 것은 일반적으로 칭한 말이다. 高祖나 曾祖가 있는 경우는 가장 윗분을 위주로 해야 한다.(稱孝孫者, 泛稱之辭. 若有高曾祖, 則當以最尊爲主)" 金集, 『疑禮問解續』

202 時祭의 날짜를 점치는 묘사는 부록 그림 88 참조

203 『書儀』 권10 「祭」

사마온공司馬溫公[司馬光]이 말했다. "맹선孟詵[204]의 『가제의家祭儀』에는 '하지·동지, 춘분·추분二至二分'을 사용하였다. 그러나 요즈음 '벼슬하는 사람[仕宦]'은 일이 이미 번다하여, 오직 때가 되어 일의 여가가 있어야 제사 지낼 수 있으니, 점을 치는 것도, 반드시 해일亥日과 분지分至[205]로 할 필요는 없다. 날을 점칠 겨를이 없는 경우에는 다만 맹선의 『가제의』에 의거하여 분지를 사용하는 것이 일에 있어 또한 편리하다."

[21-28-1-2]

問 : "舊當收得先生一本祭儀, 時祭皆用卜日. 今聞却用二至二分祭, 是如何?"

朱子曰 : "卜日無定, 慮有不虔. 司馬公云, '只用分至', 亦可."[206]

물었다. "옛날에 일찍이 선생에게서 『제의』 한 책을 얻었는데 시제時祭는 모두 날을 점쳤습니다. 지금 들으니, '하지·동지, 춘분·추분二至二分'에 제사 지낸다고 하는데 어떻습니까?"

주자가 말했다. "점치는 날이 정해지지 않은 것은 생각해보니 경건하지 않은 점이 있다. 사마온공司馬溫公[司馬光]이 '다만 분지分至를 사용할 뿐이다.'고 한 것 또한 괜찮다."

[21-28-2]

前期三日齊戒.

사흘 전에 재계한다.

> 前期三日, 主人帥衆丈夫致齊于外. 主婦帥衆婦女致齊于內. 沐浴更衣. 飲酒不得至亂, 食肉不得茹葷. 不吊喪, 不聽樂. 凡凶穢之事皆不得預.

> 3일 전에 주인은 모든 장부들을 거느리고 밖에서 치재致齊[207]하며, 주부는 모든 부녀자들을 거느리고 안에서 치재한다. 목욕하고 옷을 갈아입는다. 술을 마시되 난장亂場에 이르지 않도록 하고, 고기를 먹되 냄새나는 채소는 먹지 않는다. 조문하지 않으며 음악을 듣지 않는다. 흉하고 더러운 일에는 모두 참여하지 않는다.

[21-28-2-1]

司馬溫公曰 : "主婦, 主人之妻也. 禮, 舅沒則姑老不與於祭, 主人主婦必使長男長婦爲之. 若或自欲與祭, 則特位於主婦之前, 參神畢, 升立於酒壺之北, 監視禮儀. 或老疾不能久立, 則休於他所, 俟受胙, 復來受胙辭神而已."[208]

---

204 孟詵 : 唐 汝州 사람이다. 벼슬이 汝州刺史에 이르렀으며, 神龍 초에 致仕하였다. 각종 제사에 관련된 내용이 수록된 『家祭儀』 및 의학서인 『食療本草』 3권을 저술하였다.

205 分至 : 앞의 二至二分, 즉 하지·동지, 춘분·추분을 가리킨다.

206 『朱子語類』 권90, 89조목

207 致齋 : 사흘 동안 몸과 마음을 깨끗이 하고 부정한 일을 멀리하는 것을 말한다.

208 『書儀』 권10 「祭」

사마온공司馬溫公(司馬光)이 말했다. "주부는 주인의 아내이다. 『예기禮記』에 '시아버지가 돌아가시면 시어머니는 집안일을 물려주고 제사에 관여하지 않는다.'[209]라고 하였으니, 주인과 주부는 반드시 맏아들과 맏며느리가 하게 한다. 만약 혹시라도 스스로 제사에 참여하고자 한다면, 다만 주부 앞에 자리하고 참신을 마치면 올라가 술병의 북쪽에 서서 예의에 맞는지만 살펴본다. 혹시 늙거나 병들어서 오래 서 있지 못하면 다른 곳에서 쉬고, 수조受胙할 때를 기다렸다가 다시 와서 수조受胙하고서 사신辭神만 할 뿐이다.'고 하였다."

[21-28-2-2]

劉氏璋曰 : "祭義云, '齊之日思其居處, 思其笑語, 思其志意, 思其所樂, 思其所嗜. 齊三日, 乃見其所以爲齊者,' 專致思於祭祀也."

유장劉璋이 말했다. "『예기禮記』「제의」에 '재계하는 날에는 제사를 모시는 분의 평소 생활을 생각하고, 담소하시던 것을 생각하며, 뜻을 생각하고, 좋아하시던 것을 생각하며, 즐기시던 것을 생각한다. 재계한 지 3일이 되면 바로 재계하여 제사드릴 분을 보게 될 것이다.'고 하였으니, 오직 제사에만 전념해야 한다."

[21-28-3]

前一日, 設位陳器.

하루 전 신위를 설치하고 기물器物을 펼쳐놓는다.

主人帥衆丈夫深衣, 及執事灑掃正寢, 洗拭倚卓, 務令蠲潔. 設高祖考妣位於堂西北壁下南向, 考西妣東, 各用一倚一卓而合之. 曾祖考妣 · 祖考妣 · 考妣以次而東, 皆如高祖之位. 世各爲位不屬. 祔位皆於東序西向北上. 或兩序相向, 其尊者居西. 妻以下, 則於階下. 設香案於堂中, 置香爐 · 香合於其上. 束茅聚沙於香案前, 及逐位前地上. 設酒架於東階上, 別置卓子於其東. 設酒注一 · 酹酒盞一 · 盤一 · 受胙盤一 · 匕一 · 巾一 · 茶合 · 茶筅 · 茶盞托 · 鹽楪 · 醋瓶於其上. 火爐 · 湯瓶 · 香匙 · 火筯於西階上. 別置卓子於其西, 設祝版於其上. 設盥盤帨巾各二於阼階下之東. 其西者有臺架. 又設陳饌大牀于其東.

주인은 모든 장부를 거느리고 심의를 입고 집사자와 함께 정침正寢을 청소하며, 의자와 탁자를 닦고 털어 정결하게 한다. 고조고비高祖考妣의 신위를 당의 서북쪽 벽 아래에 남향하도록 설치하되, 고考는 서쪽이고 비妣는 동쪽이며, 각각 의자와 탁자 하나를 써서 합한다. 증고조비 · 조고비 · 고비를 차례로 동쪽에 진설하는 것도 모두 고조의 신위와 같게 하되, 세대마다 각각 자리를 만들어 이어지지 않게 한다. 부위祔位는 모두 동쪽 벽에서 서향하게 하되 북쪽을 상석上席으로 하거나 아니면 양쪽 벽에서 서로 마주하되, 그 존장이 서쪽에 위치한다. 처妻 이하는 계단 아래에

---

209 시아버지가 돌아가시면 … 않는다. : 『禮記』「內則」에 "舅沒則姑老"라고 하였는데 이에 대한 鄭玄의 주에서 "집안일을 맏며느리에게 물려주는 것을 말한다.(謂傳家事於長婦也.)"고 하였다.

위치한다.

향안香案은 당 가운데에 진설하고, 향로香爐·향합香合을 그 위에 놓는다. 모사茅沙 그릇은 향안의 앞과 매 신위 앞의 바닥에 놓는다. 술 시렁은 동쪽 계단 위에 설치하고 별도로 탁자를 그 동쪽에 놓는다. 술주전자 하나, 뇌주 잔 하나, 쟁반 하나, 수조受胙그릇 하나, 숟가락 하나, 수건 하나, 다합茶合, 다선茶筅, 찻잔받침, 소금그릇, 간장병을 그 위에 놓는다. 화로·탕병·향시香匙·화저火筯는 서쪽 계단 위에 놓는다. 별도로 탁자를 그 서쪽에 놓고 축판을 그 위에 놓는다. 대야와 수건을 각각 두 개씩 동쪽 계단 아래의 동쪽에 놓되, 그 서쪽에는 받침과 시렁이 있다. 또 음식을 진설할 큰 상을 동쪽에 놓는다.

[21-28-3-1]

問：“今人不祭高祖, 如何?”

程子曰：“高祖自有服, 不祭甚非. 某家却祭高祖.”

又曰：“自天子至於庶人, 五服未嘗有異, 皆至高祖. 服旣如是, 祭祀亦須如是.”[210]

물었다. “요즈음 사람들이 고조에게 제사를 지내지 않는 것은 어떻습니까?”

정자程子가 말했다. “고조高祖는 본래 복服이 있으니, 제사 지내지 않는 것은 매우 잘못된 것이다. 우리 집은 고조에게 제사를 지냈다.”

또 말했다. “천자부터 서인에 이르기까지 오복은 다르지 않아 모두 고조까지 복을 입는다. 복이 이와 같다면 제사 또한 반드시 이와 같아야 한다.”

[21-28-3-2]

朱子曰：“考諸程子之言, 則以爲高祖有服, 不可不祭, 雖七廟五廟, 亦止於高祖, 雖三廟一廟, 以至祭寢, 亦必及於高祖. 但有疏數之不同耳. 疑此最爲得祭祀之本意. 今以祭法考之, 雖未見祭必及高祖之文, 然有月祭享嘗之別. 則古者祭祀以遠近爲疏數亦可見矣. 禮家又言大夫有事省於其君, 干祫及其高祖. 此則可爲立三廟而祭及高祖之驗.”[211]

주자가 말했다. “정자의 말을 살펴보면, '고조高祖는 복服이 있어 제사 지내지 않을 수 없으니, 비록 7묘나 5묘라도 또한 고조에게서 그치고, 3묘나 1묘에서 정침에서 지내는 제사까지도 또한 반드시 고조에게까지 제사를 지냈다. 다만 제사 지내는 빈도만이 같지 않을 뿐이다.'고 하였다.[212] 아마도 이 말이 제사 지내는 본래의 뜻을 가장 잘 밝힌 듯하다. 요즈음 『예기禮記』의 「제법」으로 상고해보니, 비록 제사는 반드시 고조에게 미쳐야 한다는 글을 보지는 못했지만 월제月祭와 향享·상嘗[213]의

---

210 『二程遺書』 권15

211 『朱文公文集』 권30 「答汪尚書論家廟」

212 『二程遺書』 권15：自天子至於庶人, 五服未嘗有異, 皆至高祖. 服旣如是, 祭祀亦須如是. 其疏數之節未有可考, 但其理必如此. 七廟五廟亦只是祭及高祖. 大夫士雖或三廟二廟一廟或祭寢廟, 則雖異, 亦不害祭及高祖. 若止祭禰, 只爲知母而不知父, 禽獸道也, 祭禰而不及祖, 非人道也.

구별이 있었다. 그렇다면 옛날에도 제사는 멂과 가까움에 따라 그 빈도를 달리 했음을 또한 알 수 있다. 예법 학자들은 또 '대부는 제사가 있을 때 그 임금에게 여쭙고 간협干祫은 그 고조에게 미친다.'[214]라고 하였으니, 그렇다면 3묘를 세우더라도 제사가 고조까지 미친다는 증험이 될 수 있다.

[21-28-3-3]

古人宗子承家主祭, 仕不出鄕, 故廟無虛主, 而祭必於廟. 惟宗子越在他國, 則不得祭, 而庶子居者代之, 祝曰, "孝子某, 使介子某執其常事." 然猶不敢入廟, 特望墓爲壇以祭. 蓋其尊祖敬宗之嚴如此.

今人主祭者遊宦四方, 或貴仕於朝, 又非古人越在他國之比, 則以其田祿, 脩其薦享, 尤不可闕, 不得以身去國, 而使支子代之也. 泥古則闊於事情, 徇俗則無所品節. 必欲酌其中制, 適古今之宜, 則宗子所在, 奉二主以從之, 於事爲宜.

蓋上不失萃聚祖考精神之義, 二主常相從, 則精神不分矣. 下使宗子得以田祿薦享祖宗. 處禮之變而不失其中, 所謂禮雖先王未之有, 可以義起者, 蓋如此. 但支子所得自主之祭, 則當留以奉祀, 不得隨宗子而徙也. 或謂'留影於家, 奉祀版而行', 恐精神分散, 非鬼神所安. 而支子私祭上及高曾, 又非所以嚴大宗之正也.[215]

(주자가 말했다.) 옛사람은 종자가 가문을 계승하여 제사를 주관하고 벼슬도 고향을 벗어나서 하지 않았다. 그러므로 묘廟(사당)에는 허주虛主(제사를 받지 못하는 신주)가 없었고 제사 지낼 때에는 반드시 묘廟에서 하였다. 다만 종자가 멀리 다른 나라에 있을 경우에는 제사 지낼 수 없어 서자庶子 중 집에 있는 자가 대신하였고, 축문에는 "효자 아무개가 개자介子[216] 아무개를 시켜 상사常事를 드리라

---

213 月祭와 享嘗:『禮記』「祭法」에 "왕은 7묘를 세우니, 고묘, 왕고묘, 황고묘, 현고묘, 조고묘는 달마다 제사 지내고, 遠廟는 祧가 되어 두 祧가 있는데 享·嘗만 지내고 만다.(王立七廟, 曰考廟, 曰王考廟, 曰皇考廟, 曰顯考廟, 曰祖考廟, 皆月祭之, 遠廟爲祧, 有二祧, 享嘗乃止)."고 하였다. 이에 대한 集說에서 陳澔는 "시조는 백대토록 체천하지 않으며, 고조·증조·조·禰는 친함이 있기 때문에 이 다섯 묘에는 모두 달마다 제사 지낸다. '원묘가 조가 된다'는 것은, 3소와 3목 가운데에서 체천할 때가 된 자를 말하니, 그 신주는 두 祧에 보관한다. 이곳은 月祭를 지내는 사례에 포함되지 않고, 단지 四時에만 제사 지낼 뿐이다. 그러므로 '향·상만 지내고 만다.'고 한 것이다.(始祖百世不遷, 而高曾祖禰以親, 故此五廟皆每月一祭也. 遠廟爲祧, 言三昭三穆之當遞遷者, 其主藏於二祧也. 此不在月祭之例, 但得四時祭之耳. 故云享嘗乃止)"고 하였다. 이때 享은 봄 제사이고, 嘗은 가을 제사로서 곧 時祭를 가리킨다.

214 『禮記』「大傳」에 "대부와 士는 大事(큰 제사)가 있을 때 그 임금에게 여쭙고, 干祫은 그 고조에까지 미친다.(大夫士有大事, 省於其君, 干祫及其高祖.)"고 하였다. 이에 대한 集說에서 陳澔는 "'대사'는 祫祭를 이른다. 대부의 3묘와 사의 2묘와 1묘에는 감히 사사로이 대사를 거행할 수가 없고, 반드시 군주에게 묻고서 임금이 제사를 내려주었을 때 마침내 지낼 수 있으며, 그때의 협제 또한 위로 고조에까지 미친다. '干'이라는 것은 아래에서 위를 干犯한다는 뜻이니, 낮은 자로서 존귀한 자의 예를 행하므로 간협이라고 한 것이다.(大事謂祫祭也. 大夫三廟士二廟一廟, 不敢私自擧行, 必省問於君而君賜之, 乃得行焉, 而其祫也亦上及於高祖. 干者自下干上之義, 以卑者而行尊者之禮, 故謂之干祫)"고 하였다.

215 『朱文公文集』 권40 「答劉平甫」(6)

고 하였습니다."[217]라고 한다. 그러나 그래도 감히 사당에는 들어가지 못하고, 다만 무덤이 바라보이는 곳에 제단을 만들어 제사를 지냈다.[218] 조상을 높이고 종자를 공경함이 이와 같이 엄격하였다. 지금 사람 중에 제사를 주관하는 자가 사방으로 떠돌면서 벼슬을 하거나 조정에서 귀하게 벼슬을 하는 것은 또 옛사람이 멀리 타국에 있는 것에 비할 바가 아니니, 그 전록田祿을 가지고 제사를 올리는 일을 빠뜨릴 수는 더욱 없고, 그 자신이 나라를 떠나 지자支子가 대신하게 할 수 없다. 옛것에 구애받으면 사정에 우활하고 세속을 따르면 절도가 없으니, 반드시 그 중정의 제도를 참작하여 고금의 마땅함에 이르고자 한다면, 종자가 있는 곳에 두 신주神主를 모시고 따라가는 것이 일에 마땅하다. 위로는 고조의 정신이 모이게 하는 뜻을 잃지 않고, 두 신주가 항상 서로 따르면 정신이 분산되지 않는다. 아래로는 종자로 하여금 전록으로 조종祖宗에 제사를 올리도록 해야 한다. 이것이 예를 변통하는 데 처하여 그 중정을 잃지 않는 것이니, 이른바 "예가 선왕 때에는 있지 않았어도 의리로 일으킬 수 있다."[219]라고 한 것이 아마 이와 같을 것이다. 다만 지자支子가 스스로 주관할 수 있는 제사는 마땅히 머물러서 제사를 받들어야지, 종자를 따라 옮길 수는 없다. 어떤 사람이 '영정影幀은 집에 두고 사판祠版만 받들고 간다.'는 것은 아마 정신이 분산되어 귀신이 편하게 여기지 않을 듯하다. 지자支子가 개인적으로 제사 지낼 때 위로 고조와 증조에게 미치는 것 또한 대종의 올바름을 엄격하

• • • • • • • • • • • • • • • • • • •

216 介子: "介子는 庶子이다. 서자라고 하지 않고 개자라고 한 것은 서자는 비천한 칭호이기 때문이다. 介는 '둘째'라는 뜻이니, 귀한 자를 귀하게 여기는 도리이다. 개자는 마땅히 제사를 주관해야 할 자가 아니다. 그러므로 그를 攝主(대신 주장자)라고 한다.(介子, 庶子也. 不曰庶而曰介者, 庶子卑賤之稱. 介則副貳之義, 亦貴貴之道也. 介子非當主祭者, 故謂之攝主.)"『禮記』「曾子問」, "孝子某, 使介子某執其常事."의 陳澔 集說

217 『禮記』「曾子問」

218 그러나 그래도 … 지냈다.: 『禮記』「曾子問」에 "증자가 물었다. '종자가 타국에 있고, 서자가 관작이 없이 살고 있다면 그 서자가 제사 지낼 수 있습니까?' 공자가 말했다. '제사 지낼 수가 있다.' '그 제사는 어떻게 지냅니까?'라고 물었다. 공자가 말했다. '제사를 지낼 대상의 무덤 쪽을 향해서 祭壇을 설치하고 계절에 맞는 제사를 지낸다. 만약 타국에서 종자가 죽었으면 묘에 고한 뒤 집에 돌아와 제사를 지낸다. 종자가 죽은 뒤에는 이름을 일컬을 때, 孝子 아무개라고는 하지 않고, 서자 자신이 죽으면 그만둔다.'(曾子問曰. "宗子去在他國, 庶子無爵而居者, 可以祭乎?" 孔子曰, "祭哉." 請問, "其祭如之何?" 孔子曰, "望墓而爲壇以時祭. 若宗子死, 告於墓而後, 祭於家. 宗子死, 稱名不言孝. 身沒而已.")"라고 하였다. 이에 대한 集說에서 陳澔는 다음과 같이 설명하였다. "종자가 아무런 죄를 짓지 않고서 나라를 떠났다면, 廟[祠堂]의 神主가 함께 따라간다. 그러나 죄를 짓고 나라를 떠났을 경우에는, 廟가 비록 있더라도 서자가 비천하여 작위가 없으면, 廟에서 제사를 지낼 수 없다. 다만 제사 지낼 때 무덤을 바라보고 제단을 설치하고서 제사 지낼 뿐이다. 만약 종자가 죽었을 경우에는 서자가 무덤에 고한 뒤에 그 집에서 제사 지내는데, 이때에도 감히 '孝子某'라고 칭하지는 못하고 그저 '子 아무개[某]'라고만 칭할 뿐, 또 관작이 있는 자가 '介子 아무개'라고 칭하는 것에 비할 바가 아니다. '서자 자신이 죽으면 그만둔다'라는 것은 서자 자신이 죽으면 그의 아들, 즉 그 서자의 適子가 禰에 제사 지낼 때 孝子라고 칭할 수 있다는 것이다.(宗子無罪而去國, 則廟主隨行矣. 若有罪去國, 廟雖存, 庶子卑賤無爵, 不得於廟行祭禮. 但當祭之時, 即望墓爲壇以祭也. 若宗子死, 則庶子告於墓而後, 祭於其家, 亦不敢稱孝子某, 但稱子某而已, 又非有爵者稱介子某之比也. 身沒而已者, 庶子身死, 其子則庶子之適子, 祭禰之時, 可稱孝也.)"

219 『禮記』「禮運」

게 하는 것이 아니다.

[21-28-3-4]

兄弟異居, 廟初不異, 只合兄祭而弟與執事, 或以物助之爲宜. 而相去遠者, 則兄家設主, 弟不立主, 只於祭時旋設位, 以紙榜標記逐位, 祭畢焚之. 如此似亦得禮之變也.[220]

(주자가 말했다.) 형제는 사는 곳이 달라도 묘廟는 애초에 다르지 않으니, 다만 형이 제사를 지낼 때 동생은 집사자로 참여하는 것이 합당하며, 또는 재물로 돕는 것이 마땅하다. 서로 멀리 떨어져 있는 경우에는 형의 집에 신주를 설치하고, 동생은 신주를 세우지 않되 다만 제사 지낼 때만 바로 신위를 설치하고서 지방으로 신위마다 표기하고, 제사를 마치면 태워버린다. 이와 같이 하면 또한 예의 변통을 얻은 듯하다.

[21-28-4]

省牲, 滌器, 具饌.

희생犧牲을 살피고, 그릇을 씻으며, 음식을 장만한다.

> 主人帥衆丈夫深衣, 省牲莅殺. 主婦帥衆婦女背子, 滌濯祭器, 潔釜鼎, 具祭饌. 每位果六品, 蔬菜及脯醢各三品, 肉魚饅頭糕各一盤, 羹飯各一碗, 肝各一串, 肉各二串, 務令精潔. 未祭之前, 勿令人先食, 及爲猫犬蟲鼠所汚.
>
> 주인은 여러 장부들을 거느리고 심의深衣를 입고서, 희생犧牲[221]을 살피고 잡는 일에 자리한다. 주부는 여러 부녀자들을 거느리고 배자背子[222]를 입고서, 제기를 씻고 솥을 깨끗이 하며, 제사 음식을 마련한다. 신위마다 과일 6가지, 채소·포脯·육장醢 각각 3가지, 고기·생선·만두饅頭·떡[糕] 각각 한 쟁반, 국·밥 각각 한 주발, 간肝 각각 한 꿰미, 고기 각각 2꿰미를 차리되 정결精潔하도록 힘쓴다. 제사 지내기 전에는 사람들이 먼저 먹거나 고양이·개·벌레·쥐에 의해 더러워지지 않도록 한다.[223]

[21-28-4-1]

朱子嘗書戒子塾曰: "吾不孝爲先公棄捐, 不及供養, 事先妣四十年, 然愚無識知, 所以承顔順色, 甚有乖戾. 至今思之, 常以爲終天之痛, 無以自贖, 惟有歲時享祀致其謹潔, 猶是可著力處. 汝輩及新婦等, 切宜謹戒. 凡祭肉臠割之餘, 及皮毛之屬, 皆當存之, 勿令殘穢褻慢以

- -

220 『朱文公文集』 권62 「答李晦叔」(3): "兄弟異居, 廟初不異, 只合兄祭而弟與執事, 或以物助之爲宜. 向見說前輩有如此, 而相去遠者, 則兄家設主, 弟不立主, 只於祭時旋設位, 以紙榜標記逐位, 祭畢焚之. 如此似亦得禮之變也. 更詳之."

221 犧牲: "희생은 양이나 돼지, 또는 닭, 거위, 오리이다.(牲, 或羊, 或豕, 或雞, 鵝, 鴨)" 丘濬, 『家禮儀節』

222 背子의 모양은 부록 그림 11 '男女盛服' 중에서 우측에서 세 번째 하단의 그림 참조

223 제사 지내기 … 한다.: "未祭之物, 勿令人先食之, 及爲猫犬及鼠所盜汚夫." 『書儀』 권10 「喪儀6」 '祭'

重吾不孝."

주자가 그의 아들 숙塾[224]을 경계하는 글에서 말하였다. "내가 불효하여 선공先公(아버지)께서 돌아가셔서 미처 봉양하지 못하였고,[225] 선비先妣를 40년 동안이나 섬겼으나, 어리석고 무지하여 안색을 받들어 순종하는 데에 심히 어긋났다. 지금 와서 생각해보면, 언제나 세상에 더할 수 없는 통한痛恨이 되어 스스로 속죄할 수 없지만, 다만 세시의 제사에서 삼가고 정결함을 다하는 것만은 그래도 힘쓸 수 있다. 너희들과 신부新婦들은 간절히 삼가고 경계해야 한다. 무릇 제사 고기 중 잘게 저미고 남은 것, 털과 가죽 따위는 모두 마땅히 보존하고, 손상하여 더러워지거나 함부로 다루어 나의 불효를 무겁게 하지 말아야 한다."

[21-28-4-2]

劉氏璋曰 : "徃者士大夫家, 婦女皆親滌祭器, 造祭饌, 以供祭祀. 近來婦女驕倨, 不肯親入庖厨. 雖家有使令之人效役, 亦須身親監視, 務令精潔. 按古禮有省牲陳祭器等儀, 今人祭其先祖, 未必皆殺牲. 司馬公祭儀用時蔬時果各五品, 膾生肉·炙乾肉·羹炒肉·骰骨頭軒音獻白肉·脯乾脯·醢肉醬·庶羞珎異之味·麨食餠饅頭之類·米食糍糕之類, 共不過十五品. 今先生品饌異同者, 蓋恐一時不能辦集, 或家貧則隨鄉土所有, 惟蔬果肉麨米食數品亦可. 祭器簠簋籩豆鼎俎罍洗之類, 豈私家所有? 但宜用平日飲食之器, 滌濯嚴潔, 竭其孝敬之心亦足矣."

유장劉璋이 말했다. "옛날 사대부의 집안에서는 부녀자가 모두 직접 제기를 씻고 제사 음식을 만들어 제사에 바쳤다. 근래에는 부녀자들이 교만하여 직접 부엌에 들어가려 들지 않는다. 비록 집안에 부리는 사람이 있어 일을 하더라도 또한 반드시 자신이 직접 감시하여 정결하게 하도록 힘써야 한다. 살펴보니, 고례古禮에는 희생을 살피고 제기를 진설하는 등의 의례가 있었는데, 요즈음 사람들은 선조에게 제사 지내는데 반드시 모두 희생을 잡지는 않는다.[226] 사마공司馬公司馬光의 (『서의書儀』) 「제의祭儀」에는 제철에 나는 채소와 과실을 각각 5가지씩 쓰고 회膾 생고기, 적炙 말린 고기, 국[羹] 볶은 고기, 뼈 붙은 고기[骰] 뼈 머리, 살코기[軒][227] 음은 헌이니 흰 살코기이다, 포脯 건포乾脯, 육장[醢] 육장肉醬, 여러 음식 진기한 음식, 면식麨食 떡이나 만두 따위, 미식米食 인절미[糍糕] 따위 등을 합쳐서 15가지를 넘지 않았다. 여기서 선생의 찬품이 다르기도 하고 같기도 한 것은 아마 일시에 장만하여 모으지 못하거나, 집안이 가난한 경우 향토에서 나는 것에 따른 것이니, 단지 채소·과일·고기·면식·미식 등

---

224 朱塾(1153~1162) : 朱熹의 맏아들로 字는 受之이다. 呂祖謙에게 학문을 배웠는데 일찍 죽었다.

225 내가 불효하여 … 못하였고 : 先公은 주자의 부친 朱松으로, 1143년 주자의 나이 14세 때 일찍 세상을 떠나 봉양할 기회가 없었음을 에둘러 표현한 것이다.

226 옛날 사대부의 … 않는다. : "徃歲士大夫家, 婦女皆親造祭饌, 近日婦女驕倨鮮肯入庖厨. 凡事父母舅姑, 雖有使令之人, 必身親之所以致其孝恭之心, 今縱不能親執刀匕, 亦須監視庖厨, 務令精潔. 未祭之物, 勿令人先食之, 及爲猫犬及鼠所盜汚."『書儀』권10 「喪儀6」'祭'

227 軒 : 『禮記』「內則」에 "고기는 날 것을 가늘게 썰면 회가 되고 크게 썰면 헌이 된다.(肉腥細者爲膾大者爲軒)."라고 하였다. 集說에서 陳澔는 "실처럼 가느다랗게 썰면 회가 되고, 큰 조각으로 썰면 헌이 된다.(細縷切者爲膾, 大片切者爲軒.)"라고 하였다.

몇 가지만이라도 또한 괜찮다.[228] 제기인 보簠·궤簋, 변邊·두豆,[229] 정鼎·조俎,[230] 뇌罍·세洗[231] 따위가 어찌 '일반 가정[私家]'에 있겠는가?[232] 다만 평소 먹고 마시던 그릇을 씻고 닦아 삼가 깨끗하게 하여 효도하고 공경하는 마음을 다하면 또한 족할 것이다."

[21-28-5]

厥明夙興, 設蔬果酒饌.

그 이튿날 일찍 일어나 채소·과일·술·음식을 차린다.

> 主人以下深衣, 及執事者俱詣祭所, 盥手設果楪於逐位卓子南端, 蔬菜脯醢相間次之. 設盞盤醋楪于北端, 盞西楪東, 匙筯居中. 設玄酒及酒各一瓶於架上. 玄酒其日取井花水充, 在酒之西. 熾炭于爐, 實水于瓶. 主婦背子, 炊煖祭饌. 皆令極熱, 以合盛出, 置東階下大牀上.

---

228 제철에 나는 … 괜찮다.: "時蔬時菓各五品, 膾今紅生·炙今炙肉·羹今炒肉·骰今骨頭·軒今白肉音獻·脯今乾脯·醢今肉醬·庶羞猪羊之外珍異之味·麵食如薄餅油餅和餅蒸餅棗餻環餅捻頭餺飥之類是也·米食謂黍稷稻粱粟所爲飯及粢餻團粽餳之類皆是也 共不過十五品若家貧或鄕土異宜或一時所無不能辦此則各隨其所有蔬菓肉麵米食各數品可也."『書儀』 권10 「喪儀6」 '祭'
229 簠·簋, 邊·豆 그림

230 鼎·俎 그림

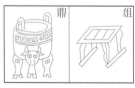

231 罍·洗 그림: 罍는 물독, 洗는 대야이다.

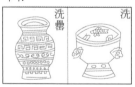

232 『書儀』 권10 「喪儀6」 '祭': "簠簋邊豆鼎俎罍洗, 皆非私家所有."

주인 이하는 심의深衣를 입고서, 집사자와 함께 제사 지낼 곳에 나아가 손을 씻고 과일 접시를 신위마다 탁자의 남쪽 끝에 진설하고, 채소·포·육장醢을 사이를 두고 그 다음에 놓는다. 술잔과 잔받침, 초醋 접시는 북쪽 끝에 진설하되, 술잔은 서쪽, 접시는 동쪽에 놓고 숟가락과 젓가락은 가운데 둔다. 현주玄酒와 술은 각각 한 병씩 시렁 위에 놓는다. 현주는 그날 정화수를 가져다 채워서 술의 서쪽에 놓는다. 화로에 숯을 피우고[233] 병에 물을 채운다.[234] 주부는 배자背子를 입고 불을 때어 제사 음식을 데운다. 모두 매우 뜨겁게 하여 찬합饌盒에 담아 나가서 동쪽 계단 아래의 큰 상 위에 놓는다.

質明奉主就位.

동이 틀 무렵 신주를 모시고 자리에 나아간다.

主人以下各盛服, 盥手帨手, 詣祠堂前. 衆大夫敍立, 如告日之儀. 主婦西階下北向立. 主人有母則特位於主婦之前. 諸伯叔母諸姑繼之. 嫂及弟婦姊妹在主婦之左. 其長於主母主婦者皆少進. 子孫婦女內執事者在主婦之後重行, 皆北向東上. 立定, 主人升自阼階, 搢笏焚香, 出笏告曰, "孝孫某, 今以仲春之月, 有事于高祖考某官府君, 高祖妣某封某氏, 曾祖考某官府君, 曾祖妣某封某氏, 祖考某官府君, 祖妣某封某氏, 考某官府君, 妣某封某氏, 以某親某官府君, 某親某封某氏祔食, 敢請神主出就正寢, 恭伸奠獻." 告辭仲夏秋冬各隨其時. 祖考有無官爵封謚, 皆如題主之文. 祔食, 謂旁親無後者, 及早逝先亡者, 無即不言. 告訖, 搢笏斂櫝, 正位祔位各置一笥, 各以執事者一人捧之. 主人出笏前導, 主婦從後, 卑幼在後. 至正寢, 置于西階卓子上. 主人搢笏啓櫝, 奉諸考神主, 出就位. 主婦盥帨升, 奉諸妣神主亦如之. 其祔位則子弟一人奉之. 旣畢, 主人以下皆降復位.

주인 이하는 각각 성복盛服하고서 손을 씻고 수건으로 닦고는 사당으로 나아간다. 장부들이 차례로 서는 것은 날짜를 아뢸 때의 의례와 같다. 주부는 서쪽 계단 아래에 북향하여 선다. 주인에게 모친이 있는 경우에는 다만 주부의 앞에 자리한다. 백숙모들과 고모들이 이어서 선다. 형수·제수·자매는 주부의 왼쪽에 자리한다. 주모主母(주인 어머니)와 주부보다 어른인 사람은 모두 조금 나아가 선다. 자손·부녀자·내집사자는 주부의 뒤에 여러 줄로 서는데, 모두 북향하되 동쪽이 상석이다. 서는 자리가 정해지면 주인은 동쪽 계단으로 올라가 홀을 꽂고 분향하고는 홀을 빼어 들고 아뢴다. "효손 아무개는 지금 중춘의 달에 고조고高祖考 ○관부군某官府君, 고조비高祖妣 ○봉○씨某封某氏, 증조고曾祖考 ○관부군某官府君, 증조비曾祖妣 ○봉○씨某封某氏, 조고祖考 ○관부군某官府君, 조비祖妣 ○봉○씨某封某氏, 고考 ○관부군某官府君, 비妣 ○봉○씨某封某氏에게 제사가 있어 ○친某親 ○관부군某官府君과 ○친某親 ○봉○씨某封某氏를 부식祔食(부제사)하고자 감히 신주를 청하여 정침正寢에 내어 모시고 공손히 술을 올립니다." 아뢰는 말에서 중하仲夏·중추仲秋·중동

233 화로에 숯을 피우고: 『家禮儀節』에 "간이나 고기를 굽는 데에 쓴다."고 하였다.
234 병에 물을 채운다. : 『家禮儀節』에 "點茶하는 데에 쓴다."고 하였다.

家禮四 • 401

仲冬은 각각 그 때를 따른다. 조고가 관작官爵이나 봉호封號 시호諡號가 없으면 모두 신주에 쓴 글대로 한다. 부식祔食은 방친旁親으로서 후사가 없는 자, 일찍 죽거나 먼저 죽은 자를 말하니, 없으면 말하지 않는다.

아룀을 마치면 홀을 꽂고 독을 거두어 정위正位와 부위祔位를 각각 한 상자에 넣고는 각각 집사자 한 사람이 받들게 한다. 주인은 홀을 빼어들고 앞에서 인도하고, 주부는 뒤를 따르며, 항렬이 낮거나 어린 사람은 뒤에 있는다. 정침正寢에 이르면 서쪽 계단의 탁자 위에 놓는다. 주인이 홀을 꽂고 독을 열어 제고諸考의 신주를 모셔다 자리에 내놓는다. 주부가 손을 씻고 수건에 닦고 올라가서 제비諸妣의 신주를 모시는 것도 그와 같다. 그 부위祔位는 자제 중 한 사람이 모신다. 끝나고 나면 주인 이하는 모두 내려와 자리로 돌아간다.[235]

參神
참신

主人以下敍位, 如祠堂之儀. 立定再拜. 若尊長老疾者, 休於他所.

주인 이하가 차례로 서는 것은 사당에서의 의식과 같다. 서는 자리가 정해지면 재배한다. 존장尊長으로서 늙거나 병든 자는 다른 장소에서 쉰다.

[21-28-5-1]

司馬溫公曰 : "古之祭者不知神之所在, 故灌用鬱鬯, 臭陰達于淵泉, 蕭合黍稷, 臭陽達于墻屋, 所以廣求神也. 今此禮旣難行於士民之家, 故但焚香酹酒以代之."[236]

사마온공司馬溫公司馬光이 말했다. "옛날의 제사는 신神이 계신 곳을 알지 못했기 때문에 울창주鬱鬯酒를 부어 냄새가 음陰으로 연천淵泉(땅 깊은 곳)에 도달하게 하고, 쑥에 메기장과 찰기장을 합하여 냄새가 양陽으로 담장과 지붕에 도달하게 하였으니, 널리 신을 찾기 위한 것이다.[237] 지금 이 예는 사민士民의 집에서 행하기 어렵기 때문에 단지 분향하고 술을 땅에 붓는 것만으로 대신한다."

• •

235 正寢에서 時祭를 지내는 묘사는 부록 그림 89 참조

236 『書儀』권10 「祭」

237 옛날의 제사는 … 것이다. : 『禮記』「郊特牲」의 集說에서 陳澔는 "周나라 사람들은 냄새를 숭상하여 제사 지낼 때에는 반드시 먼저 陰에서 구하였다. 그러므로 희생을 잡기 전에 먼저 울창주를 따라서 땅에 부어 神이 강림하기를 구하였으니, 울창주에 향기로운 기운이 있기 때문이다. 그러므로 '灌用鬯臭'라고 하였다. 또 鬱金草라는 향기로운 풀을 찧은 즙을 울창주에 섞어 향기가 더욱 짙게 하였다. 그러므로 '鬱合鬯'이라고 하였다. 이는 냄새로써 陰에서 구하는 것이니, 그 냄새를 땅 속 깊은 곳까지 도달하게 하였다. '蕭'는 향기로운 쑥[香蒿]이다. 이 쑥과 희생의 기름을 취하여 이를 黍稷과 섞은 다음에 태워서 그 기운을 담장과 지붕 사이에 이르게 하는 것이다. 이는 냄새로써 陽에서 구하는 것이다. 이것이 주나라 사람들이 양을 먼저 구했던 예이다.(周人尚氣臭, 而祭必先求諸陰. 故牲之未殺, 先酌鬯酒, 灌地, 以求神, 以鬯之有芳氣也. 故曰灌用鬯臭. 又擣鬱金香草之汁, 和合鬯酒, 使香氣滋甚. 故云鬱合鬯也. 以臭而求諸陰, 其臭下達於淵泉矣. 蕭香蒿也. 取此蒿及牲之脂膋, 合黍稷而燒之, 使其氣旁達於牆屋之間. 是以臭而求諸陽也. 此是周人先求諸陽之禮.)"라고 하였다.

北溪陳氏曰: "廖子晦廣州所刊本, 降神在參神之前, 不若臨漳傳本, 降神在參神之後爲得之. 蓋旣奉主於其位, 則不可虛視其主, 而必拜而肅之, 故參神宜居於前. 至灌則又所以爲將獻而親饗其神之始也. 故降神宜居於後. 然始祖先祖之祭, 只設虛位而無主, 則又當先降而後參, 亦不容以是爲拘."238

북계 진씨北溪陳氏(陳淳)가 말했다. "요자회廖子晦(廖德明)가 광주廣州에서 간행한 책에 '강신이 참신 앞에 있는 것'은 임장臨漳에 전해온 책에 '강신이 참신 뒤에 있는 것'이 올바른 것만 못하다. 신주를 그 자리에 모신 경우에는 그 신주를 헛되이 보아서는 안 되니, 반드시 절하여 엄숙하게 모셔야 한다. 그러므로 참신이 마땅히 앞에 있어야 한다. 술을 부을 때에는 또 장차 술을 올려 친히 그 신을 제향하는 시작이 된다. 그러므로 강신이 마땅히 뒤에 있어야 한다. 그러나 시조始祖와 선조先祖의 제사는 그저 허위虛位만 설치할 뿐, 신주가 없으므로 또 먼저 강신하고 뒤에 참신하는 것이 마땅하니, 또한 이것에 구애받지 말아야 한다."

[21-28-6]

降神

강신

主人升, 搢笏焚香, 出笏少退立. 執事者一人開酒取巾拭瓶口, 實酒于注. 一人取東階卓子上盤盞立于主人之左. 一人執注立于主人之右. 主人搢笏跪. 奉盤盞者亦跪. 進盤盞, 主人受之. 執注者亦跪斟酒于盞. 主人左手執盤, 右手執盞, 灌于茅上, 以盤盞授執事者. 出笏, 俛伏興再拜, 降復位.

주인은 올라가 홀을 꽂고 분향하고서 홀을 빼고 조금 물러선다. 집사자 한 사람이 술병을 열고 수건으로 병 주둥이를 닦고서 주전자에 술을 채운다. 한 사람은 동쪽 계단의 탁자 위에 있는 잔받침과 술잔을 가지고 주인의 왼쪽에 서고, 한 사람은 주전자를 들고 주인의 오른쪽에 선다. 주인이 홀을 꽂고 꿇어앉으면, 잔받침과 술잔을 들고 있는 사람도 꿇어앉는다. 잔받침과 술잔을 건네면 주인은 받고, 주전자를 가지고 있는 사람도 꿇어앉아 잔에 술을 따른다. 주인은 왼손으로 잔받침을 들고 오른손으로 술잔을 들고서 띠풀 위에 붓고서 잔받침과 술잔을 집사자에게 주고, 홀을 빼어 들고 엎드렸다가 일어나 재배하고는 내려와 자리로 돌아간다.

[21-28-6-1]

問: "旣奠之酒, 何以置之?"

程子曰: "古者灌以降神, 故以茅縮酌, 謂求神於陰陽有無之間, 故酒必灌於地. 若謂奠酒,

238 『北溪大全集』 권40 「代陳憲跋家禮」: "大槩如臨漳所傳, 但降神在參神之前, 不若臨漳傳本, 降神在參神之後爲得之. 蓋旣奉主於位, 則不可虛視其主而必拜以肅之, 故參神宜居於前. 至灌則又所以爲將獻而親饗其神之始也. 故降神宜居於後. 然始祖先祖之祭, 只設虛位而無主, 則又當降神而後參, 亦不容以是爲拘."

則安置在此. 今人以澆在地上, 甚非也. 旣獻則徹去可也. "[239]

물었다. "이미 올린 술은 어디에 놓습니까?"

정자程子가 말했다. "옛날에는 술을 부어 강신을 하였기 때문에 띠풀로 술을 걸렀으니,[240] 신神을 음양陰陽 유무有無 사이에서 구함을 말한다. 그러므로 술은 반드시 땅에 붓는다. 만약 '술을 올린다.' 고 하면 여기에 놓아두는 것이다. 지금 사람들이 땅 위에 적시는 것은 매우 잘못되었다. 이미 바쳤으면 거두는 것이 옳다."

[21-28-6-2]

張子曰 : "奠酒, 奠, 安置也. 若言奠摯奠枕, 是也. 謂注之於地, 非也. "[241]

장자張子[張載]가 말했다. "'전주奠酒'에서 '전奠'은 '두다.'이다. 예컨대 전지奠摯(예물을 놓는다), 전침奠 (베개를 놓는다)이라고 말하는 것이 이것이다. '땅에 붓는다.'고 하는 것은 잘못이다."

[21-28-6-3]

朱子曰 : "酹酒有兩説. 一用鬱鬯灌地以降神, 則惟天子諸侯有之. 一是祭酒. 蓋古者飮食必 祭. 今以鬼神自不能祭, 故代之祭也. 今人雖存其禮而失其義, 不可不知. "[242]

주자가 말했다. "뇌주酹酒(술을 땅에 붓는 의식)에는 두 가지 설이 있다. 하나는 울창주를 땅에 부어 신이 강림하게 하는 것이니, 오직 천자와 제후에게만 있다. 다른 하나는 술을 제祭[243]하는 것이다. 옛날에는 음식을 먹을 때 반드시 제하였다. 이때 귀신은 스스로 제祭할 수 없기 때문에 그 제祭를 대신해 주는 것이다. 지금 사람들은 비록 그 예를 보존하고 있지만 그 의미를 잃어버렸으니, 알지 않으면 안 된다."

[21-28-6-4]

問 : "酹酒是少傾, 是盡傾?"

曰 : "降神是盡傾. "[244]

물었다. "뇌주할 때 조금 기울입니까? 다 기울입니까?

(주자가) 말했다. "강신에는 다 기울인다."

---

239 『二程遺書』 권18

240 띠풀로 술을 걸렀으니 : 원문의 '縮'은 찌꺼기를 제거하는 것을 말한다. 『禮記』「郊特牲」 참고

241 『張子全書』 권8

242 『朱文公文集』 권61 「答嚴時亨」(3)

243 祭 : 祭飯. 끼니 때마다 밥 먹기 전에 밥을 조금 떠내어 穀神에게 감사의 뜻을 표하는 일. 예전에는 음식을 먹을 때 반드시 제반하였다. 除飯이라고도 한다.

244 『朱子語類』 권90, 100조목

楊氏復曰 : "此四條降神酹酒是盡傾. 三獻奠酒, 不當澆之於地. 『家禮』初獻, 取高祖妣盞祭
之茅上者, 代神祭也. 禮, 祭酒少傾於地, 祭食於豆間, 皆代神祭也."

양복楊復이 말했다. "이 네 조목에서 강신할 때의 뇌주는 다 기울임이다. 삼헌三獻의 술을 올릴 때는
땅에 적셔서는 안 된다. 『가례』의 초헌初獻에 고조비高祖妣의 잔을 가져다 띠풀 위에 제祭하는 것은
신神을 대신하여 제하는 것이다. 예에 술을 제할 때에는 땅에 조금 기울이고, 음식은 변籩 · 두豆
사이에 제한다는 것은 모두 신을 대신하여 제하는 것이다."

[21-28-7]

進饌

음식을 올린다.

> 主人升, 主婦從之. 執事者一人以盤奉魚肉, 一人以盤奉米麪食, 一人以盤奉羹飯從升. 至
> 高祖位前, 主人搢笏, 奉肉奠于盤盞之南, 主婦奉麪食奠于肉西. 主人奉魚奠于醋楪之南.
> 主婦奉米食奠于魚東. 主人奉羹奠于醋楪之東, 主婦奉飯奠于盤盞之西. 主人出笏, 以次設
> 諸正位, 使諸子弟婦女各設祔位. 皆畢, 主人以下皆降復位.

> 주인이 올라가면 주부가 따른다. 집사자 한 사람은 쟁반에 생선과 고기를 받들고, 한 사람은
> 쟁반에 미식米食과 면식麪食을 받들며, 한 사람은 쟁반에 국과 밥을 받들고 따라 올라간다. 고조
> 의 신위 앞에 이르면 주인은 홀을 꽂고 고기를 받들어 잔반침과 술잔의 남쪽에 올리며, 주부는
> 면식을 받들어 고기의 서쪽에 올린다. 주인은 생선을 받들어 초접시의 남쪽에 올리고, 주부는
> 미식을 받들어 고기의 동쪽에 올린다. 주인은 국을 받들어 초접시의 동쪽에 올리고, 주부는 밥을
> 받들어 잔반침과 술잔의 서쪽에 올린다. 주인을 홀을 빼어 들고 모든 정위正位를 차례대로 진설
> 하고, 여러 자제들과 부녀자들에게 각각 부위祔位에 진설하도록 한다.[245] 모두 마치면 주인 이하
> 는 모두 내려와 자리로 돌아간다.

初獻

초헌

> 主人升詣高祖位前, 執事者一人執酒注立于其右. 冬月即先煖之. 主人搢笏, 奉高祖考盤盞位
> 前東向立. 執事者西向斟酒于盞, 主人奉之奠于故處. 次奉高祖妣盤盞亦如之. 出笏, 位前
> 北向立. 執事者二人奉高祖考妣盤盞, 立于主人之左右. 主人搢笏跪, 執事者亦跪. 主人受
> 高祖考盤盞, 右手取盞祭之茅上, 以盤盞授執事者反之故處. 受高祖妣盤盞亦如之. 出笏, 俛
> 伏興, 少退立. 執事者炙肝于爐, 以楪盛之. 兄弟之長一人奉之奠于高祖考妣前匙筯之南.

> 주인이 올라가 고조高祖의 신위 앞에 나아가면, 집사자 한 사람이 술과 술주전자를 들고 그 오른

---

245 時祭에 祭需를 진설한 모습은 부록 그림 90 참조

쪽에 선다. 겨울에는 먼저 따뜻하게 덥힌다. 주인은 홀을 꽂고 고조고高祖考의 잔받침과 술잔을 받들어 신위 앞에 동향하여 서면, 집사자가 서향하여 잔에 술을 따르고, 주인은 그것을 받들어 원래 있던 자리에 올린다. 다음으로 고조비高祖妣의 잔받침과 술잔을 받들어 또한 똑같이 한다. 홀을 빼어 들고 신위 앞에 북향하여 서면, 집사자 두 사람이 고조고비高祖考妣의 잔받침과 술잔을 받들어 주인의 좌우에 선다. 주인은 홀을 꽂고서 꿇어앉고, 집사자 또한 꿇어앉는다. 주인이 고조고의 잔받침과 술잔을 받아 오른손으로 술잔을 들어 띠풀 위에 제祭하고[246] 잔받침과 술잔을 집사자에게 주면, 원래 있던 자리에 돌려놓는다. 조고비의 잔받침과 술잔을 받아서 또한 똑같이 한다. 홀을 빼어 들고 엎드렸다가 일어나서 조금 물러나 서면, 집사자는 화로에 간을 구워 접시에 담는다. 형제 중 맏이 한 사람이 그것을 받들어 고조고비高祖考妣의 앞, 시저의 남쪽에 올린다.

祝取版立於主人之左, 跪讀曰, "維年歲月朔日子, 孝玄孫某官某, 敢昭告于高祖考某官府君, 高祖妣某封某氏. 氣序流易, 時維仲春. 追感歲時, 不勝永慕. 敢以潔牲柔毛, 牲用豕則曰剛鬣 粢盛醴齊, 祗薦歲事. 以某親某官府君, 某親某封某氏祔食, 尙饗." 畢興, 主人再拜, 退詣諸位, 獻祝如初. 每逐位讀祝畢, 即兄弟衆男之不爲亞終獻者, 以次分詣本位所祔之位, 酌獻如儀. 但不讀祝. 獻畢皆降復位. 執事者以他器徹酒及肝, 置盞故處.

축관은 축판을 들고서 주인의 왼쪽에 섰다가 꿇어앉고는, "유維 년年 세월歲月 삭朔[247] 일자日子[248]에 효현손孝玄孫 ○관某官 아무개가 감히 고조고高祖考 ○관부군某官府君과 고조비高祖妣 ○봉某封某氏씨께 밝히 아룁니다. 절기가 바뀌어 때는 중춘仲春입니다. 세시에 추모하는 감회가 영원토록 사모함을 견딜 수 없습니다. 감히 결생潔牲[249]・유모柔毛[250] 희생에 돼지를 쓸 경우에는 강렵剛鬣이라고 한다・자성粢盛[251]・예제醴齊[252]로 공경히 세사를 올리며 ○친某親 ○관부군官府君과 ○친某親 ○봉○씨某封某氏를 부식祔食하오니 흠향하시길 바랍니다."라고 읽는다. 마치고 일어나면 주인은 재배하고 물러나서 모든 신위에게 가서 술을 올리고 축문을 앞의 경우처럼 읽는다. 매 신위마다 축문 읽는 것을 마치면 형제와 모든 남자 중 아헌亞獻이나 종헌終獻을 하지 않는 자가 차례대로 나뉘어 본 신위에 부식한 신위에 나아가 술을 따라 의식대로 올린다. 다만 축문은 읽지 않는다. 술 올리는 일을 마치면 모두 내려와 자리로 돌아간다. 집사자는 다른 그릇에 술과 간을 치우고, 술잔을 있던 자리에 둔다.

○曾祖前稱孝曾孫, 考前稱孝子. 改不勝永慕爲昊天罔極.

----

246 띠풀 위에 祭하고: "(降神의 예와 달리 이때는) 술을 조금 기울인다.(少傾酒)" 『擊蒙要訣』 「四時祭初獻條」
247 維 年 … 朔: "維年號○년年[幾年], 歲次 干支, ○월幾月干支朔." 『喪禮備要』
248 日子: 河西(金麟厚)는 "日은 十日[天干], 子는 十二子[地支]이다."고 하였다. 『河西集』 권12 「家禮考誤」. 沙溪(金長生)는 『喪禮備要』에서 "○일간지(幾日干支)"라고 하였다.
249 潔牲: 깨끗한 제물
250 柔毛: 羊. 『禮記』 「曲禮」에 "羊을 柔毛라고 한다.(羊曰柔毛)"고 하였고, 그 集說에서 陳澔는 "양은 살찌면 털이 가늘고 부드럽다.(羊肥則毛細而柔弱)"고 하였다.
251 粢盛: 黍稷[곡식]을 담은 그릇[盛]이라는 뜻으로 제사의 '飯'을 가리킨다.
252 醴齊: 술을 하루 묵혀 숙성한 것을 말한다.

증조 앞에서는 효증손孝曾孫이라고 칭하고, 고考 앞에서는 효자孝子라고 칭하며, '불승영모不勝永慕'를 고쳐서 '호천망극昊天罔極'이라고 한다.

○凡祔者, 伯叔祖父祔于高祖, 伯叔父祔于曾祖, 兄弟祔于祖, 子孫祔于考. 餘皆倣此. 如本位無, 即不言以某親祔食.

무릇 합부合祔는 백숙조부伯叔祖父는 고조高祖에 합부하고, 백숙부伯叔父는 증조曾祖에게 합부하며 형제兄弟는 조祖에 합부하고 자손子孫[253]은 고考에 합부한다. 나머지는 모두 이와 같다. 합부할 본위本位가 없는 경우에는 ○친某親을 부식祔食한다고 말하지 않는다.

○祖考無官, 及改夏秋冬字, 皆已見上.

조고에게 관직이 없는 경우와 하夏·추秋·동冬 등의 글자를 고쳐 쓰는 경우는 모두 이미 앞에 보였다.

[21-28-7-1]

楊氏復曰: "司馬公『書儀』, '主人升自阼階, 詣酒注所西向立. 執事一人左手奉曾祖考酒盞, 右手奉曾祖妣酒盞, 一人奉祖考妣酒盞, 一人奉考妣酒盞, 皆如高祖考妣之次, 就主人所. 主人搢笏執注, 以次斟酒, 執事者奉之, 徐行反置故處. 主人出笏, 詣曾祖考妣神座前北向. 執事者一人奉曾祖考酒盞立于主人之左, 一人奉曾祖妣酒盞立于主人之右. 主人搢笏, 跪取曾祖考妣酒酹之. 授執事者盞反故處. 乃讀祝.' 此其禮與虞禮同.

양복楊復이 말했다. "사마공司馬公司馬光은『서의』에서 '주인은 동쪽 계단으로 올라가서 술주전자가 있는 곳으로 나아가 서향하여 선다. 집사자 한 사람이 왼손으로 증조고曾祖考의 술잔을 받들고, 오른손으로 증조비曾祖妣의 술잔을 받들며, 다른 한 사람은 조고비祖考妣의 술잔을 받들고, 또 다른 한 사람은 고비考妣의 술잔을 받들어 모두 고조고비高祖考妣의 위차位次에서 한 것처럼 주인이 있는 곳에 나아간다. 주인이 홀을 꽂고 술주전자를 들고서 차례로 술을 따르면, 집사자는 그것을 받들어 천천히 가서 있던 자리에 되돌려 놓는다. 주인은 홀을 빼어 들고 증조고비曾祖考妣의 신좌 앞에 나아가 북향한다. 집사자 한 사람은 증조고曾祖考의 술잔을 받들고서 주인의 왼쪽에 서고, 다른 한 사람은 증조비曾祖妣의 술잔을 받들고서 주인의 오른쪽에 선다. 주인은 홀을 꽂고 꿇어앉아 증조고비의 술을 가져다가 강신한다. 술잔을 집사자에게 주어 있던 자리에 되돌려 놓고는 축문을 읽는다.'[254]라고 하였으니, 이것은 그 예禮가 우제虞祭의 예와 같다.

『家禮』則主人升詣神位前. 主人奉祖考妣盤盞, 一人執注立于其右斟酒, 此則與虞禮異. 竊詳虞禮神位唯一, 時祭則神位多. 『家禮』主人升詣神位前, 奉盤盞位前東向立. 執事者斟酒, 主人奉之奠于故處. 次奉祖妣盤盞亦如之. 如此則禮嚴而意專, 若『書儀』則時祭與虞祭同, 主人詣酒注卓子前, 執事者左右手奉兩盤盞, 則其禮不嚴, 主人執注盡斟諸神位酒, 則其意

253 子孫:『秘要』에는 孫이 姪로 되어 있다.
254 『書儀』 권10「祭」

不專. 此『家禮』所以不用『書儀』之禮, 而又以義起之也."

『가례』에서는 '주인은 올라가 신위 앞으로 가서, 주인은 조고비祖考妣의 잔받침과 술잔을 받들고, (집사자) 한 사람이 술주전자를 잡고 그 오른쪽에 서서 술을 따른다.'고 하였으니, 이것은 우제의 예와 다르다. 나름대로 살펴보니, 우제의 예는 신위가 오직 하나이고, 시제는 신위가 많다. 『가례』에서는 주인이 올라가 신위 앞으로 가서 잔받침과 술잔을 받들고는 신위 앞에 동향하여 서고, 집사자가 술을 따르면 주인은 그것을 받들어 있던 곳에 올린다. 다음으로 조비의 잔받침과 술잔을 받드는 것 또한 그와 같다. 이와 같이 한다면 예가 엄중하고 뜻이 전일하다. 『서의』의 경우에는 시제가 우제와 같은데, 주인이 술주전자가 있는 탁자 앞으로 나아가고, 집사자가 좌우의 손에 두 신위의 술 받침과 술잔을 받드는 것은 그 예가 엄중하지 못하며, 주인이 술주전자를 들어 모든 신위에 술을 다 따르는 것은 그 뜻이 전일하지 않다. 이것이 『가례』가 『서의』의 예를 쓰지 않고 또 의리로써 일으킨 까닭이다."

[21-28-8]

亞獻

아헌

主婦爲之. 諸婦女奉炙肉. 及分獻, 如初獻儀, 但不讀祝.

주부가 한다. 여러 부녀자들이 구운 고기를 받들어 올리고, 나누어 작헌하는 것은 초헌初獻의 의례와 같되, 다만 축은 읽지 않는다.

[21-28-8-1]

朱子曰 : "祭禮, 主人作初獻. 未有主婦, 則弟得爲亞獻, 弟婦爲終獻."[255]

주자가 말했다. "제례에는 주인이 초헌을 한다. 주부가 없는 경우에는 아우가 아헌亞獻을 하고 제부弟婦(제수)가 종헌終獻을 할 수 있다."

[21-28-8-2]

楊氏復曰 : "按亞獻如初儀. 潮州所刊『家禮』云, '惟不祭酒于茅.' 潮本所云'不祭酒于茅'是乎? 曰, 所謂'祭酒于茅'者, 爲神祭也. 古者飮食必祭, 及祭祖考祭外神, 亦爲神祭. 少牢饋食禮, 主人初獻尸, 尸祭酒而後啐酒卒爵, 主婦亞獻尸, 尸祭酒而後卒爵, 賓長三獻尸, 尸祭酒而後卒爵, 士虞特牲禮亦然. 凡三獻尸皆祭酒, 爲神祭也. 鄕射大射, 獲者獻侯, 先右箇, 次中, 次左箇, 皆祭酒, 爲侯祭也. 以此觀之, 三獻皆當祭酒于茅. 潮本蓋或者以意改之, 故與他本不同, 失之矣."

양복楊復이 말했다. "살펴보니, 아헌은 초헌의 예와 같다. 조주潮州에서 간행된 『가례』에는 '다만

---

255 『朱子語類』 권90, 95조목

띠풀에 술을 제祭하지 않는다.'고 하였다. 조주본에 '술을 띠풀에 제하지 않는다.'고 했는데 옳은가? 이른바 술을 띠풀에 제하는 것은 신神을 위해 하는 것이다. 옛날에 음식을 먹을 때마다 반드시 제하였고, 조고祖考에게 제사 지내거나 외신外神[256]을 제사 지낼 때에도 신을 위해 제하였다. 『의례儀禮』「소뢰궤식례少牢饋食禮」에는 주인이 시동尸童에게 초헌初獻을 하면 시동이 술을 제한 뒤에 술을 맛보고 술잔을 비우고, 주부가 시동에게 아헌亞獻을 하면 시동이 술을 제한 뒤에 술잔을 비우며, 빈장賓長이 시동에게 삼헌三獻을 하면 시동이 술을 제한 뒤에 술잔을 비운다고 하였다. 「사우례士虞禮」와 「특생례特牲禮」에도 그러하다. 무릇 시동에게 삼헌三獻할 때에 모두 술을 제하는 것은 신을 위해 하는 것이다. 「향사례鄉射禮」와 「대사례大射禮」에서 획자獲者(과녁에 적중한 자)[257]가 후侯(과녁)에 헌작하는데, (3개의 과녁 중) 먼저 오른쪽 것, 그 다음에는 가운데 것, 그 다음으로 왼쪽 것에 하되 모두 술을 제하니, 후侯(과녁)를 위해 제하는 것이다. 이로써 살펴보면 삼헌三獻은 모두 띠풀에 제해야 한다. 조주본은 아마도 어떤 사람이 자기 뜻대로 고쳤을 것이다. 그리하여 다른 본과 다르니, 잘못된 것이다."

[21-28-9]

終獻
종헌

> 兄弟之長, 或長男, 或親賓爲之. 衆子弟奉炙肉. 及分獻, 如亞獻儀.
>
> 형제 중에 연장자나 장남長男, 또는 친빈親賓[258]이 한다. 여러 자제들이 구운 고기를 받들어 올린다. 나누어 헌작하는 일은 아헌亞獻의 의례와 같다.

侑食
음식을 권한다.

> 主人升, 搢笏執注, 就斟諸位之酒皆滿, 立於香案之東南. 主婦升, 扱匙飯中西柄, 正筋, 立于香案之西南. 皆北向, 再拜降復位.
>
> 주인은 올라가 홀을 꽂고 술주전자를 들고 나아가, 모든 신위神位의 술잔을 가득 채우고는 향안의 동남쪽에 선다. 주부는 올라가 숟가락을 밥 가운데 꽂되, 손잡이를 서쪽으로 하고 젓가락을 바르게 하고는 향안의 서남쪽에 선다. 모두 북향하여 재배하고 내려와 자리로 돌아간다.

---

256 外神: "산림과 계곡의 신으로서 구름과 비를 일으킬 수 있는 것을 말한다.(謂山林溪谷之神能興雲雨者.)" 『朱子語類』 권25, 77조목

257 獲者: '獲'은 '얻다[得]'이니, 과녁[侯]에 적중한 것을 말한다.

258 親賓: "친한 관계에서의 賓客을 말하는데, 옛날에는 반드시 빈을 점쳐서 제사 지냈다. 어떤 경우에는 어진 사람으로, 어떤 경우에는 벼슬로 했으니 모두 제사를 귀중하게 여겼기 때문이다.(親賓, 謂所親之賓客也, 古者必筮賓而祭者. 或以賢或以爵, 皆所以重其事也.)" 『宋子大全』 권70 「答宋道源」

閨門

문을 닫는다.

主人以下皆出, 祝闔門. 無門處即降簾可也. 主人立於門東西向, 衆丈夫在其後. 主婦立於門西東向, 衆婦女在其後. 如有尊長則少休於他所. 此所謂厭也.

주인 이하가 모두 나오면 축관은 문을 닫는다. 문이 없는 곳은 발을 드리워도 된다. 주인은 문의 동쪽에서 서향하여 서고, 장부들은 그 뒤에 선다. 주부는 문의 서쪽에 서서 동향하고, 부녀자들은 그 뒤에 선다. 존장이 있는 경우에는 다른 곳에서 조금 쉰다. 이것이 이른바 '염厭²⁵⁹'이다.

[21-28-9-1]

楊氏復曰: "「士虞禮」, '無尸者祝闔牖戶如食間,' 註, '如尸一食九飯之頃也.' 又曰, '祝聲三啓戶,' 註, '聲者, 噫歆也. 今祭旣無尸, 故須設此儀.'"

양복楊復이 말했다. "『의례儀禮』 「사우례」에 '시동이 없는 경우에는 축관이 들창문과 지게문을 닫되, 밥 먹는 시간과 같이한다.'고 하였는데, 그 주에 '시동이 일식구반一食九飯²⁶⁰하는 시각과 같이한다.'고 하였다. 또 '축관이 세 번 소리를 내고 지게문을 연다.'고 하였는데, 그 주에 '소리는 「어흠噫歆」하는 것이다.'고 하였다. 지금은 제사에 이미 시동이 없으므로 이러한 의식을 행해야 한다.'"

[21-28-10]

啓門

문을 연다.

祝聲三噫歆乃啓門, 主人以下皆入. 其尊長先休于他所者亦入就位. 主人主婦奉茶分進于考妣之前. 祔位使諸子弟婦女進之.

축관이 '어흠' 하고 세 번 소리를 내고 문을 열면 주인 이하는 모두 들어간다. 앞서 다른 곳에서 쉬던 존장도 들어가 자리로 나아간다. 주인과 주부는 차를 받들어 고考와 비妣 앞에 나누어 올린다. 부위祔位는 여러 자제들과 부녀자들이 올리도록 한다.

受胙²⁶¹

<hr/>

259 厭: 『禮記』 「曾子問」의 集說에서 陳澔는 "'厭'은 '실컷 먹다[厭飫]'는 뜻이니, 神이 歆享하는 것을 이른다.(厭是厭飫之義, 謂神之歆享也)"고 하였다.

260 一食九飯: 『儀禮』 「少牢饋食禮」의 주에서 鄭玄은 "'食'은 大名이고 小數를 飯이라고 한다.(食大名, 小數曰飯)"고 하였다. 따라서 한 번의 식사에 아홉 번 숟가락을 뜨는 것을 말한다.

261 受胙: 胙는 '제사 지내고 받은 고기[福肉]'이니, 神이 자기에게 복을 주는 것과 같다. 수조는 제사를 마칠 때 祭官이 祭肉을 나누어 받는 의식이다. 飮福이라고도 하는데 음복은 두 가지가 있는 바, 수조와 餕이다. 수조는 제사를 마칠 적에 그 제사의 主祭者가 祝人의 인도에 따라 飮福하는 것을 말하고, 준은 제사를 마친 다음에 주인이 祭肉 등을 親友에게 보내고, 그 제사에 참여한 남녀가 자리를 따로 하여 각각 축인의 인도에

음복한다.

執事者設席于香案前, 主人就席北面. 祝詣高祖考前, 擧酒盤盞, 詣主人之右. 主人跪, 祝亦跪. 主人搢笏受盤盞祭酒啐酒. 祝取匙并盤, 抄取諸位之飯各少許, 奉以詣主人之左, 嘏于主人曰, "祖考命工祝承致多福于汝孝孫, 來汝孝孫. 使汝受祿于天, 宜稼于田, 眉壽永年, 勿替引之." 主人置酒于席前, 出笏, 俛伏興, 再拜. 搢笏, 跪受飯嘗之, 實于左袂, 掛袂于季指. 取酒卒飮, 執事者受盞自右置注旁. 受飯自左亦如之. 主人執笏, 俛伏興, 立於東階上西向. 祝立於西階上東向, 告利成, 降復位. 與在位者皆再拜, 主人不拜, 降復位.

집사자가 향안 앞에 자리를 설치하면 주인은 자리로 나아가 북향한다. 축관은 고조고高祖考 앞에 나아가 술잔과 잔받침을 들고 주인의 오른쪽으로 나아간다. 주인이 꿇어앉으면 축 또한 꿇어앉는다. 주인은 홀을 꽂고 잔받침과 잔을 받아서 술을 제祭하고 술을 맛본다. 축관은 숟가락과 소반을 가져다 모든 신위의 밥을 각각 조금씩 떠서 받들고는, 주인의 왼쪽으로 가서 주인에게 복을 빌면서[262] "조고祖考께서 공축工祝[263]에게 명하여 많은 복을 너의 효손孝孫에게 받게 하였으니, 너의 효손에게 주노라. 너희들은 하늘에서 녹을 받고, 밭에서 농사가 잘 되게 할 것이니, 눈썹이 세도록 오래 살아서 중단 없이 영원하라."고 한다. 주인은 자리 앞에 술을 놓고 홀을 빼어 들고 엎드렸다가 일어나 재배한다. 홀을 꽂고 꿇어앉아 밥을 받아 맛보고는 왼쪽 소매에 채우고 소매를 새끼손가락에 건다. 술을 가져다 다 마시면 집사자는 술잔을 오른쪽에서 받아 주전자 옆에 놓는다. 밥을 왼쪽에서 받는 것 또한 똑같다. 주인은 홀을 들고 엎드렸다가 일어나 동쪽 계단 위에 서서 서향한다. 축관은 서쪽 계단 위에 동향하여 서서 '이성利成'[264]이라고 아뢰고 내려와 자리로 돌아간다. 자리에 있는 사람들과 함께 모두 재배한다. 주인은 절하지 않고 내려와 자리로 돌아간다.

[21-28-10-1]

劉氏璋曰 : "韓魏公家祭云, '凡祭飮福受胙之禮, 久已不行. 今但以祭餘酒饌, 命親屬長幼分飮食之, 可也.'"

유장劉璋이 말했다. "한위공韓魏公[韓琦]의 가제家祭에서 '제사에서 음복飮福과 수조受胙의 예는 오랫동안 시행되지 않았다.'고 하였으나, 이제는 제사 지내고 남은 술과 음식을 친속의 어른과 아이들에게

. . . .

따라 함께 음복하는 것을 말한다.

262 주인에게 복을 빌면서: 원문의 "嘏"는 축관이 시동을 대신해서 주인에게 축복해 주는 말이다.(嘏祝爲尸致福於主人之辭也)『禮記』「禮運」

263 工祝 : 祝官. 『詩經』「小雅·楚茨」의 '工祝致告'의 高亨 주에 "공축은 곧 축관이다.(工祝即祝官)"고 하였다.

264 利成 : 『儀禮』「土虞禮」에 "축관은 戶를 나가서 서쪽을 바라보고 이성을 고한다. 주인이 곡한다. 모두 곡한다."고 하였다. 이에 대한 주에서 鄭玄은 "'서쪽을 바라보고 이성을 고한다.'는 것은, 주인에게 이성을 고하는 것이다. '利'는 養의 뜻과 같고, '成'은 畢이다. 말하자면 봉양하는 예가 끝났다는 뜻이다. '봉양하는 예가 끝났다'고 말하지 않는 것은, 시동이 한가로워질까 혐의해서이다."라고 하였다. 조선시대에는 太祖 李成桂의 '이성'과 同音을 피하기 위하여 '禮成(예가 끝났다)'이라고 하였다.

명하여 나누어 먹는 것이 좋다."

[21-28-11]
辭神

사신

> 主人以下皆再拜.
>
> 주인 이하는 모두 재배한다.

納主

신주를 들인다.

> 主人主婦皆升, 各奉主納于櫝. 主人以笥斂櫝, 奉歸祠堂, 如來儀.
>
> 주인과 주부는 모두 올라가 각각 신주를 받들어 독櫝에 들여놓는다. 주인이 상자에 독을 거두어
> 모시고 사당으로 돌아가는 것은 나올 때의 의식과 같다.

徹

상을 거둔다.

> 主婦還, 監徹酒之在盞注他器中者, 皆入于瓶, 緘封之, 所謂福酒. 果蔬肉食並傳于燕器.
> 主婦監滌祭器而藏之.
>
> 주부가 돌아와 치우는 것을 감독하여, 잔과 주전자와 다른 그릇에 남아 있는 술을 모두 병에
> 넣고 봉함하는데 이른바 복주福酒이다. 과일 채소 고기 음식도 아울러 평상시에 사용하는 그릇에
> 옮기고, 주부는 제기를 씻어 보관하는 것을 감독한다.

餕[265]

남은 제사 음식을 대접한다.

> 是日主人監分祭胙, 品取少許置于合, 并酒皆封之. 遣僕執書歸胙於親友. 遂設席, 男女異
> 處, 尊行自爲一列, 南面, 自堂中東西分首. 若止一人, 則當中而坐, 其餘以次相對分東西
> 向. 尊者一人先就坐, 衆男敍立, 世爲一行以東爲上, 皆再拜.
>
> 이날 주인은 제사 지낸 고기를 살피고 나누어 품목마다 조금씩 취하고는 찬합에 넣고 술과 함께
> 모두 봉한다. 종을 보내 서찰을 가지고 제사 지낸 고기를 친우들에게 돌린다. 마침내 자리를
> 마련하되 남녀가 장소를 달리한다. 높은 항렬은 따로 한 줄을 만들어 남향하되, 당堂 가운데에서
> 부터 동서로 나누어 상석上席으로 삼는다. 한 사람뿐일 경우에는 당 가운데 앉고, 나머지 사람들

---

265 餕 : 수조 음복 뒤에 하는 餕 음복이다. 이는『宋史』권99「禮志·南郊」의 "제향을 마치고 크게 잔치하는
것을 음복이라 한다.(旣享, 大宴, 號曰飮福)"에 보인다.

은 차례대로 마주보고 동쪽과 서쪽으로 나누어 향한다. 존장尊長 한 사람이 먼저 자리에 나아가서 앉으면, 여러 남자들이 차례로 선다. 세대별로 한 줄을 만들되, 동쪽을 상석으로 한다. 모두 재배한다.

子弟之長者一人少進立, 執事者一人執注立于其右, 一人執盤盞立于其左. 獻者搢笏跪, 弟獻則尊者起立, 子姪則坐. 受注斟酒, 反注受盞, 祝曰, "祀事旣成, 祖考嘉饗, 伏願某親, 備膺五福, 保族宜家." 授執盞者置于尊者之前, 長者出笏, 尊者擧酒畢, 長者俛伏興. 退復位, 與衆男皆再拜.

자제 중에 연장자 한 사람이 조금 나아가서 서면, 집사자 한 사람이 주전자를 들고 그 오른편에 서고, 다른 한 사람은 잔받침과 술잔을 들고 그 왼편에 선다. 헌수獻壽하는 사람은 홀을 꽂고 꿇어앉아 동생이 헌수를 하는 경우에는 손위 사람은 일어서고, 아들이나 조카일 경우에는 앉는다. 주전자를 받아 술을 따르고는 주전자를 돌려주고 잔을 받아, "제사가 이미 끝나 조고祖考께서 기쁘게 흠향하셨으니, 삼가 바라옵건대 ○친某親께서는 오복五福[266]을 갖추어 지니시고 집안을 잘 보살펴 주십시오."라고 축사를 한다. 잔을 가지고 있던 사람에게 주어 존장尊長 앞에 놓으면 연장자는 홀을 꺼내 든다. 존장이 술을 들어 다 마시면, 연장자는 엎드렸다가 일어나서, 물러나 제자리로 돌아와서 여러 남자들과 함께 재배한다.

尊者命取注及長者之盞, 置于前, 自斟之, 祝曰, "祀事旣成, 五福之慶, 與汝曹共之." 命執事者以次就位斟酒皆徧. 長者進跪受飮畢, 俛伏興, 退立. 衆男進揖, 退立飮. 長者與衆男皆再拜. 諸婦女獻女尊長於內, 如衆男之儀, 但不跪.

존장은 주전자와 연장자의 잔을 가져오도록 명하여 앞에 놓고 스스로 술을 따르고는, "제사가 이미 끝났으니 오복五福의 경사를 너희들과 함께 하리라."라고 축사를 한다. 집사자에게 명하여 차례로 자리에 나아가 술을 모두 골고루 따르게 한다. 연장자는 나아가 꿇어앉아 받아서 다 마시고는 엎드렸다가 일어나 물러가 선다. 여러 남자들도 나아가 읍을 하고는 물러나 서서 마신다. 연장자는 모든 남자들과 모두 재배한다. 여러 부녀자들이 안에서 여자 존장에게 헌수를 올리는 것도 모든 남자들의 의식과 같되, 다만 꿇어앉지는 않는다.

旣畢, 乃就坐, 薦肉食. 諸婦女詣堂前, 獻男尊長壽, 男尊長酢之如儀. 衆男詣中堂, 獻女尊長壽, 女尊長酢之如儀. 乃就坐, 薦麪食. 內外執事者各獻內外尊長壽, 如儀而不酢. 遂就斟在坐者徧, 俟皆擧, 乃再拜退, 遂薦米食. 然後泛行酒, 間以祭饌. 酒饌不足, 則以他酒他饌益之. 將罷, 主人頒胙于外僕, 主婦頒胙于內執事者. 徧及微賤, 其日皆盡. 受者皆再拜. 乃徹席.

마치고 나면, 바로 자리에 나아가 육식을 올린다. 여러 부녀자들이 당堂 앞에 나아가 남자 존장들에게 헌수하면, 남자 존장들은 의례대로 답례의 술잔을 따라준다. 여러 남자들이 중당中堂에 나아가 여자 존장들에게 헌수하면 여자 존장들도 의례대로 답례의 술잔을 따라준다. 그리고는

266 五福: 箕子의 九疇에 있는 五福으로 壽·富·康寧·攸好德·考終命을 이른다. 『書經』「洪範」

자리에 나아가 면식餠食을 올린다. 내외 집사자들이 각각 내외 존장들에게 헌수하는 것도 의례대로 하되, 답례의 술잔을 따라주지는 않는다. 그러고는 자리에 앉은 사람들에게 나아가 골고루 술을 따르고 모두 마셨으면 재배하고 물러나서 미식을 올린다. 그리고 나서 두루 술을 돌리고 틈틈이 제사 음식을 드린다. 술과 음식이 부족하면 다른 술과 다른 음식을 더 늘린다. 파할 무렵, 주인은 바깥의 남자종에게 제사 지낸 고기를 나누어주고, 주부는 내집사에게 제사 지낸 고기를 나누어준다. 미천한 사람에게까지 두루 골고루 나누어주어 그날 중에 다 없앤다. 받은 자는 모두 재배하고 자리를 거둔다.

[21-28-11-1]

楊氏復曰：“司馬溫公『書儀』曰，‘禮，祭事旣畢，兄弟及賓，迭相獻酬，有無筭爵，所以因其接會，使之交恩定好，優勸之. 今亦取此儀.”

양복楊復이 말했다. “사마온공司馬溫公[司馬光]의 『서의』에 ‘예禮에 제사 지내는 일이 끝나고 나서, 형제 및 빈이 번갈아 서로 헌수하여 수없이 잔을 기울이는 것은 그런 회합을 통해 은정恩情을 교류하고 우호友好를 다지도록 하니, 매우 권장할 만하다.’[267]라고 하였으니, 여기서도 또한 이러한 뜻을 취하였다.”

[21-28-12]

凡祭主於盡愛敬之誠而已. 貧則稱家之有無. 疾則量筋力而行之. 財力可及者, 自當如儀.

무릇 제사는 사랑하고 공경하는 정성을 다하는 것을 주로 할 뿐이다. 가난하면 재물의 있고 없음에 맞게 하고, 병이 있으면 근력을 헤아려서 행한다. 제물과 근력이 미칠 수 있는 자는 마땅히 의식대로 해야 한다.

[21-29-0]

初祖 초조[268]

惟繼始祖之宗得祭.

시조始祖를 계승한 종자만이 제사를 지낼 수 있다.

---

267 『書儀』 권10 「祭」

268 初祖：“어떤 경우에는 姓을 받은 시조를 말하니, 蔡氏의 경우에는 蔡叔과 같은 따위이다. 또 어떤 경우에는 가장 처음에 백성을 낸 始祖를 말하니, 盤古와 같은 따위이다.(或謂受姓之祖, 如蔡氏, 則蔡叔之類. 或謂厥初生民之祖, 如盤古之類.)” 『朱子語類』 권90, 116조목

問, "始祖之祭."

朱子曰 : "古無此. 伊川先生以義起. 某當初也祭, 後來覺得似僭, 今不敢祭."[269]

시조始祖의 제사에 대해 물었다.

주자가 말했다. "옛날에는 이런 제사가 없었는데, 이천 선생伊川先生[程頤]이 의리로써 일으킨 것이다. 나도 처음에는 제사를 지냈지만, 뒤에 분수에 넘치는 듯함을 알고는 지금은 감히 제사 지내지 않는다."

○始祖之祭似禘, 先祖之祭似祫, 今皆不敢祭.

(주자가 말했다.) 시조始祖의 제사는 체제禘祭[270]와 같고 선조先祖의 제사는 협제祫祭[271]와 같지만, 지금은 모두 감히 제사 지내지 않는다.

[21-29-1]

冬至祭始祖.

동지冬至에 시조始祖에게 제사 지낸다.

程子曰 : "此厥初生民之祖也. 冬至一陽之始, 故象其類而祭之."[272]

정자程子가 말했다. "이는 처음으로 사람을 낳은 조상이다. 동지는 첫 양이 시작되므로 그 유사함을 상징하여 제사 지내는 것이다."

前期三日齊戒.

3일 전에 재계한다.

如時祭之儀.

시제時祭의 의례와 같다.

前期一日設位.

하루 전에 신위를 설치한다.

. . . .

269 『朱子語類』 권90, 116조목 : "堯卿問始祖之祭. 曰, '古無此. 伊川以義起. 某當初也祭, 後來覺得僭, 遂不敢祭.'"

270 禘祭 : "禘 제사는 王者(天子)의 큰 제사이다. 왕자가 이미 시조의 묘를 세워놓고, 또 시조를 낳은 帝를 추존하여 시조의 묘에서 제사 지내면서 시조를 配享하는 것이다.(禘, 王者之大祭也. 王者既立始祖之廟, 又推始祖所自出之帝, 祀之於始祖之廟而以始祖配之也.)" 『禮記』 「喪服小記」, 趙匡 註

271 祫祭 : "祫은 '합하다'이다. 그 예에 두 가지가 있다. 時祭의 협제는 여러 묘의 신주를 모두 올려 太祖廟에서 합식하되, 헐린 묘의 신주는 포함하지 않는다. 3년마다 지내는 대협제에는 헐린 묘의 신주도 포함한다.(祫, 合也. 其禮有二. 時祭之祫則羣廟之主皆升而合食於太祖之廟, 而毁廟之主不與. 三年大祫則毁廟之主亦與焉.)"

272 『二程遺書』 권18 : "冬至祭始祖〈厥初生民之祖〉, 立春祭先祖, 季秋祭禰, 他則不祭."

主人衆丈夫深衣, 帥執事者灑掃祠堂, 滌濯器具. 設神位於堂中間北壁下. 設屏風於其後, 食牀於其前.

주인과 여러 장부들은 심의를 입고서 집사자를 거느리고 사당을 깨끗이 청소하고 제기와 제구祭具를 씻고, 당堂 가운데 북쪽 벽 아래에 신위를 설치한다. 병풍은 그 뒤에, 밥상은 그 앞에 설치한다.

陳器

기물을 펼쳐놓는다.

設火爐於堂中. 設炊烹之具于東階下盥東. 炙具在其南. 束茅以下, 並同時祭. 主婦衆婦女背子, 帥執事者滌濯祭器, 潔釜鼎. 具果楪六, 盤三, 杅六, 小盤三, 盞盤匙筯各二, 脂盤一, 酒注酹酒盤盞一, 受胙盤匙一.

화로는 당堂 가운데에 설치한다. 불을 때고 삶는 도구는 동쪽 계단 아래의 대야 동쪽에 설치한다. 굽는 도구는 그 남쪽에 둔다. 띠풀 묶음 이하의 것들은 모두 시제時祭와 같다. 주부와 여러 부녀자들은 배자背子를 입고서 집사자를 거느리고 제기를 깨끗이 닦고 솥을 정결하게 한다. 과일 접시 6개, 쟁반 3개, 사발 6개, 작은 쟁반 3개, 술잔·잔받침·숟가락·젓가락 각 2개, 기름 쟁반 1개, 술주전자, 뇌주酹酒할 잔받침과 잔 1개, 수조受胙할 소반과 숟가락 1개를 마련한다.

○按此本合用古祭器, 今恐私家或不能辦. 且用今器, 以從簡便. 神位用薄薦加草席, 皆有緣. 或用紫褥, 皆長五尺, 濶二尺有半. 屛風如枕屛之制, 足以圍席三面. 食牀以版爲面, 長五尺, 濶三尺餘. 四圍亦以版, 高一尺二寸, 二寸之下乃施版. 面皆黑漆.

살펴보니 이것들은 본래 옛날의 제기를 사용해야 하지만, 지금은 아마 일반 가정에서 마련할 수 없을 듯하다. 우선 지금의 제기를 사용하여 간편함을 따른다. 신위는 부들자리[薄薦]를 사용하고 짚자리[草席]를 위에 까는데, 모두 가선이 있다. 경우에 따라서는 자주색 요를 쓰기도 하는데, 모두 길이는 5자, 너비는 2자 반이다. 병풍은 침병枕屛[273]의 제도와 같되, 자리의 3면을 둘러칠 수 있어야 한다. 밥상은 널빤지로 면을 만드니, 길이는 5자 너비는 3자쯤이다. 사방 둘레 또한 판자로 하는데 높이는 1자 2치이고 2치 아래에 판자를 댄다. 면面은 모두 검은 칠을 한다.

具饌

음식을 장만한다.

哺時殺牲. 主人親割毛血爲一盤, 首心肝肺爲一盤, 脂雜以蒿爲一盤, 皆腥之. 左胖不用. 右胖前足爲三段, 脊爲三段, 脅爲三條, 後足爲三段. 去近竅一節不用, 凡十二體. 飯米一杅, 置于一盤. 蔬果各六品. 切肝一小盤, 切肉一小盤.

포시哺時[274]에 희생을 잡는다. 주인이 직접 모혈毛血을 베어 한 쟁반을 만들고, 머리·염통·간·

---

273 枕屛: 머리맡에 둘러치는 병풍. 머릿병풍
274 哺時: 申時(15시~17시)이다.

폐로 한 쟁반을 만들며, 기름을 쑥과 섞어 한 쟁반을 만드는데, 모두 날것으로 한다. 왼쪽 반은 쓰지 않는다. 오른쪽 반은 앞다리를 3단으로 하고[275] 등뼈도 3단으로 하며,[276] 갈빗대도 3조條로 하고[277] 뒷다리도 3단으로 하되,[278] 항문에 가까운 한 마디는 버리고 쓰지 않으니, 모두 12부위이다.[279] 쌀 한 사발을 쟁반 하나에 놓고, 채소와 과일은 각각 6가지로 한다. 저민 간은 작은 쟁반 하나에, 저민 고기도 작은 쟁반 하나에 담는다.

厥明夙興, 設蔬果酒饌.

그 이튿날 일찍 일어나 채소·과일·술·음식을 차린다.

> 主人深衣, 帥執事者設玄酒瓶及酒瓶于架上. 酒注酹酒盤盞受胙盤匙各一於東階桌子上. 祝版及脂盤于西階卓子上. 匙筋各一於食牀北端之東西相去二尺五寸. 盤盞各一於筋西. 果在食牀南端, 蔬在其北. 毛血腥盤切肝肉皆陳於階下饌牀上. 米實階下炊具中, 十二體實烹具中, 以火爨而熟之. 盤一杅六, 置饌牀上.

> 주인은 심의深衣를 입고서 집사자를 거느리고 현주병과 술병을 시렁 위에 진설한다. 술주전자, 뇌주할 잔받침과 잔, 수조受胙할 쟁반과 숟가락을 각각 하나씩 동쪽 계단의 탁자 위에 놓는다. 축판과 기름 쟁반은 서쪽 계단의 탁자 위에 놓는다. 숟가락과 젓가락 각각 하나씩을 밥상의 북쪽 끝의 동쪽과 서쪽에 놓되, 서로의 거리는 2자 5치이다. 잔받침과 잔 각각 하나씩을 젓가락의 서쪽에 놓는다. 과일은 밥상의 남쪽 끝에 놓고 채소는 그 북쪽에 놓는다. 털과 피, 날고기를 담은 쟁반, 저민 간과 고기는 모두 계단 아래에 있는 음식상 위에 진설한다. 쌀은 계단 아래 밥하는 그릇에 담아놓고, 12덩이 부위는 삶는 그릇에 담아 불을 피워 익힌다. 쟁반 하나와 대접 6개를 음식상 위에 놓는다.

質明盛服就位.

동이 틀 무렵, 성복盛服하고 자리에 나아간다.

> 如時祭儀.

> 시제時祭의 의례와 같다.[280]

降神·參神

강신·참신

. . . .

275 앞다리를 … 하고 : 肩·臂·臑
276 등뼈도 … 하며 : 正脊·脡脊·橫脊
277 갈빗대도 … 하고 : 短脅·正脅·代脅
278 뒷다리도 … 하되 : 髀·膞·骼
279 犧牲으로 쓰이는 돼지의 오른쪽 胖의 묘사는 부록 그림 91 참조
280 부록 그림 92 참조

主人盥升, 奉脂盤詣堂中爐前. 跪告曰, "孝孫某, 今以冬至, 有事于始祖考始祖妣, 敢請尊靈降居神位, 恭伸奠獻." 遂燎脂于爐炭上. 俛伏興, 少退立再拜. 執事者開酒, 主人跪酹酒于茅上, 如時祭之儀.

주인은 손을 씻고 올라가 기름 쟁반을 받들고는 당 가운데의 화로 앞으로 나아가서, 꿇어앉아, "효손 아무개가 지금 동지冬至에 시조고始祖考·시조비始祖妣에게 제사 지내오니, 감히 청컨대 존귀한 신령께서는 강림하시어 신위에 거하십시오. 삼가 전奠을 올립니다."라고 아뢴다. 그러고는 화로의 숯 위에 기름을 태우고, 엎드렸다가 일어나 조금 물러나 서서 재배한다. 집사자가 술병 마개를 열면, 주인은 꿇어앉아 띠풀 위에 뇌주酹酒하는데, 시제時祭의 의례대로 한다.

[21-29-1-1]

劉氏璋曰 : "茅盤用甆匜盂, 廣一尺餘. 或黑漆小盤. 截茅八寸餘作束, 束以紅, 立于盤內."

유장劉璋이 말했다. "띠풀을 담은 쟁반은 오지사발甆匜盂을 쓰니, 너비는 1자 남짓이다. 경우에 따라 검은 칠한 소반을 쓰기도 한다. 띠풀을 8자尺 정도로 잘라 묶음을 만들고는 붉은 실로 묶어 쟁반 안에 세워놓는다."

[21-29-2]

進饌

음식을 올린다.

主人升詣神位前. 執事者奉毛血腥肉以進, 主人受設之于蔬北西上. 執事者出熟肉置于盤奉之以進, 主人受設之腥盤之東. 執事者以杅二盛飯, 杅二盛肉渣不和者, 又以杅二盛肉渣以菜者, 奉以進, 主人受設之. 飯在盞西, 大羹在盞東, 鉶羹在大羹東, 皆降復位.

주인은 올라가 신위 앞에 나아간다. 집사자가 털과 피, 날고기를 받들어 올리면, 주인은 받아서 채소의 북쪽에 진설하되, 서쪽이 상석上席이다. 집사자가 익힌 고기를 내어 쟁반에 담아 받들어 올리면, 주인은 받아서 날고기 쟁반의 동쪽에 진설한다. 집사자가 밥을 담은 사발 2개와 조미調味하지 않은 고깃국肉渣을 담은 사발 2개, 또 채소를 넣은 고깃국을 담은 사발 2개를 받들어 올리면, 주인은 받아서 진설한다. 밥은 술잔의 서쪽, 대갱大羹[281]은 술잔의 동쪽, 형갱鉶羹[282]은 대갱의 동쪽에 놓고는 모두 내려와 자리로 돌아간다.

---

281 大羹 : 양념 없이 맹물에 끓인 고깃국. 태고시대에 고기를 삶아 우려낸 국으로 소금이나 매실로 가미하지 않은 肉汁이다. 玄酒를 숭상하는 뜻과 같다. 『禮記』「禮器」 참고

282 鉶羹 : 소금과 채소를 가미하여 다섯 가지 맛을 낸 육즙으로, 鉶器에 담아서 내므로 형갱이라고 한다. 鉶은 1斗 정도를 담을 수 있는 그릇으로, 두 개의 귀와 세 개의 다리로 구성되어 있으며, 뚜껑이 있다. 士는 鐵, 大夫는 銅, 제후는 白金, 천자는 黃金을 사용했다. 尤庵(宋時烈) 또한 "五味를 가미한 국으로 鉶에 담기에 형갱이라고 한다."고 하였다. 『宋子大全』 권101 「答鄭景由」 참고

初獻
초헌

如時祭之儀. 但主人既俛伏興, 兄弟炙肝加鹽, 實于小盤以從. 祝詞曰, "維年歲月朔日子, 孝孫姓名, 敢昭告于初祖考初祖妣. 今以中冬陽至之始. 追惟報本, 禮不敢忘, 謹以潔牲柔毛粢盛醴齊, 祗薦歲事, 尚饗."

시제時祭의 의례와 같다. 다만 주인이 부복하였다가 일어나면, 형제가 간을 구어 소금으로 가미하여 소반에 담아 따라간다. 축문 내용은 "유維 년年 세월歲月 삭朔 일자日子에 효손 아무개[姓名]가 감히 초조고初祖考와 초조비初祖妣께 밝히 아룁니다. 지금은 중동中冬으로 양陽이 되돌아오기 시작하는 때입니다. 근본에 보답함을 추념追念하여 예를 감히 잊지 않고 삼가 결생潔牲·유모柔毛·자성粢盛·예제醴齊로 공경히 세사歲事(제사)를 드리오니 흠향하소서."고 한다.

亞獻
아헌

如時祭之儀. 但衆婦炙肉加鹽以從.

시제時祭의 의례와 같다. 다만 여러 부녀자가 고기를 굽고 소금으로 가미하여 따라간다.

終獻
종헌

如時祭及上儀.

시제 및 앞의 의례와 같다.

侑食·闔門·啓門·受胙·辭神·徹·餕
유식·합문·계문·수조·사신·철상徹床·준餕[283]

並如時祭之儀.

모두 시제의 의례와 같다.

---

283 徹床·餕: 『家禮儀節』에서 丘濬은 "철상하고 남은 음식을 나누어 주는 것은 단지 모여서 먹기만 하고 慶禮는 행하지 않는다."고 하였다.

[21-30-0]

先祖 선조[284]

繼始祖高祖之宗得祭. 繼始祖之宗則自初祖而下, 繼高祖之宗則自先祖而下.

시조始祖와 고조高祖를 계승하는 종자가 제사를 지낼 수 있다. 시조를 계승하는 종자는 초조初祖 이하에게 제사 지내고, 고조高祖를 계승하는 종자는 선조先祖 이하에게 제사 지낸다.

[21-30-1]

立春祭先祖.

입춘立春에 선조先祖에게 제사 지낸다.

程子曰: "初祖以下, 高祖以上之祖也. 立春生物之始, 故象其類而祭之."

정자程子가 말했다. "초조初祖 이하에서 고조高祖 이상의 조상이다. 입춘은 만물을 낳은 시작이므로, 그 유사함을 상징하여 제사 지내는 것이다."

前三日齊戒.

3일 전에 재계齋戒한다.

如祭始祖之儀.

시조에게 제사 지내는 의례와 같다.

前一日設位, 陳器.

하루 전 신위神位를 설치하고 기물器物을 펼쳐놓는다.

如祭初祖之儀. 但設祖考神位于堂中之西, 祖妣神位于堂中之東. 蔬果楪各十二, 大盤六, 小盤六, 餘並同.

초조에게 제사 지내는 의례와 같다. 다만 조고祖考의 신위는 당 가운데의 서쪽에 설치하고, 조비祖妣의 신위는 당 가운데의 동쪽에 설치한다. 채소와 과일을 담는 접시가 각각 12개, 큰 쟁반이 6개, 작은 쟁반이 6개이다. 나머지는 모두 같다.[285]

[21-30-1-1]

問: "祭禮立春云, '祭高祖而上, 只設二位.' 若古人祫祭, 須是逐位祭."

朱子曰: "本是一氣. 若祠堂中各有牌子則不可."[286]

· ·

284 先祖: "大宗의 가문에서 2세 이하의 조상으로서 親盡한 조상과 小宗의 가문에서 고조 이상으로서 친진한 조상이 이른바 선조이다.(大宗之家, 其第二世以下祖及小宗之家高祖以上親盡, 所謂先祖也)" 李宜朝, 『家禮增解』 권14 「先祖」. 즉 5대조 이상을 말한다.

285 부록 그림 93 참조

물었다. "제례祭禮에 입춘에는 '고조高祖 이상을 제사 지내는데, 단지 두 위만 설치한다고 하였습니다.' 옛사람의 협제祫祭는 신위마다 제사 지내야 합니다."

주자가 말했다. "본래 하나의 기氣이다. 사당 안에 각각 패자牌子가 있는 경우에는 안 된다."

[21-30-1-2]

"諸侯有四時之祫, 畢竟是祭有不及處, 方如此. 如春秋有事于太廟. 太廟便是羣祧之主皆在其中."[287]

(주자가 말했다.) 제후에게는 사시四時에 협제祫祭가 있었는데, 끝내 제사가 미칠 수 없는 곳에 있어야 비로소 이와 같이 하는 것이다. 예컨대 『춘추』에 "태묘太廟에 제사가 있다."고 하는 것과 같다. 태묘에는 체천한 모든 원조遠祖의 신주들이 다 그 안에 있다.

[21-30-2]

具饌

음식을 장만한다.

> 如祭初祖之儀. 但毛血爲一盤, 首心爲一盤, 肝肺爲一盤, 脂蒿爲一盤, 切肝兩小盤, 切肉四小盤. 餘並同.
>
> 초조初祖에게 제사 지내는 의례와 같다. 다만 털과 피로 한 쟁반을 만들고, 머리와 염통으로 한 쟁반을 만들며, 간과 폐로 한 쟁반을 만들고, 기름과 쑥으로 한 쟁반을 만들며, 저민 간으로 작은 쟁반 2개를 만들고, 저민 고기로 작은 쟁반 4개를 만든다. 나머지는 모두 같다.

厥明夙興, 設蔬果酒饌.

그 이튿날 일찍 일어나 채소·과일·술·음식을 차린다.

> 如祭初祖之儀. 但每位匙筯各一, 盤盞各二, 置階下饌牀上. 餘並同.
>
> 초조에게 제사 지내는 의례와 같다. 다만 신위마다 숟가락과 젓가락 각각 1개, 잔받침과 술잔 각각 2개를 계단 아래 음식상 위에 놓는다. 나머지는 모두 같다.

- - - - - - - - - - - - - - - - - - - -

286 물음은 『朱子語類』 권90, 120조목에 있고, 답변은 권90, 122조목에 있다.
  권90, 120조목
  用之問, "先生祭禮, 立春祭高祖而上, 只設二位. 若古人祫祭, 須是逐位祭?"
  曰, "某只是依伊川說. 伊川禮更略. 伊川所定, 不是成書. 溫公儀卻是做成了."
  권90, 122조목
  問, "祭先祖, 用一分如何?"
  曰, "只是一氣. 若影堂中各有牌子, 則不可."
287 『朱子語類』 권90, 39조목

質明盛服就位.

동이 틀 무렵 성복盛服하고 자리에 나아간다.

降神 · 參神

강신 · 참신

> 如祭始祖之儀. 但告詞改始爲先. 餘並同.
>
> 시조에게 제사 지내는 의례와 같다. 다만 '시始'를 '선先'으로 고친다. 나머지는 모두 같다.

進饌

음식을 올린다.

> 如祭初祖之儀. 但先詣祖考位, 瘞毛血. 奉首心前足上二節, 脊三節, 後足上一節. 次詣祭祖妣位, 奉肝肺, 前足一節, 脅三節, 後足下一節. 餘並同.
>
> 초조初祖에게 제사 지내는 의례와 같다. 다만 먼저 조고祖考의 신위에 나아가 털과 피를 묻는다[瘞].[288] 머리, 염통, 앞다리 위쪽 2마디, 등뼈 3마디, 뒷다리 위쪽 1마디를 올린다. 다음으로 조비祖妣의 신위에 나아가 간, 폐, 앞다리 1마디, 갈빗대 3마디, 뒷다리 아래쪽 1마디를 올린다. 나머지는 모두 같다.

初獻

초헌

> 如祭初祖之儀. 但獻兩位, 各俛伏興, 當中少立.[289] 兄弟炙肝兩小盤以從. 祝詞改初爲先, 中冬陽至爲立春生物. 餘並同.
>
> 초조初祖에게 제사 지내는 의례와 같다. 다만 양 신위에 잔을 올리고는 각각 부복하였다가 일어나 중앙에서 조금 물러나서 선다. 형제는 구운 간을 담은 작은 쟁반 2개를 가지고 따라간다. 축문 내용[祝詞]에 '초初'를 '선先'으로 고치고, '중동中冬으로 양이 되돌아오는[中冬陽至]'을 '입춘立春으로 만물을 낳는[立春生物]'이라고 고친다. 나머지는 모두 같다.

亞獻 · 終獻

아헌 · 종헌

> 初祭祖之儀. 但從炙肉各二小盤.

---

288 묻는다[瘞].: 살펴보건대, '예(瘞)'가 『翰墨大全』에는 '奉'으로 되어 있고 『家禮儀節』에는 '進'으로 되어 있다. 예경을 근거하여 보면, 제사를 끝낸 뒤에 비로소 털과 피를 파묻는바, 이것들은 '예(瘞)' 자의 잘못임이 의심의 여지가 없다. 『沙溪全書』 권30 『家禮輯覽』 祭禮 「先祖」

289 少立: '退'가 추가되어야 한다. 앞의 四時祭 初獻에 '少退立'으로 되어 있다.

초조初祖에게 제사 지내는 의례와 같다. 다만 구운 고기를 각각 작은 쟁반 2개에 담아서 따라간다.

侑食·闔門·啓門·受胙·辭神·徹·餕
유식·합문·계문·수조·사신·철상·준

並如祭初祖儀.

모두 초조初祖에게 제사 지내는 의례와 같다.

[21-31-0]

禰 예[290]

繼禰之宗以上皆得祭. 惟支子不祭.

"예禰를 잇는 종자 이상은 모두 제사를 지낼 수 있다. 다만 지자支子는 제사 지내지 못한다.

[21-31-1]

季秋祭禰.

계추季秋[291]에 예제禰祭를 지낸다.

程子曰: "季秋成物之始, 亦象其類而祭之."

정자程子가 말했다. "계추季秋는 만물을 성숙시키는 시작이니, 또한 그 유사함을 상징하여 제사 지내는 것이다."

前一月下旬卜日.

한 달 전 하순下旬에 날을 점친다.

如時祭之儀. 惟告辭改孝孫爲孝子, 又改祖考妣爲考妣. 若母在, 則止云考, 而告于本龕之前. 餘並同.

시제時祭의 의례와 같다. 다만 아뢰는 말에 '효손孝孫'을 '효자孝子'로 고치고, '조고비祖考妣'를 '고비考妣'로 고친다. 모친이 살아계시면 그저 '고考'라고 하고 해당 감실 앞에서 아뢴다. 나머지는 모두 같다.

前三日齊戒. 前一日設位. 陳器.

3일 전에 재계齊戒한다. 하루 전에 신위를 설치하고, 기물器物을 펼쳐놓는다.

· · · · · · · · · · · · · · · · · · ·

290 禰: 아버지 사당을 '禰'라고 한다. '禰'는 '가깝다近'이다.
291 季秋: 늦가을로 음력 9월을 말한다.

如時祭之儀. 但止於正寢合設兩位於堂中, 西上. 香案以下並同.

시제時祭의 의례와 같다. 다만 오직 정침正寢에서 양 신위를 당堂 가운데에 합설하는데 서쪽이 상석이다. 향안香案 이하는 모두 같다.

具饌

음식을 장만한다.

如時祭之儀. 二分.

시제時祭의 의례와 같다. 두 분의 음식을 장만한다.

厥明夙興, 設蔬果酒饌.

그 이튿날 일찍 일어나 채소·과일·술·음식을 차린다.

如時祭之儀.

시제時祭의 의례와 같다.

質明盛服詣祠堂. 奉神主出就正寢

동이 틀 무렵 성복盛服하고 사당에 나아간다. 신주神主를 모시고 나와 정침正寢으로 나아간다.

如時祭于正寢之儀. 但告詞云, "孝子某, 今以季秋成物之始, 有事于考某官府君, 妣某封某氏."

정침正寢에서 지내는 시제時祭의 의례와 같다. 다만 아뢰는 말에 "효자 아무개(이름)가 지금 계추季秋, 만물을 성숙시키는 시작에 고考 ○관부군某官府君, 비妣 ○봉○씨某封某氏께 제사를 지냅니다."고 한다.

參神·降神·進饌·初獻

참신·강신·진찬·초헌

如時祭之儀. 但祝辭云, "孝子某官某, 敢昭告于考某官府君, 妣某封某氏. 今以季秋成物之始, 感時追慕, 昊天罔極." 餘並同.

시제時祭의 의례와 같다. 다만 축사祝辭에 "효자孝子 ○관 아무개(이름)가 감히 고考 ○관부군某官府君, 비妣 ○봉○씨某封某氏께 밝히 아룁니다. 지금 계추季秋, 만물을 처음 성숙시키는 즈음, 계절에 감응하여 추모하오니, 부모의 은혜가 하늘처럼 광대하여 끝이 없습니다."고 한다. 나머지는 모두 같다.

亞獻·終獻·侑食·闔門·啓門·受胙·辭神·納主·徹·餕.

아헌·종헌·유식·합문·계문·수조·사신·납주·철상·준

並如時祭之儀.

모두 시제時祭의 의례와 같다.

[21-31-1-1]

朱子曰 : "某家舊時時祭外, 有冬至立春季秋三祭, 後以冬至立春二祭似僭, 覺得不安, 遂已
之. 季秋依舊祭禰, 而用某生日祭之, 適値某生日在季秋."[292]

주자朱子가 말했다. "우리 집에서는 예전에 시제時祭 외에 동지冬至·입춘立春·계추季秋의 세 가지
제사가 있었다. 후에 동지와 입춘 두 제사는 분에 넘친 듯하여 온당치 못함을 알고는 마침내 그만두
었다. 계추季秋에는 예전처럼 예제禰祭를 지냈는데 내 생일에 제사 지냈으니, 마침 내 생일이 계추에
있었다."

[21-32-0]

忌日 기일

[21-32-1]

前一日齊戒.

하루 전에 재계齊戒한다.

> 如祭禰之儀.
> 예제禰祭의 의례와 같다.

設位.

신위神位를 설치한다.

> 如祭禰之儀. 但止設一位.
> 예제禰祭의 의례와 같다. 다만 하나의 신위를 설치할 뿐이다.

陳器.

기물器物을 펼쳐놓는다.

> 如祭禰之儀.
> 예제禰祭의 의례와 같다.

• •

292 『朱子語類』권87, 157조목 : "某家舊時常祭 : 立春·冬至·季秋祭禰三祭. 後以立春·冬至二祭近禘·祫之祭,
覺得不安, 遂去之. 季秋依舊祭禰, 而用某生日祭之. 適値某生日在季秋, 遂用此日."

具饌.

음식을 장만한다.

> 如祭禰之饌. 一分.
>
> 예제禰祭의 의례와 같다. 한 분의 음식을 장만한다.

厥明夙興, 設蔬果酒饌.

그 이튿날 일찍 일어나 채소 · 과일 · 술 · 음식을 차린다.

> 如祭禰之儀.
>
> 예제禰祭의 의례와 같다.

質明主人以下變服.

동이 틀 무렵 주인 이하는 옷을 갈아입는다.

> 禰則主人兄弟黲紗幞頭, 黲布衫, 布裹角帶. 祖以上則黲紗衫. 旁親則皁紗衫. 主婦特髻去
> 飾, 白大衣, 淡黃帔. 餘人皆去華盛之服.
>
> 예제禰祭를 지낼 때에는 주인과 형제들이 참사黲紗[293]로 만든 복두幞頭에 참포黲布로 만든 삼衫(저
> 고리)과 베로 싼 각대角帶를 착용한다. 조부祖父 이상은 참사로 만든 삼衫을 입는다. 방친旁親은
> 조사皁紗로 만든 삼衫을 입는다. 주부는 특계特髻[294]에서 장식을 없애고, 흰 대의大衣[295]와 담황색
> 淡黃色의 피帔[296]를 착용한다. 나머지 사람들도 모두 화려하거나 성대한 옷을 입지 않는다.

[21-32-1-1]

> 問 : "忌日何服?"
>
> 朱子曰 : "某只著白絹涼衫黲巾."
>
> 問 : "黲巾以何爲之?"
>
> 曰 : "紗絹皆可. 某以紗."
>
> 又問 : "黲巾之制."
>
> 曰 : "如帕複相似. 有四隻帶, 若當幞頭然."[297]
>
> 물었다. "기일忌日에는 어떤 복장을 합니까?"

---

293 黲紗 : "黲은 옅은 青黑色이다.(黲, 淺青黑色也.)"『說文解字』. 尤庵은 "黲은 아마 우리나라에서 부르는 玉色
이나 灰色 따위일 것이다.(黲, 恐是我國玉色灰色之類)"라고 하였다. 『宋子大全』 권71「答李擇之」
294 特髻 : 상투[髻]만 튼 것으로, 다른 사람의 머리카락으로 만든 假髻[假髮]와 상대되는 것이다. 이때 장식을
제거한다는 것은 冠, 梳 등을 제거함을 말한다. 李宜朝, 『家禮增解』「忌日」참조
295 大衣 : 大袖이다. 李宜朝, 『家禮增解』「忌日」
296 帔 : 大衣와 상대되는 것으로 바로 長裙이다. 李宜朝, 『家禮增解』「忌日」및 앞의 「사당」장 참조
297 『朱子語類』 권87, 157조목

주자가 말했다. "나는 흰 비단의 양삼涼衫에 참건黪巾을 착용했다.

물었다. "참건은 무엇으로 만듭니까?"

말했다. "깁[紗]이나 비단 모두 괜찮다. 나는 깁으로 만들었다."

또 "참건의 제도"에 관해 묻습니다.

말했다. "말복帕複298과 서로 유사하다. 네 짝의 띠가 있는데 복두幞頭처럼 생겼다."

[21-32-1-2]

楊氏復曰 : "先生母夫人忌日著黪墨布衫. 其巾亦然.

問 : '今日服色何謂?'

曰 : '豈不聞君子有終身之喪.'"299

양복楊復이 말했다. "선생은 모부인母夫人의 기일忌日에 참흑색 베로 만든 삼을 입으셨고, 건巾도 그러했다.

물었다. "오늘날의 복색은 어떻다고 할 수 있습니까?"

말했다. "어찌 '군자에겐 종신토록 지내야 하는 상례가 있다.'300는 말을 듣지 못했는가?"

[21-32-2]

詣祠堂, 奉神主出, 就正寢.

사당祠堂에 나아가 신주神主를 모시고 나와 정침正寢으로 나아간다.

如祭禰之儀. 但告辭云, "今以某親某官府君遠諱之辰, 敢請神主出就正寢, 恭伸追慕." 餘並同.

예제禰祭의 의례와 같다. 다만 아뢰는 말에 "지금 ○친某親 ○관부군某官府君의 먼 휘일諱日301에 감히 신주神主를 청하여 정침正寢으로 모셔 내와 공손히 추모의 마음을 펴고자 합니다."고 한다. 나머지는 모두 같다.

參神 · 降神 · 進饌 · 初獻

참신 · 강신 · 진찬 · 초헌

如祭禰之儀. 但祝辭云, "歲序遷易, 諱日復臨, 追遠感時, 不勝永慕." 考妣改不勝永慕爲昊天罔極. 旁親云, "諱日復臨, 不勝感愴." 若考妣則祝興, 主人以下哭盡哀. 餘並同.

예제禰祭의 의례와 같다. 다만 축사에 "해가 바뀌어 휘일諱日이 다시 다가오니, 멀리 추모하고

---

298 帕複 : 머리카락을 묶는 頭巾으로, 보자기[袱]처럼 생겼으나 네 모서리에 띠가 있으니 곧 四角巾의 제도이다. 李宜朝, 『家禮增解』「忌日」

299 楊復이 주자의 말을 인용한 것으로 『朱子語類』 권90, 143조목에 보인다. "先生母夫人忌日, 著黪墨布衫, 其巾亦然. 友仁問, '今日服色何謂?' 曰, '公豈不聞「君子有終身之喪」?'"

300 『禮記』「祭義」: "君子有終身之喪, 忌日之謂也."

301 먼 휘일 : 처나 아우 이하는 '亡日'이라고 한다. 金長生, 『喪禮備要』

계절에 감응하여 길이 사모하는 마음을 견딜 수 없습니다."고 한다. 고비考妣에게는 '길이 사모하는 마음을 견딜 수 없습니다不勝永慕.'를 '은혜가 하늘처럼 끝이 없습니다昊天罔極.'로 고친다. 방친旁親에게는 "돌아가신 날이 다시 다가오니, 슬픈 마음을 견딜 수 없습니다."고 한다. 고비考妣의 제사에서는 축祝이 일어나면 주인 이하는 곡하며 애통함을 다한다. 나머지는 모두 같다.

亞獻 · 終獻 · 侑食 · 闔門 · 啓門
아헌 · 종헌 · 유식 · 합문 · 계문

> 並如祭禰之儀. 但不受胙.
>
> 모두 예제禰祭의 의례와 같다. 다만 수조受胙는 하지 않는다.

辭神 · 納主 · 徹.
사신 · 납주 · 철상

> 並如祭禰之儀. 但不哭.302
>
> 모두 예제禰祭의 의례와 같다. 다만 준餕은 하지 않는다.

是日不飲酒, 不食肉, 不聽樂. 黲巾素服素帶以居. 夕寢于外.
이날은 술을 마시지 않고 고기를 먹지 않으며 음악을 듣지 않는다. 참건黲巾에 소복素服과 소대素帶 차림으로 거처한다. 저녁에는 바깥채에서 잔다.

[21-33-0]

墓祭 묘제

[21-33-1]
三月上旬擇日. 前一日齊戒.
3월 상순上旬에 날을 택한다. 하루 전에 재계齊戒한다.

> 如家祭之儀.
>
> 가제家祭의 의례와 같다.

....

302 但不哭: '但不餕'의 잘못이다. 禰祭에는 '納主 · 徹 · 餕.'으로 되어 있는데, 忌日에는 예제의 의례와 같다고 하면서 '納主 · 徹'만 제시하고 '餕'이 빠져 있으므로, '哭'은 '餕의 오자임을 알 수 있다.

具饌

음식을 장만한다.

> 墓上每分如時祭之品, 更設魚肉米麪食各一大盤, 以祭后土.

> 묘소마다 1인분씩 시제時祭 때의 제품祭品과 같게 하되, 생선·고기·미식米食·면식麪食을 각각 큰 쟁반에 하나씩 더 진설하여 후토신后土神에게 제사 지낸다.

厥明灑掃.

그 이튿날 이른 아침에 청소한다.

> 主人深衣, 帥執事者詣墓所再拜. 奉行塋域內外, 環繞哀省三周. 其有草棘, 即用刀斧鋤斬芟夷. 灑掃訖, 復位再拜. 又除地於墓左, 以祭后土.

> 주인은 심의深衣를 입고서 집사자를 거느리고 묘소에 나아가 재배한다. 묘역 안팎을 공손히 다니되, 세 바퀴 돌며 애통한 마음으로 살핀다. 풀이나 가시가 있으면, 칼·도끼·호미로 잘라 없앤다. 청소를 마치면 자리로 돌아와 재배한다. 또 무덤 왼쪽 편 땅을 소제하고서 후토신后土神에게 제사 지낸다.

布席, 陳饌.

자리를 펴고 음식을 진설한다.

> 用新潔席陳於墓前. 設饌如家祭之儀.

> 새로 만든 깨끗한 자리를 묘소 앞에 편다. 음식을 진설하는 것은 가제家祭의 의례와 같다.

參神·降神·初獻

참신·강신·초헌

> 如家祭之儀. 但祝辭云, "某親某官府君之墓. 氣序流易, 雨露旣濡. 瞻掃封塋, 不勝感慕." 餘並同.

> 가제家祭의 의례와 같다. 다만 축사祝辭에 "○친某親 ○관부군某官府君의 묘소가 세월이 흘러 비와 이슬에 이미 젖었습니다. 묘소를 뵙고 청소함에 사모함을 견딜 수 없습니다."고 한다. 나머지는 모두 같다.

亞獻·終獻

아헌·종헌

> 並以子弟親朋薦之.

> 모두 자제와 친척·붕우들[親朋]이 올리게 한다.

辭神, 乃徹. 遂祭后土. 布席, 陳饌.

사신辭神하고는 철상徹床한다. 그러고는 후토신后土神에게 제사 지낸다. 자리를 펴고 음식을 진설한다.

四盤于席南端. 設盤盞匙筋于其北. 餘並同上.

쟁반 4개를 자리의 남쪽 끝에 펼쳐놓는다. 잔받침·술잔·숟가락·젓가락을 그 북쪽에 진설한다. 나머지는 모두 앞에서와 같다.

降神·參神·三獻

강신·참신·삼헌

同上. 但祝辭云, "某官某名, 敢昭告于后土氏之神. 某恭修歲事于某親某官府君之墓, 惟時保佑, 實賴神休. 敢以酒饌, 敬伸奠獻. 尚饗."

앞에서와 같다. 다만, 축사祝辭에 "○관 아무개[姓名]는 감히 후토신后土神에게 밝게 아룁니다. 아무개가 ○친某親 ○관부군某官府君의 묘소에 공손히 세사歲事(올해 제사)를 드리오니, 때때로 보호하고 도우심은 진실로 신神의 은혜 덕분입니다. 감히 술과 음식으로 삼가 전奠을 올리오니, 흠향하시길 바랍니다."고 한다.

辭神, 乃徹而退.

사신辭神하고는 철상徹床하고 물러난다.

[21-33-1-1]

朱子曰 : "祭儀以墓祭節祠爲不可. 然先正皆言墓祭不害義理, 又節物所尙, 古人未有, 故止於時祭. 今人時節隨俗燕飮, 各以其物, 祖考生存之日蓋嘗用之. 今子孫不廢此, 而能恝然於祖宗乎?"[303]

주자가 말했다. "『예기禮記』「제의祭儀」에는 묘제墓祭와 절사節祠를 해서는 안 된다고 하였다. 그러나 선정先正[304]은 모두 묘제가 의리를 해치지 않는다고 하였고, 또 제철 산물로서 숭상하는 것이 옛사람에게는 없었기 때문에 그저 시제時祭만 지냈을 뿐이었다. 요즘 사람들은 철마다 풍속에 따라 각각 그 계절의 산물로 잔치하는데, 조고祖考가 살아계실 때에도 일찍이 그것을 애용했었다. 지금 자손들이 이 일을 그만두지 않을 것이니, 조상에게 무심할 수 있겠는가?'

[21-33-1-2]

"改葬須告廟而後告墓, 方啓墓以葬. 葬畢奠而歸, 又告廟哭而後畢, 事方穩當. 行葬更不必出主. 祭告時却出主於寢."[305]

303 『朱文公文集』권43「答林擇之」(2)
304 先正 : "先世에 長官으로 있던 신하이다.(先世長官之臣.)"『書經』「商書·說命中」

(주자가 말했다.) "개장할 때는 묘廟에 아뢴 다음 묘소墓所에 아뢰고 나서 비로소 묘墓를 열어 장사 지낸다. 장사가 끝나면 전奠을 올리고 돌아와서는 또 사당에 아뢰고 곡哭하고 끝마쳐야 일이 비로소 온당해진다. 장사를 행할 때에는 다시 굳이 신주神主를 모시고 나올 필요가 없으나, 제사 지내고 아뢸 때에는 정침正寢에 신주를 모시고 나온다."

[21-33-1-3]

"祭祀之禮亦只得依本子做, 誠敬之外, 別未有著力處也."

(주자가 말했다.) "제사의 예는 또한 오직 근본에 의거하여 행할 뿐이니, 정성과 공경 외에 따로 힘쓸 것이 없다."

[21-33-1-4]

"籩豆簠簋之器, 乃古人所用, 故當時祭享皆用之. 今以燕器代祭器, 常饌代俎肉, 楮錢代幣帛. 是亦以平生所用, 是謂從宜也."

(주자가 말했다.) "변籩·두豆, 보簠·궤簋 등의 기물器物은 바로 옛사람이 사용하던 것이므로 당시의 제사에서는 모두 이것을 사용하였다. 지금은 잔치에 쓰는 그릇으로 제기祭器를 대신하고, 평상시의 음식으로 조육俎肉을 대신하며, 종이돈楮錢으로 폐백을 대신한다. 이것 또한 평소에 사용하던 것이니, 마땅함을 따랐다고 하겠다."

[21-33-1-5]

嘗書戒子云: "比見墓祭土神之禮, 全然滅裂, 吾甚懼焉. 旣爲先公託體山林, 而祀其主者豈可如此? 今後可與墓前一樣, 菜果鮓脯飯茶湯各一器, 以盡吾寧親事神之意, 勿令其有隆殺."

(주자가) 일찍이 아들을 경계하는 글에서 말했다. "근래 묘墓에서 토지신에게 제사 지내는 예를 보니, 아주 경박滅裂[306]하여 나는 매우 걱정스러웠다. 이미 선공先公의 몸을 산림에 맡겼는데, 그 주인을 제사 지내는 것이 어찌 이와 같을 수 있는가? 지금부터는 묘 앞에서와 똑같이 채소·과일·젓갈鮓[307]·포脯·밥·차·탕 각각 한 그릇씩으로 자신이 부모를 편안하게 하고 신을 섬기는 뜻을 다하고, 차등을 두지 말아라."

----

305 『朱子語類』 권89, 73조목: 問改葬. 曰, "須告廟而後告墓, 方啓墓以葬, 葬畢, 奠而歸, 又告廟, 哭, 而後畢事, 方穩. 行葬更不必出主, 祭告時卻出主於寢."

306 滅裂: '滅裂'은 『中庸』의 소주에서 "경박하다(輕薄也)"고 하였다.

307 젓갈鮓: '소금을 물고기와 버무려서 절인 것(以塩米釀魚爲菹)'이니, 지금의 食醢이다. 李宜朝, 『家禮增解』 「墓祭」 참조

[21-33-1-6]

劉氏璋曰：“周元陽祭錄曰，‘唐開元勑許寒食上墓，同拜掃禮. 若拜掃非寒食，則先期卜日. 古者宗子去他國，庶子無廟，孔子許望墓爲壇以時祭祀. 即今之寒食上墓，義或有憑依，不卜日耳. 今或驪宦寓於他邦，不及此時拜掃松檟，則寒食在家亦可祠祭.”

유장劉璋이 말했다. “주원양周元陽[308]이 『제록祭録』에서 말했다. ‘당唐 개원開元 연간 칙령에 한식寒食에 성묘하는 것을 허락하였으니, 성묘省墓[拜掃]의 예와 같다. 만약 성묘하는 날이 한식이 아닌 경우에는 기일에 앞서 날을 점쳤다. 옛날에는 종자宗子가 다른 나라에 떠나 있고 서자庶子가 사당[廟]이 없는 경우, 공자孔子는 묘소를 바라보고 제단祭壇을 만들어 제때에 제사 지내는 것을 허락하였다.[309] 지금 한식에 성묘하는 것도 의리상 의거가 있는 것이니, 날을 점치지 않을 뿐이다. 지금 혹 타향에서 벼슬을 살아 이때 선영先塋[松檟]에 성묘하지 못한다면, 한식에 집에서도 제사 지낼 수 있다.’고 하였다.”

[21-33-1-7]

“夫人死之後，葬形於原野之中，與世隔絶，孝子追慕之心，何有限極？當寒暑變移之際，益用增感，是宜省謁墳墓，以寓時思之敬. 今寒食上墓之祭，雖禮經無文，世代相傳，寖以成俗，上自萬乘有上陵之禮，下達庶人有上墓之祭. 田野道路，士友徧滿，皂隸庸丐之徒，皆得以登父母丘壠. 馬醫夏畦之鬼，無有不受子孫追養者. 凡祭祀品味，亦稱人家貧富，不貴豐腆. 貴在修潔馨極誠慤而已. 事亡如事存，祭祀之時，此心致敬常在乎祖宗，而祖宗洋洋如

308 周元陽: 唐 汝陽 사람. 『祭録』 1권을 저술하였다.

309 옛날에는 宗子가 … 허락하였다. : 『禮記』 「曾子問」에 “증자가 물었다. ‘종자가 타국에 있고, 서자가 관작이 없이 살고 있다면 그 서자가 제사 지낼 수 있습니까?’ 공자가 말했다. ‘제사 지낼 수가 있다.’ 묻습니다. ‘그 제사는 어떻게 지냅니까?’라고 물었다. 공자가 말했다. ‘제사 지낼 대상의 무덤 쪽을 향해서 祭壇을 설치하고 계절에 맞는 제사를 지낸다. 만약 타국에서 종자가 죽었으면 묘에 고한 뒤 집에 돌아와 제사 지낸다. 종자가 죽은 뒤에는 이름을 일컬을 때, 孝子 아무개라고는 하지 못하는데, 서자 자신이 죽으면 그만이다.’고 하였다.(曾子問曰, ‘宗子去在他國, 庶子無爵而居者, 可以祭乎?’ 孔子曰, ‘祭哉.’ 請問, ‘其祭如之何?’ 孔子曰, ‘望墓而爲壇以時祭. 若宗子死, 告於墓而後, 祭於家. 宗子死, 稱名不言孝. 身没而已.’)”라고 하였다. 이에 대한 集說에서 陳澔는 다음과 같이 설명하였다. “종자가 아무런 죄를 짓지 않고서 나라를 떠났다면, 廟[祠堂]의 神主가 함께 따라간다. 그러나 죄를 짓고 나라를 떠났을 경우에는, 廟가 비록 있더라도 서자가 비천하여 작위가 없으면, 廟에서 제사를 지낼 수 없다. 다만 제사 지낼 때 무덤을 바라보고 제단을 설치하고서 제사 지낼 뿐이다. 만약 종자가 죽었을 경우에는 서자가 무덤에 고한 뒤에 그 집에서 제사 지내는데, 이때에도 감히 ‘효자 아무개[孝子某]’라고 칭하지는 못하고 그저 ‘자 아무개[子某]’라고만 칭할 뿐, 또 관작이 있는 자가 ‘개자 아무개[介子某]’라고 칭하는 것에 비할 바가 아니다. ‘서자 자신이 죽으면 그만이다’는 것은 서자 자신이 죽고 나면 그의 아들, 즉 그 서자의 適子가 禰에 제사 지낼 때 孝子라고 칭할 수 있다는 것이다.(宗子無罪而去國, 則廟主隨行矣. 若有罪去國, 廟雖存, 庶子卑賤無爵, 不得於廟行祭禮. 但當祭之時, 即望墓爲壇以祭也. 若宗子死, 則庶子告於墓而後, 祭於其家, 亦不敢稱孝子某, 但稱子某而已, 又非有爵者稱介子某之比也. 身没而已者, 庶子身死, 其子則庶子之適子, 祭禰之時, 可稱孝也.”

在, 安得不格我之誠, 而歆我之祀乎?"

(유장劉璋이 말했다.) "사람이 죽은 후에 들판 가운데에서 장사를 지내면, 세상과 떨어져 있게 되는데, 효자의 추모하는 마음에 어찌 다함이 있겠는가? 추위와 더위가 변화하는 때에는 더더욱 감회가 더할 것이니, 마땅히 분묘를 살피고 알현하여 수시로 사모하는 공경을 드러내야 한다. 지금 한식에 성묘하여 제사하는 것은 비록 예경에 글이 없으나 세대를 거쳐 전해오면서 차츰 풍속을 이루게 되었으니, 위로는 만승萬乘의 천자天子가 능陵에 오르는 예가 있는 것에서부터 아래로는 서인이 성묘하여 제사하는 것까지 이른다. 들녘과 길에 사우士友들이 두루 가득하고, 종[皂隷]310 · 품팔이 · 거지들까지도 모두 부모에게 성묘할 수 있어 '말 의원[馬醫]'과 하휴夏畦311의 귀신들도 자손의 추모를 받지 못하는 자가 없다.312 무릇 제사 음식은 또한 집안의 빈부에 맞게 할 것이니, 풍성한 것이 귀중한 것이 아니고, 귀중한 것은 정결하게 하고 정성을 다하는 데에 있을 뿐이다. 죽은 이 섬기기를 산 사람 섬기듯 하여313 제사 지낼 때에 이 마음이 공경을 다하여 항상 조상에게 있으면, 조상께서 실제로 살아계시는 듯할 것이니, 어찌 나의 정성에 감동하지 않고 나의 제사를 흠향하지 않을 수 있겠는가?"

[21-33-1-8]

黃氏瑞節曰 : "南軒張氏次司馬公張子程子三家之書, 爲冠昏喪祭禮五卷. 家禮蓋參三家之說, 酌古今之宜, 而大意隱然以宗法爲主, 不可以弗講也. 然禮書之備, 有儀禮經傳集解, 亦朱子所輯次云."

황서절黃瑞節이 말했다. "남헌장씨南軒張氏[張栻]가 사마공司馬公[司馬光] · 장자張子[張載] · 정자程子[程顥 · 程頤] 세 사람의 책을 편집하여 『관혼상제례冠昏喪祭禮』 5권을 지었다. 『가례』는 세 사람의 설을 참고하고, 고금의 마땅함을 참작하였으며, 대의는 은연히 종법을 위주로 하였으니, 강론하지 않을 수 없다. 그러나 예서禮書로서 완비된 것은 『의례경전집해儀禮經傳集解』314이니, 또한 주자가 편차한 것이다.

· ·

310 종[皂隷] : '皂'는 '말구유[馬櫪]'이고, 또 천한 사람으로서 말을 지키는 자이다. 『韻會』

311 夏畦 : "여름철에 밭을 매는 사람(夏月治畦之人也)" 『孟子』 「滕文公下」

312 들녘과 길에 … 없다. : 柳宗元의 글이다. 『柳河東集』 권30 「寄許京兆孟容書」

313 죽은 이 … 하여 : 『中庸』 19章

314 『儀禮經傳集解』 : 朱熹 지음. 『禮記』가 『儀禮』의 傳이라는 입장에서 이 두 책을 섞어서 저술한 것이다.

가례
부록1

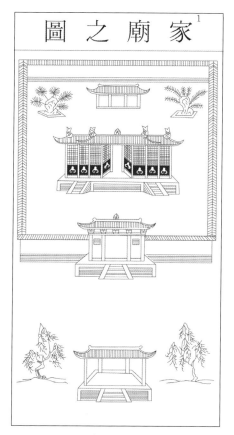

(그림 1) 가묘家廟

. . . .

1 본 가례부록에 묘사된 그림들은 그림 1과 그림 55~57 등의 몇몇을 제외하고, 모두 金長生의 『家禮輯覽圖說』
  (『沙溪全書』 권23~24)에 수록되어 있는 도면들을 반영한 것이다.

가례부록 • 435

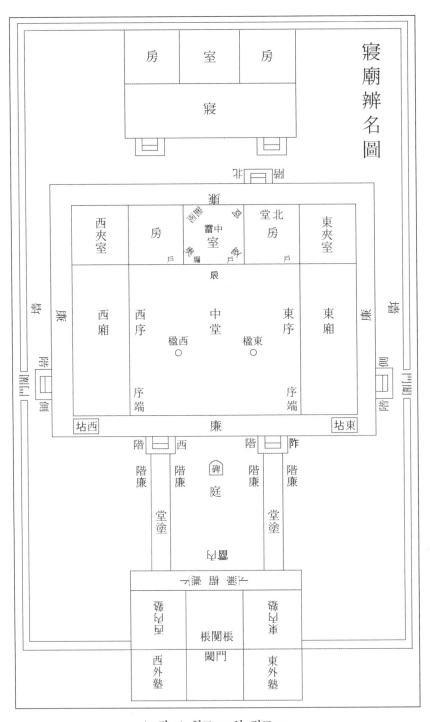

(그림 2) 침묘寢廟와 정묘正廟

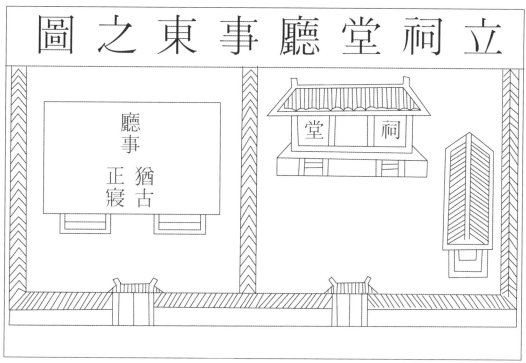

(그림 3) 사당祠堂을 청사廳事의 동쪽에 배치한 그림

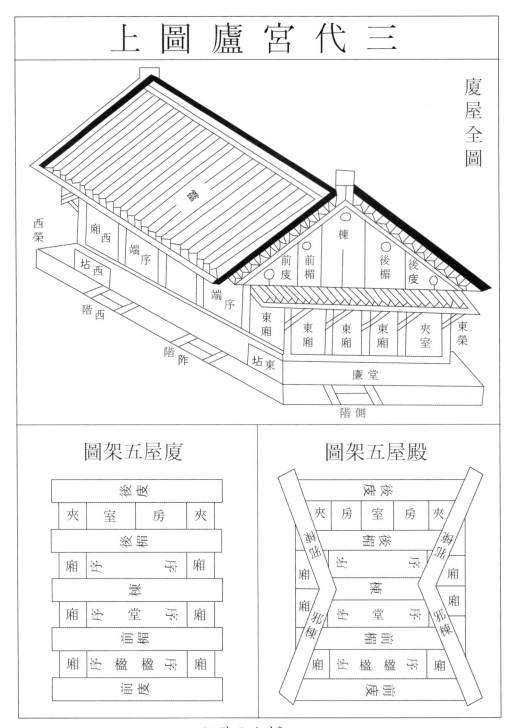

（그림 4) 오가옥五架屋

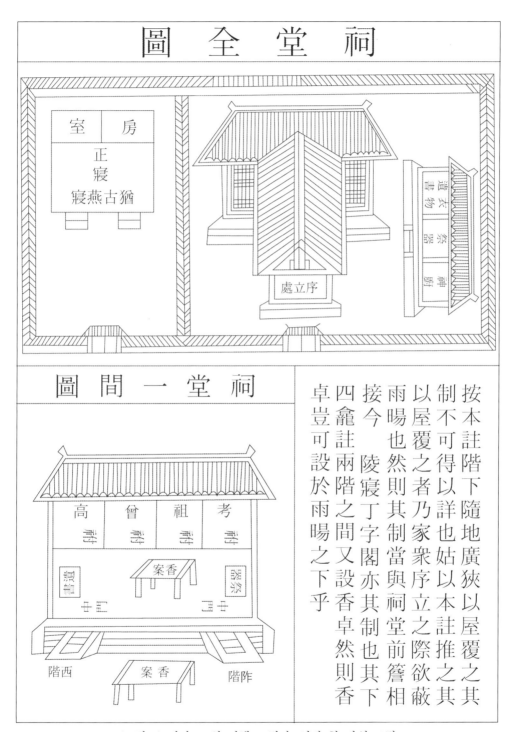

圖　全　堂　祠

室　房

正
寢
寢燕古猶

處立序

祠　堂　一　間　圖

高
龕

曾
龕

祖
龕

考
龕

遺書
王主

香案

祭器
王主

西階

香案

阼階

按本註階下隨地廣狹以屋覆之其
制不可得以詳也姑以本註推之其
以屋覆之者乃家衆序立之際欲蔽
雨暘也然則其制當與祠堂前簷相
接今陵寢丁字閣亦其制也其下
四龕註兩階之間又設香卓然則香
卓豈可設於雨暘之下乎

(그림 5) 사당祠堂의 전체 그림과, 사당 한 칸의 그림

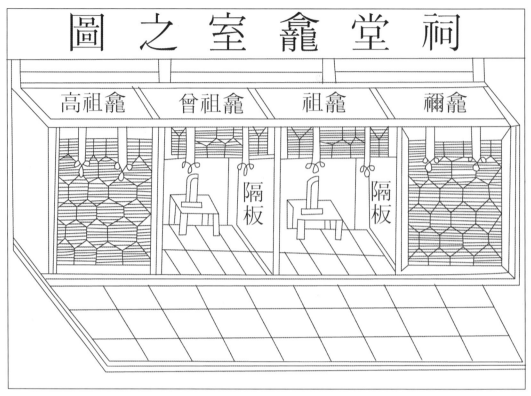

(그림 6) 감실龕室의 구조

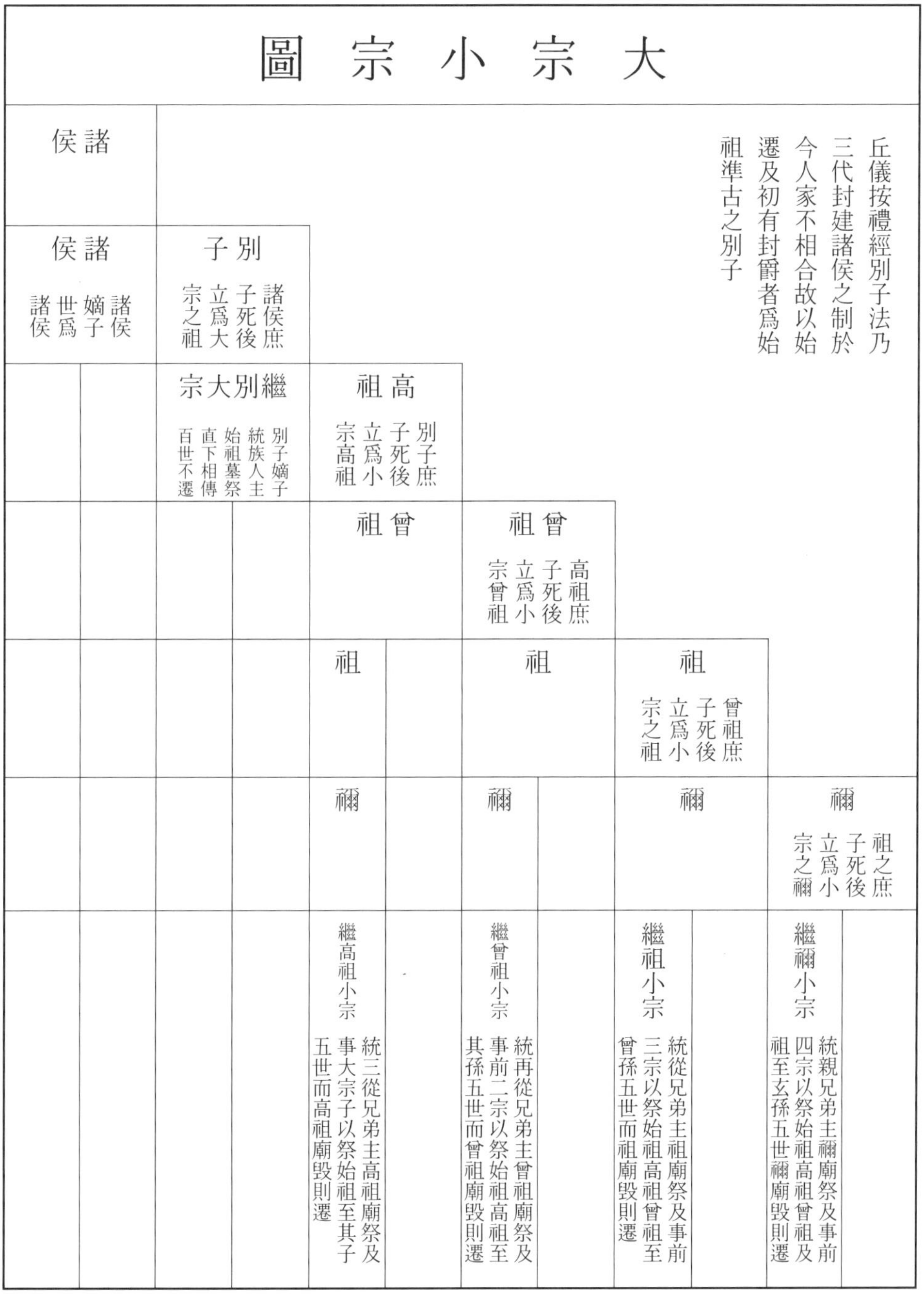

大宗小宗圖

丘儀按禮經別子法乃三代封建諸侯之制於今人家不相合故以始遷及初有封爵者爲始祖準古之別子

諸侯					
諸侯 諸侯嫡子爲諸侯世子	別子 諸侯庶子死後立爲大宗之祖				
	繼別大宗 別子嫡子統族人主祖墓祭始祖直下相傳百世不遷	高祖 別子庶子死後立爲小宗高祖宗			
		曾祖	曾祖 高祖庶子死後立爲小宗曾祖宗		
		祖	祖	祖 曾祖庶子死後立爲小宗之祖	
		禰	禰	禰	禰 祖之庶子死後立爲小宗之禰
		繼高祖小宗 統三從兄弟主高祖廟祭及事大宗子以祭始祖至其子五世而高祖廟毀則遷	繼曾祖小宗 統再從兄弟主曾祖廟祭及事前二宗以祭始祖高祖至其孫五世而曾祖廟毀則遷	繼祖小宗 統從兄弟主祖廟祭及事前三宗以祭始祖高祖曾祖至曾孫五世而祖廟毀則遷	繼禰小宗 統親兄弟主禰廟祭及事前四宗以祭始祖高祖曾祖祖至玄孫五世而禰廟毀則遷

(그림 7) 대종大宗과 소종小宗

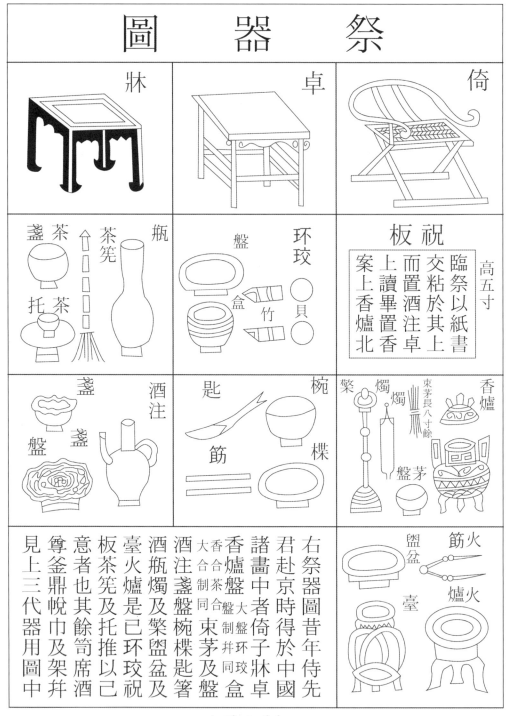

祭 器 圖

牀

卓

倚

瓶　茶筅　茶盞　茶托

盤　环玞　盒　竹　貝

祝板
高五寸
臨祭以紙書交粘於其上而置酒注香卓上讀畢置香爐案上北

酒注　盞盤　盞　盤

椀　匙　楪　筯

香爐　燭　燭　束茅長八寸餘　檠　盤茅

火筯　盥盆　臺　火爐　火爐臺

右祭器圖昔年侍先
君赴京時得於中國
諸畵中者倚子牀卓
香爐盤 大盤制并环玞盒同
大香合合制茶合同
酒注盞盤椀楪匙箸
束茅及盤
酒瓶燭及檠盥盆及
臺火爐燭是已环玞祝
板茶筅及托以已
意者也其餘笥席酒
尊釜鼎帨巾及架并
見上三代器用圖中

(그림 8) 제기祭器

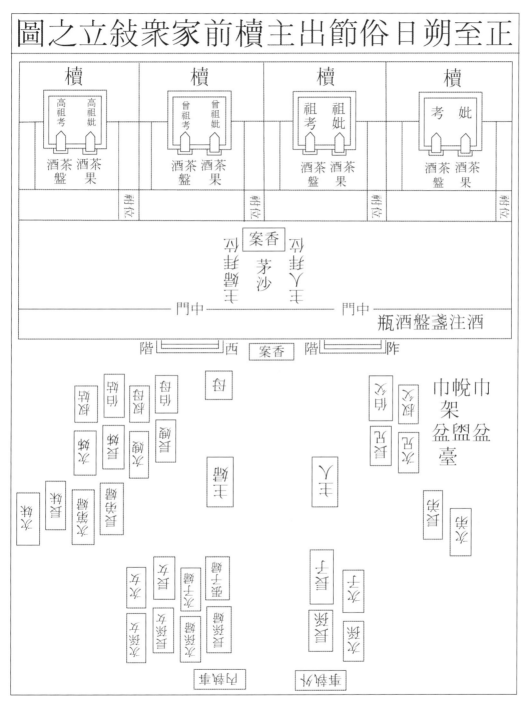

(그림 9) 설날·동지·초하루 등의 명절날 독에서 꺼낸 신주 앞에서 집안사람들이 차례로 서는 그림

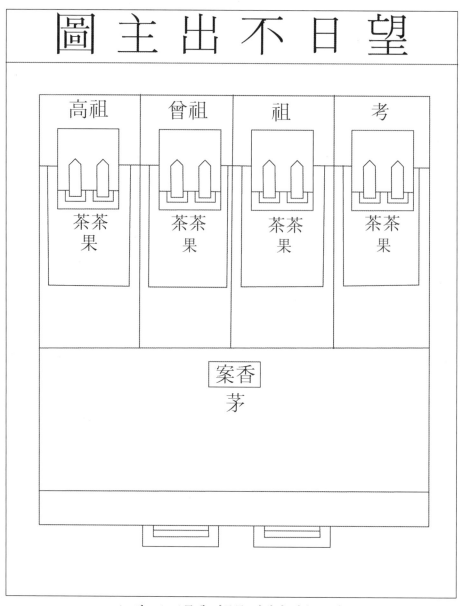

(그림 10) 보름에 신주를 꺼내지 않은 그림

(그림 11) 남녀성복男女盛服

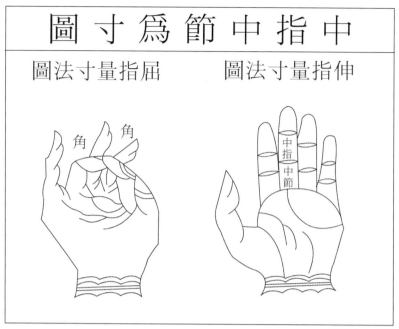

(그림 12) 중지中指의 가운데 마디로 정한 1촌寸의 그림

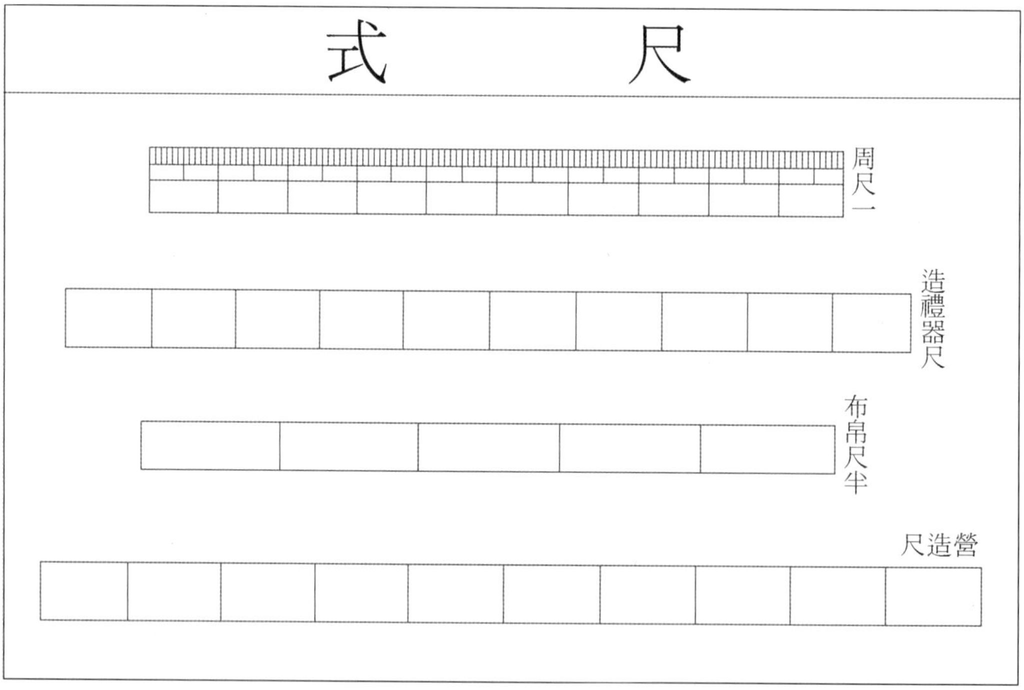

式　　　　尺

周尺一

造禮器尺

布帛尺半

尺造營

(그림 13) 척尺의 양식

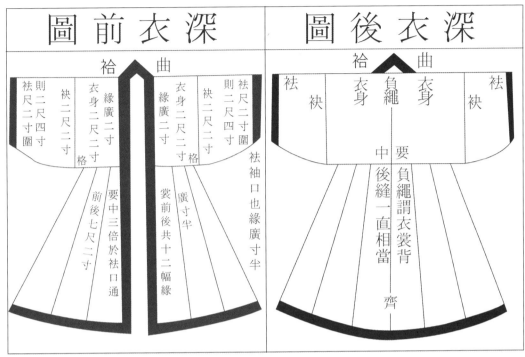

(그림 14) 심의深衣

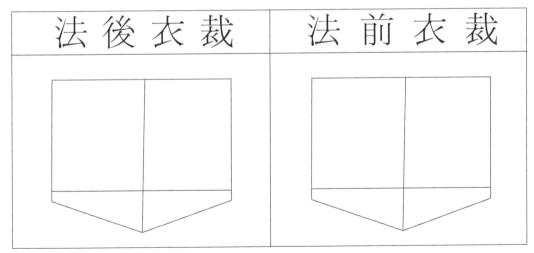

(그림 15) 재의법裁衣法

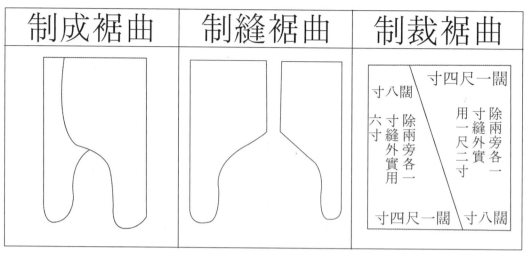

(그림 16) 곡거제도曲裾制度

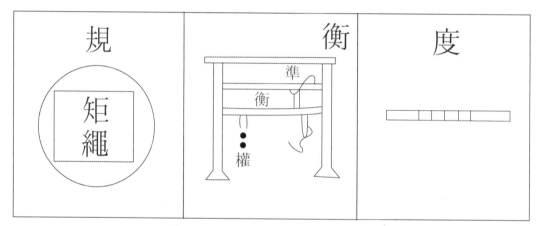

(그림 17) 규規·구矩·승繩·권權·형衡·도度

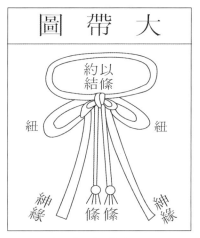

(그림 18) 대대大帶

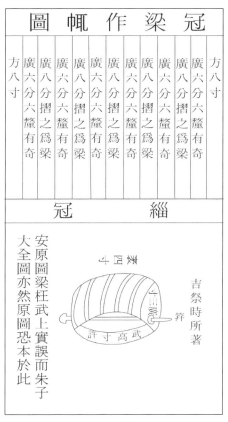

(그림 19) 치관緇冠

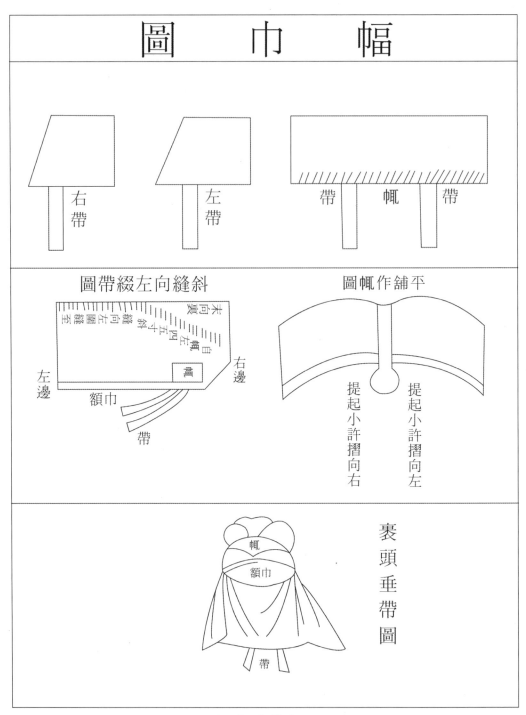

（그림 20）복건幅巾

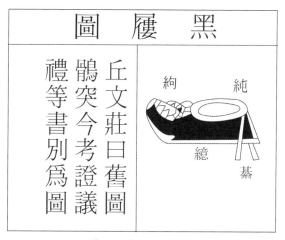

(그림 21) 흑구黑屨(검은 신)

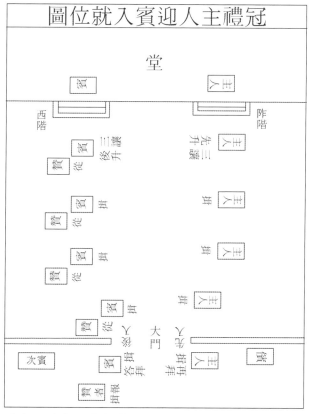

(그림 22) 관례冠禮에서 주인이 빈객을 영접하고 들어가 자리에 나아가는 그림

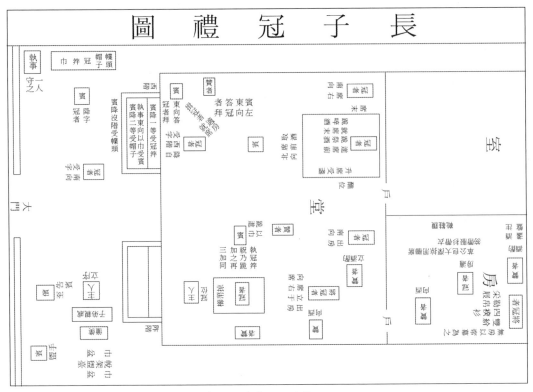

(그림 23) 장자長子 관례도冠禮圖

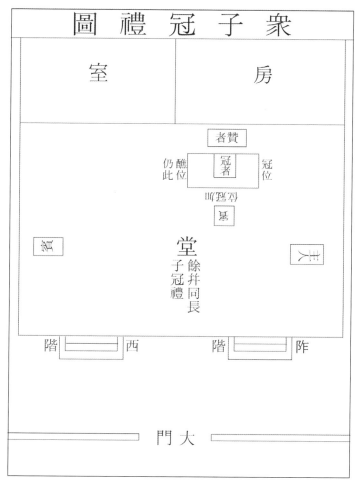

(그림 24) 중자衆子 관례도冠禮圖

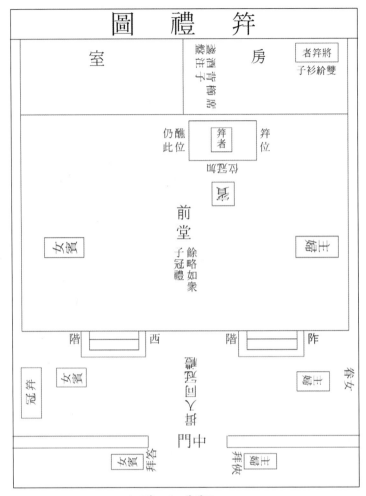

(그림 25) 계례도^{笄禮圖}

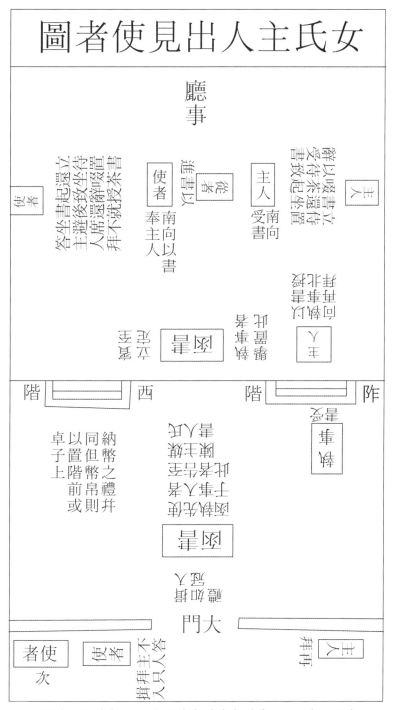

(그림 26) 여자[신부] 집 주인이 나와서 사자使者를 뵙는 그림

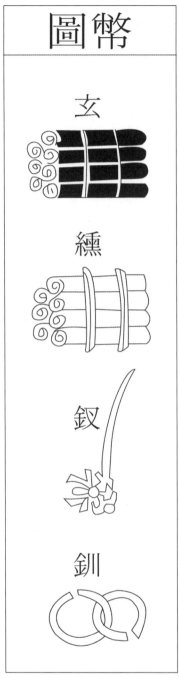

（그림 27）폐幣

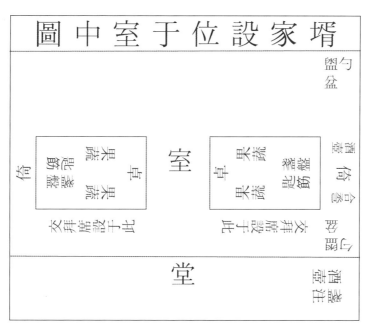

(그림 28) 신랑 집에서 실室 안에 자리를 마련한 그림

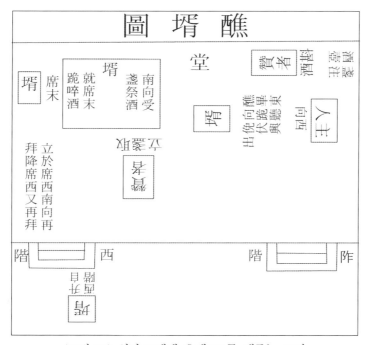

(그림 29) 신랑[壻]에게 초례醮禮를 해주는 그림

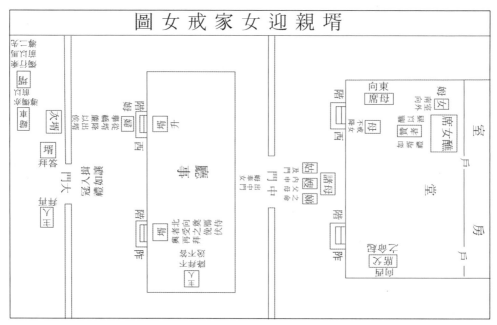

(그림 30) 신랑이 친영親迎하고, 여자 집에서 딸에게 훈계하는 그림

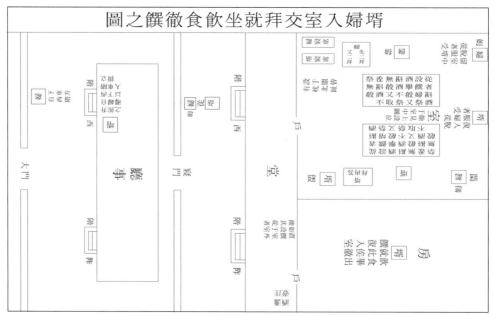

(그림 31) 신랑 신부가 실室에 들어가 교배례를 하고 자리에 나아가 음식을 먹고 치우는 그림

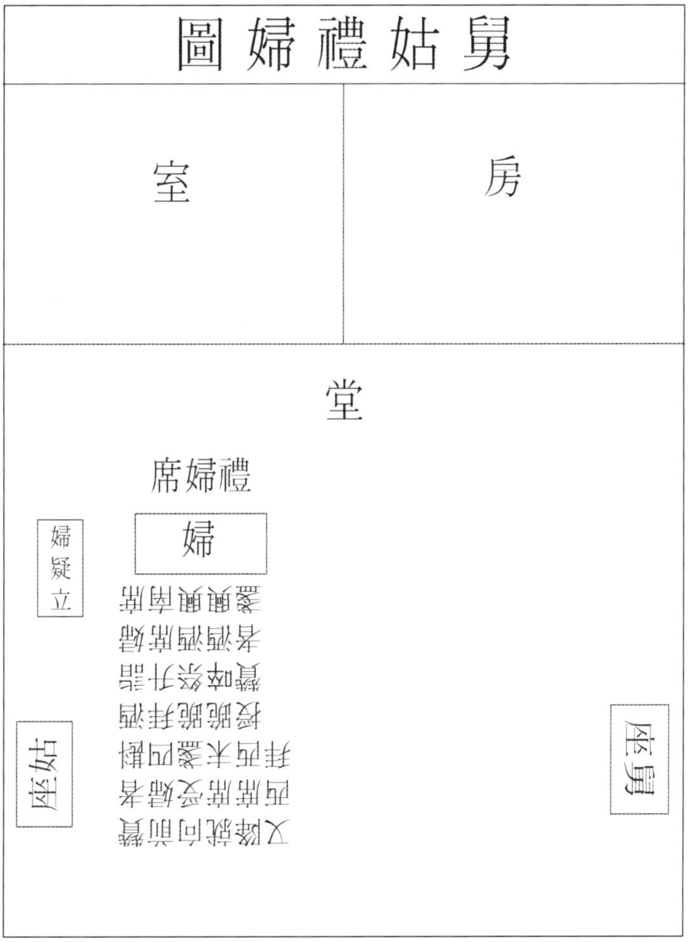

(그림 32) 신부가 시부모를 뵙는 그림

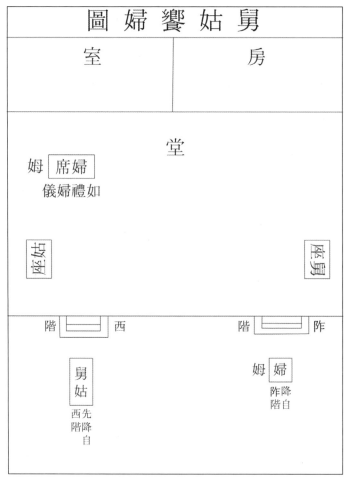

(그림 33) 시부모가 신부에게 술을 대접[禮婦]하는 그림

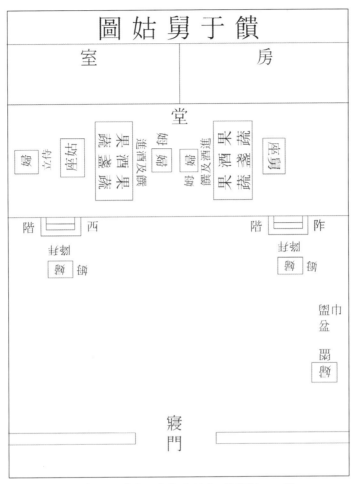

(그림 34) 시부모에게 음식을 대접하는 그림

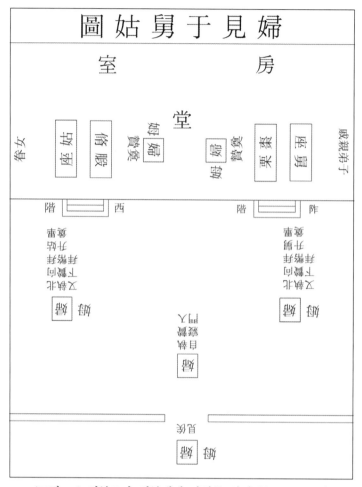

(그림 35) 시부모가 신부에게 잔치를 열어주는[饗婦] 그림

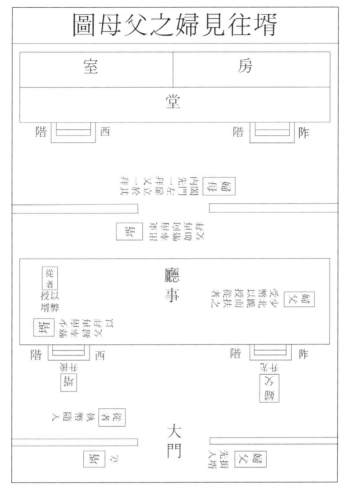

(그림 36) 신랑이 신부의 부모를 찾아가 뵙는 그림

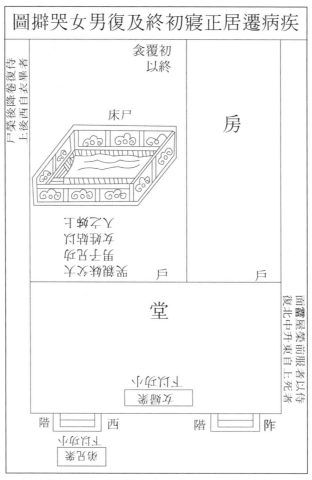

(그림 37) 병을 앓아 정침으로 옮김, 막 돌아가심[初終], 돌아오시라고 함[復], 남녀가 곡하
며 가슴을 침[哭擗] 등의 그림

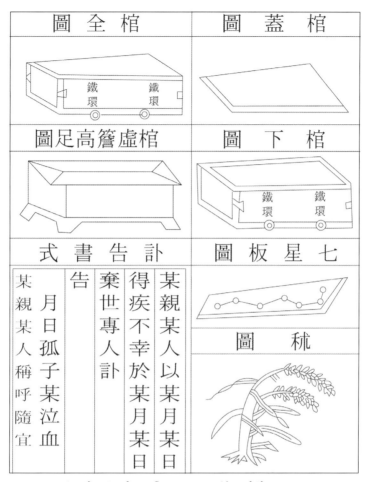

圖　全　棺	圖　蓋　棺
鐵環　鐵環	
圖足高簣虛棺	圖　下　棺
	鐵環　鐵環
式　書　告　訃	圖　板　星　七

某親某人以某月某日
得疾不幸於某月某日
棄世專人訃
告
月日孤子某泣血
某親某人稱呼隨宜

圖　秫

(그림 38) 관棺·출秫(차좁쌀)·부고서식訃告書式

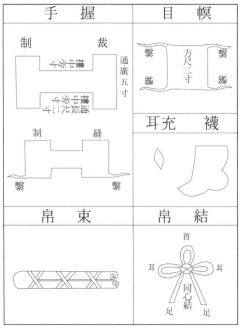

(그림 39) 습襲에 필요한 도구

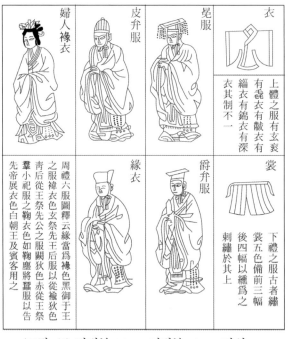

(그림 40) 작변복爵弁服・피변복皮弁服・단의褖衣

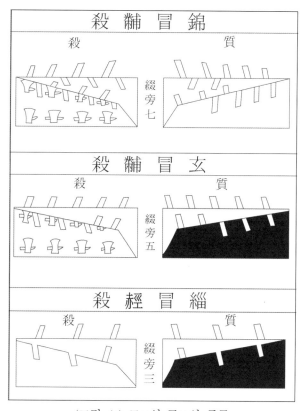

(그림 41) 모冒의 구조와 종류

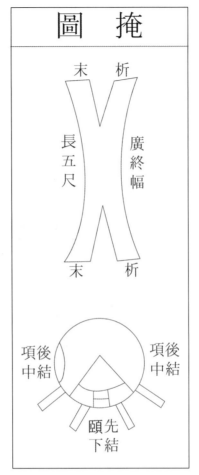

（그림 42) 엄掩

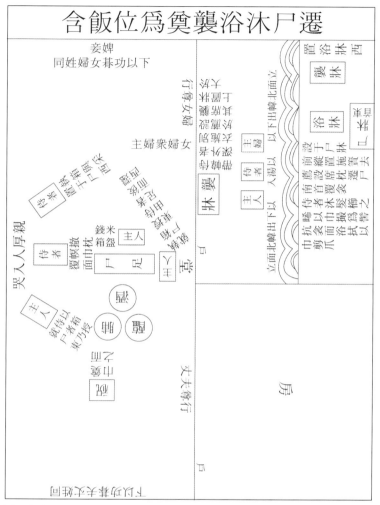

(그림 43) 시신을 옮겨 목욕시키고, 습襲을 하고, 전奠을 올리고, 자리를 정하고, 반함飯含하는 그림

重　圖

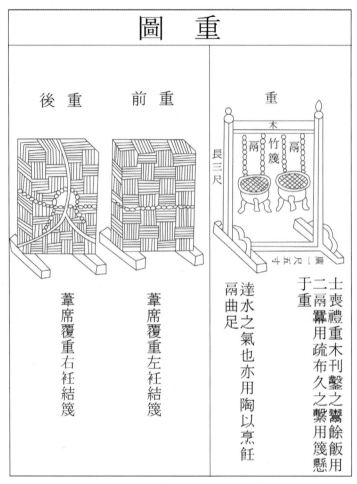

後重　　前重　　　　　重

長三尺　　一尺五寸

木　鬲　竹簽　鬲

士喪禮重木刊鑿之鬲餘飯用
二鬲羃用疏布久之繫用簽懸
于重

達水之氣也亦用陶以烹餁
鬲曲足

葦席覆重左衽結簽

葦席覆重右衽結簽

(그림 44) 중重

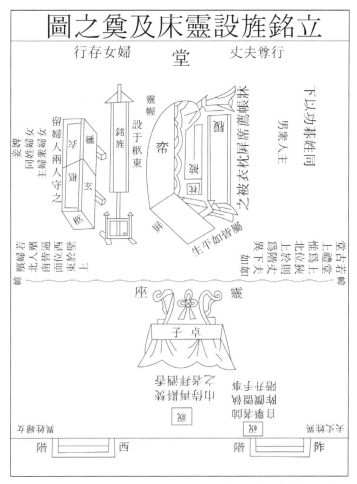

(그림 45) 명정銘旌을 세우고, 영상靈床과 전奠을 설치한 그림

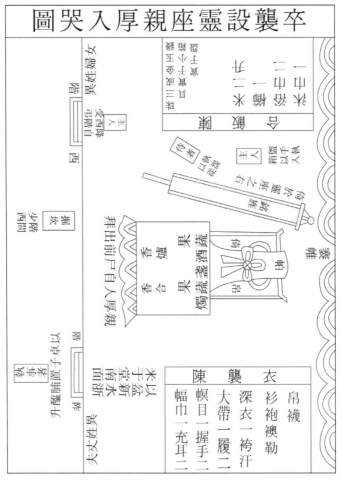

(그림 46) 습襲을 마치고 영좌靈座를 설치하고서 친분이 두터운 사람이 들어가 곡하는 그림

(그림 47) 약두掠頭(망건)

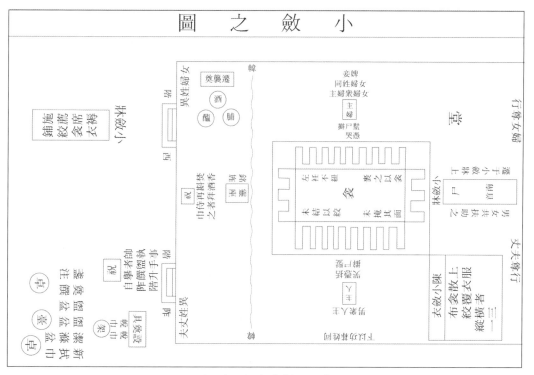

(그림 48) 소렴하는 그림

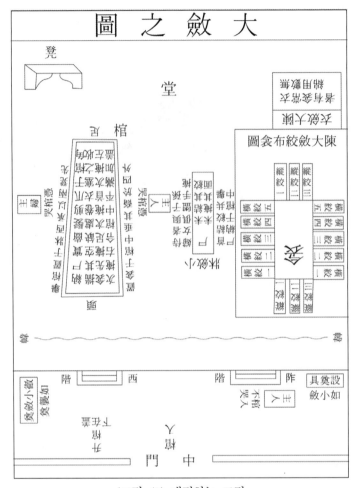

(그림 49) 대렴하는 그림

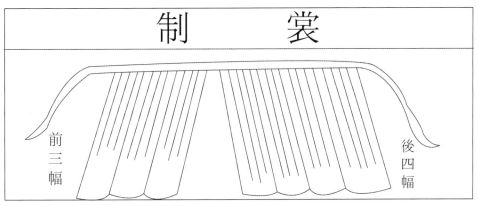

(그림 50) 상裳

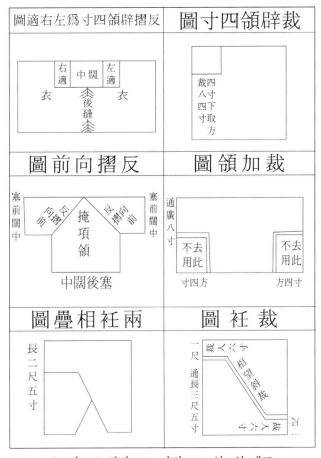

(그림 51) 벽령辟領·가령加領·임衽의 제도

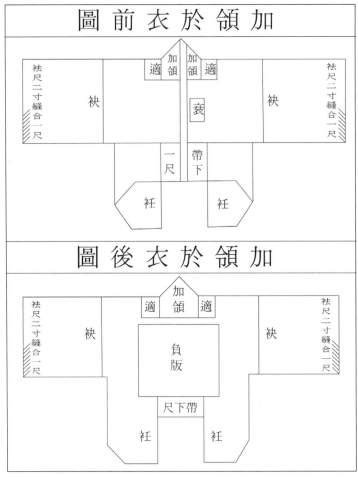

(그림 52) 가령加領

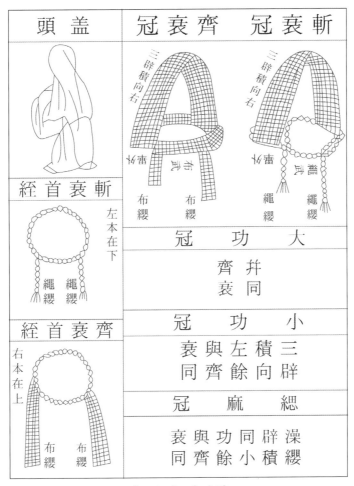

頭 盖	冠衰齊	冠衰斬

（그림 53) 관冠과 수질首絰

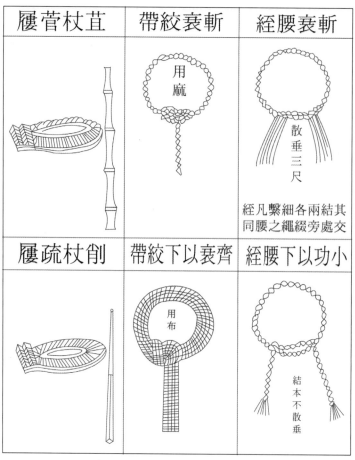

屨菅杖苴	帶絞衰斬	絰腰衰斬
	用麻	散垂三尺 絰凡繫細各兩結其 同腰之繩綴旁處交
屨疏杖削	帶絞下以衰齊	絰腰下以功小
	用布	結本不散垂

(그림 54) 요질腰絰·효대絞帶·간구菅屨

한중친속호칭韓中親屬呼稱[2]

				高祖母 4寸	高祖父 4寸				
			曾祖姑(族曾祖姑) 5寸	曾祖母 3寸	曾祖父 3寸	曾祖伯叔父母(族曾祖父母) 5寸			
		從祖姑(族祖姑) 6寸	祖姑(從祖祖姑) 4寸	祖母 2寸	祖父 2寸	祖伯叔父母(從祖祖父母) 4寸	從祖伯叔父母(族祖祖父母) 6寸		
	再從姑(族姑) 7寸	從姑(從祖姑) 5寸	姑 3寸	母 1寸	父 1寸	伯叔父母 3寸	從伯叔父母(從祖父母) 5寸	再從伯叔父母(族父母) 7寸	
三從姊妹(族姊妹) 8寸	再從姊妹(再從姑姊妹) 6寸	從姊妹(從父姊妹) 4寸	姊妹 2寸	妻 0寸	己 0寸	兄弟 2寸	從父兄弟 4寸	再從兄弟(從祖兄弟) 6寸	三從兄弟(族兄弟) 8寸
	再從姪女(從祖兄弟之女) 7寸	從姪女(從父兄弟之女) 5寸	姪女(兄弟之女) 3寸	婦 1寸	子 1寸	姪(兄弟之子) 3寸	從姪(從父兄弟之子) 5寸	再從姪(從祖兄弟之子) 7寸	
		從姪孫女(從父兄弟之孫女) 6寸	姪孫女(兄弟之孫女) 4寸	孫婦 2寸	孫 2寸	姪孫(兄弟之孫) 4寸	從姪孫(從父兄弟之孫) 6寸		
			曾姪孫女(兄弟之曾孫女) 5寸	曾孫婦 3寸	曾孫 3寸	曾姪孫(兄弟之曾孫) 5寸			
				玄孫婦 4寸	玄孫 4寸				

(그림 55) 한韓·중中 친속 호칭 비교 도표

2 위의 도표는 『家禮』와 『四禮便覽』의 친속 호칭을 기준한 것임. 두 책에서의 호칭이 다른 것은 『四禮便覽』의 것을 '( )' 안에 기록하여 구분하였음. 굵은 선 안의 친속은 『家禮』와 『四禮便覽』에서 동일한 친속 호칭임.

본종오복도³

남자로서 남의 후사가 된 사람이 후사된 집 사람들의 복을 입을 때는 한결같이 정복正服과 같다.

족자매 / 족형제	종조자매 / 종조형제	종부자매 / 종부형제	자매 / 형제의 딸	어머니·아내·며느리	나·아버지·아들	형제	백숙부모·종조부모	족부모·종조형제	족형제
					고조모 자최3월 승중 자최 3년 조組가 있으면 장기	고조부 자최 3월 승중 참최 3년			
			증조의 자매 족증조고 시마 시집가면 없음	증조모 자최 5월 승중 자최 3년 조組가 있으면 장기	증조부 자최 5월 승중 참최 3년	증조의 형제 족증조부모 시마			
		조부의 종자매 종조고 시마 시집가면 없음	조부의 자매 종조조고 소공 시집가면 시마	조모 자최 부장기 승중 자최 3년 조組가 있으면 장기	조부 자최 부장기 승중 참최 3년	조부의 형제 종조조부모 소공	조부의 종형제 족조부모 시마		
	부의 재종자매 족고 시마 시집가면 없음	부의 종자매 종조고 (종고모) 소공 시집가면 시마	고모 부장기 시집가면 대공	어머니 자최 3년 부(父)가 있으면 장기	아버지 참최 3년	백숙부모 부장기	부의 종형제 종조부모 소공	부의 재종형제 족부모 시마	
나의 삼종자매 족자매 시마 시집가면 없음	나의 재종자매 종조자매 소공 시집가면 시마	나의 종자매 종부자매 대공 시집가면 소공	자매 부장기 시집가면 대공	아내 자최 장기	나	형제 부장기 아내는 소공	나의 종형제 종부형제 대공 아내는 우리 법으로 시마	나의 재종형제 종조형제 소공 아내는 없음	나의 삼종형제 족형제 시마 아내는 없음
	나의 재종질녀 종조형제의 딸 시마 시집가면 없음	나의 종질녀 종부형제의 딸 소공 시집가면 시마	형제의 딸 부장기 시집가면 대공	며느리 맏이는 부장기 지차는 대공	아들 맏이는 참최 3년 지차는 부장기 출가녀는 줄임	형제의 아들 부장기 며느리는 대공	나의 종질 종부형제의 아들 소공 며느리는 시마	나의 재종질 종조형제의 아들 시마 며느리는 없음	
		나의 재종손녀 종부형제의 손녀 시마 시집가면 없음	형제의 손녀 소공 시집가면 시마	손부 맏이는 소공 지차는 시마 시어머니가 계시면 안함	손자 맏이는 부장기 지차는 대공 출가녀는 줄임	형제의 손자 소공 며느리는 시마	나의 재종손 종부형제의 손자 시마 며느리는 없음		
			형제의 증손녀 시마 시집가면 없음	증손부 맏이는 소공 지차는 없음 시어머니가 계시면 안함	증손 맏이는 부장기 지차는 시마 출가녀는 없음	형제의 증손 시마 며느리는 없음			
				현손부 맏이는 소공 지차는 없음 시어머니가 계시면 안함	현손 맏이는 부장기 지차는 시마 출가녀는 없음				

(그림 56) 본종本宗 5복五服의 그림

『광예람』	『가례』	『사례편람』
(二寸法 稱號)	(二寸法 稱號)	(二寸法 稱號)
兄·弟 姉·妹	兄·弟 姉·妹	兄·弟 姉·妹
(三寸法 稱號)	(三寸法 稱號)	(三寸法 稱號)
三寸叔父母 三寸姑母 三寸姪 三寸姪婦 三寸姪女 外三寸叔 外三寸叔母	伯叔父母 姑 姪 姪妻 姪女 舅, 母之兄弟[4] 母之兄弟婦人	伯叔父母 姑 兄弟之子 兄弟之子婦 兄弟之女 舅, 母之兄弟[5] 舅妻, 母之兄弟妻
(四寸法 稱號)	(四寸法 稱號)	(四寸法 稱號)
四寸兄弟, 四寸從兄弟 四寸從嫂, 四寸兄弟之妻 四寸姉妹 四寸祖父母 四寸大姑母 四寸孫 四寸孫婦 四寸孫女	從父兄弟 (上同) 從姉妹 祖伯叔父母 祖姑 姪孫 姪孫婦 姪孫女	從父兄弟, 己之從兄弟 (上同) 從父姉妹, 己之從姉妹 從祖祖父母, 祖父之兄弟 從祖祖姑, 祖父之姉妹 兄弟之孫 兄弟之孫婦 兄弟之孫女
(五寸法 稱號)	(五寸法 稱號)	(五寸法 稱號)
五寸叔父母	從伯叔父母	從祖父母, 父之從兄弟

· · · · · · · · · · · · · · · · · · · ·

3 본 그림은 조선 후기 李縡(1680~1746)의 『四禮便覽』에 수록된 내용으로, 「家禮圖」에서의 그것과 다소 차이를 보인다. 조부모 이상의 경우 承重했을 때 祖의 생존 여부에 따른 복제를 보충해 넣었고, 손자·손부 이하 역시 출가녀의 경우 및 '시어머니의 생존 시' 등 좀 더 구체적으로 서술하고 있다. 자최장기를 입는 아내의 경우는 '부모 생존 시 부장기'라는 항목을 없앴고, 특히 맏아들[長子]의 경우 「家禮圖」에서 참최 혹은 자최의 표기 없이 그냥 3년으로 되어 있는 것을 『四禮便覽』에서는 참최3년으로 명확히 표현하고 있다. 종부형제의 아내에 無服으로 되어 있는 것을 "아내의 경우 우리나라 제도에서는 시마복이다.(妻國制緦)"라는 내용으로 대체하였고, 자최3년복인 어머니의 경우는 "아버지 생존 시는 자최장기(1년)를 한다.(父在則杖期)"는 내용을 추가하였다. 아울러 출가한 從祖祖姑(조부의 자매, 가례도에서의 祖姑)는 無服에서 緦麻服으로, 출가한 고모 역시 小功服에서 大功服으로, 그리고 출가한 從父姉妹[從姉妹]는 시마복에서 소공복으로 한 단계 무겁게 적용시켰다. 뿐만 아니라 증손·현손은 緦麻服에서 맏이일 경우 不杖期로, 증손부·현손부는 無服에서 맏이일 경우 小功服으로 올려 입도록 했다. 이렇듯 그림 상에서 보았을 때 중국에서 형성된 「家禮圖」에서의 五服圖보다 조선 후기에 제작된 『四禮便覽』에서의 오복도가 일부에서 좀 더 무겁게 적용되어 있음을 알 수 있다.

五寸姑母	從姑	從祖姑, 父之從姉妹
五寸姪	從姪	從父兄弟之子, 己之從姪
五寸姪婦	從姪妻	從父兄弟之子婦, 己之從姪婦
五寸姪女	從姪女	從兄弟之女, 己之從姪女
五寸曾大父母	曾祖伯叔父母	族曾祖父母, 曾祖之兄弟
五寸曾大姑母	曾祖姑	族曾祖姑, 曾祖之姉妹
五寸孫	曾姪孫	兄弟之曾孫
五寸孫女	曾姪孫女	兄弟之曾孫女
(六寸法 稱號)	(六寸法 稱號)	(六寸法 稱號)
六寸兄弟	再從兄弟	從祖兄弟, 己之再從兄弟
六寸姉妹	再從姉妹	從祖姉妹, 己之再從姉妹
六寸大父母	從祖伯叔父母	族祖母, 父之再從兄弟
六寸大姑母	從祖姑	族祖姑, 祖父之從姉妹
六寸孫	從姪孫	從父兄弟之孫, 己之再從孫
六寸孫女	從姪孫女	從兄弟之孫女, 己之再從姪女
(七寸法 稱號)	(七寸法 稱號)	(七寸法 稱號)
七寸叔父母	再從伯叔父母	族父母, 父之再從兄弟
七寸姑母	再從姑	族姑, 父之再從姉妹
七寸姪	再從姪	從祖兄弟之子, 己之再從姪
七寸姪女	再從姪女	從祖兄弟之女, 己之再從姪女
(八寸法 稱號)	(八寸法 稱號)	(八寸法 稱號)
八寸兄弟	三從兄弟	族兄弟, 己之三從兄弟
八寸姉妹	三從姉妹	族姉妹, 己之三從姉妹

(그림 57) 방계·친속 호칭 도표傍系親屬號稱圖表

(한·중의 친속 호칭의 이동異同을 이해하기 위하여 위에 3종 전적에 나타난 표현을 비교 제시하였다. 비교의 편의상 촌법寸法이 표시된 『광예람廣禮覽』을 기준으로 하여 『가례家禮』, 『사례편람四禮便覽』의 호칭을 제시한다.)

* 자료출처 : 문옥표·이충구 역주, 『증보사례편람 역주본』, 한국학중앙연구원 출판부, 2014

· · · · · · · · · · · · · · · · · · · ·

4　舅 : 『家禮』의 外族母黨妻黨服圖에 의함. 外三寸叔母도 같음
5　舅 : 『便覽』의 外黨妻黨服之圖에 의함. 外三寸叔母도 같음

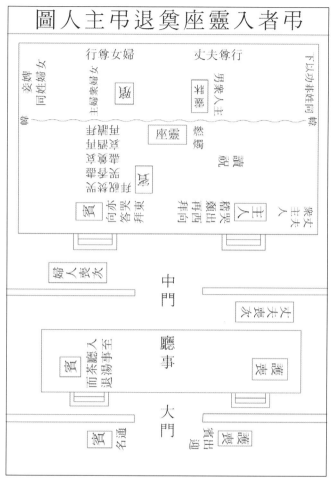

(그림 58) 조문자弔問者가 영좌에 들어가 전奠을 올리고 물러나 상주를 조문하는 그림

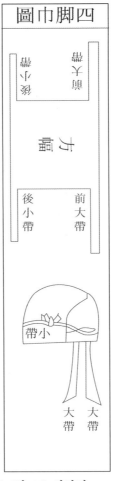

(그림 59) 사각건四脚巾

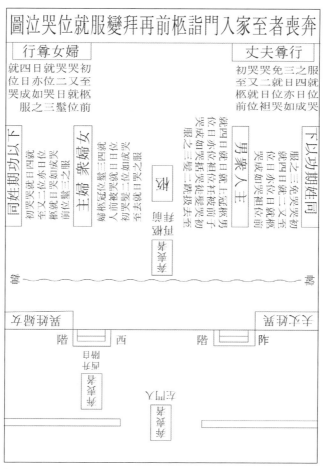

(그림 60) 분상자奔喪者가 집에 도착하여 대문으로 들어가 영구 앞에 가서 재배하고는 변복變服하고 자리에 나아가 곡읍하는 그림

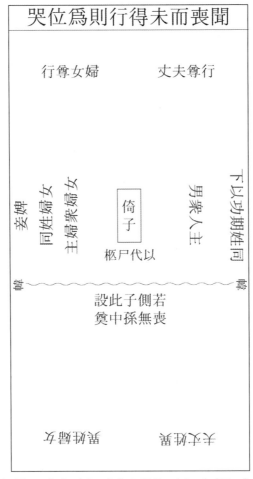

(그림 61) 부모의 상을 듣고 아직 길을 떠나지 못한 경우 자리를 마련하여 곡을 하는 그림

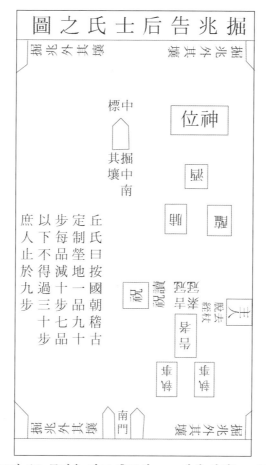

(그림 62) 무덤을 파고 후토씨后土氏에게 아뢰는 그림

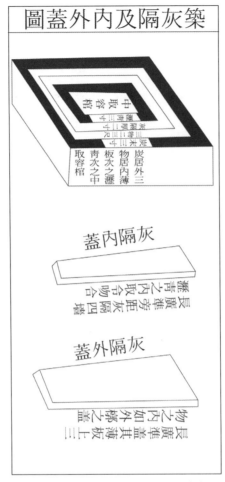

(그림 63) 회격灰隔과 안팎 덮개를 축성하는 그림

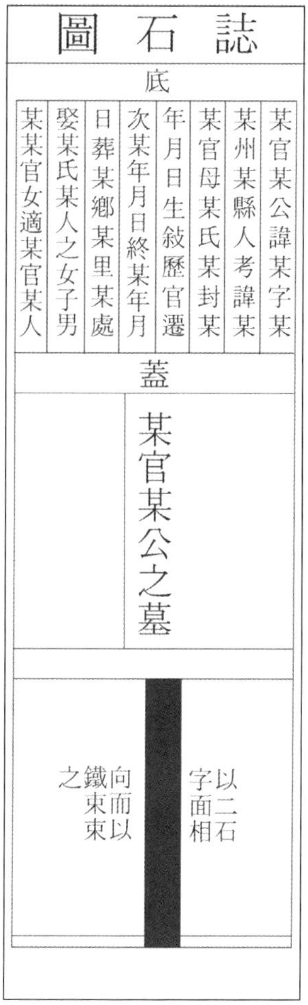

誌石圖

底

某官某公諱某字某
某州某縣人考諱某
某官母某氏某封某
年月日生敍歷官遷
次某年月日終某年月
日葬某鄉某里某處
娶某氏某人之女子男
某某官女適某官某人

蓋

某官某公之墓

以二石字面相向而以鐵束束之

(그림 64) 지석誌石

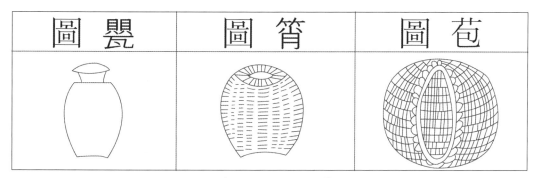

圖罌　　圖笤　　圖苞

(그림 65) 포苞·소笤·앵罌

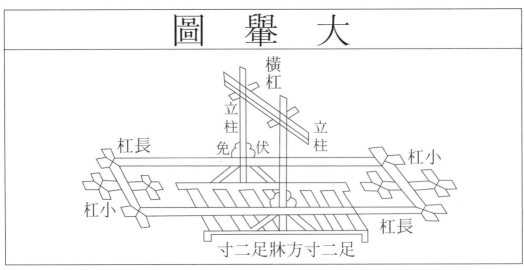

(그림 66) 대여大轝

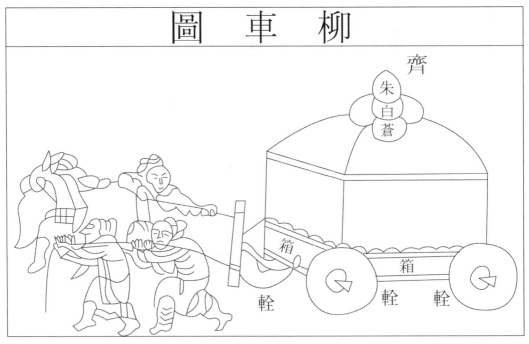

(그림 67) 유거柳車

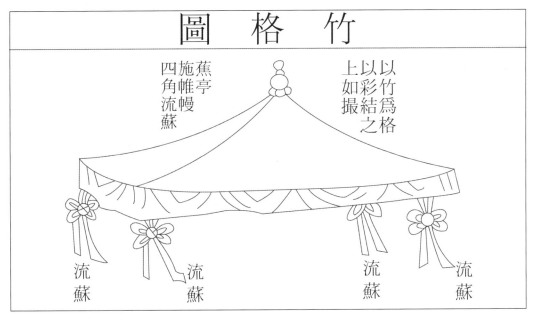

圖 格 竹

以竹爲格
以彩結之
上如撮

蕉亭帷幔
施帷幔
四角流蘇

流蘇　流蘇　流蘇　流蘇

(그림 68) 죽격竹格

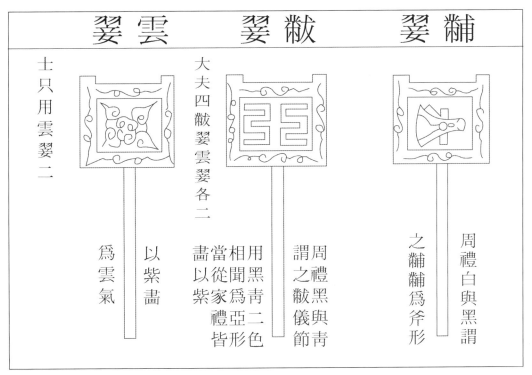

翣雲　　翣黻　　翣黼

士只用雲翣二

大夫四黻翣雲翣各二

為雲氣

以紫畫

畫以紫
當從家禮
相聞為亞形
用黑青二色
皆

謂之黻儀節
周禮黑與青

之黼黼為斧形
周禮白與黑謂

(그림 69) 보삽黼翣·불삽黻翣·화삽畵翣[雲翣]

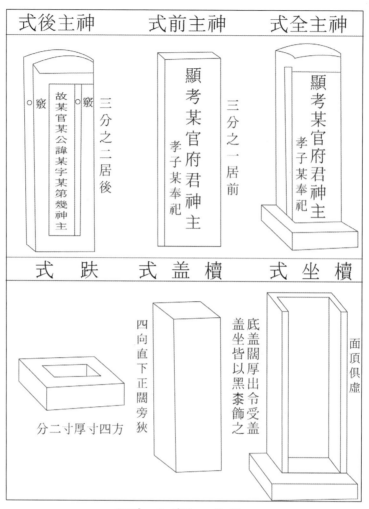

(그림 70) 신주神主와 독櫝

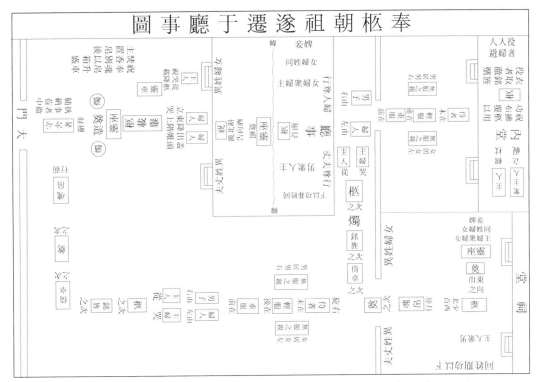

(그림 71) 영구靈柩를 모시고 사당祠堂을 찾아뵙고서 청사廳事에 옮기는 그림

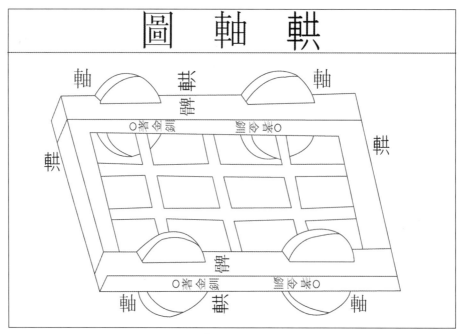

(그림 72) 공축輁軸

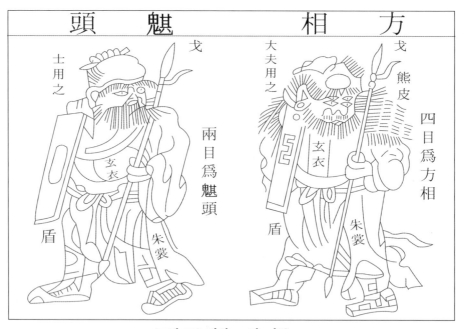

(그림 73) 방상方相과 기두魁頭

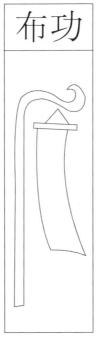

(그림 74) 공포功布

(그림 75) 발인發引하는 그림

(그림 76) 『오례의五禮儀』의 광壙 입구에 긴 장대를 놓고서 그 위에서 가로지른 장대를 제거
　　하면서 하관下棺하는 그림

(그림 77) 『오례의五禮儀』의 광壙 안의 곽槨 위에서 가로지른 장대를 제거하면서 하관下棺하는 그림

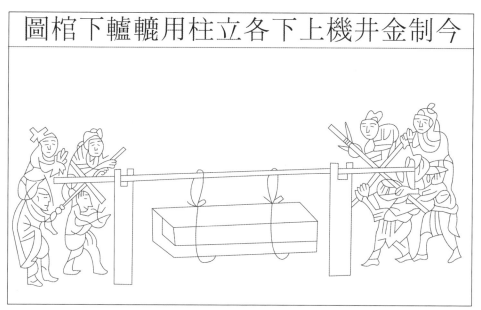

圖棺下轆轤用柱立各下上機井金制今

(그림 78) 오늘날 제도인 금정기金井機의 위아래로 각각 기둥을 세우고서 녹로轆轤(도르래)를
　　　　 이용하여 하관下棺하는 그림

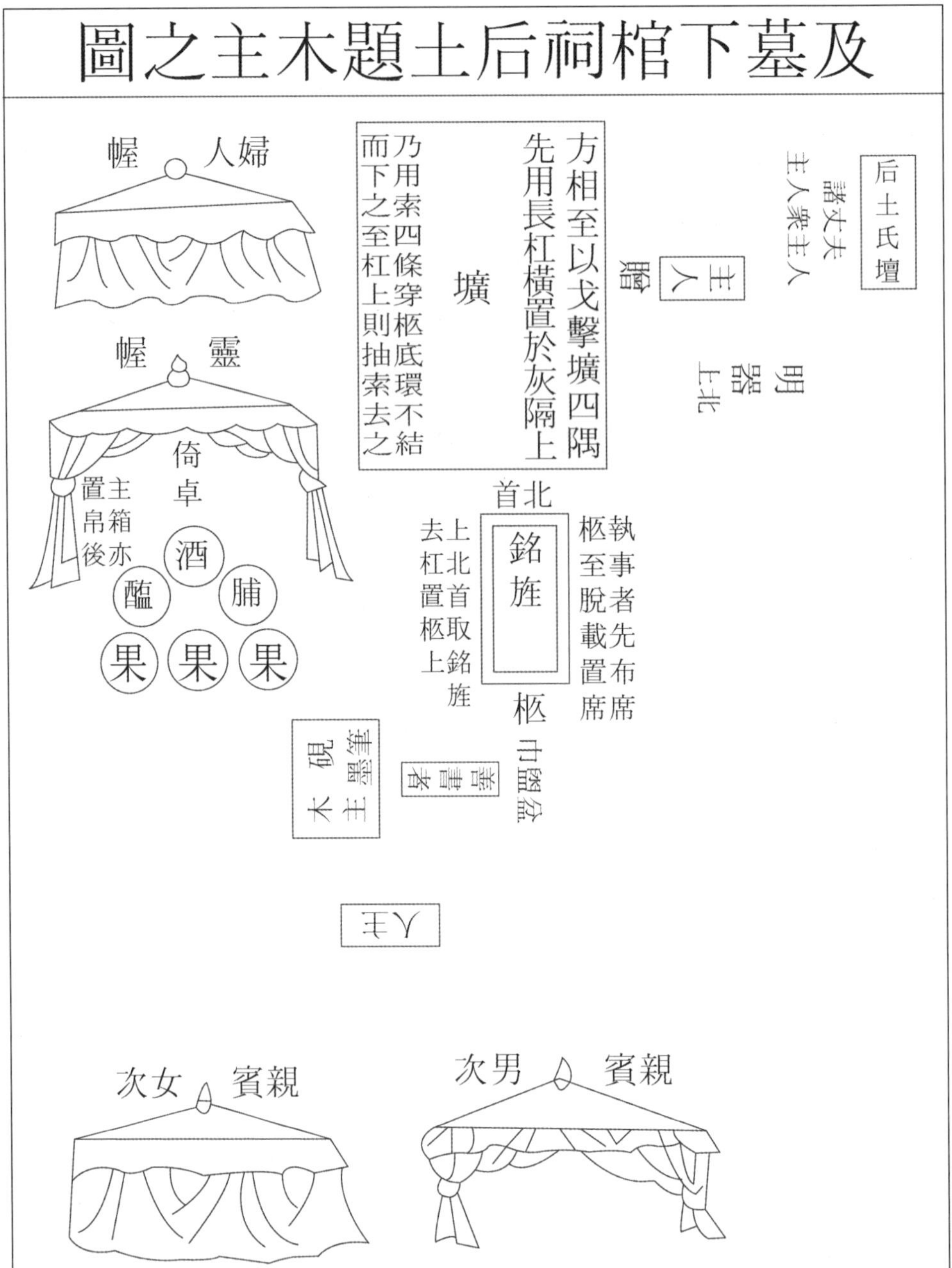

及墓下棺祠后土題木主之圖

婦人 幄

靈 幄

倚卓

置主箱後亦帛

酒

醯 脯

果 果 果

后土氏壇

諸丈夫主人衆主人

主人

明器上北

方相至以戈擊壙四隅
先用長杠橫置於灰隔上
乃用索四條穿柩底環不結
而下之至杠上則抽索去之

壙

贈

北首

銘旌

去上北首取柩上銘旌置柩上

執事者先布席
柩至脫載置席

柩 巾隔盆

硯 木 書靈座主 書者

丫王

次女 賓親

次男 賓親

(그림 79) 묘지에 도착하여 하관下棺하고, 후토신后土神에게 제사 지내고, 나무 신주神主에 글을 쓰는 그림

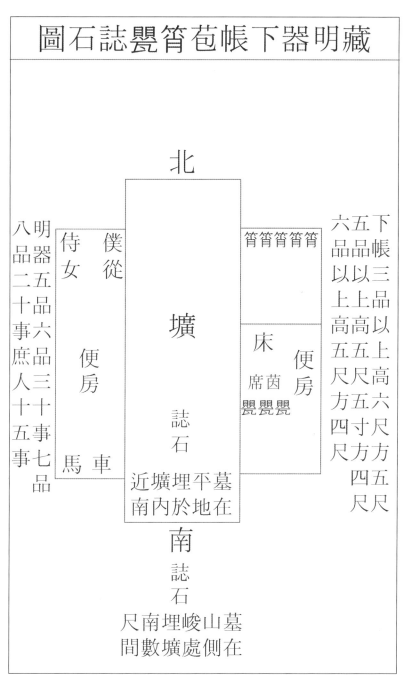

(그림 80) 명기明器·하장下帳·포苞·소筲·앵罌·지석誌石 그림

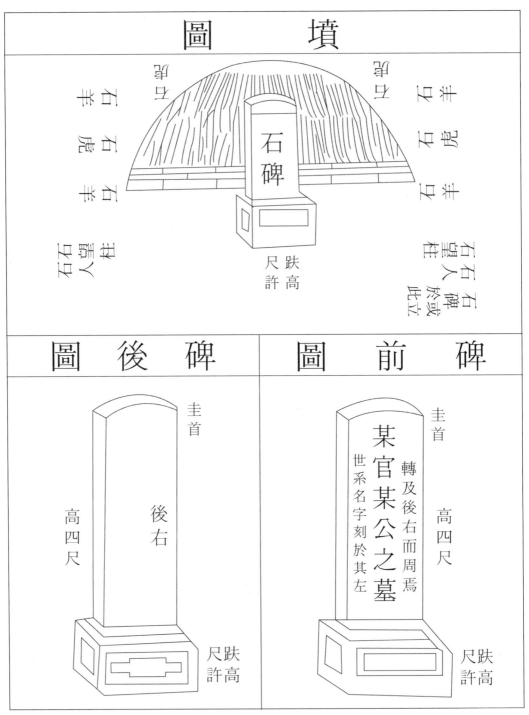

(그림 81) 묘분墓墳과 비석碑石

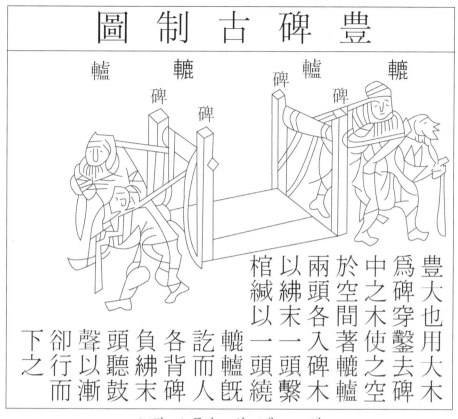

(그림 82) 풍비豊碑의 고제古制 그림

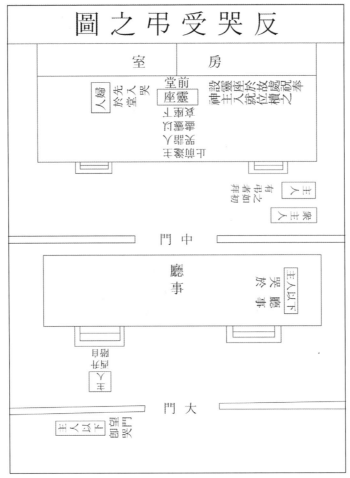

(그림 83) 반곡反哭한 다음에 조문을 받는 그림

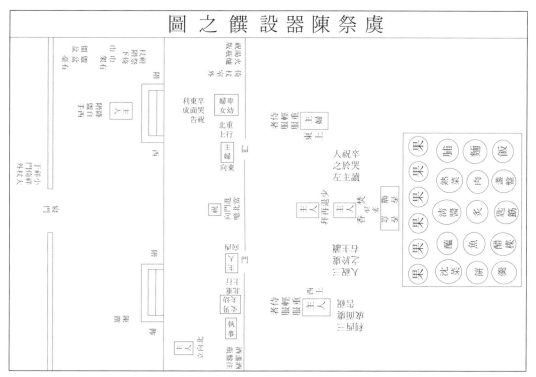

(그림 84) 우제虞祭에 기물器物과 음식을 진설하는 그림

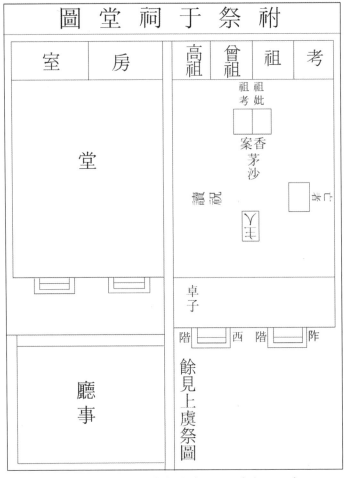

(그림 85) 사당祠堂에서 부제祔祭를 지내는 그림

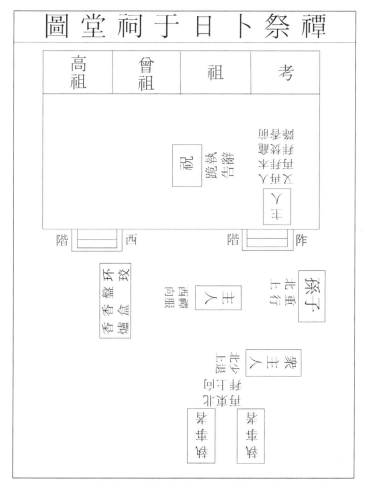

(그림 86) 사당祠堂에서 담제禫祭의 날짜를 점치는 그림

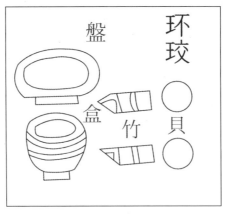

(그림 87) 배교环玟

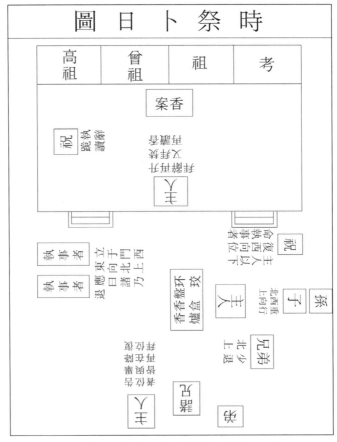

(그림 88) 시제時祭의 날짜를 점치는 그림

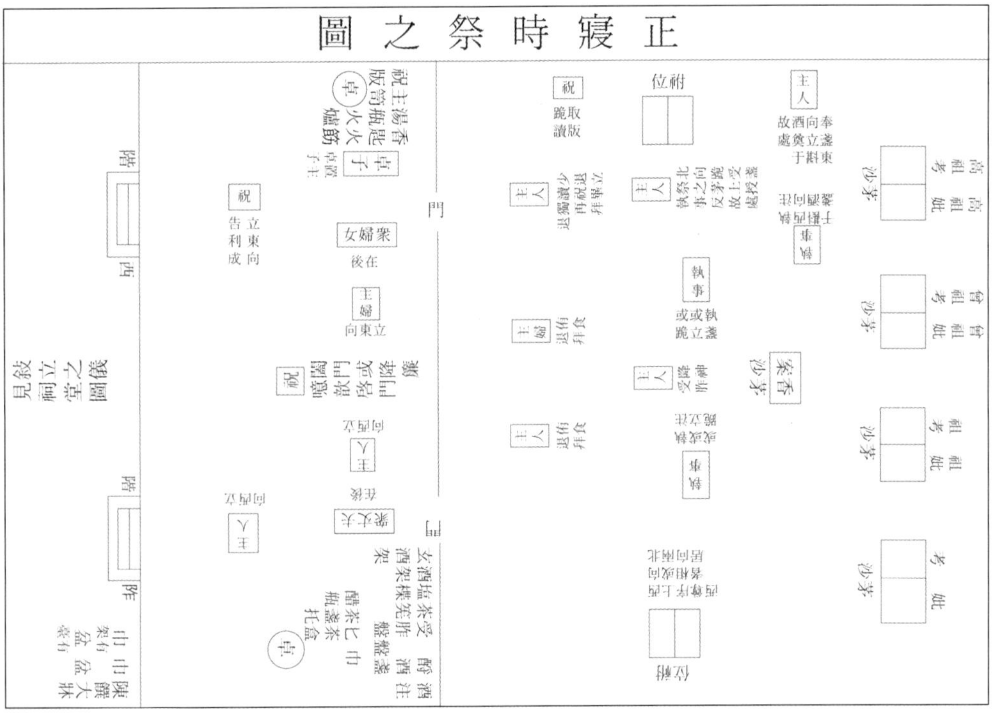

圖 之 祭 時 寢 正

(그림 89) 정침正寢에서 시제時祭를 올리는 그림

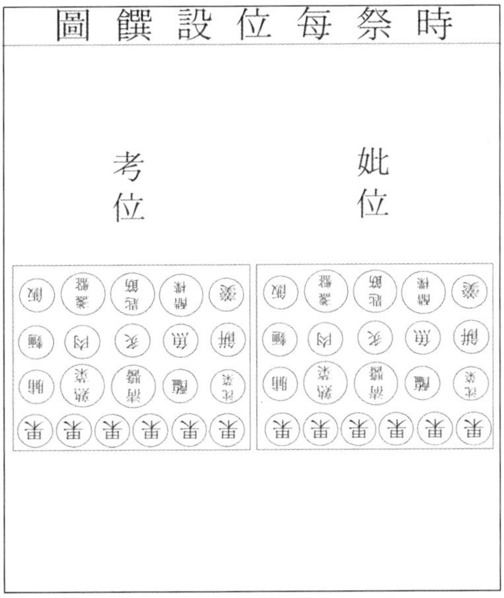

圖 饌 設 位 每 祭 時

考位　　　　　妣位

(그림 90) 시제時祭에 매 신위마다 음식을 진설하는 그림

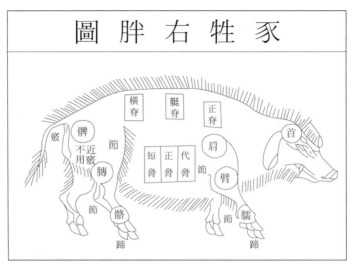

(그림 91) 희생犧牲에 쓰이는 돼지의 오른쪽 반胖

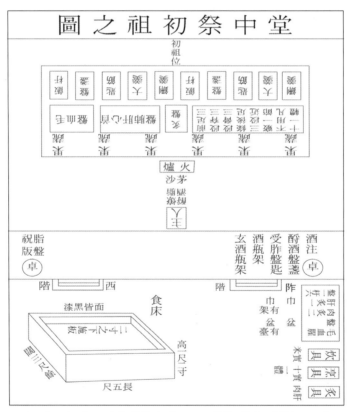

(그림 92) 당堂 가운데에서 초조初祖에게 제사 지내는 그림

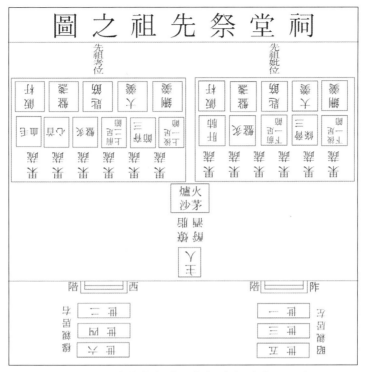

(그림 93) 사당에서 선조에게 제사 지내는 그림

해제解題

성리대전 권18~21 「가례家禮」 해제

Ⅰ. 서설

『가례家禮』는 흔히 『문공가례文公家禮』 혹은 『주자가례朱子家禮』로 불리는 예서禮書로서 중국 남송대인 1170년에 주자朱子(朱熹, 1130~1200)가 편찬한 것으로 알려져 있다. 그러나 본서는 곧 분실하였다가 1200년 주자가 사망한 날에 다시 발견되었다는 등으로 그 저술 과정에 애매한 점이 많아 주자의 저술 여부가 논란이 되기도 하였다. 그러나 『가례』는 주자의 제자 황간黃榦이 편찬한 「주자행장朱子行狀」에 실려 있고, 그 「가례서家禮序」는 문집인 『주문공문집朱文公文集』에 수록되어 있으며, 그 편찬 연도는 이방자李方子가 편찬한 「주자연보朱子年譜」에 명시되어 있다. 또 그 초고 본을 유실하고 다시 찾은 경위는 『가례』의 부록에 기록되어 있다. 이 때문에 원나라 때 편찬된 『송사宋史』 「예문지藝文志」에는 『가례』가 주자의 저서로 기록되었다. 그리고 명나라 초기에 편찬된 『성리대전』에 『가례』가 편입됨으로서 그 권위가 확고하게 되었다. 비록 청나라 때 왕무횡王懋竑(1668~1741)을 비롯한 고증학자들에 의해 한 때 주자의 저술이 부정되기도 하였지만, 학계에서는 아직도 주자의 저서로 보는 것이 통설이 되고 있다.

『성리대전』 권18~권21(전 4권)에 수록된 『가례』는 초기의 원본에 비해 그 체제와 내용이 상당히 다르다. 『가례』의 초기 형태를 잘 간직하고 있는 청나라 때의 사고전서四庫全書 본과 비교하면 그 차이를 잘 알 수 있다. 후자는 주자로 알려진 저자의 원문만을 수록하였고, 후세인들의 주석은 포함되어 있지 않다. 그러나 『성리대전』본 『가례』는 주자의 제자들을 비롯한 여러 학자들의 주석과 그 전대 학자들의 학설도 광범위하게 각주에 수록하였다. 또 사고전서본은 본문 5권과 부록 1권으로 되어 있지만, 『성리대전』본은 「가례도」 1권을 포함하여 모두 4권으로 되어 있다. 전자는 내용의 분량에 상관없이 통례通禮·관례冠禮·혼례婚禮·상례喪禮·제례祭禮를 각기 1권의 책으로 만들었지만, 후자는 「가례도」를 1권으로 하였고, 통례와 사례를 비슷한 분량으로 세 권에 나누어 수록하였다. 그래서 제2권에 통례·관례·혼례를 수록하였고, 제3권은 상례 앞부분, 제4권은 상례 뒷부분과 제례를 합쳐서 편찬하였다. 체제상의 가장 큰 차이는 원본에 없던 「가례도」 1권을 포함시킨 것이라고 할 수 있다.

『가례』는 여러 가지 문제점에도 불구하고 그 간결성·시의성·보편성·실용성·내용의 일관성 때문에 매우 인기가 높아 널리 보급되고 활용될 수 있었다. 무엇보다도 이것이 주자의 저술이라는 믿음 때문에 권위를 더하게 되었는데, 특히 조선에서 그러하였다. 『가례』는 주자 사후에 남송南宋 사회에 널리 전파되었고, 원나라 때는 중국 전역에 보급되어 사대부 사회의 표준적인 예서가 되었다. 그것은 중국 주변 국가들에도 전파되어 많은 영향을 주었지만 특히 우리나라에 크나큰 영향을 주었다. 14세기말에 고려에 전파된 『가례』는 양반 계층에 보급되면서 조선왕조를 유교 사회로 만드는데 기여하였다. 또 15세기에 왕실 의례와 사대부 사회의 표준적인 예서가 되었다.

『가례』가 수록된 『성리대전』은 1419년(세종 1년)에 우리나라에 수입되었고, 곧 국내에서 복간되었다. 조선에 보급된 『가례』의 판본은 다양하였지만, 『성리대전』 수록본이 학술적으로 가장 완비된 것이었다. 조선시대의 유학자들이 예학 연구에 주로 참고한 책도 바로 이 『성리대전』본 『가례』였다. 1632년(인조 10년)에 신식申湜이 저술한 『가례언해』도 바로 이 책을 저본으로 한 것이었다. 이 책은 조선의 『가례』 연구를 심화시키고 예학을 발전시키는 촉매가 되었다. 그리고 그것을 기반으로 양반 사회뿐만 아니라 서민 계층에도 유교 예속을 확산시키는 데 크게 기여하였다.

Ⅱ. 『가례』의 예학적 배경과 저술 경위

중국의 전통적인 예법은 주周나라 시대에 마련된 이념과 체계를 바탕으로 한漢나라 초기에 『의례儀禮』·『주례周禮』·『예기禮記』의 삼례三禮로 정비되어 고전예학의 토대를 마련하였다. 이후의 예제禮制는 주로 국가·왕실의 의례를 중심으로 발달하였는데, 당 현종玄宗대에 편찬된 『대당개원례大唐開元禮』는 이를 집대성한 것이다. 왕조의 예법은 후에 계속 보완되어 『대명집례大明集禮』·『대명회전大明會典』 등으로 발전하였다. 조선시대에 편찬된 『국조오례의國朝五禮儀』도 이러한 종류의 왕조예서이다. 국가전례를 중심으로 한 중국의 전통예제는 기본적으로 천자·제후 및 왕족·공족公族들의 의례를 제도화한 것이었다. 따라서 그것은 봉건사회 혹은 귀족사회의 예제라고 할 수 있으며 강한 신분적 차별성을 내포하게 마련이었다.

중국에서는 남북조시대에 이르러 이민족夷民族의 침입과 이로 말미암은 사회변동으로 전통예법에 큰 혼동이 야기된 가운데 『서의書儀』라는 형태로 『가례』를 정리하려는 경향이 나타나게 되었다. 특히 당말~송대에 이르러 대농장이 붕괴됨에 따라 귀족사회가 해체되고 중소지주 출신의 사대부 계층이 중국사회의 중심을 형성하면서 예제에 있어서도 본격적으로 왕조례와 구별되는 사대부 계층 자신들의 고유 예속을 강구하게 되었다. 이러한 욕구와 필요에 의해 연구 발전된 새로운 예학체계는 송나라 때 정리되었는데, 사마광司馬光의 『서의』와 주희의 『가례』가 그 대표적 산물이었다. 중국 예학사禮學史에서의 이러한 변화는 또한 당시 중국 유학사에서의 대변동, 즉 신유학으로 불리는 성리학의 등장과 일치하는 것으로, 이 역시 중소지주층 사대부사회의 지배이념 위에서 이룩된 철학체계였다. 『가례』로 대표되는 신유학은 송대 사대부 계층의 신유학이 남긴 유산이라고 할 수 있다.

『가례』는 1170년 9월에 주자가 모부인 축씨祝氏의 상을 당하여 상장례喪葬禮를 치르면서 고금늄수의 예법을 참작하여 상제례喪祭禮를 저술하고, 이어 관례와 혼례를 합쳐 하나의 책으로 만들고 『가례』라 하였다고 한다. 그런데 『가례』가 완성된 지 얼마 후에 주자가 어느 절간에 있을 때 그 초고를 어린 아이 하나가 훔쳐 달아나 행방을 알 수 없게 되었다. 그러다가 1200년 4월 주자가 사망한 후에 비로소 세상에 나왔다는 것이다. 주자는 자신이 저술한 『가례』 초고가 미비한 점이 많고, 특히 주자의 만년의 예설과 다른 점이 일찍이 많아 제자들에게 한 번도 말하지 않았다고 한다.

1211년(가정 신미년) 주자의 막내아들 주경지朱敬之가 온릉溫陵[현재의 福建省 泉州] 군수로 있을 때 주자의 제자였던 이방자李方子가 찾아가자, 주경지는 『가례』 한 질을 내 보이면서 "이 책이 예전에 절에서 잃어버렸던 책이다. 어떤 선비가 그것을 베껴 가지고 있다가 부친이 돌아가시던 날 가지고 왔다."고 하였다. 이러한 곡절을 겪은 끝에 『가례』는 세상에 나오게 된 것이다.

이에 대해 양복楊復은 말하기를, "『가례』가 완성되자마자 분실되어 다시 교정하지 못하였다. 선생이 돌아가시자 그 책이 비로소 세상에 나왔다. 내가 선생이 만년에 예법을 고증하고 수정하시던 의논을 정리하여 여러 붕우들에게 주어 참고하게 하였다."고 하였다. 양복이 정리했다는 것은 곧 그의 『가례부주家禮附註』를 말하는 것으로 생각된다.

『가례』의 저술에 대하여는 제자 황간黃榦이 편찬한 「주자행장朱子行狀」에 실려 있고, 그 「가례서家禮序」는 문집인 『주문공문집朱文公文集』에 수록되어 있다. 그리고 『가례』의 편찬 연도는 이방자李方子가 편찬한 「주자연보朱子年譜」에 실려 있다. 『가례』를 유실하고 다시 찾은 일의 내막은 『가례』 부록에 기록되어 있다. 원나라 때 편찬된 『송사宋史』 「예문지藝文志」에도 『가례』가 주자의 저서로 되어 있다. 명나라 초기에는 『가례』가 『성리대전』에 편입됨으로서 그 권위가 확고하게 되었다고 할 수 있다.

『가례』는 제자인 요자회廖子晦와 진안경陳安卿이 모두 판각하였고, 양복이 부주附註를, 유해손劉垓孫이 증주增注를, 유장劉璋이 보주補註를 달아, 내용을 수정하고 보완하였으므로 그 권위가 더욱 높아져 널리 배포되게 되었다. 이 때문에 『가례』는 그 저술과 관련된 우여 곡절에도 불구하고 주자의 작품으로 굳어지게 되었다.

Ⅲ. 『가례』의 주자朱子 저술 여부에 대한 논란

『가례』는 그 저술과 유실 및 재발견 과정에 석연치 못한 점이 있고 그 내용에 있어서도 주자의 말년 정론과 어긋나는 내용들이 많아 그것이 과연 주자의 저술인지 의심스러운 점이 없지 않았다. 그리고 주자의 아들인 주경지나 제자들인 이방자李方子와 양복 등의 말과 태도에도 애매한 점이 없지 않았다. 그러나 송나라 이래 중국 역대 왕조에서 『가례』를 존중하여 준용하기를 경전과 같이 하였으므로, 그것이 주자의 저술이라는 것을 의심하는 사람은 없었다.

그러나 원나라 때의 학자 응모씨應某氏가 처음으로 「가례변家禮辨」을 지어 주자의 저술 여부에 대한 의심을 제기하였으나, 그의 「가례변」은 후세에 전하지 않고 명나라 때 문연각文淵閣 대학사大學士였던 구준丘濬이 저술한 『가례의절家禮儀節』에 부분적으로 인용되었을 뿐이다. 그의 반대 주장은 주자의 「삼가예범발문跋三家禮範」에 근거를 두었으나, 소략한 점이 많아 세상 사람들의 의혹을 풀기에 부족하였고, 구준도 그의 설을 인용하기는 하였으나 신뢰하지는 않았다. 다만 구준의 『가례의절』에서도 『가례』의 부분적인 내용에 대하여 의문을 제기하여 오류 수십조를 지적하기는 하였지만, 주자의 저술을 의심한 것은 아니었다.

『가례』의 주자 저술 여부에 대한 본격적으로 이의를 제기한 사람은 청나라 때의 학자 왕무횡王懋竑(1668~1741)이었다. 그는 『백전잡저白田雜著』「가례고家禮考」에서 『가례』는 결단코 주자의 저술이 아니며, 송나라 때 어떤 자가 주자의 이름을 가탁하여 지은 것이라고 강변하였다. 청 건륭제乾隆帝 때 편찬한 사고전서四庫全書의 『가례』 제요提要에는 왕무횡의 설을 그대로 채택하였다. 다만 『가례』가 주자의 저술이 아닌 것은 분명하지만, 원나라 명나라 이래로 세상에서 그렇게 알고 사용해 오고 있으므로 우선 저자의 이름을 그대로 둔다고 하였다.

왕무횡은 청나라 강희~건륭 연간에 활동하였던 유학자로, 진사에 급제하고 한림원 편수編修를 지냈으나 곧 사퇴하고 향리에서 일생을 마쳤다. 그는 평생 주자 연구에 골몰하고 존숭했던 경건한 주자 학도였다. 그러나 그는 오랜 기간 주자의 저술들을 검토한 끝에 『가례』와 『역본의구도易本義九圖』가 주자의 저술이 아니라고 결론지었다. 그는 「가례고家禮考」·「가례후고家禮後考」·「가례고오家禮考誤」 등의 저술을 통해 『가례』가 결코 주자의 저술이 아니라고 극론하였고, 사고전서의 편찬자들도 그의 주장을 『가례』 제요에 그대로 수용하였다.

왕무횡이 『가례』의 주자 저술 부정 근거는 대략 다음과 같은 것이었다.

첫째, 이방자가 지은 『주자연보』에는 『가례』가 경인년庚寅年(1170년) 모부인의 상중에 지었다고 하였지만, 「가례서」에는 연도를 기재하지 않았고, 거상 중의 일에 대해서 일언반구 언급하지 않았다. 『가례』 부록에는 진안경陳安卿이 주경지朱敬之의 말을 인용하여 "이 책은 예전 절에서 유실한 책인데, 후에 어느 선비가 베껴 온 것으로 주자가 돌아가신 날 비로소 가지고 왔다."고 하였지만, 그 선비가 누구인지, 그것을 어디서 얻게 되었는지는 말하지 않았다.

둘째, 면재 황간黃榦이 지은 「주자행장」에서는 다만 "주자가 편집하신 『가례』가 세상에서 준용되고 있는데, 그 후에 예설을 많이 고쳤으나 책을 다시 편찬하지는 못하였다."고 하였다. 그는 모친상 때 저술하였다고 말하지도 않았고, 또 그 책을 분실하고 다시 찾은 사실도 말하지 않았다. 『가례』의 후기後記에도 역시 그렇게 하였다. 주경지는 주자의 아들이고, 이방자·황간·진안경은 모두 주자의 높은 제자들인데, 그들의 말에 착오가 있으므로 증거로 삼을 수 없다.

셋째, 문집을 보면 주자가 왕상서汪尙書·장경부張敬夫·여백공呂伯恭에게 보낸 편지에 「제의祭儀」와 「제설祭說」을 논하여 주고받은 내용이 매우 상세하다. 왕상서와 여백공에게 편지를 보낸 것은 임진년(1172)과 계사년(1173)이고, 장경부에게 보낸 편지도 역시 그 전후로 비정된다. 임진년과 계사년은 『가례』를 저술하였다는 경인년(1170)년과 겨우 2~3년 후이니, 『가례』가 이미 저술되었더라면 어찌 한 번도 언급하지 않고 단지 제의와 제설만 이야기 하였는가 하는 점이다.

넷째, 진안경은 "주자가 예전에 「제의」와 「제설」을 지었는데, 매우 간소하고 알기 쉬웠으나 이제 이미 망실되고 없다."고 하였으니, 이것은 망실된 것이 「제의」와 「제설」이고 『가례』가 아니라는 것이다.

다섯째, 문집과 어록에는 「가례서」 외에는 『가례』에 대해 한 마디 언급한 것이 없고, 오직 채계통蔡季通에게 보낸 편지에서만 "이미 「가례」 4권을 가져다 그대에게 보낸다."는 말이 있는데, 이것은 『의례경전통해』에 포함된 「가례」 6권 중에서 4권을 말하는 것이다.

여섯째, 갑인년(1194) 8월에 주자가 『삼가예범三家禮範』에 발문을 쓰면서 "내가 일찍이 사마광의 『서의』를 인용하고 여러 학자들의 저술을 참고하여 교정 증보해 다시 체제를 구성하여 후속 사업으로 하고자 하였으나, 내 질병을 생각해 보니 할 수 없을 것 같다. 훗날의 군자들 중에 반드시 내 뜻을 이루어줄 사람이 있을 것이다."라고 하였다. 갑인년은 경인년에서 20년도 더 지났으니, 경인년에 이미 『가례』가 저술되었다면 주자가 비록 나이가 많기는 하였지만, 어찌 모두 잊어버리고 여기서 이런 말을 하였겠는가 하는 점이다.

이러한 이유로 왕무횡은 위서가 작성된 경위를 추론하였는데, 그것은 어떤 자가 「삼가예범발문」을 기초로 하여 주자의 평소 지론과 비슷하게 모방해 만들었을 것이라는 것이다. 즉 주자가 위탁한 '훗날의 군자'를 자처하면서 주자를 가탁해 위서를 만들었을 것이란 것이다. 주자가 스스로 지었다고 하는 그 서문도 「삼가예범발문」과 비슷하기는 하지만, 이른바 『가례』와는 합치하지 않는 점이 있다. 『가례』에서는 종법宗法을 매우 중시하였는데, 이는 이정二程·장재張載·사마광司馬光이 언급하지 않았던 것이고, 「가례서」에서도 일언반구 없으며 「삼가예범발문」에도 없었던 내용이다. 그 연보에서 '모친상 때 지은 것'이라고 한 것은 추측하여 붙인 말이라고 보았다.

왕무횡의 추론에 의하면 주경지의 말은 전해오는 말들을 깊이 생각하지 않고 전파한 것이며, 이방자는 주자의 만년 제자로서 초년의 일에 대하여는 자세히 알지 못하고 전해들은 것만 기록하여 만들었다는 것이다. 또 황간의 「주자행장」은 주자 사후 20여년 후에 저술한 것인데, 그때는 『가례』가 이미 사회에서 성행하고 있었고, 또 주경지가 전해들은 말도 있어 공공연히 그 잘못을 말하지 못하였다는 것이다. 왕무횡에 의하면 주자가 『삼가예범三家禮範』의 발문을 지으면서 『의례경전통해』가 완성되지 못한 것을 천추의 한으로 여겼으니, 여기에 주자의 진정한 뜻이 있다는 것이다.

왕무횡은 주자의 「연보」・「행장」・『주문공문집』・『주자어류』에 수록된 문헌들을 두루 고찰하여 『가례』가 주자의 저술이 아님을 「가례고家禮考」・「가례후고家禮後考」・「가례고오家禮考誤」에서 논증하고 조항마다 상세한 주석을 붙였다. 그리고 원나라 학자 응씨와 구준의 『가례의절』의 자료도 역시 부록으로 붙였다.

이러한 왕무횡의 논증은 매우 치밀하고, 또한 그가 평생 주자를 존숭하여 연구하였던 학자였으므로 그의 주장은 설득력이 있다고 할 수 있다. 그리고 오늘날 그의 주장에 동조하는 학자들도 많다. 그러나 학설이란 초년과 말년에 달라질 수도 있는 것이고, 왕무횡의 주장도 결정적인 증거를 제시한 것은 아니었다. 그래서 사고전서의 편찬자들이 그러하였던 것처럼 『가례』의 주자 저술은 이미 광범하게 인정되고 있고, 수백년동안 사람들이 그렇게 믿어왔으므로 아직은 그렇게 인정할 수밖에 없을 것 같다.

Ⅳ. 『성리대전』의 『가례』 체제와 내용

명나라 초기인 1415년(永樂 13)에 편찬된 『성리대전』의 권18~권21(전 4권)에 수록된 『가례』의 체제와 내용 편성은 『문공가례文公家禮』로 알려진 초기의 원본과 그 체제가 매우 다른 것을 알 수 있다. 남송 때 출간되기 시작한 『가례』의 초기 간본은 청나라 때 사고전서四庫全書를 편찬할 때 수집하여 고증을 거쳐 수록되었다. 그에 의하면 『가례』는 주자로 알려진 원 저자의 원문만을 수록하였고, 후세인들의 주석은 포함되어 있지 않다. 현재의 사고전서본에 의하면 『가례』는 본문 다섯 권에 부록 한 권을 더하여 모두 여섯 권으로 되어 있다. 제1권 앞에는 별도로 제요提要와 가례서家禮序가 붙어 있다. 권별 편차는 제1권 통례通禮, 제2권 관례冠禮, 제3권 혼례婚禮, 제4권 상례喪禮, 제5권 제례祭禮로 되어 있어 통례와 사례四禮(관혼상제)의 유형별로 편차되어 있다. 이것은 수록한 내용의 분량에 구애받지 않고 예의 유형에 따라 각기 한 권으로 편차한 것이다. 그래서 제2권 관례는 판본이 모두 일곱 장이며 제4권 상례는 모두 48장이지만 각기 한 권으로 만든 것이다.

그러나 성리대전은 모두 네 권으로 편차하였는데, 원본에 없었던 「가례도」를 한 권으로 하였고, 통례와 사례를 모두 세 권에 나누어 수록하였다. 그래서 제2권에 「가례서家禮序」, 통례通禮[祠堂·深衣·司馬氏居家雜儀]·관례·혼례를 수록하였고, 제3권은 초종初終~반곡反哭 부분의 상례, 제4권은 우제虞祭~거상잡의居喪雜儀 부분의 상례와 제례를 합쳐서 편찬하였다. 이 때문에 각권의 분량은 대체로 판본 19~29장으로 고르게 배분되어 있다. 이는 내용의 분량에 맞추기 위해 본래의 책권을 나누거나 합친 것으로 원본과는 매우 다른 체제가 되었다. 표 1은 성리대전본과 사고전서본의 『가례』 체제를 비교한 것이다.

〈『가례』의 체제 비교표〉

권 (성리대전 권)	『성리대전』본(판본 장수)	사고전서본(판본 장수)
		제요(5장), 가례서(2장)
1 (18)	가례도(19장)	통례(사당, 심의, 사마씨거가잡의) (16장)
2 (19)	가례서, 통례(사당, 심의, 사마씨거가잡의), 관례, 혼례(28장)	관례(7장)
3 (20)	상례(초종~반곡)(29장)	혼례(9장)
4 (21)	상례(우제~거상잡의), 제례(사시제~묘제)(24장)	상례(초종~거상잡의)(48장)
5		제례(사시제~묘제)(15장)
부록		가례부록(24장)

내용의 편성에 있어서도 『성리대전』본은 원본과는 다르게 원문 외에도 사마광의 「서의書儀」 양복의 부주附註, 유해손劉垓孫의 증주增註, 유장劉璋의 보주補註, 구준의 의절儀節 및 이정二程, 장재張載, 채연蔡淵 등의 해설을 각주에 함께 수록하였다. 이는 대전大全이라는 책의 편찬 체제 자체가 관련 학설들을 종합 집대성하는 것이므로 당연한 일이라 하겠다.

성리대전 본 『가례』의 가장 큰 특징은 원본에 없는 「가례도」를 제1권에 붙인 것이다. 수록된 도판은 모두 29종으로, 그 제목은 아래와 같다.

이 「가례도」의 작자가 누구인지는 알려져 있지 않다. 구준의 『가례의절』에서는 이 「가례도」의 설명문과 『가례』 본문과 서로 맞지 않는 곳이 많음을 아래와 같이 지적하였다.

첫째, 본문의 통례通禮에는 '사당祠堂을 세운다.' 하였는데, 도에서는 '가묘家廟를 세운다.'고 하였다.

둘째, 본문의 심의 제도深衣制度에서는 치관緇冠의 주에 '관冠의 양梁은 무武를 덮고서 그 끝을 구부린다.'고 하였는데, 도에서는 '무의 위에 양을 덮어씌운다.'고 하였다.

셋째, 본문에는 '흑리黑履'라고 하였는데, 도 아래의 주에서는 '흰색을 쓴다.'고 하였다.

넷째, 본문의 상례喪禮에는 습의襲衣를 진설할 적에 질質과 쇄殺를 쓰지 않는다고 하였는데, 도에서는 진설한다고 하였다.

다섯째, 본문의 '대렴大斂'조條에는 포효布絞의 수를 말하지 않았는데, 도에는 수가 나와 있다.

여섯째, 본문의 '대렴'조에는 관棺 속에서 효絞를 묶는다는 글이 없는데, 도 아래의 주에서는 관 속에서 묶는다고 한 것이다.

조선시대의 예학자 사계沙溪 김장생金長生도 『가례집람家禮輯覽』에서 「가례도」가 『가례』 본문과 다른 점을 13가지나 지적하고, 그것이 결코 주자가 만든 것이 아님을 주장하였다. 사계의 지적 중에 대표적인 것은 사당도祠堂圖 아래에 나오는 "자손들이 순서대로 서 있다."고 한 부분이 본문과 서로 맞지 않는 점, 본문에서는 관례冠禮의 공복公服과 조삼皁衫과 심의深衣에 대하여 "옷깃을 동쪽으로 하되, 북쪽을 위로 한다."고 하였는데, 「가례도」에서는 "옷깃을 서쪽으로 하되, 남쪽을 위로 한다."고 한 점, 본문에서는 빗·머리끈·망건에 대하여 "자리의 왼쪽에 놓아둔다."고 하였는데, 도에서는 "오른쪽에 놓아둔다."고 한 점 등등 13가지나 되었다.

이외에도 사계는 본문과 「가례도」가 같지 않은 곳이 매우 많으며, 「가례도」의 신주神主 만드는 법식에 '대덕大德(1297~1307)'이란 글자가 들어 있는 것을 근거로 이는 주자가 만든 것이 아님이 분명하다고 하였다. '대덕'은 바로 원나라 성종成宗의 연호였으므로, 사계는 이를 미루어 「가례도」가 원나라 때 만든 것으로 추정하였다. 우복愚伏 정경세鄭經世는 가례도家禮圖를 양복楊復이 만든 것으로 보았는데, 이는 그가 『의례경전통해』의 「상복도식喪服圖式」 '최제衰制' 해설에 "이 도식은 선사先師 주문공의 『가례』를 근거로 해서 만든 것이다."고 하였기 때문이다. 명나라의 구준도 「가례도」를 양복이 만든 것으로 추측하였다, 사실 원나라 때는 이미 『찬도집주纂圖集注』라는 책에 「가례」가 포함되어 있었다. 이 밖에도 『문공가례』라고 표제를 붙인 여러 종류의 『가례』들 중에는 도圖가 포함된 판본도 포함되어 있었다. 이러한 도판들이 집대성되어 『성리대전』의 「가례」에 반영된 것으로 생각된다.

V. 『가례』의 성격과 의의

『가례』는 하나의 예서로서는 비교적 소략한 편이며, 여러 가지 미비점을 가지고 있었다. 따라서 실제의 의례생활에 적용하는 데는 미흡함이 많았다. 이 때문에 중국에서는 주자 사후부터 명나라에 이르기까지 많은 주석서와 연구서들이 나타나게 되었다. 양복의 『가례부주家禮附註』, 유해손劉垓孫의 『가례증주家禮增注』, 유장劉璋의 『가례보주家禮補注』 및 구준丘濬의 『가례의절家禮義節』 등이 그것이다. 조선시대에는 김장생의 『가례집람家禮輯覽』, 유계兪棨의 『가례원류家禮源流』, 이재李縡의 『사례편람四禮便覽』, 이의조李宜祖의 『가례증해家禮增解』 등 많은 주석서와 연구서들이 나왔다.

『가례』는 여러 가지 문제점에도 불구하고 그 간결성·시의성·보편성·실용성·내용의 일관성 때문에 매우 인기가 높아 널리 보급되고 활용될 수 있었다. 무엇보다도 이것이 주자의 저술이라는 믿음 때문에 권위를 더하게 되었는데, 특히 조선에서 그러하였다. 이제 본서의 특성을 간략히 정리해본다.

첫째, 본서는 전체적으로 매우 간결하고 요령 있게 편집되어 있다. 「가례서」에서는 예의 근본과 실질에 힘쓰고 번잡한 문식은 되도록 간략하게 하였다고 하였다. 그러므로 본서에서는 번잡한 의장이나 세세한 절차 같은 것은 비교적 생략되어 있다. 이것은 『의례』나 『예기』와 같은 고례古禮는 말할 것도 없고, 사마광의 『서의』書儀와 비교해 보더라도 한층 간결하고 질박하다고 할 수 있다. 그 절차와 의장 도수가 간결하므로 이해와 실천이 용이하고 물자와 경비가 절약되어 가난한 사서인들이라도 그것을 행하는데 비교적 어려움이 적었다.

둘째, 본서는 남송 당시의 풍속과 국법을 많이 반영하여 시의성을 갖추고 있었다. 『의례』나 『예기』와 같은 고례는 편찬된 지 수천 년이 지났으므로 후세에 준행하기에는 어려움이 많았다. 『가례』는 이러한 시대적 변화를 반영하여 당시의 습속習俗을 수용함으로서 비교적 친근하고 실천을 용이하게 한 것이다. 이 점은 조선시대의 사대부 양반들에게도 역시 그러하였다. 2~3천 년

전의 중국 고례를 준행하는 것 보다는 4~5백 년 전의『가례』를 활용하는 편이 훨씬 용이하였을 것이기 때문이다.

셋째,『가례』에는 신분차별적 요소가 적어서 사회 여러 계층에 적용될 수 있는 보편성을 갖추고 있었다. 물론 본서는 송나라 때 경대부를 지낸 사마광의『서의』를 기초로 하였고, 주자 자신도 대부 급에 해당하는 관료 출신이었으므로 본서가 중국의 사대부계층을 위해 저술된 것은 틀림이 없다. 그러나 본서에는 고전 예서나 여러 왕조례王朝禮들과 달리 신분과 지위에 따른 예의 한계를 철저히 명시하지 않았다. 이러한『가례』의 신분초월성은 여러 계층에 보급될 수 있는 요인이 되었다. 특히 서민 계층에 유교 예속을 확산시키는 데 이러한『가례』의 보편성이 큰 역할을 한 것으로 보인다.

넷째,『가례』는 종법宗法의 원리를 강조함으로서 가족의 윤리와 종족의 결속을 중시하였다. 대종大宗과 소종小宗의 편성에 따라 제사의 상속을 엄격하게 하였고, 종자宗子의 권한과 지위를 존중케 함으로써 명분과 질서를 확립코자 하였다. 본서에는 전편에 걸쳐 종법의 이념이 흐르고 있다. 사당·제사·관례·혼례의 주관자는 모두 종손으로 되어 있고, 가문의 공동 재산도 모두 종손이 관리하게 하였다. 이러한 종법의 원리는 성리학적 사회질서의 기초가 되는 것이라고 할 수 있다. 조선시대『가례』의 보급은 사회의 여러 분야에 걸쳐 종법적 생활양상을 낳게 하였는데, 대가족제도·동족부락·제답의 설치·족보의 편찬 등이 모두 이러한 경향을 반영한 것이다.

『가례』는 그 저술과 분실 및 재발견 과정에 의아한 점들이 있고 주자의 저술이라고 단정하기도 어려운 점이 없지 않다. 또 그 내용이 소략하고 애매한 부분도 있으며 특히 주자의 만년 예설과 다른 점이 많아 문제로 지적되기도 하였다. 그러나 이 책은『송사宋史』「예문지」에서 주자의 저술로 인정되었고, 명나라 초기에『성리대전』에 수록되면서 권위를 더하게 되었고, 후세에 널리 전파되고 사용되었다.

『가례』는 주자 사후에 남송 사회에 널리 전파되었고, 원나라 때는 중국 전역에 보급되어 사대부 사회의 표준적인 예서가 되었다. 그것은 중국 주변 국가들에도 전파되어 많은 영향을 주었지만 특히 우리나라에 크나큰 영향을 주었다.『가례』는 14세기말에 고려에 전래하여 양반 계층에 보급되면서 조선왕조를 유교사회로 만드는데 기여하였다. 또 15세기에 왕실 의례와 사대부 사회의 표준적인 예서가 되었다.

『가례』가 수록된『성리대전』이 우리나라에 수입된 것은 1419년(세종 1년)으로, 이 때『사서오경대전』과 함께 성조 영락제의 하사품으로 들어왔다. 세종은 이 책들을 국내에 널리 전파하기 위해 다시 국내에서 간행하게 하였다. 이후『성리대전』은 경연經筵에서 강론되기도 하고, 학계에 널리 보급되면서 조선 성리학을 발전시키게 되었다. 조선에 보급된『가례』의 판본은 다양하였지만,『성리대전』수록본이 여러 주석서들을 집대성한 것이었으므로 학술적으로 완비된 것이었다. 1632년(인조 10년)에 신식申湜이 저술한 『가례언해』도 바로 이 책을 저본으로 한 것이었다. 이 『성리대전』본『가례』와『가례언해』는 조선의『가례』연구를 심화시키고 사계 김장생 등을 중심으로 예학을 발전시키는 촉매가 되기도 하였다.『가례』는 양반 사회뿐만 아니라 서민 계층에도 유교 예속을 확산시키는 데 크게 기여하였다.

性理大全 研究飜譯 役割 分擔表

卷	書名/大主題	飜譯	校閱	潤文	解題
	序・表	金在烈			尹用男, 金暎鎬
1	太極圖	尹用男			郭信煥
2~3	通書	李哲承			郭信煥
4	西銘	李哲承			李基鏞
5	正蒙 1	李哲承			李基鏞
6	正蒙 2	金炯錫			李基鏞
7~13	皇極經世書	沈義用			洪元植
14~17	易學啓蒙	尹元鉉			李善慶
18~21	家禮	秋琦淵			李迎春
22~23	律呂新書	尹元鉉			李善慶
24~25	洪範皇極內篇	秋琦淵			李迎春
26~27	理氣	李致億			李致億, 金演宰
28	鬼神	尹元鉉			李致億, 金演宰
29~31	性理 1~3	尹元鉉			李致億, 鄭相峯
32~34	性理 4~6	沈義用	共同研究員 李忠九	鄭修卿	李致億, 鄭相峯
35~37	性理 7~9	金炯錫			李致億, 鄭相峯
38	道統・聖賢	尹元鉉			沈義用, 金演宰
39~40	諸儒 1~2	金炯錫			沈義用, 金演宰
41~42	諸儒 3~4	沈義用			沈義用, 金演宰
43~45	學 1~3	李致億			沈義用, 鄭炳碩
46~48	學 4~6	沈義用			沈義用, 鄭炳碩
49~50	學 7~8	金炯錫			沈義用, 鄭炳碩
51	學 9	金昡炅			沈義用, 池俊鎬
52~54	學 10~12	尹元鉉			沈義用, 池俊鎬
55~56	學 13~14	李忠九			沈義用, 池俊鎬
57~58	諸子	金在烈			李忠九, 李相益
59~64	歷代	金在烈			李忠九, 李相益
65	君道	金在烈			李忠九, 李相益
66~69	治道	金在烈			李忠九, 李相益
70	詩・文	金在烈			李忠九, 池俊鎬

性理大全 研究飜譯 研究陣

▌研究責任者
　尹用男　성신여자대학교

▌共同研究員
　郭信煥　숭실대학교
　金演宰　공주대학교
　李基鏞　연세대학교
　李相益　부산교육대학교
　李善慶　조선대학교
　李迎春　국사편찬위원회
　鄭炳碩　영남대학교
　鄭相峯　건국대학교
　池俊鎬　서울교육대학교
　洪元植　계명대학교

▌專任研究員
　李忠九　단국대학교
　金在烈　단국대학교
　尹元鉉　고려대학교
　秋琦淵　성신여자대학교
　李哲承　조선대학교
　沈義用　숭실대학교
　金炯錫　경상대학교
　李致億　성균관대학교
　金昡昃　한국외국어대학교

▌研究補助員
　鄭修卿　성신여자대학교
　宣昌坤　성신여자대학교
　金洙廷　성신여자대학교
　金炫在　한국고전번역원
　朴智惠　서울노일중학교
　權處隱　성균관대학교
　徐政嬅　동방문화대학원대학교

완역 성리대전 ❹

초판 인쇄 2018년 7월 15일
초판 발행 2018년 8월 10일

역 주 자 | 윤용남·이충구·김재열·윤원현·추기연
　　　　　이철승·심의용·김형석·이치억·김현경
펴 낸 이 | 하운근
펴 낸 곳 | 學古房

주　　소 | 경기도 고양시 덕양구 통일로 140 삼송테크노밸리 A동 B224
전　　화 | (02)353-9908 편집부(02)356-9903
팩　　스 | (02)6959-8234
홈페이지 | http://hakgobang.co.kr/
전자우편 | hakgobang@naver.com, hakgobang@chol.com
등록번호 | 제311-1994-000001호

ISBN　　978-89-6071-764-0 94150
　　　　　978-89-6071-760-2 (세트)

값 : 800,000원 (전10책)

■ 파본은 교환해 드립니다.